马克思主义发展史

第 三 卷

马克思主义在论战和研究中日益深化
（1875—1895）

总主编 庄福龄 杨瑞森 梁树发 郝立新 张 新

本卷主编 张云飞　　副主编 袁 雷

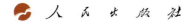

人民出版社

中国人民大学科学研究基金项目成果

（批准号：15XNLG03 ）

总　序

19 世纪 40 年代，马克思和恩格斯创立了他们的伟大科学学说——马克思主义。马克思主义的产生是人类思想史上的伟大变革。它对自然界、人类社会和人的思维的本质与规律作了科学回答，使社会主义由空想发展为科学，无产阶级革命实践从此有了科学理论的指导。

马克思主义自形成以来，在世界历史、人类生活、科学和思想文化的发展中，在指导无产阶级实现自身解放的伟大斗争中，留下了深刻的印记，形成了一部内容极其丰富、壮观，既充满曲折又创新不止的历史画卷。正如习近平总书记所说："一部马克思主义发展史就是马克思、恩格斯以及他们的后继者们不断根据时代、实践、认识发展而发展的历史，是不断吸收人类历史上一切优秀思想文化成果丰富自己的历史。"[①]

马克思主义发展史是马克思主义理论研究的基础。马克思主义发展的经验和规律、关于什么是马克思主义和怎样对待马克思主义的确切答案，就在马克思主义发展的历史中，需要通过对马克思主义发展史的研究获得。

一旦我们进入马克思主义发展史研究，就会发现以下事实：

第一，无论是两位马克思主义伟大创始人，还是他们的战友、学生和后继者中的严格的马克思主义理论家，无不重视对马克思主义发展史的研究，无不是马克思主义理论和马克思主义发展史修养兼备的理论家。

第二，马克思主义发展史作为历史进程中发展着的马克思主义，是马克思主义理论发展史和实践发展史的有机统一。也就是说，完整意义上的马克思主义发展史，既不是单纯的马克思主义理论史，也不是单纯的马克思主义实践

---

① 习近平：《在纪念马克思诞辰 200 周年大会上的讲话》，人民出版社 2018 年版，第 9 页。

史。这决定了马克思主义发展史研究和书写的基本方法论原则是理论与实践的统一。

第三，马克思主义发展史的存在形式是具体的和多样的，有实践的也有理论的，有文本性的也有非文本性的。马克思主义创始人和马克思主义理论家们始终在利用一切可能的形式进行他们的马克思主义理论研究、创造、阐释和传播。一部在内容上充分而且准确地反映马克思主义实际发展过程的马克思主义史，必定是对它的尽可能多的存在形式研究的结果。

第四，以马克思和恩格斯的战友、学生为主体的早期的马克思主义研究，其主要形式和成就正是马克思主义发展史研究。具体表现为：

（1）多种版本的马克思主义创始人传记问世。马克思主义创始人、其他马克思主义经典作家和无产阶级革命领袖的传记，是马克思主义发展史的存在形式之一，因而也是它的研究形式之一。它是在关于马克思主义创始人、其他马克思主义经典作家和无产阶级革命领袖的生平、事业、思想、著作的生成、演变与发展的历史记忆和追述中展示马克思主义形成与发展的过程。恩格斯是马克思传记的第一位作者。他的《卡尔·马克思》和其他未出版的马克思传记作品，在详尽介绍马克思作为伟大无产阶级革命家和理论家如何为无产阶级和全人类的解放而斗争一生的同时，阐述了以唯物史观、剩余价值学说为标志的他的理论、思想形成与发展过程。《弗里德里希·恩格斯》是列宁在 1895 年恩格斯逝世一个月后写的一篇悼文，它向读者介绍了恩格斯的生平、活动，特别是他实现哲学和政治转变的过程。《卡尔·马克思》是 1914 年列宁应邀为《格拉纳特百科词典》撰写的一个词条，在这里他提出马克思主义"是马克思的观点和学说的体系"[1]命题，强调了马克思主义的整体性；把阶级斗争和无产阶级使命的理论纳入"新的世界观"范畴，凸显马克思主义哲学的实践性；阐明无产阶级斗争策略是马克思主义理论体系中不可忽视的内容，凸显马克思主义的现实性。

（2）初步提出马克思主义发展规律问题。当考茨基还是一位马克思主义者的时候，他发表了一篇题为《马克思主义的三次危机》的文章，以纪念马克思逝世 20 周年。在这篇文章中，他用 19 世纪中叶以来欧洲发生的"三个事件"的命运——1848 年欧洲革命的失败、1871 年巴黎公社的失败和 19 世纪末修正

---

① 《列宁选集》第 2 卷，人民出版社 2012 年版，第 418 页。

主义的出现——说明所谓马克思主义"危机"的发生。在他看来,"危机"虽然不是马克思主义发展中的积极现象,但是也不必把它看作威胁到马克思主义命运的现象。它只是表现了马克思主义发展的曲折性。他认为,在上述每一事件发生的前后,马克思主义其实都经历过一个由高潮到危机、再由危机到高潮的过程,并且在危机被克服之后,马克思主义"总是赢得了新的基地"[①]。这种关于马克思主义"高潮—危机—高潮"的周期性变化、发展的认识,表明考茨基已经有了关于马克思主义发展规律的意识。同时期德国另一位著名马克思主义理论家罗莎·卢森堡善于在马克思主义发展的历史经验中理解马克思主义发展规律。在《马克思主义的停滞和进步》一文中,她通过对造成马克思主义发展中"停滞"现象的原因的分析而阐明了实质说来是马克思主义理论与实践的关系的独特见解。她认为,一定时期和一定地区的马克思主义发展中的"停滞",原因往往不在于马克思的理论落后于工人阶级的"现阶段斗争",而在于"现阶段斗争"以及"作为实际斗争政党的我们"的行为落后于马克思的理论。她说:"如果我们现在因此而觉察出运动中存在理论停滞状况,这并不是由于我们赖以生存的马克思理论无力向前发展或是它本身已经'过时',相反,是由于我们已经把现阶段斗争必须的思想武器从马克思的武库取来却又不充分运用;这并不是由于我们在实际斗争中'超越'了马克思,相反,是由于马克思在科学创造中事先已经超越了作为实际斗争政党的我们;这并不是由于马克思不再能满足我们的需要,而是由于我们的需要还没有达到运用马克思思想的程度。"[②]这就是说,在理论与实践的关系上,虽然一般说来实践是主要的决定的方面,理论来源于实践,接受实践的检验。但就 19 世纪末 20 世纪初这一时期的马克思主义发展来说,在卢森堡看来,则是实践落后于理论,落后于马克思的"科学创造"。卢森堡的这个观点在马克思主义理论家中引起了争议。曾是德国共产党理论家的卡尔·柯尔施在题为《关于"马克思主义和哲学"问题的现状(1930 年)》中谈到"马克思的马克思主义理论同后来工人阶级运动的表现形式的关系"问题时,对卢森堡的这个观点提出了批评,认为它"头足倒置地改变了理论对实践的关系"[③],并把它"变为一种体系",然后再用这个体

① 〔德〕卡·考茨基:《马克思主义的三次危机》,载《国际共运史研究资料》第 3 辑,人民出版社 1981 年版,第 238 页。
② 《卢森堡文选》上卷,人民出版社 1984 年版,第 476 页。
③ 〔德〕卡尔·柯尔施:《马克思主义和哲学》,重庆出版社 1989 年版,第 67 页注⑪。

系解释马克思主义"停滞"的原因。他说，马克思主义"不是一种能够神话般地预见将来一个长时期里工人运动的未来发展的理论。因而不能说随后的无产阶级的实际进步，实际上落在了它自己的理论后面，或者它只能逐渐充实由理论给它规定的构架①。列宁是把马克思主义发展史研究推向新的高度的马克思主义理论家。《马克思主义和修正主义》、《论马克思主义历史发展中的几个特点》、《马克思学说的历史命运》等是关于马克思主义发展史问题的著名篇章，它们从不同方面阐述了马克思主义发展规律。在《马克思主义和修正主义》中，列宁根据马克思主义发展的经验，得出马克思主义"在其生命的途程中每走一步都得经过战斗"②的结论。在《论马克思主义历史发展中的几个特点》中，列宁提出在"具体的社会政治形势改变了，迫切的直接行动的任务也有了极大的改变"的情况下，"马克思主义这一活的学说的各个不同方面也就不能不分别提到首要地位"。③

（3）阐述了马克思主义发展阶段思想。在《马克思主义的三次危机》中，考茨基关于马克思主义在危机与高潮交替中运行与发展的认识实际包含了马克思主义发展阶段思想。他是把马克思主义发展的高潮时期的起点理解为马克思主义发展新阶段的起点。他认为，马克思主义发展的第一个时期是 1848 年革命失败以前；第二个时期的开端是新高潮在 60 年代初到来的时候，止于 1871 年巴黎公社的失败；第三个时期是"1874 年德国社会民主党在选举中赢得了辉煌的胜利"和 1875 年在抵抗普鲁士政府对它的迫害中"敌对的弟兄们"联合起来的时候，止于 19 世纪末由于修正主义的产生导致的马克思主义的"第三次危机"。考茨基指出，在马克思逝世 20 周年的时候，马克思主义正处于这次危机的结尾，意味着马克思主义的一个新的发展时期的到来。列宁总是"从世界各国的革命经验和革命思想的总和中"④理解马克思主义的形成和发展，理解马克思主义发展的阶段性。在《马克思学说的历史命运》中，他按照世界历史的"三个主要时期"的划分，即从 1848 年革命到巴黎公社（1871 年），从巴黎公社到俄国革命（1905 年），从这次俄国革命至 1913 年撰写该文时，阐述马克思主义在每一时期的发展状况，并从中得出总的结论："自马克思主

① ［德］卡尔·柯尔施：《马克思主义和哲学》，重庆出版社 1989 年版，第 67 页。
② 《列宁选集》第 2 卷，人民出版社 2012 年版，第 1 页。
③ 《列宁选集》第 2 卷，人民出版社 2012 年版，第 279 页。
④ 《列宁全集》第 27 卷，人民出版社 2017 年版，第 15 页。

义出现以后，世界历史的这三大时期中的每一个时期，都使它获得了新的证明和新的胜利。"①

（4）提出正确对待马克思主义的问题。马克思主义发展的经验表明，正确认识马克思主义和正确对待马克思主义是实现马克思主义对于实践的正确指导和在实践中获得发展的两个密切联系的基本原则。就其对于实践的指导和马克思主义的自身发展来说，它们具有同等重要的意义。在马克思主义经典著作研读和马克思主义理论学习中，我们会发现马克思主义经典作家对于正确对待马克思主义问题的强调，较之如何认识马克思主义问题来得更多更为迫切。马克思主义发展史的这一现象其实是有来自现实生活的根据的。首先，它是问题本身与具体的无产阶级实践的关联。这个关联就是如何正确对待马克思主义的问题往往是在具体的实践中提出的，是实践中的问题。在这个意义上，我们说，怎样对待马克思主义的问题，直接地是一个理论与实践的关系问题。其次，它是马克思主义在发展中发生曲折的主要原因。这个原因往往不在于关于马克思主义的认识，而在于对待马克思主义的方式、态度。前面曾经提到的卢森堡关于马克思主义发展中"停滞"问题的分析，"停滞"的原因在卢森堡看来，就是德国共产党人对待马克思主义的方式与态度不正确。列宁关于正确对待马克思主义的思想则更为充分、鲜明。他认为马克思主义者从马克思的理论中"只是借用了宝贵的方法"②；强调"在分析任何一个社会问题时，马克思主义理论的绝对要求，就是要把问题提到一定的历史范围之内"③；主张要保卫马克思主义，使之"不被歪曲，并使之继续发展"④。

俄国十月社会主义革命胜利以后，世界范围的马克思主义发展史研究形势发生了根本性变化，特别表现在研究领域、主题的广泛拓展，研究的科学性和系统性的极大提升，研究中心有了强大的社会主义制度的支撑。这里首先应该提到的是俄国马克思主义科学研究中心的建立。这个中心的基础是于1918年成立的俄国社会主义学院，特别是它所属的成立于1919年的马克思主义理论、历史和实践研究室，在该室基础上1921年1月成立了马克思恩格斯研究院。该院在列宁的支持和协助下开始了马克思和恩格斯的遗著、遗稿和专用藏

---

① 《列宁选集》第2卷，人民出版社2012年版，第308页。
② 《列宁全集》第1卷，人民出版社2013年版，第166页。
③ 《列宁全集》第25卷，人民出版社2017年版，第232页。
④ 《列宁全集》第6卷，人民出版社2013年版，第251页。

书的搜集、出版，并开展了主题明确的马克思主义发展史研究。此后苏联红色教授学院、斯维尔德洛夫共产主义大学、莫斯科大学和苏维埃共和国其他城市的大学和研究机构也都开展了马克思主义发展史的研究和教学。至第二次世界大战前，苏联在马克思主义发展史研究方面值得提到的主要成就有：马克思和恩格斯的大量著作、文献的发现和系统发表，特别是《马克思恩格斯全集》、《列宁全集》、马克思诞辰和逝世周年纪念文集的出版，以及俄共（布）中央主办的理论刊物《在马克思主义旗帜下》的创刊、马克思恩格斯研究院机关刊物《马克思恩格斯文库》和《马克思主义年鉴》这两个"马克思学"文献的发表。马克思主义经典著作和纪念性书刊和文献的出版，标志着俄国马克思主义从普及到科学研究的过渡；马克思主义发展的列宁主义阶段的提出与共识；马克思主义与其之前优秀思想成果的关系问题的提出和科学阐释，包括马克思的哲学先驱者黑格尔、费尔巴哈和空想社会主义代表人物的著作的出版和研究；关于《西欧哲学史》的讨论使马克思主义哲学的起源和马克思哲学变革的实质问题成为苏联哲学界和理论界注意的中心；"三大重要手稿"（《黑格尔法哲学批判》、《1844年经济学哲学手稿》、《德意志意识形态》）得到集中而深入的研究；马克思主义政治经济学思想的形成与发展、《资本论》创作史研究，以及恩格斯经济学思想研究得到重视；继卢那察尔斯基、梁赞诺夫、阿多拉茨基、波格罗夫斯基、德波林之后，亚历山大罗夫、伊利切夫、康斯坦丁诺夫、米丁、尤金等一批新的马克思主义理论家成长起来，马克思主义史的学者队伍不断形成；《马克思主义形成与发展史略》、《马克思主义哲学的形成（19世纪30年代中期至1848年)》等著作出版。

法国著名马克思主义研究者奥古斯特·科尔纽从20世纪50年代初开始撰写的多卷本的《马克思恩格斯传》，其实是一部马克思和恩格斯思想史著作，特别是马克思主义形成史著作。50年代以后，一批综合性的马克思主义发展史研究著作陆续出版，如A.G.迈耶的《共产党宣言以来的马克思主义》（1954）、R.N.C.亨特的《马克思主义的过去和现在》（1963）、B.D.沃尔夫的《马克思主义学说百年历程》（1971）、S.阿维内里的《马克思主义的不同流派》（1978）。

这里，我们特别要提到国外马克思主义发展史研究的几部著作。第一部是南斯拉夫著名马克思主义哲学家普雷德腊格·弗兰尼茨基的《马克思主义史》，该书先后出了四版。第一版于1961年问世，第二版于1970年出版，1975年发行的第三版是第二版的重印，1977 年出了第四版。1963 年我国三联书店曾分上下卷出版了该书中文版。1986 年和 1988 年根据该书 1977 年版人民出版社先后出版了中文版第一、二卷，1992 年出版了中文版第三卷。弗兰尼茨基的《马克思主义史》（三卷本）是国外较早出版的论述马克思主义发展史的多卷本著作，曾被译成多国文字，在我国和世界其他国家的理论界产生过较大影响。

第二部是英国肯特大学政治学教授、国际著名马克思主义研究者戴维·麦克莱伦的《马克思以后的马克思主义》。该书于 1979 年由伦敦和巴辛斯托克麦克米兰出版公司出版。1980 年和 1998 年先后出了第二、三版。1984 年该书根据 1979 年版译成中文，1986 年由中国社会科学出版社出版。著名马克思主义哲学家、马克思主义哲学史家黄枬森教授写了《〈马克思以后的马克思主义〉一书评介》，载于该书。黄枬森教授指出该书有三个特点：它所涉及的范围十分广泛，几乎包括了马克思主义哲学、政治经济学和科学社会主义在马克思逝世后近百年来在世界各国的传播和发展；它用比较客观的态度提供了丰富的思想材料，对作者显然不同意的观点也能如实地进行介绍；它不仅提供了马克思主义发展史的丰富材料，而且提供了进一步研究的线索。2008 年中国人民大学出版社出版了该书第三版。

第三部是英国著名马克思主义史学家埃里克·霍布斯鲍姆的《如何改变世界——马克思和马克思主义的传奇》。该书收录了霍布斯鲍姆 1956—2009 年间在马克思主义发展史领域所写的部分作品，它们"实质上是对马克思（和不可分开的恩格斯）思想发展及其后世影响的研究"[①]。全书分两个部分，共 16 章。第一部分是"马克思和恩格斯"，从"今日的马克思"谈起，涉及"马克思、恩格斯与马克思之前的社会主义"、"马克思、恩格斯与政治"等专题，然后是"论"马克思和恩格斯的几部代表性著作文章，但这个论述已经不限于对著作内容、结构和知识点的介绍，而涉及更广泛的内容，特别是它们在国际共产主义运动史和马克思主义发展史上的影响、它们的文献学意义等。第二部分是"马克思主义"。从每一章的标题可以看出，其主题是马克思主义发展史各个时期的重要问题。所以，严格来说，它不是一部我们印象中的系统的马克

[①] ［英］埃里克·霍布斯鲍姆：《如何改变世界——马克思和马克思主义的传奇》，中央编译出版社 2014 年版，"前言"第 1 页。

思主义发展史著作，而是关于马克思主义发展史重要问题的研究性著作。但是，这并不影响它的实际的系统性，因为作者讨论的问题所在时期是连贯的。霍布斯鲍姆还乐观地谈到21世纪马克思主义前景，指出："经济自由主义和政治自由主义，无论是单独还是结合起来，都不可能为21世纪的种种问题提供解决的方案。现在又是应该认真地对待马克思的时候了。"①从占有材料的规范性、问题分析的透彻与精到、见解的鲜明与深刻来看，这是一部难得的马克思主义发展史著作。

第四部是莱泽克·科拉科夫斯基的三卷本的《马克思主义的主要流派》。这是一部大部头的马克思主义发展史著作，也是一部颇有争议的著作。该书第一卷写于1968年，第二卷和第三卷分别写于1976年和1978年。全书在英国出版于1978年。莱泽克·科拉科夫斯基1927年10月23日出生于波兰，曾担任华沙大学哲学系教授、系主任，系"东欧新马克思主义"代表人物。1968年被解除华沙大学教职后，先后去了德国、加拿大、美国，最后定居英国，在牛津大学任教。《马克思主义的主要流派》的结构特征是，除个别章节是理论专题外，其他均按人物排列。这些人物都是重要的马克思主义发展史人物，在科拉科夫斯基看来，他们还是某一马克思主义流派的代表。这些人在政治上和理论上当然有其个性，并具有较大影响力，但其中有的硬被说成某一马克思主义流派的代表，或者为其硬要搞出一个所谓马克思主义流派，实属牵强，表明他关于马克思主义流派的划分具有很大的随意性。作为"东欧新马克思主义"代表人物，他的观点与"西方马克思主义"的人本主义流派和西方"马克思学"的观点基本一致，但对于同样坚持人道主义立场的某些"西方马克思主义"人物，如马尔库塞、萨特等，他还是进行了严厉批评，原因很大程度不在于其理论观点，而在于他们与苏联的关系。科拉科夫斯基对社会主义国家的马克思主义和经济、政治体制的认识有很大片面性，许多观点是错误的。但该书在马克思主义发展史研究方面还是提供了丰富的资料，也使我们能够更广泛地了解国外马克思主义发展史研究的动态。

1978—1982年，意大利埃伊纳乌迪（Einaudi）出版社出版了一部多卷本的《马克思主义史》，霍布斯鲍姆称其是一项"最雄心勃勃的马克思主义史计

---

① ［英］埃里克·霍布斯鲍姆：《如何改变世界——马克思和马克思主义的传奇》，中央编译出版社2014年版，第385页。

划"。他是该书的联合策划者和联合主编，并参加了第一卷的写作。该书没有中文版。

　　总的来说，我国的马克思主义发展史研究起步较晚。1964年6月，原高等教育部根据中共中央决定批准中国人民大学成立马列主义发展史研究所，标志着我国系统的马克思主义发展史研究的开始。建所之初，马列主义发展史研究所的干部和教师以饱满的热情积极投入到马克思主义发展史资料的搜集、翻译和整理工作中。由于"十年动乱"和中国人民大学解散，还没有进入实际过程的马克思主义发展史研究不得不停步。实际的系统的马克思主义发展史研究是在1978年中国人民大学复校后马列主义发展史研究所由外校迁回后开始的。70年代末至整个80年代，马列主义发展史研究所在不太长的时间内发表了一批在学术界有较大影响的研究成果。先后有马列主义发展史研究所组编的《马克思恩格斯思想史》和《列宁思想史》出版；有在国内最早开启的马克思早期思想研究著作《马克思早期思想研究》和《〈资本论〉创作史》的出版，特别是在《马克思主义哲学史纲要》和《科学社会主义史纲》编写基础上，完成并出版了国内第一部综合性的马克思主义发展史著作《马克思主义发展史》，有《马克思主义与当代辞典》的编写和出版。20世纪90年代是研究所的高产期，仅在前半期就有《被肢解的马克思》、《新视野：〈资本论〉哲学新探》、《毛泽东哲学思想史》（三卷本）、《马克思主义经济思想史》、《〈资本论〉方法论研究》、《马克思"不惑之年"的思考》、《恩格斯与现时代》、《第二国际若干人物的思想研究》、《20世纪马克思主义史——从十月革命到中共十四大》、《马克思主义哲学史辞典》和几部马克思主义经典作家传记的出版。这些著作的出版为90年代初启动的四卷本《马克思主义史》的编写做了理论上的准备。四卷本的《马克思主义史》由中国人民大学马列主义发展史研究所组织编写，庄福龄教授主编，人民出版社1995年、1996年出版。这是由国内学者编写的第一部较大部头的马克思主义发展史著作，出版后获中宣部"五个一工程"奖和国家图书奖提名奖。

　　《马克思主义史》（四卷本）的出版距今已近30年，其间经历了世纪交替，马克思主义逐渐从苏联东欧社会主义制度解体造成的冲击和困境中走出并重新活跃起来，马克思主义研究在更广范围内和更深层次上展开并取得重要成果。一方面对马克思主义理论和马克思主义发展史有了新的认识；另一方面积累了马克思主义创新发展的丰富经验，尤其是马克思主义中国化时代化的经验，从而凸显编写一部反映马克思主义发展最新理论成果、内容更加充实、更高质量的马克思主义发展史著作的必要性。参加十卷本《马克思主义发展史》编写者们对完成这一任务的意义有自觉的意识：

第一，它是适应21世纪变化了的世界历史形势和这一形势下无产阶级认识世界和改变世界的伟大实践，特别是当代中国特色社会主义实践需要的。马克思主义的创新发展是在对客观历史形势的正确反映和根据这种反映对世界的积极改造中实现的，是在马克思主义基本原理同各国实际的结合中实现的。马克思主义发展史著作对这个过程的研究、书写，特别是对它的经验和规律的揭示，将为我们正确认识和面对新世纪客观形势的变化，并根据这种变化确定我们的实践主题、发展道路、发展战略提供启示。

第二，它是发展当代中国马克思主义、二十一世纪马克思主义的需要。一般地说，马克思主义发展史的研究对象是历史上的和世界性的马克思主义发展过程，是马克思主义发展的基本经验和规律。但是，从马克思主义的实践的和理论的发展目的出发，这种研究方法又必须是面对现实和面向未来的，因此是"大历史"的，是历史主义与现实主义的统一。而从这一原则和视野出发，我们的马克思主义发展史的研究和书写，一是要特别关注"我们自己正在做的事情"，从理论方面讲，就是要特别关注中国马克思主义的发展，关注马克思主义中国化时代化的历史进程；二是要关注马克思主义的当下发展状况和未来发展趋势。就研究者身在21世纪的现实来说，就是要研究二十一世纪马克思主义。关于"二十一世纪马克思主义"这个命题，我们还是要从总体上认识，即要看到它所表征的总的精神是面向马克思主义的未来发展。它既表明二十一世纪马克思主义主体对未来马克思主义发展、马克思主义命运信心满满，又表征对未来马克思主义发展提出更高要求，即它是能够回答新的时代之问的马克思主义发展新境界。

第三，它是对中国人民大学优良传统的继承和发扬。中国人民大学是中国共产党创办的第一所新型正规大学，有着用马克思主义指导办学的传统和经验。这个传统和经验，首先是坚持政治性与学理性的统一。坚持这个统一，既表现在办学方针，教育和教学的指导思想和根本方法上，也表现在科学研究所应坚持的根本方向、目标和方法上。对于马克思主义研究来说，就是为无产阶级革命、社会主义建设和改革的实践服务。这是我们从事马克思主义教育与研究的宗旨。这个宗旨在马列主义发展史研究所成立时就明确了。

1964 年前后，中央强调系统的马克思主义发展史研究，其直接原因在于当时国际政治形势的变化、国际的和社会主义阵营内部的意识形态斗争。中央批准成立中国人民大学马列主义发展史研究所的直接意图就是为了适应这一需要。对此，马列主义发展史研究所的干部和教师的认识是十分明确的。其次是始终坚持用马克思主义指导学校全面工作，把马克思主义贯彻教书育人的全过程，积极打造和夯实马克思主义教学与研究高地，为推进马克思主义中国化时代化进程贡献力量。这个传统是用中国人民大学师生的具体行动铸成的。中国人民大学为国家输送的马克思主义理论人才、为其他高校和教育单位输送的马克思主义理论教育人才、为高校马克思主义理论教学编写的教材、出版的各类马克思主义理论著作，特别是不同版本的马克思主义发展史著作，发挥了极其重要的作用。继四卷本的《马克思主义史》之后，我们今天编写十卷本的《马克思主义发展史》，既是对中国人民大学传统的继承和发扬，也是作为"人大人"的我们这一代马克思主义理论教育者和研究者的责任。

第四，它是适应马克思主义理论学科发展的需要。马克思主义理论学科有七个二级学科，马克思主义发展史是其中之一。相较于其他六个学科的发展现状，马克思主义发展史学科相对薄弱，这与马克思主义中国化研究和国外马克思主义研究从马克思主义发展史的结构中独立出来有关。原来的学科内容变窄了，但研究难度增加了（特别是马克思、恩格斯和列宁著作的研究难度）；马克思主义中国化研究和国外马克思主义研究这两门离我们时间和空间较近的学科从传统的马克思主义发展史体系中划分出来，使之具有的现实性受到一定程度的影响，降低了学科对学生的吸引力。但是，主要原因在于在马克思主义理论学科建立前国内学界缺乏对马克思主义发展史的研究，以致于在马克思主义理论学科建立后，出现许多学校开不出马克思主义发展史课程，甚至在其学校的马克思主义理论学科中排除马克思主义发展史学科的局面。马克思主义理论学科的专家们没有不说马克思主义发展史学科重要的，但真正从事这一学科研究的学者则相对较少。我们希望《马克思主义发展史》（十卷本）的编写能够对这一学科的发展起到推动作用。

根据 20 余年来我们的作者们关于马克思主义发展史研究成果与研究经验的积累，根据中国人民大学现有研究力量，我们认为完成这一编写任务的条件已经成熟。首先是四卷本《马克思主义史》的主编庄福龄教授提议，然后是学校和学院两级领导的支持和学院广大教师的积极响应，2014年元月正式启动了十卷本《马克思主义发展史》的编写。

经讨论，我们对《马克思主义发展史》（十卷本）的编写主旨取得共识：在客观准确地反映和阐述马克思主义形成与发展的全过程的基础上，特别着眼于对马克思主义发展的新主题的发掘、新材料的吸收、新观点新思想的阐发和新经验的总结，反映和吸收国内和国际马克思主义发展的最新成果，为时代、为人民、为我们的伟大事业贡献一部高质量的马克思主义发展史著作。

为此，我们对《马克思主义发展史》（十卷本）编写提出以下具体要求：

第一，强化马克思主义形成史研究。在对马克思主义形成过程的研究中，实现对尽可能丰富的马克思主义来源的深刻认识，在将马克思主义的产生放到整个欧洲文化乃至人类文化传统中认识时，注意区分马克思主义的来源与对马克思主义的产生发生影响的文化因素，强化对马克思主义形成中马克思和恩格斯与同时代思想家的关系的研究，着力揭示特定历史条件下新思潮产生和思想变革的规律。为实现这一要求，第一卷的编写在深化对马克思主义的"三个来源"的研究的同时，增加了马克思和恩格斯同时代人鲍威尔、赫斯、卢格、施蒂纳、契希考夫斯基和科本等对他们早期思想发生影响的内容。

第二，坚持以无产阶级革命和社会主义建设与改革的重大实践为主导线索。坚持以问题为中心，贯彻理论与实践、历史与现实相统一的原则。要注意认识和总结中国特色社会主义建设和改革开放过程中取得的马克思主义理论创新成果，特别是新时代中国特色社会主义建设实践中取得的马克思主义理论创新最新成果，还要善于从各个历史时期取得的马克思主义理论创新成果中认识和总结马克思主义发展的经验和规律。习近平总书记在党的二十大报告中指出："坚持和发展马克思主义，必须同中国具体实际相结合。我们坚持以马克思主义为指导，是要运用其科学的世界观和方法论解决中国的问题，而不是要背诵和重复其具体结论和词句，更不能把马克思主义当成一成不变的教条。我们必须坚持解放思想、实事求是、与时俱进、求真务实，一切从实际出发，着眼解决新时代改革开放和社会主义现代化建设的实际问题，不断回答中国之问、世界之问、人民之问、时代之问，作出符合中国实际和时代要求的正确回答，得出符合客观规律的科学认识，形成与时俱进的理论成果，更好指导中国实践。"①习近平总书记在这里提出的坚持和发展马克思主义的根本的方法论原则，也是指导我们从事马克思主义发展史研究的根本的方法论原则，只有坚持这个原则，我们才能写出一部反映马克思主义发展真实过程，适应无产阶级革命和社会主义建设与改革实践要求，适应不断开辟当代中国马克思主义、二十一世纪马克思主义新境界要求的马克思主义发展史。

第三，根据俄国十月社会主义革命胜利后马克思主义发展主题的转换，着重研究社会主义建设和改革的理论及其发展历程，高度重视和阐发中国特色社会主义理论体系的形成与发展对于马克思主义发展的意义，特别是习近平新时代中国特色社会主义思想对马克思主义发展的重大意义。习近平新时代中国特色社会主义思想是马克思主义中国化时代化的最新理论成果。为此，第十卷用主要篇幅充分阐释了习近平新时代中国特色社会主义思想形成、发展过程及其对马克思主义发展的重大贡献。

第四，着眼于国内外马克思主义研究最新成果的发现与研究，尤其是关于马克思主义基础理论、马克思主义文本文献、当代资本主义、当代社会主义、新科技革命、世界发展趋势、当代社会思潮等问题上的研究成果。本来的和完整意义的马克思主义发展史研究是关于马克思主义的过去、现在和未来发展的研究。21 世纪以来的马克思主义实践和理论发展自然应该进入我们的研究视野，并成为理解总体的马克思主义发展史的坐标。

第五，立足于马克思主义整体发展的研究，但不忽略对马克思主义的各个组成部分、各个学科发展的研究。马克思主义主要由它的哲学、政治经济学和科学社会主义三大部分构成，马克思主义发展史研究和书写给予其较多关注是应该的，但是不能由此而忽略马克思主义多学科发展事实。例如，第二卷注意揭示"马克思主义的全面拓展过程"，在关注马克思和恩格斯的自然观和科学观形成与发展的同时，也考察了他们在伦理观、宗教观、美学和文艺观、军事理论等方面的发展。第六卷在系统考察马克思主义在哲学、政治经济学方面的发展的同时，还考察了马克思主义在文艺学、史学方面的发展。

第六，在着重认识与阐释马克思主义在革命、建设和改革的实践中发展的

---

① 习近平：《高举中国特色社会主义伟大旗帜　为全面建设社会主义现代化国家而团结奋斗——在中国共产党第二十次全国代表大会上的报告》，人民出版社 2022 年版，第 17—18 页。

同时，也对专业性的马克思主义理论研究成果给予必要关注。注意总结不同类型的主体的马克思主义创新经验，注意从不同形式的马克思主义文本中认识马克思主义的新发展。例如，根据包括本卷作者在内的学界最新研究成果，第三卷增加了马克思和恩格斯关于科学技术的社会性质和社会功能、从自然运动向社会运动过渡的理论内容。

第七，关注当代世界马克思主义思潮，在总体的马克思主义发展历史进程中认识国外马克思主义。为此，第七、八、九卷对各国共产党和进步组织、国外各马克思主义研究流派、世界社会主义运动的马克思主义研究等进行了深入考察。要求对它们要有分析、有鉴别，既不能采取一概排斥的态度，也不能搞全盘照搬。

第八，不回避马克思主义研究中的理论难题，敢于以鲜明的态度在重大理论问题上发声。检视在重大问题上的传统认识，善于结合新的实际作出新的判断。既注意总结正确认识马克思主义的经验，也注意总结正确对待马克思主义的经验。着力分清哪些是必须长期坚持的马克思主义基本原理，哪些是需要结合新的实际加以丰富发展的理论判断，哪些是必须破除的对马克思主义的教条式的理解，哪些是必须澄清的附加在马克思主义名下的错误观点。为此，第五卷特别设置了"马克思主义基本原理、本质特征和历史命运的科学阐述"一章，系统阐释列宁的马克思主义观，展示列宁科学认识和对待马克思主义的经验。

本书的卷次划分遵循实践逻辑、历史逻辑和理论逻辑的统一。这个统一特别表现为马克思主义在无产阶级革命和社会主义运动实践中实现发展的若干重要阶段之间的关系。因此，每一卷次标示的时间阶段实质说来不是自然时间，而是历史时间，表征马克思主义发展的一定的阶段性。

阶段的划分是相对的，并且是分层次的。有大阶段，也有大阶段包含的小阶段、次级阶段。马克思主义发展史的大阶段是马克思和恩格斯对马克思主义的创立与发展、列宁主义的形成与发展、以中国马克思主义为标志的当代马克思主义发展。它们分别包含若干小阶段。比如，第一个大阶段包括马克思主义的创立、马克思主义的丰富与系统化、马克思和恩格斯晚年对马克思主义的深化三个小阶段。这三个阶段构成本书的第一至三卷。第二国际马克思主义（1889—1914 年）是马克思和恩格斯创立的原初马克思主义与列宁主义之间的过渡。虽然这一时期马克思主义缺乏突出发展，但是由于这个时期的人物、思潮和流派之间的复杂关系以及马克思主义多向演变与发展的可能而凸显其对于马克思主义发展史的特殊意义。基于此，马克思主义在这一时期的发展与演变被设置为独立的一卷（第四卷）。马克思主义发展的列宁主义阶段以俄国十月社会主义革命胜利为界划分为两个阶段，时间段分别为：19世纪末—1917年、1917—1945年。前一阶段是列宁主义的形成及其在十月革命前的发展，后一阶段是列宁主义在十月革命胜利后的发展。这个阶段的内容包括列宁晚年关于社会主义发展道路的探索、苏联社会主义模式的形成。这两个阶段还分别包括马克思主义在中国的初期、早期传播和马克思主义中国化的第一个伟大理论成果——毛泽东思想的形成。这就是本书第五、六卷的内容。第七、九、十卷的内容是马克思主义在第二次世界大战后的发展。它们的时间段分别是：1945—1978年、1978—21世纪初、1989年以来。每一卷所包含的内容都是在相应时间段内马克思主义的发展状况，其中主要是苏联和东欧各国对社会主义的探索、中国共产党人和马克思主义者对中国社会主义发展道路的探索，特别是改革开放以来邓小平理论、"三个代表"重要思想、科学发展观和习近平新时代中国特色社会主义思想的形成与发展。为了体现马克思主义发展的连续性，第九卷在着重阐述邓小平理论形成发展过程外，用适当篇幅阐述了苏东剧变过程中及之后非资本主义国家马克思主义的曲折发展和理论反思，时间延续到21世纪初。为了完整地和集中地阐释马克思主义中国化时代化最新理论成果，第十卷聚焦中国特色社会主义理论体系的跨世纪发展，对当代中国马克思主义、二十一世纪马克思主义做了重点阐释。马克思主义在非社会主义国家的研究情况比较复杂，时间跨度比较长，为方便读者阅读和了解社会主义国家之外的非社会主义国家的马克思主义研究和发展状况，安排第八卷为1923年以来"马克思主义在非社会主义国家的传播与发展"专卷。

"实践没有止境，理论创新也没有止境。"[①] 理论创新没有止境，马克思主义发展史研究就不能停滞不前。十卷本《马克思主义发展史》的出版，不是我们的马克思主义发展史研究的结束，而是新的研究的起点。我们需要根据马克思主义在新的时期新的实践中的发展把马克思主义发展史研究继续下去。

---

① 习近平：《高举中国特色社会主义伟大旗帜　为全面建设社会主义现代化国家而团结奋斗——在中国共产党第二十次全国代表大会上的报告》，人民出版社2022年版，第18页。

　　《马克思主义发展史》（十卷本）的作者们对编写工作提出了很高要求，力求为推动二十一世纪马克思主义发展、开辟马克思主义中国化时代化新境界，奉献一部能够经得起时间考验的马克思主义发展史著作。但是，由于我们的水平有限，马克思主义发展史的有些方面和问题还未完全掌握和深入研究，呈现在广大读者面前的这份研究成果是否能够承担起它应承担的这样一个使命，是否能够为广大读者满意，我们心怀忐忑。我们愿意听到读者的批评意见。

　　　　　　　　　　　　　　　　　　　　　　　本书总主编

　　　　　　　　　　　　　　　　　　　　　　　2023 年 9 月 15 日

　　　　　　　　　　　　　　　　　　　　　　　（梁树发执笔）

目　录

Contents

Chapter Three: Studies the New Achievements of Natural Sciences and the Theoretical Conception of *Dialectics of Nature*

Chapter Seven: The Extension to the Perspective of Political Economy and the Compilation and Publication of the Manuscript of *Das Kapital* ························

卷 首 语

　　1871年爆发的巴黎公社是无产阶级夺取政权的第一次伟大尝试，是社会主义从科学理论向革命实践飞跃的标志。巴黎公社失败之后，"西方进入了为未来变革的时代作'和平'准备的阶段。"① 在这一时代背景下，在1875年至1895年期间，在创立唯物史观和剩余价值理论之后，在科学总结巴黎公社革命经验的基础上，在继续完成《资本论》这一科学巨著的同时，在指导国际工人运动实践的过程中，在与形形色色的机会主义、修正主义和资产阶级新社会思潮斗争的过程中，在概括总结和科学吸收自然科学、数学、文化人类学、历史学、东方社会理论、宗教学等学科成果的过程中，在坚持马克思主义哲学、马克思主义政治经济学、科学社会主义三者相统一的马克思主义整体性原则的前提下，马克思和恩格斯在广度、深度和高度上拓展和丰富了马克思主义理论体系。因此，这20年是马克思主义在论战和研究中日益深化的20年，是马克思主义发展的第三个历史阶段。

　　1875年是马克思主义发展第三个阶段的历史起点。其依据在于：

　　第一，共产主义社会发展理论的提出。在1875年之前，根据经济运动规律的必然性，马克思恩格斯只是原则性地预测了共产主义发展的未来远景。1875年之后，马克思恩格斯第一次明确提出了过渡时期和共产主义发展阶段的理论。1875年2月，德国社会主义工人党成立。次年，第一国际解散。自此以后，欧洲各国开始纷纷建立工人阶级的政党。在指导德国社会主义工人党成立的过程中，为了消除拉萨尔主义的错误影响，促进党的健康发展，马克思

---

① 《列宁选集》第2卷，人民出版社2012年版，第306页。

于 1875 年 4 月底到 5 月初创作了《哥达纲领批判》。在这一科学文献中，他创造性地提出了共产主义社会两个发展阶段的理论。这样，工人运动实践和马克思主义理论的这种"碰撞"和"统一"，就预示着马克思主义发展的一个新时期的来临。

第二，东方社会发展道路或东方社会理论的提出。在 1875 年之前，尽管关注过前资本主义社会和非资本主义社会的发展问题，但是，马克思恩格斯主要将英国作为研究典型。1875 年之后，随着《资本论》研究的深入，马克思恩格斯重点将俄国作为解剖对象。1875 年 2 月到 3 月初，在马克思的建议下，为了回击俄国民粹主义者特卡乔夫对马克思主义的攻击，恩格斯撰写了《论俄国的社会问题》一文，科学探讨了俄国的农村公社向高级形式过渡的社会历史条件。1875 年 12 月到 1876 年 2 月，马克思阅读了丹尼尔逊寄来的《税制委员会报告书》。在 1866 年和 1875 年之间，该报告出版了 22 卷。丹尼尔逊给马克思寄去了其中的 10 卷。由于借阅期只有 2 个月或 3 个月，因此，马克思在短期内仔细研究了这些资料，并作了详细的摘录。① 这些摘录构成了《关于俄国一八六一年改革和改革后的发展的札记》的重要资料来源。后来，马克思提出了不通过资本主义"卡夫丁峡谷"的设想。在《共产党宣言》的"1882 年俄文版序言"中，马克思恩格斯对之给出了公开的答复：假如俄国革命将成为西方无产阶级革命的信号而双方互相补充的话，那么，俄国土地公有制便能成为共产主义发展的起点。这样，在"世界历史"的语境中，东方社会发展道路问题研究或者东方社会理论成为马克思主义理论体系的重要内容。

第三，史前史研究或史前社会理论的提出。在 1875 年之前，由于资料缺乏，马克思恩格斯主要关注的是私有制社会的历史演进问题，在原始社会问题上提出了一些资料尚不充分的判断。1875 年之后，利用文化人类学进化论学派等方面的成果，马克思恩格斯开始系统研究史前史。1875 年夏天，马克思和俄国民族学家柯瓦列夫斯基第一次见面。同年 9 月，两人第二次见面。柯瓦列夫斯基当时在英国利用大英博物馆的资料从事科学研究。在 1876 年—1878 年期间，他几乎每周都拜访马克思。这样，马克思和他就成为"科学上的朋友"。他从美国旅行归来后，给马克思带回了摩尔根的《古代社会》一书。以

---

① C.F. James D. White, *Karl Marx and the Intellectual Origins of Dialectical Materialism*, Macmillan Press LTD,1996, pp.249–251.

此为契机，马克思创作了《人类学笔记》(《古代社会史笔记》)。这一过程绝不是单纯的马克思追踪文化人类学发展进程的过程，也是马克思影响文化人类学发展方向的过程。正如柯瓦列夫斯基指出的那样："假如没有和马克思认识，我很可能既不会去研究土地占有制的历史，也不会去研究欧洲的经济发展，很可能把大部分注意力集中于政治制度的发展，因为这类问题本来就是我所讲授的课目。"[①] 这样，在仍然坚持按照阶级分析方法研究社会演变的过程中，史前史研究或史前社会理论开始成为马克思主义理论体系的重要内容。

第四，自然史研究或自然辩证法理论的提出。在 1875 年之前，由于主要任务是将唯心主义从其最后的避难所中驱逐出去，因此，马克思恩格斯主要关注的是人类史问题，创立了唯物史观，对自然史问题只有原则性的说明。1875 年之后，在与庸俗唯物主义、社会达尔文主义和一些错误科技思潮斗争的过程中，在科学总结自然科学发展最新成果的基础上，马克思恩格斯开始系统研究自然史问题，提出了自然辩证法的问题。1873 年 2 月—5 月，恩格斯完成了名为"毕希纳"的片断。这是《自然辩证法》中的第一篇完成的文献。1873 年 5 月 30 日，恩格斯提出了"关于自然科学的辩证思想"。在此基础上，在投入反对杜林的斗争之前，1875 年 11 月—1876 年上半年，恩格斯完成了《导言》这篇完整的科学论文。1876 年 5 月—6 月，又完成了《劳动在从猿到人的转变中的作用》这一完整的科学论文。同时，马克思广泛涉猎自然科学领域，创作了《数学手稿》。这样，自然辩证法就开始成为马克思主义理论的重要组成部分。

相较于 1875 年之前的情况，上述理论研究和理论拓展具有原创性的意义，揭开了马克思主义发展史的新篇章。

1895 年是马克思主义发展第三个阶段的历史下限。其依据在于：1895 年恩格斯逝世之后，由于资本主义从自由竞争阶段开始进入垄断阶段，国际工人运动和马克思主义的发展都遇到了一系列新的挑战，尤其是第二国际内部修正主义势力抬头并占据了主导地位。当然，帝国主义时代的到来和修正主义的肆虐，并不意味着马克思主义的"寿终正寝"，而预示着马克思主义发展一个新阶段的到来。正是在与之斗争的过程中，根据帝国主义发展不平衡的规律，列

---

① [俄] 马·柯瓦列夫斯基:《回忆卡尔·马克思》，《回忆马克思》，人民出版社 2005 年版，第 287 页。

宁创造性地提出了社会主义革命可以首先在一国胜利的科学理论，从而开辟了马克思主义发展的又一个新阶段。

从研究内容来看，在 1875 年到 1895 年期间，在继续坚持从哲学、政治经济学和科学社会主义三个方面丰富和发展马克思主义理论体系的同时，在与机会主义和修正主义、资产阶级新社会思潮斗争的过程中，在科学总结人类知识最新发展成就的基础上，马克思和恩格斯在广度、深度和高度上扩展了自己的研究领域和研究范围。在创作于 1892 年 11 月 9 日和 25 日之间的《马克思，亨利希·卡尔》一文中，就马克思 1875 年后的科学研究工作，恩格斯指出，"这时马克思却能够重新回到自己的科学研究工作上来，同时研究的范围也已经大大扩大了。马克思研究任何事物时都考察它的历史起源和它的前提，因此，在他那里，每一单个问题都自然要产生一系列的新问题。他研究原始时代的历史，研究农学、俄国的和美国的土地关系、地质学等等，主要是为了在'资本论'第三卷中最完善地写出关于地租的章节，而在他以前没有人试图这样做过。马克思除了能以所有的日耳曼语和罗曼语自由阅读以外，还学习了古斯拉夫语、俄语和塞尔维亚语"①。此外，马克思还研究了世界历史、货币市场和银行业、数学和生理学等一系列领域的问题。同时，恩格斯开始研究俄国社会问题，提出了自然辩证法的科学构想，研究了欧洲古代社会历史和原始基督教的历史，并对无产阶级革命和国际共产主义运动史中面临的重大问题、对资本主义发展的垄断趋势等问题提出了自己的看法。因此，从 1875 年到 1895 年，是巩固和完善马克思主义理论整体性的 20 年。在这个过程中，马克思主义进一步成为一个科学的艺术的整体。

逻辑和历史的一致是辩证思维的基本原则，也是研究马克思主义发展史的基本方法。在运用马克思主义总体性方法和坚持"以马解马"诠释学原则的前提下，必须立足于整个马克思主义发展史来考察马克思恩格斯在 1875 年到 1895 年期间的理论研究和理论贡献，从国际共产主义运动史和马克思主义发展史相统一的角度来考察马克思主义发展第三个阶段的社会历史背景和社会历史特点，从马克思主义创作史、马克思主义思想史、马克思主义传播史相统一的角度来考察马克思主义发展第三个阶段的思想发展和理论逻辑，从马克思主义文献学、马克思主义发展史、马克思主义基本原理相统一的角度来考察马克

---

① 《马克思恩格斯全集》第 22 卷，人民出版社 1965 年版，第 399—400 页。

思主义发展第三个阶段的理论贡献和科学价值。

总之，在 1875 年至 1895 年期间，马克思恩格斯总结自然科学和数学发展的成就，提出了自然辩证法的科学构想；吸收文化人类学的成果，研究家庭、私有制和国家的起源，提出了科学的史前社会理论；探索俄国村社问题，提出不通过资本主义"卡夫丁峡谷"设想，完善了科学的东方社会理论；研究世界古代历史，完善了科学的社会形态理论；研究资本主义新动向，预测垄断发展趋势，批判讲坛社会主义，扩展《资本论》的研究视野和内容，完善了马克思主义政治经济学体系；总结马克思主义哲学产生和发展的规律，在坚持历史唯物论的同时突出历史辩证法，完善了马克思主义哲学体系；指导各国创立工人政党，反对机会主义，进一步探索无产阶级政党建设的理论和无产阶级斗争的策略，完善了科学社会主义基本原理。显然，这一阶段是马克思主义在理论论战和科学研究中日益深化的阶段，完善了马克思主义理论体系的整体性，构成了马克思主义发展史上新的辉煌篇章。

第一章 1875 年后马克思恩格斯的科学探索和理论扩展

从 1875 年创作《哥达纲领批判》到 1895 年恩格斯逝世，在回应具有"和平"性质的时代课题中，在参加和指导国际共产主义运动的实践中，在严肃而激烈的意识形态斗争中，在多角度和多方位的科学探索和理论研究中，马克思和恩格斯进一步丰富和完善了马克思主义理论体系，进一步彰显了马克思主义与时俱进的理论品质，进一步彰显了马克思主义理论的整体性。

第一节 1875 年后马克思恩格斯思想发展的历史背景

1871 年之后，世界历史的发展开始"带有'和平'性质，没有发生革命"[①]。在这样的历史背景下，马克思恩格斯科学把握资本主义、工人运动、科学技术的最新发展趋势，在与资产阶级新社会思潮和党内机会主义斗争的过程中，将马克思主义推向了一个新的发展阶段。

---

① 《列宁选集》第 2 卷，人民出版社 2012 年版，第 306 页。

一、资本主义向垄断阶段的过渡和资产阶级新社会思潮的泛起

在自由资本主义继续发展的同时，19世纪70年代以来，资本主义开始向私人垄断资本主义阶段过渡。随之而来的是，一些资产阶级新社会思潮泛起。这样，就向国际工人运动和马克思主义提出了许多新的挑战。

（一）垄断的出现和实现形式

私人垄断资本主义是生产集中发展的结果，通过垄断组织得以实现。

垄断的出现原因。生产集中是垄断形成的物质基础。例如，在当时的德国，生产集中达到了空前高度。每1000个工业企业中，雇用工人50人以上的大企业，1882年有3个，1895年有6个，1907年有9个。每100个工人中，这些企业的工人分别占22人、30人、37人。但是，生产集中的程度要比工人集中的程度大得多，因为在大企业中劳动的生产率要高得多。有关蒸汽机和电动机的材料可以说明这一点。以德国所谓的广义工业（包括商业和交通运输业等在内）来说，情况如下：在3265623个企业中，大企业有30588个，只占0.9%。在1440万工人中，其工人占570万，即占39.4%；在蒸汽马力中，其占75.3%；在电力中，其占有77.2%。可见，不到1%的企业，竟占有总数3/4以上的蒸汽力和电力。而占总数91%的小企业，却只占有7%的蒸汽力和电力。① 当然，银行信用事业的发展及其对股份公司的促进，也推动了生产集中。此外，还有两个因素促进了生产集中。一是以电力的发明和应用为代表的第二次科技革命。在电力的带动下，工业结构由以轻工业为主转向以重工业为主，重工业的发展要求实现高度的生产集中。二是在1873年至1907年之间连续爆发了5次经济危机。经济危机引起了企业兼并和合并的高潮，从而也促进了生产集中。这些危机明显地具有世界性。总之，垄断是生产集中的必然产物。

垄断的实现形式。垄断是通过一定的垄断组织形式实现的。大转变是从1873年的崩溃后的萧条时期开始的。这次萧条在欧洲经济史上持续了22年，只是在19世纪80年代初稍有间断，并在1889年左右出现过异常猛烈然而为

---

① 数据参见《列宁选集》第2卷，人民出版社2012年版，第584页。

时甚短的高涨。在这种情况下，资本家大力组织卡特尔来利用行情。卡特尔彼此商定销售条件和支付期限，彼此划分销售地区，规定所生产的产品的数量，确定价格，在各个企业之间分配利润，等等。德国的卡特尔在 1896 年约有 250 个，在 1905 年有 385 个，参加卡特尔的企业约有 12000 个。[①] 此外，一些资本主义企业也采用了股份公司这样的社会化形式。然而，"在一定的发展阶段上，这种形式也嫌不够了，国内同一工业部门的大生产者联合为一个'托拉斯'，即一个以调节生产为目的的联盟；他们规定应该生产的总产量，在彼此间分配产量，并且强制实行预先规定的出售价格。但是，这种托拉斯一遇到不景气的时候大部分就陷于瓦解，正因为如此，它们就趋向于更加集中的社会化：整个工业部门变为一个唯一的庞大的股份公司，国内的竞争让位于这一个公司在国内的垄断"[②]。在这种情况下，一个工业部门的生产总量，往往有十分之七八集中在卡特尔和托拉斯手中。例如，莱茵—威斯特伐利亚煤业辛迪加在 1893 年成立时，集中了该地区总采煤量的 86.7%，到 1910 年则已经达到 95.4%。[③] 这样造成的垄断，保证获得巨额的收入，并导致组成规模极大的技术生产单位。总之，为了维护资本家的利益，资产阶级主动调节资本主义生产关系，使资本主义开始向垄断阶段过渡。

显然，垄断的出现使资本主义进入了一个新的历史发展阶段。

（二）资本主义上层建筑的变化

在私人垄断资本主义的条件下，资本主义社会矛盾具有了新的特点。为了维护资产阶级的利益和统治，资本主义也调整了上层建筑，这样，资本主义上层建筑也发生了变化。

在政治上层建筑方面，他们在继续用公开的暴力镇压方式的同时，开始利用法律手段来对付工人阶级的反抗。例如，为了对抗影响日益扩大的马克思主义和工人运动，德国俾斯麦政府于 1878 年 10 月通过了《反社会党人非常法》（以下简称为《非常法》）。该法规定：一切旨在推翻"现存国家制度和社会制度"而从事社会民主主义、社会主义和共产主义活动的团体均予禁止，其集会、活

---

① 数据参见《列宁选集》第 2 卷，人民出版社 2012 年版，第 590 页。
② 《马克思恩格斯选集》第 3 卷，人民出版社 2012 年版，第 808—809 页。
③ 数据参见《列宁选集》第 2 卷，人民出版社 2012 年版，第 590 页。

动、游行予以解散，印刷品予以查禁；严禁为社会民主党印刷宣传品和提供集会场所；在"公共安全受到威胁"的地方宣布实行"小戒严"；"危害公共安全和公共秩序者"要被驱逐出居留地，参与受禁活动者将被处以罚款或被判刑等。其实，"反社会党人法之所以颁布，并不是因为统治阶级害怕社会民主党放火烧他们的房子，而是因为他们想从工人手里夺得工人在资本主义社会中逐步争得的不多的权利"[①]。由此可以看出资产阶级法律的反动性。

在思想上层建筑方面，引发了资产阶级新社会思潮的泛起。1848年，德国资产阶级抛弃了德国哲学，黑格尔成为了死狗。"从此以后，在公众当中流行起来的一方面是叔本华的，尔后甚至是哈特曼的迎合庸人的浅薄思想；另一方面是福格特和毕希纳之流的庸俗的巡回传教士的唯物主义。在大学里，各种各样的折中主义互相展开竞争，不过在一点上它们是一致的，这就是它们全都是由过时哲学的十足的残渣拼凑而成的，并且全都同样地是形而上学的。"[②]19世纪70年代之后，为了故意曲解马克思主义哲学同德国古典哲学的关系，出现了试图通过复活德国古典哲学中的消极因素来消解马克思主义的新康德主义和新黑格尔主义。这样，当时影响较大的资产阶级新社会思潮有：第一，唯意志主义。与康德、费希特不同，叔本华的"生活意志论"是在19世纪40年代马克思主义哲学产生以后出现的哲学思想。在一般哲学问题上，叔本华认为，世界是我的表象。因此，他对现代西方唯心主义哲学都有一定的影响。在社会历史观上，叔本华认为，资本主义矛盾是自然和人的存在本身的矛盾，是不同意志的客观化之间的冲突造成的，因此，只有禁欲和虚无才能解决这些问题。最终，这种哲学必然敌视无产阶级革命。第二，新康德主义。新康德主义是盛行于1870年至1920年间的西方哲学流派。他们强调的回到康德去，是回到康德哲学中的唯心主义先验论和不可知论上去。在社会历史问题上，新康德主义将康德看作是德国工人阶级的导师和社会主义之父，从根本上否定了马克思和马克思主义在工人运动和社会主义发展史上的重要地位。第三，新黑格尔主义。新黑格尔主义是流行于19世纪下半叶至20世纪30年代的西方哲学流派。它忽略了黑格尔思想的辩证法和历史方面，突出了时间和永恒、物和心、多和

① 　[德] 弗·梅林：《德国社会民主党史》Ⅳ，生活·读书·新知三联书店1966年版，第340页。
② 　《马克思恩格斯全集》第26卷，人民出版社2014年版，第500页。

一的关系。他们污蔑马克思主义的唯物辩证法是一个自相矛盾的体系，认为辩证法根本不可能是唯物主义的。在其实质上，上述流派是对抗马克思主义的科学性、麻痹和瓦解工人阶级的革命意志的资产阶级社会思潮。

总之，资本主义在上层建筑中出现的反动趋向，要求无产阶级必须与之展开针锋相对的斗争。

（三）马克思恩格斯对朗格的批判

朗格是早期新康德主义的重要代表，对后来的新康德主义和第二国际后期的修正主义有很大影响。恩格斯在 1865 年 3 月 11 日致马克思的信和 1865 年 3 月 29 日致朗格的信、马克思在 1870 年 6 月 27 日致库格曼的信，都对之进行了严肃认真的批判。

在批判朗格的过程中，马克思恩格斯主要阐明了以下问题：第一，自然规律的历史性特点。马尔萨斯认为，人口是按照几何级数增长的，食物是按照算术级数增长的，因此，食物满足不了人口的需要，必然产生贫困。通过战争等手段，才能保持人口和食物的平衡。达尔文不懂得劳动在从猿到人转变过程中的作用，荒谬地认为人类祖先像其他物种一样必然开展生存斗争和为自然选择的规律所支配。但是，朗格将之奉为自然规律，大肆宣扬社会达尔文主义。对此，恩格斯指出，"所谓'经济规律'并不是永恒的自然规律，而是既会产生又会消失的历史性的规律"①。这在于，任何社会经济规律都是这个社会的生产条件和交换条件的抽象的描述和概括。那些或多或少地对过去的全部历史起过作用的规律则仅仅表现为以阶级统治和阶级剥削为基础的一切社会状态所共有的关系。同样，马克思提出，必须分析"生存斗争"在各种不同的社会形式中如何历史地表现出来的，而不是侈谈自然规律。第二，贫困形成的社会性原因。朗格鼓吹通过节制生育、提高工人文化水平等方式来解决工人的贫困和失业问题，竭力攻击马克思主义关于通过无产阶级革命来消灭资产阶级对无产阶级的剥削和压迫以求得无产阶级和劳动人民解放的理论，竭力攻击唯物史观。对此，恩格斯一针见血地指出，生产得太少，这就是全部问题之所在。但是，为什么生产得太少呢？"资产阶级社会不希望，也不可能希望生产得更多。"②

① 《马克思恩格斯选集》第 4 卷，人民出版社 2012 年版，第 459 页。
② 《马克思恩格斯选集》第 4 卷，人民出版社 2012 年版，第 461 页。

同时，当时的经济学的发展表明，人口不是对生活资料产生压力，而是对就业手段产生压力。显然，资本主义才是必须消除的发展中的障碍。唯此，才能从根源上铲除贫困和失业。第三，消除贫困的物质性途径。朗格主要是围绕着如何使人口的增加和生活资料的增加相适应的问题提出对策。在恩格斯看来，实现人口和食物的平衡的确是必要的，但是，不能回避消灭资本主义的问题。在坚持通过无产阶级革命消灭资本主义制度的前提下，必须利用资本主义条件下创造的先进生产力，大力发展生产力，"把每个人的生产力提高到能生产出够两个人、三个人、四个人、五个人或六个人消费的产品；那时，城市工业就能腾出足够的人员，给农业提供同此前完全不同的力量；科学终于也将大规模地、像在工业中一样彻底地应用于农业；欧洲东南部和美国西部在我们看来是取之不尽、用之不竭的天然肥沃的地区将以空前巨大的规模进行开发。如果这些地区都已经开垦出来，可是还有匮乏现象，那才是该说应该警惕的时候"①。此外，朗格赞同通过合作社的方式解决问题，恩格斯对之表示非常感兴趣。

在此基础上，马克思恩格斯还科学阐明了马克思主义与黑格尔的关系。在德国，人们早已把黑格尔埋葬了，但是，马克思恩格斯还严肃认真地对待黑格尔。朗格对之感到十分惊奇。马克思指出："同一个朗格在谈到黑格尔的方法和我对这种方法的应用时所说的话实在是幼稚。第一，他完全不懂黑格尔的方法；因而，第二，也就更加不懂我应用这个方法时所采取的批判方式。"② 这就是，朗格没有看到辩证法是黑格尔哲学的合理内核，马克思在唯物主义的基础上颠倒了黑格尔的辩证法，二者存在着本质区别。

事实上，对朗格的批判，揭开了《自然辩证法》和《路德维希·费尔巴哈和德国古典哲学的终结》（以下简称为《费尔巴哈论》）的"序幕"，奏响了批判第二国际后期的修正主义的"前奏"。

总之，私人垄断资本主义和资产阶级新社会思潮的兴起，是马克思恩格斯在 1871 年之后进行革命活动和理论探索的时代背景，要求马克思主义在批判自由竞争资本主义的基础上进一步展开对资本主义的新的批判。

---

① 《马克思恩格斯选集》第 4 卷，人民出版社 2012 年版，第 460—461 页。
② 《马克思恩格斯文集》第 10 卷，人民出版社 2009 年版，第 338 页。

二、欧美工人运动的日益高涨和国际共产主义运动发展的新趋向

在第一国际后期及其解散后，欧美各国工人运动日益高涨，在此基础上，欧洲各国工人阶级政党纷纷建立，极大地推动了工人运动的发展，这样，就使得国际共产主义运动发展出现了一些新的趋向，需要马克思主义作出科学的回答和指引。

（一）欧美工人运动的日益高涨

私人垄断资本主义进一步激化了无产阶级同资产阶级的矛盾。在这样的背景下，1875 年，美国宾夕法尼亚的煤矿工人举行了长达半年的罢工。自此，欧美工人运动在"和平"时期如火如荼地开展了起来。

美国工人运动。1873 年 9 月，美国发生了一次严重的经济危机，工厂减员情况极其严重，但是，资产阶级企图利用危机造成的困难局面彻底铲除工会。在这样的背景下，工人罢工斗争此起彼伏地开展起来了。1875 年 1 月，在矿主们的大举进攻下，宾夕法尼亚无烟煤矿工人被迫举行罢工。但是，资产阶级对罢工进行了残酷镇压。无烟煤矿工协会于 1876 年解体。工会领导人被捕受审，并被逐出矿区，有的人竟被判一年监禁。但是，工人运动并未偃旗息鼓。1877 年，爆发了第一次全国性的铁路工人罢工。1885 年，全国发生罢工斗争 700 次，共计有 25 万人参加罢工。1886 年 5 月 1 日，美国工人举行了争取 8 小时工作日的全国总罢工。2 万多个企业的 35 万工人举行了声势浩大的示威游行。仅芝加哥一个城市，就有 4.5 万名工人涌上街头。但是，罢工遭到资产阶级的残酷镇压。为了纪念这次运动，1889 年 7 月 14 日，国际社会主义工人代表大会通过了规定五月一日为国际无产阶级节日的决议。这就是"五一"国际劳动节的来历。

英国工人运动。在消除工联主义的影响之后，工人运动于 1880 年—1890 年进入新工会运动发展时期。在新工会的领导下，1889 年 8 月 12 日至 9 月 14 日，6 万英国工人发动了一场持续两个月的罢工斗争。罢工提出了增加工资、争取 8 小时工作制的要求。捐来的罢工基金约有 5 万英镑。由于罢工斗争具有坚定性和组织性，最后迫使资方让步，从而加强了无产阶级的团结。

法国工人运动。法国工会数目从 1884 年的 68 个增加到 1890 年的 1006 个，

工会会员接近 14 万。在工会的领导下，法国工人于 19 世纪 80 年代到 90 年代举行了一系列的罢工和游行。1886 年 1 月底，在法国南部的德卡兹维耳市有 2000 名煤矿工人开始罢工，罢工是由阿韦龙矿业公司资本家残酷剥削工人引起的。罢工开始时，工人们打死了拒绝听取工人要求的矿长。政府派军队到德卡兹维耳。罢工一直继续到 6 月中，并引起了全国的广泛响应。在罢工的影响下，众议院形成了一个维护工人阶级要求的规模不大的工人派。恩格斯认为，这是与美国工人"五一"大罢工相比拟的一件大事。

俄国工人运动。随着农奴制改革的推进，在资本主义有所发展的情况下，俄国工人运动也随之兴起。1885 年，俄国莫洛佐夫纺织厂罢工，参加者 11000 人，斗争持续了 8 天，最终迫使沙皇政府于次年颁布了限制资本家向工人征收罚金的法令。这标志着俄国有组织的群众性工人运动的开始。

这样，在工人运动日益高涨的情况下，欧美工人阶级政党纷纷成立。

（二）第一国际的解散和第二国际的成立

资本主义是一种"世界历史"现象，因此，无产阶级反对资产阶级的斗争必须坚持和采用国际主义的原则。在资本主义世界历史体系中，更应如此。但是，这种国际主义究竟应该采取何种形式，是一个需要在实践中不断探索的问题。

巴黎公社的失败，使国际陷于无法存在的境地。在将总委员会迁往纽约不久，第一国际于 1876 年 7 月 15 日宣布解散。对此，恩格斯在 1877 年 6 月指出："后来的情况证明这个在当时和后来曾常常受到指责的决定是多么正确。这样，一方面任何想假借国际的名义策划无谓暴动的企图被制止了；另一方面，各国社会主义工人党之间从未间断过的密切联系证明，国际所唤起的对于各国无产阶级利益一致和相互团结的觉悟，即使没有一个正式的国际联合组织这样一条纽带，仍然能够发挥作用，而这样一条纽带在当时已经变成了一种束缚。"① 因此，1871 年后，马克思恩格斯开始把精力主要集中于指导和帮助各国工人阶级建立独立的政党。但是，他们从未放弃无产阶级的国际主义原则。

从 1886 年起，情况发生了变化。法国可能派、法国马克思派和德国社会民主党分别提出在 1889 年召开一次国际工人代表大会的倡议。根据第一国际

---

① 《马克思恩格斯选集》第 3 卷，人民出版社 2012 年版，第 721—722 页。

时期同巴枯宁分子斗争的经验，恩格斯清醒地意识到国际工人运动面临着严重的危险。鉴于可能派是一个改良主义的派别并且有可能夺取新的无产阶级国际组织的领导权，因此，恩格斯毅然投入到了指导国际工人代表大会的筹备和组织工作中去。经过各种努力，1889 年 7 月 14 日，国际社会主义代表大会在巴黎开幕。因此，这一大会被视为第二国际成立的标志。恩格斯逝世后，修正主义在第二国际中占了上风。这样，事情的性质就发生了变化。

总之，从第一国际解散到第二国际成立这段时间内的国际工人运动实践，同样是马克思主义发展第三阶段重要的实践背景。

（三）国际共产主义运动的新趋向

随着资本主义社会进入长期的和平时期和生产力的快速发展，以及欧美各国无产阶级政党的建立和国际工人运动的快速发展，国际共产主义运动出现了一些新趋向。

各国工人阶级政党在本国工人阶级运动中发挥着主导作用。第一国际是一个国际性的工人阶级联合组织，各国工人阶级组织只是国际的支部，要受国际的领导。随着工人运动的快速发展，要求建立独立的各国工人阶级政党，并承担领导本国无产阶级运动的历史重任。虽然各国无产阶级政党之间也存在紧密的联系，但其主要任务都是领导本国无产阶级运动和革命，各国工人阶级政党之间是平等的合作关系。

对内反对机会主义和改良主义的斗争、对外反对统治阶级的压迫，成为各国工人阶级政党的重要任务。随着工人运动的快速发展，资产阶级政府为了维护自身的统治，采取种种措施限制和打压工人阶级政党及其领导的无产阶级运动。例如，俾斯麦政府通过了限制德国社会民主党的《反社会党人非常法》，对德国社会民主党的发展造成了极大的损害。"任何人也都知道，反社会主义者的法令的目的在很大程度上是要摧毁群众对威胁着他们的不断贫困化的抵抗。"[①] 因此，德国社会民主党必须与之进行坚决的斗争，进而废除这一法案。同时，工人运动的快速发展，使得大量的非无产阶级加入无产阶级政党，并将其自身的阶级思想带入无产阶级政党和工人运动中间，导致机会主义和改良主义思想在工人阶级政党内部蔓延，因此，工人阶级政党要健康发展，必须

---

① [德] 弗·梅林：《马克思传》（下），人民出版社 1965 年版，第 661 页。

与机会主义和改良主义进行坚决的斗争。

在资本主义处于和平时期的新情况下，必须在坚持革命政权的前提下，积极利用诸如议会斗争、普选权等斗争方式。在海牙国际工人代表会议上，马克思就提出无产阶级通过合法的斗争，有可能取得胜利的重要思想。当然，这必须建立在无产阶级充分意识到自身的历史使命，紧紧地抓住历史机遇，并合理地运用自己的力量的基础之上。恩格斯指出，普选权对于无产阶级政党具有重要意义。1884 年 10 月底至 11 月中，恩格斯热情评价在实施反社会党人法期间德国社会民主党人在帝国国会选举中获得的成功。因此，在和平的条件下，能否运用普选权为无产阶级政党服务成为衡量一个无产阶级政党是否成熟的重要标志。

可见，国际共产主义运动的新趋向为无产阶级政党和工人运动的发展提出了一系列新的要求。

总之，欧美各国工人运动和国际共产主义运动的发展，不仅提出了在各国建立工人阶级政党的问题，而且要求马克思主义对之作出科学解释和正确引导。

三、马克思主义的广泛国际传播和机会主义对马克思主义的挑战

19 世纪 70 年代以来，在马克思主义的科学指导下，各国工人阶级政党得到了快速的发展，在推动马克思主义广泛国际传播的同时，也使得各种非无产阶级人士加入到工人阶级政党中，这样，就导致了各种机会主义思想在无产阶级政党内部的泛滥，并对马克思主义提出了许多挑战。

《共产党宣言》（以下简称为《宣言》）及其序言的传播。1848 年，《宣言》发表后，在各国工人阶级中间产生了巨大影响，成为马克思主义的代名词。在世界历史条件下，由于世界各国政治经济发展的不平衡性，《宣言》在各个国家出版和传播的情况也不尽相同。《宣言》德文第一版问世。以后多次公开再版，其中最为重要的是马克思恩格斯加序的 1872 年版和 1883 年版。1848 年，在斯德哥尔摩出版了《宣言》的第一个外文版——瑞典文版，并且公开发售。以后，英文、俄文、法文、葡萄牙文、捷克文、波兰文等版本陆续出版。到 19 世纪 70 年代，马克思恩格斯意识到资本主义世界发生了很大变化，尽管《宣

言》的基本原理并没有过时，然而一些具体的结论已经不适应变化发展了的实际，但是《宣言》是一个历史性文件，他们并没有权利修改它。因此，他们通过撰写序言的方式丰富和发展了《宣言》的思想，以适应和指导变化发展了的实践。《宣言》共有七个版本的序言。在 1892 年波兰文版序言中，恩格斯指出，"近来《宣言》在某种程度上已经成为测量欧洲大陆大工业发展的一种尺度。某一国家的大工业越发展，该国工人想要弄清他们作为工人阶级在有产阶级面前所处地位的愿望也就越强烈，工人中间的社会主义运动也就越扩大，对《宣言》的需求也就越增长。因此，根据《宣言》用某国文字发行的份数，不仅可以相当准确地判断该国工人运动的状况，而且可以相当准确地判断该国大工业发展的程度"①。当然，由之也可以判断出马克思主义在这一国家传播和接受的程度和水平。饶有趣味的是，《宣言》俄文第一版由巴枯宁翻译。对此，马克思恩格斯指出："巴枯宁翻译的《共产党宣言》俄文第一版，60 年代初由《钟声》印刷所出版。当时西方认为这件事（《宣言》译成俄文出版）不过是著作界的一件奇闻。这种看法今天是不可能有了。"② 到 1918 年，《宣言》俄文版出版的版次居于世界各种文字版本之首，达 70 次之多。显然，《宣言》"是全部社会主义文献中传播最广和最具有国际性的著作，是从西伯利亚到加利福尼亚的所有国家的千百万工人的共同纲领"③。

《资本论》的广泛传播。1868 年 9 月，在第一国际布鲁塞尔代表大会上，一致通过了德国代表团提出的关于《资本论》的决议案。决议案建议世界上所有国家的工人都来学习《资本论》，并倡议将这一科学巨著译为各种文字在世界上出版。

第一，《资本论》的普及本。马克思很重视《资本论》的宣传和普及工作，一直想尽可能地把《资本论》第一卷的内容介绍给工人阶级中的大多数。19世纪 70 年代中期，德国工人领袖莫斯特为广大读者着想，写了一本题为《资本和劳动》的《资本论》提要。该小册子出版后，马克思帮助进行再版的修订工作，甚至重写了部分章节。1877 年 10 月，经过马克思修订的《资本和劳动》的英译本在美国出版。1882 年 7 月 25 日，马克思通过恩格斯给纽约的赫普纳

① 《马克思恩格斯选集》第 1 卷，人民出版社 2012 年版，第 394 页。
② 《马克思恩格斯选集》第 1 卷，人民出版社 2012 年版，第 378 页。
③ 《马克思恩格斯选集》第 1 卷，人民出版社 2012 年版，第 392 页。

去信，建议不出版《资本论》的浅释，而是再版经过马克思修订的《资本和劳动》。此外，马克思支持和指导纽文胡斯用荷兰文普及《资本论》的工作。

第二，《资本论》的俄文版。1872年3月27日，《资本论》第一卷的俄文版出版，这是《资本论》的第一个外文版。对此，马克思指出："二十五年以来我不仅用德语而且用法语和英语不断地同俄国人进行斗争，他们却始终是我的'恩人'。1843—1844年在巴黎时，那里的俄国贵族给我捧场。我的反对蒲鲁东的著作（1847），以及由敦克尔出版的著作（1859），在任何地方都不如在俄国销售得多。第一个翻译《资本论》的外国又是俄国。但是对这一切都不应当估计过高。"① 在当时的俄国，知识阶层都以谈论《资本论》为荣，尤其是青年男女教师都在谈论这一著作，甚至连大家闺秀的床头都放着《资本论》。早在1871年，季别尔就通过其专著《李嘉图的价值和资本理论》向俄国读者介绍了《资本论》第一卷的主要思想。马克思的思想在该书中得到了充分的阐述。对此，马克思指出："1871年，基辅大学政治经济学教授尼·季别尔先生在他的《李嘉图的价值和资本理论》一书中就已经证明，我的价值、货币和资本的理论就其要点来说是斯密—李嘉图学说的必然的发展。使西欧读者在阅读他的这本出色的著作时感到惊异的，是纯理论观点的始终一贯。"②《资本论》在俄国的广泛传播引发了俄国社会各阶层的激烈讨论，尤其是关于俄国社会发展道路问题的争论。

第三，《资本论》的法文版。1872年9月17日，由马克思亲自校对和补充的、具有独立价值的《资本论》第一卷法文版第一辑出版，第一天就售出了234套。1871年6月6日，在第一国际比利时支部机关报《自由报》上发表了一篇题为《关于卡尔·马克思的〈资本论〉》的文章。该文讲到，《资本论》已在德国引起了强烈的反响，他们期望将这一著作尽快翻译成法文出版。可见，出版《资本论》法文版是一些欧洲国家无产者的迫切愿望。对于马克思来说，准备法文版的工作是在巴黎公社失败之后进行的，因而，这一工作更具有重大的意义。这在于，尽管大多数公社成员都是社会主义者，但也只是本能的社会主义者，他们还远远没有理解科学共产主义的最重要的原理，蒲鲁东主义仍然是对工人产生有害影响的根源。因此，马克思特别希望法文版的出版能够"使

---

① 《马克思恩格斯全集》第32卷，人民出版社1974年版，第554页。
② 《马克思恩格斯文集》第5卷，人民出版社2009年版，第19页。

法国人摆脱蒲鲁东用对小资产阶级的理想化把他们引入的谬误观点"①，弥补法国极其缺乏理论基础和实际的健全思想的缺陷。

此外，1887 年 1 月初，《资本论》第一卷英译本出版。同时，恩格斯生前还整理出版了《资本论》第二、三卷，使得《资本论》作为一个整体在世界上广泛传播，并产生了巨大的影响。

《法兰西内战》（以下简称《内战》）的广泛传播。在《内战》中，马克思以惊人的清晰性、科学的精确性，揭示了作为建立无产阶级专政第一次伟大尝试和未来社会主义国家典范的巴黎公社的性质和世界历史意义。作为总委员会的宣言，《内战》没有署上马克思的名字。它首次以 35 页小册子的形式于 1871 年 6 月 13 日用英文出版，印数为 1000 份，两个星期之后销售一空。英文版的《内战》一发表立即引起了轰动，并由伦敦的各家报纸摘要和转载。1871 年 6 月在《每月新闻》、《旁观者》、《泰晤士报》、《每日电讯》、《写真》和《旗帜晚报》上摘要发表，接着，1871 年 7 月作为重要文章刊登在《派尔—麦尔新闻》和《星期六晚评》上。在第一版脱销之后，在马克思的建议下，又印行了第二版，印数为 2000 份，同时又以传单形式发行。7 月 25 日，马克思向总委员会通报说，第二版已经脱销。8 月初，第三版发行，印数为 1000 份。恩格斯指出，"自伦敦有史以来，还没有一件公诸于世的文献，像国际总委员会的宣言那样，产生如此强烈的影响。……所有的报刊都不得不一致承认国际是欧洲的一支巨大的力量，对这支力量必须加以考虑，而且不能用故意不理会它的存在的办法来消灭它。所有的报刊都不得不承认宣言的文笔高超……语言那样坚强有力"②。不久，这一文献又用德文、法文、佛莱米文、丹麦文、荷兰文、西班牙文、意大利文、俄文、塞尔维亚—克罗地亚文发表。马克思的著作还没有哪一部像这一部一样，在这么短的时间内就得到这么广泛的传播。因此，"《法兰西内战》使马克思声名大振"③。全世界的革命者尤其是国际各支部、各工人组织纷纷表示赞成和拥护《内战》的观点，甚至一些民主主义者也为文中所阐述的原则之绝妙而折服。

在这个过程中，马克思恩格斯科学阐明了传播马克思主义的基本要求。在

① 《马克思恩格斯全集》第 31 卷，人民出版社 1972 年版，第 546 页。
② 《马克思恩格斯全集》第 17 卷，人民出版社 1963 年版，第 408 页。
③ [英] 埃里克·霍布斯鲍姆：《如何改变世界——马克思和马克思主义的传奇》，中央编译出版社 2014 年版，第 167 页。

1887年2月19日致丹尼尔逊的信中，恩格斯指出："我认为，您如果向贵国广大读者指明如何将我们作者（马克思——引者注）的理论应用于你们本国的条件，那是很好的。但是，正如您所说的，等到作者的著作全部出齐对您来说也许会更好些。"① 显然，恩格斯强调要把马克思的理论应用于包括俄国在内的各国的实际，必须坚持具体问题具体分析的原则，不能教条化，应该从整体上把握马克思主义的著作，应该将马克思主义与各国实际相结合。

马克思主义在世界范围内的广泛传播与马克思主义的内在的强大的生命力和各国革命形势发展密切相关。这样，就为马克思主义的进一步发展提供了阶级基础和思想基础。但是，在工人阶级内部不可能自发地形成科学意识和阶级意识，反倒是各种形形色色的机会主义在工人运动中长期处于主导地位。机会主义是资产阶级和小资产阶级思想意识在工人运动中的表现。1875年之后，马克思主义同机会主义的斗争进入了一个新的阶段。

这时，机会主义的抬头有其复杂的原因。一是从时代背景来看，这一时期具有"和平"的性质，无产阶级的议会斗争取得了重要的进展。"经过二十七年，社会民主党从起初聚集在拉萨尔的旗帜周围的少数人，发展到有了将近一百五十万帝国议会选举人，从那以后，又经过十三年，它就拥有三百多万帝国议会选举人了；1903年6月16日同1890年2月20日一样，是一个胜利日。"② 尽管这种进展有利于保障工人阶级的权益，但是，也有可能滋生"议会症"（议会迷）。这是机会主义尤其是修正主义滋生的重要原因。二是从社会环境来看，德国社会民主党建立后，俾斯麦政府为了限制和打压德国社会民主党的发展，通过了《非常法》，通过一系列措施压制德国社会民主党的发展，迫使很多基层党组织瓦解。党的基层组织的涣散，也使得机会主义思想在德国社会民主党内进一步抬头和蔓延。三是从组织建设来看，随着大工业的发展和工人运动的快速发展，尤其是欧美各国工人阶级政党的建立，包括小农和小资产阶级在内的大量非无产阶级加入无产阶级政党，并将自己的阶级观念带入工人阶级政党内部，导致了工人阶级政党内部出现各种机会主义思想。1895年1月3日，在给德国社会民主党人施土姆普弗的信中，恩格斯指出："党不断壮大和不可

① 《马克思恩格斯全集》第36卷，人民出版社1974年版，第604页。
② ［德］弗·梅林：《德国社会民主党史》IV，生活·读书·新知三联书店1966年版，第328页。

阻挡的发展，会造成这样的情况，即新入党的人比以前入党的人难于消化。大城市的工人，即最有见识和最有觉悟的工人，已经同我们站在一起。现在加入的不是小城市或农村地区的工人，就是大学生、店员等等，或者是正在破产的边缘挣扎的小资产者和农村家庭手工业者（这些人还占有或承租小块土地），此外，现在还有真正的小农。"①显然，这是党内各种机会主义倾向趋于活跃的重要原因。四是从思想建设来看，马克思主义对工人运动的影响还没有达到应有的绝对优势的地位。当时，社会主义运动的主要教育和宣传努力不是放在出版和传播马克思和恩格斯的著作上，而是将马克思主义通俗读物作为重点。"例如，在德国，在1905年以前，《共产党宣言》每一个版本的印刷量只有2000册，最多也只有3000册，尽管此后的印刷规模有所增加（数据来自德国社会民主党代表大会）。相比之下，1903年，考茨基的《社会革命》（第一部分）的印刷量是7000册，1905年是2.15万册；从1898年到1902年，倍倍尔的《基督教与社会主义》销售了3.7万册，1903年印刷量是2万册；德国社会民主党的《爱尔福特纲领》（1891）发行量达到12万册。"②这种情况势必影响到马克思主义传播的效果，也为机会主义在工人运动中的抬头提供了可能的空间。其实，要真正掌握马克思主义，必须从原著入手。正是在这样的背景下，各种机会主义向马克思主义发起了挑战。马克思恩格斯与之进行了严肃的斗争。

总之，1875年以来，马克思主义的广泛国际传播彰显了马克思主义的强大生命力，而机会主义对马克思主义的挑战也为马克思主义的发展提出了新的课题。

四、19世纪后期自然科学发展的最新成就及其提出的理论问题

科学技术在19世纪后期取得了快速发展。然而，资产阶级却利用之来反对马克思主义。因此，马克思恩格斯积极关注和利用最新科技成果来驳斥资产阶级的错误论调，建立马克思主义的自然辩证法科学体系，为工人阶级的解放

---

① 《马克思恩格斯文集》第10卷，人民出版社2009年版，第683页。

② [英] 埃里克·霍布斯鲍姆：《如何改变世界——马克思和马克思主义的传奇》，中央编译出版社2014年版，第169页。

提供科学技术武器。

（一）19世纪后期的科学技术革命

在19世纪后期，科学革命和技术革命都取得了重要进展。

19世纪后期的科学革命。19世纪后期的自然科学获得了巨大的飞跃式发展。"三大发现"是其主要代表性的成就。第一，细胞理论。1838年，施莱登提出"所有的植物都是由细胞组成的"；1839年，施旺提出"所有动物也是由细胞组成的"。这样，就形成了细胞理论，认定细胞是生命的基本单位。这样，就使得个体的发育成为可以理解的。第二，能量守恒和转化定律。1842年，迈尔发表了《关于非生物界的各种力的意见》，最早证明了能量守恒定律；1843年，焦耳在《论磁电的热效应，兼论热值》中证明了热和机械力的相互转化。在此基础上，形成了能量守恒和转化定律。这一定律表明：自然界中的一切物质都具有能量，能量有各种不同形式（如，机械能、热能、电磁能、原子能和化学能等）；这些形式能够从一种形式转化为另外一种形式，从一个物体系统传递给另外一个物体系统；在转化和传递中，能的量保持不变。这就表明，能量是物质运动的量度，物质运动具有多样性和统一性。第三，达尔文的进化论。1859年，在长期的科学观察和分析的基础上，达尔文在《物种起源》一书中，运用大量的事实说明了从单细胞生物到动植物直至人类的历史进化过程。承认进化论就意味着完全结束了对世界由神安排的支持，也把历史因素引入科学范围。这样，"由于这三大发现和自然科学的其他巨大进步，我们现在不仅能够说明自然界中各个领域内的过程之间的联系，而且总的说来也能说明各个领域之间的联系了，这样，我们就能够依靠经验自然科学本身所提供的事实，以近乎系统的形式描绘出一幅自然界联系的清晰图画。"[①]在总体上，这三大发现和其他科技成就为马克思主义的产生和发展奠定了自然科学的基础。

19世纪后期的技术革命。到了70年代，西方社会开始从蒸汽机时代进入电气时代。电力之所以成为新的能源并取代蒸汽而占据统治地位，有两个方面的原因。一方面，19世纪下半叶到20世纪初期，以电磁理论和发电机、发动机为标志的第二次技术革命发生，为使用电力奠定了科学技术方面的基础；另一方面，随着社会对钢的需求的增加和煤炭储量的下降，蒸汽机已经难以满

① 《马克思恩格斯选集》第4卷，人民出版社2012年版，第252页。

足生产和运输的需要，迫切需要新的能源。电能之所以优越于蒸汽能，就在于它可以集中生产、分散使用、便于运输，而且可以转化为其他形式的能量，是一种理想的能源。据李卜克内西回忆，1850 年 7 月初的一天，马克思曾以欢欣鼓舞的心情指出："蒸汽大王在前一个世纪中使世界发生了天翻地覆的变化，现在它的统治已到末日，另外一种更大得无比的革命力量——电火花将取而代之。"① 接着，马克思又充满着兴奋和热情告诉李卜克内西说，最近几天在摄政街上陈列有一个拉一列火车的电力机车的模型。在马克思逝世的前一年，法国物理学家德普勒架设了第一条实验性输电线路——从米斯巴赫到慕尼黑的 57 公里长的线路。事情果然不出马克思所料，以电机和内燃机为标志的第二次工业革命，到 19 世纪 70 年代时就真正发生了。马克思还提出了这样的问题："现在问题是已经解决了。但是这件事的后果是难以估计的。经济上的革命出现以后，随之而来的必定是一场政治上的革命。因为后者只是前者的表现而已。"② 随着电力的应用，极大地促进了资本主义大工业的发展，从而推动资本主义从自由竞争阶段进入垄断阶段。没有电力就不可能有垄断资本主义。但是，资本主义不是一个真正能充分利用科学技术成果的生产方式。这样，社会革命尤其是无产阶级革命的问题再次被提了出来。

显然，19 世纪后期的科学技术革命呼吁思维方式和生产方式的变革，呼吁无产阶级革命。这些重大的课题都需要作出马克思主义的回答。

（二）19 世纪后期的科学技术思潮

受其哲学立场的影响，科技革命成果在人们思想中的反映尤其是哲学概括是各不相同的，由此形成了各种科技思潮。从 70 年代初期开始，形形色色的科技思潮开始在资产阶级学者中间盛行开来，成为资产阶级对抗马克思主义和社会主义的"科学利器"。

社会达尔文主义。社会达尔文主义将达尔文关于生物界"物竞天择、适者生存"的规律抽象地运用到人类社会，否认社会发展的客观规律，否认自然规律和社会规律的内在差异。进而，他们强调资本主义社会条件下的雇佣劳

---

① ［德］威·李卜克内西：《纪念卡尔·马克思——生平与回忆》，《回忆马克思》，人民出版社 2005 年版，第 45 页。

② ［德］威·李卜克内西：《纪念卡尔·马克思——生平与回忆》，《回忆马克思》，人民出版社 2005 年版，第 45 页。

动、自由竞争及其导致的人剥削人和人压迫人的现象都是符合规律的，是由于人的本性而产生的自然过程，是自然界生物进化的规律在人类社会的体现。因此，他们得出结论说，资本主义社会是永恒的，而取代资本主义社会的社会主义社会是不可能的。其实，"达尔文的全部生存斗争学说，不过是把霍布斯关于一切人反对一切人的战争的学说和资产阶级经济学的竞争学说以及马尔萨斯的人口论从社会搬到生物界而已。变完这个戏法以后"，"再把同一种理论从有机界搬回历史，然后就断言，已经证明了这些理论具有人类社会的永恒规律的效力"①。在哲学上，社会达尔文主义将社会规律降解为了生物规律，不仅是唯心主义的典型例证，而且是机械主义的典型例证。1872年底，德国生理学家毕希纳撰写的《人及其过去、现在和将来在自然界中的地位》一书再版。这是一本歪曲地利用当时的生理学和人类学成果以散布庸俗唯物主义和社会达尔文主义的自然哲学著作。在认真研究该书之后，恩格斯认为有必要对之进行批判。这即是创作《自然辩证法》的直接动因。恩格斯曾计划把《自然辩证法》的最后一章直接和政治问题联系起来，他打算要全面地批判社会达尔文主义并详细地分析达尔文主义和社会主义究竟有什么关系。

各种"科学"唯心主义。当用唯心主义观点解释科学成果，否认科学真理的客观性，便形成了各种"科学"唯心主义。第一，"生理学"唯心主义。最早运用"生理学"唯心主义一词的是费尔巴哈。生理学家弥勒指出光的感觉是由对眼睛的各种不同的刺激引起的，由此他想否定人类的感觉是客观实在的映象。因此，费尔巴哈将之列入"生理学唯心主义者"。另外，新康德主义者朗格也鼓吹这种观点。由于"生理学"唯心主义鼓吹的是存在着"认识的界限"这一新康德主义的错误思想，因此，恩格斯首先向之发起了猛烈的进攻。第二，"热力学"唯心主义。热力学第二定律证明，高温的物体的热量会自动转向和传输给低温物体。然而，克劳胥斯将在封闭的有限的自然系统中建立起来的热力学客观定律推广到广袤而无限的宇宙中去，强调宇宙的热量一直传输下去，会慢慢引起各物体之间的温度平衡，导致宇宙没有新的热量出现和世界末日的来临。这里，宣扬热量消失理论是为了证明上帝的存在和鼓吹悲观主义，进而麻痹人民群众的斗争意志和革命意识。第三，"数学"唯心主义。由于数学概念是思维高度抽象化的产物，一些唯心主义者就利用这一点企图遮蔽数学和现实的

① 《马克思恩格斯选集》第4卷，人民出版社2012年版，第517—518页。

真实关系，否认数学对象的客观来源，这样，就形成了"数学"唯心主义。例如，杜林认为一切纯粹的数学概念也可以用先天方法从纯粹思维中引申出来。对此，恩格斯指出，"数和形的概念不是从其他任何地方，而是从现实世界中得来的……而不是在头脑中由纯思维产生出来的"①。从认识论和方法论来看，"数学"唯心主义是按照机械主义方式推动自然科学概念数学化造成的结果。因此，现在需要的是将科学成果和科学解释上升到辩证唯物主义水平。

降神术。1871 年巴黎公社革命失败之后，一些资产阶级分子大肆宣扬"神灵"问题、"招魂"问题和四度空间问题等降神术。甚至一些科学家也卷入了其中，严重背叛了科学精神。降神术宣扬蒙昧主义和神秘主义等观念，将自己称为"科学的请神者"。这不仅麻痹了一些知识文化水平较低的群众，还对知识界造成了一定的影响，以达到转移一部分人对革命问题的关注的目的。从政治上来看，降神术的传播是资产阶级对于 1871 年巴黎公社革命、对于无产阶级革命运动的一种直接的思想反动。从哲学上来看，一些科学家之所以变成了降神术骗子的俘虏，并且郑重其事地接受降神术的"经验"，就在于他们持有经验主义的立场，而不重视理论思维尤其是不懂得辩证思维。对此，恩格斯撰写了《神灵世界中的自然科学》一文，有力驳斥了神秘主义和蒙昧主义的错误观点。

这样，批判上述科技思潮就成为马克思主义的重要课题。

总之，19 世纪科学技术发展及其提出的一系列问题，要求马克思恩格斯对科学技术展开关注和研究，并驳斥资产阶级的错误观点，坚持和捍卫马克思主义理论的科学性和完整性。

第二节　1875 年后马克思恩格斯的革命活动和理论研究

1875 年后，马克思恩格斯参与和指导了各国无产阶级政党及其领导的工人运动，同党内的机会主义和修正主义等错误思潮进行了坚决斗争，在继续研

---

① 《马克思恩格斯选集》第 3 卷，人民出版社 2012 年版，第 413 页。

究政治经济学的同时，还深化了对自然史、史前史、东方社会问题、欧洲古代社会和世界历史、西欧资本主义社会以及历史唯物主义等重大课题的研究，从多个方面和角度丰富和发展了马克思主义理论体系。

一、马克思恩格斯在 1875 年到 1883 年期间的革命活动

马克思恩格斯总是在亲自参与和领导无产阶级革命的实践中向前推进自己的理论的。从 1875 年到 1883 年，马克思和恩格斯以忘我的精神和大无畏的气概投身到无产阶级的革命活动中去，通过各种方式指导各国工人阶级政党及其领导的工人运动，在国际共产主义运动中发挥了"灵魂"和"头脑"的作用。

（一）马克思恩格斯参与和领导第一国际后期革命活动

尽管马克思和恩格斯不是第一国际的名义领导人和具体运行者，但是，他们是第一国际当之无愧的灵魂和头脑。在 1871 年之后第一国际存续的那段时间中更是如此。

积极帮助公社流亡者。通过撰写《法兰西内战》，马克思把法国无产阶级的革命经验变成了全世界工人阶级和广大人民群众的共同的宝贵财富。同时，马克思恩格斯还做了更多、更具体的救助公社流亡者的实际工作。此后，马克思恩格斯进一步为总结公社的经验而继续着艰苦细致的工作。在《共产党宣言》的 1872 年德文版的序言中，他们进一步肯定了巴黎公社的经验对于无产阶级革命的重要性。当公社战士利沙加勒的《公社史》出版以后，马克思积极促使该书德文版的出版，还亲自校订了其德文版，并提出了修改意见。1871 年 9 月，马克思在同公社几个流亡者的长时间谈话中讲到，社会在历史上必定要经过无产阶级专政的时期。1875 年创作的《哥达纲领批判》对之进一步作出了科学回答。

积极参与和领导国际的工作。在第一国际后期，马克思恩格斯发起和组织了一系列重要会议。第一，伦敦代表会议。面对巴黎公社失败后的复杂形势，为了进一步明确无产阶级运动的思想政治任务，并改进其组织形式，国际同意马克思恩格斯的建议，决定在伦敦召开一次秘密代表会议，并委托两位老人来筹备会议。马克思恩格斯全身心地承担起了筹备重任。1871 年 9 月中旬，参加会议的代表陆续到达伦敦。他们不仅亲切地接见了这些代表，而且亲

自为之安排食宿。9 月 17 日至 23 日，会议在伦敦如期举行。马克思在开幕式讲话中指出，这次会议的主要任务是：应着手进行符合形势需要的新的组织工作，集中讨论无产阶级政党的组织问题，因为这是同无政府主义和工联主义进行斗争的焦点。会议期间，马克思亲自听取大家发言，连夜为大会准备报告，他的发言竟达 97 次之多。通过马克思恩格斯和国际的努力，伦敦会议提高了国际的威望，加强了国际内部的组织性和纪律性，沉重打击了无政府主义和工联主义。第二，海牙代表大会。伦敦会议之后，国际仍处于非常危急的时期，工人运动遭到镇压，巴枯宁分子加紧了在国际内部的分裂活动，改良主义分子也展开了对伦敦会议政治决议的攻击。在这样的背景下，国际通过了马克思的提议，决定在海牙召开国际工人协会应届代表大会。为了保证大会获得圆满成功，选派真正具有代表性和合适的代表就成为当务之急，马克思恩格斯苦口婆心地向大家说明这次大会的重要性，要求各国工人党能够派代表来参加大会。1872 年 9 月 1 日，马克思恩格斯一起到达海牙。这是马克思第一次参加国际的大会。他的到来引起了极大轰动。在马克思恩格斯的正确引导下，这次大会获得了圆满成功。8 日，马克思和绝大多数代表一道前往阿姆斯特丹，参加庆祝海牙代表大会的群众集会。马克思作为主要的演讲人，发表了关于海牙大会的演说。他认为代表大会主要取得了三项成就：一是强调了政治斗争的重要性，二是赋予总委员会以新的、更广泛的权力并加强了民主集中制的组织原则，三是决定把总委员会的驻在地迁往纽约。

尽管马克思在 1872 年之后退出了国际的实际工作，但是，他深情地声明："我将继续自己的事业，为创立这种对未来具有如此良好作用的所有工人的团结而不倦地努力。不，我不会退出国际，我将一如既往，把自己的余生贡献出来，争取我们深信迟早会导致无产阶级在全世界统治的那种社会思想的胜利"①。1872 年 12 月 30 日，总委员会总书记左尔格向马克思签发一份委托书，授权他负责收集和保管国际工人协会前总委员会的各种财物，听候总委员会的指示。同时，恩格斯作为国际的欧洲代表参加了总委员会的工作。

总之，在第一国际存在和活动的九年里，马克思放下了自己的科学研究和著述，为全世界无产阶级的革命事业日夜操劳，牺牲了自己的时间和健康，从而使第一国际取得了极其辉煌的成就。恩格斯同样如此。毋庸置疑，马克思和

① 《马克思恩格斯全集》第 18 卷，人民出版社 1964 年版，第 180 页。

恩格斯是第一国际当之无愧的领袖。

（二）马克思恩格斯帮助和指导各国建立工人阶级政党

随着第一国际的解散，要求各国在民族国家范围内建立工人阶级政党，以推动工人运动的发展。1875年之后，在马克思恩格斯的指导和帮助下，一批工人阶级的政党建立了起来。

德国工人党的建立。在马克思恩格斯的指导和帮助下，德国社会民主工党于1869年在爱森纳赫城成立（即爱森纳赫派）。这是第一个在民族国家范围内建立的无产阶级政党。在《非常法》时期，马克思恩格斯对之给予了及时支持和帮助。1880年8月，党抛弃了"力求用一切合法手段争取自由国家"的拉萨尔主义论调，宣布无产阶级要使用"一切手段"实现自己的目的。在1881年的议会选举中，党获得了31万张选票、12个议席。在反抗资产阶级的斗争中，由于以拉萨尔主义为指导思想的拉萨尔派和以马克思主义为指导思想的爱森纳赫派事实上处于分裂和对立状态，不利于德国工人阶级联合起来反抗资产阶级。1875年，两派在哥达召开合并预备会议，成立了德国社会民主党。为了帮助其健康发展，马克思创作了《哥达纲领批判》。

法国工人阶级政党的建立。1879年10月，法国工人党在马赛成立，并委托盖得制定党的纲领。为此，他专门拜访了马克思和恩格斯。后来，恩格斯追忆道："导言就是在这里，在我的房间里，我和拉法格都在场，由马克思口授，盖得笔录的：工人只有在成了他们的劳动资料的占有者时才能获得自由；这可以采取个体形式或集体形式；个体占有形式正在被经济的发展所排斥，而且将日益被排斥；所以，剩下的只是共同占有形式，等等。这真是具有充分说服力的杰作，寥寥数语就可以对群众说得一清二楚，这样的杰作是我少见的，措辞这样精练，真使我自己也感到惊叹。"[①]至此，法国工人阶级政党正式成为一个以马克思主义为指导的无产阶级政党。

英国工人阶级政党的建立。1881年6月，在马克思恩格斯的影响和帮助下，自由主义者海德门组建了一个半无产阶级半资产阶级的团体——民主联盟。随着马克思主义影响的扩大，民主联盟于1883年通过了社会主义纲领，1884年改组为社会民主联盟，宣布马克思主义为联盟的理论纲领。

① 《马克思恩格斯选集》第4卷，人民出版社2012年版，第544页。

美国工人阶级政党的建立。1876 年，以马克思主义为指导思想的美国工人党成立，并创立了自己的报纸《劳动旗帜》。马克思恩格斯同之经常保持联系，并为《劳动旗帜》撰稿。由于这个党的绝大部分成员都是德国侨民，存在着教条主义和宗派主义的倾向。因此，马克思恩格斯对之多次提出了批评和教育，要求他们去了解美国工人的实际，而不能照抄照搬马克思主义。在 1877 年党的代表大会上，工人党改组为北美社会主义工人党。

总之，在各国建党的过程中，"马克思由于在理论上和实践上的成就已经赢得了这样的地位，各国工人运动的最优秀的人物都充分信任他。他们在紧要关头都向他请教，而且总是发现他的建议是最好的。他已经在德国、法国、俄国赢得了这种地位，至于在比较小的国家就更不用说了。所以，并不是马克思把自己的意见，更谈不上把自己的意志强加于人，而是这些人自己来向他求教的。马克思所起的特殊的、对运动极端重要的影响，正是建立在这种基础上的。"① 恩格斯的这一评价也适用于恩格斯自己。

（三）马克思恩格斯积极开展反对党内机会主义的斗争

随着工人运动的发展和各国工人阶级政党的建立，各种非无产阶级力量也大量涌入无产阶级队伍和工人阶级政党中，从而使各种机会主义流行开来，严重干扰了无产阶级革命事业的健康发展。因此，马克思恩格斯同之进行了坚决的斗争。

从 19 世纪 40 年代到 70 年代初期，马克思主义同机会主义的斗争。在 40 年代的前五年中，马克思和恩格斯主要清算了站在哲学唯心主义立场上的激进青年黑格尔派。同时，马克思和恩格斯还进行了反对德国"真正社会主义"的斗争。在 40 年代末，在经济学说方面进行了反对蒲鲁东主义的斗争。当 50 年代完成了这个斗争之后，又批判了在 1848 年革命中显露过头角的党派和学说。在 60 年代，斗争从一般的理论方面转移到更接近于直接工人运动的方面。在第一国际时期，"马克思把各个国家的工人运动统一起来，竭力把各种非无产阶级的即马克思主义以前的社会主义（马志尼、蒲鲁东、巴枯宁、英国的自由派工联主义、德国拉萨尔右倾分子等等）纳入共同行动的轨道，并同所有这些派别和学派的理论进行斗争，从而为各个国家的工人阶级制定了统一的无产阶

---

① 《马克思恩格斯选集》第 4 卷，人民出版社 2012 年版，第 545 页。

级斗争策略。"① 在60年代末和70年代初，马克思恩格斯展开了反对巴枯宁主义的斗争。继海牙大会将巴枯宁开除出第一国际之后，马克思恩格斯通过一系列论著对巴枯宁主义进行了彻底批判。在70年代初，又出现了以米尔柏格为代表的蒲鲁东主义和杜林主义。经过恩格斯的系统批判，他们就销声匿迹了。

在1875年到1883年期间，马克思主义同机会主义的斗争。在这一期间，马克思主义主要与以下机会主义进行了斗争：第一，拉萨尔主义。随着1875年拉萨尔派和爱森纳赫派的合并提上议程，爱森纳赫派为了实现合并牺牲了原则，最终使《哥达纲领》充满了拉萨尔主义的色彩。为了清算拉萨尔主义和帮助德国社会民主党制定科学的纲领，马克思撰写了《哥达纲领批判》，彻底清算了拉萨尔主义的遗毒。但是，为了维护党的团结，马克思生前并未公开发表这一文献，只是将之寄给了德国党的领导人。第二，杜林主义。从1871年到1877年，以"社会主义改革家"自居的杜林从哲学、政治经济学和社会主义理论三个方面向马克思主义发起了全面的攻击，大肆贩卖其小资产阶级空想社会主义思想。应德国社会民主党的约请，在马克思的支持下，恩格斯不得不放下《自然辩证法》的创作，从1876年9月初开始了系统反对杜林主义的斗争，最终完成和出版了《反杜林论》这一马克思主义百科全书，全面阐述了马克思主义哲学、马克思主义政治经济学和科学社会主义基本原理。② 第三，以苏黎世"三人团"为代表的机会主义。迫于反社会党人法的高压，1879年，由赫希柏格、伯恩施坦和施拉姆组成的苏黎世"三人团"，试图取消无产阶级政党的性质，使党成为改良主义政党。对此，马克思恩格斯创作了《给奥·倍倍尔、威·李卜克内西、威·白拉克等人的通告信》（以下简称为《通告信》），全面驳斥了"三人团"的错误观点。通过这些斗争，既为工人运动的健康发展指明了方向，也丰富和发展了马克思主义。

---

① 《列宁选集》第2卷，人民出版社2012年版，第417页。

② 其所以没有将恩格斯在这一时期创作的《反杜林论》纳入到这部"马克思主义史"第三卷中，主要基于逻辑上的考虑。这一科学巨著主要是在系统总结唯物史观和剩余价值理论这两项马克思在科学上的伟大发现的基础上，在系统批判杜林错误的过程中，从马克思主义哲学、马克思主义政治经济学、科学社会主义三个方面完整地概括了1875年之前马克思主义发展的重大成果，进一步实现了马克思主义理论的体系化。尽管这一巨著是《自然辩证法》的姊妹篇，但是，她没有完全概括马克思恩格斯在1875年之后在一系列领域的科学研究成果。因此，将之放入第二卷中在逻辑上顺理成章。当然，为了坚持逻辑和历史的一致，本卷的有关论述会追溯到1871年甚至之前的马克思主义发展。

"可见，马克思和恩格斯十多年来始终不渝地在对德国社会民主党内的机会主义作斗争，批评社会主义运动中的知识分子庸俗习气和市侩习气。这是一个极重要的事实。一般人都知道德国社会民主党被看做实行无产阶级马克思主义政策和策略的模范，但是不知道马克思主义创始人怎样经常不断地同该党'右翼'（恩格斯的说法）作斗争。"① 同机会主义斗争，是马克思和恩格斯参与和领导无产阶级革命实践的重要内容和基本途径。

总之，马克思恩格斯在第一国际后期的革命实践活动，是马克思主义第三个阶段发展的重要的实践基础。

二、马克思恩格斯在 1875 年到 1883 年期间的理论研究

从 1875 年至 1883 年，利用时代发展的"和平"性质，在参与和指导无产阶级革命事业的实践中，围绕着深化《资本论》的逻辑和完善马克思主义理论体系，马克思恩格斯从多个角度和多个领域深化和发展了马克思主义。

从 1875 年到 1883 年，是马克思人生的最后八年。对此，恩格斯指出："1870 年以后，又有一个间歇期间，这主要是由马克思的病情造成的。他照例是利用这类时间进行各种研究。农学，美国的特别是俄国的土地关系，货币市场和银行业，最后，还有自然科学，如地质学和生理学，特别是独立的数学研究，成了这个时期的许多札记本的内容。1877 年初，他感到健康已经恢复到可以进行原来的工作了。"② 在这最后的八年，其读书摘要写满了 50 个笔记本，并编辑了大量的俄国统计资料。因此，可将这段时期的马克思简称为"马克思晚年"。马克思晚年的理论研究，主要涉及以下领域和范围：

捍卫和丰富科学社会主义原则。科学社会主义是马克思主义理论的核心和归宿。在此期间，为了促进工人阶级政党的健康发展，马克思恩格斯同拉萨尔主义、杜林主义、"苏黎世三人团"机会主义等错误思潮进行了坚决斗争，创作和完成了《哥达纲领批判》、《反杜林论》和《通告信》等科学文献，丰富和发展了科学社会主义基本原理。

① 《列宁选集》第 1 卷，人民出版社 2012 年版，第 721 页。
② 《马克思恩格斯文集》第 6 卷，人民出版社 2009 年版，第 7 页。

深化和拓展政治经济学研究。在进行《资本论》第一卷的修订、翻译和普及工作的同时，马克思在政治经济学研究方面主要进行了以下工作：

第一，继续写作《资本论》第二、三卷。在 1875 年到 1883 年期间，马克思进行了《资本论》第二卷最后的修订工作。1870 年 11 月—1878 年 7 月，他准备付印《资本论》第二卷的第一章《货币资本的循环》。1875 年 5 月至 8 月，为了举例说明剩余价值率和利润率之间的差别，他进行了广泛的计算，这些计算构成了《资本论》第三卷第三章《利润率和剩余价值率的关系》的基础。他写于 1876 年 2 月的《级差地租和地租只是投入土地的资本的利息》成为了《资本论》第三卷第四十四章的一个构成部分。1877 年完成了对开本 56 页，1878 年完成了四开本 17 页，完成对开本 7 页时注明的日期为 1878 年 7 月 2 日。1880 年，他写作了《利润率趋向下降的规律》，这是第三卷的新文稿。另外，他着手写作了《资本论》后几卷的部分章节。

第二，研究资本主义经济的新动向。在与丹尼尔逊的通信中，马克思分析了 1873 年危机的有关问题。1879 年 4 月 10 日，马克思向他说明，这次危机是推迟出版《资本论》第二卷的一个很重要的原因，"在英国目前的工业危机还没有达到顶峰之前，我决不出版第二卷。这一次的现象十分特殊，在很多方面都和以往不同，完全撇开其他各种正在变化着的情况不谈，这很容易用下列事实来解释：在英国的危机发生以前，在美国、南美洲、德国和奥地利等地就出现如此严重的、至今几乎已经持续五年之久的危机，这还是从来没有过的事。"① 马克思还论述了欧洲和美国的经济危机的原因和后果。在 1880 年 9 月 12 日给丹尼尔逊的信中，马克思分析了农业危机发展的可能后果："至于农业危机，它将逐渐加剧、发展，并渐渐达到它的顶点；这将在土地所有制关系中引起真正的革命，而完全不取决于工商业危机的周期。"② 在《法国土地所有权的分配的札记和摘录》中，马克思指出了法国农民大规模破产的过程。此外，马克思研究了土地理论、信贷和银行业以及财政学等方面的著作。

第三，确立俄国和美国在政治经济学研究中的典型地位。注重解剖典型是马克思政治经济学研究的一个重要的方法论特征。1875 年之后，马克思越来越注意俄国和美国的经济发展，将他们作为了研究《资本论》后几卷问题的典

---

① 《马克思恩格斯选集》第 4 卷，人民出版社 2012 年版，第 529 页。
② 《马克思恩格斯全集》第 34 卷，人民出版社 1972 年版，第 439 页。

型形态来研究。由于俄国的土地关系具有典型的形态，马克思对俄国的土地问题给予了专门的注意。计划在《资本论》第二卷关于土地所有制那一篇中非常详尽地探讨俄国的土地所有制形式。同时，19 世纪 70 年代之后，美国作为研究资本主义经济发展的最新的典型形态的意义已经显示出来。由于俄国和美国问题进入了《资本论》研究的视野，因此，马克思对自己的政治经济学研究成果抱着更为严谨、认真的态度，推迟了《资本论》后几卷的创作和出版。

此外，为了回应讲坛社会主义代表人物瓦格纳的批评，马克思撰写了一个重要的未发表的为《资本论》辩护的著作。这就是《评阿·瓦格纳的〈政治经济学教科书〉》（1879）。这部著作体现了马克思"最后的理论兴趣"。

研究自然科学和数学问题。随着政治经济学研究的深化，马克思将研究的触角也深入到了自然科学和数学等领域中，留下了大量的包括《数学手稿》在内的"科学笔记"。马克思对自然科学的研究主要包括：通过阅读和摘录朱克斯的著作掌握地球演变的历史，通过阅读和摘录施旺和施莱登的著作掌握细胞繁殖理论，通过阅读和摘录达尔文和海克尔的著作掌握生物进化理论，通过阅读和摘录弗腊斯的著作掌握植物生长与社会对自然的作用两者之间的关系，通过阅读和摘录赫尔姆霍茨的著作掌握能量守恒定律，等等。这样，马克思就留下了大量的"科学笔记"。其中，为了撰写《资本论》的后几卷尤其是有关地租和土地问题的章节，马克思非常注意农学的最新发展。因此，马克思将 1875 年—1878 年的两个笔记本命名为《土地所有制、地租、农艺学、农业化学以及与之相关的内容》（1875—1878 年笔记本，阿姆斯特丹国际社会史研究所，马克思恩格斯遗著第 B129 号第 1 页）和《农业＋土地价格、地租》（MEGA2 第 4 部分第 26 卷第 123 页）。[①] 在研究政治经济学和撰写《资本论》的过程中，马克思碰到了一系列复杂的计算问题，这就促使他拣起了数学。尤其是，他自觉地将数学应用于政治经济学研究，力图用数学形式表达经济过程。马克思在 1873 年 5 月 31 日恩格斯的信中指出："为了分析危机，我不止一次地想计算出这些作为不规则曲线的升和降，并曾想用数学方式从中得出危机的主要规律（而且现在我还认为，如有足够的经过整理的材料，这是可能

---

① 参见［德］C.-E. 福尔格拉夫：《马克思论发达的资本主义生产对社会物质变换的逐渐破坏》，《马克思主义与现实》2017 年第 1 期。

的）。"① 马克思不仅对数学的发展给予了极大的关注，而且始终坚持了独立的数学研究，写下了内容十分丰富的《数学手稿》（大约 1878—1881 年）这一重要的科学文献。

开始系统研究人类学问题。在 19 世纪 70 年代前后，马克思就研究过塔西佗、毛勒、哈克斯特豪森等人的著作。以与俄国民族学家柯瓦列夫斯基的交往为契机，马克思在 1879 年至 1882 年之间，抱病重拾起了人类学研究，集中研究了文化人类学进化论学派的成果。在 1882 年全年，这一研究持续快速进行。最后，他留下了篇幅十分庞大、内容十分丰富的《人类学笔记》。这是马克思晚年科学研究工作中值得注意的新的领域。

研究俄国社会问题。在深入研究俄罗斯土地制度的基础上，为了回应俄国民粹派对马克思主义的质疑，在马克思的建议下，1875 年，恩格斯发表了《论俄国的社会问题》一文，开始较为系统地探讨俄国社会发展道路的问题。随后，他又写作了《〈论俄国的社会问题〉一书导言》（1875 年）。后来，随着马克思主义传播的深入，在回答革命民粹派提出的问题的过程中，马克思相继创作了《给〈祖国纪事〉杂志编辑部的信》（1877）、"给查苏利奇的复信"（1881 年）和《关于俄国一八六一年改革和改革后的发展的札记》（1881—1882）等文献。在此基础上，在《〈共产党宣言〉1882 年俄文版序言》中，马克思和恩格斯第一次公开表达了自己对俄国社会问题的看法。在这期间，马克思广泛阅读了有关东方社会问题的文献。

表 1-1　马克思《人类学笔记》（《古代社会史笔记》）的构成

序号	创作时间	作品名称	作品简称
1	1879 年秋 —1880 年夏	《柯瓦列夫斯基〈公社土地占有制，其解体的原因、进程和结果〉一书摘要》	"柯瓦列夫斯基笔记"
2	1880 年年底 —1881 年 3 月初	《路易斯·亨·摩尔根〈古代社会〉一书摘要》	"摩尔根笔记"
3	1881 年 4—6 月	《亨利·萨姆纳·梅恩〈古代法制史讲演录〉一书摘要》	"梅恩笔记"
4	1881 年 6—9 月	《约·布·菲尔〈印度和锡兰的雅利安人村社〉一书摘要》	"菲尔笔记"
5	1882 年	《约·拉伯克〈文明的起源和人的原始状态〉一书摘要》	"拉伯克笔记"

① 《马克思恩格斯文集》第 10 卷，人民出版社 2009 年版，第 389—390 页。

从 1881 年年底到 1882 年年底，马克思对世界历史进行了专门的研究，考察了从公元前 1 世纪初到公元 17 世纪中叶的一系列重大历史事件，整理了欧洲历史的材料以及亚洲和非洲一些民族的历史材料，留下了约 105 个印张的四大本篇幅宏大、内容丰富的笔记。马克思逝世后，恩格斯将之命名为《编年摘录》。这就是我们现在称之为《历史学笔记》的重要文献。

可见，马克思晚年又进入了一个创作的高峰期，完全可以与从 1858 年到 1863 年这段时期相提并论。

在这期间，恩格斯也开辟了一些新的领域，主要从事《自然辩证法》和《反杜林论》的研究和创作。为了批驳毕希纳的庸俗唯物主义和社会达尔文主义，1873 年 2 月，恩格斯开始创作《自然辩证法》。但是，由于反对杜林主义斗争的需要，他不得不终止了该书的写作。但是，《自然辩证法》前期的一些基本观点在《反杜林论》（1876—1878）中第一次公诸于世。同时，反对杜林主义的斗争，也促进了恩格斯的自然辩证法研究。大约在 1878 年 8 月下半月开始，恩格斯恢复了《自然辩证法》的写作工作。

由于长期经受贫困和疾病的折磨，1883 年 3 月 14 日，马克思永远停止了思想。但是，他给全人类尤其是无产阶级和劳动人民留下了宝贵的思想遗产。对此，恩格斯指出："1848 年以前时期的材料几乎全部都保存下来了，——不仅是当时他和我写的手稿几乎全部保存下来（除了被老鼠咬坏的以外），而且来往的书信也都保存了下来。当然 1849 年以来的材料也都是完整的，而 1862 年以后的甚至还相当有条理。还有大量关于国际的手写材料，我认为，这些材料足够写一部完整的国际史，但是我还没有比较仔细地看过。"[①] 显然，如果天假时年，马克思完成了上述构思，那么，马克思思想的宏大性和马克思主义的整体性会再次震惊世界。

马克思逝世后，恩格斯忍着悲痛发表了《在马克思墓前的讲话》，科学评价了马克思在科学上的伟大成就和对国际无产阶级解放事业的伟大贡献。他明确将唯物史观和剩余价值理论视为马克思在科学上的两大发现，高度赞扬了马克思的科学家品格和无产阶级革命家品格。这篇讲话是科学的马克思主义观的经典文献，也是我们研究马克思主义和马克思主义发展史的基本遵循。最后，恩格斯指出：马克思的英明和事业将永垂不朽！

---

① 《马克思恩格斯全集》第 36 卷，人民出版社 1974 年版，第 46—47 页。

三、恩格斯在 1883 年到 1895 年期间的革命活动

马克思逝世后，恩格斯独自承担起了指导国际工人运动和无产阶级革命事业的历史重任，不仅要指导各国工人阶级政党的健康发展，还要领导第二国际，尤其是要开展反对日益蔓延的机会主义等错误思潮的斗争。

建立第二国际。随着 19 世纪 70 年代后革命形势的发展和工人阶级联合要求的不断增强，迫切要求全世界范围内的工人阶级运动的进一步联合。对此，恩格斯一直持较为审慎的态度。在 1874 年 9 月 12 日左右给左尔格的信中，他指出，"我相信，下一个国际——在马克思的著作产生了多年的影响以后——将是纯粹共产主义的国际，而且将直截了当地树立起我们的原则"①。在恩格斯看来，只要坚持无产阶级的国际主义原则，那么，对于无产阶级革命事业就足够了。但是，到了 1886 年，情况发生了变化。1887 年 10 月，德国社会主义工人党通过决议，准备在 1888 年召开国际社会主义者代表大会。1888 年，法国可能派通过决议，决定于 1889 年 7 月召开国际工人代表大会。在这种情况下，恩格斯清醒地意识到了国际工人运动存在分裂和可能派占据国际工人运动主导地位的危险。因此，一方面，他揭露了可能派的机会主义实质；另一方面，他敦促法国党和德国党要加强内部团结和国际团结并抓紧时间进行新的国际的筹备工作。1889 年 2 月，在恩格斯的指导和帮助下，赞同马克思主义的各工人党在海牙召开预备会议，决定于该年的 7 月在法国巴黎召开国际社会主义者代表大会。恩格斯亲自审阅、翻译了有关代表大会的全部文件。例如，为了反击可能派对海牙会议的攻击，在恩格斯的建议下，伯恩施坦撰写了《1889年国际工人代表大会答〈正义报〉》一文。恩格斯不仅几乎从头到尾对该文进行了修改，而且亲自将之译成德文在 3 月 30 日和 4 月 6 日的《社会民主党人报》上连载。1879 年 7 月 14 日，在纪念法国大革命 100 周年的日子里，国际社会主义者代表大会隆重开幕。来自 22 个国家的 407 名代表参加了大会。一般来说，这标志着第二国际的诞生。因忙于《资本论》的整理工作，恩格斯未能出席大会，但是，他密切关注会议的进程，高度赞扬大会的成果。在往后的岁月里，他也如此。1893 年 8 月，国际社会主义代表大会在苏黎世举行。这

---

① 《马克思恩格斯选集》第 4 卷，人民出版社 2012 年版，第 516 页。

时，恩格斯恰巧在瑞士。会议代表都渴望见到他。经过多次推脱，恩格斯最后不得已出席会议并发表了简短的闭幕词。他指出，国际工人协会"退出了舞台，每一个国家的无产阶级得到机会以独立自主的形式组织起来。这一点实现了，因而现在国际要比从前强大得多了。我们也应当按照这一方向在共同的基础上继续我们的工作。为了不致蜕化成为宗派，我们应当容许讨论，但是共同的原则应当始终不渝地遵守。自由联合和历次代表大会所支持的自愿联系——这就足以保证我们取得胜利，这种胜利已是世界上任何力量都不能从我们手中夺去的了"①。可见，恩格斯是第二国际前期的当之无愧的精神领袖和顾问。

参与工人运动。马克思逝世之后，恩格斯不仅密切关注工人运动进展，而且身体力行地参加了一些工人运动的活动，与工人运动保持着密切的联系。

关注英国工人运动。1889 年 8 月举行的英国码头工人罢工发生不久，恩格斯于 1889 年 8 月 20 日和 26 日之间撰写了《关于伦敦码头工人的罢工》一文，对这一斗争给予了高度评价。罢工的大多数参加者是没有参加任何工联的非熟练工人。罢工工人由于自己的坚定性和组织性而使自己的提高工资和改善劳动条件的要求得到了满足。对此，恩格斯兴高采烈地指出："我羡慕你们，羡慕你们参加码头工人的罢工。这是我们近年来最有希望的一次运动，我还能看到这次运动，感到很自豪，很高兴。如果马克思还活着并亲眼看到这种情景，那该多好啊！……如果码头工人组织起来，其他各种工人也一定会跟着他们这样做"②。事情果然如此。这次罢工进一步提高了工人阶级的组织性：成立了码头工人工会及其他联合了大批非熟练工人的工会；次年工联的总人数即增加一倍多。

关注美国工人运动。早在 1866 年，第一国际日内瓦会议就提出了八小时工作制的口号。1886 年 5 月 1 日，美国芝加哥工人罢工和示威游行，明确提出了实行八小时工作制的要求。从 1886 年 4 月底到 9 月之间，恩格斯密切注意美国工人的"五一"罢工、示威游行和群众集会，密切关注他们开展的争取八小时工作日的群众斗争。他写信给左尔格、倍倍尔和其他社会主义者，着重指出美国无产阶级的这些行动具有重大的国际意义。恩格斯指出，美国工人行动的缺点和弱点——无政府主义者的巨大影响、没有一定的纲领和明确的目

---

① 《马克思恩格斯全集》第 22 卷，人民出版社 1965 年版，第 479—480 页。

② 《马克思恩格斯全集》第 21 卷，人民出版社 1965 年版，第 438 页。

的、不重视传播科学社会主义思想——在运动的初期阶段是不可避免的，在今后的斗争过程中将被克服。在 1886 年 12 月 28 日致弗洛伦斯·凯利—威士涅威茨基的信中，恩格斯指出，获取理论认识最好的途径是从本身的错误中学习，"而对于整整一个大的阶级来说，特别是对于像美国人这样一个如此重视实践而轻视理论的民族来说，别的道路是没有的。最主要的是使工人阶级作为阶级来行动；一旦做到了这一步，他们就会很快找到正确的方向，而一切进行阻挠的人，不论是亨·乔治还是鲍德利，都将同他们自己的小宗派一起被抛弃。"① 显然，恩格斯的论述为美国工人运动的发展指明了科学的道路。

参加"五一"游行活动。根据第二国际的决议，1890 年 5 月 1 日，世界性的庆祝"五一"劳动节的活动开始举行。从 1890 年起到 1895 年健康状况不允许他参加示威为止，恩格斯参加了每一年的"五一"游行示威活动。1890 年 5 月 4 日（5 月的第一个星期日），他参加了在伦敦举行的"五一"示威游行和群众大会。为此，恩格斯撰写了《伦敦的 5 月 4 日》一文。他兴高采烈地指出："无产阶级的五一节活动之所以有划时代的意义，不单单是因为它具有使之成为战斗工人阶级第一次国际行动的普遍性质。它还使我们能够证实各个国家里的运动所取得的最令人欢欣鼓舞的成就。"② 恩格斯把第一次举行的"五一"节活动看作是对工人阶级战斗力量的检阅，欢呼奥地利的"五一"节示威游行取得了出色的成绩，认为伦敦的成千上万人的示威游行和群众大会是英国工人运动的重大胜利。显然，恩格斯不仅身处工人运动当中，而且引导着工人运动的健康发展。

反对机会主义。马克思逝世后，机会主义思潮在各国工人阶级政党继续得到蔓延。

反对德国机会主义。以"青年派"为首的"左"倾机会主义和以福尔马尔为代表的右倾机会主义，同时向马克思主义发起进攻。尤其是 1891 年，当"爱尔福特纲领"复活了拉萨尔主义、放弃无产阶级革命和无产阶级专政的时候，恩格斯力排众议公开发表了《哥达纲领批判》，并为《法兰西内战》写作了"导言"，向机会主义阵营投下两枚重磅炸弹。在此基础上，他以无产阶级专政问题为核心创作了《1891 年社会民主党纲领草案批判》（以下简称为《爱尔福特

---

① 《马克思恩格斯文集》第 10 卷，人民出版社 2009 年版，第 560 页。
② 《马克思恩格斯全集》第 22 卷，人民出版社 1965 年版，第 69 页。

纲领批判》)。经过恩格斯的批评，德国党的领导机构修正了草案，但是，仍然未提及无产阶级专政。在 19 世纪晚期，恩格斯也密切关注普选权和合法斗争在推翻资本主义社会中的重要作用。但是，他始终认为，只有坚持革命权，才能最终取得无产阶级革命的胜利。在这个过程中，恩格斯也早已注意到了伯恩斯坦倾向的危险性。

反对英国机会主义。费边社的改良主义成为主导工人运动的力量。到了 19 世纪 90 年代，恩格斯继续关注英国的工人运动和社会主义运动，批判英国的一些错误思想，推动英国无产阶级政党的建立。恩格斯坚决反对 1884 年成立的费边社。1890 年 1 月底到 2 月 8 日，恩格斯阅读英国费边社的创建人之一维伯赠送的《费边社社会主义论文集》一书，认为该书企图根据庸俗的经济学理论反对马克思的学说，并且企图证明通过同资产阶级达成协议的改良主义的方法可以实现社会主义思想。1891 年 2 月到 4 月，恩格斯密切注意英国社会主义运动的情况，经常不断地帮助艾威林夫妇等英国社会主义者为建立工人阶级政党而斗争。在 1892 年 9 月 4 日给考茨基的信中，恩格斯指出："你认为费边社还未定型。恰好相反，这些人太定型了。这是一个由形形色色的资产阶级'社会主义者'——从钻营之徒到感情上的社会主义者和慈善家——拼凑起来的集团，他们只是由于害怕工人要取得统治权而联合起来，他们尽一切力量通过保障自己的即'有教养的人'的领导权的办法来防止这种危险。"[1] 在恩格斯看来，和卖身求荣的议员们的花招完全一样，金钱、倾轧、名位是费边社的手段。

上述机会主义思想严重腐蚀工人阶级的科学意识和阶级意识。但是，许多工人政党的领袖却对之采取了调和主义的态度，严重丧失了马克思主义原则。因此，恩格斯严厉批评了调和主义的立场，全面论述了机会主义产生的原因、实质和危害等问题。其实，在恩格斯逝世前，不论是福尔马尔的改良主义，还是考茨基的"正统"主义和伯恩施坦的修正主义，都受到了恩格斯的科学批判。在恩格斯看来，"为了眼前暂时的利益而忘记根本大计，只图一时的成就而不顾后果，为了运动的现在而牺牲运动的未来，这种做法可能也是出于'真诚的'动机。但这是机会主义，始终是机会主义，而且'真诚的'机会主义也许比其

---

[1] 《马克思恩格斯文集》第 10 卷，人民出版社 2009 年版，第 633 页。

他一切机会主义更危险。"① 在恩格斯逝世之后，由于一系列复杂的原因，修正主义在第二国际中取得了领导权。在与之的斗争中，列宁将马克思主义推进到了新的发展阶段。

可见，"马克思逝世以后，恩格斯一个人继续担任欧洲社会党人的顾问和领导者。无论是受政府迫害但力量仍然不断迅速增长的德国社会党人，或者是落后国家内那些还需仔细考虑斟酌其初步行动的社会党人，如西班牙、罗马尼亚和俄国的社会党人，都同样向恩格斯征求意见，请求指示。他们都从年老恩格斯的知识和经验的丰富宝库中得到教益。"② 显然，马克思逝世后，恩格斯成为了指导国际无产阶级革命事业健康发展的科学顾问和指挥国际共产主义运动前进的常胜"将军"。因此，我们可以将这一阶段的恩格斯称为"恩格斯晚年"。

四、恩格斯在 1883 年到 1895 年期间的理论研究

恩格斯晚年承担起了捍卫和辩护、丰富和完善、拓展和深化马克思主义理论体系的历史重任，为无产阶级和全人类解放提供了强有力的理论武器。在这个过程中，"恩格斯在生前最后十年所完成的丰富著作中的大部分，都是为无产阶级阶级斗争的实际需要服务的。他在无数的文章、书信和谈话中，向各国工人党提出了自己的建议，由此产生的一切劳累，他都看作是自己义不容辞的、必须立即实现的义务"③。这样，就彰显了恩格斯晚年理论研究的鲜明的政治使命。

整理和出版《资本论》第二、三卷。恩格斯晚年最艰巨的工作就是整理和出版马克思来不及完成和出版的《资本论》第二卷和第三卷。他不顾年老体迈忘我地完成这项辛苦的工作。"1885 年他出版了第 2 卷，1894 年出版了第 3 卷（他没有来得及把第 4 卷整理好）。整理这两卷《资本论》，是一件很费力的工作。奥地利社会民主党人阿德勒说得很对：恩格斯出版《资本论》第 2 卷和第 3 卷，就是替他的天才朋友建立了一座庄严宏伟的纪念碑，无意中也把自己的

① 《马克思恩格斯选集》第 4 卷，人民出版社 2012 年版，第 294 页。
② 《列宁选集》第 1 卷，人民出版社 2012 年版，第 96 页。
③ ［德］弗·梅林：《德国社会民主党史》Ⅳ，生活·读书·新知三联书店 1966 年版，第 217—218 页。

名字不可磨灭地铭刻在上面了。的确，这两卷《资本论》是马克思和恩格斯两人的著作。古老传说中有各种非常动人的友谊故事。欧洲无产阶级可以说，它的科学是由这两位学者和战士创造的，他们的关系超过了古人关于人类友谊的一切最动人的传说。恩格斯总是把自己放在马克思之后，总的说来这是十分公正的。"① 同时，针对西方资产阶级学者尤其是讲坛社会主义对《资本论》的曲解，恩格斯对瓦格纳、洛贝尔图斯和洛里亚等讲坛社会主义者的错误思想进行了科学的批判，捍卫了《资本论》的科学性。

再版马克思的著作。为了让工人阶级完整准确地掌握马克思主义，回击各种错误思潮对马克思主义的攻击，恩格斯将再版马克思著作作为自己的一项重要工作。恩格斯晚年著作中的首要关切是传播、维护和继续完成马克思与他共同创作的学术著作和政治著作。在再版的过程中，恩格斯往往会写作再版序言。"在马克思逝世到恩格斯逝世的这段时间里，恩格斯写作了不少于 17 篇关于马克思著作的序言，以及五篇关于他们共同写作的《共产党宣言》的序言；共计 22 篇介绍性的论文，差不多一年两篇。"② 在这些序言中，恩格斯不仅科学地概括了这些文本的主要内容和理论贡献，而且根据新的时代特点进行了新的说明。此外，恩格斯还念念不忘"一个计划"："把马克思和我的小文章以全集形式重新献给读者，并且不是陆续分册出版，而是一下子出齐若干卷"③。显然，这是著作人提出的编辑和出版《马克思恩格斯全集》的完整计划。

继续创作《自然辩证法》。当反对杜林主义的斗争告一段落之后，大约从 1878 年到 1883 年，恩格斯开始重新写作《自然辩证法》。在这五年期间，根据《反杜林论》的理论斗争经验和文本写作经验，恩格斯为《自然辩证法》编制了两个计划草案。在此基础上，恩格斯完成了六篇论文以及少量的札记和判断。1882 年 11 月 23 日，恩格斯在致马克思的信中表达了尽快完成"自然辩证法"的愿望。马克思逝世之后，恩格斯又为《自然辩证法》新增了三个片段，将所有的手稿分为四束并分别命名为"辩证法和自然科学"、"自然研究和辩证法"、"自然辩证法"和"数学和自然科学。各种札记"。从内容上来看，在马克思主义发展史上，《自然辩证法》和《数学手稿》同样具有

---

① 《列宁选集》第 1 卷，人民出版社 2012 年版，第 94 页。

② ［美］特雷尔·卡弗：《马克思与恩格斯：学术思想关系》，中国人民大学出版社 2008 年版，第 133 页。

③ 《马克思恩格斯文集》第 10 卷，人民出版社 2009 年版，第 702 页。

互补性。

完善科学的史前社会理论。马克思逝世后，在整理马克思遗稿的过程中，恩格斯发现了马克思的《人类学笔记》。根据马克思的"摩尔根笔记"，恩格斯于1884年3月底到5月底创作完成了《家庭、私有制和国家的起源》（以下简称为《起源》）。因此，恩格斯将《起源》称为完成马克思遗愿之作。除了吸收摩尔根的有关观点和材料之外，在关于希腊和罗马历史的章节、关于凯尔特人和德意志人的章节中，恩格斯运用了自己的研究成果。同时，《起源》还表明了马克思主义对社会性别、文明和文明时代的基本看法。这样，《起源》就完善了马克思主义史前社会理论，成为马克思主义文明观的典型文本。

继续研究东方社会问题。马克思逝世后，根据俄国社会变化的实际情况，在与俄国革命家交往的过程中，恩格斯又推出了《俄国沙皇政府的对外政策》（1889年12月—1890年2月）和《〈论俄国的社会问题〉跋》（1894）等作品，突出了革命尤其俄国革命和西方革命的互补对于从村社到共产主义过渡的意义，进一步表明自己对俄国社会前景的看法。

研究欧洲古代历史和原始基督教的历史。在马克思创作《历史学笔记》的同时，恩格斯也展开了相关的研究，留下了一系列科学文献。这些文献的材料和观点在《起源》中有所体现。同时，它们与马克思的《人类学笔记》和《历史学笔记》具有互补性。

表1-2　恩格斯晚年关于欧洲古代历史和原始基督教历史的文献

序号	完成时间	作品名称
1	1878年年中—1882年8月初	《论德意志人的古代历史的提纲（最初的计划）》
		《论德意志人的古代历史》
2	1878年年中—1882年	《法兰克时代》
3	1882年9—12月	《马尔克》
4	1882年	《布鲁诺·鲍威尔和原始基督教历史》
5	1884年	《论封建制度的瓦解和民族国家的产生》
6	1885年11月	《关于普鲁士农民的历史》
7	1894年6—7月	《论原始基督教的历史》

丰富和发展马克思主义哲学。1886年，针对复活康德哲学消极方面的新康德主义，恩格斯创作了《路德维希·费尔巴哈和德国古典哲学的终结》，提

出了哲学基本问题，科学总结了马克思主义哲学产生和发展的规律。晚年，在反对庸俗社会学斗争的过程中，恩格斯留下了"历史唯物主义通信"，发表了题为《论历史唯物主义》的专文，在强调经济基础决定作用的前提下，突出了上层建筑的能动作用，捍卫和发展了历史唯物主义。

表 1-3　马克思恩格斯关于历史唯物主义的"八封通信"

序号	通信时间	通信名称
1	1846 年 12 月 28 日	马克思致帕维尔·瓦西里耶维奇·安年科夫
2	1852 年 3 月 5 日	马克思致约瑟夫·魏德迈
3	1868 年 7 月 11 日	马克思致路德维希·库格曼
4	1890 年 8 月 5 日	恩格斯致康拉德·施米特
5	1890 年 9 月 21—22 日	恩格斯致约瑟夫·布洛赫
6	1890 年 10 月 27 日	恩格斯致康拉德·施米特
7	1893 年 7 月 14 日	恩格斯致弗兰茨·梅林
8	1894 年 1 月 25 日	恩格斯致瓦尔特·博尔吉乌斯

　　捍卫和发展科学社会主义。在恩格斯晚年，尽管他主要将精力集中在理论工作上，但是，"由于有非凡的工作能力，他竟还能挤出时间进行广泛的国际通信。恩格斯的书信往往都是科学论文，是政治和经济学方面的指南。他对所有需要他帮助的人都给予帮助，他经常鼓动群众。他始终是伟大的国际工人运动战场上的积极的战士，不断提出建议、要求和警告。"[1] 在这个过程中，针对党内抬头的机会主义和修正主义，恩格斯开展了坚决的斗争。针对和平"长入"社会主义的机会主义观点，他于 1891 年撰写出了《爱尔福特纲领批判》，为根据科学社会主义原理制定工人阶级政党党纲提供了科学指南。在反对福尔马尔为代表的机会主义斗争中，他于 1894 年写下了《法德农民问题》一文，进一步阐明了无产阶级革命的同盟军问题。此外，根据资本主义出现的垄断化趋势，他科学地预测了帝国主义及其战争发展的后果，将争取和平作为工人解放自己所不可少的先决条件，以国际工人运动的名义首先向欧洲几个大国提出了具有普遍意义的裁军建议。

---

[1]　[德] 威·李卜克内西：《忆恩格斯》，《回忆恩格斯》，人民出版社 2005 年版，第 15 页。

第三节　1875年后马克思恩格斯思想发展的主要特征

整体性是马克思主义的显著特征。恩格斯指出："我们的理论不是教条，而是对包含着一连串互相衔接的阶段的发展过程的阐明。"[①] 1875年之后，在哲学、政治经济学和科学社会主义相统一的马克思主义整体性框架中，在坚持辩证思维的前提下，结合实证科学的发展成果，马克思恩格斯进一步从总体上揭示了"一连串互相衔接的阶段的发展过程"尤其是从一个阶段向另一个阶段过渡的环节和中介，从而把交给工人阶级用于自身阶级解放的那个伟大的认识工具——马克思主义发展得更为完善、全面、彻底和革命了，最终将马克思主义发展史推进到了一个新的发展阶段。

一、自然史研究和人类史研究的统一

"一连串互相衔接的阶段的发展过程"包括自然运动（自然史）和社会运动（人类史）两大阶段。从自然史向人类史的过渡，是社会运动的前提和基础。1875年之后，在深入研究社会史同时，马克思恩格斯较为系统地专门研究了自然史，揭示了人类史和自然史的统一。

整个世界历史不外是自然界向人类的不断生成过程。在其思想形成的初期，马克思恩格斯就已经意识到自然史和人类史的内在关联。在《国民经济学批判大纲》（1844）中，恩格斯提出，"瓦解一切私人利益只不过替我们这个世纪面临的大转变，即人类与自然的和解以及人类本身的和解开辟道路"[②]。这里的"和解"即"和谐"。在恩格斯看来，共产主义是人与自然、人与社会双重和谐的社会。但是，私有制阻碍实现这种和谐。因此，无产阶级革命就是要通

---

① 《马克思恩格斯选集》第4卷，人民出版社2012年版，第586页。
② 《马克思恩格斯选集》第1卷，人民出版社2012年版，第24页。

过消灭私有制实现"两个和解"。在《1844年经济学哲学手稿》中，马克思提出："历史本身是自然史的一个现实部分，即自然界生成为人这一过程的一个现实部分。自然科学往后将包括关于人的科学，正像关于人的科学包括自然科学一样：这将是一门科学。"① 这里，马克思已经提出了自然史（自然观，自然科学）和人类史（社会观，人的科学）的统一问题。进而，在创立唯物史观的过程中，马克思恩格斯在《德意志意识形态》中明确指出："我们仅仅知道一门唯一的科学，即历史科学。历史可以从两方面来考察，可以把它划分为自然史和人类史。但这两方面是不可分割的；只要有人存在，自然史和人类史就彼此相互制约。"② 这里已经提出了这样的问题：作为历史科学的马克思主义尤其是马克思主义哲学，必须实现自然史（自然观）和人类史（社会观）的统一。

在自然观和社会观的关系问题上，黑格尔和费尔巴哈给出了不同的解答。由于将自然和社会看作是绝对精神外化的不同的但又连续的阶段，因此，黑格尔通过绝对精神的运动实现了自然和社会的统一、自然观和社会观的统一。虽然费尔巴哈在自然观上坚持唯物主义，但是，在社会观上仍然是唯心主义。这样，就造成了自然观和社会观的分割。因此，哲学变革的当务之急是向上提升唯物主义。在这种情况下，虽然《德意志意识形态》和《资本论》等一系列科学文献已经较为系统地探讨了人类史和自然史的统一问题，但是，马克思恩格斯始终将重点放在人类史上。通过研究资本主义生产方式的矛盾运动，他们发现，人类社会的发展也是一个自然历史过程。这样，就产生了唯物史观即马克思主义社会历史观这一人类思想文化史上最伟大的革命成果。

随着唯物史观的创立，确立马克思主义自然观成为重要课题。虽然费尔巴哈的自然观是唯物主义的自然观，但是，这种自然观缺乏辩证思维，具有机械性。"他没有看到，他周围的感性世界决不是某种开天辟地以来就直接存在的、始终如一的东西，而是工业和社会状况的产物，是历史的产物，是世世代代活动的结果，其中每一代都立足于前一代所奠定的基础上，继续发展前一代的工业和交往，并随着需要的改变而改变他们的社会制度。甚至连最简单的'感性确定性'的对象也只是由于社会发展、由于工业和商业交往才提供给他的。"③

① 《马克思恩格斯文集》第1卷，人民出版社2009年版，第194页。
② 《马克思恩格斯选集》第1卷，人民出版社2012年版，第146页。
③ 《马克思恩格斯文集》第1卷，人民出版社2009年版，第528页。

显然，不懂得实践、不懂得实践基础上产生的人化自然，是导致费尔巴哈自然观的机械性和社会观的唯心性的关键所在。这表明，在唯物史观创立的时候，关于自然史的科学研究还存在着"空场"，更遑论人类史和自然史的统一问题。但是，随着自然科学的"三大发现"尤其是达尔文进化论的问世，出现了扭转这种情况的趋势和可能。另外，生物进化论的出现，发现了自然史通向人类史的桥梁，为实现自然观和社会观的统一提供了可能。但是，由于达尔文将这一过程看作是单纯的自然过程，不懂得劳动在自然史向人类史转变过程中的决定作用，因此，失去了实现自然观和社会观统一的可能和机会。

为了科学把握自然史并在此基础上把握人类史和自然史的内在关联，马克思和恩格斯对自然科学和数学等问题进行了专门的研究，力图通过这样的研究确立马克思主义自然观。这在于，"要确立辩证的同时又是唯物主义的自然观，需要具备数学和自然科学的知识"①。因此，马克思恩格斯在科学上经历了一个长期的"脱毛"过程，最终孵化出了马克思的包括《数学手稿》在内的"科学笔记"和恩格斯的《自然辩证法》。这两部文献不仅确立了马克思主义自然观的基本框架，而且在新的科学的基础上进一步实现了马克思主义自然观和社会观的统一。

马克思"科学笔记"首先是与《资本论》创作密切联系在一起，但是，就是在这些科学研究的过程中，马克思确实廓清了马克思主义自然观的哲学地平线。例如，早在1866年，马克思就阅读和摘录了弗腊斯的著作，形成了"弗腊斯笔记"（现在，弗腊斯笔记和毛勒笔记一起都收录在 MEGA² IV/18 中）。1868年3月25日，马克思在致恩格斯的信中，高度评价了弗腊斯的《各个时代的气候和植物界，二者的历史》（1847）一书。在19世纪70年代，马克思继续关注和研究了这些议题。1875—1876年，他仔细阅读了《林业与森林保护，着重论述普鲁士的森林保护立法》（1869）一书，写作了大量的旁注，并在一个笔记本上记下了这一书名。该书作者支持森林经营共同体的思想。马克思还阅读和摘录了《森林的自然选择和干草的利用》（1869）一书。在这本220页的书中，有193页上有马克思的旁注。这些旁注涉及森林对气候的影响，森林中的干草覆盖层和腐殖质层对新材料，或者是发现对于更大区域的水资源的影响。该书的结束语是："工人越贫穷，森林就越贫瘠。"显然，马克思主义自然观存在着自

---

① 《马克思恩格斯选集》第3卷，人民出版社2012年版，第385页。

己的生态维度，开辟了生态自然观的范式。以此为中介，马克思主义不仅确立了自己的自然观，而且找到了实现自然观和社会观统一的桥梁。

虽然马克思的《数学手稿》是出于经济学中的计算需要而创作的，也是实现经济学数学化的科学尝试，但是，这一文献在确立马克思主义自然观方面具有重要的意义。1881年，马克思把一份"论导数概念"的手稿和一份"论微分"手稿誊抄清楚，先后寄给了恩格斯。马克思的手稿里夹着一个信封。封面上有马克思亲笔写的"给将军"几个字。众所周知，"将军"是恩格斯的绰号。恩格斯仔细地阅读了这份手稿，并于1881年8月18日给马克思写了回信："昨天，我终于鼓起勇气，没用参考书便研究了你的数学手稿，我高兴地看到，我用不着参考书。为此我向你表示祝贺。"[1] 显然，《数学手稿》与《自然辩证法》直接相关，二者具有互补性。

当时，机会主义也从科学技术方面发起了对马克思主义的攻击。杜林自封为精通所有科学领域的唯一行家里手，妄图一笔勾销前人的全部科学，企图利用当时的自然科学成果来反对马克思主义。1865年，杜林甚至出版过名为《自然辩证法》的著作。在1876年5月28日致马克思的信中，恩格斯指出："我重温古代史和研究自然科学，对我批判杜林大有益处，并在许多方面有助于我的工作。特别是在自然科学方面，我觉得自己对于这个领域熟悉得多了，尽管在这方面还要十分谨慎，但行动起来毕竟已经有点自由和把握了。连这部著作的最终面貌也已经开始呈现在我的面前。"[2] 恩格斯这里提到的"这部著作"就是恩格斯自己的《自然辩证法》。在马克思主义发展史上，《自然辩证法》和《反杜林论》是姊妹篇。

虽然《自然辩证法》是作为《反毕希纳论》而构思的[3]，但是，在反对庸俗唯物主义、社会达尔文主义、"科学"唯心主义和降神术以及机会主义的过程中，通过总结自然科学的成果，恩格斯概括出了作为马克思主义哲学组成部分的自然辩证法的理论框架。自然辩证法是马克思主义自然观、科学技术观、科学技术方法论和科学技术社会学的集大成者和学科总称。在自然观上，恩格斯揭示出客观自然界是一个系统，由于自身的内在矛盾处于不断运动变化的过

① 《马克思恩格斯文集》第10卷，人民出版社2009年版，第464页。
② 《马克思恩格斯文集》第10卷，人民出版社2009年版，第416页。
③ 参见[英]大卫·麦克莱伦：《马克思以后的马克思主义》，中国人民大学出版社2008年版，第8页。

程中；在人类劳动的作用下，存在着从原初自然向人化自然的生成过程；人和自然是统一的，具有一体性。在人和自然的关系问题上，恩格斯揭示出，劳动在从猿到人转变过程中发挥着决定性的作用，为人类提供了从自然界向社会过渡的身体条件、语言条件和组织条件。劳动是联系自然界和人类社会的中介，是自然运动向社会运动过渡的基础和中介。在私有制尤其是在资本主义私有制的条件下，人类的急功近利行为严重破坏了人与自然的一体性，遭到了自然界的报复和惩罚。展望未来，"只有一种有计划地生产和分配的自觉的社会生产组织，才能在社会方面把人从其余的动物中提升出来，正像一般生产曾经在物种方面把人从其余的动物中提升出来一样。"① 这样，"两个提升"的思想回应了"两个和解"思想，沟通和汇通了自然史和人类史、自然观和社会观。此外，马克思恩格斯都认为，劳动和自然共同构成了财富的源泉。可见，《自然辩证法》不仅是马克思主义自然观的经典，而且是实现马克思主义自然观和马克思主义社会观相统一的典范。

此外，在研究史前社会和东方社会的过程中，马克思恩格斯也注意到了自然因素对社会结构和社会进步的影响。马克思在《人类学笔记》中指出，自然条件的差异影响了东西半球的发展。在研究东方社会尤其是亚细亚生产方式的过程中，恩格斯指出，由于独特的气候和土壤的条件，使得东方国家存在着大量的干旱甚至是沙漠地区，面临着灌溉和兴修水利等问题，需要充分发挥国家的主导作用，这样就导致东方国家不存在土地私有制的特殊情况。

总之，在1875年之后，在已经提出和确证唯物史观的基础上，通过对自然科学和数学等知识的专门的系统的研究，马克思和恩格斯确立了马克思主义自然观，进而在劳动的基础上实现了科学自然观和科学社会观的统一，从而使自然辩证法和历史唯物论成为不可分割的有机的整体。这是马克思主义发展史第三阶段的一个重要特征。

二、史前史研究和成文史研究的统一

在"一连串互相衔接的阶段的发展过程"的社会运动阶段，从史前史向成

① 《马克思恩格斯全集》第26卷，人民出版社2014年版，第479—480页。

文史的过渡是社会发展的第一次形态更替。这里，史前史主要是指原始社会的历史，是社会形态的"原生形态"，成文史主要是指阶级社会的历史。1875年之后，在基本洞悉成文史规律的基础上，马克思恩格斯较为系统地探究了史前社会问题，进一步揭示了奴隶社会、封建社会和资本主义社会形成的规律。在科学研究史前史和成文史的基础上，马克思恩格斯进一步将二者统一了起来。

从社会形态的演进来看，世界各地都曾经普遍存在过一个没有私有制、没有阶级、没有剥削的社会，即史前史阶段（史前社会，原始社会）。这种社会形态甚至在资本主义时代都有遗存。后来，在生产力发展和社会分工的基础上，随着动产私有化的发展，出现了私有制、阶级和剥削，人类开始使用文字，这样，就进入了成文史阶段（阶级社会，文明社会）。但是，由于缺乏实证材料，在其思想发展的早期阶段，马克思恩格斯不知道存在过史前社会的历史事实。例如，在《共产党宣言》中，有"至今一切社会的历史都是阶级斗争的历史"这样的不太确切的表述。后来，恩格斯加了一个注："这是指有文字记载的全部历史。在1847年，社会的史前史、成文史以前的社会组织，几乎还没有人知道。后来，哈克斯特豪森发现了俄国的土地公有制，毛勒证明了这种公有制是一切条顿族的历史起源的社会基础，而且人们逐渐发现，农村公社是或者曾经是从印度到爱尔兰的各地社会的原始形态。最后，摩尔根发现了氏族的真正本质及其对部落的关系，这一卓绝发现把这种原始共产主义社会的内部组织的典型形式揭示出来了。随着这种原始公社的解体，社会开始分裂为各个独特的、终于彼此对立的阶级。关于这个解体过程，我曾经试图在《家庭、私有制和国家的起源》（……）中加以探讨。"① 这里，恩格斯明确地将社会形态的演进划分为史前史、成文史和未来史（未来共产主义社会）三个大的发展阶段，表明了人类学和民族学研究对于确立科学的社会形态理论尤其是史前社会理论的意义。

在马克思主义发展过程中，马克思恩格斯始终关注人类学和民族学等论题。这大体上经历了三个阶段。第一个阶段大约从1841年到1846年，他们形成了"哲学人类学"的立场。例如，《黑格尔法哲学批判》探讨了家庭、市民社会和国家等与人类学相关的问题。《1844年经济学哲学手稿》剖析了人在自然和在社会中的异化问题。《德意志意识形态》标志着对人类学的首次探讨，试图把财

---

① 《马克思恩格斯选集》第1卷，人民出版社2012年版，第400页。

产和国家关系、意识的产生、物质环境创造精神概念的方式等普遍性的问题单独提出来。此外，《德意志意识形态》还提出了人类通过劳动和社会关系生产自身的学说。当然，这些思考都带有哲学思辨的色彩。第二个阶段大约从 1850 年到 1870 年，马克思恩格斯主要开展了"经济人类学"方面的研究。随着对成文史尤其是资本主义发展史研究的深入，迫切需要科学回答成文史是否是天生的永恒的问题。马克思在《资本论》和《剩余价值理论》中主要研究了资本主义的发展问题，而在《政治经济学批判（1857—1858 年手稿）》中（以下简称为《大纲》），马克思研究了前资本主义时代的三种所有制形式——亚细亚的、古代的和日耳曼的所有制形式。通过对经济学实证材料的研究，马克思对所有制的类型和演变的认识进一步深入和系统了。但是，随着《资本论》创作的进行，这种回答已经远远不够了。例如，在《资本论》第二卷中，马克思开始转向对资本积累全球维度的研究，这样，就急需用准确的文化细节来具体地揭示出，资本应当如何来面对其全球性扩张。在这个时候，恰好文化人类学的进化论学派兴起。第三阶段从 1870 年到 1895 年，马克思恩格斯开始研究"文化人类学"问题。在此之前，马克思就研究过塔西佗、哈克斯特豪森和毛勒等人的著作。例如，在 1868 年 3 月 25 日给恩格斯的信中，马克思指出："关于毛勒：他的书是非常有意义的。不仅是原始时代，就是后来的帝国直辖市、享有豁免权的地主、公共权力以及自由农和农奴之间的斗争的全部发展，都获得了崭新的说明。"①1876 年，马克思详细地摘录了毛勒的著作。1881 年，他又重新阅读了这些书。在此基础上，形成了"毛勒摘录"（"毛勒笔记"）。70 年代之后，以与俄国民族学家柯瓦列夫斯基的交往为契机，马克思在阅读和研究文化人类学进化论学派成果的基础上，完成了《人类学笔记》②。在整理《人类学笔记》的基础上，恩格斯创作了《家庭、私有制和国家的起源》。此外，恩格斯还写作了《关于原始家庭的历史（巴霍芬、麦克伦南、摩尔根）》一文。

① 《马克思恩格斯选集》第 4 卷，人民出版社 2012 年版，第 469 页。
② 1972 年，美国学者克拉德整理马克思的"摩尔根笔记"、"菲尔笔记"、"梅恩笔记"和"拉伯克笔记"而结集出版时，将这些笔记命名为《马克思民族学笔记》。学界一般将之称为"人类学笔记"，同时将马克思的"柯瓦列夫斯基笔记"包括在内。1996 年，中央编译局将上述五个笔记结集出版时，命名为《马克思古代社会史笔记》。学界对马克思这个笔记的命名，还有其他不同意见。我们按照学界的约定俗成，一概将之称为《马克思人类学笔记》，简称为《人类学笔记》。

尽管马克思创作《人类学笔记》与创作《资本论》紧密相连，但是，《人类学笔记》研究的主题十分广泛。"马克思的民族学研究的主题集中在村社、土地和农民问题上，这即刻便被视为历史和现实政治问题，再次成为科学技术在农业中应用的问题。"① 在整理这些笔记的时候，恩格斯将其主题集中在家庭、私有制和国家的起源上。这样，史前社会理论就成为马克思恩格斯研究人类学的突出理论追求和贡献。第一，史前社会的结构。史前社会的基本单位是氏族，而不是家庭。大体说来，氏族社会的基本结构为：在生产资料的所有制上实行原始的公有制，在生产的组织方式上实行集体生产，在产品的分配方式上实行平均分配，在氏族成员的社会关系上没有阶级也没有剥削，在氏族社会事务的管理问题上实行原始的民主。可见，在人类社会发展史上确实存在过一个共产主义社会。第二，史前社会的解体。在史前社会中，由于物质生产力不发达，人自身的生产具有重要作用。但是，随着物质因素在社会中的作用的逐步凸显，由于私有财产的出现，导致了氏族社会的解体。这样一来，生产力和生产关系的矛盾、经济基础和上层建筑的矛盾就一跃而成为了社会生活中的主导矛盾。在这个过程中，"不管地域如何：同一氏族中的财产差别使氏族成员的利益的共同性变成了他们之间的对抗性；此外，与土地和牲畜一起，货币资本也随着奴隶制的发展而具有了决定的意义。"② 于是，人类社会开始从史前史向成文史过渡。第三，未来社会的方向。既然成文史（私有制社会、阶级社会）是随着生产力的发展而出现的一个历史过程，那么，在生产力发展的水平极大提高的情况下，随着社会基本矛盾的发展，社会最终将在更高的水平上向原始公有制复归，共产主义在全世界的胜利是不可避免的。马克思在《人类学笔记》中指出，共产主义社会将是古代氏族的自由、平等和博爱的复活，但却是在更高级形式上的复活。在 1893 年 2 月 24 日给丹尼尔逊的信中，恩格斯同样指出："欧洲和美洲的一些资本主义生产最发达的民族，正力求打碎它的枷锁，以合作生产来代替资本主义生产，以古代类型的所有制最高形式即共产主义所有制来代替资本主义所有制。"③ 显然，未来共产主义社会是原始共产主义的否

---

① Introduction of The Ethnological Notebooks of Karl Marx, *The Ethnological Notebooks of Karl Marx*, transcribed and edited, with an introduction by Lawrence Krader, Van Gorcum & Comp. B.V.-Assen, The Netheri Ands,1974, p.5.

② 《马克思古代社会史笔记》，人民出版社 1996 年版，第 317 页。

③ 《马克思恩格斯全集》第 25 卷，人民出版社 2001 年版，第 472 页。

定之否定的发展。这样，马克思恩格斯就科学揭示出了社会发展的否定之否定规律。

可见，通过人类学研究，马克思恩格斯不仅明确了史前社会的结构、性质、演化和解体等问题，形成了科学的史前社会理论，从而使史前史及其研究成为了可能。在此基础上，由于马克思恩格斯揭示了从史前史向成文史过渡的条件和环节，揭示了从成文史向未来共产主义社会过渡的条件和过程，这样，就使史前史、成文史、未来史衔接了起来，实现了史前史研究和成文史研究的统一。事实上，马克思恩格斯的人类学研究"与对村社问题的研究一道提供了一种未来新社会形态的图景，即，不是追求个体的和私有的所有制，取而代之的应该是追求集体所有制。"① 显然，马克思恩格斯的人类学研究是通达无产阶级解放和共产主义事业的，绝不是与现实政治无关的纯粹学术问题。

表1-4　马克思恩格斯世界历史研究展示社会形态演变过程

社会形态的演进过程	马克思的著作	恩格斯的著作
史前社会	《人类学笔记》	1.《家庭、私有制和国家的起源》 2.《关于原始家庭的历史（巴霍芬、麦克伦南、摩尔根）》
奴隶制和罗马帝国及其解体	《历史学笔记》 第一册	1.《论德意志人的古代历史》 2.《马尔克》 3.《论原始基督教的历史》
封建制度的确立及其动摇衰落的历史过程	《历史学笔记》 第二册	《法兰克时代》
资本主义因素在封建制度中的萌发和进一步发展	《历史学笔记》 第三册	《论封建制度的瓦解和民族国家的产生》
新兴资本主义势力反对教皇势力和封建制度的斗争	《历史学笔记》 第四册	
资本主义	《资本论》	《反杜林论》
社会主义和共产主义	1.《法兰西内战》 2.《哥达纲领批判》	1.《社会主义从空想到科学的发展》 2.《爱尔福特纲领批判》

在掌握了人类社会从何而来（史前史）、现在如何（资本主义发展史）和

---

① Introduction of The Ethnological Notebooks of Karl Marx, *The Ethnological Notebooks of Karl Marx*, transcribed and edited, with an introduction by Lawrence Krader, Van Gorcum & Comp. B.V.-Assen, The Netheri Ands,1974, p.6.

到何处去（共产主义）等问题的情况下，探寻史前社会解体到资本主义社会之间的社会发展规律，就成为亟须回答的科学问题。在这种情况下，1875 年之后，马克思恩格斯开始了新的世界历史的研究。"马克思的历史研究工作有时是同解决《资本论》第二卷和第三卷的问题紧密相连的，这表明他想制定广义的政治经济学和阐明资本主义前的社会形态的经济规律。有时这项研究工作也是与此无关的。马克思认为重要的是通过了解历史科学的最新成就，来加深和发展对整个历史过程的唯物主义观点。"[1] 通过这种研究，马克思恩格斯科学展示了从奴隶制、封建制到资本主义确立这个漫长历史时期的社会形态的演进进程。因此，马克思的《历史学笔记》和恩格斯历史研究科学文献，是联结《人类学笔记》（包括《家庭、私有制和国家的起源》）和《资本论》的桥梁，是对《大纲》和《资本论》的重要补充和发展，主要展示了史前社会解体以后，在奴隶社会和封建社会演进的基础上，资本主义生产方式是如何形成的。这样，马克思恩格斯的历史学研究就进一步完善了成文史研究。

总之，19 世纪 70 年代后，在深入研究文化人类学和世界历史的基础上，马克思恩格斯进一步实现了史前史研究和成文史研究的统一，完善了马克思主义的整体性。当然，这种实证研究始终是与辩证思维结合在一起的。柯瓦列夫斯基回忆道："马克思曾强调地对我说过，只有按辩证的方法才能合乎逻辑地思维，即使按实证论的方法也不能合乎逻辑地思维。"[2] 总之，在专门研究史前史的基础上，坚持史前史研究和成文史研究的统一，是马克思主义发展第三个阶段的一个重要特征。

三、西方社会研究和东方社会研究的统一

在"一连串互相衔接的阶段的发展过程"的社会运动阶段，史前社会解体以后，东西方社会走上了不同的发展道路，因此，只有对西方社会和东方社会进行具体分析的基础上，才能科学完整地把握社会形态演进的规律。在 1875

---

[1] ［苏］彼·费多谢耶夫等：《卡尔·马克思》，生活·读书·新知三联书店 1980 年版，第705 页。

[2] ［俄］马·柯瓦列夫斯基：《回忆卡尔·马克思》，《回忆马克思》，人民出版社 2005 年版，第 289 页。

年之前，马克思恩格斯研究的重点放在西方社会上。在 1875 年之后，在基本掌握社会发展规律的客观性和普遍性的基础上，东方社会问题开始作为一个独立的议题正式进入其研究视野。通过这一研究，马克思恩格斯展示出了社会发展规律的统一性和多样性相统一的辩证特征，从而把西方社会研究（西方社会理论）和东方社会研究（东方社会理论）看作是统一的马克思主义社会发展理论的两个具体的方面。

在黑格尔之前的西方社会，欧洲中心论或西方中心论是占主导地位的社会思想。尽管黑格尔的思想也具有欧洲中心论的色彩，但是，他通过"世界历史"的概念将东方社会纳入到绝对精神的运动框架中，在历史哲学和哲学史中给东方社会留了一个次要的附属的位置。马克思恩格斯在唯物主义的基础上改造了黑格尔的"世界历史"概念，将之看作是一个先进生产力的全球扩展和普遍交往的全球布展的过程，从而将东方社会纳入到了这个框架中。"世界历史"是一个包括经济、政治、科技、文化、社会、生态等多方面的历史过程。同时，马克思恩格斯也揭示出殖民贸易和殖民战争是推动"世界历史"形成和发展的重要动力。西方资本主义社会通过"刀与火"开辟"世界历史"的过程，尽管给东方社会带来了铁路、机车和电报等先进的生产力，但是，也给东方社会带来了"血与泪"的代价。后来，马克思恩格斯也看到，金融资本日益成为了"世界历史"的主要推手。这样，能否利用"世界历史"提供的机遇和可能实现东方社会的跨越式发展，能否用无产阶级主导的"世界历史"取代资产阶级主导的"世界历史"，就成为无产阶级革命和社会发展的重要课题。

在"世界历史"的总体框架中，马克思恩格斯对社会发展问题的研究采用了典型研究的方式。由于自由资本主义在英国发展得最为充分，因此，马克思恩格斯将之作为了研究西方资本主义生产方式的典型。这样，如果将这种解剖得出的结论作为一般历史哲学，那么，就存在着遮蔽东方社会发展的特殊性的可能性。在《共产党宣言》中，马克思恩格斯指出："资产阶级使农村屈服于城市的统治。它创立了巨大的城市，使城市人口比农村人口大大增加起来，因而使很大一部分居民脱离了农村生活的愚昧状态。正像它使农村从属于城市一样，它使未开化和半开化的国家从属于文明的国家，使农民的民族从属于资产阶级的民族，使东方从属于西方。"[1] 这"三个从属于"揭示了资本主义主导的

---

① 《马克思恩格斯选集》第 1 卷，人民出版社 2012 年版，第 405 页。

"世界历史"的不平衡的结构，构成了当今的"世界体系论"和"依附论"的理论来源。但是，对于东方社会如何摆脱西方社会的支配和奴役的问题，马克思恩格斯没有给出明确的答复。进而，在唯物史观的指导下，通过对资本主义生产方式的研究，马克思确证了唯物史观的科学性，并且揭示出了资本主义产生、发展和灭亡的规律。在《资本论》中，马克思指出："问题本身并不在于资本主义生产的自然规律所引起的社会对抗的发展程度的高低。问题在于这些规律本身，在于这些以铁的必然性发生作用并且正在实现的趋势。工业较发达的国家向工业较不发达的国家所显示的，只是后者未来的景象。"[①]问题是，这些显示出的内容具有二重性。当其已经暴露出工业较发达国家的暂时性、腐朽性和反动性的时候，这种未来的景象是否具有普遍性，是否能够成为一种普适的社会发展范式。显然，不对东方社会进行具体的历史的研究，上述看法的普遍性和有效性就是悬而未决的问题。

从19世纪50年代开始，马克思恩格斯已经意识到对东方社会问题进行专门研究的必要性和重要性，开启了马克思主义东方社会理论的思想探索之旅。在《〈政治经济学批判〉序言》中，马克思提出："大体说来，亚细亚的、古希腊罗马的、封建的和现代资产阶级的生产方式可以看做是经济的社会形态演进的几个时代。"[②]亚细亚生产方式是指这样的一种社会形态：不存在土地私有制、血缘宗法制、中央集权专制制度。这即是"亚细亚生产方式"概念的含义。问题是：第一，亚细亚生产方式到底是一个不同于西方社会的地域性概念，还是一个处于社会形态原生位置的时间性概念？第二，在不存在土地私有制的情况下，怎么产生了中央集权的专制制度？显然，亚细亚生产方式是一个矛盾性的概念。在《大纲》中，马克思将亚细亚的、古代的、日耳曼的所有制看作是前资本主义的三种所有制形态。但是，"毛勒摘录"和《人类学笔记》表明，马克思已经意识到亚细亚生产方式概念的不准确性，最终扬弃了这一概念，走向了东方社会理论研究。

1875年之后，东方社会理论成为马克思恩格斯理论研究的专门领域。当然，这种研究同样是创作《资本论》这一宏伟事业的延续和连续，甚至是这一事业的有机组成部分。对此，恩格斯曾经指出："马克思为了写地租这一篇，

---

① 《马克思恩格斯文集》第5卷，人民出版社2009年版，第8页。
② 《马克思恩格斯选集》第2卷，人民出版社2012年版，第3页。

在 70 年代曾进行了全新的专门研究"，"由于俄国的土地所有制和对农业生产者的剥削具有多种多样的形式，因此在地租这一篇中，俄国应该起在第一册研究工业雇佣劳动时英国所起的那种作用。"① 但是，随着研究的深入，马克思恩格斯研究的视野大大扩展了。这时，他们对东方社会的研究主要涉及以下几个方面：第一，人类学中的东方社会理论。从其内容来看，马克思的《人类学笔记》涉及史前社会理论和东方社会理论两个方面。"柯瓦列夫斯基笔记"和"菲尔笔记"主要探讨的是东方社会问题。通过摘录柯瓦列夫斯基和菲尔等人的著作，马克思探讨了东方国家的土地制度、村社结构和社会生活等一系列的社会发展问题，重点考察了东方社会的社会发展的特殊性问题。通过史前社会、东方社会以及俄国问题研究，马克思区分清楚了史前公社和农村公社是两种不同类型的公社，将人类社会原生形态的位置留给了原始社会。第二，俄国社会问题研究。随着马克思主义在俄国的广泛传播和俄国革命的不断发展，俄国在研究土地和地租问题上的典型地位的显现，马克思恩格斯开始对俄国社会问题进行了专门的研究。"马克思阅读的俄国著作主要覆盖三个研究领域：(a) 俄国农村公社的历史；(b) 1861 年农奴制改革；(c) 俄国从 1861 年改革到目前的经济发展。人们可能认为马克思关于俄国的研究主要是这三个主题。"② 马克思和恩格斯两人都懂俄语，都读俄文书籍。通过这种研究，他们突出了东西方革命互补对于俄国实现跨越式发展的意义。此外，马克思还对印度、阿拉伯和中国等东方社会的问题进行了研究。例如，1881 年 8—9 月，他阅读了埃·雷·于克的《中华帝国》一书，并作了摘录。显然，1875 年之后，主要的东方国家基本上都进入了马克思恩格斯的研究视野。在注重典型的同时，马克思恩格斯东方社会理论也突出了研究对象的特殊性和研究领域的全面性。

在此基础上，马克思和恩格斯在马克思主义理论体系中开辟出了东方社会理论这一专门的研究领域。第一，坚持从东方社会实际出发。马克思恩格斯明确反对套用西方社会发展道路和发展方式于东方社会。例如，菲尔在论述东方村社中的家庭和公社的关系时，把东方的公社和社会的关系看成是封建主义。马克思讽刺地说，"菲尔这个蠢驴把村社的结构叫作封建的结构。"③ 再如，在

---

① 《马克思恩格斯文集》第 7 卷，人民出版社 2009 年版，第 10—11 页。

② James D. White, *Karl Marx and the Intellectual Origins of Dialectical Materialism*, Macmillan Press LTD,1996, p.244.

③ 《马克思古代社会史笔记》，人民出版社 1996 年版，第 385 页。

给查苏利奇复信的四封草稿和正式复信中，马克思始终强调，《资本论》中关于资本主义生产的起源这一"历史必然性"明确地限制在西欧各国的范围内。这在于，"在这种西方的运动中，问题是把一种私有制形式变为另一种私有制形式。相反，在俄国农民中，则是要把他们的公有制变为私有制"①。因此，必须反对西方中心论，从东方社会的实际出发。第二，坚持具体问题具体分析。俄国的一些民粹派一定要把马克思关于西欧资本主义起源的历史概述彻底变成一般发展道路的历史哲学理论，一切民族，不管其所处的历史环境如何，都注定要走"发展资本主义——资本主义灭亡——共产主义胜利"这样一条道路。对此，马克思指出，"极为相似的事变发生在不同的历史环境中就引起了完全不同的结果。如果把这些演变中的每一个都分别加以研究，然后再把它们加以比较，我们就会很容易地找到理解这种现象的钥匙；但是，使用一般历史哲学理论这一把万能钥匙，那是永远达不到这种目的的，这种历史哲学理论的最大长处就在于它是超历史的"②。这样，马克思就在哲学方法论上突出了具体问题具体分析的重要性。第三，走出一条不通过资本主义"卡夫丁峡谷"的道路。俄国农业公社在所有制上兼具公有制和私有制双重因素。这样，农业公社的未来抉择有两种可能：或者是它所包含的私有制因素战胜集体因素；或者是后者战胜前者。尽管二者都是可能的，但是，后一种可能性不容忽视。"在欧洲，只有俄国的'农村公社'在全国范围内广泛地保存下来了。因此，它目前处在这样的历史环境中：它和资本主义生产的同时存在为它提供了集体劳动的一切条件。它有可能不通过资本主义制度的卡夫丁峡谷，而占有资本主义制度所创造的一切积极的成果。"③这样，"不通过资本主义制度的卡夫丁峡谷"就成为了东方社会的一种辩证选择。

　　东方社会理论是整个马克思主义理论中不可缺少的一环，进一步深化了马克思主义理论尤其是马克思主义社会发展理论。第一，跨越式发展需要有经济需要和物质条件。生产力的发展是一切发展的基础，因此，实现跨越式发展需要有经济上的需要和物质上的条件。在经济上，必须要保证农民获得正常数量的耕地，这样，在解除其肩上的重担的同时，他们就会提出跨越式发展的需

---

① 《马克思恩格斯选集》第 3 卷，人民出版社 2012 年版，第 840 页。
② 《马克思恩格斯选集》第 3 卷，人民出版社 2012 年版，第 730—731 页。
③ 《马克思恩格斯选集》第 3 卷，人民出版社 2012 年版，第 828—829 页。

要。在物质条件上，可以移植西方先进的生产力。第二，跨越式发展需要社会革命。由于掌握着各种政治力量和社会力量的人正在尽一切可能准备把群众推入到灾祸当中，沙皇是一切反对秩序的最后堡垒，因此，要挽救俄国公社，必须要有俄国革命。只有推翻专制主义的反动统治，俄国才能获得正常发展的条件。第三，跨越式发展不能脱离世界历史。尽管俄国不像印度那样成为外国资本主义的猎获物，但是，它也不是脱离世界而孤立存在的。只有在世界历史的环境中，在东西方的冲突和张力中，才存在着跨越式发展的可能性。当然，主导世界历史的西方资本主义的深刻危机，也预示着东方社会实现跨越式发展的可能性。第四，跨越式发展需要东西方革命的互补。由于资本主义是一种世界历史存在，形成了资本主义世界体系，因此，不推翻这个世界体系，东方革命和东方发展都是不可能的。因此，"对于这个问题，目前唯一可能的答复是：假如俄国革命将成为西方工人革命的信号而双方互相补充的话，那么现今的俄国公有制便能成为共产主义发展的起点。"① 这样，东方社会理论就进一步证实了以英国为解剖对象而形成的理论的科学性和有效性。

总之，19世纪70年代之后，马克思恩格斯开始对东方社会展开了全面深入的研究，揭示了人类社会发展规律，尤其是东方社会发展的具体性和特殊性，强调东方国家在被资本主义裹挟到世界历史的发展进程中，有可能积极利用资本主义的先进成果，并在利用自身传统优势的基础上，走出一条不同于西欧资本主义的发展道路，从而彰显出马克思恩格斯的西方社会研究和东方社会研究的内在统一。这成为马克思主义发展第三个阶段的重要特征。

四、分析竞争和预测垄断的统一

在"一连串互相衔接的阶段的发展过程"的社会运动阶段，随着资本主义生产力的发展，"人类社会的史前时期就以这种社会形态而告终"② 。作为与未来共产主义相对的史前时期的资本主义，又经历了自由竞争资本主义和垄断资本主义两个发展阶段。1875年之后，根据第二次工业革命带来的垄断资本主

① 《马克思恩格斯选集》第1卷，人民出版社2012年版，第389页。
② 《马克思恩格斯选集》第2卷，人民出版社2012年版，第3页。

义发展的新趋向，马克思恩格斯在坚持《资本论》第一卷的理论框架和逻辑思路的同时，进一步将垄断作为关注的重点，揭示出垄断不可能改变资本主义灭亡的实质，从而彰显了马克思主义尤其是马克思主义关于资本主义理论所具有的分析竞争和预测垄断相统一的特征。

在资本主义的发展过程中在一定程度上始终存在着竞争和垄断并存的现象，因此，在研究资本主义生产方式的矛盾运动的过程中，马克思恩格斯始终将分析竞争和预测垄断统一起来。事实上，马克思恩格斯刚开始从事政治经济学研究时，就已经关注到竞争和垄断并存的事实，并开始阐述两者的辩证关系。在《国民经济学批判大纲》中，恩格斯指出，"垄断引起自由竞争，自由竞争又引起垄断"[1]。显然，竞争和垄断是资本主义条件下紧密相连的一对现象。当然，恩格斯这时所指出的垄断并非垄断资本主义所强调的垄断，而是一般意义上的资本主义占有的垄断。尽管如此，恩格斯仍然揭示出了垄断产生的必然性。在《政治经济学批判（1857—1858 年手稿）》中，马克思揭示出了作为资本主义社会最新形式的股份公司的历史起源："这就是资产阶级社会的最新形式之一：股份公司。但是，它还在资产阶级社会初期就以拥有特权和垄断权的大商业公司的形式出现。"[2]尽管股份公司在 19 世纪中期以后才在资本主义经济生活中开始占据支配地位，但其历史由来已久。在此基础上，马克思揭示出资本主义凭借信用手段扬弃了单个资本及其竞争的后果。"恰恰是各资本作为单个资本而相互作用，才使它们作为一般资本而确立起来，并使各单个资本的表面独立性和独立存在被扬弃。这种扬弃在更大的程度上发生在信用中。这种扬弃的最高形式，同时也就是资本在与它相适应的形式中的最终确立，就是股份资本。"[3]这样，马克思就已经预测到了资本主义从自由竞争向垄断阶段过渡的可能性。但是，垄断的产生不仅不能消除竞争，反而使竞争进一步加剧了。这样一来，"谁也不会因此认为，通过交易所改革就可以铲除对内或对外的、私人商业的基础。但是，在以交换价值为基础的资产阶级社会内部，产生出一些交往关系和生产关系，它们同时又是炸毁这个社会的地雷。"[4]因此，垄断也挽救不了资本主义灭亡的命运。

---

① 《马克思恩格斯选集》第 1 卷，人民出版社 2012 年版，第 45—46 页。
② 《马克思恩格斯文集》第 8 卷，人民出版社 2009 年版，第 32 页。
③ 《马克思恩格斯全集》第 31 卷，人民出版社 1998 年版，第 50 页。
④ 《马克思恩格斯文集》第 8 卷，人民出版社 2009 年版，第 53—54 页。

出于整个《资本论》整体篇章结构布局的需要，马克思在《资本论》第一卷中将自由竞争资本主义的发展作为分析对象和主题。但是，通过在逻辑上再现资本主义生产方式的矛盾运动，马克思发现："资本的垄断成了与这种垄断一起并在这种垄断之下繁盛起来的生产方式的桎梏。生产资料的集中和劳动的社会化，达到了同它们的资本主义外壳不能相容的地步。这个外壳就要炸毁了。资本主义私有制的丧钟就要响了。剥夺者就要被剥夺了。"① 在这个过程中产生的资本主义否定之否定的发展，就是要重建个人所有制。显然，没有垄断资本主义的充分发展，这个否定之否定就不会发生。

1875 年左右，随着第二次工业革命的发展，资本主义垄断化的趋势日益明显。在这种情况下，马克思加强了对资本主义最新发展趋向的科学研究。1877年春，在阅读和摘录迈耶尔的《德国政界的滥设企业者和营私舞弊》一书时，马克思总结了自己对德国经济中的新现象的看法，认为工业生产和大商业越来越依赖银行，依赖于大资本家。1879 年 4 月 10 日，在给丹尼尔逊的信中，马克思谈到铁路的发展及其对资本积累、对外贸易增长以及对人民群众状况的影响。1880 年，马克思向正在研究法国银行制度的拉法格建议，应注意资本的输出。1881 年 2 月 19 日，在给丹尼尔逊的信中，马克思分析了英国和美国的铁路建设同国债制度的关系问题以及资本主义生产积累的增长问题。此外，19 世纪70 年代以后，马克思研究了一系列的有关信贷和银行业方面的著述。

在这个过程中，马克思已意识到了美国这个新兴的资本主义国家在整个资本主义发展进程中的重要性。在 1878 年 11 月 15 日给丹尼尔逊的信中，马克思指出："商业会沿着上升路线发展的第一个国家将是北美合众国。只不过在那里，这种回升将在条件完全变了的、而且是变得更坏的情况下出现。人民要想摆脱大公司的垄断权力以及（对于群众的直接福利的）有害影响，将是徒然的，这些大公司从内战一开始就以日益加快的速度控制工业、商业、地产、铁路和金融业。美国的优秀著作家们公开宣布了一个无可辩驳的事实：尽管反对奴隶制的战争打碎了束缚黑人的锁链，然而在另一方面，却使白人生产者遭到奴役。"② 相对于英国，美国在此期间已成为更具有时代特征的"资本主义生产方式的典型"。1867 年，马克思认为，只有在英国才有关于他的研究对象的连

---

① 《马克思恩格斯文集》第 5 卷，人民出版社 2009 年版，第 874 页。

② 《马克思恩格斯文集》第 10 卷，人民出版社 2009 年版，第 427 页。

续的官方统计材料。到了 70 年代末，美国的统计局后来居上。这时，只有通过其数据统计才能直观地看出美国经济快速发展的规模及其引发的社会矛盾，以此来把握资本主义垄断化的趋向。因此，马克思指出："现在，经济学家最感兴趣的地方当然是美国，特别是从 1873 年（从九月崩溃）到 1878 年这一时期，即持续危机的时期。在英国需要数百年才能实现的那些变革，在这里只用几年就完成了。但是研究者的注意力不应当放在历史比较长的、大西洋沿岸的各州上，而应放在比较新的（俄亥俄是最显著的例子）和最新的（例如加利福尼亚）各州上。"① 美国成为"经济学研究者最感兴趣的对象"，既是研究模式的转换，也是研究视角范围的转换。在这个过程中，马克思研究了大量美国资料。这样，通过对垄断的研究，马克思就深化和发展了《资本论》第一卷的理论框架和逻辑思路。

马克思逝世后，恩格斯通过对自由贸易与保护关税制度问题的分析，初步揭示了垄断产生的必然性，并进一步论述了垄断的产生、垄断的组织形式以及垄断的实质及其发展趋势。19 世纪中叶，英国的工业和贸易的规模十分巨大，在世界市场中居于一定的垄断地位。为了打破英国的这种垄断，德国和法国等资本主义国家纷纷采取保护关税制度，"在一切有可能的地方都成立了'瑞恩'或者'托拉斯'来调节出口贸易，甚至调节生产本身。"② 早期的瑞恩和托拉斯等垄断形式是为了更好地展开国际竞争产生的。同时，在一国范围内，某些产业主要集中在几家大公司之中。例如，当时德国的钢铁业就是如此。因此，"为了避免不必要的互相竞争，这些公司成立了一个托拉斯，负责在这些公司之间分配同外国人签订的所有合同，根据每一个具体情况确定由哪一家公司来实际投标承包。这个'托拉斯'在几年以前甚至还同几个英国的炼铁业老板达成了协议。"③ 在此情形下，一大批股份公司和垄断组织开始广泛建立起来。可见，垄断是自由竞争的必然结果，竞争促使了垄断向更高阶段和组织形式的发展，进而导致了资本主义从自由竞争向垄断过渡。垄断改变了资本主义生产的私人性质和生产的无计划性。恩格斯在《爱尔福特纲领批判》中已经看到了这一点。"由股份公司经营的资本主义生产，已经不再是私人生产，而是由许多

---

① 《马克思恩格斯文集》第 10 卷，人民出版社 2009 年版，第 427 页。
② 《马克思恩格斯文集》第 4 卷，人民出版社 2009 年版，第 344 页。
③ 《马克思恩格斯文集》第 4 卷，人民出版社 2009 年版，第 344 页。

人联合负责的生产。如果我们从股份公司进而来看那支配着和垄断着整个工业部门的托拉斯，那么，那里不仅没有了私人生产，而且也没有了无计划性。"① 但是，垄断并没有改变资本主义生产资料私有制的属性和本质。事实上，"无论向股份公司和托拉斯的转变，还是向国家财产的转变，都没有消除生产力的资本属性。"② 因此，随着资本主义从自由竞争转变为垄断阶段，进一步导致了快速发展的生产力同它赖以发展起来的社会制度的矛盾，使得革命成为唯一出路。这就需要由无产阶级取得国家政权，把生产资料变为公有财产，进而在快速增加社会生产力总量的基础上，完成消灭阶级和消灭国家的伟大历史使命。

在上述研究的基础上，恩格斯在整理《资本论》手稿时，将信用制度、股份公司和银行在现代资本主义生产方式中的作用的论述放在了《资本论》第三卷第五篇中。恩格斯在"序言"中指出，第二十七章"信用在资本主义生产中的作用"和第二十九章"银行资本的组成部分"几乎完全可以照马克思的原稿付印。同时，恩格斯也新增加了一些内容。他指出，"在有些部门，只要生产发展的程度允许的话，就把该部门的全部生产，集中成为一个大股份公司，实行统一领导。在美国，这个办法已经多次实行；在欧洲，到现在为止，最大的一个实例是联合制碱托拉斯。这个托拉斯把英国的全部碱的生产集中到唯一的一家公司手里。……因此，在英国，在这个构成整个化学工业的基础的部门，竞争已经为垄断所代替，并且已经最令人鼓舞地为将来由整个社会即全民族来实行剥夺做好了准备"③。显然，即使资本主义进入了垄断阶段也避免不了其灭亡的命运。

总之，1875年之后，在继续研究资本主义生产方式矛盾运动的过程中，马克思恩格斯已经明确地预测到了从自由竞争资本主义向垄断资本主义发展的历史趋势，在按照《资本论》的理论框架和逻辑思路进行研究的过程中，将分析竞争和预测垄断统一起来。因此，在《资本论》第一卷和第三卷之间根本不存在逻辑上的非连续的问题，更不存在《资本论》第三卷反对第一卷的问题。随着《资本论》及其所有手稿在MEGA²第二部分的全部刊出，我们可以看到："马克思从19世纪40年代开始怀抱的资本主义必然灭亡的信念和憧憬，直至

①　《马克思恩格斯选集》第4卷，人民出版社2012年版，第290页。
②　《马克思恩格斯选集》第3卷，人民出版社2012年版，第810页。
③　《马克思恩格斯文集》第7卷，人民出版社2009年版，第496—497页。

逝世都未改变。这是一条主线，它从根本上联结着马克思 40 多年各方面的创作，成为它们恒定的主题。"① 恩格斯同样如此。因此，通过对垄断问题的研究，马克思恩格斯在新的研究基础上实现了分析竞争和预测垄断的统一。这构成了马克思主义发展第三个阶段的重要特征。

五、暴力革命原则与和平斗争手段的统一

共产主义是"一连串互相衔接的阶段的发展过程"的社会运动的最高阶段的开始。但是，若没有无产阶级革命，这一必然性也难以实现。1875 年之后，马克思恩格斯在坚持暴力革命原则的前提下，也探讨了和平斗争的可能性，要求灵活具体地将二者统一起来。1886 年，恩格斯在《费尔巴哈论》中深刻地指出："如果旧的东西足够理智，不加抵抗即行死亡，那就和平地代替；如果旧的东西抗拒这种必然性，那就通过暴力来代替"②。这一无产阶级革命的辩证法思想，在马克思恩格斯晚年得到了创造性发展。

（一）19 世纪 70 年代到 1883 年期间对暴力革命与和平斗争关系的认识

1871 年之后，在总结巴黎公社革命经验的过程中，马克思恩格斯继续坚持暴力革命的原则，并且提出了无产阶级专政的理论。同时，他们也承认无产阶级可以利用和平的手段实现自己的目的，要求各国根据自己的实际具体地将暴力革命与和平斗争统一起来。

巴黎公社的宝贵经验和血的教训表明，无产阶级革命必须打碎旧的国家机器，建立无产阶级专政。在《共产党宣言》关于暴力革命思想的基础上，继《法兰西内战》提出无产阶级专政的思想之后，马克思在《哥达纲领批判》中进一步明确提出："在资本主义社会和共产主义社会之间，有一个从前者变为后者的革命转变时期。同这个时期相适应的也有一个政治上的过渡时期，这个时期的国家只能是无产阶级的革命专政。"③ 但是，改良主义却极力否认这一点。例

---

① ［德］C.-E. 福尔格拉夫：《对〈资本论〉的新认识——写在 MEGA² 第 2 部分结束之际》，《马克思主义与现实》2014 年第 3 期。
② 《马克思恩格斯选集》第 4 卷，人民出版社 2012 年版，第 222 页。
③ 《马克思恩格斯选集》第 3 卷，人民出版社 2012 年版，第 373 页。

如，苏黎世"三人团"只会在纸上谈论无产阶级和资产阶级之间的阶级斗争，在实践中却大力抹杀、冲淡和削弱阶级斗争。对此，马克思恩格斯严厉批评道："三人团"染上了"议会症"，只懂得一心搞合法斗争。其实，无产阶级和资产阶级的阶级斗争，才是任何革命社会主义的核心。进而，马克思恩格斯从社会基本矛盾运动客观规律的高度揭示了革命的必然性和必要性。在《〈政治经济学批判〉序言》中，马克思已经揭示出："社会的物质生产力发展到一定阶段，便同它们一直在其中运动的现存生产关系或财产关系（这只是生产关系的法律用语）发生矛盾。于是这些关系便由生产力的发展形式变成生产力的桎梏。那时社会革命的时代就到来了。"① 在《共产党宣言》1883年德文版序言中，恩格斯认为，由社会基本矛盾的运动引发社会革命是《宣言》的基本思想。不仅如此。在《宣言》的1882年俄文版序言中，马克思恩格斯指出，假如俄国革命将成为西方无产阶级革命的信号而双方互相补充的话，那么，俄国土地公有制便能成为共产主义发展的起点。可见，无产阶级革命对于东方社会的跨越式发展也具有重大的支撑作用。

在坚持暴力革命原则的前提下，马克思恩格斯也要求无产阶级革命必须充分考虑到各国的实际，可利用和平手段实现共产主义目标。在1871年之前，他们曾考虑过以温和方式进行革命的可能性和可行性。1872年，马克思在阿姆斯特丹指出："我们知道，必须考虑到各国的制度、风俗和传统；我们也不否认，有些国家，像美国、英国，——如果我对你们的制度有更好的了解，也许还可以加上荷兰，——工人可能用和平手段达到自己的目的。但是，即使如此，我们也必须承认，在大陆上的大多数国家中，暴力应当是我们革命的杠杆；为了最终地建立劳动的统治，总有一天正是必须采取暴力。"② 这在于，资本主义在19世纪70年代以后的发展开始具有"和平"性质，但资产阶级不可能自动地放弃其既得利益。相反，在巴枯宁主义者看来，除了直接的暴力革命之外，无产阶级不能采取任何其他的行动办法，工人阶级不能进行任何政治活动。对此，恩格斯在《1877年的欧洲工人》一文中进行了严厉批判，认为巴枯宁主义的错误做法只会导致无产阶级运动的失败，对革命不会产生任何积极的影响。1878年，在批驳德国反社会党人法时，马克思揭示出了采用和平斗争手

① 《马克思恩格斯选集》第2卷，人民出版社2012年版，第2—3页。
② 《马克思恩格斯全集》第18卷，人民出版社1964年版，第179页。

段的条件：只有当社会中的掌权者不用暴力方法来阻碍历史发展的时候，历史发展才可能是"和平"的。

1880 年，在指导和帮助法国工人党制定《法国工人党纲领导言（草案）》时，马克思从总体上阐明了暴力革命与和平斗争的辩证关系："这种集体占有只有通过组成为独立政党的生产者阶级或无产阶级的革命活动才能实现；要建立上述组织，就必须使用无产阶级所拥有的一切手段，包括借助于由向来是欺骗的工具变为解放工具的普选权；所以，法国社会主义工人确定其经济方面努力的最终目的是使全部生产资料归集体所有，并决定提出下述最低纲领参加选举，以此作为组织和斗争的手段。"① 所谓的"下述最低纲领"，就是指无产阶级革命的具体目标尤其是经济要求。显然，无产阶级革命是一种总体性的或全面性的革命，暴力革命是其原则，和平斗争是其手段。究竟采用哪种方式，是由各国的具体情况决定的。对此，1871 年 7 月 3 日，马克思在同《世界报》记者谈话时指出，"在英国，显示自己政治力量的途径对英国工人阶级是敞开的。在和平的宣传鼓动能更快更可靠地达到这一目的的地方，举行起义就是发疯。在法国，迫害性的法律成百上千，阶级对立你死我活，这使得社会战争这种暴力解决办法成为不可避免。选择这种解决办法是这个国家工人阶级自己的事"②。可见，相对于共产主义目标来说，暴力革命与和平斗争都是无产阶级革命的可供选项。但是，只有暴力革命才能冲破资产阶级的统治。

（二）恩格斯从 1883 年到 1895 年期间对暴力革命与和平斗争关系的认识

19 世纪中晚期，资本主义开始向垄断资本主义过渡，无产阶级的议会斗争也取得了一定程度的胜利，因此，1883 年之后，恩格斯从正面严肃考虑了议会道路的可能性和可行性。即使如此，他也没有放弃暴力革命的原则。

随着资本主义向垄断的过渡，迫于无产阶级革命的压力，资本主义开始调整生产关系和上层建筑，允许无产阶级政党进入议会。这样，议会就成为无产阶级同资产阶级斗争的重要场所。"由于德国工人善于利用 1866 年开始实行的普选权，党的惊人的成长就以无可争辩的数字展现在全世界面前：社会民主党所得的选票 1871 年为 102 000 张，1874 年为 352 000 张，1877 年

---

① 《马克思恩格斯选集》第 3 卷，人民出版社 2012 年版，第 818 页。
② 《马克思恩格斯文集》第 3 卷，人民出版社 2009 年版，第 611 页。

为 493 000 张。接着就是当局以实行反社会党人法的方式承认了这些成就；党暂时被打散了，所得选票在 1881 年降到了 312 000 张。但是这种状况很快就被克服了，当时正是在受非常法压迫、没有报刊、没有合法组织、没有结社集会权利的情况下，真正开始了迅速的增长：1884 年为 550 000 张，1887 年为 763 000 张，1890 年为 142 7000 张。这时，国家的手就软了。反社会党人法废除了，社会党人的选票增到了 178 7000 张，即超过总票数的四分之一。"① 在这样的情况下，如果继续片面地简单地强调暴力革命，显然是不合时宜的。因此，恩格斯于 1891 年在《爱尔福特纲领批判》中提出，"在人民代议机关把一切权力集中在自己手里、只要取得大多数人民的支持就能够按照宪法随意办事的国家里，旧社会有可能和平长入新社会"②。无产阶级革命的议会斗争方式，就是要利用普选制来实现无产阶级自己的目的。普选权赋予无产阶级一种卓越的行动手段。当然，对其极限也必须要有清醒的意识。试图在议会的范围内完全解决无产阶级的解放问题，既无可能，也不可行。早在 1884 年，恩格斯在《家庭、私有制和国家的起源》中就提出："普选制是测量工人阶级成熟性的标尺。在现今的国家里，普选制不能而且永远不会提供更多的东西。"③ 在这一前提下，恩格斯从正面肯定了议会斗争的合理性和可行性。1893 年 9 月 14 日，在维也纳的社会民主党人大会上的演说中，恩格斯以兴高采烈的心情高度赞扬了社会民主党人在议会斗争中取得的胜利，认为无产阶级正大光明地进入议会的那一天是一个划时代的日子。1895 年 2 月底至 3 月初，他在《卡·马克思〈1848 年至 1850 年的法兰西阶级斗争〉一书导言》（以下简称为《导言》）中指出，德国社会民主党人在议会斗争中的胜利，给了世界各国的同志们一件新的武器，最锐利的武器中的一件武器，向他们表明了应该怎样使用普选权。

但是，恩格斯绝对不可能为成为"议会迷"而"告别革命"。在他那里，暴力革命依然是无产阶级革命的原则。随着无产阶级议会斗争的胜利，旧式的起义，在 1848 年以前到处都起过决定作用的筑垒巷战，在当时大大过时了。但是，不能由此断言放弃暴力革命。就是在《导言》中，恩格斯又提出：

---

① 《马克思恩格斯选集》第 4 卷，人民出版社 2012 年版，第 388 页。

② 《马克思恩格斯选集》第 4 卷，人民出版社 2012 年版，第 293 页。

③ 《马克思恩格斯选集》第 4 卷，人民出版社 2012 年版，第 190 页。

"这是不是说，巷战在将来就不会再起什么作用了呢？决不是。这只是说，自1848 年以来，各种条件对于民间战士已经变得不利得多，而对于军队则已经变得有利得多了。所以说，将来的巷战，只有当这种不利的情况有其他的因素来抵消的时候，才能达到胜利。"① 显然，恩格斯这时否定的是巷战的形式，而非暴力革命本身。即使对巷战这种斗争方式，恩格斯也未完全放弃。这在于，没有哪国的资产阶级会坐视无产阶级获得政权，哪怕是通过议会方式。1886年，恩格斯在《资本论》第一卷英文版序言中就已指出，通过毕生研究英国的经济史和经济状况，马克思得出的结论是：至少在欧洲，英国是唯一可以完全通过和平的和合法的手段来实现不可避免的社会革命的国家。但是，马克思从来没有忘记：英国的统治阶级会不经过"维护奴隶制叛乱"而屈服在这种和平的和合法的革命面前。恩格斯在《导言》中指出，无产阶级议会斗争的胜利，结果弄得资产阶级及其政府害怕工人政党的合法活动更甚于害怕其不合法活动，害怕选举成就更甚于害怕起义成就。因此，恩格斯晚年依然坚持无产阶级专政的理论和实践。1891 年，他在《法兰西内战》的再版导言中严正指出，巴黎公社就是无产阶级专政的先例和典范。在其临终之前，在 1895 年 3 月 8日给理查·费舍的信中，恩格斯特别声明："我认为，如果你们宣扬绝对放弃暴力行为，是决捞不到一点好处的。没有人会相信这一点，也没有一个国家的任何一个政党会走得这么远，竟然放弃拿起武器对抗不法行为这一权利。"② 这才是恩格斯的真正的政治遗言。

在 1889 年 12 月 18 日的一封信中，恩格斯表明了自己对暴力革命原则与和平斗争手段的辩证看法，"对于我这个革命者来说，一切达到目的的手段都是可以使用的，不论是最强硬的，还是看起来最温和的"③。这一切的关键取决于经常变化的条件和各国的具体实际。

总之，无论是马克思晚年还是恩格斯晚年，都始终要求根据各国的具体条件和革命的具体实际将暴力革命与和平斗争灵活地统一起来。因此，下列论断根本不能成立："到了晚年，社会民主党人在选举中节节获胜，使得恩格斯更多偏重于马克思主义的改良方面，而不是其革命的方面；并且，他宣布，1848

---

① 《马克思恩格斯选集》第 4 卷，人民出版社 2012 年版，第 393 页。
② 《马克思恩格斯选集》第 4 卷，人民出版社 2012 年版，第 659 页。
③ 《马克思恩格斯选集》第 4 卷，人民出版社 2012 年版，第 593 页。

年的策略在各方面都已过时了。"①撇开其政治立意不谈，这一论断对待马克思恩格斯晚年文本的态度未免太随意了。在总体上，坚持暴力革命原则与和平斗争手段的统一，同样是马克思主义发展第三阶段的重要特征。

六、社会发展唯物论和社会发展辩证法的统一

在具体研究"一连串互相衔接的阶段的发展过程"的同时，必须从总体上把握这一过程。马克思主义哲学就是对"一连串互相衔接的阶段的发展过程"尤其是其社会运动的总体把握和反思。这样，就必须在实现马克思主义哲学体系化的同时，突出历史唯物主义的科学作用。在 1875 年之后，由于将历史唯物主义歪曲为经济唯物主义甚至是经济决定论成为对马克思主义的最大挑战，因此，马克思恩格斯着重阐明了社会历史领域的辩证法。以实践尤其是劳动为基础和中介，历史唯物主义实现了社会发展唯物论和社会发展辩证法的有机的统一。

（一）坚持和发展社会发展的唯物论

唯物史观是马克思在科学上的最伟大的发现。1875 年之后，马克思恩格斯在新的论战和研究中进一步向前推进了唯物史观。这里，唯物史观主要突出强调的是社会发展的唯物论。

在揭示社会存在决定社会意识的前提下，唯物史观着重揭示出了生产力决定生产关系、经济基础决定上层建筑的社会发展的物质动力机制，向上提升了唯物主义。正如恩格斯在马克思逝世后指出的那样："正像达尔文发现有机界的发展规律一样，马克思发现了人类历史的发展规律，即历来为繁芜丛杂的意识形态所掩盖着的一个简单事实：人们首先必须吃、喝、住、穿，然后才能从事政治、科学、艺术、宗教等等；所以，直接的物质的生活资料的生产，从而一个民族或一个时代的一定的经济发展阶段，便构成基础，人们的国家设施、法的观点、艺术以至宗教观念，就是从这个基础上发展起来的，因而，也必须

---

① ［英］大卫·麦克莱伦：《马克思以后的马克思主义》，中国人民大学出版社 2008 年版，第 12—13 页。

由这个基础来解释，而不是像过去那样做得相反。"① 这里，在高度评价马克思在创立唯物史观中的伟大贡献的同时，恩格斯简明扼要地阐述了唯物史观的基本原理。

1875年之后，不管条件如何变化和研究对象如何相异，马克思恩格斯始终坚持历史唯物主义。例如，摩尔根《古代社会》的基本结构是："生产技术的发展→政治观念的发展→家庭形式的变化→私有制的产生"。在马克思的"摩尔根笔记"中，这种结构被改造为："生产技术的发展→家庭形式的变化→私有制和国家的产生"。针对摩尔根关于亲属制度、亲属称谓落后于亲属关系的原理，马克思进一步指出："同样，政治的、宗教的、法律的以至一般哲学的体系，都是如此"②。这样，马克思就纠正了摩尔根唯物主义观点的不彻底性，彻底坚持了历史唯物主义。再如，在提出不通过资本主义"卡夫丁峡谷"的设想时，马克思提出，实现这种跨越必须要有经济上的需要和物质上的条件。此外，马克思晚年的科学探索从诸多方面丰富和发展了唯物史观的其他基本原理。例如，《历史学笔记》的四册结构，对应的是唯物史观的经济社会形态理论，运用历史学材料证明了原始社会解体后西方社会如何在经历奴隶社会、封建社会的基础上向资本主义过渡的。再如，在《历史学笔记》中，马克思详细地研究了多次农民起义。他指出，虽然农民起义失败了，但给予封建制度以最沉重的打击。这样，就为唯物史观的社会历史主体理论提供了史学论证和支持。

同样，恩格斯在《反杜林论》、《费尔巴哈论》、《家庭、私有制和国家的起源》和"历史唯物主义通信"等一系列著作中，都进一步丰富和发展了历史唯物主义的基本原理。在1894年1月25日致博尔吉乌斯的信中，恩格斯深刻揭示出了"经济关系"的丰富内涵："我们视之为社会历史的决定性基础的经济关系，是指一定社会的人们生产生活资料和彼此交换产品（在有分工的条件下）的方式。因此，这里包括生产和运输的全部技术。这种技术，照我们的观点看来，也决定着产品的交换方式以及分配方式，从而在氏族社会解体后也决定着阶级的划分，决定着统治关系和奴役关系，决定着国家、政治、法等等。此外，在经济关系中还包括这些关系赖以发展的地理基础和事实上由过去沿袭下

---

① 《马克思恩格斯选集》第3卷，人民出版社2012年版，第1002页。
② 《马克思古代社会史笔记》，人民出版社1996年版，第148页。

来的先前各经济发展阶段的残余（这些残余往往只是由于传统或惰性才继续保
存着），当然还包括围绕着这一社会形式的外部环境"①。在恩格斯看来，经济
关系不仅包括生产方式，而且包括生产和运输的全部技术、经济关系赖以发展
的地理基础、以前社会的经济残余和社会形式的外部环境。其实，这揭示的就
是社会存在的含义，或者说是历史唯物主义的"物"的含义。这样，恩格斯就
将历史唯物主义发展得更为全面和彻底了。

　　总之，1875年之后，马克思恩格斯进一步丰富和发展了唯物史观，坚持
了彻底的唯物主义路线。

（二）阐明和发展社会发展的辩证法

　　针对将历史唯物主义歪曲为经济唯物主义甚至是经济决定论的谬误，1875
年之后，马克思恩格斯明确地突出了历史辩证法。梅林在评价《反杜林论》的
理论贡献时指出，恩格斯"在一系列重大问题上，考验了历史和自然中的历史
唯物主义辩证法"②。其实，这一评价也适用于1875年到1895年之间的马克思
主义发展史。

　　恩格斯实事求是地揭示出了将唯物史观简化为经济唯物主义和经济决定论
的认识论根源。在1890年9月21日左右致布洛赫的信和1893年7月14日致
梅林的信等文献中，恩格斯对此进行了深入分析。他指出，在创立唯物史观的
过程中，"只有一点还没有谈到，这一点在马克思和我的著作中通常也强调得
不够，在这方面我们大家都有同样的过错。这就是说，我们大家首先是把重点
放在从基本经济事实中引出政治的、法的和其他意识形态的观念以及以这些观
念为中介的行动，而且必须这样做。但是我们这样做的时候为了内容方面而忽
略了形式方面，即这些观念等等是由什么样的方式和方法产生的。这就给了敌
人以称心的理由来进行曲解或歪曲"③。这一论述既体现出了马克思主义自我批
评的科学精神，也为反击歪曲历史唯物主义的错误思潮提供了科学武器。恩格
斯强调，根据唯物史观基本原理，现实生活的生产和再生产归根到底是历史过
程中的决定性因素。但是，无论马克思或他本人都未肯定过比这更多的东西。

---

① 《马克思恩格斯选集》第4卷，人民出版社2012年版，第648页。

② [德] 弗·梅林：《德国社会民主党史》Ⅳ，生活·读书·新知三联书店1966年版，第
　　120页。

③ 《马克思恩格斯选集》第4卷，人民出版社2012年版，第642页。

假如有人对此加以歪曲，说经济因素是唯一决定性的因素，那么，他就是把唯物史观变成毫无内容的、抽象的、荒诞无稽的空话。在这种情况下，迫切要求坚持和发展社会发展的辩证法，即历史辩证法。

历史辩证法就是在坚持历史唯物论的前提下要看到作为社会历史发展决定因素的经济和其他社会因子是处于复杂的相互作用当中的，社会有机体是在社会基本矛盾推动下的历史发展过程。早在唯物史观创立的初期，马克思恩格斯就全面阐述了历史唯物主义的辩证法向度，阐明了社会存在和社会意识、生产力和生产关系、经济基础和上层建筑之间的辩证关系。对此，恩格斯晚年从"历史合力论"的高度进行了概括。"历史是这样创造的：最终的结果总是从许多单个的意志的相互冲突中产生出来的，而其中每一个意志，又是由于许多特殊的生活条件，才成为它所成为的那样。这样就有无数互相交错的力量，有无数个力的平行四边形，由此就产生出一个合力，即历史结果，而这个结果又可以看做一个作为整体的、不自觉地和不自主地起着作用的力量的产物"①。"历史合力"就是历史因素在相互作用中形成的力量，体现的就是历史辩证法的力量。在恩格斯看来，一些人之所以将历史唯物主义曲解为经济唯物主义和经济决定论，就在于他们不懂得辩证法，没有看到整个伟大的发展过程是在相互作用的形式中进行的。当然，在这个过程中，相互作用的力量不是等量齐观的，经济运动是最强有力的、最本原的、最有决定性的力量。在《自然辩证法》中，恩格斯指出，相互作用是事物的真正的终极原因。可见，"恩格斯的表述中的新颖之处是交互作用的理论。这个理论是用类似于化学分子相互作用的说法表达的，与《自然辩证法》中的一些段落有着有趣的相似之处。"② 这样，通过"相互作用"，恩格斯就将自然辩证法和历史唯物论联系了起来。在此前提下，恩格斯深刻揭示出上层建筑和意识形态的相对独立性，它们对经济基础的反作用及其方式，以及政治和经济、法律和经济、哲学和经济、宗教和经济的复杂关系等。

其实，马克思晚年也进一步揭示出了社会发展的辩证法。例如，在强调社会发展规律的统一性的前提下，马克思突出了社会发展规律实现形式的多样

① 《马克思恩格斯选集》第4卷，人民出版社2012年版，第605页。
② ［英］大卫·麦克莱伦：《马克思以后的马克思主义》，中国人民大学出版社2008年版，第11页。

性，提出了不通过资本主义"卡夫丁峡谷"的设想。

总之，"这里表现出这一切因素间的相互作用，而在这种相互作用中归根到底是经济运动作为必然的东西通过无穷无尽的偶然事件……向前发展"①。这样，马克思恩格斯就丰富和发展了历史辩证法。

（三）确定和阐明"历史唯物主义"

1875年之后，恩格斯明确提出了"历史唯物主义"术语，深刻阐明了其含义和意义。

马克思主义社会历史观是一个完整的科学体系。狭义的唯物史观主要突出的是其唯物主义方面，历史辩证法主要突出的是其辩证法方面。马克思恩格斯是通过科学的实践范畴尤其是劳动范畴将二者联系起来的。作为人类实践的基本形式，劳动是塑造形式的活火，是人与自然之间的物质变换形式，是主体和客体的辩证统一，是人的自由自觉的活动，是社会历史活动的客观性和主体性相统一的过程。在《费尔巴哈论》中，恩格斯这样来称呼自己和马克思创立的科学理论："在劳动发展史中找到了理解全部社会史的锁钥的新派别"②。这样，就进一步突出了实践的唯物主义者即共产主义者的历史使命：使现存世界革命化。

"历史唯物主义"的含义和内容。应拉法格之约，恩格斯把《反杜林论》中的三章抽出来单独编辑成一本小册子，将之用《社会主义从科学到科学的发展》的书名于1880年出版。1892年6月，应考茨基之约，恩格斯将该书的《1892年英文版导言》亲自翻译成为德文，并用《论历史唯物主义》的题目以社论的形式发表在《新时代》杂志上。这样，"历史唯物主义"术语就第一次正式出现在马克思恩格斯文献的题目中。在这篇文献中，恩格斯突出强调，"历史唯物主义"就是他和马克思所要捍卫的东西。他指出，"我在英语中如果也像在其他许多语言中那样用'历史唯物主义'这个名词来表达一种关于历史过程的观点……这种观点认为，一切重要历史事件的终极原因和伟大动力是社会的经济发展，是生产方式和交换方式的改变，是由此产生的社会之划

① 《马克思恩格斯选集》第4卷，人民出版社2012年版，第604页。
② 《马克思恩格斯选集》第4卷，人民出版社2012年版，第265页。

分为不同的阶级，是这些阶级彼此之间的斗争"①。这里，恩格斯将历史唯物主义视为关于历史过程的观点，就将唯物论和辩证法都包括在历史唯物主义体系当中了。在他看来，过程思想是一个伟大的基本思想。这个思想认为，世界不是既成事物的集合体，而是过程的集合体。过程最终会通达社会有机体。马克思在《资本论》第一卷中指出，现在的社会不是坚实的结晶体，而是一个能够变化并且经常处于变化过程中的有机体。显然，过程、有机体和相互作用，是将历史唯物论和历史辩证法联结起来的重要环节。而这一切只能在实践尤其是在劳动的基础上得以统一和完成。在此基础上，《论历史唯物主义》一文对唯物史观基本原理进行了言简意赅地概括："如果说我们的法律的、哲学的和宗教的观念，都是一定社会内占统治地位的经济关系的近枝或远蔓，那么，这些观念终究不能抵抗因这种经济关系的完全改变所产生的影响。除非我们相信超自然的奇迹，否则，我们就必须承认，任何宗教教义都难以支撑一个摇摇欲坠的社会。"②作为历史过程的终极原因和伟大动力的社会的经济发展，就是一种不以人的主观意志为转移的客观的力量。可见，历史唯物论就是历史辩证法。2010年，在MEGA² I /32中，《论历史唯物主义》一文以独立文献的形式用德语专门出版。这样，不仅突出了该文在《社会主义从科学到科学的发展》中的重要地位，而且突出了该文与"历史唯物主义通信"并驾齐驱的重要位置。

总之，《论历史唯物主义》同样是恩格斯晚年丰富和发展历史唯物主义的科学杰作。这样，"历史唯物主义"就获得了正式理论形态和学科形态的身份。

简言之，1875年后，马克思恩格斯全面深刻地论述了人类社会发展的规律，彰显了社会发展的唯物论和社会发展的辩证法的统一。这是马克思主义发展第三阶段的一个重要特征。

综上，1875年之后，立足于无产阶级解放的伟大事业，在科学论战和理论研究中，马克思恩格斯进一步科学阐明了"一连串互相衔接的阶段的发展过程"的发展阶段、发展动力、辩证实质和社会方向，彰显了马克思主义理论的整体性，谱写了马克思主义发展史上辉煌的新篇章。

---

① 《马克思恩格斯选集》第3卷，人民出版社2012年版，第760页。
② 《马克思恩格斯选集》第3卷，人民出版社2012年版，第773页。

第二章 科学社会主义原理在指导创立工人政党时期的丰富和发展

1871 年的巴黎公社失败后，尽管主要资本主义国家进入了未来革命时代的"和平"准备阶段，但是，世界各国工人运动也进入了一个广泛建立群众性的社会主义工人政党的时代。在指导各国工人阶级建党的过程中，尤其是在与形形色色的小资产阶级政党及其变种机会主义的斗争中，马克思恩格斯提出了共产主义社会发展阶段的理论，进一步阐明了马克思主义阶级斗争理论和无产阶级政党的学说，从而丰富和发展了科学社会主义基本原理，最终丰富和发展了马克思主义理论体系。

第一节 19 世纪后半期共产主义运动的发展

19 世纪后半期，共产主义运动的发展面临着一系列新的情况。第一国际在完成了自身的历史使命之后，退出了历史舞台。工人运动的发展进入了一个新的高涨时期，以德国社会民主党为代表的欧美各国工人政党纷纷建立和发展，极大地推动了国际共产主义运动的发展。

一、第一国际的解散及其历史地位

巴黎公社失败后，各国政府加强了对工人运动的镇压，使得社会主义学说的宣传和工人运动的发展遭到了限制。随着资本主义从自由竞争阶段逐渐向垄断阶段过渡，大批的小资产阶级和手工业者破产，纷纷加入无产阶级队伍，使得小资产阶级的改良主义思想和机会主义思想在工人队伍中蔓延。在此背景下，第一国际展开了一系列的活动，极大地推动了各国工人运动的发展，其自身也经历了一个从发展到解散的历史过程。

第一国际的后期活动。尽管巴黎公社失败了，但是，公社的事业在继续着。第一国际后期的活动主要有：其一，国际伦敦代表大会的召开。1871年9月17日至23日，国际工人代表会议在伦敦手工业工人俱乐部召开，马克思恩格斯出席了这次大会。会上，巴黎公社的参加者瓦扬提出了《关于工人阶级的政治行动》的最初草案，主张工人阶级应该在政治上联合起来。无政府主义者代表反对这一方案，主张建立一个脱离政治的工会国际联合会来代替国际。从巴黎公社的经验教训出发，马克思对瓦扬的方案进行了辩护并加以发展，指出无产阶级不建立政党就不可能取得革命的胜利。大会通过了瓦扬的方案，并委托马克思恩格斯拟定该方案的最后文本。为了更好地推动国际工人协会的发展，根据马克思等代表的建议，代表大会委托总委员会出版新的《国际工人协会共同章程》。在马克思恩格斯的努力下，经过修订的《国际工人协会共同章程》于1871年出版了英文版和法文版、1872年出版了德文版。从总体上看，国际伦敦代表会议是巴黎公社后一次具有重要意义的会议，有利于指导各国工人运动的健康发展和无产阶级建党。其二，与各种错误思潮的斗争。针对巴枯宁主义大肆贩卖无政府主义那一套废除国家、消除权威和集中、实行绝对自由等荒谬观点，并且疯狂攻击科学社会主义的错误，在伦敦会议以及会议之后，马克思和恩格斯撰写了一系列著作，对巴枯宁的无政府主义进行了彻底的揭露和批判。同时，在国际内部，土地问题成为一个焦点问题。国际曼彻斯特支部讨论土地问题时，其成员的思想十分混乱，甚至一些改良主义者主张土地私有化。为了反对改良主义的主张，马克思于1872年3月至4月撰写了《论土地国有化》，全面阐述了土地国有化的必要性和重要性问题。此外，蒲鲁东主义者米尔柏格于1872年在《人民国家报》发表了多篇论住宅问题的文章，兜售小资产阶级社会主义观点，贩卖永恒公平的原则和要求资本主义退回到小生产基础之上的空想观点。为此，恩格斯于 1872 年 5 月至 1873 年 1 月撰写了著名的《论住宅问题》，全面驳斥了米尔柏格在住宅问题上的荒谬观点，科学阐述了马克思主义关于解决住宅问题的观点，即只有消除资产主义剥削和压迫，才能真正解决住宅问题。在《〈论住宅问题〉1887 年第二版序言》中，恩格斯指出，"在大多数情况下，我都必须采用论战的形式，在反对其他种种观点的过程中，来叙述我们的观点"①。在驳斥错误思想的过程中，马克思恩格斯阐述了科学社会主义的一些基本原理。

第一国际的驻地迁移。1872 年 5 月 28 日，马克思在总委员会会议上提议筹备召开新的国际代表大会。为了避免欧洲各国政府对工人运动的镇压，马克思建议在荷兰海牙召开代表大会，这主要是因为当时的荷兰没有公开镇压工人运动，而巴枯宁主义者和英国改良主义者在荷兰也没有什么活动。经过一段时间的紧张的筹备工作，1872 年 9 月 2 日至 7 日，国际海牙代表大会召开，马克思恩格斯全程参加并领导了这次会议。会议通过了马克思起草的《总委员会向海牙举行的国际工人协会第五次年度代表大会报告》。该报告重点强调了组织对工人斗争的重要性："如果我们回顾一下 1848 年时期，工人阶级在没有国际组织时和有了国际时的区别就显得特别明显。要使工人阶级自己认识到 1848 年六月起义是它自己的先进战士的事业，曾经需要很长的岁月。而巴黎公社却立即受到了整个国际无产阶级欢欣鼓舞的声援。"②在马克思恩格斯的努力下，大会通过了总委员会起草的关于修改共同章程和组织条例的一系列决议，扩大了总委员会的权力，以保证总委员会更好地履行职责，同时通过了关于把伦敦代表会议《关于工人阶级的政治行动》的决议稍加修改列入章程的决议。通过这一系列决议，使得第一国际排除了巴枯宁主义和改良主义的干扰，在正确的轨道上继续发展。1872 年 9 月 8 日，马克思在阿姆斯特丹群众大会上发表了著名的演讲，不仅向广大工人群众阐述了海牙代表大会通过的决议，而且阐述了许多重要思想，为无产阶级运动的策略提供了科学的基础。马克思指出，"工人阶级在政治领域内必须像在社会领域内一样，同正在崩溃的旧社会进行斗争，而我们可以庆幸的是，伦敦代表会议的这项决议今后便包括

---

① 《马克思恩格斯选集》第 3 卷，人民出版社 2012 年版，第 182 页。
② 《马克思恩格斯全集》第 18 卷，人民出版社 1964 年版，第 152 页。

在我们的章程中了。"① 在强调工人阶级必须在政治领域同资产阶级进行斗争的过程中，我们必须考虑到各国的制度、风俗和传统等一系列的复杂因素；要看到在美国、英国、荷兰等这样的国家，工人有可能利用和平手段去实现自己的目标。这里，马克思第一次明确指出无产阶级可以通过和平手段在一些国家取得最终胜利。"但是，即使如此，我们也必须承认，在大陆上的大多数国家中，暴力应当是我们革命的杠杆；为了最终地建立劳动的统治，总有一天正是必须采取暴力。"② 可见，和平斗争并不否定暴力革命，和平斗争需要特定的社会历史条件，而暴力革命更加具有普遍性。一般而言，暴力革命是无产阶级革命的原则。这表明，和平斗争和暴力革命，都是革命的选项，其目的都是推翻资产阶级的统治，建立无产阶级政权。在海牙代表大会期间，马克思恩格斯考虑，如果总委员会继续留在伦敦，就会面临在欧洲大陆的活动遭到限制的不利形势，以及英国改良主义者或布朗基主义者在总委员会中占据多数的危险，因此，恩格斯建议国际总委员会的驻地迁往纽约，并得到代表大会的通过。此后，国际工人协会总委员会的驻地正式迁往纽约。

第一国际的历史隐退。国际总委员会迁往纽约后，在马克思的努力下，左尔格加入了新的总委员会，后来又当选为总委员会的总书记。在阿姆斯特丹的演说中，马克思指出："美国正在成为一个以工人为主的世界，每年有 50 万工人迁移到这个第二大陆上来；国际必须在这块工人占优势的土地上深深地扎根。"③ 这也是国际总委员会迁往纽约的一个重要原因。在马克思恩格斯的指导和帮助下，在左尔格等人的努力下，国际美国支部积极组织和参加工人的日常斗争活动，建立工会、组织罢工，取得了重要的成就，使得国际工人协会在美国的影响力显著增加。然而，海牙代表大会后，巴枯宁派、布朗基派等派别对海牙代表大会的决议十分不满，并采取了一系列宗派主义活动，给国际总委员会带来了分裂的危险。在海牙代表大会结束不久，巴枯宁分子就与英国改良主义者结成联盟来反对国际总委员会。无政府主义者于 1872 年 9 月 15 日至 16 日在瑞士展开国际代表大会，巴枯宁派在会上宣布否定海牙代表大会的决议，宣扬无政府主义思想。同时，西班牙和比利时的无政府主义者、不列颠的

---

① 《马克思恩格斯全集》第 18 卷，人民出版社 1964 年版，第 178 页。
② 《马克思恩格斯全集》第 18 卷，人民出版社 1964 年版，第 179 页。
③ 《马克思恩格斯全集》第 18 卷，人民出版社 1964 年版，第 180 页。

改良主义者也召开代表大会，宣布谴责海牙代表大会的决议。在此情形下，马克思恩格斯领导国际总委员会同巴枯宁主义者和改良主义者进行坚决的斗争，并在组织上跟他们划清界限，即实际上将他们开除出了国际总委员会。然而，国际事实上的分裂已经形成，加之欧洲各国对工人运动的镇压，以及工人运动的发展要求各国建立独立的以马克思主义为指导的无产阶级政党，因此，作为各国工人阶级的联合组织的第一国际已经不适宜继续存在。为此，在1873年9月27日给左尔格的信中，马克思指出，鉴于欧洲的形势，暂时让国际总委员会这一形式上的组织退到后台去，是绝对有利的。事实上，到了1873年年底，国际总委员会的组织活动几乎全部停止了。根据马克思的建议，1876年7月15日，在美国费城代表会议上通过了关于解散国际的决议，标志着第一国际的历史隐退。

第一国际的伟大功绩。第一国际在科学社会主义发展史上作出了不可磨灭的历史功绩。其一，促进国际工人运动和民族解放运动的发展。马克思在《哥达纲领批判》中指出，"各国工人阶级的国际活动绝对不依赖于'国际工人协会'的存在。'国际工人协会'只是为这种活动创立一个中央机关的第一个尝试；这种尝试由于它所产生的推动力而留下了不可磨灭的成绩"[①]。第一国际有力地推动了各国工人阶级运动的发展。同时，由于当时的波兰和爱尔兰等国仍然遭受西方殖民主义的压迫，因此，这些国家的民族解放不仅依赖于本国工人阶级的斗争，也依赖于资本主义国家的工人反抗本国资产阶级的斗争，而其阶级解放也以本国的民族解放为前提。为此，第一国际采取了一系列措施推进波兰和爱尔兰等国民族解放运动的发展，使工人运动和民族解放运动成为一个紧密联系的整体。其二，促进马克思主义在工人运动中的广泛传播。在第一国际时期，马克思主义战胜了各种错误思潮，证明了自身的强大生命力，在工人运动中得到了广泛传播，成为指导工人运动的有力思想武器。这与第一国际的推动密切相关。第一国际不仅整体上以马克思主义为指导，还直接号召各国工人群众认真学习和研究马克思恩格斯的著作。《资本论》第一卷出版后，在1868年召开的国际布鲁塞尔代表大会上，通过了关于《资本论》第一卷的意义的决议。决议高度评价了马克思的伟大功绩，并号召所有国家的工人都来学习这部科学巨著，并试图将之翻译成各国

---

① 《马克思恩格斯选集》第3卷，人民出版社2012年版，第368页。

文字，进而有力地推动了马克思主义的广泛传播。其三，用无产阶级国际主义精神团结教育世界无产阶级。国际主义是第一国际的重要生命力所在，也是第一国际团结和教育各国工人的有力武器。在国际主义精神的推动下，英国、法国和德国等国的工人阶级紧密地团结在一起。在普法战争期间，国际的巴黎会员和柏林支部都发表反对普法战争的文章，法德两国的工人阶级也表示反对这场战争。马克思指出，"国际的原则在德国工人阶级中间传播非常广，扎根非常深，我们不必担心会发生这种悲惨的结局。法国工人的呼声已经在德国得到了反响"①。虽然德法两国是敌对的双方，但是两国的工人阶级却摒弃了狭隘的民族利益，共同反对这场战争。此外，英国工人阶级也向德法两国工人阶级伸出了宝贵的援手。这表明，国际主义理念已经植根于各国工人阶级的思想和行动之中。其四，培养一大批工人运动的优秀代表人物。在给左尔格的信中，马克思指出，"事变的发生以及形势的不可避免的发展和复杂化将会自然而然地促使国际在更完善的形式下复活。在目前，只要同各个国家中最能干的人物不完全失去联系就够了"②。这里，马克思预见第一国际存在复活的可能，而当务之急就是将国际的骨干保存下来。从1864年第一国际成立到1876年解体，在马克思恩格斯的指导和帮助下，第一国际培养了一大批工人运动的优秀代表人物，包括左尔格、拉法格、李卜克内西等。这些人作为革命的火种，有力地推动了马克思主义在各国工人运动中的传播和各国工人运动的发展，将第一国际的事业继承和发展下去。显然，第一国际在马克思主义发展史上占据着重要地位。

总之，巴黎公社革命后的第一国际在极其艰难的历史条件下推动了工人运动的不断发展，完成了其历史使命，并最终退出了历史舞台，在马克思主义发展史上写上了浓墨重彩的一笔。

二、德国社会民主党的建立和发展

德国社会民主党的建立和发展是19世纪后期国际工人运动发展史上的一

① 《马克思恩格斯文集》第3卷，人民出版社2009年版，第116页。
② 《马克思恩格斯文集》第10卷，人民出版社2009年版，第396—397页。

件大事，有力地推动了国际工人运动的发展。

虽然 1848 年德国革命和欧洲革命一同失败了，但是，资产阶级通过革命在议会中取得了多数席位。随着德国资本主义的快速发展，无产阶级的力量也不断发展壮大，并急切地要求建立自己的组织，以摆脱资产阶级的影响和控制。1863 年 5 月，一批工人群众在莱比锡成立了全德工人联合会。这是德国工人运动的一个重要进步，然而，由于拉萨尔当选为全德工人联合会的主席，并将自己的思想塞进了联合会的章程，同时重用了一批拉萨尔主义者，使得这一组织成为典型的宗派组织。对于拉萨尔本人，马克思恩格斯一方面充分肯定了他对于德国工人运动的贡献；另一方面也全面批判了他的机会主义观点对于德国工人运动的巨大危害。虽然拉萨尔于 1864 年因为与别人决斗而不幸死去，但是其追随者贝克尔、施韦泽等人继承了其衣钵，垄断了全德工人联合会的领导权，鼓吹和坚持拉萨尔的机会主义纲领。除了全德工人联合会之外，德国工人群众还成立了德意志工人协会联合会、印刷工人总同盟等工人组织。其中，德意志工人协会联合会于 1863 年 7 月成立，倍倍尔是这一组织的重要领导之一。此后，在马克思恩格斯的指导下，倍倍尔和李卜克内西等人以第一国际宣言的精神改造德意志工人协会联合会，使之摆脱了资产阶级的影响和控制，转向了马克思主义，变成了一个由工人阶级先进分子掌握领导权的独立的工人群众组织，不仅于 1868 年加入第一国际，还为统一的德国社会民主党的建立奠定了组织基础。

建立统一的工人阶级政党，必须提高工人阶级的思想认识。要做到这一点，必须首先肃清拉萨尔的机会主义观点对德国工人阶级的毒害。为此，马克思恩格斯与德国的"马克思主义者"拉萨尔派进行了坚决的斗争，全面批判和揭示了拉萨尔的机会主义思想，提高了工人阶级的思想觉悟，为德国社会民主党的建立奠定了思想基础。在马克思恩格斯的关怀和指导下，德意志工人协会联合会积极准备建立独立的工人政党。1869 年 8 月 7 日至 9 日，在马克思恩格斯的指导和关怀下，以德意志工人协会联合会为首的 193 个地方组织的 262 位代表在爱森纳赫城举行大会，成立了一个独立的无产阶级政党——德国社会民主工党，史称爱森纳赫派。这次代表大会还通过了根据《国际工人协会成立宣言》制定的党的纲领，其指导思想是马克思主义。德国社会民主工党是在马克思恩格斯的直接关怀和指导下建立的，是马克思主义与德国工人运动直接结合的产物，是世界上第一个在民族国家内建立的社会主义政党，对于其他各国工人阶级政党的建立具有重要的示范作用。

1871 年，德国完成统一和巴黎公社革命失败后，国际工人运动的中心从法国转移到了德国。普法战争胜利后，德国完成了统一，并从法国获得了大量的战争赔款，为资本主义的发展提供了统一的国内市场和大量的资金，进而推动了资本主义工业的快速发展。然而，工人阶级非但没有从资本主义工业快速发展过程中得到好处，反而遭受更加严重的压迫和剥削。这也激起了工人阶级的反抗，进一步推动了工人运动的发展。而爱森纳赫派和拉萨尔派的对立造成了德国工人阶级的分裂，不利于举行统一的反抗统治阶级的斗争。随着德国的工人运动的快速发展，加之拉萨尔派的发展出现了一系列问题，使得爱森纳赫派和拉萨尔派的合并问题被提上了日程。1875 年，爱森纳赫派和拉萨尔派在小城哥达召开合并预备会议，成立了德国社会民主党，并拟定了一个带有浓厚的拉萨尔主义色彩的合并纲领草案——《德国工人党纲领》，史称《哥达纲领》。纲领通过后，马克思不仅宣布这一纲领与他和恩格斯毫无关系，还撰写了《德国工人党纲领批注》（即《哥达纲领批判》）逐条反驳纲领的内容，这对于清算拉萨尔主义错误和帮助德国社会民主党制定科学的纲领发挥了重要作用。

继拉萨尔主义之后，德国社会民主党在发展过程中又受到了杜林主义的严重影响。然而，党内一些主要领导人不仅没有意识到杜林主义的严重危害，甚至认为其发展了马克思主义。为此，在马克思的建议和支持下，恩格斯创作了《反杜林论》这一光辉的马克思主义文献，不仅全面肃清了杜林主义对德国社会民主党的危害，还第一次全面地阐述了马克思主义理论体系，促进了马克思主义的体系化。在马克思恩格斯的直接关怀和指导下，德国社会民主党克服了拉萨尔主义和杜林主义给党造成的思想混乱，使得党在正确的轨道上不断发展壮大，不仅推动了工人运动和社会主义运动的进一步发展，也使得党在群众和议会中的影响不断扩大，进而对反动统治阶级的统治造成了很大的冲击。这时，德国皇帝威廉一世于 1878 年 5 月和 6 月先后两次遭到刺杀，使得急于限制社会民主党发展的俾斯麦政府找到了借口，将这一刺杀事件嫁祸于社会民主党，并很快于 1878 年 10 月颁布和实行了《取缔社会民主党人危害治安的意向的法律》，将社会民主党置于非法地位。从根本上说，"德国党之所以被非常法宣布为非法，正是因为它在德国是唯一严肃的反对党。如果党在国外的机关报上放弃这个唯一严肃的反对党的角色，表现温顺，以冷静克制的态度忍受脚踢，以此来向俾斯麦表示感谢，那么它只是证明，它该挨脚踢。"①由于德国社会民主党的发展对统治阶级产生了威胁，进而被统治阶级宣布为非法。虽然"反社会党人法"对德国社会民主党的发展造成了很大的困难，但是并没有能够从根本上限制德国社会民主党的发展。1884年10月，在德国国会选举即将召开的背景下，恩格斯密切关注社会民主党的竞选活动，并在给倍倍尔、李卜克内西等人的信中指出，社会民主党在选举中获得成功对整个国际工人运动将有很大的意义。在国会选举中，社会民主党人获得了巨大的成功。对此，1884年10月底至11月中，恩格斯热情评价在实施"反社会党人法"期间德国社会民主党人在帝国国会选举中获得的成功。

总之，德国社会民主党的成立和发展在欧美各国工人阶级政党中具有典型性，为工人运动和社会主义运动的发展提供了大量的经验教训。

三、欧美各国工人政党的普遍建立

在马克思恩格斯的关怀和指导下，在欧美各国工人阶级先进分子的努力下，法国、英国和美国等国家工人政党普遍成立。这对于推动欧美各国工人运动和社会主义运动的发展作出了重要贡献。

法国工人阶级政党的建立。在巴黎公社革命爆发前，法国工人阶级就进行过建立统一的无产阶级政党的努力。在瓦尔兰、弗兰克尔和拉科尔等人的领导下，第一国际的巴黎的各个支部建立了统一的联合委员会，使得第一国际在巴黎的支部实现了组织上的联合。然而，由于种种主客观的原因，建立法国统一的社会主义政党的目标没有实现。巴黎公社革命失败后，大量的无产阶级革命者被迫流亡国外，法国工人运动一时陷入低潮，但还是逐渐得到恢复和发展。1876年后，流亡国外的一些革命者逐渐回到法国，继续进行工人运动并着手建立党的组织。1876年和1878年，法国工人分别在巴黎和马赛召开了两次全国性的代表大会，为建立法国工人阶级政党做准备。在第二次工人代表大会上，社会主义者茹尔·盖得将一批代表团结在自己周围，将法国工人运动的发展推向了一个新的阶段。1877年1月，盖得等人创办了《平等报》。1879年10月，

---

① 《马克思恩格斯文集》第3卷，人民出版社2009年版，第476—477页。

法国工人党在马赛成立，并委托盖得制定党的纲领。在制定党的纲领的过程中，盖得得到了马克思恩格斯的直接指导和帮助。纲领分为理论和实践两部分。其中，1880 年 5 月，由马克思口授、盖得笔录的《法国工人党纲领导言（草案）》构成了纲领的理论部分。纲领的实践部分由盖得和拉法格事先拟好，并经过马克思恩格斯的同意。马克思起草的《法国工人党纲领导言（草案）》简明扼要，通俗易懂，全面论述了无产阶级政党的经济方面的最终目的，即"法国社会主义工人确定其经济方面努力的最终目的是使全部生产资料归集体所有，并决定提出下述最低纲领参加选举，以此作为组织和斗争的手段。"[1] 同时，马克思还论述了实现生产资料集体占有的条件，"这种集体占有只有通过组成为独立政党的生产者阶级或无产阶级的革命活动才能实现"[2]。由于无产阶级革命要实现生产者的解放和自由，而"生产者阶级的解放是不分性别和种族的全人类的解放"，因此，"生产者只有在占有生产资料之后才能获得自由"[3]。在此基础上，马克思还论述了无产阶级革命的策略，"要建立上述组织，就必须使用无产阶级所拥有的一切手段，包括借助于由向来是欺骗的工具变为解放工具的普选权"[4]。即，无产阶级革命必须调动一切手段，包括普选权。可见，马克思为法国工人党的发展制定了科学完备的理论纲领。在 1881 年 10 月 25 日给伯恩斯坦的信中，恩格斯对马克思起草的纲领给予了高度评价。显然，法国工人阶级政党的纲领具有十分重要的意义。

同时，马克思恩格斯还为法国工人党主办的《平等报》和《社会主义评论》撰稿。1880 年 1 月至 3 月上半月，应保·拉法格的请求，恩格斯将《反杜林论》中的部分内容改写成《空想社会主义和科学社会主义》一文，并由拉法格翻译成法文发表在 3 月 20 日、4 月 20 日和 5 月 5 日《社会主义评论》杂志上。1880 年 4 月，应法国社会主义者的请求，马克思撰写了《工人调查表》一文，发表在 4 月 20 日《社会主义评论》上，之后又印成单行本在法国全国发行。《工人调查表》是一份对工人阶级进行详尽调查的提纲，由四个部分 100 个问题构成。通过调查表的形式，弄清法国无产阶级的生活、劳动和斗争的条件，揭示工人阶级的经济诉求，进而向工人阶级进行社会主义宣传教育，促使工人阶级

---

① 《马克思恩格斯选集》第 3 卷，人民出版社 2012 年版，第 818 页。
② 《马克思恩格斯选集》第 3 卷，人民出版社 2012 年版，第 818 页。
③ 《马克思恩格斯选集》第 3 卷，人民出版社 2012 年版，第 818 页。
④ 《马克思恩格斯选集》第 3 卷，人民出版社 2012 年版，第 818 页。

认清资本主义制度的剥削的实质。在马克思恩格斯的关怀和指导下，法国工人运动和无产阶级政党得到了较快发展，不仅以马克思主义为指导思想，还进行马克思主义的宣传工作。1884 年 3 月 7 日，恩格斯写信给左尔格，告诉他法国社会主义运动的状况，指出以茹·盖得和拉法格为首的法国工人党正在外地积极活动，并在巴黎进行着卓有成效的马克思主义的宣传工作。

总之，马克思恩格斯对法国工人阶级及其政党给予了充分的关心和指导。

英国工人阶级政党的建立。马克思的一生绝大部分时间都居住在伦敦，恩格斯也在伦敦居住了很长时间，因此，他们对英国工人运动和无产阶级政党的建立十分关心。由于英国是一个受工联主义和改良主义深重影响的国家，因此，在英国建立无产阶级政党面临着更为艰难复杂的条件，是一项艰巨的任务。要完成这一任务，必须首先批判和肃清改良主义观点对英国工人运动的影响。为此，马克思恩格斯同机会主义的改良主义进行了坚决的斗争。

1872 年 8 月 27 日，马克思参加总委员会会议时，批判了英国工联主义者的活动，提出了工会组织的任务在于成为劳资斗争中的组织核心的思想。英国自由主义者海德门在同马克思恩格斯接触后，尤其是在阅读了《资本论》之后，逐渐走向了社会主义，并于 1881 年 6 月组建了一个半无产阶级半资产阶级的团体——民主联盟。然而，海德门对马克思主义和社会主义仅仅是一知半解，将马克思主义当作他充当英国社会主义运动领袖的工具。在民主同盟的成立大会上，海德门散发自己的小册子《大家的英国》，来解释民主同盟的纲领。这本小册子一方面大量剽窃马克思的《资本论》的观点，另一方面极力鼓吹民族沙文主义，片面强调盎格鲁—萨克逊民族的优越性。马克思恩格斯对这一纲领进行了严厉的驳斥，强调真正的社会主义纲领与这种庸俗的民族沙文主义的纲领是根本不相容的。在和改良主义作斗争的过程中，马克思也强调，由于英国的特殊国情，尤其是英国资本主义的发展情况，使得英国无产阶级可能通过和平而非暴力的方式夺取革命的胜利。当然，这必须建立在英国无产阶级充分意识到自身的历史使命，紧紧地抓住历史机遇，并合理地运用自身力量的基础之上。

在马克思恩格斯的关怀和帮助下，民主同盟于 1883 年通过了社会主义纲领，1884 年改组为社会民主联盟，宣布马克思主义为联盟的理论纲领。1884 年 1 月至 8 月初，恩格斯密切注意英国社会主义运动的发展，同马克思的女儿爱琳娜以及爱·艾威林、厄·贝·巴克斯和其他社会主义活动家保持经常接触，赞成他们反对海德门的宗派主义和机会主义路线的斗争。在恩格斯看来，海德门是一个不择手段的野心家和隐蔽的沙文主义者，必须与之进行坚决的斗争，英国社会主义者最重要的任务是同工人群众建立密切的联系，在英国工人中间进行社会主义的鼓动工作。1884年11月底至12月，恩格斯积极支持社会民主联盟内的革命派反对该联盟以海德门为首的机会主义领导的斗争，并赞同以艾威林、巴克斯、莫利斯等人为首的大多数盟员于12月底退出该联盟，以抗议海德门及其支持者的政策，并建立新的组织——社会主义同盟。

总之，马克思恩格斯为推动英国工人阶级政党的建立做出了巨大的努力。

表 2-1　恩格斯逝世前欧美全国性工人政党一览表

成立时间	政党名称
1869 年	德国社会民主工党（爱森纳赫派），1875 年起为德国社会主义工人党，1890 年起为德国社会民主党
1876 年	荷兰社会主义者同盟
1877 年	北美社会主义工人党
1878 年	丹麦社会民主党
1880 年	法国社会主义党
1881 年	英国社会民主联盟
1882 年	意大利社会主义党
1885 年	比利时工人党
1887 年	挪威工人党
1888 年	西班牙社会主义党
1888 年	瑞士社会民主党
1888—1889 年	奥地利社会民主党
1889 年	瑞典社会民主党
1895 年	工人阶级解放斗争同盟（俄国）

资料来源：[德] 曼·克利姆：《恩格斯文献传记》，湖南人民出版社 1986 年版，第 445—446 页。

美国工人阶级政党的建立。尽管马克思在给左尔格的信中建议第一国际解散、退到历史后台，但是强调不要放弃第一国际在纽约的中心点。1876 年，美国工人党成立，并创立了自己的报纸《劳动旗帜》。这是以左尔格、麦克唐奈和魏德迈等马克思主义者和拉萨尔主义分子联合后成立的以马克思主义为指导思想的无产阶级政党。马克思和恩格斯同左尔格等人经常保持联系，并为《劳动旗帜》撰稿。在 1877 年党的代表大会上，工人党改组为北美社会主义工人党，拉萨尔分子在这次会议上占了上风，左尔格等人被迫退党。马克思恩格斯坚决站在左尔格和麦克唐奈等人的一边，支持他们同机会主义的斗争，促使他们加强与群众的联系，克服在革命理论和策略问题上的教条主义态度，避免脱离实际的空洞宣传。

为了帮助美国共产党人掌握科学的马克思主义的思想观点，马克思恩格斯对当时的一些错误思想进行了批判。1880 年，美国资产阶级经济学家亨利·乔治出版了《进步与贫困》一书，宣扬在保存资本主义国家的前提下，将土地国有化的方法看作是解决资本主义社会的矛盾的灵丹妙药，对此，在 1881 年 6 月 2 日给约翰·斯温顿的信中，马克思指出："至于亨利·乔治先生的书，我认为它是拯救资本主义制度的最后的尝试。当然，这并不是作者的本意，但是更早的一些李嘉图的追随者（激进派），早就设想可以通过由国家占有地租的办法使一切得到纠正。"[①] 这样，马克思就抓住了《进步与贫困》一书的实质。在 1881 年 6 月 20 日给左尔格的信中，马克思进一步揭露了亨利·乔治观点的实质："所有这一切无非是企图在社会主义的伪装下挽救资本家的统治，并且实际上是要在比现在更广泛的基础上来重新巩固资本家的统治。"[②] 显然，亨利·乔治的观点具有反动性，是代表资产阶级而非无产阶级及其政党的利益的。马克思的批判有利于帮助美国工人阶级及其政党提高思想认识。

总之，在马克思恩格斯的指导和关怀下，美国工人运动得到了很快的发展。

可见，欧美各国共产阶级政党的成立和发展使得工人阶级及其政党作为一支独立而重要的力量发挥着日益重要的作用，进一步推动了工人运动和社会主义运动在欧美各国的发展和壮大。

四、"科学社会主义"的提出和特征

在指导各国工人运动的过程中，为了区别于形形色色的社会主义学说，马克思恩格斯将自己的学说称为"科学社会主义"，并全面论述了"科学社会主义"

①　《马克思恩格斯全集》第 35 卷，人民出版社 1971 年版，第 184 页。
②　《马克思恩格斯文集》第 10 卷，人民出版社 2009 年版，第 463 页。

的特征及其入门途径。

"科学社会主义"术语的变迁。"科学社会主义"并非是马克思恩格斯首创，而是由"真正的社会主义者"格律恩于 1845 年在《法兰西和比利时的社会运动。书信和研究》一书中首先使用的，用以评述圣西门的学说。马克思恩格斯在《德意志意识形态》中对之进行了摘录："他〈圣西门〉包含着……科学社会主义，因为圣西门的整个一生都在寻求新的科学！"[①] 在 1847 年，社会主义主要是指资产阶级的运动，共产主义则意味着工人的运动，因此，马克思恩格斯将自己的学说称为"共产主义"。在《〈共产党宣言〉1890 年德文版序言》中，恩格斯回忆道："既然我们当时已经十分坚决地认定'工人的解放应当是工人阶级自己的事情'，所以我们一刻也不怀疑究竟应该在这两个名称中间选定哪一个名称。"[②] 紧接着，在《1848 年至 1850 年的法兰西阶级斗争》中，马克思指出，"无产阶级就日益团结在革命的社会主义周围，团结在被资产阶级用布朗基来命名的共产主义周围。这种社会主义就是宣布不断革命，就是无产阶级的阶级专政"[③]。为了与反对阶级斗争的各种空论的社会主义划清界限，马克思将自己的学说称为"革命的社会主义"。此后，在相当长一段时期内，马克思恩格斯几乎不用"共产主义"和"社会主义"等词句。1867 年《资本论》第 1 卷出版后，随着 1848 年革命后形形色色的社会主义已经退出历史舞台，只有工人运动还高举社会主义的旗帜进行斗争，马克思恩格斯才再次将社会主义运动明确表达为"社会主义"或"革命的社会主义"。在《卡·马克思〈资本论〉第一卷书评——为〈未来报〉作》中，恩格斯将马克思称为"社会主义者"[④]。在《卡·马克思〈资本论〉第一卷书评——为〈莱茵报〉作》中，恩格斯将马克思的观点称为"社会主义观点"[⑤]。可见，在明确将自己的学说称为"科学社会主义"之前，马克思恩格斯明确使用过"共产主义"、"革命的社会主义"和"社会主义"等词语。

"科学社会主义"概念的提出。到了 19 世纪 70 年代初，《资本论》第一卷的问世为社会主义奠定了科学的基础，巴黎公社的爆发为科学社会主义奠定了实践基础。然而，随着一些小资产阶级加入工人运动之中，并将自己的小资产

---

① 《马克思恩格斯全集》第 3 卷，人民出版社 1960 年版，第 595 页。
② 《马克思恩格斯选集》第 1 卷，人民出版社 2012 年版，第 392 页。
③ 《马克思恩格斯选集》第 1 卷，人民出版社 2012 年版，第 532 页。
④ 《马克思恩格斯全集》第 16 卷，人民出版社 1964 年版，第 232 页。
⑤ 《马克思恩格斯全集》第 16 卷，人民出版社 1964 年版，第 240 页。

阶级思想标榜为"社会主义",这样,就使社会主义学说失去了积极意义,而走向了反动的空想社会主义。在此背景下,马克思恩格斯明确将自己的学说称为"科学社会主义",以区别于小资产阶级社会主义。1872 年 5 月至 12 月,在《论住宅问题》中,恩格斯在论述巴黎公社期间蒲鲁东主义者采取的经济措施时指出,"废除面包工人的夜工、禁止工厂罚款、没收停业工厂和作坊并将其交给工人协作社等这样一些措施,完全不合乎蒲鲁东的精神,而合乎德国科学社会主义的精神。"① 同样,巴黎公社期间布朗基主义者发表的《国际和革命》的宣言,"几乎是逐字逐句宣告德国科学社会主义的观点,即无产阶级必须采取政治行动,必须把实行无产阶级专政作为达到废除阶级并和阶级一起废除国家的过渡。"② 可见,恩格斯明确使用了"德国科学社会主义"这一名称。之后,在 1874 年至 1875 年初的《巴枯宁〈国家制度和无政府状态〉一书摘要》中,马克思指出,"'科学社会主义',也只是为了与空想社会主义相对立才使用,因为空想社会主义力图用新的幻想欺蒙人民,而不是仅仅运用自己的知识去探讨人民自己进行的社会运动"③。可见,马克思不仅明确使用了"科学社会主义"的术语,而且阐明了科学社会主义和空想社会主义的本质区别。至此,马克思恩格斯就明确将自己的学说称为"科学社会主义"。

"科学社会主义"学说的特征。马克思恩格斯全面论述了"科学社会主义"的特征。其一,阶级性。1847 年,在将自己的学说称为共产主义时,马克思恩格斯就强调科学社会主义是无产阶级的理论表现,代表的是无产阶级的利益和意志。到了 19 世纪 70 年代,他们进一步强调只有无产阶级才是消灭一切剥削阶级及其统治和从根本上实现社会主义变革的决定性力量,因此,科学社会主义只能是无产阶级的观点,而不是小资产阶级的观点。在《论住宅问题》中,恩格斯指出:"每个真正的无产阶级政党,从英国宪章派起,总是把阶级政治,把无产阶级组织成为独立政党当做首要条件,把无产阶级专政当做斗争的最近目的。"④ 这就揭示了科学社会主义和其他形形色色社会主义的主要区别,即是否真正代表无产阶级的利益。其二,现实性。和其他形形色色的社会主义不同的是,科学社会主义始终坚持一切从实际出发,而不是从抽象的原则出发来对

① 《马克思恩格斯选集》第 3 卷,人民出版社 2012 年版,第 248 页。
② 《马克思恩格斯选集》第 3 卷,人民出版社 2012 年版,第 248 页。
③ 《马克思恩格斯选集》第 3 卷,人民出版社 2012 年版,第 341 页。
④ 《马克思恩格斯选集》第 3 卷,人民出版社 2012 年版,第 250 页。

未来社会进行详尽的设计。在批判米尔柏格等自命为"实际的"社会主义者按照先验的原则制定的消除一切社会祸害的建议时，恩格斯严正地指出，"再没有什么东西比这些预先虚构出来的面面俱到的'实际解决办法'更不切实际的了，相反，实际的社会主义则是对资本主义生产方式各个方面的一种正确的认识。"① 只有像马克思撰写《资本论》那样，从各个方面研究现代资本主义社会状况，全面考察资本主义生产方式及其发展变化，才能科学指明社会发展的基本趋势。其三，历史性。科学社会主义是建立在德国古典哲学和空想社会主义思想的合理性的基础之上的。1874 年 6 月底，在《〈德国农民战争〉1870 年第二版序言的补充》中，恩格斯指出："如果不是先有德国哲学，特别是黑格尔哲学，那么德国科学社会主义，即过去从来没有过的唯一科学的社会主义，就决不可能创立。"② 马克思恩格斯通过黑格尔哲学，尤其是其辩证法，创立了唯物辩证法和历史唯物论，并用之全面剖析资本主义生产方式，揭示资本主义的产生、发展和消亡的历史规律，从而为科学社会主义奠定了哲学基础。同样，"德国的理论上的社会主义永远不会忘记，它是站在圣西门、傅立叶和欧文这三个人的肩上的。……他们天才地预示了我们现在已经科学地证明了其正确性的无数真理。"③ 在一定意义上，科学社会主义是在吸收一切人类文化优秀成果的基础之上产生的。其四，实践性。科学社会主义是建立在无产阶级实践的基础之上的，并且科学扬弃了德国古典哲学和空想社会主义的局限，进而科学阐明了工人运动的物质条件、现实手段、最终目的和依靠对象，进而表明社会主义不仅是科学，而且是革命实践。进而，科学社会主义还要回到无产阶级和全人类解放的革命实践中去，用以指导实践，并在实践中进一步丰富和发展。这样，马克思恩格斯就在阐述科学社会主义基本特征的过程中，深化了对科学社会主义的认识和研究。

"科学社会主义"理论的入门。作为一门科学，科学社会主义有着特定的研究对象和理论特征，这就要求人们对之展开深入的学习和研究。恩格斯明确指出，"社会主义自从成为科学以来，就要求人们把它当做科学来对待，就是说，要求人们去研究它。"④ 因此，无产阶级理论家有责任透彻地理解各种理论

① 《马克思恩格斯选集》第 3 卷，人民出版社 2012 年版，第 272 页。
② 《马克思恩格斯选集》第 3 卷，人民出版社 2012 年版，第 36 页。
③ 《马克思恩格斯选集》第 3 卷，人民出版社 2012 年版，第 37 页。
④ 《马克思恩格斯选集》第 3 卷，人民出版社 2012 年版，第 38 页。

问题，进而摆脱旧世界观的传统言辞的影响，广大工人群众也有责任不断提高自身的理论素养，全面把握社会主义从空想到科学的发展历程。为此，恩格斯推出了《社会主义从空想到科学的发展》一书。在 1880 年为该书写的法文版前言中，马克思指出："在这本小册子中我们摘录了这本书的理论部分中最重要的部分；这一部分可以说是科学社会主义的入门。"[①] 马克思之所以将该书称为"科学社会主义的入门"，是因为恩格斯在书中用广大工人群众都能够理解的语言生动地阐述了空想社会主义的历史贡献和局限、科学社会主义产生的物质和思想根源、科学社会主义的基本原理以及科学社会主义对未来社会的构想等内容。在此过程中，恩格斯明确阐述了科学社会主义是建立在唯物史观和剩余价值论的基础之上的，揭示了在生产力决定生产关系、经济基础决定上层建筑和资本主义基本矛盾的作用下，资本主义社会必然走向灭亡的历史规律，而承担这一重要历史使命的只能是无产阶级。只有通过无产阶级革命，才能彻底推翻资产阶级的统治，消灭社会生产的无政府状态，使人真正成为人类社会、自然界和自身的主人，即成为自由的人。这里，"完成这一解放世界的事业，是现代无产阶级的历史使命。深入考察这一事业的历史条件以及这一事业的性质本身，从而使负有使命完成这一事业的今天受压迫的阶级认识到自己的行动的条件和性质，这就是无产阶级运动的理论表现即科学社会主义的任务。"[②] 可见，恩格斯深刻揭示了"科学社会主义"学说的理论任务。显然，只有科学掌握《社会主义从空想到科学的发展》这一科学社会主义文献，才能真正走进"科学社会主义"的大门。

总之，"科学社会主义"学说的提出和确立，是马克思主义发展史上的一件大事，为无产阶级政党的建立和发展以及各国工人运动的开展奠定了坚实的理论基础。

---

① 《马克思恩格斯选集》第 3 卷，人民出版社 2012 年版，第 743 页。
② 《马克思恩格斯选集》第 3 卷，人民出版社 2012 年版，第 817 页。

第二节 《哥达纲领批判》关于共产主义发展的理论及其贡献

在《哥达纲领批判》中，马克思不仅第一次明确而坚定地表明了自己对拉萨尔鼓动工作的方针以及其经济学和策略的态度，而且第一次明确地提出了共产主义发展阶段的理论，从而将科学社会主义理论推进到了一个新的阶段。

一、清算拉萨尔主义错误和帮助德国工人党制定正确纲领

针对拉萨尔主义的错误及其对德国工人运动的危害，为了帮助德国工人政党制定正确的纲领并实现健康发展，马克思创作了《哥达纲领批判》。

19世纪70年代德国统一完成后，统治阶级对工人阶级的压迫越来越严重，德国工人阶级急切需要统一的工人阶级政党。在此情形下，爱森纳赫派和拉萨尔派于1875年2月在小城哥达召开了合并预备会议，并拟定了合并纲领草案《德国工人党纲领》，即《哥达纲领》。然而，由于爱森纳赫派急于完成合并，使德国社会民主党实现形式上的统一，因而对拉萨尔派做出了原则性的让步，使得拉萨尔主义在《哥达纲领》中占主导地位。《哥达纲领》在以下方面宣扬了拉萨尔的思想：对于工人阶级而言，其他阶级只是反动的一帮，因此，不能建立无产阶级同盟军；实行铁的工资纪律，即工人工资的平均数等于维持生活和生育所必需的生活费的数额；无产阶级的使命是通过合法手段建立所谓的现代国家和现代社会；无产阶级的解放必须在所谓的现代民族国家的范围内进行，并且意识到无产阶级努力的结果将是各民族的国际的兄弟联合；工人阶级的解放必须依靠国家的帮助，即依靠国家投资通过合作社的方式帮助工人阶级获得解放等。显然，《哥达纲领》的实质是要将德国社会民主党变成资产阶级的改良主义政党。在马克思看来，这是一个极其糟糕的会使党在精神上退步的纲领。

巴黎公社革命后，欧洲社会主义运动的重心逐渐从法国转向德国，使得德

国工人运动的重要性日益凸显，加之马克思恩格斯又是德国人，因此，马克思恩格斯与德国工人运动的联系比其他国家更为密切，给予德国工人运动的关注更多一些。这也使巴枯宁为代表的一些别有用心的人在工人中造成了一种假想，即《哥达纲领》是在马克思恩格斯的支持下通过的，体现的是马克思恩格斯的意愿。对此，恩格斯在 1875 年 3 月 18 日至 28 日给倍倍尔的信中严正地指出："它是这样一种纲领，一旦它被通过，马克思和我永远不会承认建立在这种基础上的新党，而且我们一定会非常严肃地考虑，我们将对它采取（而且还要公开采取）什么态度。请您想想，在国外人们是要我们为德国社会民主工党的一切言行负责的。"① 与恩格斯的态度完全一致，在 1875 年 5 月 5 日给白拉克的信中，马克思指出，"在合并大会以后，恩格斯和我将要发表一个简短的声明，内容是：我们同上述原则性纲领毫不相干，同它没有任何关系。这样做是必要的，因为在国外有一种为党的敌人所热心支持的见解——一种完全荒谬的见解，仿佛我们从这里秘密地操纵所谓爱森纳赫党的运动。"② 显然，科学反驳《哥达纲领》是完全必要的。为了驳斥《哥达纲领》的错误论调，1875 年 3 月下半旬，在分别给倍倍尔、李卜克内西的信中，恩格斯对《哥达纲领》进行了初步批评，表明了对待两派合并的态度和必须坚持的原则，反对爱森纳赫派为了合并而对拉萨尔派作出的无原则让步，认为接受《哥达纲领》是党"断然的退步"。1875 年 3 月 27 日，白拉克写信向马克思和恩格斯征求他们对合并的看法，并声明和倍倍尔准备为反对已经提出的纲领草案而斗争。应白拉克的请求，在恩格斯上述两封信的基础上，马克思于 1875 年 4 月底至 5 月初，抱病逐条对纲领草案进行了分析，写下了《哥达纲领批判》。

虽然马克思将《哥达纲领批判》寄给了德国社会民主党的领导人，但是为了维护刚刚合并的德国社会主义党的内部的团结，马克思和恩格斯并没有将之公诸于世。马克思逝世后，党内的机会主义思潮也日益抬头。为了反击机会主义思想，彻底肃清拉萨尔主义的影响，帮助德国社会民主党制定正确的纲领，恩格斯顶住巨大的压力，不顾党内一些领导人的强烈反对，于 1891 年将《哥达纲领批判》公开发表在《新时代》杂志上，并为之写了序言。在序言中，恩格斯说明了公开发表《哥达纲领批判》的目的，论述了这一科学著作的重要性

---

① 《马克思恩格斯选集》第 3 卷，人民出版社 2012 年版，第 349 页。
② 《马克思恩格斯文集》第 3 卷，人民出版社 2009 年版，第 425 页。

和价值。同时，恩格斯对《哥达纲领批判》给予了高度的评价，"这个手稿还有另外的和更广泛的意义。其中第一次明确而有力地表明了马克思对拉萨尔开始从事鼓动工作以来所采取的方针的态度，而且既涉及拉萨尔的经济学原则，也涉及他的策略。"① 可见，《哥达纲领批判》全面系统地批判了拉萨尔主义的错误思想。

总之，《哥达纲领批判》有利于清算拉萨尔主义的错误，帮助和指导德国社会民主党制定正确的纲领，是马克思为无产阶级政党制定的纲领性文件。

二、全面系统批判拉萨尔主义

尽管拉萨尔主义对德国工人运动具有严重的危害性，但是，出于维护德国工人运动的考虑，在拉氏去世之前，马克思恩格斯并没有专门批判过拉萨尔主义。但是，随着两派的合并，性质发生了变化，马克思和恩格斯集中批判了拉萨尔机会主义的基本观点。

批判拉萨尔将其他阶级看作是反动的一帮的思想，进一步阐述了无产阶级必须建立革命同盟军的思想。《哥达纲领》指出："劳动的解放应当是工人阶级的事情，对它说来，其他一切阶级只是反动的一帮。"② 这一思想将"工人阶级的解放应当是工人自己的事情"改成了"劳动的解放应当是工人阶级的事情"。其实，劳动的解放与工人阶级的解放明显是不同的，劳动的解放是抽象的，工人阶级的解放是具体的。同时，它将其他阶级笼统地看作是反动的一帮，强调工人阶级孤军奋战，反对建立无产阶级革命同盟军。早在《共产党宣言》等著作中，马克思恩格斯一再强调，在资本主义社会，无产阶级和资产阶级是两大直接对立的阶级。因此，无产阶级是最革命的阶级，其直接革命对象是资产阶级。然而，由于中间等级中仅有小部分能够转变为大资产阶级，而大部分要转入无产阶级的队伍中，因此，中间等级在一定程度上也是革命的。即便在统治阶级内部，在革命形势趋于胜利的时候，也不排除其中一部分会加入革命的阵营。因此，仅仅从理论上讲，"说什么对工

---

① 《马克思恩格斯选集》第3卷，人民出版社2012年版，第352页。
② 《马克思恩格斯选集》第3卷，人民出版社2012年版，第366页。

人阶级说来，中间等级'同资产阶级一起'并且加上封建主'只组成反动的一帮'，这也是荒谬的。"① 在实践中，工人阶级在革命运动中必须寻求农民、小手工业者、小工业家的帮助，建立无产阶级革命的同盟军，以反抗资产阶级的统治。当然，"拉萨尔熟知《共产主义宣言》，就像他的信徒熟知他写的福音书一样。他这样粗暴地歪曲《宣言》，不过是为了粉饰他同专制主义者和封建主义者这些敌人结成的反资产阶级联盟。"② 拉萨尔将其他阶级看作是反动的一帮的实质是同专制主义者和封建主义者结成反资产阶级联盟。总之，只有充分发挥无产阶级革命同盟军的作用，才能使工人阶级真正获得解放。

批判拉萨尔的"各民族的国际的兄弟联合"代替无产阶级国际团结的口号，进一步阐述了无产阶级的国际主义原则。在世界历史条件下，无产阶级所受的剥削和压迫并非仅仅局限在一国范围内，而是国际性的。在镇压 1848 年欧洲革命和 1871 年巴黎公社革命的过程中，各国统治阶级结成了反动联盟，共同镇压无产阶级的反抗，因此，各国无产阶级不仅要和本国内的农民阶级和中间阶级建立革命同盟军，而且必须坚持国际主义原则，和世界范围内的无产阶级建立革命同盟军。这样，无产阶级的国际团结就不仅是一种斗争策略，而是无产阶级必须始终坚持的一项基本原则，这是由无产阶级受剥削、受压迫的性质决定的。然而，《哥达纲领》却指出："工人阶级为了本身的解放，首先是在现代民族国家的范围内进行活动，同时意识到，它的为一切文明国家的工人所共有的那种努力必然产生的结果，将是各民族的国际的兄弟联合。"③ 可见，《哥达纲领》从狭隘的民族立场出发，不仅强调工人阶级的解放主要是在现代资产阶级国家范围内进行活动，而且用抽象的"各民族的国际的兄弟联合"来代替无产阶级的国际团结的口号。这里，"各民族的国际兄弟联合"是从资产阶级的和平和自由同盟那里抄来的口号，仅仅是一个虚幻的空洞的口号，不仅丝毫不提无产阶级政党的阶级属性，也不谈无产阶级的国际主义原则。对此，马克思严正地指出，"关于德国工人阶级的国际职责竟一字不提！德国工人阶级竟然应当这样去对付为反对它而已经同其

---

① 《马克思恩格斯选集》第 3 卷，人民出版社 2012 年版，第 367 页。
② 《马克思恩格斯选集》第 3 卷，人民出版社 2012 年版，第 367 页。
③ 《马克思恩格斯选集》第 3 卷，人民出版社 2012 年版，第 367 页。

他一切国家的资产者实现兄弟联合的本国资产阶级，对付俾斯麦先生的国际阴谋政策！"① 显然，这无异于痴人说梦。事实上，正如恩格斯在1875年3月18日至28日给倍倍尔的信中指出的那样："德国工人处于欧洲运动的先导地位，主要是由于他们在战争期间采取了真正国际性的态度；任何其他国家的无产阶级都没有能做得这样好。"② 国际主义是推动各国工人运动发展的有力武器。如果德国工人党抛弃这一原则，最后必将导致自身的发展希望渺茫。只有始终坚持这一原则，在世界范围内实现无产阶级的解放，才能真正实现一国范围内无产阶级的解放。

批判拉萨尔所谓的铁的工资规律，揭示了资本主义剥削的实质，阐明了工人阶级实现阶级解放的经济条件，即消灭雇佣劳动制度。《哥达纲领》指出："废除工资制度连同铁的工资规律——和——任何形式的剥削，消除一切社会的和政治的不平等。"③ "铁的工资规律"是指，工人工资永远围绕着维持工人生活所必需的费用这个极限进行上下波动，工人只能领到最低的工资。这一理论是根据马尔萨斯的庸俗的人口论得出的，即希望通过工人工资的变动来调节人口的生产。如果工人获得高工资、生活得到改善，就会刺激人口生产，劳动力就会供大于求，将会导致工资下降到极限之下，进而降低工人的生活质量和生育水平，从而导致劳动力供不应求。"铁的工资规律"掩盖了资本主义剥削的实质，否定资本主义私有制条件下资本家剥削工人的剩余价值规律。对此，马克思严正地指出："如果这个理论是正确的，那么，我即使把雇佣劳动废除一百次，也还废除不了这个规律，因为在这种情况下，这个规律不仅支配着雇佣劳动制度，而且支配着一切社会制度。"④ 可见，雇佣劳动理论才真正揭示了资本主义剥削的实质。只有废除雇佣劳动制度及其背后的资本主义私有制，才能为工人阶级的真正解放奠定经济基础。同样，废除铁的工资纪律不能消除一切社会和政治的不平等。只有废除雇佣劳动制度，真正地消除阶级差别，才能消除一切社会和政治的不平等。

批判拉萨尔主义鼓吹的"自由国家"和依靠国家帮助建立生产合作社的荒谬理论，进一步阐述了社会主义革命理论和马克思主义国家学说。一方面，

① 《马克思恩格斯选集》第3卷，人民出版社2012年版，第368页。
② 《马克思恩格斯选集》第3卷，人民出版社2012年版，第346页。
③ 《马克思恩格斯选集》第3卷，人民出版社2012年版，第369页。
④ 《马克思恩格斯选集》第3卷，人民出版社2012年版，第369—370页。

《哥达纲领》将通过合法的手段建立"自由国家"作为社会民主党的奋斗目标，并强调要建立所谓的现代国家和现代社会。对此，马克思指出："德国工人党——至少是当它接受了这个纲领的时候——表明：它对社会主义思想领会得多么肤浅，它不把现存社会（对任何未来社会也是一样）当做现存国家的（对未来社会来说是未来国家的）基础，反而把国家当做一种具有自己的'精神的、道德的、自由的基础'的独立存在物。"①显然，德国工人党没有厘清国家和社会的关系，将国家看作是独立于社会的一种存在物。在马克思看来，现代社会就是资本主义社会；现代国家实质上是一种虚构，在德国、瑞士、英国和美国等国有不同的表现形式。现代国家是建立在现代资产阶级社会的基础之上的。随着资产阶级社会的消亡，现代国家也将不复存在。因此，德国社会民主党应该建立无产阶级的国家制度，而并非抽象的现代国家和现代社会。另一方面，《哥达纲领》指出："为了替社会问题的解决开辟道路，德国工人党要求在劳动人民的民主监督下，依靠国家帮助建立生产合作社。在工业和农业中，生产合作社必须广泛建立，以致能从它们里面产生总劳动的社会主义的组织。"②这就是拉萨尔鼓吹的依靠国家帮助建立生产合作社的观点。由于德国的劳动人民大多是农民而非工人，因此，在所谓的劳动人民的民主监督下，并非是真正代表工人阶级利益的做法。而在国家的帮助下建立合作社，更是体现了对国家的迷信，其实质是反对工人和农民的阶级斗争，主张通过和平的方式来获取统治阶级的让步。在这一点上，拉萨尔和俾斯麦走到了一起，一方面建议俾斯麦尽快实现普选权，以防止工人阶级暴动；另一方面拿俾斯麦反动政府来威胁广大工人群众。事实上，拉萨尔扮演了俾斯麦反动政府的帮凶的角色，是后者在工人中的利益代理人。对此，马克思严正地指出："如果说工人们想要在社会的范围内，首先是在本国的范围内创造合作生产的条件，这只是表明，他们力争变革现存的生产条件，而这同靠国家帮助建立合作社毫无共同之处！"③可见，只有通过各种手段彻底变革资本主义私有制，才能真正建立起工人合作社。

批判《哥达纲领》将劳动看作是一切财富和一切文化的源泉的思想，科学

---

① 《马克思恩格斯选集》第3卷，人民出版社2012年版，第372—373页。

② 《马克思恩格斯选集》第3卷，人民出版社2012年版，第371页。

③ 《马克思恩格斯选集》第3卷，人民出版社2012年版，第372页。

阐述自然界同劳动一样也是使用价值的源泉，突出了生产资料所有制的重要性。《哥达纲领》指出："劳动是一切财富和一切文化的源泉，而因为有益的劳动只有在社会中和通过社会才是可能的，所以劳动所得应当不折不扣和按照平等的权利属于社会一切成员。"① 这里，拉萨尔空谈劳动是一切财富和一切文化的源泉。事实并非如此。在《1844年经济学哲学手稿》和《德意志意识形态》等著作中，马克思就论述了自然界的先在性，指出自然界为人们提供劳动对象和劳动资料。一部人类社会发展史，就是人类将自然界作为自己的劳动对象和劳动资料不断认识和改造的历史。事实上，劳动本身仅仅是人的劳动力的体现，而自然界才构成了使用价值的源泉。马克思明确指出："劳动不是一切财富的源泉。自然界同劳动一样也是使用价值（而物质财富就是由使用价值构成的！）的源泉，劳动本身不过是一种自然力即人的劳动力的表现。"② 可见，劳动加上自然界才是一切财富和一切文化的真正源泉。离开了自然界，既失去了劳动资料，也没有了劳动对象。单纯谈劳动，没有任何意义。同时，劳动是一切财富的源泉的观点脱离生产资料所有制这个前提，是一种资产阶级的观点。对此，马克思指出："一个除自己的劳动力以外没有任何其他财产的人，在任何社会的和文化的状态中，都不得不为另一些已经成了劳动的物质条件的所有者的人做奴隶。他只有得到他们的允许才能劳动，因而只有得到他们的允许才能生存。"③ 可见，无产者的劳动是有条件的，即需要得到资产阶级的同意。占有生产资料的资产阶级即便不从事劳动，也可以获得财富，这表明了劳动并非一切财富的源泉。然而，资产阶级却可以从拉萨尔的观点中得出有益于自己的结论，即自己获得的财富并非不劳而获，而是付出了相应的劳动。可见，脱离了生产资料所有制和自然界，单纯地讲劳动是一切财富和一切文化的源泉，是极其荒谬的。

总之，马克思恩格斯对拉萨尔主义的批判，决不是出于个人的"嫉妒"，而是从无产阶级革命斗争的需要出发而进行的。这样，就划清了马克思主义和拉萨尔主义的界限。

---

① 《马克思恩格斯选集》第3卷，人民出版社2012年版，第357页。
② 《马克思恩格斯选集》第3卷，人民出版社2012年版，第357页。
③ 《马克思恩格斯选集》第3卷，人民出版社2012年版，第357—358页。

三、论"过渡时期"和无产阶级专政

在批判拉萨尔主义关于"自由国家"谬论以及阐明社会主义革命理论和马克思主义国家学说的基础上，《哥达纲领批判》第一次明确提出，在资本主义社会和共产主义社会之间，存在着一个必须实行无产阶级专政的过渡时期。这样，不仅明确了过渡时期的无产阶级专政的性质，而且为无产阶级夺取政权并巩固政权打下了重要的理论基础。

在资本主义社会和共产主义社会之间存在着一个政治上的"过渡时期"。从资本主义社会向社会主义（共产主义）的转变是人类历史发展规律的客观要求。但如何从前者转变为后者，是悬而未决的问题。

从19世纪40年代开始，马克思恩格斯就设想在资本主义社会和共产主义社会之间存在着一个过渡时期。在《共产主义信条草案》中，恩格斯认为，从目前的私有制状态到未来的财产公有社会之间有一个"过渡时期"。在马克思主义发展史上，这是第一次提出了"过渡时期"的概念。1852年3月5日，在给魏德迈的信中，在总结1848年欧洲革命经验教训的基础上，马克思认为，"阶级斗争必然导致无产阶级专政"，"这个专政不过是达到消灭一切阶级和进入无阶级社会的过渡"[①]。这样，就第一次明确地将"过渡时期"与无产阶级专政联系了起来。进而，在《1848年至1850年法兰西阶级斗争》、《法兰西内战》、《流亡者文献》等科学文献中，马克思恩格斯进一步论述了这个问题。在《法兰西内战》中，马克思指出："工人阶级知道，他们必须经历阶级斗争的几个不同阶段。他们知道，以自由的联合的劳动条件去代替劳动受奴役的经济条件，只能随着时间的推进而逐步完成（这是经济改造）；他们不仅需要改变分配，而且需要一种新的生产组织，或者毋宁说是使目前（现代工业所造成的）有组织的劳动中存在着的各种生产社会形式摆脱掉（解除掉）奴役的锁链和它们的目前的阶级性质，还需要在全国范围内和国际范围内进行协调的合作。"[②] 显然，无产阶级斗争要取得胜利要经历不同的发展阶段，具有长期性。但是，这些论述主要是一种根据共产主义社会取代资本主义社会的历

---

① 《马克思恩格斯选集》第4卷，人民出版社2012年版，第426页。
② 《马克思恩格斯选集》第3卷，人民出版社2012年版，第143—144页。

史必然性而提出的科学设想，突出强调无产阶级在社会形态转变中的能动作用和历史使命。

而到《哥达纲领批判》这里，情况就发生了明显变化。这在于，在作为无产阶级夺取政权第一次伟大尝试的巴黎公社那里，这已成为历史活动和历史经验。以此为实践基础，将唯物辩证法运用于分析资本主义为共产主义取代的历史过程，马克思就得出了"过渡时期"的科学结论。诚如列宁在《国家与革命》中所言："从前，问题的提法是这样的：无产阶级为了求得自身的解放，应当推翻资产阶级，夺取政权，建立自己的革命专政。"[1] 这里，根据经济决定政治的唯物史观的基本原理，马克思科学阐明了过渡时期的历史必然性及其历史地位。共产主义制度不可能在资本主义制度内部自发形成，必须通过无产阶级革命，才能实现历史转变。无产阶级夺取政权以后，不消灭资本主义私有制和建立社会主义公有制，不对整个社会进行革命改造，就不可能走向共产主义。而肩负这一历史使命的只能是无产阶级及其专政。因此，按照马克思关于"过渡时期"的科学结论，无产阶级必须顺应社会发展规律的客观要求，运用无产阶级专政的力量，促成社会经济形态的过渡和革命。

过渡时期的国家只能是无产阶级的革命专政。根据巴黎公社的经验，马克思在《法兰西内战》中已经提出了无产阶级专政的国家形式及其向高级形态社会过渡的问题。

在他看来，工人阶级不能简单地掌握现成的国家机器，并运用它来达到自己的目的。这种打碎旧的国家机器而以新的真正的民主国家政权来代替的情形，《法兰西内战》第三章已经作了详细的阐述。在《法兰西内战》1891年版的"导言"中，恩格斯进一步重申了这一点："公社一开始想必就认识到，工人阶级一旦取得统治权，就不能继续运用旧的国家机器来进行管理；工人阶级为了不致失去刚刚争得的统治，一方面应当铲除全部旧的、一直被利用来反对工人阶级的压迫机器，另一方面还应当保证本身能够防范自己的代表和官吏，即宣布他们毫无例外地可以随时撤换。"[2] 在《政治冷淡主义》一文和给奥·倍倍尔的信中，马克思恩格斯认为，无产阶级专政是国家的一种革命的暂时的形式，已经不是原来意义上的国家。这样，就揭示了无产阶级专政的历史特点。

---

① 《列宁选集》第3卷，人民出版社2012年版，第188页。
② 《马克思恩格斯选集》第3卷，人民出版社2012年版，第54页。

在此基础上，在批判巴枯宁否定无产阶级专政必要性的谬论时，马克思深刻地指出，向共产主义社会过渡之所以需要无产阶级专政就在于："只要其他阶级特别是资本家阶级还存在，只要无产阶级还在同它们进行斗争（因为在无产阶级掌握政权后无产阶级的敌人和旧的社会组织还没有消失），无产阶级就必须采用暴力措施，也就是政府的措施；如果无产阶级本身还是一个阶级，如果作为阶级斗争和阶级存在的基础的经济条件还没有消失，那么就必须用暴力来消灭或改造这种经济条件，并且必须用暴力来加速这一改造的过程。"① 当然，无产阶级专政的职能不只是暴力。

马克思恩格斯对过渡时期的国家的特征和使命进行了更加完整的说明：一方面，无产阶级专政的国家是在斗争中、在革命中用来对敌人实行暴力镇压的一种暂时的机关；另一方面，无产阶级专政的国家已经不是原来意义上的国家了。这是一种从国家到无国家的半国家。于是，马克思进一步丰富和发展了无产阶级专政的思想。这样，马克思恩格斯进一步从社会历史发展规律的高度揭示出无产阶级专政的必要性、合理性和合法性。

无产阶级国家对待农民的政策。在反驳巴枯宁所谓无产阶级专政是对农民的奴役的观点时，在1874年至1875年初的《巴枯宁〈国家制度和无政府状态〉一书摘要》中，马克思阐明了无产阶级国家对待农民的政策。在巴枯宁看来，"贫贱农民，是不被马克思主义者赏识的，而且是文化程度最低的，他们大概要受城市工厂无产阶级统治。"② 因此，为了取得农民的支持，应该将大地产分给农民以扩大小块地产，进而巩固小土地所有制。这里，无论是关于马克思对农民的认识的看法，还是对农民问题开出的药方都是完全错误的，对此，马克思给予了全面的驳斥，强调无产阶级政府应该采取相应的措施来直接改善农民的状况，从而将其吸引到革命中来。"这些措施，一开始就应当促进土地的私有制向集体所有制过渡，让农民自己通过经济的道路来实现这种过渡；但是不能采取得罪农民的措施，例如宣布废除继承权或废除农民所有权"③。可见，不能直接采用强制性的或暴力的措施来剥夺农民的土地，而要运用经济手段来实现从私有制向公有制的过渡。这充分表明，无产阶级政府在对待农民问题时，

---

① 《马克思恩格斯选集》第3卷，人民出版社2012年版，第337页。
② 《马克思恩格斯选集》第3卷，人民出版社2012年版，第337页。
③ 《马克思恩格斯选集》第3卷，人民出版社2012年版，第338页。

必须充分尊重农民的意愿，通过积极引导的方法，给农民以切实的利益。在此过程中，必须充分考虑到英国、法国等不同国家的不同国情和社会历史特点，采取不同的措施，不能千篇一律。这样，无产阶级政府就既吸引和团结了农民，又没有在农民问题上作出有损于无产阶级利益的让步，并为社会主义公有制的建立创造了条件。

无产阶级国家的意识形态斗争问题。在无产阶级专政的国家中，依然存在着宗教和资产阶级的腐朽思想，甚至是封建落后思想，并通过各种途径发挥着其影响，因此，无产阶级国家面临着突出的意识形态斗争问题。在宗教问题上，布朗基主义者开出了通过法令来禁止宗教的药方。对此，恩格斯在《流亡者文献》中指出，"首先，在纸上可以随便写多少条命令，而用不着去实际执行；其次，迫害是巩固不良信念的最好手段！"[1]可见，不能简单地用法令来禁止宗教，对于精神世界的问题要慎用强制性的手段，否则，不仅很难解决问题，甚至可能会使问题朝着有害的方向发展。当然，面对宗教问题，我们绝非无能为力，必须在工人群众中加强无神论教育。对此，恩格斯指出，"最简单的做法莫过于设法在工人中广泛传播上一世纪卓越的法国唯物主义文献。这些文献迄今为止不仅按形式，而且按内容来说都是法兰西精神的最高成就；考虑到当时的科学水平，在今天看来它们的内容也仍然有极高的价值，它们的形式仍然是不可企及的典范。"[2]这里蕴含了一个重要思想，即在坚持马克思主义指导地位的前提下，应当吸收和利用人类一切优秀文化成果。同样，在无产阶级专政国家中解决资产阶级腐朽思想和封建落后思想等问题，也必须坚持用思想手段，这样，才能搞好意识形态领域的斗争。

驳斥《哥达纲领》反对无产阶级专政的论调并揭示其实质。马克思不仅将过渡时期和无产阶级专政紧密联系在一起，强调过渡时期必须实行无产阶级专政，还指出《哥达纲领》脱离了无产阶级政党纲领所应该坚持的根本——无产阶级专政和对未来共产主义社会制度的设计。"纲领的政治要求除了人所共知的民主主义的陈词滥调，如普选权、直接立法、人民权利、国民军等等，没有任何其他内容。这纯粹是资产阶级的人民党、和平和自由同盟的回声。所有这些要求，只要不是靠幻想夸大了的，都已经实现了。不过实现了这些要求的国

---

[1] 《马克思恩格斯选集》第3卷，人民出版社2012年版，第297页。
[2] 《马克思恩格斯选集》第3卷，人民出版社2012年版，第297页。

家不是在德意志帝国境内，而是在瑞士、美国等等。"① 显然，《哥达纲领》的政治要求已经在一些资产阶级国家实现了，因此，这个纲领实质上已经沦为资产阶级政党的纲领。19 世纪 80 年代后，随着各国社会民主党内部的机会主义思想日益抬头，第二国际内部的一些理论家公然否定阶级斗争和无产阶级专政。对此，在 1891 年撰写的《法兰西内战》的导言中，恩格斯充分肯定了无产阶级专政的思想，强调巴黎公社就是无产阶级专政的样板。无产阶级专政是从资本主义过渡到共产主义一般历史规律的体现。只有在过渡时期始终坚持无产阶级专政，才能完成由社会主义社会向共产主义社会的转变。

无产阶级革命胜利后国家制度的历史演进。无产阶级革命胜利后建立的无产阶级专政的国家，并非是无产阶级未来国家制度的最终组织，而仅仅是一种在特定历史条件下的组织形式，将在无产阶级获得彻底解放后退出历史舞台。为了避免陷入空想，虽然马克思恩格斯没有对未来国家制度问题进行具体的分析，但是指出了未来国家制度的演进方向和探讨的原则。可以肯定的是，未来的共产主义国家不同于无产阶级专政的国家。那时，国家的政治职能将消失，保留的主要是国家的社会职能。对此，在 1872 年 10 月至 1873 年 3 月的《论权威》中，恩格斯指出："所有的社会主义者都认为，政治国家以及政治权威将由于未来的社会革命而消失，这就是说，公共职能将失去其政治性质，而变为维护真正社会利益的简单的管理职能。"② 这里，针对巴枯宁关于未来社会将实行绝对自由而不需要任何权威的谬论，恩格斯指出，任何社会不能没有管理，而要管理就必须有权威。即使是到了共产主义社会，也需要权威和集中，只不过这个权威和集中不再具有政治性质，而主要是维护社会管理。同时，对未来国家制度的预测，不能陷入空想，而必须采取科学的态度，严格根据历史和实践提供的材料去探索。对此，马克思在《哥达纲领批判》中指出，"在共产主义社会中国家制度会发生怎样的变化呢？换句话说，那时有哪些同现在的国家职能相类似的社会职能保留下来呢？这个问题只能科学地回答；否则，即使你把'人民'和'国家'这两个词连接一千次，也丝毫不会对这个问题的解决有所帮助。"③ 可见，决不能脱离实践去预测未来的国家制度，否则只能陷入

---

① 《马克思恩格斯选集》第 3 卷，人民出版社 2012 年版，第 374 页。

② 《马克思恩格斯选集》第 3 卷，人民出版社 2012 年版，第 277 页。

③ 《马克思恩格斯选集》第 3 卷，人民出版社 2012 年版，第 373 页。

空想。这样，马克思恩格斯就丰富了科学的国家学说。

总之，马克思科学阐明了无产阶级专政和过渡时期的内在关系，为无产阶级革命指明了方向，无产阶级要进行巨大的革命的社会改造，实现从资本主义向共产主义的过渡，必须建立无产阶级专政。同时，马克思也深化了科学的社会形态理论，向人们科学说明，在两种不同的社会形态之间不存在截然分明的界限，而是一个渐进过程的中断。

四、社会形态预测的科学方法和共产主义的发展阶段

在科学揭示"过渡时期"和无产阶级专政的历史必然性的基础上，基于对于人类社会历史发展规律尤其是社会基本矛盾运动规律的科学把握，马克思自觉运用唯物辩证法研究共产主义社会形态的演变，认为共产主义存在第一阶段和高级阶段两个阶段。这样，就第一次完整而科学地提出了共产主义社会发展阶段的学说。

马克思恩格斯对待未来社会的科学态度。与空想社会主义不同，科学社会主义从不对未来社会进行详尽的预测和描述，而只是基于社会形态演变的客观规律，从与资本主义社会的本质区别中，揭示共产主义的必然性和基本特征。在马克思恩格斯看来，如果脱离人类社会发展规律去描绘共产主义，不论描绘得多么美好，只能是一种空想。到 19 世纪 60 年代后期和 70 年代初，随着对资本主义社会政治经济剖析的深入和对无产阶级革命实践经验的科学总结，科学社会主义对未来共产主义社会的预见有了新的突破。这主要源于两个重大历史事件：第一，《资本论》第 1 卷的出版和后几卷的完成。马克思将唯物史观创造性地运用于分析和研究资本主义生产方式的矛盾运行，科学地揭示资本主义基本矛盾必然导致资本主义的灭亡和共产主义的胜利，并在与资本主义的对比中科学描绘了未来共产主义的诸多特征。这样，就为建立共产主义发展阶段理论奠定了科学的理论基础。第二，巴黎公社革命的爆发和经验。尽管其经验不够充分，但是，巴黎公社是工人阶级为实现自己的目的的革命尝试，为无产阶级专政作了初步准备，公社伟大的社会措施就是其本身的存在。正如巴黎公社所表明的是一种能使工人对所有机构实行前所未有的控制的国家一样，无产阶级专政是一种最适合于建立社会主义而实现阶级解放和劳动解放的国家。这

样，就为建立共产主义发展阶段理论奠定了革命的实践基础。正是在上述基础上，通过批判《哥达纲领》，马克思把自己和恩格斯关于共产主义发展阶段的思考以科学的语言呈现出来。诚如列宁在《国家与革命》中所言："马克思丝毫不想制造乌托邦，不想凭空猜测无法知道的事情。马克思提出共产主义的问题，正像一个自然科学家已经知道某一新的生物变种是怎样产生以及朝着哪个方向演变才提出该生物变种的发展问题一样。"[1]显然，与空想社会主义仅仅是从人道主义的原则出发去描绘和设计未来社会的做法截然不同，马克思主义始终坚持从事实尤其是经济事实出发去科学展望共产主义的必然趋势和本质特征。这里体现的是彻底唯物主义的精神，是将历史唯物主义运用于共产主义发展问题上的科学结论。

马克思恩格斯探讨未来社会发展阶段的历史过程。在创立科学社会主义理论的过程中，马克思恩格斯始终将共产主义发展阶段问题作为自己关注的重要议题。早在《1844 年经济学哲学手稿》中，马克思就开始探讨未来社会的发展问题。在他看来，彻底扬弃私有制"在现实中将经历一个极其艰难而漫长的过程"[2]，"共产主义是作为否定的否定的肯定"[3]，"共产主义是最近将来的必然的形态和有效的原则"[4]。这里，马克思已经走出了用实验手段去建立共产主义的空想，开始从社会历史发展的必然性中去理解实现共产主义的问题。在《德意志意识形态》中，根据社会基本矛盾运动的客观规律，马克思恩格斯揭示出大机器生产的发展与私有制之间的矛盾是资本主义社会的根本矛盾，解决这个矛盾的过程就是消灭私有制和实现共产主义的过程。同时，从社会发展条件性和生产力发展连续性的角度，马克思恩格斯揭示出，资本主义社会为实现共产主义准备了生产力条件，即创造了实现共产主义的物质基础。1849 年至1850 年冬，在伦敦德意志工人教育协会开设的《共产党宣言》讲座中，在总结 1848 年欧洲革命经验的基础上，马克思进一步提出了未来社会发展阶段的设想。在他看来，共产主义必须经过若干年以后才能建立起来，共产主义要经过若干阶段。在无产阶级夺取政权以后，首先要建立社会共和国，然后是建立社会共产主义共和国，最后是实现纯粹的共产主义共和国。在上述探讨的基础

[1] 《列宁选集》第 3 卷，人民出版社 2012 年版，第 187 页。
[2] 《马克思恩格斯文集》第 1 卷，人民出版社 2009 年版，第 232 页。
[3] 《马克思恩格斯文集》第 1 卷，人民出版社 2009 年版，第 197 页。
[4] 《马克思恩格斯文集》第 1 卷，人民出版社 2009 年版，第 197 页。

上，在《政治经济学批判（1857—1858年手稿）》中，马克思将人对人的依赖、人对物（商品、货币、资本）的依赖、人的自由而全面发展视为社会形态演进的三个阶段。在他看来，作为第二个阶段的资本主义社会为作为第三个阶段的共产主义准备条件。在《资本论》第三卷中，马克思指出，资本主义生产方式有利于"高级的新形态"的各种要素的创造。在这种新形态中，"社会上的一部分人靠牺牲另一部分人来强制和垄断社会发展（包括这种发展的物质方面和精神方面的利益）的现象将会消灭；另一方面，这个阶段又会为这样一些关系创造出物质手段和萌芽，这些关系在一个更高级的社会形式中，使这种剩余劳动能够同物质劳动一般所占用的时间的更大的节制结合在一起。"[①]这里，"高级的新形态"和"更高级的社会形态"指的就是共产主义社会发展的两个阶段。可见，通过政治经济学的实证分析，在把握经济必然性的基础上，马克思已经明确提出了共产主义社会发展阶段的理论。

进而，在《哥达纲领批判》中，马克思将上述认识用准确的语言和确定的理论形式表达出来：在无产阶级夺取政权之后，社会要经历一个"长久的阵痛"时期。这是一个"过渡时期"，即无产阶级专政的国家。在此基础上，将进入"共产主义社会第一阶段"，最后将进入"共产主义高级阶段"。这样，马克思就明确地将共产主义社会的发展划分为"第一阶段"和"高级阶段"两个阶段，形成了共产主义社会发展阶段的科学理论。

上述探讨过程充分表明，"马克思的这些解释的伟大意义，就在于他在这里也彻底地运用了唯物主义辩证法，即发展学说，把共产主义看成是从资本主义中发展出来的。"[②]可见，马克思关于共产主义发展阶段的理论是将唯物辩证法运用于共产主义社会形态发展过程分析的科学结晶，体现的是唯物辩证法的精神。

共产主义社会第一阶段的基本特征。在"过渡时期"基础上进入的"共产主义社会第一阶段"，即我们今天所说的社会主义社会。马克思指出："我们这里所说的是这样的共产主义社会，它不是在它自身基础上已经发展了的，恰好相反，是刚刚从资本主义社会中产生出来的，因此它在各方面，在经济、道德

---

① 《马克思恩格斯文集》第7卷，人民出版社2009年版，第928页。
② 《列宁选集》第3卷，人民出版社2012年版，第200页。

和精神方面都还带着它脱胎出来的那个旧社会的痕迹。"① 即，社会主义社会不是空中楼阁，而是建立在发达资本主义社会的基础之上的。这就导致了在刚刚从资本主义社会进入的社会主义社会，还不能完全消除资本主义社会的痕迹，依然保留着资本主义社会的许多特征。

从生产资料所有制来看，社会主义社会采用"共同占有生产资料"的形式。在资本主义社会中，资本家占有生产资料，因而，也占有工人阶级的劳动。然而，拉萨尔主义宣称"劳动是一切财富和一切文化的源泉"。对此，马克思突出了生产资料的所有制问题的重要性。他指出："只有一个人一开始就以所有者的身份来对待自然界这个一切劳动资料和劳动对象的第一源泉，把自然界当做属于他的东西来处置，他的劳动才成为使用价值的源泉，因而也成为财富的源泉。资产者有很充分的理由硬给劳动加上一种超自然的创造力，因为正是由于劳动的自然制约性产生出如下的情况：一个除自己的劳动力以外没有任何其他财产的人，在任何社会的和文化的状态中，都不得不为另一些已经成了劳动的物质条件的所有者的人做奴隶。他只有得到他们的允许才能劳动，因而只有得到他们的允许才能生存。"② 因此，社会主义社会和资本主义社会的首要区别是在生产资料与劳动的结合方式上。在马克思看来，共同占有生产资料，建立社会主义公有制，是社会主义社会最基本的经济特征。其实，早在《1844年经济学哲学手稿》中，马克思就将消灭私有制作为实现共产主义的经济要求，尽管他当时没有厘清异化劳动和私有制的真实关系。进而，在唯物史观的基础上，《共产党宣言》旗帜鲜明地指出，"共产党人可以把自己的理论概括为一句话：消灭私有制。"③ 在《资本论》中，马克思提出了"重建个人所有制"的要求。这里的个人所有制即社会所有制。马克思从社会发展规律否定之否定的辩证属性的角度，突出了作为共产主义特征的公有制的重要性。1872年，在《论土地国有化》中，马克思指出："生产资料的全国性的集中将成为由自由平等的生产者的各联合体所构成的社会的全国性的基础，这些生产者将按照共同的合理的计划进行社会劳动。这就是19世纪的伟大经济运动所追求的人道目标。"④ 这样，马克思明确将公有制作为共产主义运动的目标。在此基础上，

---

① 《马克思恩格斯选集》第3卷，人民出版社2012年版，第363页。
② 《马克思恩格斯选集》第3卷，人民出版社2012年版，第357—358页。
③ 《马克思恩格斯选集》第1卷，人民出版社2012年版，第414页。
④ 《马克思恩格斯选集》第3卷，人民出版社2012年版，第178页。

通过批判拉萨尔主义的错误，马克思将共同占有生产资料作为社会主义社会的经济特征。在 1886 年 1 月 20 日至 23 日给倍倍尔的信中，恩格斯指出，"在向完全的共产主义经济过渡时，我们必须大规模地采用合作生产作为中间环节，这一点马克思和我从来没有怀疑过。"① 这里所讲的"合作生产"就是指"共同占有生产资料"。

从经济上来看，由于社会生产力发展水平还不高，社会主义还不能彻底消灭私有制，而社会主义公有制的建立和完善是一个长期的复杂的历史过程，因此，社会主义还不能取消商品经济，必须采用按劳分配的方式。本来，对于空想社会主义关于未来社会实行按劳分配的猜想，马克思和恩格斯持批评的态度。在《德意志意识形态》中，他们指出，"'按能力计报酬'这个以我们目前的制度为基础的不正确的原理应当——因为这个原理是仅就狭义的消费而言——变为'按需分配'这样一个原理，换句话说：活动上，劳动上的差别不会引起在占有和消费方面的任何不平等，任何特权。"② 在运用唯物史观研究资本主义生产方式之后，马克思在《政治经济学批判（1857—1858 年手稿）》中初步形成了按劳分配的新观点，在《资本论》第一卷和第二卷中进一步论述了社会主义社会的分配原则。在《哥达纲领批判》中，马克思认为，在共产主义第一阶段实行按劳分配具有必然性。这在于：以共同占有生产资料为基础的时候决定其必然会产生一种不同于资本主义制度的分配方式。但是，这时还不具备实行"按需分配"的条件，因此，只能实行按劳分配。比之于资本主义剥削制度，按劳分配是一种历史进步。这更是社会主义的公有制在分配领域的要求和表现，第一次消灭了剥削现象，实现了劳动平等和分配正义。在这个意义上，按劳分配是社会主义生产关系的基本要求，是社会主义社会的重要特征。但是，这里的平等权利按照原则仍然是"资产阶级权利"（资产阶级法权）。这在于：一是各个生产者在体力和智力上存在着差异，二是每个劳动者的家庭状况各不相同。这样，光用同一个尺度去衡量不同等的劳动时，必然是不平等的。因此，从共产主义社会高级阶段来看，这是一种弊病；但是，在共产主义社会第一阶段上又是不可避免的。

从上层建筑来看，旧的道德和精神的影响依然存在，甚至根深蒂固。由于

---

① 《马克思恩格斯选集》第 4 卷，人民出版社 2012 年版，第 581 页。
② 《马克思恩格斯全集》第 3 卷，人民出版社 1960 年版，第 637—638 页。

旧的经济基础还依然存在，新的经济基础还没有完全建立起来，因此，作为经济基础反映和体现的上层建筑自然会带有旧社会的痕迹。即使旧的经济基础彻底消灭了，由于作为上层建筑的道德和精神具有相对独立性，旧的道德和旧的精神依然会阴魂不散。因此，社会主义社会必须进行长期的道德革命和精神革命，这样，才能建立起社会主义新道德和社会主义新精神。这里，马克思事实上突出了社会主义精神文明建设的必要性和重要性。今天看来，社会主义精神文明建设是社会主义的主要特征。从政治上来看，由于还不能完全消灭国家，因此，必须实行无产阶级专政。无产阶级专政的国家就是社会主义国家。从总体上来看，社会主义社会具有不同于资本主义社会的全新特征，但是，也存在着诸多弊端。"这些弊病，在经过长久阵痛刚刚从资本主义社会产生出来的共产主义社会第一阶段，是不可避免的。权利决不能超出社会的经济结构以及由经济结构制约的社会的文化发展。"① 可见，作为上层建筑的政治归根结底是由经济基础决定的，政治权利也无法超越经济发展的界限。因此，在共产主义第一阶段，必须坚持无产阶级专政，以改造旧的上层建筑的弊端的延续。

共产主义高级阶段的基本特征。在从与资本主义的对比中描述共产主义社会第一阶段特征的基础上，马克思以精湛的语言描述了共产主义高级阶段的特征："在共产主义社会高级阶段，在迫使个人奴隶般地服从分工的情形已经消失，从而脑力劳动和体力劳动的对立也随之消失之后；在劳动已经不仅仅是谋生的手段，而且本身成了生活的第一需要之后；在随着个人的全面发展，他们的生产力也增长起来，而集体财富的一切源泉都充分涌流之后，——只有在那个时候，才能完全超出资产阶级权利的狭隘眼界，社会才能在自己的旗帜上写上：各尽所能，按需分配！"② 在马克思看来，从"按劳分配"进入"按需分配"是共产主义社会高级阶段的特征。实现"按需分配"需要一系列的条件。第一，自由分工。必须在消除被动分工尤其是异化分工的情况下，消除脑力劳动和体力劳动的对立，并且要消灭工农对立和城乡对立。在存在"三大差别"的情况下，必然存在剥削，因此，消灭"三大差别"，实行自由分工，才能实行按需分配。第二，自由劳动。必须在消灭被动劳动尤其是异化劳动的基础上，使劳动不再是单纯的谋生手段，而成为生活的第一需要。只有在自由劳动的情

———————
① 《马克思恩格斯选集》第 3 卷，人民出版社 2012 年版，第 364 页。
② 《马克思恩格斯选集》第 3 卷，人民出版社 2012 年版，第 364—365 页。

形下，人的劳动的积极性、能动性和创造性才能发挥出来，才能创造出丰富的社会财富，这样，才能实行按需分配。第三，自由发展。必须在消灭人的异化的基础上，使人的各方面的素质和才能都得到发展，实现人的全面发展。在人的片面发展和畸形发展的情况下，人的生产力不可能得到充分发展，集体财富的源泉不可能得到充分涌现，这样，就根本不具备实行按需分配的条件。当然，这一切都必须以生产力的高度发展和集体财富的充分涌现为条件和基础。此外，社会全体成员还必须在自由而全面发展的基础上完全超出资产阶级权利的狭隘眼界，普遍具有高度的共产主义思想觉悟。否则，仍然难以实行按需分配。

上述各个方面的条件既是实行按需分配的前提，也是共产主义社会高级阶段的重要特征。这样，马克思就把"各尽所能、按需分配"作为了共产主义高级阶段的"旗帜"，成为作为工人阶级先锋队的共产党人的崇高的社会理想。

共产主义社会两个发展阶段的关系。在明确提出共产主义第一阶段和高级阶段的思想的基础上，马克思明确论述了两个阶段的区别和联系。共产主义第一阶段和高级阶段，都属于共产主义社会的社会形态的范畴。虽然共产主义第一阶段直接脱胎于资本主义社会，但是仍然和资本主义社会有着本质的区别。"这里通行的是调节商品交换（就它是等价的交换而言）的同一原则。内容和形式都改变了，因为在改变了的情况下，除了自己的劳动，谁都不能提供其他任何东西，另一方面，除了个人的消费资料，没有任何东西可以转为个人的财产。"[①] 显然，生产资料归集体所有还是归个人所有是共产主义社会区别于资本主义社会的本质区别。虽然共产主义第一阶段仍然实行按劳分配的原则，与资产阶级宣扬的那种"多劳多得，少劳少得"的按劳分配在形式上是相同的，但是两者的实质却完全不同，是建立在不同的生产资料所有制的基础之上的。虽然共产主义高级阶段的按需分配和共产主义第一阶段的按劳分配的形式不同，但都是建立在生产资料公有制的基础之上。虽然共产主义第一阶段的按劳分配在实质上是不平等的，但是这种不平等是为了推动生产力的发展和人的全面发展，是为共产主义高级阶段按需分配和真正的平等的实现奠定基础。显然，共产主义第一阶段和高级阶段具有这样的辩证关系：共产主义高级阶段是第一阶段的发展目标和必然产物，共产主义高级阶段建立在第一阶段发展的基

① 《马克思恩格斯选集》第3卷，人民出版社2012年版，第363页。

础之上。

可见，马克思关于共产主义社会发展阶段的理论，不仅丰富和发展了科学的共产主义学说，而且丰富和发展了唯物史观的社会形态理论。对之，我们必须持一种辩证的态度。诚如列宁在《国家与革命》中所言："关于这个未来，马克思并没有陷入空想，他只是较详细地确定了现在所能确定的东西，即共产主义社会低级阶段和高级阶段之间的差别。"① 因此，我们不能对共产主义及其发展阶段采用经院式臆造的态度和方式，而必须将之视为一个自我完善、自我发展的历史过程，不断从必然王国走向自由王国。

五、社会主义社会的分配原则和社会主义的社会建设

在全面批判拉萨尔的不折不扣的劳动所得的谬论中，马克思科学地阐明了社会主义社会的分配原则，并创造性地探讨了社会主义的社会建设问题，进一步丰富和发展了科学社会主义理论。

正确处理生产资料所有制和分配方式的关系。分配属于生产关系的范畴。从其横向结构来看，生产关系由生产资料所有制、人们在劳动中的地位和关系、产品的分配方式三者构成。在生产关系系统中，所有制决定分配的性质和方式。马克思恩格斯在《资本论》等文献中已科学地阐明了这一点。从其纵向历史运动来看，生产关系由生产、交换、分配和消费四个环节构成。在由这四个环节构成的复杂系统中，尽管其他三个因素对生产亦具有重大影响，但生产在追根到底的意义上决定交换、分配和消费。在《〈政治经济学批判〉导言》中，马克思已科学地阐明了这一点。

在《哥达纲领批判》中，马克思进一步指出："消费资料的任何一种分配，都不过是生产条件本身分配的结果；而生产条件的分配，则表现生产方式本身的性质。例如，资本主义生产方式的基础是：生产的物质条件以资本和地产的形式掌握在非劳动者手中，而人民大众所有的只是生产的人身条件，即劳动力。既然生产的要素是这样分配的，那么自然就产生现在这样的消费资料的分配。如果生产的物质条件是劳动者自己的集体财产，那么同样要产生一种和现

---

① 《列宁选集》第3卷，人民出版社2012年版，第193页。

在不同的消费资料的分配。庸俗的社会主义仿效资产阶级经济学家（一部分民主派又仿效庸俗社会主义）把分配看成并解释成一种不依赖于生产方式的东西，从而把社会主义描写为主要是围绕着分配兜圈子。既然真实的关系早已弄清楚了，为什么又要开倒车呢？"① 即，生产资料所有制的性质决定分配方式的性质，生产决定分配。换言之，分配正义取决于生产资料的性质，取决于生产性质。由此来看，在资本主义私有制的条件下，消费资料的分配是为资本主义私有制服务的。而如果生产资料归劳动者集体所有，那么就会产生另一种形式的消费资料的分配。

进一步来看，公平、公正、平等、正义都取决于生产资料的性质。在私有制的条件下，由于生产资料归社会上的极少数人占有，绝大多数人丧失生产资料，因此，处于奴役的地位。这样，在私有制条件下无从谈起分配正义，更遑论"一般"的公平、公正、平等、正义。随着私有制的消灭，生产资料和劳动者将在新的基础上再度结合起来，尤其是在生产资料公有制的基础上，才会消灭剥削和奴役。这样，不仅可以实现分配正义，而且可以建立一个公平正义的社会主义新社会。因此，马克思指出："随着阶级差别的消灭，一切由这些差别产生的社会的和政治的不平等也自行消失。"② 即，公平、公正、平等、正义是一个阶级问题，也就是一个经济问题。在其本质上，阶级范畴是一个经济范畴。其实，早在《反杜林论》中，恩格斯已经指出："无产阶级平等要求的实际内容都是消灭阶级的要求。任何超出这个范围的平等要求，都必然要流于荒谬。"③ 因此，撇开所有制因素，脱离消灭私有制的实际运动，根本难以实现分配正义。撇开所有制和生产侈谈分配正义，充其量只是一种空想社会主义思想而已。

这样，马克思和恩格斯不仅有力地批判了把分配看作是经济活动的本质，从而把社会主义描写为主要是在分配问题上兜圈子的唯心主义观点，而且为实现分配正义、建立公平正义的社会主义新社会奠定了历史唯物主义基础。

社会主义社会的分配原则。马克思全面批判了拉萨尔的不折不扣的劳动所得的谬论，论述了社会主义社会的分配原则。《哥达纲领》指出："劳动的解放

① 《马克思恩格斯选集》第 3 卷，人民出版社 2012 年版，第 365—366 页。
② 《马克思恩格斯选集》第 3 卷，人民出版社 2012 年版，第 371 页。
③ 《马克思恩格斯选集》第 3 卷，人民出版社 2012 年版，第 484 页。

要求把劳动资料提高为社会的公共财产，要求集体调节总劳动并公平分配劳动所得。"① 这里的公平分配劳动所得就是指拉萨尔讲的"不折不扣的劳动所得"。对此，马克思指出，不能将社会总产品全部用于分配。社会主义社会的集体劳动所得就是社会总产品。为了实现社会主义的再生产，在进行个人分配之前，必须从中扣除以下部分："第一，用来补偿消耗掉的生产资料的部分。第二，用来扩大生产的追加部分。第三，用来应付不幸事故、自然灾害等的后备基金或保险基金。"② 这些是维持生产和扩大再生产必须扣除的部分。从社会的消费的角度看，在进行个人分配之前，还必须从中扣除以下部分。一是同生产没有直接关系的一般管理费用。这主要涉及公共管理的领域。不论未来社会如何发展，这部分扣除是必不可少的。当然，它会逐渐减少。二是用来发展社会事业的部分，即用来满足共同需要的部分，主要指发展教育、科学、卫生的费用。这部分扣除不仅是必不可少的，而且会随着社会的发展日益增长。三是用来发展社会保障、社会救济、社会慈善的费用。即使在资本主义条件下，为了避免社会崩溃，也会发展官办济贫事业。在新社会中，更应该在这方面显示出优越性。这些扣除事实上就是用于社会建设的费用。只有从社会总产品中扣除上述部分，才能将剩余部分分配给个人，因此，拉萨尔的所谓的不折不扣的劳动所得实际上恰恰是有折有扣的劳动所得。

在此基础上，马克思论述了社会主义社会的分配原则。在共产主义社会第一阶段，由于这一社会身上还带有很多的资本主义社会的痕迹，因此，"每一个生产者，在作了各项扣除以后，从社会领回的，正好是他给予社会的。他给予社会的，就是他个人的劳动量"，……"至于消费资料在各个生产者中间的分配，那么这里通行的是商品等价物的交换中通行的同一原则，即一种形式的一定量劳动同另一种形式的同量劳动相交换。"③ 这种分配方式就是各尽所能、按劳分配，根据劳动者劳动的多少来领取相应的消费资料。马克思的设想是，在社会总产品作了上述必要的扣除之后，应该以劳动为标准在劳动者之间进行个人消费品的分配。每个劳动者所给予社会的就是其个人的劳动量。他从社会方面领得一张证书，证明他自己提供了多少劳动，而他凭着这张证书从社会储

---

① 《马克思恩格斯选集》第3卷，人民出版社2012年版，第360页。
② 《马克思恩格斯选集》第3卷，人民出版社2012年版，第361—362页。
③ 《马克思恩格斯选集》第3卷，人民出版社2012年版，第363页。

备中领得和其所提供的劳动量相当的一份消费品。这即是按劳分配的原则。如前所述，"这种平等的权利，对不同等的劳动来说是不平等的权利。它不承认任何阶级差别，因为每个人都像其他人一样只是劳动者；但是它默认，劳动者的不同等的个人天赋，从而不同等的工作能力，是天然特权。所以就它的内容来讲，它像一切权利一样是一种不平等的权利。"[1] 按劳分配的形式是公平的，但实质上是不公平的，仍然是资产阶级法权。到了共产主义高级阶段，生产力的发展消灭了人为的社会分工和脑体劳动的差别，劳动从人们谋生的手段变成了生活的第一需要，而生产力的发展和个人的全面发展也使得集体财富的一切源泉都得到充分涌流，只有到这时，才能实行"各尽所能、按需分配"的原则。按需分配是建立在共产主义社会生产力高度发达和个人的全面发展的基础之上的，是彻底摆脱了资产阶级法权的共产主义高级阶段的分配原则。

总之，按劳分配是社会主义社会的分配原则。随着条件的成熟，它将让位于按需分配。这就意味着共产主义社会高级阶段的来临。

社会主义的社会建设原则问题。实现社会和谐，建设美好社会，始终是人类孜孜以求的社会理想，也是马克思主义始终探讨的主题和马克思主义政党不懈追求的社会理想。在《共产党宣言》中，马克思恩格斯提出包括剥夺地产、征收高额累进税、废除继承权、没收一切流亡分子和叛乱分子的财产、对所有儿童实行公共的和免费的教育等十大建设纲领，作为实现共产主义的社会措施。在巴黎公社期间，"公社在铲除了常备军和警察这两支旧政府手中的物质力量以后，便急切地着手摧毁作为压迫工具的精神力量，即'僧侣势力'，方法是宣布教会与国家分离，并剥夺一切教会所占有的财产。教士们要重新过私人的清修隐遁的生活，像他们的先驱者即使徒们那样靠信徒的施舍过活。一切教育机构对人民免费开放，完全不受教会和国家的干涉。"[2] 公社颁布了大量有利于社会主义社会建设的措施和法令。在宗教方面，公社宣布政教分离，没收教会的财产；在教育方面，坚持教育的独立性和人民性，取消国家和教会对学校的干预。

在此基础上，马克思在《哥达纲领批判》中进一步论述了社会主义社会建设的思想。在批判《哥达纲领》滥用"现代国家"、"现代社会"等字眼的过程中，

---

[1] 《马克思恩格斯选集》第 3 卷，人民出版社 2012 年版，第 364 页。
[2] 《马克思恩格斯选集》第 3 卷，人民出版社 2012 年版，第 99 页。

马克思指出，"现代社会"就是存在于一切文明国度中的资本主义社会，"现代国家"是一种虚构，可以讨论的是"现代国家制度"。"现代国家制度"现在的根基即资产阶级社会。由于资产阶级社会注定要消亡。在马克思恩格斯看来，国家一般具有政治和社会双重职能，无产阶级专政的国家同样如此。在未来社会，国家的政治职能会消失，但社会职能却会保留下来，而且会不断被强化。这就意味着，在共产主义社会的第一阶段，要逐步强化国家的社会职能，加强社会建设和社会管理。在此前提下，马克思探讨了社会建设尤其是社会主义社会建设的问题。

关于妇女劳动和儿童劳动的问题。针对《哥达纲领》有关限制妇女劳动和禁止儿童劳动的思想，马克思强调要对之进行具体的分析，不能一概而论，一概否定。在马克思看来，禁止儿童劳动必须给出相应的年龄界限，因为在实践中，"普遍禁止儿童劳动是同大工业的存在不相容的，所以这是空洞的虔诚的愿望。""实行这一措施——如果可能的话——是反动的，因为在按照不同的年龄阶段严格调节劳动时间并采取其他保护儿童的预防措施的条件下，生产劳动和教育的早期结合是改造现代社会的最强有力的手段之一。"[①] 其实，教育和生产劳动结合不仅对于儿童成长和发展具有重要的作用，有利于培养共产主义新人，还是改造现代社会、建设未来共产主义社会的有力武器。在《共产党宣言》和《资本论》等科学文献中，马克思恩格斯一直坚持这一点。因此，教育和生产劳动相结合应该成为社会主义教育的方针。

关于教育问题。马克思反对《哥达纲领》提出的由国家实行国民教育的观点："'由国家实行国民教育'是完全要不得的。用一般的法律来确定国民学校的经费、教员资格、教学科目等等，并且像美国那样由国家视察员监督这些法律规定的实施，这同指定国家为人民的教育者完全是两回事！相反，应当把政府和教会对学校的任何影响都同样排除掉。"[②] 排除政府和教会对学校的影响，是教育独立发展的前提。当然，这里的政府是指资产阶级旧政府。社会主义新政府必须高度重视教育。此外，马克思强调要把技术学校（理论的和实践的）和国民学校联系起来，即强调教育要坚持理论和实践的统一。这些也是马克思恩格斯的一贯思想。

---

① 《马克思恩格斯选集》第 3 卷，人民出版社 2012 年版，第 377 页。
② 《马克思恩格斯选集》第 3 卷，人民出版社 2012 年版，第 376 页。

关于劳动保护的问题。马克思批评了《哥达纲领》中关于实行有效的责任法的局限性，论述了劳动保护的必要性和重要性。"在正常的工作日这一条中，忽略了工厂立法中关于卫生设施和安全措施等等那一部分。只有当这些规定遭到破坏时，责任法才发生效力。"①马克思高度重视资本主义工厂立法中关于卫生和安全设施的规定。此外，在论述按劳分配的过程中，马克思还指出，必须从劳动所得中扣除应付不幸事故和自然灾害等突发情况的保障基金，以保障工人的正常生活水准。在《资本论》等科学文献中，马克思详尽地阐述过劳动保护问题。《哥达纲领批判》进一步丰富和发展了这些思想。

可见，无产阶级专政的国家不仅要"破"，而且要"立"；不仅要坚持专政，而且要始终关注和呵护民生。这样，马克思就全面论述了社会主义社会建设的思想。

总之，通过论述社会主义社会的分配原则和社会建设的措施，马克思丰富和发展了社会主义建设的思想，为未来共产主义社会的建设提供了科学基础。

综上，正如列宁在评价《哥达纲领批判》时指出的那样："在这篇出色的著作中，批判拉萨尔主义的论战部分可以说是遮盖了正面论述的部分，即遮盖了对共产主义发展和国家消亡之间的联系的分析。"②这样，如同《共产党宣言》和《法兰西内战》一样，《哥达纲领批判》成为科学社会主义的光辉篇章。

第三节　马克思主义阶级斗争理论的捍卫和发展

在"非常法"时期，针对"苏黎世三人团"否定阶级斗争、放弃革命道路的右倾机会主义错误，马克思恩格斯对之进行了全面的驳斥，捍卫和发展了马克思主义阶级斗争理论，为我们科学全面地把握和运用这一科学理论打下了坚实的理论基础。

---

① 《马克思恩格斯选集》第 3 卷，人民出版社 2012 年版，第 378 页。

② 《列宁选集》第 3 卷，人民出版社 2012 年版，第 185 页。

一、与"苏黎世三人团"的斗争

19世纪70年代来，为了克服德国社会民主党内的机会主义思潮，帮助德国社会民主党在正确的轨道上发展，马克思恩格斯与卡·赫希柏格、爱·伯恩施坦和卡·奥·施拉姆组成的"苏黎世三人团"（简称为"三人团"）为代表的机会主义者进行了坚决的斗争，并于1879年9月创作了著名的具有党内文件性质的《给奥·倍倍尔、威·李卜克内西、威·白拉克等人的通告信》（简称为《通告信》）。

1875年，德国社会民主党的成立，进一步推动了工人运动的快速发展，这样，就引起了俾斯麦反动政府的强烈不满。1878年10月，在国会多数的支持下，俾斯麦政府通过并实施了《取缔社会民主党人危害治安的意向的法律》，即《反社会党人非常法》（简称为"非常法"），以达到反对工人运动和社会主义运动的目的。该法对德国社会民主党人进行全面的镇压，不仅取缔社会民主党的一切组织和群众性的工人组织，还查禁社会主义和工人的刊物、没收社会主义文献，使得德国社会民主党处于非法的状态，给德国社会民主党的发展造成了极其严重的困难。从整体上看，党内对于这一局面的出现没有充分的思想准备，导致了一些领导人惊慌失措，进而采取了两种截然不同的方针。一种是以莫斯特等人为代表的以"左"的面貌出现的倾向，反对党进行合法的斗争，单纯主张暴力革命。为此，马克思和恩格斯给许多工人去信，公开表达了他们对莫斯特的态度。他们认为，莫斯特的路线是完全错误的，具有极其严重的危害性，完全使党的法律涣散，使党脱离群众，从而会成为俾斯麦政府采用警察挑衅的借口，他们要求社会民主党人同莫斯特之流划清界限。另一种是由"三人团"采取的右倾投降主义的方针，给党造成了很大的思想混乱，使得许多基层党组织瓦解，导致了机会主义再次在党内抬头。"三人团"一方面承袭了德国工人运动中存在的拉萨尔主义，另一方面又接受了德国资产阶级最新思潮新康德主义的思想，直接用资产阶级思想腐蚀工人阶级。然而，党内的一些领导人却对这种倾向采取了调和主义的态度，使之在党内得到了蔓延。

这时，德国社会民主党决定在苏黎世创办一份党的机关报，"三人团"为了争夺对报纸的控制权，站在机会主义的立场上联合起来，并在1879年《社会科学和社会政治年鉴》第1年卷第1册中发表了《德国社会主义运动的回顾》

一文，大肆宣传机会主义的观点，试图取消无产阶级政党的阶级斗争的性质，使党成为改良主义政党。具体来看，"三人团"的观点主要包括以下方面：德国社会民主党应该是一个富有仁爱精神的全面的党，不仅要号召工人参加，而且要号召一切诚实的民主派参加，而不应该是片面的工人阶级的政党；工人阶级不能自己解放自己，而应该由资产阶级领导工人阶级政党，应将希望寄托在资产阶级身上，因为只有资产阶级才有足够的时间从事党的宣传和组织工作；由于工人阶级的过火的斗争才导致"非常法"的通过，因此，德国社会民主党要遵守这一法令，工人阶级必须采取合法的斗争和改良的形式，应该放弃阶级斗争和暴力革命的形式；工人阶级应该不谈论所谓的最终目的，而应该将全部精力用来实现某些最近的那些能够带来好处的目标，不能用"太高的要求"将人吓跑。显然，这是一篇彻头彻尾的机会主义的投降纲领。"三人团"的机会主义观点是德国社会民主党内右倾投降主义观点的集中体现，《德国社会主义运动的回顾》是"三人团"机会主义观点的集中展现。对此，马克思恩格斯严正地指出："这是他们对过去的运动的真正批判，因而也就是他们为新机关报的立场所提出的真正纲领，既然这一立场是由他们来决定的。"① 显然，"三人团"的立场和观点是典型的右倾机会主义。

在此情形下，马克思恩格斯创作了《通告信》，全面阐述无产阶级政党的性质和作用。在 1879 年 9 月 19 日给左尔格的信中，马克思指出："恩格斯已草拟了给倍倍尔等人的通告信（当然，只在德国党的领袖中间内部传阅），这封信直截了当地陈述了我们的意见。"② 为了驳斥"三人团"所代表的右倾投降主义观点，马克思恩格斯明确指出，德国社会民主党必须坚持党的无产阶级性质，而不能将自己变为所谓的富有仁爱精神的全面的党；工人阶级的解放是工人阶级自己的事情，不能将工人阶级的解放寄托在资产阶级身上，不能由资产阶级来领导工人阶级争取解放，这样只能改变党的无产阶级性质，使党成为小资产阶级的改良主义政党；工人阶级必须坚持阶级斗争的形式，不应该取消暴力革命和阶级斗争，否则，无产阶级及其政党就必然遭到失败；无产阶级政党必须始终坚持无产阶级的最终奋斗目标，不能仅仅致力于完成眼前的目标而放弃了长远目标。可见，《通告信》是为与德国社会民主党内的机会主义观点作

---

① 《马克思恩格斯文集》第 3 卷，人民出版社 2009 年版，第 477 页。
② 《马克思恩格斯全集》第 34 卷，人民出版社 1972 年版，第 390 页。

斗争而创作的。

总之，《通告信》是马克思恩格斯反对德国社会民主党内出现的机会主义思潮的党内纲领性的文献，在反对"三人团"的斗争中发挥了关键的作用，对于在"非常法"期间德国社会民主党在正确的轨道上发展发挥了科学引导作用。

二、阶级斗争在阶级社会中的作用

马克思恩格斯旗帜鲜明地驳斥了"三人团"否定和取消阶级斗争的错误观点，科学论述了阶级斗争在阶级社会发展中的作用，尤其是无产阶级反抗资产阶级的斗争的重要作用。

阶级分析法是马克思主义的根本方法之一。阶级不是一开始就有的，而是随着生产力的发展和财富的增加而逐渐产生的。因此，阶级是根据是否占有生产资料来划分的，即一个阶级可以通过自身经济上所占有的优势，无偿地占有另一个阶级全部或部分劳动成果。因此，阶级斗争是指一个阶级起来推翻另一个阶级在经济上的统治地位，并采取相应的措施剥夺其生产资料的过程。1852年3月5日，在给魏德迈的信中，马克思简要概括了自己在这个问题上的三点贡献：阶级的存在仅仅同生产发展的一定历史阶段相联系，阶级斗争必然导致无产阶级专政，无产阶级专政不过是达到消灭一切阶级和进入无阶级社会的过渡。在《法兰西内战》中，通过总结巴黎公社革命的经验教训，马克思再次肯定了阶级斗争的作用："公社并不取消阶级斗争，工人阶级正是通过阶级斗争致力于消灭一切阶级，从而消灭一切阶级统治（因为公社并不代表一种特殊利益；它代表着'劳动'的解放，而劳动是个人生活和社会生活的基本的、自然的条件，唯有靠僭权、欺骗、权术才能被少数人从自己身上转嫁到多数人身上），但是，公社提供合理的环境，使阶级斗争能够以最合理、最人道的方式经历它的几个不同阶段。"[①]工人阶级最初夺取政权后，必须进行阶级斗争，以争取实现劳动的解放，只不过将阶级斗争以合理和人道的方式进行。

在上述科学论述的基础上，马克思恩格斯驳斥了"三人团"取消阶级斗争

---

① 《马克思恩格斯选集》第3卷，人民出版社2012年版，第143页。

的错误观点。在"三人团"看来，为了争取社会上层，党就不能吓唬他们，不能走暴力的、流血的革命的道路，而要取消阶级斗争，走合法的即改良的道路。对此，马克思恩格斯指出："只要取消了阶级斗争，那么无论是资产阶级或是'一切独立的人物'就'都不怕和无产者携手并进了'！但是上当的是谁呢？只能是无产者。"① 事实表明，取消阶级斗争只会使无产阶级陷入资产阶级的圈套。"三人团"还指出：拥护巴黎公社"'使那些本来对我们表示友好的人离开了我们，而且总的说来是加强了资产阶级对我们的怨恨。'其次，党'对于十月法律的施行并不是完全没有责任，因为党完全不必要地增加了资产阶级的怨恨'。"② 在"三人团"看来，只有取消阶级斗争，取消任何对资产阶级过激的行动，才能做到不能增加任何资产阶级对工人阶级的怨恨，即通过无产阶级政党的妥协来使反动政府废除反社会党人法。对此，在 1882 年 10 月 28 日给倍倍尔的信中，恩格斯明确指出："如果反社会党人法被自愿废除，就很容易出现使党的处境更加恶化的条件；应当强调指出，靠屈膝乞求的办法我们是很难摆脱反社会党人法的。"③ 只有通过革命而非妥协的手段，才能废除反社会党人法。事实上，正是由于德国社会民主党是德国唯一严肃的反对党，危及到俾斯麦政府的反动统治，才被宣布为非法。如果德国社会民主党在国外的机关报放弃严肃的反对党的这一角色，向俾斯麦反动政府摇尾乞怜，只会丧失自身存在的必要性和合法性。对此，马克思恩格斯指出："在阶级斗争被当做一种令人不快的'粗野的'现象放到一边去的地方，留下来充当社会主义的基础的就只有'真正的博爱'和关于'正义'的空话了。"④ 取消阶级斗争，社会主义的基础就消失了，无产阶级政党就不能再称之为无产阶级政党。在此基础上，马克思恩格斯指出："根据我们的全部经历，摆在我们面前的只有一条路。将近 40 年来，我们一贯强调阶级斗争，认为它是历史的直接动力，特别是一贯强调资产阶级和无产阶级之间的阶级斗争，认为它是现代社会变革的巨大杠杆；所以我们决不能和那些想把这个阶级斗争从运动中勾销的人们一道走。"⑤ 无产阶级和资产阶级的斗争是现代社会变革的巨大杠杆，因此，决不能取消阶级斗争，

① 《马克思恩格斯文集》第 3 卷，人民出版社 2009 年版，第 480 页。
② 《马克思恩格斯文集》第 3 卷，人民出版社 2009 年版，第 482 页。
③ 《马克思恩格斯选集》第 4 卷，人民出版社 2012 年版，第 552 页。
④ 《马克思恩格斯文集》第 3 卷，人民出版社 2009 年版，第 483 页。
⑤ 《马克思恩格斯文集》第 3 卷，人民出版社 2009 年版，第 484 页。

更不能放弃无产阶级阶级斗争的权利。

当然，强调阶级斗争的重要作用，并非表明马克思恩格斯否定工人阶级合法斗争的作用。在《非常法》实施之前，德国工人阶级已经通过合法斗争取得了很大成就，这也是俾斯麦政府迫不及待地通过《非常法》的重要原因。然而，如果像"三人团"所宣扬的那样取消阶级斗争，那正好遂了俾斯麦政府的愿，必将使德国社会民主党停滞不前。如果德国工人阶级仅仅认为通过议会斗争就能完全实现自身的目标，那显然是错误的。由于担心阶级斗争吓跑资产阶级，"三人团"认为，只要有了合法活动，有了人民的选举，就无需其他东西了。马克思恩格斯将之辛辣地称为"议会症"："难道德国社会民主党确实染上议会症了吗，以为有了人民的选举，圣灵就会降临到当选者的头上，可以把党团会议变成永无谬误的宗教会议，把党团决议变成不容触犯的教条？"[1] 同时，马克思也不否认非阶级斗争方式在社会发展中的重大作用。当他收到法国国会关于《非常法》讨论的速记记录后，针对反动势力关于社会主义者相信暴力的叫嚣，马克思科学地阐明了无产阶级的斗争策略问题，工人阶级的解放斗争绝非仅仅是依靠暴力。在采取武装冲突和武装起义之前，阶级斗争不可避免地要采用和平的方式。无产阶级革命究竟是采用暴力还是和平的方式，既不取决于革命者的主观愿望，也不取决于无产阶级的革命理论，而是主要取决于统治阶级的行动。采取暴力的反动统治者指责革命者采取了暴力，这是一种虚伪的表现，《非常法》是对和平时期的发展采取的一种暴力反应。1890 年，《非常法》取消后，在总结这一时期德国工人阶级运动的情况时，恩格斯在给《社会民主党人报》读者的告别信中全面阐述了合法斗争和不合法斗争的辩证关系。"应当努力暂时运用合法的斗争手段来应对局面。不仅我们这样做，凡是工人享有某种法定的活动自由的所有国家里的所有工人政党也都在这样做，原因很简单，那就是运用这种办法收效最大。但是这必须以对方也在法律范围内活动为前提。如果有人企图借助新的非常法，或者借助非法判决和帝国法院的非法行为，借助警察的专横或者行政当局的任何其他的非法侵犯而重新把我们的党实际上置于普通法之外，那么这就使德国社会民主党不得不重新走上它还能走得通的唯一的一条道路，即不合法的道路。"[2] 即便坚持议会合法斗争，也不能忘

① 《马克思恩格斯文集》第 3 卷，人民出版社 2009 年版，第 475 页。
② 《马克思恩格斯选集》第 4 卷，人民出版社 2012 年版，第 285 页。

记和否定阶级斗争这一重要武器。历史表明，合法斗争和暴力革命都只是无产阶级取得胜利的手段，而非目的本身，无产阶级应该根据具体的历史条件采取相应的斗争手段。

总之，马克思恩格斯在《通告信》等文献中进一步丰富和发展了马克思主义阶级斗争理论。

三、努力掌握无产阶级的科学世界观

掌握无产阶级的科学的世界观，学会用辩证唯物主义和历史唯物主义认识、分析和解决问题，是保持无产阶级政党纯洁性的思想保证。在1879年12月16日给倍倍尔的信中，恩格斯指出，坚持科学社会主义作为党的指导思想，"是任何一个无产阶级政党内都根本不容讨论的问题。在党内讨论这些问题，就意味着对整个无产阶级社会主义提出怀疑。"[1] 这意味着，思想统一性是组织统一性的前提和保证。但是，"三人团"主张放弃无产阶级的科学的世界观。对此，马克思恩格斯强调，无产阶级及其政党必须无条件掌握无产阶级的科学世界观，并用之来指导无产阶级及其政党的实践活动。

坚持党的无产阶级性质，是掌握无产阶级的科学世界观的前提。无产阶级政党是在无产阶级科学世界观的基础上建立起来的。掌握无产阶级的科学世界观是坚持党的无产阶级性质的重要保障，也是无产阶级政党区别于其他政党的根本之处。然而，在"三人团"看来，党应该放弃自己的无产阶级性质。"拉萨尔认为有巨大政治意义的运动，即他不仅号召工人参加，而且号召一切诚实的民主派参加的、应当由独立的科学代表人物和一切富有真正仁爱精神的人领导的运动，在约翰·巴·施韦泽的领导下，已堕落为产业工人争取自身利益的片面斗争。"[2] "三人团"不仅认为党要放弃无产阶级的性质，还要放弃无产阶级的领导权。对此，马克思恩格斯指出："拉萨尔的党'宁愿以极片面的方式充当工人党'。讲这种话的先生们，自己就是一个以极片面的方式充当工人党的政党的党员，他们现在正在这个党中占据显要的职位。这是一件绝对说不通

---

① 《马克思恩格斯文集》第10卷，人民出版社2009年版，第444页。
② 《马克思恩格斯文集》第3卷，人民出版社2009年版，第477页。

的事。如果他们所想的正是他们所写的，那么他们就应当退出党，至少也应当放弃他们的显要职位。如果他们不这样做，那就是承认他们想利用自己的职务之便来反对党的无产阶级性质。所以，党如果还让他们占据显要的职位，那就是自己出卖自己。"①显然，无产阶级政党必须摒弃小资产阶级观点，坚持无产阶级性质，无条件掌握无产阶级的科学世界观。总之，只有始终坚持党的无产阶级性质，才能使党在正确的方向上发展。

坚持党的无产阶级的领导权，是掌握无产阶级的科学世界观的保障。无产阶级是受压迫受剥削最深的阶级，因此，无产阶级要实现解放，必须始终坚持无产阶级的领导权，紧紧抓住包括革命手段在内的一切可能的手段，来夺取革命的胜利，使自身成为领导阶级。然而，在"三人团"看来，"在批评现存制度和建议改变现存制度时，党越是心平气和、务实谨慎，清醒的反动派以赤色幽灵恐怖来吓唬资产阶级这一目前（在实行反社会党人法的情况下）得逞的伎俩，就越不可能重演。"②"三人团"要求将改良主义作为反对反社会党人法的最有力的武器，企图将无产阶级政党变成改良主义政党。同时，"在这些先生看来，社会民主党应当不是片面的工人党，而应当是'一切富有真正仁爱精神的人'的全面的党。为了证明这一点，它首先必须抛弃无产者粗野的热情，在有教养的博爱的资产者领导下，'养成良好的趣味'和'学会良好的风度'"，"那时，一些领袖的'有失体统的举止'也就会让位于可以很好调教出来的'资产阶级的举止'（好像这里所指的那些人外表上有失体统的举止并不是最不值得谴责的东西似的！）。"③这里，"三人团"强调无产阶级放弃革命的领导权，让有教养的资产阶级来代表无产阶级的利益，其实质是使党成为小资产阶级政党。对此，马克思恩格斯指出："如果占选民总数十分之一到八分之一并分散在全国各地的五六十万社会民主党选民都极其有理智，不去用脑袋撞墙壁，不去以一对十地试图进行'流血革命'，那么这就说明，他们今后永远不可能去利用重大的外部事件、由这一事件所引起的突然的革命高潮以及人民在由此发生的冲突中所争得的胜利！"④放弃暴力革命的权利，在很大程度上就等于放弃了无产阶级所追求的胜利。当然，坚持无产阶级的领导权并非不允许其他阶级

① 《马克思恩格斯文集》第3卷，人民出版社2009年版，第478—479页。
② 《马克思恩格斯文集》第3卷，人民出版社2009年版，第480页。
③ 《马克思恩格斯文集》第3卷，人民出版社2009年版，第479页。
④ 《马克思恩格斯文集》第3卷，人民出版社2009年版，第480页。

的人参加无产阶级运动和无产阶级政党。但是，"如果其他阶级出身的这种人参加无产阶级运动，那么首先就要求他们不要把资产阶级、小资产阶级等等的偏见的任何残余带进来，而要无条件地掌握无产阶级世界观。"① 因此，必须教育和改造加入无产阶级运动的其他阶级，使其最终接受无产阶级政党的纲领和无产阶级的科学的世界观。总之，坚持无产阶级的领导权是掌握无产阶级的科学世界观的重要保证。

全面准确掌握马克思主义哲学，是掌握无产阶级的科学世界观的关键。马克思主义哲学是无产阶级及其政党认识、分析和解决现实问题的有力武器，也是无产阶级政党的科学世界观。早在 1845 年春，马克思就指出，解释世界固然重要，问题在于改变世界。这样，解释世界和改变世界就成为马克思主义哲学的重要理论使命。在此之前，马克思在《〈黑格尔法哲学批判〉导言》中指出："德国人的解放就是人的解放。这个解放的头脑是哲学，它的心脏是无产阶级。哲学不消灭无产阶级，就不能成为现实；无产阶级不把哲学变成现实，就不可能消灭自身。"② 可见，无产阶级只有将哲学尤其是马克思主义哲学作为自己的世界观和方法论，才能达到解放自身和消灭阶级的目的。这就要求无产阶级必须全面准确掌握马克思主义哲学。要做到这一点，必须抓住马克思主义哲学的根本原则，一切从实际出发，坚持具体问题具体分析，尤其是不能将马克思主义哲学教条化和庸俗化。对此，恩格斯明确指出，马克思主义理论不是教条，而是对包含着一连串互相衔接的阶段的发展过程的科学阐明。显然，马克思主义哲学不是金科玉律，而是一个从实际出发不断发展的理论体系，必须和各国无产阶级政党的具体实际相结合。各国无产阶级政党只有坚持一切从实际出发，尤其是从不断变化发展了的实际出发，运用马克思主义世界观和方法论来武装自己，才能真正掌握无产阶级的科学世界观，并用之来指导自身的革命实践，进而为夺取无产阶级革命的胜利提供科学的理论指导。

综上，只有掌握无产阶级的科学的世界观，无产阶级及其政党才能保证无产阶级性质，才能取得革命的胜利并建立无产阶级政权。因此，党组织及其每一个成员都必须不断加强自身的马克思主义哲学素养，这样才能增强自身的科学意识和阶级意识，更好地担负起无产阶级的历史使命。马克思和恩格斯的上

---

① 《马克思恩格斯文集》第 3 卷，人民出版社 2009 年版，第 484 页。
② 《马克思恩格斯选集》第 1 卷，人民出版社 2012 年版，第 16 页。

述论述为无产阶级政党的思想建设指明了方向。

四、工人阶级解放的自主性选择

马克思恩格斯不仅驳斥了那种将工人阶级的解放寄托在资产阶级身上的荒谬观点，还驳斥了将其他阶级笼统地看作是反动一帮的荒谬观点，强调工人阶级解放必须主要依靠工人阶级自身的力量，以及科学理论指导下的工人阶级政党的正确领导，为工人阶级实现解放奠定了科学的理论基础。

马克思恩格斯驳斥了"三人团"将工人阶级的解放的希望寄托在资产阶级身上的荒谬观点。早在1844年撰写的《神圣家族》中，马克思恩格斯就指出："无产阶级能够而且必须自己解放自己。但是，如果无产阶级不消灭它本身的生活条件，它就不能解放自己。如果它不消灭集中表现在它本身处境中的现代社会的一切非人性的生活条件，它就不能消灭它本身的生活条件。"[①] 可见，无产阶级只能自己解放自己，不能将希望寄托在资产阶级身上。相反，无产阶级解放自己的前提就是消灭资本主义社会。在第一国际成立时，马克思在《国际工人协会成立宣言》中指出，工人阶级的解放需要工人阶级自己联合起来，并得到科学理论的指导。然而，在"三人团"看来，"工人阶级是不能靠自己来解放自己的。要达到这个目的，它就应当服从'有教养的和有财产的'资产者的领导，因为只有他们才'有时间和可能'来研究有利于工人的东西。其次，千万不要反对资产阶级，而要通过大力宣传把它争取过来。"[②] 显然，"三人团"要求工人阶级放弃自己解放自己的原则，将希望寄托在资产阶级身上。同时，"三人团"强调工人阶级政党也不能完成解放工人阶级的任务。"德国的社会主义'过于重视争取群众，而忽略了在所谓社会上层中大力〈!〉进行宣传'。因为'党还缺少适于在帝国国会中代表它的人物'。但是，'最好甚至必须把全权委托书给予那些有足够的时间和可能来认真研究有关问题的人。普通的工人和小手工业者……只是在极少的例外情况下才有必要的空闲时间来做这

---

① 《马克思恩格斯文集》第1卷，人民出版社2009年版，第262页。
② 《马克思恩格斯文集》第3卷，人民出版社2009年版，第479页。

种事情'"①。在"三人团"看来，由于有教养的资产阶级有充裕的时间可以从事无产阶级政党的宣传和组织工作，因此，让他们领导工人阶级是无产阶级政党的重要工作。可见，"三人团"的目标是将工人阶级的政党变成改良主义的政党，放弃通过革命推翻资产阶级统治的权利，使工人阶级成为资产阶级的附庸。

对此，马克思恩格斯明确指出，"工人阶级的解放应当是工人阶级自己的事情。所以，我们不能和那些公开说什么工人太没有教养，不能自己解放自己，因而必须由仁爱的大小资产者从上面来解放的人们一道走。"②如果德国社会民主党的机关报采取了"三人团"的观点，"那么很遗憾，我们就没有别的路可走，而只好公开对此表示反对，并收回迄今为止我们在同国外的关系方面代表德国党的时候所表现出来的团结精神。"③这表明马克思恩格斯坚持无产阶级立场的坚定性，以及与"三人团"斗争的不可调和性。

总之，工人阶级解放必须坚持自主性的选择，不能将解放工人阶级的希望寄托在资产阶级身上。

当然，强调工人阶级解放的自主性，并非否认无产阶级革命同盟军的作用，更不能将其他阶级笼统地看成是反动的一帮。在拉萨尔看来，对于工人阶级而言，其他阶级只是反动的一帮。因此，拉萨尔反对建立无产阶级革命的同盟军，主张无产阶级应该孤军奋战。这一观点在理论上是极端错误的，在实践中是有害的。1848年革命和1871年巴黎公社革命的失败的一个重要原因就是没有建立无产阶级的革命同盟军。在1852年出版的《路易·波拿巴的雾月十八日》一书中，马克思总结了1848年革命的经验教训，从理论上阐述了工农联盟的重要性。在马克思看来，一旦农民认识到自身利益与资产阶级利益的对立，就会将无产阶级视为自己天然的同盟者和领导者，进而和无产阶级一道革命，"于是无产阶级革命就会形成一种合唱，若没有这种合唱，它在一切农民国度中的独唱是不免要变成孤鸿哀鸣的。"④可见，农民绝非反动的一帮，而是无产阶级的天然同盟者。在1875年3月15日至28日给倍倍尔的信中，恩格斯从历史的角度驳斥了拉萨尔的荒谬的观点："拿德国来说，如果民主派小

---

① 《马克思恩格斯文集》第3卷，人民出版社2009年版，第479页。
② 《马克思恩格斯文集》第3卷，人民出版社2009年版，第484页。
③ 《马克思恩格斯文集》第3卷，人民出版社2009年版，第485页。
④ 《马克思恩格斯选集》第1卷，人民出版社2012年版，第769页。

资产阶级属于这反动的一帮，那么，社会民主工党怎么能够多年同他们，同人民党携手一道走呢？《人民国家报》自己的几乎全部的政治内容怎么能够取自于小资产阶级民主派的《法兰克福报》呢？"① 显然，无论理论上还是实践上，拉萨尔的观点都是极端错误的，是与工人阶级解放的自主性原则相违背的。事实上，工人阶级解放的自主性原则强调的是工人阶级的解放主要依靠自己的力量，不能把希望寄托在其他阶级尤其是资产阶级身上，但是并非要求工人阶级不建立革命的同盟军，将其他一切阶级排除在革命之外。当然，在建立无产阶级革命同盟军的过程中，坚持工人阶级解放的自主性原则要求无产阶级必须掌握革命联盟的领导权和主导权，是无产阶级领导革命同盟军，而并不是被其他阶级领导。否则，只会导致无产阶级革命同盟军的最终破裂和无产阶级革命的失败，进而使工人阶级的解放事业遭受重大挫折。简言之，工人阶级解放的自主性需要充分发挥无产阶级革命同盟军的作用。

　　总之，工人阶级解放的自主性原则强调的是只能通过工人阶级自己以及政党领导的社会主义运动和工人运动来完成，必须充分发挥自己的历史主体作用，而不能将希望寄托在资产阶级身上。

　　综上，创作于"非常法"初期的《通告信》，不仅为工人运动在长达十二年的黑暗时期开展活动提供了正确的指导思想，而且进一步阐发了马克思主义阶级斗争理论，是马克思主义发展史上的重要篇章。

第四节　无产阶级政党建设学说的丰富和发展

　　1875 年之后，在指导无产阶级政党建设的过程中，马克思恩格斯就制定群众性社会主义政党的理论和路线并发表了一系列科学意见。1878 年 2 月至 3 月，应美国工人党的《劳动旗帜》报的请求，恩格斯撰写了一组题为《1877 年的欧洲工人》系列文章，科学总结了欧洲各国工人政党建设的经验和教训。

---

① 《马克思恩格斯选集》第 3 卷，人民出版社 2012 年版，第 345 页。

1880 年 5 月，应法国工人党领袖盖得和拉法格的请求，马克思恩格斯与之在伦敦恩格斯的寓所一道制定了《法国工人党纲领导言（草案）》。1881 年，应英国《劳动旗帜报》的约请，针对英国工人运动的实际情况，恩格斯连续撰写了十几篇社论阐述了工人政党的理论和策略。1887 年，在《英国工人阶级状况》美国版序言中，恩格斯深刻分析了美国工人政党建设的问题，阐明了党的纲领和策略的原则。1890 年，针对打着恩格斯旗号的"青年派"掀起的"大学生骚动"，恩格斯撰写了两篇答复文章，并阐述了党的理论原则、策略原则和党的干部方针。此外，马克思恩格斯在与各国党的领导人的通信中，也深刻论述了党的建设的许多重要原理。在这一过程中，马克思恩格斯把无产阶级政党建设的学说发展得更加完备和透彻。

一、坚持党的建设的政治原则

确保党在政治上的先进性，是党的政治建设的基本任务。党的政治建设是党的建设的根本，直接关系到党的性质，直接决定着党在政治上的成熟程度。从 1875 年至 1883 年，在指导无产阶级政党建设的实践中，马克思恩格斯旗帜鲜明地阐述了加强党的建设的政治原则。

无产阶级政党必须坚持党的无产阶级性质。无产阶级如果没有自己的政党，革命就根本不能成功。无产阶级政党如果不坚持自己的性质，就难以成为无产阶级政党。早在《共产党宣言》中，马克思恩格斯就强调，共产党是无产阶级的政党，是无产阶级的先锋队，始终代表整个工人运动的利益，"没有任何同整个无产阶级的利益不同的利益"[1]。共产党人胜过其他无产阶级群众的地方就在于，他们了解无产阶级运动的条件、目标和方向。

巴黎公社之后，随着工人运动和社会主义运动的发展，大量的其他阶级的人员加入无产阶级运动和无产阶级政党中来，进而将其思想观念带入无产阶级运动和无产阶级政党中间，给党的思想造成了一定程度的混乱。在此情形下，坚持无产阶级政党的无产阶级性质是使无产阶级运动、无产阶级的学说和无产阶级政党在正确轨道发展的重要保证。巴黎公社是无产阶级夺取政权的第

---

[1] 《马克思恩格斯选集》第 1 卷，人民出版社 2012 年版，第 413 页。

一次伟大尝试。"从 3 月 18 日起，先前被抵抗外敌侵犯的斗争所遮蔽了的巴黎运动的阶级性质，便以尖锐而纯粹的形式显露出来了。因为公社委员几乎全都是工人或公认的工人代表，所以公社所通过的决议也都带有鲜明的无产阶级性质。"① 显然，无产阶级性质是巴黎公社的重要特征。

在《哥达纲领》中，德国社会民主党将建立"现代社会"和"现代国家"作为奋斗目标，而所谓"现代社会"和"现代国家"实质上就是资产阶级社会和资产阶级国家，它不是也不能成为无产阶级及其政党的奋斗目标。无产阶级及其政党的奋斗目标是建立共产主义社会，而从资本主义到共产主义的发展进程中，有一个过渡时期。然而，在"三人团"看来，"社会民主党不应当是工人党，它不应当招致资产阶级或其他任何人的怨恨；它应当首先在资产阶级中间大力进行宣传；党不应当把那些能吓跑资产者并且确实是我们这一代人无法实现的长远目的放在主要地位，它最好是用全部力量和精力来实现这样一些小资产阶级的补补缀缀的改良，这些改良会给旧的社会制度以新的支持，从而把最终的大灾难或许变成一个渐进的、逐步的和尽可能温和的瓦解过程。"② 针对"三人团"要求党放弃无产阶级的性质而成为小资产阶级改良主义政党的谬论，马克思恩格斯予以有力驳斥，要求党的纲领必须坚持党的特有的阶级性。如果把争取"现实的"资产阶级加入党作为党的纲领的出发点，那么必然会改变党的无产阶级性质，等于出卖自己。

总之，只有坚持党的无产阶级性质，才能保证党的建设的正确政治方向。

无产阶级政党必须坚持国际主义原则。无产阶级革命从来都是国际性的，必须坚持国际主义原则。在《共产党宣言》中，马克思恩格斯强调工人阶级必须坚持国际主义的原则。他们呼吁："全世界无产者，联合起来！"③

然而，《哥达纲领》却从狭隘的民族立场出发，强调工人阶级的解放主要是在现代资产阶级国家范围内进行活动。对此，马克思严正地指出："为了能够进行斗争，工人阶级必须在国内作为阶级组织起来，而且它的直接的斗争舞台就是本国。所以，它的阶级斗争不就内容来说，而像《共产主义宣言》（即《共产党宣言》——引者注）所指出的'就形式来说'，是本国范围内的斗争。"④

---

① 《马克思恩格斯选集》第 3 卷，人民出版社 2012 年版，第 50 页。
② 《马克思恩格斯文集》第 3 卷，人民出版社 2009 年版，第 482—483 页。
③ 《马克思恩格斯选集》第 1 卷，人民出版社 2012 年版，第 435 页。
④ 《马克思恩格斯选集》第 3 卷，人民出版社 2012 年版，第 368 页。

从形式上看，各国工人阶级首先是同本国资产阶级作斗争，并推翻其统治。然而，现代资产阶级国家是在世界历史条件下形成和发展起来的，不只是在经济上处于世界市场的范围内，还在政治上处在世界体系的范围内，根本不存在孤立的民族国家。而巴黎公社失败的重要教训就是法德两国的资产阶级结成反动同盟共同绞杀巴黎的工人阶级，而法德工人阶级却没有团结起来，因此，将工人阶级的斗争仅仅看作是在本国范围内的斗争显然是不正确的。对此，马克思指出，"德国工人党把自己的国际主义归结为什么呢？就是意识到它的努力所产生的结果'将是各民族的国际的兄弟联合'。这句从资产阶级的和平和自由同盟那里抄来的话，是要用来代替各国工人阶级在反对各国统治阶级及其政府的共同斗争中的国际兄弟联合的。"① 德国工人党用资产阶级强调的抽象的各民族的国际的兄弟联合来代替工人阶级在反对资产阶级斗争中结成的国际兄弟联合，放弃了无产阶级政党的国际主义原则。在《哥达纲领》中，德国工人党放弃了国际主义，闭口不提德国工人阶级的国际职责，希望靠自身的力量对付已经和其他国家资产阶级结成反动同盟的本国资产阶级，其结果必然是遭到失败。因此，无产阶级政党只有牢记自己的职责和使命，始终坚持国际主义，和各国工人阶级及其政党紧密结成强有力的联盟，才能取得反抗资产阶级的胜利。

总之，坚持党的建设的正确政治方向，必须从资本主义时代大工业发展所造成的世界历史的实际出发，将世界看作是一个整体，将各国无产阶级的联合看作是一个必然发展的趋势，强调无产阶级政党必须坚持国际主义的原则。

综上，只有在政治上始终坚持无产阶级性质和国际主义的建党原则，无产阶级政党才能成为无产阶级政党，并在无产阶级斗争的实践中不断发展。

二、制定党的纲领的科学原则

在指导无产阶级政党建设的过程中，尤其是在反对党内形形色色的机会主义的过程中，马克思恩格斯从实际出发，科学论述了制定党的纲领的科学原则。

---

① 《马克思恩格斯选集》第3卷，人民出版社2012年版，第368页。

　　制定党的纲领的必要性和重要性。马克思恩格斯一直将党的纲领看作是指导党不断向前发展的根本依据。1848 年，马克思恩格斯为共产主义者同盟制定了世界上第一个完备的无产阶级政党的党章——《共产党宣言》。1864 年，马克思为第一国际制定了具有党的纲领性文件性质的《第一国际成立宣言》。这些纲领对于推动工人运动和社会主义运动的发展发挥了重要的作用。19 世纪 70 年代后，欧美各国工人阶级政党纷纷建立，要求制定适合各国工人阶级政党的纲领。1875 年 3 月 18 日至 28 日，在给倍倍尔的信中，恩格斯指出："一般说来，一个政党的正式纲领没有它的实际行动那样重要。但是，一个新的纲领毕竟总是一面公开树立起来的旗帜，而外界就根据它来判断这个党。"[①] 马克思持有同样的看法。1875 年 5 月 5 日，在给白拉克的信中，马克思指出，制定一个原则性纲领"是在全世界面前树立起可供人们用来衡量党的运动水平的里程碑"[②]。这里，马克思恩格斯用"旗帜"和"里程碑"等字眼突出了党的纲领的重要性。进而，1887 年 1 月，恩格斯在《美国工人运动》中指出："一个新的党必须有一个明确的积极的纲领，这个纲领在细节上可以因环境的改变和党本身的发展而改动，但是在每一个时期都必须为全党所赞同。只要这种纲领还没有制定出来或者还处于萌芽状态，新的党也将处于萌芽状态；它可以作为地方性的党存在，但还不能作为全国性的党存在；它将是一个潜在的党，而不是一个实在的党。"[③] 显然，党的纲领对于党确保自己的阶级性质和健康发展具有至关重要的作用，而纲领的成熟程度也反映了政党的发展程度。无产阶级政党的纲领的细节可以因具体环境的改变而改变，但是必须为全党所赞同，成为全党的共识。1882 年 11 月 28 日，恩格斯在致伯恩施坦的信中指出："暂时处于少数——在组织上——而有正确的纲领，总比没有纲领而只是表面上拥有一大批虚假的拥护者要强得多。我们一辈子都处于少数，我们觉得这样也非常好。"[④] 这表明，正确的纲领是确保政党的核心竞争力的关键，可以弥补政党人数的不足。总之，党的纲领对于政党的存在和发展具有至关重要的作用。

　　制定党的纲领必须坚持原则的坚定性和策略的灵活性的统一。虽然爱森纳赫派和拉萨尔派合并为德国社会民主党的方向和努力是正确的，但是两派合并

[①] 《马克思恩格斯选集》第 3 卷，人民出版社 2012 年版，第 350 页。

[②] 《马克思恩格斯选集》第 3 卷，人民出版社 2012 年版，第 355 页。

[③] 《马克思恩格斯选集》第 4 卷，人民出版社 2012 年版，第 271—272 页。

[④] 《马克思恩格斯选集》第 4 卷，人民出版社 2012 年版，第 555 页。

通过的《哥达纲领》是向拉萨尔派妥协的产物，牺牲了原则。在 1875 年 5 月
5 日给白拉克的信中，马克思指出了《哥达纲领》的倒退性："拉萨尔派的首领
们靠拢我们，是因为他们为形势所迫。如果一开始就向他们声明，决不拿原则
做交易，那么他们就不得不满足于一个行动纲领或共同行动的组织计划。可是
并没有这样做，反而允许他们拿着委托书来出席，并且自己承认这种委托书是
有约束力的，这就等于向那些本身需要援助的人无条件投降。"① 由于《哥达纲
领》是爱森纳赫派以原则作交易通过的充满了拉萨尔主义色彩的一个纲领，因
此，马克思无法对之保持沉默，而是对之逐条进行了严肃认真的科学批判。同
样，在与德国社会民主党内的机会主义作斗争的过程中，恩格斯于 1891 年指
出："既然哈雷党代表大会已把关于哥达纲领的讨论提到了党的议事日程，所
以我认为，如果我还不发表这个与这次讨论有关的重要的——也许是最重要
的——文件，那我就要犯隐匿罪了。"② 可见，恩格斯将发表《哥达纲领批判》
看作是与拉萨尔主义斗争的一个大事。当然，在坚持原则的同时，制定党的纲
领也必须讲究策略的灵活性。马克思指出，在当时的情形下，如果不能超过爱
森纳赫派纲领的话，可以暂时缔结一个反对共同敌人的行动协定，以便等到时
机成熟时再制定出科学的纲领。为了维护德国社会民主党的统一，马克思并没
有公开发表《哥达纲领批判》，而只是将之寄给了党的一些领导人；恩格斯在
将之发表的过程中也删除了一些尖锐批评党的领导人的话。总之，坚持原则的
坚定性和策略的灵活性的统一，是制定党的纲领的基本原则。

　　制定党的纲领必须坚持从实际出发，坚持最高纲领和最低纲领的统一。在
制定党的纲领的过程中，不仅必须坚持一切从实际出发制定具体的奋斗目标，
还必须坚持共产主义的远大理想。党的纲领中必须明确共产党人的奋斗目标，
这是无产阶级政党纲领区别于其他阶级政党纲领的不同之处。在《共产党宣言》
中，马克思恩格斯明确将共产党人的目标概括为消灭私有制，并制定了共产党
人的近期奋斗目标，即夺取政权，将自己上升为统治阶级。在《法国工人党纲
领导言（草案）》中，马克思就科学阐明了最低纲领和最高纲领的关系。最低
纲领就是要正确而及时地反映群众的切身利益和要求，实行与当下条件相适应
的政治行动。最高纲领就是要实现最终目的，使全部生产资料归集体所有，即

① 《马克思恩格斯选集》第 3 卷，人民出版社 2012 年版，第 355 页。
② 《马克思恩格斯选集》第 3 卷，人民出版社 2012 年版，第 352 页。

实现共产主义。马克思强调党的纲领中不仅要有远大的奋斗目标，还必须从实际出发制定最低纲领以参加选举，坚持最高纲领和最低纲领的统一。只有坚持最高纲领，明确党的最高奋斗目标，才能保证党的无产阶级性质。然而，只有最高纲领，而没有从各国实际出发确立的具体目标，会使党的最终目标成为空洞的口号。因此，在坚持党的最高纲领的基础上，必须结合各国的具体实际，制定一个个具体的纲领，即可以随环境和条件的发展变化而发展变化的纲领。总之，党的纲领必须源于实际，又高于实际。

制定党的纲领必须坚持无产阶级革命运动和科学纲领的统一。理论与实践的统一，是马克思主义的基本原则。早在《德意志意识形态》中，马克思恩格斯就强调，共产主义是消灭现存状况的现实运动。因此，科学的纲领必须和无产阶级实践活动有机统一起来，不能空谈纲领而忽略实际运动。马克思认为，一步实际运动比一打纲领更重要。恩格斯也指出，"一个政党的正式纲领没有它的实际行动那样重要。"[1] 只有在实际运动中，才能将无产阶级革命推向前进。当然，实际情况是不断发展变化的，因此，必须依据具体情况改变策略。因此，策略"必须因地制宜地作出决定，而且必须由处于事变中的人来作出决定"[2]。同时，科学的纲领对于无产阶级革命实践具有重要的指导作用，不仅可以衡量无产阶级运动的水平，还可以推动无产阶级运动的健康发展。确保纲领的科学性"必须以党的无产阶级性质不致因此发生问题为前提"[3]。这是一个绝对的界限。同时，纲领必须坚持以科学社会主义为理论基础和指导思想，这样，才能确保其科学性。反之，错误的纲领会对无产阶级运动造成很大的危害。《哥达纲领》是德国社会民主党以牺牲原则为代价的妥协的产物，是一个极其糟糕的、会使党精神堕落的纲领，必然会误导和阻碍工人阶级运动的健康发展。总之，只有坚持无产阶级运动和科学纲领的统一，才能真正制定出科学的党的纲领。

要之，只有坚持原则的坚定性和策略的灵活性的统一、坚持最高纲领和最低纲领的统一、坚持无产阶级运动和科学纲领的统一，才能制定出合乎实际的科学的党的纲领。

---

① 《马克思恩格斯选集》第3卷，人民出版社2012年版，第350页。
② 《马克思恩格斯选集》第4卷，人民出版社2012年版，第326页。
③ 《马克思恩格斯选集》第4卷，人民出版社2012年版，第593页。

三、加强党的组织建设的科学原则

党的组织建设是无产阶级政党保持生命力和取得革命胜利的重要保障。在指导各国无产阶级政党的实践过程中，马克思恩格斯全面论述了加强党的组织建设的科学原则。

加强民主集中制。早在《共产主义者同盟章程》中，就已经明确规定了党的民主和集中相结合原则的基本形式。在反对无政府主义的斗争中，马克思恩格斯论述了集中制的重要意义。资本主义进入和平发展阶段之后，无产阶级政党得到快速的发展。随着斗争环境的变化和党内生活发展的需要，马克思恩格斯着重论述了党内民主的重要性及其建设原则。为此，必须开展批评。恩格斯指出，"批评是工人运动的生命要素，工人运动本身怎么能逃避批评，禁止争论呢？难道我们要求别人给自己以言论自由，仅仅是为了在我们自己队伍中又消灭言论自由吗？"[1]此外，要实现党内民主和平等，必须坚持党内成员一律平等的原则。恩格斯在1891年2月11日给考茨基的信中指出，"还要使人们不要再总是过分客气地对待党内的官吏——自己的仆人，不要再总是把他们当做完美无缺的官僚，百依百顺地服从他们，而不进行批评。"[2]正如巴黎公社将官员作为人民公仆一样，党内官吏本质上也是党内成员的公仆，而非不可以批评的官僚。恩格斯在1891年4月8日给左尔格的信中指出，"任何一个身居高位的人，都无权要求别人对自己采取与众不同的温顺态度。"[3]党内高层必须坚持平等的原则，不能要求其他人对自己采取温顺的态度。要实现党内平等和民主，必须充分保证党内的自由。恩格斯在1890年8月9日给左尔格的信中指出："党已经很大，在党内绝对自由地交换意见是必要的。"[4]显然，在党内绝对自由地交流意见不仅是党内民主和平等的重要表现，也是实现党内民主和平等的重要保障。

必须旗帜鲜明地反对个人崇拜。党的领袖在无产阶级革命和无产阶级政党中具有重要作用，但是，不能将维护权威变成个人崇拜。个人崇拜不利于党

---

[1]　《马克思恩格斯选集》第4卷，人民出版社2012年版，第595页。
[2]　《马克思恩格斯全集》第38卷，人民出版社1972年版，第33页。
[3]　《马克思恩格斯全集》第38卷，人民出版社1972年版，第72—73页。
[4]　《马克思恩格斯全集》第37卷，人民出版社1971年版，第435页。

的组织建设的开展。在 1877 年 11 月 10 日致威廉·布洛斯的信中，马克思明确指出，"由于厌恶一切个人崇拜，在国际存在的时候，我从来都不让公布那许许多多来自各国的、使我厌烦的歌功颂德的东西；我从来也不予答复，偶尔答复，也只是加以斥责。恩格斯和我最初参加共产主义者秘密团体时的必要条件是：摒弃章程中一切助长迷信权威的东西。"① 可见，马克思恩格斯从开始加入共产主义者秘密团体时就强调要反对一切形式的个人崇拜。在 1891 年 11 月 28 日给伦敦德意志工人共产主义教育协会歌咏团的信中，恩格斯再次强调："马克思和我都从来反对为个别人举行任何公开的庆祝活动，除非这样做能够达到某种重大的目的；我们尤其反对在我们生前为我们个人举行庆祝活动。"② 当然，反对个人崇拜，并非否定党的领袖在革命进程中的重要作用，并非否定权威。党的领袖必须首先是党的一名普通战士，必须置身于人民群众之中，并积极从中汲取知识和力量，这样，才能带领无产阶级政党发展，并为人民群众谋利益。反之，如果党的领袖脱离人民群众，就必然会遭到人民群众的唾弃和抛弃。总之，在正确处理党的领袖和政党、群众的关系的基础上，在维护权威的条件下，必须反对个人崇拜、科学看待党的领袖的作用。

坚持发展党员和培养党的干部的原则。在《共产党宣言》中，马克思恩格斯指出，随着革命形势的发展，统治阶级内部会有一部分人逐渐归附于无产阶级。这是历史发展过程中不可避免的现象。为了推动工人运动和社会主义运动的发展，无产阶级政党不能将这部分人拒之门外。然而，无产阶级政党必须坚持两个基本原则：第一，参加的人必须对无产阶级运动有帮助，必须带来真正的教育因素；第二，其他阶级的人参加无产阶级运动，严禁将其阶级偏见带进来，要无条件地掌握无产阶级世界观。在马克思恩格斯看来，大部分德国资产者都无法给无产阶级政党带来真正的教育因素，都没有带来任何能使无产阶级运动向前发展的东西。"在这些先生当中，几乎是有多少脑袋就有多少观点。他们什么也没有弄清楚，只是造成了极度的混乱——幸而几乎仅仅是在他们自己当中。这些教育者的首要原则就是拿自己没有学会的东西教给别人。党完全可以不要这种教育者。"③ 对那些只能给党带来思想混乱的资产者，党必须将他们

---

① 《马克思恩格斯选集》第 4 卷，人民出版社 2012 年版，第 524 页。
② 《马克思恩格斯全集》第 22 卷，人民出版社 1965 年版，第 309 页。
③ 《马克思恩格斯文集》第 3 卷，人民出版社 2009 年版，第 483—484 页。

排除在外。同时，在吸收其他阶级成员加入无产阶级活动和无产阶级政党的过程中，党必须始终牢牢掌握无产阶级的领导权。"可是，正像已经证明的那样，这些先生满脑子都是资产阶级的和小资产阶级的观念。在德国这样的小资产阶级国家中，这些观念无疑是有存在的理由的，然而这只能是在社会民主工党以外。"① 因此，在发展党员的过程中，必须将满脑子都是资产阶级和小资产阶级思想的人排除在外。同时，在 1890 年 9 月 7 日给《萨克森工人报》编辑部的答复中，恩格斯论述了党培养和选拔干部的方针："在我们党内，每个人都应该从普通一兵做起；要在党内担任负责的职务，仅仅有写作才能或理论知识，甚至二者全都具备，都是不够的，要担任领导职务还需要熟悉党的斗争条件，掌握这种斗争的方式，具备久经考验的耿耿忠心和坚强性格，最后还必须自愿地把自己列入战士的行列中——一句话，他们这些受过'学院式教育'的人，总的说来，应该向工人学习的地方，比工人应该向他们学习的地方要多得多。"② 党的领导干部必须在革命斗争中久经考验，不仅必须具有崇高的品德，尤其是对无产阶级及其政党事业的忠诚，还必须具有全面的理论才能和实践能力。

有效发挥议会党团的作用。暴力革命是无产阶级革命的普遍原则。因此，从原则上来看，无产阶级革命必须拒绝"议会道路"。但是，19 世纪 70 年代后，资本主义的发展进入了一个相对较长的和平时期，议会在资产阶级国家政治生活中的作用越来越大，因此，在议会中获得一定的席位并和资产阶级进行斗争成为无产阶级政党的重要政治活动。在这种情况下，1872 年 9 月 8 日，马克思指出，工人也可能用和平手段达到自己的目的。这样，在议会合法斗争的条件下，无产阶级政党的一个重要的组织任务是成立无产阶级的党团，在议会中争取更多的席位，进而更好地代表无产阶级的利益。恩格斯在 1890 年 8 月 10 日给倍倍尔的信中指出："在任何一个有议会代表的积极的政党里，党团是很重要的力量。不管章程中是否直接予以承认，党团都拥有这种力量。"③ 显然，党团是议会斗争中的重要力量。在此情形下，"在章程中另外再规定党团处于绝对执行委员会的地位，如第十五——十八条所规定的那样，试问：这样做是否聪明？对执行委员会进行监督——很好，但是，由具有决定权的独立委员会

---

① 《马克思恩格斯文集》第 3 卷，人民出版社 2009 年版，第 484 页。

① 《马克思恩格斯文集》第 3 卷，人民出版社 2009 年版，第 484 页。
② 《马克思恩格斯选集》第 4 卷，人民出版社 2012 年版，第 281 页。
③ 《马克思恩格斯全集》第 37 卷，人民出版社 1971 年版，第 438 页。

来处理申诉，也许会更好。"①由于党团掌握了很大的权力，必须对党团进行有效的监督，不能使党团处于决定控制执行委员会的地位，而应由具有决定权的独立委员会来处理申诉，从而进行监督。一旦党团不代表党的利益，甚至站到了党的利益的对立面时，党能够对党团进行有效的制约。总之，要重视利用合法斗争的手段，充分发挥无产阶级党团在议会中的作用。

综上，只有加强党的组织建设，才能增强党的凝聚力和战斗力，进而推动党的不断发展，为党夺取政权奠定坚实的组织基础。

四、开展党内斗争的科学原则

在指导各国无产阶级政党发展的过程中，马克思恩格斯与各国工人阶级政党内部出现的各种机会主义和改良主义的思想进行了坚决的斗争，并制定了开展党内斗争的科学原则。

党内斗争的必要性。随着无产阶级政党的不断发展，大量其他阶级的人加入了无产阶级政党内部，并将其本阶级的思想带入党内。同时，统治阶级也利用各种手段来腐蚀和分化党内的一部分上层人士，以达到分裂无产阶级政党的目的。因此，必须通过党内斗争保证无产阶级政党在正确的轨道上发展。恩格斯在1882年10月20日致伯恩施坦的信中指出："一个大国的任何工人政党，只有在内部斗争中才能发展起来，这是符合一般辩证发展规律的。德国党就是在爱森纳赫派和拉萨尔派的斗争中变成现在这个样子的，在这种斗争中连吵架本身也起了重要的作用。"②显然，党内斗争对于无产阶级政党的发展具有重要作用。只有经过充分的党内斗争，才能使党内的意见逐渐达到统一，进而推动无产阶级政党的发展。党内斗争是严肃的认真的，不能在党内采取调和主义的态度，让错误的思想泛滥甚至是占据主导地位。总之，无产阶级政党的发展，必然要经历相应的党内斗争。

党内斗争的原则。党内斗争必须坚持原则的坚定性和策略的灵活性的统一。对于加入无产阶级政党，却不承认党的性质和纲领的那一部分人，要积极

---

① 《马克思恩格斯全集》第37卷，人民出版社1971年版，第441页。
② 《马克思恩格斯选集》第4卷，人民出版社2012年版，第551页。

地加以教育和引导；对于危害党的纲领和性质的那一部分人，要坚决将之开除出党。在《通告信》中，马克思恩格斯强调以"三人团"为代表的那批人根本不代表无产阶级政党的利益，实质上是小资产阶级利益的代表。因此，如果他们组成小资产阶级政党，无产阶级政党不仅可以和他们谈判，还可以在一定情况下与之结盟。然而，"在工人党中，他们是冒牌分子。如果有理由暂时还容忍他们，那么我们就应当仅限于容忍他们，而不要让他们影响党的领导，并且要清楚地知道，和他们分裂只是一个时间问题。而且这个时间看来是已经到了。党怎么能够再容忍这篇文章的作者们留在自己队伍中，这是我们完全不能理解的。但是，既然连党的领导也或多或少地落到了这些人的手中，那党简直就是受了阉割，而不再有无产阶级的锐气了。"[1]当无产阶级还可以容忍小资产阶级时，可以暂时地容忍他们；当时机成熟的时候，党必须将他们清除出党。但是，如果连党的领导权都落到小资产阶级手中的时候，那么，党就很难再保证自身的无产阶级性质。总之，只有坚持原则的坚定性和策略的灵活性的统一，党内斗争才能取得良好的效果。

党内斗争的方法。开展党内斗争，必须充分发扬党内民主，反对党内专制。要允许党内存在不同的争论，不能简单地采取打压不同意见的专制的办法。19世纪90年代初，在德国社会民主党得到了快速的发展和"非常法"废除的情形下，以席佩尔和其他一些文学家为代表的一些人主张反对党的领导并成立反对派。对此，李卜克内西主张将这些人赶出去。恩格斯在1890年8月9日给左尔格的信中指出，"采取任何'赶出去'的做法是不恰当的，这样做不是着眼于有说服力地证明这种行动对党的危害，而仅仅是着眼于对成立反动派的谴责。"[2]这就提出，一个大的政党内部必然存在各种不同的派别，必须避免专制。恩格斯在1890年8月10日给倍倍尔的信中进一步指出，"不要为未来的困难撒下种子。不要造成不必要的牺牲者，要表明你们那里充满着批评的自由，如果非开除不可，那只有举出昭然若揭、证据确凿的卑鄙行为的事实（明显的行为），才能开除。"[3]可见，采用组织手段将党员开除出党必须慎之又慎。

① 《马克思恩格斯文集》第3卷，人民出版社2009年版，第484页。
② 《马克思恩格斯全集》第37卷，人民出版社1971年版，第436页。
③ 《马克思恩格斯全集》第37卷，人民出版社1971年版，第441页。

党内斗争的目标。党内斗争不同于阶级斗争，从根本上是为了维护党的团结。恩格斯在 1882 年 10 月 28 日致倍倍尔的信中指出："在可能团结一致的时候，团结一致是很好的，但还有高于团结一致的东西。谁要是像马克思和我那样，一生中对冒牌社会主义者所作的斗争比对其他任何人所作的斗争都多（因为我们把资产阶级只当做一个阶级来看待，几乎从来没有去和资产者个人交锋），那他对爆发不可避免的斗争也就不会感到十分烦恼了。"① 这样，恩格斯就论述了党内团结和斗争的辩证关系，即不能仅仅为团结而团结，而要通过斗争的手段来实现党内团结。当然，必须充分考虑到党内斗争的严肃性和复杂性。恩格斯在 1884 年 6 月 5 日致伯恩施坦的信中指出："在这个问题上，再没有什么比急躁更糟的了；一时激动作出的决定，在自己看来似乎总是非常高尚的和英雄主义的，但是通常会导致蠢举，这一点我从千百次的亲身经验中知道得太清楚了。"② 贸然行动会给党的健康发展造成很大的损害。同时，恩格斯指出，在抱怨派先生们利用反社会党人法的实施而取得力量并在国会党团中占了多数的情形下，"目前任何的公开论战都不可能，目前所有在德国出版的报刊都在他们手中，而且他们的人数（在'领袖'中间占多数）使他们有可能拼命造谣中伤，施展阴谋和暗中破坏，——我认为，在这样的时候我们应当避免一切使他们有口实说我们搞分裂，即把分裂的罪名加在我们身上的行动。这是党内斗争的常规，而现在比任何时候更应当遵循这一常规。"③ 可见，当党内错误意见占上风的时候，要避免使党走向分裂，尤其是使我们自己背上分裂党的标签。虽然，党内斗争是为了使党更加积极健康地发展，而不是使党走向分裂。

总之，科学地开展党内斗争，才能使党保持真正的团结，才能推动无产阶级及其政党不断发展，进而为夺取政权提供坚强的领导力量。

综上，在指导欧美无产阶级政党建设的过程中，在与党内形形色色的错误思潮的斗争中，马克思和恩格斯全面正确地阐明了创建无产阶级政党的理论和路线，进一步丰富和发展了马克思主义政党学说。尽管上述思考有其时代特点和地域特点，但是，也揭示出了无产阶级政党建设的普遍规律和一般原则，具有科学的时代价值和指导意义。

---

① 《马克思恩格斯选集》第 4 卷，人民出版社 2012 年版，第 554 页。
② 《马克思恩格斯选集》第 4 卷，人民出版社 2012 年版，第 567—568 页。
③ 《马克思恩格斯选集》第 4 卷，人民出版社 2012 年版，第 566—567 页。

第三章　研究自然科学新成就和《自然辩证法》的理论构思

世界历史是自然界不断向人生成的过程，科学是一种在历史上起革命作用的力量。在19世纪中期自然科学迅速发展的背景下，马克思恩格斯高度关注自然科学新动态，在科学上经历了一个"脱毛"阶段。在此基础上，马克思写下了包括《数学手稿》在内的"科学笔记"，恩格斯开始创作《自然辩证法》。在这一过程中，马克思恩格斯提出了"自然辩证法"的科学构想，不仅完善了马克思主义哲学体系，而且丰富了马克思主义理论体系。

第一节　自然辩证法思想的提出和构想

根据无产阶级解放事业和马克思主义理论发展的需要，在思索自然和自然科学的本质和规律的过程中，马克思恩格斯提出了"自然辩证法"的科学构想。

一、批判19世纪后期自然科学中的错误思想

马克思主义是实现无产阶级解放和人类解放的科学，《自然辩证法》同样

是服从和服务于这一伟大事业的，是这一科学总体性中不可或缺的部分。随着1871年巴黎公社的失败，欧洲历史和工人运动进入了一个为未来变革的时代进行"和平"准备的阶段。在这样的"和平"时期，意识形态领域的斗争却以新的形式激烈地呈现了出来。当时，不仅披着科学外衣的各种唯心主义、复活康德主义的不可知论、形而上学大行其道，而且庸俗唯物主义、社会达尔文主义、机会主义也蔓延开来。其中，毕希纳是庸俗唯物主义和社会达尔文主义的代表，杜林是机会主义的代表。《自然辩证法》就是在批判庸俗唯物主义、社会达尔文主义和机会主义斗争的过程中产生的。

（一）批判庸俗唯物主义斗争的科学需要

庸俗唯物主义是一个披着唯物主义外衣的理论流派，其代表人物毕希纳、摩莱肖特和福格特等人也是当时颇有影响的自然科学家。他们将当时先进的自然科学成果与自己的自然哲学观点杂糅在一起，赞颂马克思恩格斯的自然哲学和科学哲学观点，具有一定的迷惑性，在群众中极易造成思想混乱。其实，马克思主义和庸俗唯物主义存在着本质区别。其一，庸俗唯物主义机械地理解物质和意识的关系。虽然他们也承认物质的客观性，但是，他们将意识看作是从属于物质的东西，认为意识是由物质产生，出现了"大脑分泌意识就像胆囊分泌胆汁"这样简单、机械的论述。其二，庸俗唯物主义混淆了力和物质概念。他们将物质和运动联系在一起，提出物质是运动的物质，运动是物质的运动的观点。但是，庸俗唯物主义却将力的概念实体化，甚至取代了物质。毕希纳在其代表作《力与物质》中明确表明力和物质只是名称不同，本质却一样。运动是力的特质。其三，庸俗唯物主义否认辩证法。他们认为黑格尔的哲学只是"宏大叙事"，是精神骗局，于事无益。其四，庸俗唯物主义大肆宣扬社会达尔文主义。在社会历史问题上，他们妄图根据达尔文的生存斗争学说解释社会生活，用智力的高低来划分阶级和等级，甚至认为黑人的脑筋更像动物的脑筋。

马克思恩格斯在多封通信中对庸俗唯物主义进行了批判。1868年12月5日，在致库格曼的信中，马克思指出："毕希纳关于达尔文主义的讲稿我收到了。他的确是一个'著述家'，很可能是因此才姓'毕希纳'的。他关于唯物主义历史的肤浅的废话显然是从朗格那里抄来的。这样的侏儒处理象亚里士多德这个和毕希纳不属于同一类型的自然科学家的方式，实在令人惊奇。"① 当 1872 年底毕希纳的著作《人及其过去、现在和将来在自然界中的地位》第二版发行时，恩格斯就决定写一部批判毕希纳的著作。因此，正如我们可以将《欧根·杜林先生在科学中实行的变革》称为《反杜林论》一样，我们可以将《自然辩证法》称为《反毕希纳论》。

（二）批判社会达尔文主义斗争的科学需要

在这一时期，震动整个西方学术界的生物进化论横空出世，达尔文用经验数据和实地勘察破除了对上帝创世论和神学目的论的迷信。但是，社会达尔文主义将生物领域的达尔文进化论简单地移植到社会历史领域。在他们看来，资本主义关系是人与人之间的最自然的关系，和生物学中的规律一样是不可废除的。而社会主义是人为的臆造，是与人类的本性相矛盾的。同时，社会达尔文主义不仅是唯心主义的典型，而且是机械主义的典型。他们将社会规律降解为自然规律，将自然规律归结为机械规律。这样，他们就拒绝了革命和飞跃，鼓吹庸俗的、肤浅的进化论。

由于社会达尔文主义在党内和社会上引起了极大的思想混乱，因此，必须批判社会达尔文主义，以消除其不良影响。针对社会达尔文主义未能认识到人类社会与自然界的差别的错误，马克思恩格斯指出，"把动物界的生活规律直接搬到人类社会中来是不行的。一有了生产，所谓生存斗争不再单纯围绕着生存资料进行，而是围绕着享受资料和发展资料进行。在这里——在社会地生产发展资料的情况下——来自动物界的范畴就完全不适用了"②。针对社会达尔文主义鼓吹的庸俗进化论，马克思恩格斯将辩证法和历史观统一了起来，深刻地阐述了革命的辩证法、社会发展的辩证法，认为科学是一种在历史上起推动作用的革命力量，提出了在生产力和生产关系两个方面将人从动物界提升出来的思想，突出了变革资本主义生产方式的必要性和重要性。

总之，"马克思和恩格斯认为，'旧'唯物主义，包括费尔巴哈的唯物主义在内（更不要说毕希纳、福格特、摩莱肖特的"庸俗"唯物主义了），其主要缺点是：(1) 这种唯物主义'主要是机械的'唯物主义，它没有考虑到化学和

---

① 《马克思恩格斯全集》第 32 卷，人民出版社 1974 年版，第 567 页。"毕希纳"的发音与"著述家"的发音相似，马克思用之来嘲讽毕希纳的夸夸其谈。——引者注

② 《马克思恩格斯全集》第 26 卷，人民出版社 2014 年版，第 756 页。

生物学（现在还应加上物质的电学理论）的最新发展；（2）旧唯物主义是非历史的、非辩证的（是反辩证法意义上的形而上学的），它没有彻底和全面地贯彻发展的观点；（3）他们抽象地理解'人的本质'，而不是把它理解为'一切社会关系的〈一定的具体历史条件下的〉总和'，所以他们只是'解释'世界，而问题却在于'改变'世界，也就是说，他们不理解'革命实践活动'的意义。"①正是在批判庸俗唯物主义和社会达尔文主义等错误思潮的过程中，马克思恩格斯提出了自然辩证法思想，从而把认识自然和认识科技的科学武器交给了人类尤其是工人阶级。

（三）批判机会主义斗争的科学需要

《自然辩证法》的科学构想是与反对机会主义的斗争直接联系在一起的。机会主义在表面上拥护社会主义，实际上却出卖无产阶级的利益，企图以资产阶级思想中的糟粕来取代马克思主义的革命辩证法。这种机会主义的典型代表就是披着市民社会主义外衣攻击科学社会主义的杜林。1868 年 3 月 6 日，在致库格曼的信中，马克思指出，"我现在能够理解杜林先生的评论中的那种异常尴尬的语调了。就是说，这是一个往常极为傲慢无礼的家伙，他俨然以政治经济学中的革命者自居。他做过两件事。第一，他出版过一本（以凯里的观点为出发点）《国民经济学批判基础》（约 500 页），其次，出版过一本新的《自然的辩证法》（反对黑格尔辩证法的）"②。这样，如何站在无产阶级的立场上，来科学阐明自然辩证法问题以消除杜林主义在党内的消极影响，就成为马克思和恩格斯共同的理论任务。

总之，在马克思恩格斯那里，自然辩证法不是科学启蒙和科学普及的读本，不是一种新的"科学之科学"的形而上学教条，而是反对资产阶级统治、争取无产阶级解放的总的斗争的不可分割的部分，是夺取这个总的斗争的科学武器。

---

① 《列宁选集》第 2 卷，人民出版社 2012 年版，第 421 页。
② 《马克思恩格斯选集》第 4 卷，人民出版社 2012 年版，第 468 页。显然，就名称而论，在"自然辩证法"术语的使用上，杜林要优先于恩格斯。——引者注

二、完善马克思主义理论体系的科学任务

尽管马克思恩格斯反对杜林那样人为地炮制体系的做法，但是，在创立科学共产主义理论体系的过程中，他们还是很重视"自然辩证法"在马克思主义理论体系中的重要地位。为此，他们将理论研究的眼光也投向了自然和自然科学。

（一）实现自然辩证法与历史唯物主义相统一的科学需要

历史唯物主义是马克思在科学上两大发现之一。在创立唯物史观的过程中，马克思恩格斯已经明确指出，"历史科学"是我们仅仅知道的一门唯一的科学，"自然史"和"人类史"是统一的"历史科学"的两个不可分割的部分。在统一的"历史科学"中，自然辩证法关注的是自然史，但是，不能忽视人类史；历史唯物论关注的是人类史，但是，不能脱离自然史。事实上，在创立唯物史观的过程中，毕竟没有一个现成的、完整的和成型的"辩证唯物主义"放在那里供创立历史唯物主义使用，关于自然史的科学研究还极其不完善。但是，随着达尔文进化论的问世，出现了扭转这种情况的趋势和可能。在《物种起源》出版后不到 20 天，恩格斯在 1859 年 12 月 12 日致马克思的信中就兴高采烈地谈到，这部著作简直写得好极了，"至今还从来没有过这样大规模的证明自然界的历史发展的尝试，而且还做得这样成功。当然，人们不能不接受笨拙的英国方法"[1]。这里，恩格斯不仅指明了达尔文研究"自然史"成果的价值，而且鲜明地指出了其方法上的局限性。而马克思在 1860 年 12 月 19 日致恩格斯的信中明确地指出，达尔文的《物种起源》一书，"用英文写得很粗略，但是它为我们的观点提供了自然史的基础"[2]。1861 年 1 月 28 日，马克思又指出，"达尔文的著作非常有意义，这本书我可以用来当做历史上的阶级斗争的自然科学根据"[3]。这里，马克思不是要将人类史简单地归结为自然史，而是指出了达尔文的成果为揭示人类史和自然史的统一性提供了科学基础和理论支撑。显

---

① 《马克思恩格斯全集》第 29 卷，人民出版社 1972 年版，第 503 页。
② 《马克思恩格斯全集》第 30 卷，人民出版社 1975 年版，第 131 页。
③ 《马克思恩格斯文集》第 10 卷，人民出版社 2009 年版，第 179 页。

然，无论是马克思还是恩格斯都是从"自然史"的方面来看待达尔文进化论的得失的，而他们将研究"自然史"往往看作是研究"人类史"的前提和补充。他们始终追求的是人类史和自然史的统一。因此，《自然辩证法》的理论构想是与丰富和完善历史唯物论联系在一起的。

（二）实现自然辩证法与剩余价值理论相统一的科学需要

剩余价值理论是马克思在科学上两大发现之一。早在《大纲》中，马克思就已经得出了《资本论》中的主要结论。同时，"它包含了能使得马克思对资本主义的分析适用于远远大于 19 世纪的范围的分析和洞见，它们可以用来分析制造不再倚重人工的社会的时代，自动化的时代，闲暇的潜力，以及异化在这些情景中的变化。比如说它对科技的看法，就有这样的力量。"[1] 但是，《资本论》之所以经过了一个科学上的苦旅过程，一个重要的原因在于马克思遇到了研究方法和叙述方法的矛盾问题。为此，马克思在有意或无意中不得不捡起了黑格尔。1858 年 1 月 14 日，他在致恩格斯的信中指出，"我又把黑格尔的《逻辑学》浏览了一遍，这在材料加工的方法上帮了我很大的忙。如果以后再有工夫做这类工作的话，我很愿意用两三个印张把黑格尔所发现、但同时又加以神秘化的方法中所存在的合理的东西阐述一番，使一般人都能够理解"[2]。《资本论》事实上就是按照《逻辑学》的方式进行表述的，是体现从抽象到具体的辩证方法的科学典范。更为重要的是，马克思展示出了在唯物主义基础上重构辩证法的计划和意图。1859 年 5 月 9 日，马克思在致狄慈根的信中，再次表达了重写《辩证法》的计划和意图。或许受此影响，恩格斯也提出了回到黑格尔那里去的问题。1865 年 3 月 29 日，恩格斯在致朗格的信中谈到："我不能不提一下您所说的关于老黑格尔缺乏较深的数学和自然科学素养的意见。黑格尔的数学知识极为渊博，以致他的任何一个学生都没有能力把他遗留下来的大量数学手稿整理出版。据我所知，对数学和哲学了解到足以胜任这一工作的唯一的人，就是马克思。您说黑格尔的自然哲学的细节中有荒谬的东西，这我当然同意，但是他的真正的自然哲学是在《逻辑学》第二部分即《本质论》中，这是

---

[1]　[意] 马塞罗·默斯托主编：《马克思的〈大纲〉——〈政治经济学批判大纲〉150 年》，中国人民大学出版社 2011 年版，"前言"第 5 页。

[2]　《马克思恩格斯文集》第 10 卷，人民出版社 2009 年版，第 143 页。

全部理论的真正核心。……当然，我已经不再是黑格尔派了，但是我对这位伟大的老人仍然怀着极大的尊敬和依恋的心情。"①这里，恩格斯将黑格尔的自然哲学和逻辑学联系起来考察，主要突出的是自然界的辩证本性。在此基础上，恩格斯多次表达了从唯心主义神秘形式中拯救辩证法合理内容的意图，而且提出了要从自然界中发现和证明辩证法合理性、普遍性、有效性的科学计划。可见，《自然辩证法》的理论构想是与丰富和发展剩余价值理论密切联系在一起的。

总之，只有创立和完善自然辩证法，才能进一步完善马克思主义哲学体系。在此基础上，才能进一步实现马克思主义哲学、马克思主义政治经济学、科学社会主义的统一。

三、马克思晚年研究自然科学和创作《数学手稿》

"自然辩证法"是马克思和恩格斯共同努力的成果。在恩格斯创作《自然辩证法》的同时，马克思也进行着相关研究，并创作了包括《数学手稿》在内的"科学笔记"。

（一）马克思晚年的科学研究和"科学笔记"

与恩格斯一样，马克思也时刻关注着自然科学的最新进展。从19世纪60年代开始，在从事政治经济学研究的同时，马克思开始研究科学问题，创作了"科学笔记"。

第一，马克思晚年科学研究的目的。马克思晚年对科学技术和数学问题的关注和研究，是与他的整个理论研究和革命事业密切相关的。

深化政治经济学研究、完成《资本论》后几卷的需要。19世纪70年代，在深化政治经济学研究、完成《资本论》后几卷的撰写过程中，马克思遇到了一系列的数学和科学问题。1858年1月11日，在致恩格斯的信中，他指出："在制定政治经济学原理时，计算的错误大大地阻碍了我，失望之余，只好重

---

① 《马克思恩格斯文集》第10卷，人民出版社2009年版，第226—227页。

新坐下来把代数迅速地温习一遍。"① 随着政治经济学研究的深入，要求马克思进一步扩展研究视野，运用自然科学的材料和数学的方法来为政治经济学研究服务。

完善马克思主义哲学体系、创立自然辩证法的需要。马克思主义哲学是一块不可分割的整钢，在实践的基础上，不仅唯物主义和辩证法得到了统一、真理观和价值观得到了统一，而且自然观和社会历史观也得到了统一。随着斗争的深入和哲学自身的发展，创立自然辩证法的任务摆在了马克思和恩格斯的面前。创立自然辩证法需要数学和科学方面的知识。马克思晚年对自然科学和数学的研究也是服从和服务于这一目的的。

为社会革命作科技革命准备的需要。科学技术在资本主义制度下成为资产阶级压迫无产阶级和劳动人民的工具。随着科技革命的发展，必然导致社会革命；而只有经过社会革命建立起了社会主义，科技革命才可能得到长足、有效的发展。问题的关键就在于，科学技术事实上是一种强大的生产力，因此，它具有重大的社会革命的功能和价值。这就是说，"发明推动了产业革命，产业革命同时又引起了市民社会中的全面变革"②。因此，与其说是马克思重视新发现、新技术，不如说他重视的是科技革命即将产生的产业革命及其引发的社会革命，马克思晚年仍然对未来的共产主义充满了必胜的信心和无限的憧憬。

第二，马克思晚年科学研究的领域。马克思晚年密切注意科学技术的最新进展，涉及一系列的学科和领域。

密切注意自然科学的最新进展。19世纪的自然科学正在冲破形而上学的束缚，取得了一系列重要进展，为确立唯物辩证的世界图景提供了可能。马克思深刻地认识到了这一点，因此，对自然科学领域每一个发现都给予了密切注意。生物学是发展较快的一个领域。在1876年3月至5月间，在植物生理学、动物生理学和人的生理学方面，马克思阅读了施莱登、兰克、海尔曼等人的著作，并作了大量摘要。马克思特别重视德国化学家和生理学家特劳白的制造人造细胞的试验；在写于1875年6月18日的一封信中指出，这项试验对于解释地球上生命的起源具有重大的意义。另外，马克思研读了英国地质学家朱克斯和艾伦的著作，做了有关地球演化的摘要。他还充实了自

① 《马克思恩格斯全集》第29卷，人民出版社1972年版，第247页。
② 《马克思恩格斯全集》第2卷，人民出版社1957年版，第281页。

己对化学的有关知识。1882 年从头到尾地阅读了罗斯特和肖莱马合写的一本化学教科书和迈耶尔的一本关于化学方面的最新理论的著作。马克思还非常重视物理学。1878 年阅读了有关笛卡尔物理学方面的著作,1882 年阅读了奥斯皮塔什埃的《电的基本应用》一书。可见,马克思晚年研究了包括细胞学说、生物进化论、地质进化论、有机化学和电学在内的一系列在当时处于前沿的自然科学领域。

高度评价技术上的最新成果。除了在《资本论》及其手稿中对技术史进行过专门的研究外,马克思晚年对最新实用技术尤其是农业技术和电学技术抱有极大的热情。在农业技术方面,1868 年 3 月 25 日,在致恩格斯的信中,马克思指出:"必须认真研究全部近代和现代农业文献。物理学派同化学派是对立的。"① 在 1874 年就土地的人工肥料进行专门的研究,阅读了约·奥的《李比希的土壤贫瘠化学说和经济人口论》一书和其他农业化学方面的著述;1875 年,他对恩格尔加尔特的《农业的化学基础》一书作了摘要;1878 年,他再一次阅读了英国人约翰斯顿的《农业化学和地质学基础》。在研究农业技术的过程中,马克思对著名化学家李比希的农学成就给予过高度的评价。电学方面的技术成就更是让马克思感到由衷的喜悦。早在 1850 年,马克思看过电力机车模型展览后就预言:蒸汽大王的统治已到末日,电力的火花将取而代之。而当 1882 年 11 月在慕尼黑展出了德国物理学家德普勒架设的第一条实验性高压输电线路时,马克思精神为之一振,并提醒恩格斯注意这一成就,并对此发表观点。可见,马克思始终在跟进科学技术的最新进展,与自然科学家的交流、接触最为先进的技术成果是马克思对资本主义社会剖析的第一手资料,也是其哲学观点重要的立论基础。

第三,马克思晚年科学研究的成果。在掌握相关资料的基础上,在《资本论》及其手稿中,马克思较为完整地论述过他在农学、生态学等方面的看法,也较为集中地阐述了其自然观、科学技术观、科学技术方法论和科学技术社会学等观点。在此基础上,马克思在"科学笔记"中提出了许多独到性的创见。

马克思将对土地肥力的思考运用到对资本主义社会生产方式的考察上,提出物质变换的断裂是资本主义社会不可持续性的重要表现和直接产物。

在人和自然关系上,马克思通过对弗腊斯等人的著作的学习,详细地了解

---

① 《马克思恩格斯文集》第 10 卷,人民出版社 2009 年版,第 286 页。

到人的实践活动对自然环境的影响，以及这一变化对人的生活的影响。1868年3月25日，在致恩格斯的信中，马克思对弗腊斯的《各个时代的气候和植物界，二者的历史》（1847）一书进行了评论。马克思认为，该书"十分有趣，这本书证明，气候和植物在有史时期是有变化的。他是达尔文以前的达尔文主义者，他认为物种甚至产生于有史时期。但是他同时是农学家。他断定，农民非常喜欢的'湿度'随着耕作的发展（并且与耕作的发展程度相适应）逐渐消失（因此，植物也从南方移到北方），最后形成了草原。耕作的最初影响是有益的，但是，由于砍伐树木等等，最后会使土地荒芜。这个人既是化学家、农学家，等等，又是知识渊博的语言学家（他曾经用希腊文著书）。结论是：耕作——如果自发地进行，而不是有意识地加以控制（他作为资产者当然想不到这一点）——会导致土地荒芜，像波斯、美索不达米亚等地以及希腊那样。可见，他也具有不自觉的社会主义倾向！"① 这样，马克思就创造性地将非资本主义和前资本主义的历史洞察与深入的生态学的洞察结合起来，集中分析了资本主义所带来的毁灭性影响，增强了其批判的深度和广度。

马克思高度赞扬了科学技术方面的新发现、新发明，认为科学技术是推动人类社会进步的重要动力。

可见，马克思"科学笔记"与恩格斯《自然辩证法》、《反杜林论》等著作遥相呼应，共同表明了马克思主义在自然辩证法问题上的看法和观点。

（二）马克思的《数学手稿》

马克思对数学的研究开始于19世纪50年代，直到其逝世前，仍然关注着数学的最新进展。《数学手稿》的绝大部分写作于《资本论》的创作期间，即19世纪70年代前后。马克思曾在给恩格斯的书信中提到，当受病痛折磨，无法全身心地投入经济学写作时，他就会用这些时间来研究微分学。拉法格也回忆说，马克思有一种独特的方式来忘记病痛和烦恼，那就是演算微积分。《数学手稿》不仅与《资本论》的写作时间交叉，还与《资本论》手稿在内容上相互映照。它不只是一部"门外汉"的数学计算草稿，而且具有重要的理论价值。

第一，马克思《数学手稿》的创作动因。为了完善马克思主义理论体系，

_____

① 《马克思恩格斯文集》第10卷，人民出版社2009年版，第285—286页。

马克思将大量精力投入到数学研究上。

完善科学的政治经济学原理的需要。在马克思看来，一种科学只有在成功运用数学时，才算达到了真正完善的地位。科学的政治经济学的发展必然要使用正确的数学工具。在《资本论》中，马克思将大量的数学计算和图表运用到了揭露资本主义制度的剥削实质上，全面阐述了资本主义生产方式发展的规律。例如，在《资本论》第一卷第十六章中，马克思用算术的比例表示了剩余价值率的各种公式。值得注意的是，马克思在研究政治经济学原理时，不仅运用初等数学，而且还运用了高等数学。他在劳动中还发现了简单劳动和复杂劳动的自乘关系，两个数值都是变量，但其中的一个由另一个决定，即 $y=f(x)$。更为重要的是，马克思研究数学与实现经济学的数学化密切相关。

完善科学的军事辩证法的需要。军事理论尤其是军事辩证法是马克思主义理论体系的重要内容，是恩格斯对马克思主义理论的独创性贡献。在 1863 年 7 月 6 日致恩格斯的信中，马克思指出："有空时我研究微积分。顺便说说，我有许多关于这方面的书籍，如果你愿意研究，我准备寄给你一本。我认为这对你的军事研究几乎是必不可缺的。况且，数学的这一部分（仅就技术方面而言），例如同高等代数相比，要容易得多。除了普通的代数和三角方面的知识外，并不需要先具备什么知识，但是必须对圆锥曲线有一个一般的了解。"[①] 事实上，微积分的发展与军事技术密切相关。可见，马克思研究数学与完善军事辩证法密切相关。

完善科学的自然辩证法理论的需要。不仅建立科学的自然观需要具备数学知识，而且科学的自然辩证法必须表明自己对数学思想和数学发展的看法，即形成自己的数学观或数学哲学。例如，当时的微积分理论出现了极大的思想混乱。一方面，微分和积分的出现改变了原有的数学发展路径，变数数学与常数数学的关系无法得到正确的解释和处理；另一方面，数学与自然科学的关系随着科学技术的快速进步愈发紧密。这就需要从本质上来厘清变数与常数、代数和几何之间的关系。马克思的《数学手稿》表明了对之的看法。

其实，"无论是政治经济学、还是军事学都具有强烈的阶级性和党性，它们都是为了从思想上、理论上武装无产阶级、指导各国无产阶级为反对资产阶

---

① 《马克思恩格斯文集》第 10 卷，人民出版社 2009 年版，第 206 页。

级、推翻资本主义和建立社会主义、共产主义的强大思想武器。"①因此，我们
必须从无产阶级解放事业的高度来看待马克思《数学手稿》的科学价值。

第二，马克思《数学手稿》的主要内容。马克思晚年不仅对数学的发展给
予了极大的关注，而且始终坚持独立的数学研究，写下了内容十分丰富的《数
学手稿》。

在 1878 年至 1882 年期间，马克思专心系统地钻研了代数学，对拉克罗阿
的《初等代数学》、马克劳林的《代数学》等数学名著进行了认真研读并作了
详细的摘要；还继续探索在 19 世纪 60 年代就已开始的数学分析；为了研究微
积分，对拉克罗阿的《微积分学》、布夏拉的《微积分学初步》、哈依德的《微
分学原理》、霍尔的《微积分学与变分学》和赫明的《初等微积分》等教科书
和专著，进行了摘录；马克思还摘录了一些数学史书籍。《数学手稿》的大部
分内容都是在这个时期内完成的。

在《数学手稿》中，马克思深刻地揭示了微积分内容的辩证实质，精辟地
阐明了从代数学过渡到微积分学的辩证运动，从而在自然辩证法领域中开创了
数学辩证法（数学哲学）的研究传统，为数学的进一步发展作出了重要贡献。
其主要内容如下②：

无穷小辩证法。马克思指出，无穷小量实质上不过是无穷小量在矛盾运动
中的"0"与"非 0"的对立统一关系，而无穷小这个统一物又是自变量 x 本
身包含着的变化过程和变化结果这对矛盾在微分和积分问题上的进一步发展。
因而，微分也就是一个否定之否定的过程。

导函数辩证法。马克思认为，从切线问题到导数问题，再从导数问题到导
函数问题，这是在实践的基础上从生动的直观出发的认识不断深化的过程。他
进一步揭示了导函数概念的本质，认为其是无穷小的二重性在函数变化率问题
上的进一步发展。

微分辩证法。与认为无穷小 dx 是一个完全独立的数值的传统观点不同，
马克思认为，在微积分的理论基础上，必须要坚持运动变化的观点。无穷小
dx 是自变量 x 在运动变化的过程中所产生出来的量，也因此才有无穷小的概

---

① 黄顺基、吴延涪：《学习马克思〈数学手稿〉·第一讲学习〈数学手稿〉引言》，《数学的实
　践与认识》1977 年第 1 期。

② 参见黄顺基、吴延涪：《学习马克思〈数学手稿〉·第一讲学习〈数学手稿〉引言》，《数学
　的实践与认识》1977 年第 1 期。

念。无穷小的变量经过螺旋形的发展后，就不再简单地重复原来的运算，而是具有更加复杂、更加丰富的内容。这样，马克思通过无穷小内部矛盾的辩证发展，把无穷小理论、导函数理论和微分理论联结起来，成为一个有机的整体。

微分学发展的辩证规律。由于受形而上学观点的影响，虽然在数学领域微分学有了突破性的进展，但是，其理论基础始终未能阐述清楚，严重阻碍了微分学在物理、化学等领域的运用和发展。马克思提出，微分学的出现表明，现代数学已由常量数学发展到了变量数学，代数方法转向了微分方法。在这个辩证转化的过程中，微分学的发展呈现出辩证法的特质：出发点是代数方法，经过否定进入微分方法，再经过否定之否定，达到了更高级的辩证综合。可见，微分学的发展也遵循着否定之否定规律。

显然，马克思《数学手稿》是一部经典的唯物辩证法著作，是马克思主义数学观或数学哲学的代表作。

第三，马克思《数学手稿》的理论贡献。《数学手稿》是马克思主义发展史上的一部重要文献，具有重要的理论意义。

从哲学层面上来看，《数学手稿》是马克思自觉运用唯物辩证法，并依此对微分学的辩证阐述和辩证研究作了系统、科学的说明。长期以来，数学的理论和体系一直采用形式逻辑，采取公理演绎体系的形式。形式逻辑方法对于运用辩证法获得的数学认识成果来说，显然是很不够用的。马克思把他在《资本论》中获得巨大成功的辩证逻辑方法运用到微分学中，科学地揭示了微分学基本概念的二重性；从无穷小的二重性到导函数的二重性，直到微分的二重性。这个二重性的展开，即微分学基本概念的矛盾运动，在理论上也表现为由抽象上升到具体的过程。这样，微分学基本概念的运动就如实地反映出自然界运动即过程的各个基本环节。正是在二重性的基础上，马克思科学地阐明了微分学基本概念的本质，它们的运动、相互联系与相互转化。这种理论体系和结构是辩证的，其中形式逻辑只是一个必要的辅助工具。这样，马克思在数学领域内就开创了一个自觉地运用辩证法的崭新时代。

从数学上来看，《数学手稿》也不乏科学意义和价值。在这一著作中，马克思通过说明代数方法和微分方法互相否定又互相肯定的辩证关系，深刻地指出了微分学历史和发展过程的辩证性。他把无穷小理论建立在 0 与非 0 这个二重性的对立统一的科学基础上，一分为二地批判了极限理论的片面性，为后来批判性地分析现代数学分析的两大成果——以哥西极限理论为基础的标准分析和以莱布尼茨开始由罗宾孙建立的非标准分析——并把它们辩证地综合起来，提供了最锐利的思想武器。《数学手稿》是马克思用唯物辩证法改造数学领域的典范。

可见，在马克思晚年，他对科学问题和数学问题始终保持着极大的热情和浓厚的兴趣，并从哲学上进行了概括和总结，从而构成了自然辩证法思想形成的重要源头之一。

四、恩格斯《自然辩证法》的创作过程和体系设想

早在 19 世纪 50 年代恩格斯就有了创作自然辩证法的想法。在和马克思以及一些自然科学家朋友的沟通中，他围绕物质运动问题，勾勒出包括马克思主义自然观、科学技术观、科学技术方法论和科学技术社会学等内容在内的自然辩证法理论体系的框架。

（一）《自然辩证法》的创作过程

《自然辩证法》的写作过程可分为准备、第一次正式写作、创作《反杜林论》、第二次正式写作和整理文稿等几个阶段。

1851 年初到 1873 年初是《自然辩证法》的准备阶段。在 1851 年 1 月 29 日致马克思的信中，恩格斯就谈到自己在研究生理学问题。1858 年 7 月 14 日，在致马克思的信中，恩格斯谈到自己正在研究生理学和比较解剖学，请求马克思把黑格尔《自然哲学》寄来，认为黑格尔如果"现在"要写一本《自然哲学》的话，那么各种事物会从四面八方向他飞来。恩格斯谈到，物理学中各种力的相互关系形成了这样一种规律，"在一定条件下，机械运动，即机械力转化为热（比如经过摩擦），热转化为光，光转化为化学亲和力，化学亲和力转化为电（比如在伏打电堆中），电转化为磁。这些转化也能通过其他方式来回地进行"，同时，"这些力是按照完全确定的数量关系相互转化的，一定量的某种力，例如电，相当于一定量的其他任何一种力，例如磁、光、热、化学亲和力(正的或负的、化合的或分解的) 以及运动"①。这里论及的不仅是能量转化

① 《马克思恩格斯文集》第 10 卷，人民出版社 2009 年版，第 163 页。

的问题，而且涉及了物质运动、运动形式、运动形式转化等问题。这样，恩格斯就提出了研究"自然辩证法"的最初设想。

从1873年5月到1876年5月之前，是正式写作《自然辩证法》的第一个阶段。1873年5月30日，在致马克思的信中，恩格斯较为系统地论述到了"关于自然科学的辩证思想"，认为"自然科学的对象是运动着的物质，物体"。同时，写下了"自然科学的辩证法"的札记，提出"自然科学的辩证法：对象是运动着的物质"。这样，就明确提出了自然辩证法的对象问题。马克思读了信后，表示"非常高兴"；并将之向化学家肖莱马展示后，肖莱马基本上完全同意恩格斯的看法。在此基础上，在投入反对杜林的斗争之前，恩格斯完成了《导言》（约写于1875年11月至1876年上半年之间）和《劳动在从猿到人的转变中的作用》（写于1876年5—6月）两篇论文以及91篇其他札记。这样，恩格斯创作《自然辩证法》的文本就形成了一个从提纲到材料再到论文的较为完整的过程和系列，正面论述了马克思主义自然观、科学技术观、科学技术方法论、科学技术社会学等问题。

1876年5月至1878年7月之间，为创作《自然辩证法》的姊妹篇《反杜林论》的阶段。通过撰写《反杜林论》，不仅将《自然辩证法》的一些思想第一次公之于众，而且进一步推动了《自然辩证法》思想的深化和升华。在此期间，恩格斯撰写了《〈反杜林论〉旧序。论辩证法》（写于1878年5月或6月初）和《神灵世界中的自然研究》（写于1878年1月）两篇重要论文，并于1886年将之亲自编入《自然辩证法》手稿目录中。

从1878年7月到1883年马克思逝世，是《自然辩证法》第二次正式写作阶段。在这期间，根据《反杜林论》的理论斗争经验和文本写作经验，恩格斯为《自然辩证法》编制了两个计划草案，即1878年计划草案和1880年计划草案。在此基础上，恩格斯完成了《辩证法》（1879）、《运动的基本形式》、《运动的量度——功》、《潮汐摩擦。康德和汤姆生——泰特》（均写于1880—1881年）、《热》（1881—1882）、《电》（1882）等六篇论文以及少量的札记和判断。1882年11月23日，在致马克思的信中，恩格斯表达了尽快完成"自然辩证法"的愿望。他说："电气中的电阻和机械运动中的质量是一回事。因此，无论在电的运动中还是在机械运动中，这种运动在量上可以测量的表现形式——一种是速度，一种是电流强度——在不变换形式的简单传递中，作为一次因数发生作用，反之，在变换形式的传递中——作为平方因数发生作用。可见，这是由我首先表述出来的运动的普遍自然规律。但是现在必须尽快地结束自然辩证法。"① 这里，恩格斯明确地将自己创作的著作称为"自然辩证法"。

1883 年初到 1895 年 8 月，恩格斯对《自然辩证法》文稿进行了补充和整理。1885 年前后，恩格斯为《自然辩证法》新增加了《关于现实世界中数学上的无限之原型》、《关于"机械的"自然观》、《〈费尔巴哈〉的删略部分》等部分的内容。大约在 1886 年以及之后，恩格斯对《自然辩证法》的所有手稿进行了分类整理，将之分为四束手稿，给每一束手稿加上了标题，并给他所编的第二束和第三束材料写作了目录。

随着恩格斯于 1895 年 8 月 5 日逝世，《自然辩证法》的创作就此终结。

（二）《自然辩证法》的体系构想

《自然辩证法》由 10 篇论文，169 篇札记和片断，以及 2 个计划草案所组成。在 1873 年到 1895 年之间，恩格斯多次调整、修改和完善《自然辩证法》结构，力求保证《自然辩证法》在体系和内容上的完整性和系统性。

1878 年计划草案提出的"自然辩证法"构想。这一计划草案共有 11 条内容。从其思想来看，大体上可以划分为这样几个部分：第一，辩证法和形而上学。这部分包括前 3 条的内容，第 1 条"历史导论"表明，形而上学观点由于自然科学本身的发展已经站不住脚了。第 2 条通过回顾黑格尔以来的德国理论发展进程表明，回到辩证法是不自觉的，因而是充满矛盾的和缓慢的。第 3 条规定了辩证法的对象，总结了辩证法的三大规律。"辩证法是关于普遍联系的科学。主要规律：量和质的转化——两极对立的相互渗透和它们达到极端时的相互转化——由矛盾引起的发展或否定的否定——发展的螺旋形式"② 与《反杜林论》相比，这一表述要全面和深刻。第二，各门科学及其辩证发展。包括第 4、5 条。第 4 条主要是通过总结圣西门（孔德）和黑格尔的科学分类学说，要阐明数学、力学、物理学、化学和生物学等各门科学的联系。第 5 条主要是概述数学、天体力学和力学、物理学、化学和生物学的特殊矛盾（研究对象）和辩证内容。第三，认识自然的辩证法。包括第 6、7、8 三条，涉及认识的界限、机械论和原生粒的灵魂等问题。这部分似乎通过批判上述错误思想来阐明

① 《马克思恩格斯全集》第 35 卷，人民出版社 1971 年版，第 114—115 页。
② 《马克思恩格斯全集》第 26 卷，人民出版社 2014 年版，第 457 页。

认识自然的辩证法。第四，科学技术与社会。主要包括 9、10、11 三条，涉及科学和讲授、细胞国家、达尔文主义的政治学和社会学说等内容。其中，在最后一条中，提及了"人通过劳动而分化出来"和"经济学应用于自然科学"的内容。这样，就初步呈现出了《自然辩证法》的整体轮廓。

1880 年计划草案补充后的"自然辩证法"构想。这个计划包括 7 条内容和 4 条补充。7 条内容包括"一般运动"、"吸引和排斥。运动的传递"、"能量守恒 [定律] 在这里的应用。排斥＋吸引。——排斥的进入＝能量"、"重力——天体——地球上的力学"、"物理学。热。电"、"化学"和"概要"。4 条补充包括"(a) 在第 4 前面：数学。无限长的直线。＋和－相等"、"(b) 在天文学中：由潮汐产生功"、"赫尔姆霍茨的两种计算，第 2 册第 120 页"、"赫尔姆霍茨的'力'第 2 册第 190 页"。这一计划草案作为《运动的基本形式》一文的提纲，主要涉及 1878 年计划草案中并未突出的物质运动问题。在 1878 草案中，恩格斯分别提到运动的方式、运动的规律以及运动的普遍性，即在宇宙、地球的运动中的表现和各门自然科学中的应用，从运动的客观性和规律性角度阐明了运动的基本内涵。1880 年草案从本质上论证了 1878 年草案的"普遍联系"的定义，在细节上补充了数学、天文学和物理学上对力的相互转化的解释，完善了《自然辩证法》的体系设想。

"四束手稿"提出的"自然辩证法"构想。恩格斯去世前重新整理了多年来在自然辩证法研究上所积累的札记、资料和文章，将它们分为四束，分别命名为：《辩证法和自然科学》、《自然研究和辩证法》、《自然辩证法》、《数学和自然科学。各种札记》。在这个过程中，恩格斯把《〈反杜林论〉旧序》、《反杜林论》三则注释、《〈费尔巴哈〉的删略部分》、《劳动在从猿到人的转变中的作用》划入《自然研究和辩证法》中，将《神灵世界中的自然研究》划入《自然辩证法》之中。其中，《劳动在从猿到人的转变中的作用》和《神灵世界中的自然研究》这两篇早已完成的文章第一次被归入《自然辩证法》体系中。与前两个计划草案相比，恩格斯四束手稿不是详细的写作提纲，对已有资料的划分也不是很详细，只有第二束和第三束下设有目录，但是，《自然辩证法》的主题在四束手稿的分类中更加明确了。恩格斯晚年对手稿的整理和命名，从整体上明确了《自然辩证法》的理论体系设想。

由上可见，《自然辩证法》是一部在马克思主义唯物主义基础上论述马克思主义自然观、科学技术观、科学技术方法论、科学技术社会学思想的科学巨著，旨在搭建自然运动和社会运动之间的桥梁，是无产阶级科学认识自然和正确认识科学的锐利武器。

第二节　客观自然界的辩证运动及其规律

自然观是世界观的重要组成部分，揭示了自然的存在、演化和发展的规律。在马克思主义发展史上，恩格斯第一次集中而系统地揭示了客观自然界的辩证运动及其规律，初步形成了马克思主义自然观。

一、马克思主义自然观产生的历史必然性

有机自然观、机械自然观、辩证自然观是自然观发展的三个主要阶段。在肯定古希腊罗马时期有机自然观的价值的前提下，恩格斯着力批判了机械自然观的局限性，科学地阐释了在唯物主义基础上向辩证自然观回归的历史必然性。马克思主义自然观是科学的自然观。

机械自然观已不适应现有生产力发展的需要。中世纪以来尤其是在牛顿机械力学成为占主导思维方式的背景下，机械自然观取代有机自然观成为主流。在这种自然观看来，自然界根本不具有自己的历史。但是，随着生产力的发展，这种自然观已不合时宜。1764 年发明珍妮纺纱机，产业革命首先在英国的棉纺织业内开展。1782 年瓦特改良蒸汽机，进一步推动机器代替手工生产。从 19 世纪 30 年代初期开始，继英国之后，法国、德国和美国等西方国家也都先后开展产业革命，并相继建立机器化大生产体系，从棉纺织业扩展到冶金、机械制造业等部门，辅助生产的交通运输也有极大改观。火车、轮船、汽车等新式交通工具的出现改变了当时的自然面貌。但是，自然科学中出现了各种错误思潮，其中影响最为恶劣的是以毕希纳为首的庸俗唯物主义和社会达尔文主义。在生理学中，约翰·弥勒发现了感官特殊能量定律，由感官的无限性引申

出不可知论；在物理学中，克劳修斯确定了热力学第二定律，却由此引申出宇宙热寂说；在数学中，无限夸大抽象性和公理化方法的数学唯心主义倾向主导了数学的发展。与此同时，极度重视经验而忽视思维重要性的招魂术和降神术这类迷信活动在科学界内也极其盛行。这些彼此间相互冲突的哲学思潮的流行，一方面造成了科学理论上的混乱，在一些基本问题上科学家们彼此争论不休；另一方面，"自然观的这种变革只能随着研究工作提供相应的实证的认识材料而实现"[①]。在生产力的巨大发展下，自然界发生了巨大的变化，在时间和空间维度上都获得了极大的扩展；在自然观上却体现出明显的滞后。而对自然界的正确改造必须要建立在对自然界的科学认识上。科学的自然观是人们改造自然能力提升后的必然要求。

自然科学的跨时代发现呼唤科学自然观。19世纪以来，科学领域出现了许多重大发现，冲击着以牛顿力学体系为基础和样板的机械自然观。1755年，康德出版《自然通史和天体论》，用星云自身的引力和斥力的相互作用来解释宇宙起源，推翻了牛顿第一推动力，在僵化的自然观上打开了第一个缺口。同时，赖尔将进化论思想带入到了地质学中，这样，科学的地质学产生了，并发现和证明了地球上的一切都有时间上的历史。在这期间，物理学中的热学、光学和电学都取得了飞跃的发展。1828年，维勒人工合成有机化合物尿素，打破了有机物和无机物之间的界限。在生物学上，细胞学说的确立，认定细胞是生命的基本单位。1842年，迈尔最早证明了能量守恒定律。1843年，焦耳公布其实验结果，实际说明了热和机械力的相互转化。1859年，达尔文的生物进化论，以翔实的数据，说明了从单细胞生物到动植物直至人类的历史进化过程。可见，19世纪自然科学的这些发现已表明自然科学发展进入一个崭新的阶段，原有的主要是搜集材料的科学，关于既成事物的科学，已发展到本质上是整理材料的科学，成为"关于过程、关于这些事物的发生和发展以及关于联系——把这些自然过程结合为一个大的整体——的科学"[②]。但是，在经验科学向理论科学的提升中，自然科学研究上也呈现出一些问题，例如，赖尔用地球自身的自然力量解说了地层的形成和演变，但认为地球上发生作用的各种力是不变的。关于自然界的运动已逐渐被大部分科学家所接受，但是，对自然是以

---

① 《马克思恩格斯选集》第3卷，人民出版社2012年版，第795页。
② 《马克思恩格斯选集》第4卷，人民出版社2012年版，第251页。

何种方向、有无规律的运动等问题，各方面对此却始终未有合理的答案。在原有自然观与科学新发现相矛盾、科学理论思维混乱的时候，打破形而上学思维方法的禁锢，建立适应科学发展的科学自然观，就显得极其迫切。

现代唯物主义要求正确把握自然界。自然哲学尤其是黑格尔的自然哲学是脱离科学发展的纯粹玄思。19 世纪自然哲学发展面临着两大问题：既不能克服机械唯物论的局限来发展唯物主义，又不能够扬弃黑格尔唯心论哲学来继承辩证法。在蓬勃发展的自然科学新发现面前，自然哲学只有唯唯诺诺，躲入自然神学的帷幕下，"与在时间上发展着的人类历史不同，自然界的历史被认为只是在空间中扩张着。自然界中的任何变化、任何发展都被否定了。开初那样革命的自然科学，突然面对着一个彻头彻尾保守的自然界，在这个自然界中，今天的一切都和一开始的时候一模一样，而且直到世界末日或万古永世，一切都仍将和一开始的时候一模一样。"① 马克思恩格斯继承了黑格尔哲学的最高成就——辩证法，并以科学实践观为基础和桥梁，摆脱机械唯物主义的束缚，创立了辩证唯物主义和历史唯物主义。现代唯物主义将自然界和人类社会看作不断向前演进的历史，既承认自然界的物质本性，又强调在客观历史中把握自然界的复杂性。它彻底打碎了以往自然哲学的神学色彩，强调在科学把握自然规律基础上认识和改造自然，从实践上强调了人类科学认识自然的重要性。现代唯物主义是科学自然观得以形成的理论背景。

总之，"新的自然观就其基本点来说已经完备：一切僵硬的东西溶解了，一切固定的东西消散了，一切被当做永恒存在的特殊的东西变成了转瞬即逝的东西，整个自然界被证明是在永恒的流动和循环中运动着。"② 这样，科学自然观就脱颖而出。

二、客观自然界的辩证运动图景

以往的自然观或将自然界看作是神或精神创立的，或将自然界看作是不变的外在物，都否认了自然界自身的矛盾运动。科学自然观将自然界看作是基于

---

① 《马克思恩格斯全集》第 26 卷，人民出版社 2014 年版，第 469 页。
② 《马克思恩格斯全集》第 26 卷，人民出版社 2014 年版，第 475 页。

其内在矛盾的辩证运动过程。

自然界的客观性。自然界是不以人的主观意志为转移的客观的物质存在。恩格斯在《反杜林论》中指出,世界的统一性在于物质性。物质是标志客观实在的哲学范畴。在此基础上,恩格斯在《自然辩证法》中进一步指出,"物、物质无非是各种物的总和,而这个概念就是从这一总和中抽象出来的"[①]。尽管物质概念是纯粹的思想创造物和纯粹的抽象,但是,物质是各种物的客观实在性的抽象和概括,是一切物的总和。尽管物质处于变化当中,但是,物质在其一切变化中仍永远是物质,其任何一个属性在任何时候都不会丧失。因此,人类必须尊重自然,尊重自然规律。承认自然的客观实在性,这是一切唯物主义自然观的基点。

自然界的系统性。客观存在的自然界是分层次的,体现着一般物质的不同的质的存在方式。各个层次的物体通过相互作用构成了一个完整的系统。一个物体影响着另外的物体并受其影响。不同层次的物体构成了这个系统的关节点。这个关节点其实就是子系统。在《反杜林论》中,恩格斯指出,自然界是一个体系或系统。关于自然界所有过程都处在一种系统联系中的认识,推动着科学到处从个别部分和整体上去证明这种系统联系。在此基础上,恩格斯在《自然辩证法》中进一步指出:"我们所接触到的整个自然界构成一个体系,即各种物体相联系的总体,而我们在这里所理解的物体,是指所有的物质存在,从星球到原子,甚至直到以太粒子,如果我们承认以太粒子存在的话。"[②]这样,部分和整体在自然界中已经是不够用的范畴了,尤其是对于有机自然界来说更是如此。只有在死物质中才存在着部分。

自然界的生成性。客观自然界不是预成的,也不是既成的,而是存在着自己的演化历史,有一个历史发生的过程。天体演化和地球演化充分证明了这一点。现代的宇宙大爆炸论也试图确认这一点。恩格斯在《反杜林论》中提出,自然界存在着自己的历史。在此基础上,在《自然辩证法》中,他进一步指出:"如果地球是某种生成的东西,那么它现在的地质的、地理的和气候的状况,它的植物和动物,也一定是某种生成的东西,它不仅在空间中必然有彼此并列

---

① 《马克思恩格斯全集》第 26 卷,人民出版社 2014 年版,第 574 页。

② 《马克思恩格斯全集》第 26 卷,人民出版社 2014 年版,第 590 页。

的历史，而且在时间上也必然有前后相继的历史。"①其实，不仅整个地球，而且地球现今的表面以及在这一表面上生存的植物和动物，也都有时间上的历史。现代复杂科学证明，自然界的生成来源于其自组织性。

自然界的辩证性。客观自然界之所以处于生成的过程中，就在于其自身存在着辩证的张力。对立统一是自然界自身所固有的规律。因此，恩格斯在《反杜林论》中提出，自然界是检验辩证法的试金石。在此基础上，他在《自然辩证法》中指出："自然界中无生命的物体的相互作用既有和谐也有冲突；有生命的物体的相互作用则既有有意识的和无意识的合作，也有有意识的和无意识的斗争。因此，在自然界中决不允许单单把片面的'斗争'写在旗帜上。但是，想把历史的发展和纷繁变化的全部丰富多样的内容一律概括在'生存斗争'这一干瘪而片面的说法中，是极其幼稚的。这等于什么也没有说。"②同样，自然界也不允许把单纯的"和谐"和"合作"写在旗帜上。正是在斗争与和谐的辩证张力中，自然界才有了生成、演化和发展的历史。其实，自然界中没有飞跃，正是因为自然界全是由飞跃所组成的。

自然界的过程性。在其内在矛盾的推动下，自然界展现为一个运动过程。恩格斯在《反杜林论》中谈到，康德的原始星云假说动摇了那种认为自然界在时间上没有任何历史的观念。在此基础上，他在"自然哲学"领域中依次阐述了天体演化、物理学、化学、有机界等问题。进而，在《自然辩证法》中，恩格斯指出，自然界的物质运动大体上经历了机械运动、物理运动、化学运动、生物运动等几个阶段。现在，我们也认识到，在天体的尺度上，存在着宇宙运动形式。在地球的尺度上存在着地质运动形式。"因此，如果我们要谈论对于从星云到人的一切物体都同样适用的普遍的自然规律，那么留给我们的也就只有重力，也许还有能量转化理论的最一般的说法，即通常所说的力学的热理论。但是，如果把这个理论普遍地彻底地应用到一切自然现象上去，那么这个理论本身就会变成一个宇宙体系从产生到消逝的过程中相继发生的变化的历史表现，也就是说变成一部历史，在这部历史中，每个阶段都有不同的规律，即同一普遍运动的不同的表现形式起支配作用，从而作为始终具有普遍效力的东

---

① 《马克思恩格斯全集》第 26 卷，人民出版社 2014 年版，第 471 页。
② 《马克思恩格斯全集》第 26 卷，人民出版社 2014 年版，第 755 页。

西留下来的就只有运动了。"① 显然，自然界是作为无限的进展过程而存在着。

自然界的发展性。以劳动为基础和中介，在生物运动的基础上产生了人。在人类生产实践的基础上，开始了社会运动。在马克思主义发展史上，马克思和恩格斯多次论及了人化自然的问题。在《自然辩证法》中，恩格斯指出，在自然界作用于人的同时，"人也反作用于自然界，改变自然界，为自己创造新的生存条件。日耳曼人移入时期的德意志的'自然界'，现在剩下的已经微乎其微了。地球的表面、气候、植物界、动物界以及人本身都发生了无限的变化，并且这一切都是由于人的活动，而德意志的自然界在这一期间未经人的干预而发生的变化，简直微小得无法计算"②。这表明，社会运动是自然运动的新质涌现，是自然运动的渐进过程的中断。在此基础上，人类实践开辟了自然界进化的新的可能和方向。

总之，"当我们通过思维来考察自然界或人类历史或我们自己的精神活动的时候，首先呈现在我们眼前的，是一幅由种种联系和相互作用无穷无尽地交织起来的画面，其中没有任何东西是不动的和不变的，而是一切都在运动、变化、生成和消逝。"③ 这样，就呈现出了恢宏而壮观的客观自然界的辩证运动图景。

三、运动的客观性、普遍性和永恒性

运动是物质的固有属性。物体只有在运动才显示出它是什么。物体的运动具有客观性、普遍性和永恒性等特征。

运动是物质的固有属性。物质和运动是统一的。物质本身包含有运动——没有不处于运动中的物质；运动一定是物质的运动——没有脱离物质的运动。恩格斯在《反杜林论》中曾指出，没有运动的物质和没有物质的运动一样，都是不可想象的。因此，运动和物质一样，既不能创造，也不能消灭。因此，运动具有客观性。在此基础上，恩格斯在《自然辩证法》中进一步论证了物质和

① 《马克思恩格斯全集》第 26 卷，人民出版社 2014 年版，第 570 页。
② 《马克思恩格斯全集》第 26 卷，人民出版社 2014 年版，第 556 页。
③ 《马克思恩格斯全集》第 26 卷，人民出版社 2014 年版，第 440 页。

运动的不可分割性。一方面，只有经过运动才能认识物质。凡物皆动。因此，"物质本身的各种不同的形式和种类又只有通过运动才能认识，物体的属性只有在运动中才显示出来；关于不运动的物体，是没有什么可说的。因此，运动着的物体的性质是从运动的形式得出来的。"[1]显然，只有经过运动，物体才能显示出它是什么。另一方面，运动是物质的存在方式，是物质本身所固有的属性。"运动，就它被理解为物质的存在方式、物质的固有属性这一最一般的意义来说，涵盖宇宙中发生的一切变化和过程，从单纯的位置变动直到思维。"[2]因此，对运动的各种形式的认识，就是对物质的认识。这样，通过揭示运动是物质的固有属性，恩格斯就将运动观建立在了物质观的基础之上，坚持了唯物主义。

时间和空间是物质运动的存在形式。物质在时间上流动、在空间上具有广延性，因此，时间和空间是物质运动的存在形式。康德将时间和空间视为主体的直观形式，是主体把握客体的先验图式。杜林则用时间和空间把物质运动割裂开来。针对杜林的错误，恩格斯在《反杜林论》中指出，一切存在的基本形式是空间和时间，时间以外的存在像空间以外的存在一样，是非常荒诞的事情。一方面，运动要通过时间和空间表现出来。另一方面，时间和空间具有客观性，是物质运动的存在形式。在此基础上，恩格斯在《自然辩证法》中进一步指出："我们知道什么是一小时或一米，但是不知道什么是时间和空间！仿佛时间不是实实在在的小时而是其他某种东西，仿佛空间不是实实在在的立方米而是其他某种东西！物质的这两种存在形式离开了物质当然都是无，都是仅仅存在于我们头脑之中的空洞的观念、抽象。"[3]即，时间和空间都有客观的物质内容，时空观是现实的时间和空间的反映和表现。这样，恩格斯在时空观上进一步突出了唯物主义的立场。进而，恩格斯表明，运动是时间和空间的间断性与不间断性的统一。事物在一瞬间既在某个确定的位置，又似乎不在这个确定的位置上，而瞬间的划分也是同样不可预测的。运动就是这种矛盾的连续产生和同时解决。时间和空间的这种间断性与不间断性出现在全部事物之中，构成了辩证运动。时间和空间是物质的基本存在方式，因此，时间和空间的间断

---

[1] 《马克思恩格斯全集》第 26 卷，人民出版社 2014 年版，第 578 页。

[2] 《马克思恩格斯全集》第 26 卷，人民出版社 2014 年版，第 589 页。

[3] 《马克思恩格斯全集》第 26 卷，人民出版社 2014 年版，第 574 页。

性和不间断性的统一集中表现在事物的连续性与非连续性的统一。最后，时间和空间都具有无限性。由于不懂有限和无限的辩证法，因此，杜林否认时间、空间的无限性。对此，恩格斯在《反杜林论》中指出，无限性是矛盾，在时间上和空间上是无止境的展开过程。在此基础上，恩格斯进一步指出，"自然界和历史的这种无限的多样性，在自身中包含了时间的和空间的无限性"。① 时间上的无限性即其一维性，客观物质世界在时间上是"无始无终"的；空间上的无限性即其广延性，客观物质世界在空间上是"无穷无尽"的。时空无限性进一步彰显出物质运动的辩证本性。

运动是贯穿于自然、社会和思维的普遍属性。凡物皆动，凡物皆变。运动不仅是自然世界的属性，还是社会世界的属性；运动不仅是客观世界的属性，还是主观世界的属性。一切都在运动、变化、生成和消逝。据此，我们可以将运动划分为自然运动、社会运动、思维运动三种形式。在《自然辩证法》尤其是《劳动在从猿到人的转变中的作用》一文中，恩格斯科学地考察了从自然运动到社会运动、再到思维运动的发展过程。第一，自然运动是最早的物质运动形式。它经历了机械运动、物理运动、化学运动和生物运动四种形式。恩格斯在《运动的基本形式》一文中，将自然运动划分为上述四种形式。可见，整个自然都处在运动当中。第二，社会运动是在自然运动的基础上产生的运动形式。劳动是从自然运动向社会运动过渡的基础和中介。在社会基本矛盾的推动下，社会形态的演进经历原始社会、奴隶社会、封建社会、资本主义社会和共产主义社会等几个阶段。可见，人类社会也是一个自然历史过程。第三，思维运动是在物质运动基础上产生的新的运动形式。劳动是从物质运动向思维运动过渡的基础和中介。恩格斯指出："首先是劳动，然后是语言和劳动一起，成了两个最主要的推动力，在它们的影响下，猿脑就逐渐地过渡到人脑……随着脑的进一步的发育，脑的最密切的工具，即感觉器官，也进一步发育起来"②。随着社会因素的出现，人类思维经过了从感性认识到理性认识的发展过程，辩证思维是理性认识的高级阶段。可见，思维也是一个历史过程。综上，自然、社会、思维的历史过程性表明，运动是普遍的。

运动既不能创造也不能消灭。正如物质既不能创造也不能消灭一样，运动

① 《马克思恩格斯全集》第 26 卷，人民出版社 2014 年版，第 576 页。
② 《马克思恩格斯全集》第 26 卷，人民出版社 2014 年版，第 763 页。

也如此。根据物质和运动的不可分割性,恩格斯指出,"既然我们面前的物质是某种既有的东西,是某种既不能创造也不能消灭的东西,那么由此得出的结论就是:运动也是既不能创造也不能消灭的"①。显然,承认物质的永恒性,与承认运动的永恒性并无差异。能量守恒定律的发现从科学上说明了物质不灭(永恒性)的原因,"运动的不灭性不能仅仅从量上,而且还必须从质上去理解;一种物质的纯粹机械的位置移动即使有可能在适当条件下转化为热、电、化学作用、生命,但是这种物质如果不能从自身中产生这些条件,那么这样的物质就丧失了运动;一种运动如果失去了转化为它所能有的各种不同形式的能力,那么即使它还具有潜在力,但是不再具有活动力了,因而它部分地被消灭了。但是这两种情况都是不可想象的。"②物质自身产生出运动的可能和条件,而物质的运动又源源不断地供应着运动的物质存在所需的能量,运动一旦停止,事物存在的合理性也就消失了。因此,运动的根本原因在于物质自身的矛盾和运动条件的相互作用。恩格斯在《自然辩证法》中就运动的永恒性提出了运动的频率问题。"永恒"并不是基督教神学中的重复造物,更不是简单的趋利避害的生物性活动。运动的永恒性表现在运动和物质的统一性,二者不可分割。但是,将运动的永恒性等同于物质运动的简单重复,将运动的规律性与轮回运转相等同,实质上都未摆脱形而上学的枷锁,企图以一种静止的思维去认识把握事物的运动变化。

可见,物质构成了运动的主体,运动是物质的根本存在方式,只有把二者紧密联系在一起,才能真正认识到客观自然界的辩证本性。

四、自然辩证法的基本规律和范畴

在《反杜林论》中,恩格斯指出,"辩证法不过是关于自然界、人类社会和思维的运动和发展的普遍规律的科学"③。在此基础上,恩格斯在《自然辩证法》中进一步阐明了唯物辩证法的一般性质。他认为,辩证法是关于普遍联系

---

① 《马克思恩格斯全集》第 26 卷,人民出版社 2014 年版,第 590 页。
② 《马克思恩格斯全集》第 26 卷,人民出版社 2014 年版,第 481 页。
③ 《马克思恩格斯选集》第 3 卷,人民出版社 2012 年版,第 520 页。

的科学，是关于一切运动的最普遍规律的科学。结合当时自然科学发展的实际材料，恩格斯从理论上概括和阐明了自然辩证法的基本规律和主要范畴，从而进一步丰富和发展了唯物辩证法。

（一）自然辩证法的基本规律

对立统一规律、质量互变规律、否定之否定规律是唯物辩证法的基本规律。黑格尔在《逻辑学》中已阐述了三者的主要内容，但是，他尚未明确地概括出这三者的名称。在《反杜林论》中，恩格斯科学阐明了这三个规律的科学内涵，但未明确将辩证法的规律归结为这三者。在《自然辩证法》中，恩格斯认为，辩证法的规律是从自然史和社会史中抽象出来的，同时是思维本身的最一般规律。他明确指出，辩证法规律是自然界的实在的发展规律。在此基础上，恩格斯指出，"辩证法是关于普遍联系的科学。主要规律：量和质的转化——两极对立的相互渗透和它们达到极端时的相互转化——由矛盾引起的发展或否定的否定——发展的螺旋形式"①。在辩证法史上，这是第一次明确将辩证法的规律归结为质量互变规律、对立统一规律、否定之否定规律等三大规律。进而，恩格斯具体阐明了自然界所具有和体现出来的辩证法规律。

质量互变规律是自然发展的主要形式。质量互变规律是唯物辩证法的基本规律之一。杜林认为，马克思在《资本论》中关于货币转化为资本以及关于资本主义积累的历史趋势等论断，是刻意模仿黑格尔"量转化为质这个混乱的模糊概念"得出的"滑稽"结论。针对这一肆意诋毁，恩格斯深刻阐明了质量互变规律的客观性和普遍性，认为"量转化为质，质转化为量"是事物发展的普遍规律。在《自然辩证法》中，恩格斯将之称为"量转化为质和质转化为量的规律"，并以自然科学的发展成果为例进一步科学揭示了这一规律的客观性和普遍性及其方法论意义。他指出："为了我们的目的，我们可以把这个规律表述如下：在自然界中，质的变化——在每一个别场合都是按照各自的严格确定的方式进行的——只有通过物质或运动（所谓能）的量的增加或减少才能发生。"②尽管也涉及了力学、物理学、生物学等领域的问题，但是，根据当时的自然科学进展，恩格斯主要从化学方面阐述了质量互变规律的客观性和普遍

---

① 《马克思恩格斯全集》第26卷，人民出版社2014年版，第457页。
② 《马克思恩格斯全集》第26卷，人民出版社2014年版，第535页。

性。例如，在化学中，元素量的不同、结构排列不同，所构成的原子、分子就存在着质的方面的差异和区别。运用质量互变规律，门捷列夫于 1869 年发现了化学元素周期律。他指出：在依据原子量排列的各同族元素的系列中，发现有各种空白，这些空白表明这里有新的元素尚待发现。后来的科学发现证明果然如此。这样，门捷列夫就完成了科学上的一个勋业，彰显出了质量互变规律的科学方法论意义。在更为一般的意义上，可以将化学看作是研究物体由于量的构成的变化而发生的质变的科学。不仅如此，这一规律在生物学中或者在人类社会历史中，在每一步上都得到了证明。可见，"自然界中一切质的差别，或是基于不同的化学构成，或是基于运动（能）的不同的量或不同的形式，或是——差不多总是这样——同时基于这两者。所以，没有物质或运动的增加或减少，即没有有关物体的量的变化，是不可能改变这个物体的质的。因此，在这个形式下，黑格尔的神秘的命题就显得不仅是完全合理的，并且甚至是相当明白的。"[①] 当然，结构上的变化也会引起质的差异。在总体上，质量互变规律体现了事物发展的渐进性与飞跃性的统一。在恩格斯看来，第一次把自然界、社会和思维的发展的一个一般规律以其普遍适用的形式表述出来，是一项具有世界历史意义的勋业。

对立统一规律是自然发展的根本动力。对立统一规律即矛盾规律，是唯物辩证法的根本规律。物极必反是古老的哲学智慧。但是，只有从黑格尔开始，对立统一规律才成为构造世界的基本方式和根本动力，被赋予了更加深刻的意义。马克思主义坚持从客观实际出发，提出矛盾规律是客观世界运动的根本规律。在实践的基础上，也成为思维的根本规律。这样，就从根本上颠倒了黑格尔对立统一的基础，具有革命性的意义。在《反杜林论》中，恩格斯科学阐明了矛盾的客观性和普遍性及其在事物发展中的作用，看到运动本身就是矛盾。在《自然辩证法》中，恩格斯将这一规律表述为"对立的相互渗透的规律"。在这个问题上，他写了十个札记。在恩格斯看来，"所有的两极对立，都以对立的两极的相互作用为条件；这两极的分离和对立，只存在于它们的相互依存和联结之中，反过来说，它们的联结，只存在于它们的分离之中，它们的相互依存，只存在于它们的对立之中"[②]。他强调，不管是在自然界还是在人类社会

---

① 《马克思恩格斯全集》第 26 卷，人民出版社 2014 年版，第 535 页。
② 《马克思恩格斯全集》第 26 卷，人民出版社 2014 年版，第 592 页。

中，矛盾的产生和爆发都是不以人的意志为转移的。对立统一的实现首先是在于事物本身存在这种矛盾的因子，在一定条件下会转化为自己的对立面。运动形式的变化一定是在一定条件下进行的，但是，倘若矛盾已经达到必须要实现的时候，忽视甚至压制矛盾只会导致事态的进一步扩张。一切自然过程都是对立统一的过程，它们建立在至少是两个发挥着作用的部分的关系之上，建立在作用和反作用之上。例如，力学中存在的吸力和斥力，物理学中存在的阴极和阳极，化学中存在的化合和分解，生物学中存在的同化和异化、遗传和变异等。这些对立通过自身的不断的斗争和最终的互相转化或向更高形式的转化，来制约自然界的发展。在历史上，对立中的运动在主导民族危机的时期表现得尤其明显。同样，"理由和推断、原因和结果、同一和差异、现象和本质这些固定的对立是站不住脚的，经分析证明，一极已经作为核内的东西存在于另一极之中，到达一定点一极就转化为另一极，整个逻辑都只是从这些前进着的对立中展开的。"① 辩证思维实质上就是矛盾思维。显然，否认矛盾不利于对事实真相和事物本质的探索。承认矛盾并在此基础上探索解决矛盾的途径，是遵循客观规律的表现。在总体上，对立统一规律是唯物辩证法的实质和核心。

否定之否定规律是自然发展的基本方向。在唯物主义的基础上，马克思主义颠倒了黑格尔的辩证法，将否定之否定规律看作是自然、历史和思维发展的普遍规律。在《反杜林论》中，恩格斯科学而详尽地阐明了这一规律的客观性、普遍性和有效性。"那么，否定的否定究竟是什么呢？它是自然界、历史和思维的一个极其普遍的、因而极其广泛地起作用的、重要的发展规律；这一规律，正如我们已经看到的，在动物界和植物界中，在地质学、数学、历史和哲学中起着作用"② 无论是对事物的认识，还是在观察态度上，形而上学一直坚持只有肯定和否定两种回答。其实，绝对的否定和绝对的肯定，在自然界中都不存在。在事物发展的每一过程中，既有否定，也有肯定。而肯定和否定之间并不存在严格的界限。在否定的基础上，会再次否定，得出肯定的结论；而看似肯定的对象，也会在运动中遭遇否定。同时，针对不同的对象，否定和肯定的评判标准也不同。辩证法意义上的"否定"一词，并不是单纯的否定，也

---

① 《马克思恩格斯全集》第 26 卷，人民出版社 2014 年版，第 521 页。
② 《马克思恩格斯选集》第 3 卷，人民出版社 2012 年版，第 519—520 页。

不是任意的否定，更不是怀疑的否定，而是联系环节中的否定，保持了其中肯定的、有价值的东西，是扬弃。否定之否定规律表明，自然界的万事万物的发展都是前进性和曲折性的辩证统一，是波浪式前进和螺旋式向上的过程。在此基础上，在《自然辩证法》的《1878年的计划》（"总计划草案"）中，恩格斯将"否定的否定"视为唯物辩证法的基本规律，并形象地将事物的发展形式描述为"发展的螺旋形式"。令人遗憾的是，恩格斯没有来得及对之进行深入系统的论述。

总之，在长期探索的基础上，在《自然辩证法》中，恩格斯运用自然科学的材料进一步确证了辩证法三个基本规律的客观性、普遍性及其方法论价值，从而科学地确立了唯物辩证法三大规律在认识世界和改造世界中的指导地位。

（二）自然辩证法的主要范畴

范畴是把握自然之网的网上纽结。自然辩证法的范畴是自然界中的各种矛盾关系的客观反映，因此，恩格斯十分重视自然辩证法的范畴，从对立统一的高度研究了一些辩证法的范畴。在《自然辩证法》中，恩格斯指出："同一和差异——必然性和偶然性——原因和结果——这是两个主要的对立，当它们被分开来考察时，都互相转化。"[①] 此外，现实性和可能性、内容和形式、现象和本质也是我们在面对自然界中经常遇到的基本范畴。

同一和差异（同一性和差异性）。自然界的辩证运动表现为同一和差异的统一。在任何一个点上，事物既是自身，又不是自身。但是，形而上学将同一和差异完全割裂和对立起来，主张抽象的同一性，即将形式逻辑的"A=A"的公式简单化和绝对化。对此，黑格尔进行了极力批判，主张具体的同一性，即真实的同一性。在唯物主义的基础上，恩格斯深入阐述了具体的同一性的科学含义和要求。在他看来，真实的具体的同一性自身包含着差异和变化。这指的是，与自身的同一，从一开始就必须有与一切他物的差异作为补充，这样，事物才能发展变化，从而表现为一个历史过程。在无机界，普遍存在着不断的变化，即与自身的抽象的同一性的扬弃。地质学就是这种变化的历史。例如，今天的页岩根本不同于构成它的沉积物；砂岩根本不同于松散的海沙；等等。在有机界，每一个细胞，植物，动物，在其生存的每一瞬间，都和自身同一而又

---

① 《马克思恩格斯全集》第26卷，人民出版社2014年版，第547页。

和自身相区别。生理学越向前发展，对同一性内部的差异的考察也越重要。在自然领域如此，在思维领域同样如此。"同一性自身中包含着差异，这一事实在每一个命题中都表现出来，因为在命题中谓词必须不同于主词。百合花是一种植物，玫瑰花是红的。这里不论是在主词中还是在谓词中，总有点什么东西是谓词或主词所涵盖不了的"[①]。同样，在高等数学中，直线和曲线不是绝对对立的关系。但是，受形而上学的影响，大多数自然科学家还以为同一和差异是不可调和的对立物。殊不知，正是由于把差异性纳入到同一性之中，才具有真理性。因而，自然辩证法的同一和差异的范畴具有重要的科学方法论意义。

必然和偶然（必然性和偶然性）。自然界的辩证运动是必然和偶然的统一。这一对范畴一直作为相互对立的概念出现在科学研究中。受形而上学的影响，主要存在两种错误的倾向。一是将必然性等同于科学规律，将偶然性等同为意外，认为二者的界限似乎越清楚，我们离科学真理的距离就越近。二是力图用根本否认偶然性的办法来对付偶然性。按照这种观点，在自然界中占统治地位的，只是单纯的直接的必然性。这样，必然会陷入机械决定论之中。针对上述错误倾向，"黑格尔提出了前所未闻的命题：偶然的东西正因为是偶然的，所以有某种根据，而且正因为是偶然的，所以也就没有根据；偶然的东西是必然的；必然性自我规定为偶然性，而另一方面，这种偶然性又宁可说是绝对的必然性"[②]。在唯物主义的基础上，根据自然科学的发展成果，恩格斯就偶然性和必然性的关系撰写了一篇较长的札记，科学阐明了二者的辩证关系。在事物的运动中，偶然性必然包含有必然性的因子，而必然性一定也存有偶然性的因素。其实，在每一个领域内，都有在这种偶然性中去实现自身的内在的必然性和规律性。例如，在科学考察期间积累起来的有关偶然性的材料，迫使达尔文怀疑直到那时为止的生物学中的一切规律性的基础，怀疑直到那时为止的形而上学的固定不变的种概念。这样，正是从普遍存在的物种变异的偶然性中，达尔文发现了物种进化的必然性和规律性。显然，事物的辩证运动表明，事物的偶然性会为必然性开辟道路，而事物呈现的必然性在无限的运动之中会在一定的条件下转化为事物的偶然性。没有绝对的必然性，更不存在无限的偶然性。在实质上，马克思主义的决定论是辩证决定论。

---

① 《马克思恩格斯全集》第 26 卷，人民出版社 2014 年版，第 548 页。
② 《马克思恩格斯全集》第 26 卷，人民出版社 2014 年版，第 552 页。

原因和结果。原因和结果这对范畴是客观存在的各种现象的相互制约和相互联系的反应。事物彼此之间的相互作用、相互制约一定会导致人们思考事物发生的原因和结果。这样，就产生了因果性范畴。休谟对此提出了著名的怀疑论："在此之后"是否一定能说明因果间的联系呢？事物之间是通过什么彼此相联系，又是怎样来确认这种因果性呢？或者说，这只是常识判断而已。尽管反对休谟的观点，康德将因果性范畴看作是先验的范畴。恩格斯跳出了休谟难题的思维困境，不再局限在思维中苦苦思索因果性的有效性问题，而是将实践作为因果性的客观标准。他强调："只要我们造成某个运动在自然界中发生时所必需的那些条件，我们就能引起这个运动；甚至我们还能引起自然界中根本不发生的运动（工业），至少不是以这种方式发生的运动；并且我们能赋予这些运动以预先规定的方向和范围。因此，由于人的活动，因果观念即一个运动是另一个运动的原因这样一种观念得到确证。"[1] 在此基础上，恩格斯进一步论述了因果的辩证关系。处于一定关系之中的原因在另一种关系中很有可能是结果，结果也有可能在一定条件下转化为原因，原因和结果只是对于联系中的事物的状态的说明，并不是固定不变的。在自然界中，"我们看到一系列的运动形式，机械运动、热、光、电、磁、化合和分解、聚集状态的转化、有机的生命，如果我们暂且把有机的生命排除在外，那么，这一切都是互相转化、互相制约的，在这里是原因，在那里就是结果"[2]。这就表明，相互作用是事物发展变化的内部原因，而不是来自上帝的"第一推动力"，或者是单纯的外部作用。一些科学家已经认识到了各种运动形态之间的相互联系，但是，却认为原因和结果的相互作用将"导致荒谬境地"。对此，恩格斯指出，这是由于人们不清楚相互作用这个范畴的作用造成的。其实，"只有从这种普遍的相互作用出发，我们才能认识现实的因果关系。为了了解单个的现象，我们必须把它们从普遍的联系中抽出来，孤立地考察它们，而在这里出现的就是不断变换的运动，一个表现为原因，另一个表现为结果。"[3] 显然，相互作用是比因果性更高的范畴。这样，认识到相互作用是因果性的条件，就可以科学地预见事物的未来发展趋势。

---

① 《马克思恩格斯全集》第 26 卷，人民出版社 2014 年版，第 554—555 页。
② 《马克思恩格斯全集》第 26 卷，人民出版社 2014 年版，第 553—554 页。
③ 《马克思恩格斯全集》第 26 卷，人民出版社 2014 年版，第 554 页。

在此基础上，恩格斯还论及到了现实和可能、内容和形式、现象和本质等一系列范畴。

可见，从自然辩证法的基本规律中，结合自然界的客观运动和现实，恩格斯讨论和阐明了自然辩证法的基本范畴，从而进一步丰富和发展了唯物辩证法的范畴体系。

总之，恩格斯在《自然辩证法》中科学地阐明了自然辩证法的基本规律和主要范畴，不仅表明辩证法是为自然界自身所固有的，而且丰富和发展了唯物辩证法。

五、马克思主义自然观的基本特征

在时代浪潮中应运而生的马克思主义自然观，第一次站在历史的高度科学地看待人们所赖以生存的自然界。与机械唯物主义和唯心主义的自然哲学不同，马克思主义自然观具有客观、辩证、历史和实践等特征。

马克思主义自然观始终站在唯物主义的基本立场上。坚持从客观存在的自然界出发、强调自然的实在性，这使得马克思主义自然观与以往自然哲学有着本质性的区别。早在《德意志意识形态》中，马克思恩格斯就将自然看作是人类实践活动的物质基础，而在《反杜林论》中，恩格斯首次站在哲学的高度提出马克思主义本体论，提出了辩证唯物主义的世界观。他明确提出，世界的统一性在于其物质性，物质性是自然、社会和思维活动的本质特征，就此明确了马克思主义的唯物主义基本立场。与庸俗唯物主义将物质看作与意识完全隔绝的纯机械的"一元论"自然观不同，"唯物主义自然观只是按照自然界的本来面目质朴地理解自然界，不添加任何外来的东西，所以这种自然观在希腊哲学家中间原本是不言而喻的"①。马克思主义的自然观扬弃地吸收了古希腊哲学有机自然观的合理之处，强调自然的客观性、物质性，这是承认自然运动规律、研究自然发展状况的必要前提。黑格尔的自然哲学将自然看作是"绝对精神"的再现，虽肯定了自然的运动变化，但始终无法抓住自然界本来面貌，其根本原因就在于不能够正确认识自然界的物质

① 《马克思恩格斯全集》第26卷，人民出版社2014年版，第526页。

本性。恩格斯指出，承认自然界的客观性，确立物质的本体地位，不是将万物等同于单一的"物质"，而是正视自然界运动的客观性，这样，才能破除在自然问题上的迷信和盲从。

马克思主义自然观集中展现了辩证法的精髓。黑格尔将辩证法作为自然界的试金石。他认为，一切自然现象不过是"绝对理念"自身辩证运动的产物，但是，在马克思恩格斯看来，自然界才是检验辩证法的试金石。自然界在运动变化的过程中展现出系统性、运动性和矛盾性等特点，表明了其辩证特质。其一，自然界具有系统性。自然界的各种物体不是单子式的存在，而是处在一个庞大且有机的系统内，并相互联系和相互作用着。马克思主义自然观首先肯定了自然界各物体之间的有机联系，即系统性。正是在这个意义上，现代系统科学将马克思恩格斯也视为系统思维的鼻祖。其二，自然具有过程性。运动是物质的存在方式，对于自然来说亦是如此。"除了永恒变化着的、永恒运动着的物质及其运动和变化的规律以外，再没有什么永恒的东西了"[①]。马克思主义自然观认为，自然界始终处于辩证运动过程之中，自然界的中止与人类社会和思维的中断一样，都是无法想象的事情。其三，自然界具有矛盾性。物质之间的相互作用所带来的矛盾，推动着物质自身发生着改变。对于自然界来说，每时每刻都处在生成、发展、解体和再生成矛盾的循环中，这样，才构成了生机勃勃的自然界。马克思主义自然观认为，自然界在对立统一的矛盾中向前推进。可见，马克思主义自然观站在唯物主义的立场上，突出了自然界的辩证特质。

马克思主义自然观承认自然界从原初自然向人化自然的生成。一直以来，自然界都被认为是没有时间属性的存在。这与对自然本质的认识有关。在自然神学看来，自然是神的意志的体现，是偶然性的创造，不具有自我发展的能力；在机械自然观看来，绝对静止是自然的本质。马克思主义自然观始终强调人类史和自然史统一的重要性。马克思恩格斯指出，工业革命后自然面貌所发生的巨大转变已撕下了人和自然之间温情脉脉的面纱，自然参与了人类历史的生成，同时也生成了自己的历史。事实上，自然历史远远早于人类历史。赖尔在地质学上的发现，以科学的测量确证了地壳的变化，处在运动过程中的自然界在时间和空间上都留下了印迹。自然史不是单一的"循环论"，也不是偶然

---

① 《马克思恩格斯全集》第 26 卷，人民出版社 2014 年版，第 483—484 页。

的"宿命论",自然有着自身的运动变化规律,在这一过程中,自然形成了历史。在人类产生之前,自然在前行;在人类产生之后,这一步伐也并未停止,反而在人类的参与之下,有所变化,与人类史相互作用、相互影响。在这个过程中,自然日益成为人化自然。对自然史的重视,使得马克思主义自然观与机械自然观区分开来。

马克思主义自然观带有浓厚的实践色彩。马克思主义自然观从未脱离实践的视野来看待、观察自然界的运动变化。马克思在《资本论》中认为,劳动是人和自然之间的过程,是人以自身的活动来中介、调整和控制人和自然之间的物质变换的过程。在《自然辩证法》中,恩格斯进一步阐释了马克思的这一观点。在马克思恩格斯看来,那些诸如"在澳洲新出现的一些珊瑚岛"之类的原初自然不是绝对化地孤立在劳动过程之外,总会被人类社会活动逐渐纳入到生产过程之中。对此,恩格斯明确指出,人类和动物的本质区别在于人们能够通过劳动在自然界中打上自我的印迹,以此来实现自我意识,而动物行为多半是屈从于本能。其次,在自然的运动变化上,恩格斯强调劳动对自然史的影响。劳动过程哪怕中断一分钟,自然界也会发生巨大的变化。最后,在自然与劳动的关系上,恩格斯提出,劳动作为人的本质的实现,它的发生是以外部对象,即自然界为客观前提的,因此,尊重自然自身的客观性是劳动过程得以延续的重要条件。可见,马克思主义自然观与费尔巴哈自然观有着本质性的差别。

总之,马克思恩格斯依据丰富的自然科学材料,在以往研究的基础上,提出了科学的自然观。

第三节 数学和自然科学的发展及其规律

人类从长期的劳作中不断积累着对自然界的客观认识,逐渐形成了数学、各门自然科学。恩格斯揭示出,数学和各门自然科学的发展规律是自然界的发展规律的表现和表征。

一、物质运动的形式和科学分类的原则

在《自然辩证法》中，恩格斯根据物质运动的形式，提出了科学分类的思想，这样，就在自然观和科学观之间架起了桥梁，为科学发展指明了方向。

科学分类是科学家和哲学家共同探讨的问题。在古希腊时期，虽然亚里士多德曾明确地提出过科学分类的标准，也对不同的学科进行过独特的研究。但是，自然科学的学科划分仍是经验累积的结果，这也是为什么亚里士多德会将哲学与物理学归为一类。在中世纪时期，在经验的基础上，科学分类取得很大的进展，但区分物理学、化学和生物学等学科仍停留在常识阶段，未有理性判断。这也导致在很长一段时间内，出现了像地质学、天文学的学科归属不清和面对新问题无从下手等情况。18 世纪以来，随着科学的分化和发展，圣西门和黑格尔对科学分类作出了重要贡献。根据研究对象的复杂程度，圣西门将科学划分为天文学、物理学、化学和生理学四个学科，从而确立了科学分类的唯物论原则。进而，黑格尔认为，绝对精神在自然界经过了力学系统、物理系统和有机系统三个阶段，因此，自然哲学可划分为力学、无机物理学、有机物理学三个部分。这样，就确立了科学分类的辩证法原则。在《自然辩证法》中，恩格斯确立了科学分类的唯物论和辩证法原则，将物质运动形式看作是科学分类的客观依据，这样，一方面保证了科学分类的客观性和实在性；另一方面推动了自然科学发展的规范化和标准化。

客观自然界以其自身的发展说明了物质和运动的关系。在自然界中，无论何时何地，都不可能存在着不运动的物质。能量的输送、资源的递达以及状态的变化，构成了生机勃勃的自然界。在这些复杂多变的运动过程中，自然有条不紊地维持着自身的运转。但是，自然的运动过程并不是无规则的、偶然的变化，物质的多种运动形式反映出运动着的物体的性质，而正可以通过这一点，人类可以认识客观自然界、把握自然规律。具体来看，自然界存在着机械运动、物理运动、化学运动和生命运动等四种运动形式。每种运动形式都有着自己的运动主体和不同特点。在一定条件下，不同的物质运动形式之间还会依次相互转化。位置移动是最简单的机械运动，无论是宏大的宇宙还是微小的细胞，都存在着位置变化。相较于机械运动而言，物理运动较为复杂，物体间通

过一定的相互作用来改变物体的形态和内部关系。而当物体的物理运动转换到分子的化学运动这一过程时，新的物质出现，旧物质则消亡了。在此基础上，出现了蛋白体的生物运动。运动由此进入新的阶段和新的过程了。在不同物质形式的相互转化中，机械运动的吸引和排斥、作用和反作用，物理运动的阴电和阳电、凝聚和扩散、反射与辐射，化学运动的化合与分解、同化和异化，生物运动的遗传和变异等矛盾，也在不断发生碰撞，并向下一种运动形式转变。在此基础上，根据恩格斯确定的科学原则，现代学者提出，天体运动和地质运动也是物质运动的重要形式。可见，客观自然界也不是无规律可循。这也奠定了科学认识论的科学基础。

不同的物质运动形式确立了科学分类的基本原则。自然科学研究的对象是运动着的物质和物体，因此，物质的运动形式就成为自然科学了解和认识物质本性的重要途径。在 1873 年 5 月 30 日给马克思的信中，恩格斯提出："物体只有在运动之中才显示出它是什么。因此，自然科学只有在物体的相互关系之中，在物体的运动之中观察物体，才能认识物体。对运动的各种形式的认识，就是对物体的认识。所以，对这些不同的运动形式的探讨，就是自然科学的主要内容。"① 不同的运动形式体现出物体不同的性质。恩格斯指出，在当时的自然科学中，力学是关于机械运动的科学，物理学是关于物理运动的科学，化学是关于化学运动的科学，生物学是关于生命运动的科学。按照这一逻辑，我们同样可以说，天文学是关于天体运动规律的科学，地质学是关于地质运动规律的科学。此外，各门自然科学的研究对象并不是简单的并列关系，而具有一定的层次性，同时，各类研究对象内部关联，并不是彼此孤立，而是彼此相关。在一定条件下，物质运动形式相互转化，这表明，各门学科间没有绝对的分界线。只要条件成熟，一个学科就会向另一个学科转化。

恩格斯科学分类思想具有重要的科学方法论意义。他对物质运动形式的归纳和预测，进一步丰富和发展了矛盾特殊性学说。他坚持了唯物论和辩证法的统一，为科学分类提供了科学的世界观和方法论，描绘了物质运动从低级到高级的发展趋势，明确了科学发展的位置和序列，为反对还原论提供了科学武器。他预言了交叉科学、边缘学科的趋势，为科学发展指明了方向。

---

① 《马克思恩格斯文集》第 10 卷，人民出版社 2009 年版，第 385 页。

二、数学和自然科学的研究对象和性质

自然科学以物质的运动形式为研究对象。对不同的物质运动形式的规律的探索，构成各门自然科学独特的发展轨迹。

虽然不以具体的物质运动形式为研究对象，但是，作为自然科学的辅助工具和表现方式，数学对自然科学的发展具有重要意义。其一，数学的内容和形式都具有现实性。数学起源于现实的需要，如观测天象和丈量土地。不仅如此，"纯数学是以现实世界的空间形式和数量关系，也就是说，以非常现实的材料为对象的。这种材料以极度抽象的形式出现，这只能在表面上掩盖它起源于外部世界。"[1]任何形状，都能够在现实世界中找到相应的对应物；任何数字，都是实际经验的抽象表达。承认数学的客观性是进行自然科学研究的前提，否则，无从把握自然界的运动形式。恩格斯不是机械地将数学的对象物质化，否认抽象思维及其作用，而是在承认人类思维的巨大意义的同时，强调数学与现实世界的密切联系，否认了这一联系，就否认了数学对象和内容的客观性和现实性。承认数学研究对象的客观性和现实性，就是在数学问题上坚持了唯物主义。其二，数学是无限性和有限性的统一。微积分的发明，改变了以往人们对数学的认识。在常规运算中，数值之间的加减乘除是一定会有确定的结果的，无论多小的数值，无论多大的倍数，都能够通过一定的运算获得确定的答案。但是，微积分的出现动摇了常规运算引以为傲的确定性，诸如$\sqrt{2}$这样的数是无法通过常规运算来表明的，无限小、无限大的概念也由微分、积分引入数学之中，无限性和有限性的统一只能通过现实的数量关系才能解释清楚。"数学的无限是从现实中借用的，尽管是不自觉地借用的，所以它只能从现实来说明，而不能从它自身、从数学的抽象来说明。如果我们从这方面来研究现实，那么如我们看到的，我们就会发现作为数学的无限性关系的来源的现实关系，甚至会发现自然界中使这种关系起作用的数学方法的类似物。而这样一来，事情就得到了说明。"[2]其三，数学反映了物质的辩证运动。无论是对物质世界的反映，还是对现实中无限性和有

---

[1] 《马克思恩格斯选集》第 3 卷，人民出版社 2012 年版，第 413 页。
[2] 《马克思恩格斯全集》第 26 卷，人民出版社 2014 年版，第 644 页。

限性关系的反映，作为对物质运动形式的普遍性认识，数学都是对客观自然界的反映。不仅如此，在《自然辩证法》中，恩格斯以0和1这样的数值为例，表明数学并没有"无"的概念，任何一个数值都能够反映物质的辩证运动。数学是内容和形式的对立统一的科学。

各门自然科学以一定的物质运动形式为研究对象，处理不同的物质运动规律。从形式上来看，物质的运动可以按照由低到高、由简单到复杂依次划分为机械运动、物理运动、化学运动、生命运动等形式。对运动的各种形式的认识，也就是对物质的认识。因此，恩格斯将力学看作是关于机械运动的科学，物理学是关于物理运动的科学，化学是关于化学运动的科学，生物学是关于生物运动的科学。在自然运动的基础上，还产生了社会运动和思维运动。事实上，恩格斯在物质运动形式统一的基础上依照研究对象的不同，整体上划分了人类知识的门类，划分了自然科学和社会科学的领域。第一个部分包括所有研究非生物界的并且或多或少能用数学方法处理的科学，即数学、天文学、力学、物理学、化学。第二类科学是研究活的有机体的科学，即生物学。在第三类科学中，即在按历史顺序和现今结果来研究人的生活条件、社会关系、法的形式和国家形式及其由哲学、宗教、艺术等等组成的观念上层建筑的历史科学。这里，恩格斯的划分较为粗糙，只是根据经验，简单地归纳了各门学科的基本内容，使各门科学在性质上得以区分，又相互衔接、彼此联系。

同时，在《自然辩证法》中，恩格斯澄清了自然科学的错误概念。研究对象的不清晰很容易导致概念的混乱。"力"在牛顿所建立的力学体系中发挥的作用如此重大，以至于在建立力学学科的时候，一些人将"力"作为独立于运动之外的实体性存在来看待，以此来否认运动，用"力"取代了物质的运动。恩格斯强调，在自然科学的研究中，必须要厘清物质运动关系和物质运动本身，像"摩擦力"、"推动力"只能表示一定的相互作用关系，不能取代物质的运动本身。必须要认识到，力学实质上面对的还是位置移动。恩格斯强调，分清各门自然科学对象对推进自然科学的研究和发展极其重要。

可见，物质的运动形式是数学和各门自然科学的研究对象；物质运动形式的转化决定着数学和各门自然科学的彼此联系和相互转化。

三、数学和自然科学发展的动力和张力

近代以来，数学和自然科学已取得长足的进步。恩格斯从考察其发展历史入手，从规律性和时代性的角度分析了数学和各门自然科学发展的动力来源问题。

现实生产实践是推动数学和自然科学发展的根本动力。与其他理论流派不同，在面对数学和自然科学等问题时，马克思主义者从来没有把问题仅仅限于认识上，而是站在整个社会实践发展的立场上来看待数学和自然科学的发展问题。在恩格斯看来，现实的生产需要推动了数学和自然科学的进步，例如，数学是从人的需要中产生的，如丈量土地和测量容积，计算时间和制造器械。工业革命推动了资本主义生产的进步，从本质上更加紧密地联系起了一切分离的东西。其一，现实的生产需要向数学和自然科学提出新的问题。对测量精确性的要求，对蒸汽机效率提高的要求，以及对矿产的考察挖掘，诸如此类的要求推动了数学和自然科学的发展。虽然数学和自然科学看上去与生产无关，但从一开始，它们就是在生产过程中出现的。其二，现实生产发展为数学和自然科学的进步奠定基础。这表现在人力和物力两方面上。在人力上，数学家和自然科学家是推动数学和自然科学进步的直接主体。在物力上，数学和自然科学需要物质支持。即使是对抽象思维有高度要求的数学，也不可能摆脱一定的物质条件。培养科研人员需要一定的经费支持，演算、模拟科研进程的设备、材料同样来源于生产。现实的生产实践活动推动着数学和自然科学向前发展。

物质运动形式相互转换是数学和自然科学的发展的内在张力。数学和自然科学的研究对象是物质运动形式。物质不是静止的，而是处于运动状态中。物质运动形式不是隔绝的，而是相互转化的。数学和自然科学面对的不是静止的对象，而是不断发展变化的对象，这表现在物质运动形式之间的相互转化上。在一定的条件下，分子运动会转化为原子运动，发展成为蛋白质的运动。在这种情况下，特别是学科交界的地方，数学和自然科学的发展就显而易见了。例如，电化学的出现，既可归为物理学之下，也可划分在化学门下。科学上的分类不是将物质的运动形式固化下来，而是在一定的联系之中保有了自然科学发展的可能性。物质的运动促使其形式发展转化，必然会推动数学和自然科学的发展。

追求真理是推动数学和自然科学发展的基本动力。人的认识是有限和无限的统一。受活动范围、现有知识结构的限制，人们不可能穷尽物质的运动形式，科学认识存在着绝对真理和相对真理的划分，二者的区别不是来源，而在于反映客观世界的精确度和完备度等方面的差别。真理是一个思维过程，不断地向客观的、绝对的真理接近的运动过程。绝对真理是由相对真理的总和构成的，但又不是现成真理的机械相加。数学和自然科学的发展就是在不断推翻相对真理、靠近绝对真理的过程中不断发展的。例如，"数学中的转折点是笛卡尔的变数。有了变数，运动进入了数学，有了变数，辩证法进入了数学，有了变数，微分和积分也就立刻成为必要的了，而它们也很快就出现了，并且是由牛顿和莱布尼茨大体上完成的，但不是由他们发明的。"[1] 进步就是打破常规、破旧出新。微积分改变了原有数学的发展格局，甚至颠覆了原来的常识。这样，就由初等数学进入到高等数学阶段。另外，在追求真理的过程中，科学家们从未停下过脚步，甚至不畏牺牲宝贵的生命。在中世纪，面对宗教迫害，布鲁诺无畏地以可贵的生命来捍卫真理的尊严。正是一批又一批科学家对真理的不断追求，推动了数学和自然科学的进步。

可见，数学和自然科学的发展不是一蹴而就的过程，更不是一劳永逸的结果，而是在人类历史发展的长河中与整个文明一起成长壮大。

四、数学和自然科学发展的历史和规律

与人类历史发展的轨迹一致，数学和自然科学同样经历了曲折和艰辛。恩格斯系统说明了数学和自然科学发展的历史和规律。

在古希腊时期，数学和自然科学的发展直接与生产挂钩。天文学与人类的社会活动最为接近，影响农业的生产活动。起初，天文学被视为哲学本体论中的重要组成部分，泰勒斯等古希腊哲学家仰望天空，将能观察到的浩瀚宇宙当作人类的起源，这在一定程度上具有合理性，却很直观、模糊。在其他学科的发展上，也出现了同样的问题。在医学上，古希腊学者提出了关于血液循环、人体解剖等天才式的构想；在力学上，阿基米德确定了物体表面积和体积的计

---

① 《马克思恩格斯全集》第 26 卷，人民出版社 2014 年版，第 645 页。

算方法，发现了杠杆原理和浮力定律；在化学上，甚至提出了原子论的构想。但是，受生产所限，古代科学的发展仍停留在偶然性的判断和猜想层面，未能更进一步。

在中世纪时期，受神学束缚，自然科学在上帝的掌控下，不仅未能得到发展，还否认了古希腊时期哲学家们的天才猜想。直到文艺复兴后，天文学才打破地心说的传统，开始以计算和观察代替以往的神创说，专业化的实验操作进入自然科学之中，科学研究不再是牧师的兴趣爱好，而成为一门专门职业了。在大批实验数据、科学成果的基础上，启蒙运动推动了自然科学的进一步发展。细胞学说、能量守恒和转化定律、达尔文的生物进化论被视为是19世纪的三大科学发现。在生理学上，细胞的发现改变了人们对生命的认识，人类的进化有了更加完整的说明。在物理学上，能量守恒与转化定律在力学中被发现，打破了各种力之间彼此隔绝的状态。在生物学上，达尔文进化论的提出，震惊了整个科学界，表明自然界不再是绝对静止不变的状态。在地质学上，"地层"测量技术水平的提高，开始精确化研究地球演变的阶段，等等。自然科学进入新的发展阶段，科学视野之中的自然不再是固定、僵化的绝对存在，而是在时间和空间上不断变化、运动发展的物质。但是，在那个时代，"大批自然科学家仍然束缚在旧的形而上学的范畴之内，在必须合理地解释这些可以说在自然界中证实了辩证法的最新事实并把它们彼此联系起来的时候，他们就束手无策了。在这里就不能不靠思维：原子和分子等等是不能用显微镜来观察的，只能用思维来把握。"① 而这三大发现打破了以往形而上学观点。19世纪自然科学所取得的成就，一方面正是在经验的基础上搜集、整理原有的科学成果发展而来的；另一方面又寻求对以往科学研究的突破。经验科学走向理论科学，迫切需要不同于形而上学的辩证逻辑的指导。

数学和各门自然科学发展的方向是不断向前的。数学和各门自然科学的发展轨迹表明，在追寻真理的道路上，自然科学一直在前进，在逐步贴近现实的同时，又超越现实。恩格斯指出，在数学上，从简单计算到变数计算，对现实的抽象化程度越高，理解就越深刻。在物理学上，牛顿力学的"第一推动力"逐渐被排除出科学认识之外，对热学本质的探索，能量守恒和转化定律在电力学上的证明和运用进一步改变了原有的格局。对宇宙热寂说的批判，"潮

---

① 《马克思恩格斯全集》第26卷，人民出版社2014年版，第522页。

汐摩擦说"、"星云假说"等改变了天文学发展方向。在化学上,"燃素说"这类猜想被规范化的实验操作代替,古希腊原子论的猜想在实验中被证实,以往对元素之间关系的经验判定也有固定的含义,特别是恩格斯对元素质量和位置关系的探讨为门捷列夫元素周期表的制定奠定了重要基础。在生物学上,对生命本质的追寻取代了唯心主义"活力论"将生命和物质割裂开来的超自然力量的空想;细胞的发现,确定了蛋白质在生命中的作用,特别是达尔文进化论揭示出,从简单的无细胞结构的原生生物、有细胞结构的单细胞生物,乃至多细胞生物,在生命进化的过程中,都是紧密联系、相伴相生的。恩格斯的论述表明,数学和各门自然科学的发展历史是进步思潮战胜错误思潮、不完善的观点不断完善的历史。19世纪晚期,三大发现改变了自然科学发展的进程,与此同时,错误的思潮向物理学、化学等学科"入侵",干扰了自然科学的大踏步前进。恩格斯指出,自然科学一直在前进中发展,即使是错误观点,也会被实践所淘汰。

数学和各门自然科学从形而上学走向辩证法。自然科学不可能脱离哲学发展,从朴素唯物主义到机械唯物主义,自然科学从猜想走向实证、从理论走向应用,获得了丰硕的成果,有效改变了人类的生活状态。但是,当经验积累达到一定程度时,实验科学已自觉转向辩证唯物主义,确证了自然在时间上的发展和空间上的改变,而理论科学仍然停留在机械唯物主义阶段,造成很多不必要的矛盾。在这样的背景下,能否自觉接受辩证思维就至关重要。例如,在运动的两种量度上,关于力的计算上产生了 mv 和 mv^2 之间的矛盾,实质上,这是未能认清运动形式之间的转化,而只是停留在机械运动的层面单纯计算着位置移动的大小造成的。在热力学上,宇宙热寂说将运动形式的相互转化曲解为单向性的转化,将热归为运动形式的最终结果,以至得出宇宙归为热寂的结论。这本质上仍是未能理解运动形式的相互转化、能量守恒和转化定律。化合物的组成一直是化学研究的重要内容,但其性质的认定标准却争论已久。恩格斯强调量变和质变互相转化的定律中的"量变"不单指向数量,还涉及结构的排列组合。这样,就开拓了化学发展的方向。在生命的起源上,机械论否认了非生物界和生物界的区别,将生命看作是简单的物理——化学过程的机械总和,无法从根本上解释生命的历史变迁,达尔文进化论将自然界的生成、演化从本质上看作为系统发生的物质运动,这样,就从根本上推翻了机械论的粗糙观点。其实,"这是一个非常简单的、每日每地都在发生的过程,一旦清除了旧唯心主义哲学盖在它上面而且杜林先生一类无可救药的形而上学者为了自身的利益继续盖在它上面的神秘破烂，它是任何一个小孩都能够理解的。"①辩证法并不是要取代数学和自然科学研究的具体方法，而是强调数学和自然科学的发展必须要自觉接受辩证思维，在不断探索中勇于前进。

总之，数学和自然科学在不断开拓新领域中前进，在不断推翻前人的成果中提出新的有生命力的学说，从唯心主义走向唯物主义，从机械论走向辩证法。

五、数学和各门自然科学中的辩证法

数学和自然科学本身蕴藏着丰富而深刻的辩证法。恩格斯科学揭示出了数学和自然科学中蕴含着的辩证法的基本规律和范畴。

（一）数学和各门自然科学的发展体现出辩证法的基本规律

对立统一规律。矛盾是事物的本质，充满在运动的过程当中。因此，在数学和自然科学中，矛盾的不断发生和解决，是推动数学和自然科学发展的最重要的动力。在数学上，即使是初等数学的运算中也充满着矛盾。负数是某数的平方根，因为任何一个负数自乘得出的是正的平方。在力学上，矛盾更加突出地表现出来。一直以来，摩擦被视为物体运动的障碍，抵消了运动的动能以达到静止状态。事实上，摩擦和碰撞都是转化为热的两种形式，使动能转化为分子能，于是，摩擦运动将一部分动能转化为热能，将位置移动转化为分子运动。从传统力学的角度来看，摩擦确实抵消了运动，但只是位置移动，摩擦所产生的热能随后会转化为动能。显然，这并不是毫无意义的运动。在生物学上，矛盾表现得更为明显。生物学的研究对象——生命的意义在于，它每一瞬间既是自身，同时又是别的东西。生命维系的前提就是存在于物体和过程本身中的不断地自行产生并自行解决的矛盾。如果没有矛盾，生命就无所谓出现，死亡将终结一切运动。恩格斯并非预设了对立统一规律的有效性，在数学和各门自然科学中寻找出这些表现再与对立统一规律相对应，以表现出对立统一规

---

① 《马克思恩格斯选集》第 3 卷，人民出版社 2012 年版，第 514 页。

律在数学和各门自然科学中的应用。恩格斯强调，数学和各门自然科学本身存在着矛盾，这决定了它们的研究只能在矛盾中进行，因此，对立统一规律是数学和各门自然科学本身存在的规律。

质量互变规律。量变和质变互相转化的定律描述了物质在运动中的转化关系。在数学上，探讨数量的变化和形状的改变，是数学研究的基本模式。在无限性问题上，虽然看似面对的是数量关系，但是只有通过导入一个质的差异，才能解释无限大和无限小的含义。而在数学中将质量关系统一起来有助于解释那些在质上存在着不可通约关系的问题。例如，从形状上看，圆和直线具有不可通约性，无法直接通过量的计算将二者联系起来，但是，可以通过几何运算将质的差异还原到量的差异上，将二者联系起来。在力学和天文学中，量变和质变同时存在。运动的两种量度之所以会产生冲突，就在于不了解一定程度下运动的量会转变为另一种形式的运动；在观察无限距离的宇宙时，存在着对定量、定性的分析，宇宙中也有第一阶、第二阶的区分。化学分子结构的变化，新物质的发现，是质量互变规律最有效的证明。一般而言，新元素的确定可以通过单纯的数量增加而引起质的变化，产生与原本物质不同的新物质；另一方面，还可以通过结构上的变化引起物质自身的变异，产生数目一致、结构不同的新物质。无论是哪种变化，都可以确证化学上的质量互变规律。门捷列夫通过不自觉地运用这一规律，制作元素周期表，明确了元素之间的联系和变化规律，推断新元素的产生，完成了科学上的一个勋业。事实上，数学和自然科学研究经常会出现"关节点"。"一句话，物理学的所谓常数，大多不外是这样一些关节点的标志，在这些关节点上，运动的量的增加或减少会引起相应物体的状态的质变，所以在这些关节点上，量转化为质。"[1]查找关节点、计算关节点是自然科学研究的重要内容，某些时候甚至会产生革命性的影响。质量互变规律是对形而上学思维最有效的反驳。"辩证思维对形而上学思维的关系，总的说来和变数数学对常数数学的关系是一样的。"[2]变数数学就是在质量互变的运动中分析物质之间的数量关系的科学，而不是将数量看作是孤立不变的静止对象。

否定之否定规律。否定之否定是对事物发展过程的深刻描述。事物的发展

---

① 《马克思恩格斯全集》第 26 卷，人民出版社 2014 年版，第 537 页。
② 《马克思恩格斯选集》第 3 卷，人民出版社 2012 年版，第 499—500 页。

一定是对前者的否定，在前者的基础上吸收新元素、产生新规律，呈现为螺旋式上升的过程。以物质的运动形式为研究对象的数学和各门自然科学自然也蕴藏着这一规律。一直以来，"零"被看作是对任何一个确定的量的否定，没有内容。但事实上，表示否定的数值"零"具有确定的含义。其一，"零"表示正量和负量之间的界限。正数和负数的区别在于是否大于"零"，这表示"零"有尺度含义。其二，"零"的内容表现在其位置的使用上，放在常规运算中，"零"具有加强、减弱的作用；放在数值后面，"零"具有放大数值或减小数值的作用。位置和方式决定了否定意义的"零"的内容。在地质学上，否定之否定的规律体现在地球的演化上。通过岩层判断地球的年龄和气候状况是地质学革命性的转变，地质运动和气候变化导致旧岩层的毁坏和新岩层的沉积。通过考察岩层的状况，地质学可以判定某个阶段地球的地理情况。总体说来，地球先后经历了由于液态物质冷却产生了原始地壳，在海洋、气象和大气化学的一系列作用下，沉积在海底。经过剧烈的地质运动，海底的局部地壳隆出海面，再次经受雨水、四季变化的温度、大气中的氧和碳酸的作用而成为新的地层。与此同时，从地心冲破地层爆发出来的、然后冷却的熔岩也经受了同样的作用。地球的历史中不断重复着这样的故事，在旧地层的基础上产生新的地层，伴随着土壤的变化、气候的相互作用，最后产生出适宜人类生存的地质环境。自然科学的发展史也清楚地表明，只有站在前人的基础上，弥补前人理论的缺点，批判错误思潮，自然科学才有可能发现新领域、开拓新方向。

（二）数学和各门自然科学中包含着辩证法的范畴

范畴兼具客观性和历史性，是现实生活的物质关系的表现和表征。1846年，马克思在给安年科夫的信中指出："蒲鲁东先生更不了解，适应自己的物质生产水平而生产出社会关系的人，也生产出各种观念、范畴，即恰恰是这些社会关系的抽象的、观念的表现。所以，范畴也和它们所表现的关系一样不是永恒的。它们是历史的和暂时的产物。"[1]历史的发展表明，辩证法的范畴为数学和各门自然科学本身所有，在发展中不断显现和完善，而这些范畴本身为数学和各门自然科学的发展提供了方法和概念指导，推动了数学和各门自然科学的进步。辩证唯物主义的哲学范畴对科学认识发展的影响不同于形式逻辑运算

---

① 《马克思恩格斯文集》第10卷，人民出版社2009年版，第49—50页。

对科学认识发展的影响。这些范畴之所以必要，正是因为它们对思维提供了最完善的、形式逻辑演绎法所不能提供的东西，也就是说，它们可以成为思维综合活动的指导；它们不是将思维从一个符号转化为另一个符号，而是把思维从一个概念引向另一个更深刻更全面地理解客体的概念。追溯现象背后的本质，探讨事物产生的原因机制，在无数的偶然性中掌握必然性的规律，在现实中制造可能性，在复杂的内容中探讨普遍的形式，等等，对这些范畴的把握，对事物运行机制的规律性的思考，是数学和自然科学发展的重要动力。自然科学家不可能在具体的研究中讨论辩证范畴，但是，辩证范畴注入了实际的科学研究过程中，推动了科学研究按照辩证逻辑的方式发展。

综上，数学和各门自然科学中的辩证法表明，辩证法为数学和各门自然科学自身所具有。当然，这并不意味着辩证法将取代数学和各门自然科学中的具体方法。

第四节　科学认识的方法和辩证逻辑

19世纪晚期自然科学的发展表明，从形而上学转向辩证思维是人类思维发展的必然。恩格斯揭示出，辩证思维是理论思维发展的高级阶段。辩证逻辑是其逻辑形态，兼具哲学和逻辑的品格和性质，是极其重要的科学方法论。

一、辩证逻辑的科学性及其价值

在人类理论思维史上，恩格斯第一次创造性地提出了"辩证逻辑"的概念。在他看来，"辩证逻辑由此及彼地推导出这些形式，不是把它们并列起来，而是使它们互相从属，从低级形式发展出高级形式"①。辩证逻辑是科学的逻辑

---

① 《马克思恩格斯全集》第26卷，人民出版社2014年版，第560页。

形态。

辩证逻辑与形式逻辑是完全不同的逻辑形态。在科学认识的过程中，对思维形式的系统把握的方法构成逻辑。从古希腊开始，逻辑学被认为是帮助思考、辅助认识的"工具"。从亚里士多德开始，舍弃了逻辑学所包含的思想内容，而将语言形式之间的联系作为研究对象，因此，人们将普通逻辑称为"形式逻辑"。近代以来，符号逻辑学，即数理逻辑学，成为逻辑学发展的普遍趋势。这种逻辑追求演算的清楚和形式的合理性，不讨论现实问题。与形式逻辑的发展轨迹不同，从产生之初开始，辩证逻辑就坚持思维形式和思维内容的统一。"辩证法"一词在希腊语中有讨论的含义。苏格拉底的对话集充分运用辩证法，以求达到概念的清晰、明证。形式逻辑和辩证逻辑的区分在于：第一，前者使用的思维形式（概念、判断、推理）是固定的，而后者使用的思维形式是流动的。自然科学中使用的思维形式都是流动的，与辩证逻辑完全一致。如，鸭嘴兽的概念，架起了禽和兽之间的桥梁。第二，前者只将推理形式简单地并列起来，不能如实反映科学研究中的各种推理形式之间的辩证关系；后者将各种推理形式之间互相联系起来，展示出了从低级形式向高级形式之间的上升过程。在科学研究中，各种推理形式确实遵循着辩证逻辑的准则。如，波粒二象性判断就展示了波动性和粒子性之间的整合关系。在这个意义上，形式逻辑和辩证逻辑之间的关系类似于低等数学和高等数学之间的关系。但是，从人类整个思维运动来看，形式逻辑也有其固有的作用。因此，既不能站在形式逻辑的立场上不承认辩证逻辑，也不能用辩证逻辑来压制、取消形式逻辑，而应该将二者运用到各自能运用和可运用的对象上和范围中。对此，恩格斯在《反杜林论》中指出："甚至形式逻辑也首先是探寻新结果的方法，由已知进到未知的方法；辩证法也是这样，不过它高超得多；而且，因为辩证法突破了形式逻辑的狭隘界限，所以它包含着更广泛的世界观的萌芽。"[①]因此，在科学研究中，必须将一切逻辑学统一和整合起来。当然，也不能将它们等量齐观，最为根本的是要掌握辩证逻辑。在德国古典哲学时期，黑格尔虽然未摆脱唯心主义的束缚，但将人的思维理解为能动的活动，建立了从范畴到规律的系统的辩证逻辑学。恩格斯指出，与形式逻辑相比，在对现实问题的解决上，辩证逻辑学更加具有科学性。从上述逻辑学发展史可看出，与形式逻辑不同，辩证逻辑不

---

① 《马克思恩格斯选集》第3卷，人民出版社2012年版，第513页。

是运算方法，而是深入到现实生活之中，密切贴近现实运动，反映和体现的是现实世界的发展规律。

辩证逻辑是辩证思维发展的产物。人类认识包括感性认识和理性认识两个阶段。辩证思维是理论思维即理性认识的高级阶段。辩证思维经过了一个复杂的发展过程。"辩证的思维——正因为它是以概念本身的本性的研究为前提——只对于人才是可能的，并且只对于已处于较高发展阶段上的人（佛教徒和希腊人）才是可能的，而其充分的发展还要晚得多，通过现代哲学才达到"①。在古希腊、中国先秦时代和古印度就出现了辩证思维。与形式逻辑一样，中国古代名辩学、古印度因明哲学也是逻辑学的重要起源，甚至三足鼎立。在这个过程中，亚里士多德研究了辩证思维的最主要的形式。在此基础上，康德、黑格尔将辩证思维推进到了一个新的发展阶段。特别是黑格尔不满意形式逻辑，要求建立辩证逻辑。黑格尔的《逻辑学》实现了本体论、辩证法、认识论和逻辑学的统一，这里的逻辑学即辩证逻辑。但是，黑格尔将辩证思维和辩证逻辑看作是绝对精神的展现过程，因此，具有唯心主义的性质。例如，黑格尔将辩证法的三大规律视为纯粹的思维规律。"错误在于：这些规律是作为思维规律强加于自然界和历史的，而不是从它们中推导出来的。"②在唯物主义的基础上，马克思恩格斯将黑格尔的辩证法和辩证逻辑颠倒了过来，从而将辩证思维推进到了一个新的发展阶段。在《资本论》中，通过对资本主义生产关系矛盾的研究，在社会经济事实的基础上，以实践（劳动）为基础和中介，马克思科学揭示了辩证思维的发展规律，研究了辩证思维的形式和方法，从而在唯物主义的基础上发展了辩证逻辑。例如，作为《资本论》起点范畴的"商品"，具有"价值"和"使用价值"的二重属性，而商品的二重性是由劳动的二重性决定的。劳动是具体劳动和抽象劳动的统一。通过如此等等的范畴的辩证运动，就逻辑地再现了资本主义生产方式的矛盾运动。因此，列宁认为，《资本论》实现了辩证法、认识论和逻辑学的同一。与此同时，通过对自然科学发展成果的研究，通过总结科学认识的辩证运动，恩格斯在《自然辩证法》中同样在唯物主义的基础上推进了辩证思维的发展，进一步发展了辩证逻辑。总之，辩证逻辑是在辩证思维的基础上产生的，是辩证思维的理论概括和逻辑形态。

---

① 《马克思恩格斯全集》第 26 卷，人民出版社 2014 年版，第 558—559 页。
② 《马克思恩格斯全集》第 26 卷，人民出版社 2014 年版，第 534 页。

社会劳动构成了辩证逻辑的客观基础。在一般意义上，"物质从自身中发展出了能思维的人脑"①。但是，如果没有劳动的作用，这不可能成为现实。劳动搭建了客观世界和人脑之间的桥梁。其一，劳动奠定了人脑发展的物质基础。大脑的发展所需要的营养和刺激来自于客观世界，没有劳动所获取的食物，人脑不可能超出动物的大脑，进行抽象思维，更遑论辩证思维。其二，劳动拓宽了人脑思考的范围、提供继续思考的途径。休谟的"归纳"问题，对因果性进行发问，认为再多的经验现实也不可能完全预言下一步会发生的现象。通过劳动，恩格斯对困扰哲学家们多年的"休谟问题"予以科学的解决。他认为，思维难题产生于经验世界，其解决也必须通过经验世界。如果能够通过劳动制造出同样结果的条件的话，那么这一条件就可归为原因。其三，劳动提供辩证逻辑的基础。即使抽象性再高的范畴也是来自于客观现实的。只有通过一定的活动，人们才能感受到客观现实，进而对客观现实发问、反思。如果不以劳动为中介，人对自然界的反映只能是本能的反映，无法进行有意识的探索，更加不可能从中提取辩证规律，产生出有意义的认识。黑格尔认为思维和存在一致，在此基础上，构建了严密、精巧的理论大厦，但是，他的辩证逻辑高于现实世界，"把范畴的联系和过渡作为客观的（在超越每个主观的意义上）思维的认识发展来理解"②。这就导致黑格尔的辩证逻辑带有强烈的唯心主义色彩，最后甚至得出普鲁士国家是最完美的国家形态这一反动结论。马克思恩格斯充分肯定了黑格尔对辩证法发展所作出的贡献，但他们强调，辩证法一刻也不能脱离社会实践，其考察的对象只能来自于社会实践。

辩证逻辑规律与客观世界的规律相一致。辩证思维反映了现实事物之间复杂的相互关系。与黑格尔的辩证逻辑不同，唯物辩证法的辩证逻辑强调辩证逻辑规律与客观世界运动规律的一致性。形式逻辑运用同一律、排中律、矛盾律等基本规律来进行逻辑判断，这些规律并不能够完全反映出客观世界的矛盾运动。例如，鸭嘴兽这种既非禽类又非兽类的哺乳动物就存在于自然界之中。因此，对于辩证逻辑来说，其遵循的思维规律与客观世界的运动规律完全一致，质量互变规律、对立统一规律、否定之否定规律等规律也是辩证逻辑的基本规律。在《反杜林论》中，恩格斯提出："人们远在知道什么是辩证法以前，就

---

① 《马克思恩格斯全集》第26卷，人民出版社2014年版，第544页。
② ［日］岩崎允胤、宫原将平：《科学认识论》，黑龙江人民出版社1984年版，第152页。

已经辩证地思考了，正像人们远在散文这一名词出现以前，就已经用散文讲话一样。"①在与现实社会交往的过程中，人们早已自觉或不自觉地运用了辩证逻辑规律，以实现自身目的。思维运动虽然是在头脑中进行的，但却是现实世界运动形式的再现，其概念来源于客观世界，其判断的是现实世界当中事物之间的辩证关系，而这在黑格尔本人那里是神秘的。可见，与黑格尔的辩证逻辑不同，唯物辩证法不是将辩证法规律强加在客观世界，而是从客观世界纷繁复杂的现象中提取出辩证思维的规律。总之，辩证逻辑规律和客观世界的运行规律是保持一致的。

19世纪晚期，经验主义严重阻碍了科学发展的步伐。自然科学急需辩证逻辑的指导，以归纳、总结原先累积的资料和成果。恩格斯告诉我们，没有科学的理论思维的指导，自然科学寸步难行，更不要说新发明、新理论的出现了。

二、主观辩证法和客观辩证法的划分与统一

辩证逻辑属于主观辩证法的范畴。唯物辩证法依据对象的不同划分为主观辩证法和客观辩证法。"所谓的客观辩证法是在整个自然界中起支配作用的，而所谓的主观辩证法，即辩证的思维，不过是在自然界中到处发生作用的、对立中的运动的反映，这些对立通过自身的不断的斗争和最终的互相转化或向更高形式的转化，来制约自然界的生活。"②恩格斯强调，主观辩证法和客观辩证法仅仅是就研究对象的不同进行的区分，二者事实上是统一的。

客观辩证法是主观辩证法的现实来源。虽然思维的运动是在头脑中进行的，但是，其反映的是客观世界的运动变化。"这在黑格尔本人那里是神秘的，因为各种范畴在他那里表现为预先存在的东西，而现实世界的辩证法表现为这些范畴的单纯的反照。实际上恰恰相反：头脑中的辩证法只是现实世界即自然界和历史的各种运动形式的反映"③。黑格尔将概念和范畴看作是高于现实世界

① 《马克思恩格斯选集》第3卷，人民出版社2012年版，第521页。
② 《马克思恩格斯全集》第26卷，人民出版社2014年版，第541页。
③ 《马克思恩格斯全集》第26卷，人民出版社2014年版，第521页。

的东西，造成仿佛先有概念、然后才有相应事物的假象，实质上否认了现实世界的辩证运动。这表明，黑格尔的辩证逻辑具有唯心主义的性质。恩格斯指出，概念的丰富和扩展表现的是现实世界的丰富和扩展。新概念的发现、对旧概念的扬弃，其动力基本来自于现实世界的矛盾运动，其材料来源于现实世界，也是其希望通过人类的活动来改造的客观世界。客观辩证法是主观辩证法顺利进行的客观前提，在主观辩证法中排除客观辩证法的内容等于排除自身。主观辩证法的规律性论述、范畴之间的逻辑判断，均以客观世界的辩证运动为前提和依据。没有客观辩证法作为依据和前提，主观辩证法最终只会沦为唯心主义，成为主观空想的产物，无法对现实世界产生任何作用。只有将客观辩证法作为主观辩证法的现实来源和基础，辩证逻辑才能真正反映现实世界，以达到通过劳动改造客观世界的目标。

主观辩证法为客观辩证法提供理论指导。尽管辩证法规律存在于自然界和人类社会当中，主观辩证法是客观辩证法在思维中的表现和表征，但是，一旦主观辩证法形成就成为逻辑上通用的"格"，似乎成为先验的结构，发生着普遍的作用。这在于，主观辩证法是对逻辑内容（事实上是对客观规律）的内部自己运动形式的高度自觉和科学反思。这样，主观辩证法就成为把握和研究客观辩证法的科学指南。但是，在自然研究中，受经验主义和形而上学的支配，人们往往对辩证法尤其是主观辩证法采用一种蔑视的态度。"实际上，蔑视辩证法是不能不受惩罚的。对一切理论思维尽可以表示那么多的轻视，可是没有理论思维，的确无法使自然界中的两件事实联系起来，或者洞察二者之间的既有的联系。在这里，问题只在于思维正确或不正确，而轻视理论显然是自然主义地进行思维，因而是错误地进行思维的最可靠的道路。但是，根据一个自古就为人们所熟知的辩证法规律，错误的思维贯彻到底，必然走向原出发点的反面。所以，经验主义蔑视辩证法便受到惩罚：连某些最清醒的经验主义者也陷入最荒唐的迷信中，陷入现代唯灵论中去了。"[1] 这也可能是一些科学家最终倒向宗教和唯心主义的根源。当然，运用主观辩证法研究客观辩证法并不是要用哲学代替具体的科学研究，而是要为之提供科学的方法论指导。恩格斯指出，"对于现今的自然科学来说，辩证法恰好是最重要的思维形式，因为只有辩证法才为自然界中出现的发展过程，为各种普遍的联系，为一个研究领域向另一

————————
① 《马克思恩格斯全集》第26卷，人民出版社2014年版，第516页。

个研究领域过渡提供类比，从而提供说明方法"①。这样，可以有效避免思维失误，切实提升思维的科学性、系统性、预见性和有效性。为此，就需要学习和掌握主观辩证法。我们要认识到，"理论思维无非是才能方面的一种生来就有的素质。这种才能需要发展和培养，而为了进行这种培养，除了学习以往的哲学，直到现在还没有别的办法"②。这样，学习哲学史，科学总结人类思维的经验教训，就成为掌握主观辩证法的"不二法门"。

必须坚持主观辩证法和客观辩证法的统一。客观辩证法是主观辩证法的依据和前提；主观辩证法是客观辩证法的反映和指导。只有坚持主观辩证法和客观辩证法的统一，我们的认识才能正确指导我们的行动，以期达到顺利改造客观世界的目的。从根本上来看，思维和存在具有同一性。坚持主观和客观的统一、自然和精神的统一，是辩证逻辑的基本要求。在社会实践的基础上，主观辩证法和客观辩证法获得了统一。因此，辩证逻辑要求，"必须把人的全部实践——作为真理的标准，也作为事物同人所需要它的那一点的联系的实际确定者——包括到事物的完整的'定义'中去"③。因此，我们不能将辩证逻辑看成是一种一蹴而就、一劳永逸的"永恒真理"或"绝对真理"。事实上，"每一个时代的理论思维，包括我们这个时代的理论思维，都是一种历史的产物，它在不同的时代具有完全不同的形式，同时具有完全不同的内容。因此，关于思维的科学，也和其他各门科学一样，是一种历史的科学，是关于人的思维的历史发展的科学。"④ 即，主观辩证法和客观辩证法的统一，是具体的历史的统一。

总之，将辩证法区分为客观辩证法和主观辩证法两个方面，是恩格斯对唯物辩证法和辩证逻辑的创造性贡献，具有重要的方法论价值。

三、辩证逻辑的思维形式

在严格的意义上，辩证逻辑的思维形式即辩证思维形式，主要指辩证概念、辩证判断、辩证推理。在宽泛的意义上，它也包括思维形式的辩证法，即

---

① 《马克思恩格斯全集》第 26 卷，人民出版社 2014 年版，第 499 页。
② 《马克思恩格斯全集》第 26 卷，人民出版社 2014 年版，第 498—499 页。
③ 《列宁选集》第 4 卷，人民出版社 2012 年版，第 419 页。
④ 《马克思恩格斯全集》第 26 卷，人民出版社 2014 年版，第 499 页。

概念辩证法、判断辩证法、推理辩证法。在《资本论》中，马克思对上述两个方面都有卓越的贡献。在《自然辩证法》中，结合科学认识和科学逻辑，恩格斯进一步丰富和发展了这一思想。与普通逻辑不同，辩证逻辑强调认识的矛盾性、具体性、系统性、全面性和整体性。

概念辩证法和辩证概念。在不同的逻辑形式表达中，概念具有不同的含义。在普通逻辑那里，概念反映了客观事物的内在属性；而在辩证逻辑中，概念体现的是客观事物的矛盾属性。原因在于，普通逻辑不强调客观事物的具体内容，只注重形式上的一致；而辩证逻辑从客观事物的矛盾运动出发，以揭示客观事物的辩证属性。"一个概念或概念关系（肯定和否定，原因和结果，实体和偶性）在思维的历史中的发展同它们在个别辩证论者头脑中的发展的关系，正像一个有机体在古生物学中的发展同它在胚胎学中（或者不如说在历史中和在个别胚胎中）的发展的关系一样。这种情形是黑格尔为说明概念而首先揭示出来的。在历史的发展中，偶然性发挥着作用，而在辩证的思维中就像在胚胎的发展中一样，这种偶然性融合在必然性中。"[1] 这就保证了概念在辩证逻辑中既能保证逻辑反映对象的客观性，又能紧跟概念对象的运动，体现出思维的灵活性。具体来说，概念辩证法体现在其客观性和主观性的辩证统一、抽象性和具体性的辩证统一、普遍性和特殊性的辩证统一、内涵和外延的辩证统一以及确定性和灵活性的辩证统一。其一，无论是普通逻辑还是辩证逻辑，概念反映的都是客观事物，即使是虚假概念，也有其客观来源；而概念自身的表达方式是主观的，由个体选取一定的语词表达出来。"黑格尔叫做相互作用的东西是有机体，因而有机体也就形成了向意识的过渡，即从必然向自由、向概念的过渡"[2]。概念的内容是客观的，形式是主观的，体现是主观性和客观性的矛盾统一。其二，辩证概念并未完全否认普通概念的可取之处，在反映客观事物的特殊矛盾的同时，也未否认客观事物之间存在着"共相"。通过抽象、概括感性材料，人们才在认识过程中总结出客观事物的矛盾属性；但是，辩证概念的抽象性并不是丢弃众多客观事物，辩证概念所反映的内容仍然是具体的、辩证概念所依赖的感性材料仍然是活生生的生活。可见，辩证概念既运用了抽象法，又反映了具体内容，是抽象性和具体性的对立统一。其三，即使是单独概

---

① 《马克思恩格斯全集》第 26 卷，人民出版社 2014 年版，第 559 页。
② 《马克思恩格斯全集》第 26 卷，人民出版社 2014 年版，第 753 页。

念、专有概念，在反映客观内容上仍具有普遍性。但是，在反映客观事物的矛盾属性上，辩证概念具有特殊性，即使是普遍概念，其客观属性仍然是唯一的，这样，才在逻辑推演中有所作用。因此，辩证概念是普遍性和特殊性的对立统一。其四，概念在反映客观事物的本质属性时，划定所反映的客观对象的范围，没有无内涵有外延的概念，更不可能有有内涵而无外延的概念。概念是内涵和外延的对立统一。其五，概念是随着客观事物的运动而变化的，一定的概念在一定的历史时期、相应的空间里具有确定的内涵和外延。但是，随着客观事物矛盾属性的变化，概念自身也会发生变化，或是旧概念被淘汰，或是错误概念被取代，或是相同概念内涵和外延的扩大。辩证概念具有历史性和相对性，是确定性和灵活性的统一。可见，概念这种逻辑形式本身就具有辩证法的表现和表征。

判断辩证法和辩证判断。与普通逻辑注重判断的形式结构不同，辩证逻辑在注重判断的形式的同时，不脱离判断的内容，侧重从客观事物的矛盾运动或发展变化等方面来客观反映认识的对象的情况，判断的内容不仅反映了客观事物的辩证属性，就其形式来说也具有矛盾特征。恩格斯曾强调，辩证法不是"非此即彼"，而是"亦此亦彼"。当在两个概念之间建立起了逻辑联系时，就形成了判断。诸如"世界是有限和无限的统一"这类辩证判断必须要放到实际情况中才有意义。恩格斯指出："辩证逻辑和旧的纯粹的形式逻辑相反，不像后者那样只满足于把思维运动的各种形式，即各种不同的判断形式和推理形式列举出来并且毫无联系地并列起来。相反，辩证逻辑由此及彼地推导出这些形式，不是把它们并列起来，而是使它们互相从属，从低级形式发展出高级形式。"① 在《自然辩证法》中，恩格斯引用黑格尔的判断分类，阐述了判断辩证法和辩证判断等问题。黑格尔将判断分为实有的判断、反思的判断、必然性的判断和概念的判断，这里，"第一类是个别的判断，第二和第三类是特殊的判断，第四类是普遍的判断。"② 恩格斯肯定了黑格尔的这种分类方式，认为其体现了内容的内在真理性和内在必然性。但是，与黑格尔不同，恩格斯指出，之所以有各式各样的判断，其根本还是在于以自然规律为根据。就摩擦生热来说，原本只是个别的现象，零星的事实，作为个别判断记录下来。大量的事实

---

① 《马克思恩格斯全集》第 26 卷，人民出版社 2014 年版，第 560 页。
② 《马克思恩格斯全集》第 26 卷，人民出版社 2014 年版，第 561 页。

累积在一起，成为特殊性的判断：在一定的环境下，一种特殊的运动形式（机械运动摩擦）会转变为另一种特殊的运动形式（热）。当相似的情况发生，但不再需要摩擦生热这种固定式的公式出现时，个别判断转换为运动形式之间可以相互转化的普遍判断。思维规律最终和自然规律相统一了。可见，判断的分类首先体现了认识从个别到特殊再到普遍的规律。因此，认识规律也必须遵循着自然规律。即使是在形成判断的观察、分析和推理等方法中，只有遵循自然规律，思维才能形成正确的判断。正因如此，原因和结果、本质和现象、必然性和偶然性、现象和本质以及现实性和可能性这样的范畴才能扎根于辩证的判断中。

推理辩证法和辩证推理。当在两个判断之间建立起逻辑联系的时候，就产生了推理。辩证推理是在已知客观事物的内在矛盾的基础上，分析其现实状态，推出某种未知矛盾的结论。辩证推理能够反映客观对象的内在矛盾及其发展变化，推导其变化情况。普通推理注重推理过程的一致性，保证概念和判断的统一性，强调演绎推理、归纳推理和类比推理的绝对性，从既成的、确定的形式出发，得出肯定性的回答。普通推理是静态推理。相反，辩证推理注重客观事物的矛盾状态，即使在使用演绎、归纳和类比等普通推理也适用的方法时，也保持内部的对立统一，否认存在事物的绝对状态。例如，"光是微粒；光是波动；所以，光既是微粒的又是波动的。"这种推理只能存在于辩证法之中，机械论者无法承认物质的运动状态，也就无法得出光既是微粒又是波动这种看似矛盾的结论。可见，辩证推理的内容和形式是对立统一的。从内容上看，推理前提、推理中介和推理结论这三部分都具有矛盾属性。推理前提是指反映客观对象矛盾及其发展变化的已知判断；推理中介是指对于前提判断所反映的客观矛盾进行分析；推理结论是指通过中介判断而推出的未知判断。构成推理的这三个部分，相互统一，从提出矛盾，到分析矛盾，最后解决矛盾，都强调客观事物的矛盾属性。"个别性、特殊性、普遍性，这就是贯穿全部《概念论》的三个规定。在这里，从个别到特殊并从特殊到普遍的递进，并不是在一种样式中，而是在许多种样式中实现的，黑格尔经常以个体到种和属的递进为例来说明这一点。现在标榜归纳法的海克尔们跑出来了，说什么应当实现从个别到特殊、然后再到普遍的递进，应当实现从个体到种、然后再到属的递进，并吹嘘这是一个（反对黑格尔的）壮举；而在这之后，他们才允许进一步进行演绎推理！这些人陷入了归纳和演绎的对立中，以致把一切逻辑推理形式都归结为这两种形式，而且在这样做的时候完全没有注意到：（1）他们在这些名称下不自觉地应用了完全不同的推理形式，（2）由于全部丰富的推理形式不可能被强行塞进这两种形式的框子，他们就把这些丰富的推理形式全都丢掉了，（3）这样一来，他们就把归纳和演绎这两种形式变成了完全没有意义的东西。"①从形式上看，辩证推理可以分为辩证演绎推理、辩证归纳推理和辩证类比推理，在性质上与传统的演绎、归纳和类比推理不同。辩证演绎推理强调根据客观事物的一般矛盾的分析过渡到对于客观事物的特殊矛盾或个别矛盾的解决，也就是说，前提的矛盾蕴含着结论的矛盾，前提和结论之间的联系是必然的。辩证归纳推理不同，是由个别矛盾的分析过渡到对于客观事物的一般矛盾的解决上，因此，存在着辩证完全归纳、辩证不完全归纳和辩证典型归纳。由于部分不可能完全覆盖整体，因此，辩证归纳推理的结论是或然的。辩证类比推理是根据矛盾的相似性或等同，推导出它们在另外一种矛盾上的类似或等同。辩证类比推理是从个别矛盾推导另一个别矛盾，不具有普遍性，因此也是或然的。可见，辩证推理强调形式上的内部统一。事实上，无论是何种形式，与上述判断一样，推理必须要遵循自然规律，才能得出正确的结论，不存在普通逻辑上的推理有效、结论无效的划分方式。与辩证概念、辩证判断一样，辩证推理同样追求内容和形式的一致性，只有内容为真，形式才能为真；只有形式在逻辑上为真，才能保证内容为真。并且，辩证推理中必然会使用辩证概念和辩证判断，作为辩证逻辑的基本形式，在认识过程中，辩证概念、辩证判断、辩证推理是统一的。

总之，在《自然辩证法》中，恩格斯不仅论及了概念、判断、推理等思维形式的辩证法，而且论及了辩证概念、辩证判断、辩证推理等辩证思维形式。这样，就丰富和发展了主观辩证法，保证了辩证逻辑的逻辑品格。

四、辩证逻辑的科学方法

从其构成来看，抽象和具体的统一、归纳和演绎的统一、分析和综合的统一、逻辑和历史的统一是辩证思维的基本方法。在《逻辑学》中，黑格尔已经

---

① 《马克思恩格斯全集》第 26 卷，人民出版社 2014 年版，第 563—564 页。

论及了这些方法。在唯物主义的基础上，马克思在《资本论》中改造了这些方法，并将之创造性地运用到分析资本主义经济运行规律上，丰富和发展了辩证逻辑的方法论体系。在此基础上，结合科学认识和科学逻辑问题，恩格斯在《自然辩证法》中进一步丰富和发展了辩证思维方法。

抽象和具体的统一。在创作《资本论》的过程中，马克思一直面临着如何处理叙述方法和研究方法之间的关系的问题。在批判总结古典经济学派研究方法、深入批判黑格尔客观唯心主义辩证法的基础上，马克思确定了《资本论》的逻辑起点——商品，在思维中展开了对资本主义现实世界的描述。他指出："具体之所以具体，因为它是许多规定的综合，因而是多样性的统一。"① 恩格斯《自然辩证法》从理论上发挥了这一观点。第一，恩格斯批判经验论者将抽象方法和具体方法割裂开来而不注重抽象思维的错误做法。恩格斯指出，"先从感性的事物得出抽象，然后又期望从感性上去认识这些抽象，期望看到时间，嗅到空间。经验主义者深深地陷入了经验体验的习惯之中，甚至在研究抽象的时候，还以为自己置身在感性体验的领域内。"② 其实正如马克思所强调的，思维一开始面临的是具体的感性材料，但是，这并不代表思维需要毫无巨细地反映具体的感性材料，而是需要通过归纳、分析、比较、观察和实验等方法抽象出繁杂的感性材料背后的逻辑线索，形成对事物的抽象规定和抽象概念，但是，这种抽象必须要满足在思维中全面、客观再现具体现象的要求，即从抽象上升到具体就是要上升到能够从本质上集结思维范畴从而系统地、全面地认识客体。这里，第一个具体是感性具体，第二个具体是思维具体。第二，恩格斯强调从具体上升到抽象和从抽象上升到具体二者的统一。在他看来，"抽象的和具体的。运动形式变换的一般规律，比运动形式变换的任何个别的'具体的'例证都要更具体得多。"③ 从具体上升到抽象，强调感性材料和思维活动之间的关系；而从抽象上升到具体，则是表明概念的运动过程，这是一个从简单到复杂、从现象到本质的过程，这是一个不断上升、不断发展的思维过程。这里的具体是思维具体，即具体总体。在马克思看来，它事实上是思维的、理解的产物。在总体上，抽象和具体的统一，既强调思维的现实来源，

① 《马克思恩格斯选集》第 2 卷，人民出版社 2012 年版，第 701 页。
② 《马克思恩格斯全集》第 26 卷，人民出版社 2014 年版，第 574 页。
③ 《马克思恩格斯全集》第 26 卷，人民出版社 2014 年版，第 559 页。

也强调思维方法的独特作用；既强调思维对感性材料的提升，又强调思维规律一般性的运用。从抽象上升到具体和从具体上升到抽象表明，二者各有其应用的领域和范围，但是，从根本上来看，没有本质性的差别。

归纳和演绎的统一。归纳和演绎的统一，是对事物的个别和一般相统一的辩证本性进行把握的辩证思维方法。归纳是从个别事实中概括出一般性结论的推理形式。演绎是从一般性原则推导出个别结论的推理形式。在普通逻辑那里，将二者对立了起来。与普通逻辑不同，辩证逻辑对归纳法的运用是从个别事物的矛盾属性概括出某类事物的一般矛盾属性；而演绎法则是强调范畴之间的必然联系，最后的结论一定包含在最初的范畴里，也就是说结论是对最初范畴的进一步规定、发展和具体化。这里的归纳是辩证归纳法，演绎是辩证演绎法。无论是辩证归纳法还是辩证演绎法，都强调内容和形式的统一。通过运用归纳法，人们从繁杂的感性现实中抽取一般属性，获得抽象概念；通过运用演绎法，思维从简单概念经过中介得到复杂概念，从抽象概念到具体概念。因此，在辩证思维中，归纳方法和演绎方法实现了从感性具体到思维抽象、从思维抽象到思维具体的过渡和统一。在认识客观事物的过程中，辩证归纳法和辩证演绎法密切联系，不存在对立。在其实质上，"归纳与演绎，正如综合和分析一样，必然是相互关联的。不应当牺牲一个而把另一个片面地捧到天上去，应当设法把每一个都用到该用的地方，但是只有认清它们是相互关联、相辅相成的，才能做到这一点"[1]。休谟提出归纳难题，即如何从个别确认一般推论的有效性，如何保证逻辑联系在归纳过程中的合理运用，实际上是将归纳法和演绎法相互对立起来。归纳法并不排除对范畴的演绎，而演绎之所以成立也在于其对归纳方法的使用。我们看到，"归纳法决不能证明：任何时候都决不会出现无乳腺的哺乳动物。从前乳房是哺乳动物的标记。但是鸭嘴兽就没有乳房。"[2]恩格斯指出，单纯的归纳确实无法证明结论的正确性，但是，通过演绎，可以建立一定的逻辑联系以确保归纳的结论的正确。例如，从经验上来看，太阳东升西落。一旦确定了地球和太阳之间的必然联系，那么，东升西落就得到了一般规律的支持，而不是简单的现象总结。总之，归纳法和演绎法是对立统一的关系。

---

[1] 《马克思恩格斯全集》第 26 卷，人民出版社 2014 年版，第 566 页。
[2] 《马克思恩格斯全集》第 26 卷，人民出版社 2014 年版，第 564 页。

　　分析和综合的统一。分析和综合的统一是对事物部分和整体相统一的辩证本性进行把握的辩证思维方法。分析是将整体分解为部分而认识对象的方法。综合是将部分整合起来从整体上认识对象的方法。在黑格尔看来，"哲学的方法既是分析的又是综合的。"[①]辩证分析法与普通分析法不同，侧重分析客观事物的内在矛盾，而不是肢解客观事物，将其分为各个部分，运用辩证分析法有助于认识客观事物的内在矛盾、本质属性，预测其发展趋势。在认识过程中，辩证分析法的运用有两种途径：面对复杂的认识对象，科学分析其最简单、最基本的东西；当探求客观事物形成的客观原因时，科学分析客观事物发展过程的结果。辩证综合法是从局部和整体的辩证关系出发，综合局部为整体、片面为全面、多种规定为统一整体，将现实具体在认识中以思维的方式在总体上展现出来。在辩证逻辑中，辩证分析法和辩证综合法是对立统一的。恩格斯指出，"思维既把相互联系的要素联合为一个统一体，同样也把意识的对象分解为它们的要素。没有分析就没有综合"[②]。分析和综合相互联系、相互补充，才能保证思维能够真实地反映客观现实。"思维，如果它不做蠢事的话，只能把这样一些意识的要素综合为一个统一体，在这些意识的要素中或者在它们的现实原型中，这个统一体以前就已经存在了。如果我把鞋刷子综合在哺乳动物的统一体中，那它决不会因此就长出乳腺来。"[③]没有辩证分析的支持，辩证归纳法很容易流于形式；没有辩证归纳法的辅助，辩证分析法只能停留在对现象的初步认识上。辩证分析法和辩证归纳法相互辅助、相互联系。

　　逻辑和历史的统一。逻辑和历史的统一，既是辩证思维的基本原则，也是辩证思维的基本方法。这是一种基于思维和存在的同一性而对客体和对象的历史发展进程进行逻辑的揭示，从而展现事物辩证发展过程和本质的辩证思维的方法。这里的"历史"包括自然界、人类社会等客观对象的历史发展过程和人类认识的发展史；而"逻辑"是指以概念的思维形式把握、反映客观对象的矛盾发展过程和人类的认识发展史。恩格斯指出，"历史从哪里开始，思想进程也应当从哪里开始，而思想进程的进一步发展不过是历史过程在抽象的、理论上前后一贯的形式上的反映；这种反映是经过修正的，然而是按照现实的历史过

---

① ［德］黑格尔：《小逻辑》，商务印书馆1980年版，第426页。
② 《马克思恩格斯选集》第3卷，人民出版社2012年版，第417页。
③ 《马克思恩格斯选集》第3卷，人民出版社2012年版，第417页。

程本身的规律修正的"①。《资本论》是坚持逻辑和历史相统一的科学典范。恩格斯在《自然辩证法》中进一步指出,思维的历史和思维的逻辑二者之间是辩证统一的。思维的逻辑必须要与现实的历史相一致。历史唯物主义对社会形态的划分,无论采取的是哪种分类方式,都与人类社会的发展史完全一致。思维的历史按照概念(范畴)等思维形式的运动规律,在逻辑中再现客观现实的矛盾运动和认识的发展。不存在思维的逻辑超越客观现实的情况,也不存在思维的历史与逻辑相矛盾的情况。思维规律和客观规律保持一致,是逻辑和历史相统一的最终诉求。恩格斯强调,一个概念或概念关系在思维的历史中的发展同其在个别辩证论者头脑中的发展的关系,正像一个有机体在古生物学中的发展同其在胚胎学中的发展的关系一样。虽然历史是由无数个偶然性的感性现实组成,虽然思维表现出清晰的条理性,但是,思维具有历史,历史也具有规律,这是科学认识得以进行的必要前提。因此,逻辑和历史是相统一的。其实,《自然辩证法》就是自然发展史、科学技术史的逻辑再现和哲学反思,是以巨大的历史感为基础的。这是恩格斯《自然辩证法》与黑格尔《自然哲学》的本质区别之一。

总之,恩格斯在《自然辩证法》中揭示出,辩证逻辑方法由上述四种方法构成,在思维中再现现实的矛盾运动,共同推进概念的前进运动。

五、科学认识的辩证性质和要求

就其内容和发展规律而言,科学认识具有辩证特征。在《自然辩证法》中,恩格斯在科学揭示出科学认识的辩证特征的同时,科学阐明了假说在科学认识和科学发展中的地位和作用,丰富和发展了作为主观辩证法的辩证逻辑,实现了科学认识论和科学逻辑学的统一。

科学认识的辩证性质。人类认识是一个辩证发展过程,科学认识更是如此。第一,科学认识的条件性。科学认识只能在一定条件下进行,其能力和水平总是受一定的条件的影响和制约。恩格斯指出,"我们只能在我们时代的条

---

① 《马克思恩格斯选集》第2卷,人民出版社2012年版,第14页。

件下去认识，而且这些条件达到什么程度，我们就认识到什么程度"①。这种条件来自于两个方面。从客体方面来看，科学认识的条件性体现在科学研究对科研环境、科研设备的严格要求上，体现在对科研投入的依赖上。进一步来说，科学认识也会受到客体的性质和结构的制约和影响。作为认识对象的客体总是处于复杂的联系中，看似简单的现象背后是环环相扣的关联。而对表象的分析，透过诸多偶然的联系去认识其本质性的联系和关系，正是科学认识的任务。从主体方面来看，科学家的主体素质和能力尤其是其世界观和方法论都会对科学认识产生重要的影响。认识主体在科学认识过程中起到筛选信息、主导实验的能动作用，关系到认识过程能否顺利进行、认识结果是否有效。正确的世界观和方法论明显有助于科学认识的顺利进行。当然，科学认识的条件性还来自于社会条件。科学认识既受社会结构因素的影响，也受社会形态性质的影响。从根本上来看，社会经济发展水平是影响和制约科学认识的决定性条件。

第二，科学认识的过程性。科学认识既不可能一蹴而就，更不可能一劳永逸，而是一个历史过程。一方面，科学认识总是对一定自然客体的认识，但是，任何一个自然规律都有其适用的条件和范围，因此，科学认识就变成一部历史。在这部历史中，每个阶段都有不同的规律，即同一普遍运动的不同的表现形式起支配作用。这样，"永恒的自然规律也越来越变成历史的自然规律。"② 例如，我们的整个的公认的物理学、化学、生物学都是绝对地以地球为中心的，都只是适用于地球的。尤其是，客观对象的本质的暴露是一个过程。另一方面，科学认识总是一定主体的认识，但是，在一定的条件下，认识主体的能力和水平总是既定的，甚至存在着自己的局限性，这样一来，思维的至上性就是在一系列非常不至上地思维着的人中实现的。尤其是，认识主体素质和水平的提高是一个历史过程。当然，更为重要的是，由于作为主体和客体中介的实践的发展是一个历史过程，这样，客体本质的暴露和主体水平的提高就具有暂时性、过程性和阶段性。总之，科学认识表现为一个从相对真理走向绝对真理的过程。

第三，科学认识的复杂性。科学认识总是在有限和无限的矛盾中展开的，具有复杂性。一方面，可认识的物质的无限性，是由各种纯粹的有限性组成的。科学认识必须要把握住复杂性系统的关键矛盾；另一方面，处于认识过程中的思

① 《马克思恩格斯全集》第 26 卷，人民出版社 2014 年版，第 568 页。
② 《马克思恩格斯全集》第 26 卷，人民出版社 2014 年版，第 569 页。

维的无限性，也是由无限多的有限的人脑所组成的。人脑是彼此并列和前后相继地从事这种无限的认识的，往往会在实践上和理论上出差错，从歪曲的、片面的、错误的前提出发，循着错误的、弯曲的、不可靠的路径前行，往往当正确的东西碰到鼻子尖的时候还是没有抓住它。在科学技术史上，这样的例子屡见不鲜。"事实上，一切真实的、寻根究底的认识都只在于：我们在思想中把个别的东西从个别性提高到特殊性，然后再从特殊性提高到普遍性；我们从有限中找出和确定无限，从暂时中找出和确定永久。然而普遍性的形式是自我完成的形式，因而是无限性的形式；它把许多有限的东西综合为一个无限的东西。"① 显然，无限的东西既是可以认识的，又是不可以认识的。当然，科学认识的复杂性也来源于概念的抽象性。科学认识的内容是由抽象概念所组成的，这些概念彼此间相互联系，每一概念都处在和其余一切概念的一定关系中、一定联系中。因此，科学的认识对客体进行的描述并不是像照镜子那般简单，而是极其复杂、曲折的。总之，科学认识的辩证性质要求我们必须辩证认识，充分发挥假说在科学认识和科学发展中的作用。

假说是科学发展的重要形式。客体的辩证特征和认识的辩证性质决定了，"只要自然科学运用思维，它的发展形式就是假说。"② 因此，我们不能将科学视为绝对的真理体系，而要将之视为一个探索真理的过程。当然，科学中包含的真理内容是客观的、绝对的。第一，假说的含义和作用。自然科学研究必须要以观察和实验为依据和基础，但是，观察和实验只能提供经验材料，涉及的往往是具有偶然性的现象，而发现不了本质和规律。要从经验材料中发现自然规律和达到本质认识，就需要理论思维，就需要大胆地提出假说。假说是一种具有假定性的推测和说明，是一种从现象中发现本质、从经验材料中发现本质和规律的基本途径和必要方法。作为一种重要的思维形式，假说是以社会实践尤其是科学实验为基础，以人类以往相关的认识为参照，综合运用归纳、演绎、分析、综合、类比、比较等逻辑方法甚至直觉和想象的方法，而探索和认识自然现象的本质和自然运动的规律的不可或缺的思维环节。自然科学史表明，假说在科学认识和科学发展中具有重要的地位和作用。例如，"自从人们发现康德是两个天才假说的首创者以来，他在自然科学家当中重新获得了应有

---

① 《马克思恩格斯全集》第 26 卷，人民出版社 2014 年版，第 572—573 页。
② 《马克思恩格斯全集》第 26 卷，人民出版社 2014 年版，第 567 页。

的荣誉。这两个假说就是先前曾归功于拉普拉斯的太阳系起源理论和地球自转由于潮汐而受到阻碍的理论。没有这两个假说，今天的理论自然科学简直就不能前进一步。"① 尽管"原始星云"和"潮汐摩擦"至今仍然是没有被证明的假说，但是，极大地推动了科学的发展。第二，假说的检验和发展。假说毕竟是假说，还不是科学真理，因此，必须接受社会实践的检验。只有被实践证实为真理的假说才为科学，否则，只能仍然是猜测。当然，由于主体、客体和实践都具有过程性，对同一对象或者同一现象往往会形成多种多样的假说。这些假说既有竞争关系，也有包容关系。因此，实践检验假说也是一个历史过程。在这个过程中，"一个新的事实一旦被观察到，先前对同一类事实采用的说明方式便不能再用了。从这一刻起，需要使用新的说明方式——最初仅仅以有限数量的事实和观察为基础。进一步的观察材料会使这些假说纯化，排除一些，修正一些，直到最后以纯粹的形态形成定律。如果要等待材料纯化到足以形成定律为止，那就等于要在此以前中止运用思维的研究，而那样一来，就永远都不会形成什么定律了。"② 在最后的、终极的真理周围存在着一片假说之林，科学正是通过推翻这一个个假说，又建立另一个个假说，才不断向着真理靠近。第三，对待假说的科学态度。科学的假说不是纯粹的猜测或主观的臆测，总是具有一定的事实基础和理论根据，总是包含有一定的真理因素和科学内容，因此，不能武断地认为科学永远只能具有假说的性质，永远不可能达到对本质和规律的认识，永远存在着"自在之物"。以假说转化为科学的复杂性为依据，一些科学家错误地认为，我们不可能达到对本质和规律的认识。这些科学家之所以会形成这种不可知论的观点，就在于不懂得辩证法，不了解辩证逻辑，不理解认识的辩证特征。因此，恩格斯指出，"对于缺乏逻辑修养和辩证法修养的自然科学家来说，相互排斥的假说的数目之多和更替之快，很容易引起这样一种想法：我们不可能认识事物的本质"，"这并不是自然科学所特有的现象，因为人的全部认识是沿着一条错综复杂的曲线发展的，而且，在历史学科中（哲学也包括在内）各种理论也同样是相互排斥的"③。因此，我们不能因为假说有可能出错（事实上往往出错）而否认其在科学认识和科学发展中的重要

① 《马克思恩格斯全集》第 26 卷，人民出版社 2014 年版，第 502 页。
② 《马克思恩格斯全集》第 26 卷，人民出版社 2014 年版，第 567 页。
③ 《马克思恩格斯全集》第 26 卷，人民出版社 2014 年版，第 567 页。

性。其实，即使被实践证明为正确的假说，即科学理论，也可能出现错误。尤其是，当科学认识的对象和条件发生变化时，更是如此。因此，我们必须以历史的、具体的、发展的态度对待假说。这也说明，科学认识具有辩证特征，假说就是这种辩证属性的表现和表征。

总之，在科学说明人类认识辩证特征的基础上，恩格斯创造性地阐明了假说在科学认识和科学发展中的重要作用，将之视为科学发展的形式。即使在波普尔提出"证伪说"的今天，恩格斯的上述观点仍然对于自然科学的发展具有重要的科学方法论价值。当然，对于社会科学的发展也具有重要的启示。正是在唯物史观和剩余价值论的基础上，社会主义才从空想成为了科学。

第五节　科学技术的社会性质和社会功能

以客观自然界为研究对象的科学技术同样具有社会性质和社会功能。恩格斯早年在《英国状况——十八世纪》、马克思在《大纲》和《资本论》中都深刻阐明了这一点。在此基础上，恩格斯在《自然辩证法》中进一步阐明了科学技术的社会性质和社会功能。

一、作为现实生产力的科学技术

在马克思恩格斯看来，科学技术与生产发展密切相关。作为生产力的重要因素，科学技术的水平由生产力的水平所决定，而其自身的进步和提高也带动了生产力水平的总体提高。

生产的发展决定科技的产生和发展。归根到底，科学技术是生产力的重要组成部分，物质生产从根本上决定着科技水平的高低。第一，生产决定科技的产生。科技是在满足生产需要的过程中产生的。埃及的天文学创立之初是用来计算尼罗河的涨落期；印度的数学是拿来丈量土地和测量容积。恩格斯通过对科技史的考察指出，"后来，在农业的某一阶段上和在某些地区（埃及的提水灌溉），特别是随着城市和大型建筑物的出现以及手工业的发展，有了力学。不久，力学又成为航海和战争的需要。——力学也需要数学的帮助，因而它又推动了数学的发展。可见，科学的产生和发展一开始就是由生产决定的"[①]。显然，科技是在满足需要的过程中产生的，生产构成了科技发生之源。没有生产便不会有科技的产生。第二，生产决定科技的发展。在《德意志意识形态》中，马克思恩格斯指出，当马车已不再满足日益发展的要求时，当大工业所造成的生产集中要求新的交通工具来迅速而大量地运输工业产品时，火车便应运而生了。在《自然辩证法》中，通过考察中世纪之后科学的发展，恩格斯指出："如果说，在中世纪的黑夜之后，科学以意想不到的力量一下子重新兴起，并且以神奇的速度发展起来，那么，我们要再次把这个奇迹归功于生产。"[②]具体来看，其一，生产从根本上推动科技发展。生产是科技发展的最初动力和最终归宿。发展科技最为根本的动力来源于生产。生产需求直接影响着科技的发展方向和具体内容。任何科技改变都需要经过物质生产的检验，才能验证其是否成功。其二，生产为科技发展提供资金支持。工业革命后，大批资金投入到煤炭产业，带动了相关行业的进步。先进装备和严格的实验要求是科技发展的必要条件，而这离不开丰厚的资金支持。其三，生产为科技发展提供人才支持。达尔文等人不固守陈旧，打破中世纪神学对自然科学领域上千年的掌控，形成了新的自然科学发展格局。对生产新需求的把握、对科技发展方向的掌控是实现科技发展的先决条件，而这需要走在时代前列先进人才的带领。以上述观察为依据，1894 年 1 月 25 日，恩格斯在给博尔吉乌斯的信中指出："如果像您所说的，技术在很大程度上依赖于科学状况，那么，科学则在更大得多的程度上依赖于技术的状况和需要。社会一旦有技术上的需要，这种需要就会比十所大学更能把科学推向前进。"[③]以前人们只夸耀生产应归功于科学，其实，科学应归功于生产的事实却多得不可胜数。

科技进步促进生产发展。由于科技是知识的物化，因此，不仅能够转化为生产力，而且是现实的生产力。马克思在《资本论》中反复强调，劳动生产

[①] 《马克思恩格斯全集》第 26 卷，人民出版社 2014 年版，第 485 页。
[②] 《马克思恩格斯全集》第 26 卷，人民出版社 2014 年版，第 485—486 页。
[③] 《马克思恩格斯选集》第 4 卷，人民出版社 2012 年版，第 648 页。

力是随着科技进步而不断发展的，生产力中就包括科学技术。在《自然辩证法》中，恩格斯进一步丰富和发展了这一学说。第一，科学技术能够通过发明创造，转化为新的生产工具，带动生产力的发展。各种经济时代的区分，不在于生产什么，而在于如何生产，用什么工具进行生产。在《反杜林论》中，恩格斯就指出，自从蒸汽和新的工具把旧的工场手工业变成大工业以后，在资产阶级的领导下造成的生产力就以闻所未闻的速度和规模发展起来了。在《自然辩证法》中，恩格斯指出，"随着自然规律知识的迅速增加，人对自然界起反作用的手段也增加了"①。马克思恩格斯强调，生产工具是人们的双手，作为人们与生产之间的中介传递观念和想法，促进物质生产以更高、更好的标准满足人们的物质需要和精神需求，而观念和想法则来自于科学技术。第二，科学技术的发展拓展了劳动对象的广度和深度。自然界构成了劳动对象。从其物理化学性质来看，自然资源存在着有限和无限的矛盾。科技的作用就在于，通过认识自然规律，可以加深对自然资源性质和功能的认识，可以拓展自然资源的边界。在《资本论》中，马克思对之有深入的论述。在1883年2月27日至3月1日致伯恩施坦的信中，恩格斯进一步指出："蒸汽机教我们把热变成机械运动，而电的利用将为我们开辟一条道路"，"生产力将因此得到大发展，以至于越来越不再需要资产阶级的管理了"②。显然，科技进步拓展了劳动对象的范围和边界，开辟了新的劳动资源。第三，科学技术被劳动者所掌握，转化为劳动者的生产经验和劳动技能。劳动者是生产过程的主体，其能力高低、职业技能如何直接关系到生产的进度和生产的质量。科学技术一旦被劳动者掌握，转化为劳动技能，就能够直接运用于生产过程之中，推动生产力的发展。马克思在《资本论》中指出，瓦特等人的发明之所以能够实现，就在于有了相当数量的发明家和在工场手工业时期就已准备好了的熟练的机械工人。同样，恩格斯在《自然辩证法》中指出，"蒸汽机是第一个真正国际性的发明……从原理上达到了现今的水平"③。这样，知识、技术、发明转化为一般性的理论，成熟的劳动者真正成为生产的主体力量。可见，科学技术通过渗透在劳动对象、劳动工具和劳动者中，推动生产的发展，促进生产力水平的提高，是物质生产的重

---

① 《马克思恩格斯全集》第26卷，人民出版社2014年版，第479页。

② 《马克思恩格斯选集》第4卷，人民出版社2012年版，第556页。

③ 《马克思恩格斯全集》第26卷，人民出版社2014年版，第672页。

要支柱。

　　总之，恩格斯对科学技术与生产发展关系的辩证分析，既揭示了生产发展对于科学技术的决定作用，又揭示了科技进步对于生产发展的推动作用，这样，就丰富和发展了马克思主义科学技术观和生产力观，并在二者之间架起了桥梁。

二、作为更危险万分的革命家的科学技术

　　从表象上来看，科学技术似乎是游离于政治之外的纯粹学问。其实，科学技术是比布朗基等诸位革命家更危险万分的革命家。在《自然辩证法》和相关著作中，恩格斯科学地阐明了科学技术与政治制度的关系，将科学技术视为政治解放的重要手段。

　　政治制度制约科技发展。尽管科学技术在史前社会就已产生，但是，阶级社会是制约科技发展的重要因素。在不同的社会制度中，科学技术呈现出不同的发展状态。奴隶制的确立，使得一小部分人从体力劳动中脱离出来，专门从事脑力劳动，促进了古代社会的繁荣。这也是希腊文化和罗马帝国出现的根本原因。在封建的中世纪，神学将科技禁锢在自己的掌控下，控制着社会力量的投入，极大地干涉了科技的发展，迫害着追求自由的科技工作者。为真理而献身的布鲁诺，其死亡是神学干涉科技进步的最好例证。进入资本主义社会，一方面，极大地松绑了神学控制下唯唯诺诺的科学技术，从经院哲学里拯救了日渐沉默的科学技术。天文学、力学、物理学等学科日渐活跃起来，并与工业生产密切联系着。但是，另一方面，蓬勃发展的科学技术也使得资本主义社会自身所无法避免的短板被暴露出来。追逐真理是科技发展的重要动力，但是，追逐利润却是资产阶级进行生产的根本动力。统治阶级对科技发展的控制无法满足科技自身的需求，也不可能对科技发展作出整体规划和有效控制，于是，就造成科技力量在各学科、各领域间的失衡。恩格斯在《自然辩证法》中指出："只有一种有计划地生产和分配的自觉的社会生产组织，才能在社会方面把人从其余的动物中提升出来，正像一般生产曾经在物种方面把人从其余的动物中提升出来一样。历史的发展使这种社会生产组织日益成为必要，也日益成为可能。一个新的历史时期将从这种社会

生产组织开始，在这个时期中，人自身以及人的活动的一切方面，尤其是自然科学，都将突飞猛进，使以往的一切都黯然失色。"①进入共产主义社会，科学技术的发展方向、总体规划将脱离利润的控制，而以自身的内在机制为发展动力，这样，科技也会真正地实现自由而全面的发展。可见，科学技术也深受政治制度的影响。

科技进步推动政治解放。在总体上，马克思恩格斯认为，科学技术是一种在历史上起推动作用的革命力量。马克思曾经指出："蒸汽、电力和自动走锭纺纱机甚至是比巴尔贝斯、拉斯拜尔和布朗基诸位公民更危险万分的革命家。"②在《自然辩证法》等同期著作中，恩格斯进一步科学地揭示了科技进步推动政治解放的作用。第一，科技发展影响社会制度。由于科学技术是生产力中的重要因素，因此，它必然会对作为上层建筑的社会制度产生影响作用。掌握在不同阶级手里的科学技术对于社会发展会起到不同程度的影响。1884年6月26日，恩格斯在致考茨基的信中指出，"不应该把农业和技术同政治经济学分开"③。科技发展的政治影响不是只在资本主义社会存在，同样阶级社会的顶峰——资本主义社会扩大了科技的政治影响。第二，科技革命通过政治革命为自己扫清道路。由于中世纪阻碍了科技发展，因此，近代革命产生之时就发出了政治革命的呼吁。在《自然辩证法》中，恩格斯在回顾当时的历史时指出："自然研究当时也在普遍的革命中发展着，而且它本身就是彻底革命的，因为它必须为争取自己的生存权利而斗争。"④自然科学的殉道者布鲁诺以死宣布了科学技术的相对独立性。哥白尼以自己不朽的天文学著作，直接挑战了神学权威，重新确立了科学技术的科学性和真理性。科学技术自身对真理追求的革命性促使其必须要追求自身的独立和自由，不受政治权威和神权政治的控制。第三，科技革命推动政治革命的发展。英国最先确立资本主义制度，与本国最先开展工业革命不无关系。新科学理论的提出、新技术的引进和新工具的使用，都极大地改变了工业生产和社会生活。首先，改变了阶级成分的划分。"羊吃人"现象的出现，归根到底是新纺织机的大规模使用。闲居乡村的农业资产阶级和稳定的中产阶级被日益划归为资产阶级和工人阶级。其次，加速了

---

① 《马克思恩格斯全集》第 26 卷，人民出版社 2014 年版，第 479—480 页。

② 《马克思恩格斯选集》第 1 卷，人民出版社 2012 年版，第 775 页。

③ 《马克思恩格斯全集》第 36 卷，人民出版社 2014 年版，第 169 页。

④ 《马克思恩格斯全集》第 26 卷，人民出版社 2014 年版，第 467 页。

社会流动的速度。经过工业革命，工场手工业时代的迟缓的发展进程转变成了生产中的真正的狂飙时期。在当时先进的科学技术的支持下，空间、时间的距离被大大缩短，原本稳定的血缘关系、宗法从属关系和家庭关系被逐一打碎。第三，推动了新的政治矛盾的出现。资产阶级掌握先进的科技力量，以此来提高劳动生产率，而直接结果是大量工人工资降低、进入失业后备军，贫富差距日渐扩大，直接导致阶级矛盾的尖锐。可见，掌握在先进阶级手里的科技将极大地推动政治解放。

总之，在恩格斯看来，科学技术是实现政治解放的重要手段。只有在未来社会中，科学技术才能获得真正而充分的发展，才能成为造福人的手段。

三、作为文化繁荣表现的科学技术

科学技术与文化发展密切相关。马克思恩格斯早年就已提出，科学和工业结束了人们对自然界的幼稚态度，有助于文化发展。在《自然辩证法》中，恩格斯进一步揭示了科技和文化的辩证关系。

文化状况制约科技发展。在一般意义上，作为社会系统构成因子的文化对社会系统的其他因子具有反作用。在具体意义上，同为社会意识领域构成要素的科技和文化具有相互作用的关系。因此，文化状况制约科技发展。一方面，文化繁荣是推动科技发展的助力。例如，文艺复兴带来的文化大发展和大繁荣，不仅为科技发展创造了适宜的文化环境，而且直接促进了科技发展。恩格斯对文艺复兴给予了高度评价，认为"这是人类以往从来没有经历过的一次最伟大的、进步的变革，是一个需要巨人并且产生了巨人的时代，那是一些在思维能力、激情和性格方面，在多才多艺和学识渊博方面的巨人。"[①] 文艺复兴打破了神学控制下僵硬、孤立的文化氛围，重新肯定了人的价值，突出了自由、理性在文化发展中的重要地位，在这种情况下，科学技术自然获得了极大的动力和支持，"科学的发展从此便大踏步地前进，而且很有力量，可以说同从其出发点起的（时间）距离的平方成正比。这种发展仿佛要向世界证明：从此以后，对有机物的最高产物即人的精神起作用的，

---

① 《马克思恩格斯全集》第26卷，人民出版社2014年版，第466页。

是一种和无机物的运动规律正好相反的运动规律"①。这即是科学技术加速度发展的规律。另一方面，文化保守是科技发展的重大阻力。在中世纪中，自然科学并不是没有发展，但是，科学理论的提出一旦与神学理论发生矛盾，就会遭到淘汰和贬斥，极大地伤害了自然科学家们的感情。即使有科学家坚持自己的观点，也会因为受到当时封闭自然科学理论体系的影响，而无法客观评价正确理论的价值。赖尔理论的提出明显与有机物种不变的假设格格不入，却因神学偏见而无法窥见其中真谛。恩格斯指出，传统不仅在天主教教会中是一种势力，而且在自然科学中也是一种势力。可见，文化繁荣与否直接关系到科技发展水平的高低。

科技进步推动文化繁荣。由于科学技术是一种在历史上发挥革命作用的力量，自然科学是一切知识的基础，因此，科技进步是推动文化繁荣的重要力量。一方面，科技进步是战胜宗教、唯心主义、形而上学的有力武器，有助于唯物论和辩证法在全社会的传播。面对无法解释和控制的自然现象，原始社会的人们创造了神，但是，"在科学的推进下，一支又一支部队放下武器，一座又一座堡垒投降，直到最后，自然界无穷无尽的领域全都被科学征服，不再给造物主留下一点立足之地。"②唯心主义用头脑臆想出的观念、看法，在科学技术面前，毫无招架之力。"自然界中的普遍性的形式就是规律，而关于自然规律的永恒性，谁也没有自然科学家谈得多。"③形而上学用僵化、孤立、绝对的观点看待自然和社会的发展变化。但是，随着自然科学的发展，形而上学观点已经站不住脚了。随着唯物论和辩证法在全社会的确立，为文化繁荣创造了适宜的思想环境。另一方面，科技进步促进了哲学、文学艺术等文化事业的发展。社会有机体各因素之间相互影响、相互推动。客观自然界不仅是科学技术的研究对象，还是哲学和艺术的观察对象。科学技术对自然的认识越准确、越清楚，对其他文化领域带动作用就越明显，同时，科学技术进步也会拓宽哲学和艺术的研究对象、呈现方式，是文化事业发展的重要基石。恩格斯指出，随着自然科学领域每一个划时代的发现，唯物主义也会改变其形式。19世纪自然科学"三大发现"是辩证唯物主义形成的科学基础。可见，科学技术发展也

① 《马克思恩格斯全集》第 26 卷，人民出版社 2014 年版，第 467 页。
② 《马克思恩格斯全集》第 26 卷，人民出版社 2014 年版，第 532 页。
③ 《马克思恩格斯全集》第 26 卷，人民出版社 2014 年版，第 573 页。

是文化进步的重要条件。

　　总之，恩格斯对科学技术和文化发展关系的论述，进一步丰富和发展了《德意志意识形态》中提出的"自然史"和"人类史"相统一的思想，有助于促进"两种科学"的协调发展。

四、作为普遍交往形式的科学技术

　　科技交流是普遍交往的表现和表征。在马克思看来，"社会——不管其形式如何——是什么呢？是人们交互活动的产物。"① 立足世界交往和世界历史，恩格斯科学阐明了普遍交往在科技进步中的重要作用，以及作为科技进步成果的电报、铁路、轮船在交往中的重要作用。

　　社会交往促进科技进步。科技进步是在对话和沟通中实现的。世界交往的顺利进行，推动了科技的复兴和发展。第一，世界交往促进科学的复兴。受中世纪神学的影响，西方科技一度进入低迷时期。而来自东方的火药、指南针和印刷术一经传入西方社会，便对世界历史产生了决定性的影响。马克思曾经指出，火药把骑士阶层炸得粉碎，指南针打开了世界市场并建立了殖民地，而印刷术则变成新教的工具。没有东西方的相互交往，火药、指南针和印刷术不可能走入西方社会，也不会变成科技复兴的手段。可见，外来因素的闯入时常会成为本地科技发展的刺激因素，是精神发展创造的重要思想来源。第二，世界交往促进科技的发展。世界交往不仅搭建了科技交流的平台，还提供了科技竞争的世界市场。一方面，世界交往促使各国在科学技术上互通有无，"从十字军征讨以来，工业有了巨大的发展，并随之出现许多新的事实，有力学上的（纺织、钟表制造、磨坊），有化学上的（染色、冶金、酿酒），也有物理学上的（眼镜），这些事实不但提供了大量可供观察的材料，而且自身也提供了和以往完全不同的实验手段，并使新的工具的设计成为可能"② ，这样，就进一步推动了科学技术的进步和发展。另一方面，世界市场的形成，加强了科技方面的竞争。其一，社会交往的实现打破了一国

---

① 《马克思恩格斯文集》第 10 卷，人民出版社 2009 年版，第 42 页。
② 《马克思恩格斯全集》第 26 卷，人民出版社 2014 年版，第 486 页。

独大的局面。例如，美国的割煤机提高了采煤的效率后，必然会降低煤的生产价格，自然会影响英国的煤交易价格，刺激其他国家吸收先进技术以改革本国的采煤技艺。其二，世界交往扩大了科学技术的影响范围。在先进交通工具的帮助下，英国将自己的殖民地区扩大到印度等国，以求获得更多的原料和市场。在利润的追逐下，先进机器和交通网络被带入落后国家，也相对地推动了当地的科技进步。可见，社会交往打破了国与国之间的界限，将科学技术带入了资本市场之中。

科技进步促进社会交往。科技发展进一步缩短了时间和空间的距离，扩大了社会交往的范围和内容，是社会交往得以顺畅进行的有利条件。第一，科技进步促进国内交往。科技发展从空间上缩短了国家内部各地区之间的距离。蒸汽机的改良直接促进了火车等交通工具的进步。另外，科技发展缩短了各地区之间的心理距离。同时，机器生产将自然空间作为生产资料带入物质生产过程之中。这样，以科技为基础，国家内部成为了有机的整体。第二，科技进步促进世界交往。和商品一样，科学技术同样不受政治制度和地域疆界的限制，其发展也促进着世界交往的进一步深入。一方面，科学技术为世界交往提供了一定的物质基础和相应载体。封建的东方社会，正是凭借铁路和轮船走向了世界，被纳入到世界市场中，并以此改变自身落后的面貌。西方社会对落后地区的殖民，夺取其丰厚的资源和材料，强占其市场份额，但从客观上来说，也带来了先进的机器设备和交通工具，推动了落后地区的科技进步。这样，"大工业便把世界各国人民互相联系起来，把所有地方性的小市场联合成为一个世界市场，到处为文明和进步做好了准备，使各文明国家里发生的一切必然影响到其余各国。"[1] 可见，科技进步是世界性事件，关乎到各国各地区的未来。谁掌握了先进科技，谁就能在世界市场上占有一席之地。但是，在不平等的世界交往中，落后国家和地区始终处于科技交流的接受者地位，无法享有同等的人类社会进步的果实。因此，人类的进步不能"像可怕的异教神怪那样，只有用被杀害者的头颅做酒杯才能喝下甜美的酒浆"[2]，必须以最彻底的社会革命来打破不平等的世界格局。

总之，在恩格斯看来，科学技术既在普遍交往中实现发展和进步，又推动

---

① 《马克思恩格斯选集》第 1 卷，人民出版社 2012 年版，第 299 页。

② 《马克思恩格斯选集》第 1 卷，人民出版社 2012 年版，第 862—863 页。

着普遍交往的深入发展，从而成为社会解放和民族解放的重要手段。

五、作为促进人与自然和谐发展方式的科学技术

科学技术是实现人与自然和谐发展的中介和基础，是建设生态文明的重要手段和方式。在科学阐明马克思主义自然观的生态向度的基础上，恩格斯科学地揭示了科技与自然、科学技术与生态环境的关系。

生态环境制约着科技发展。科学技术必须要以一定的生态环境为前提，要以自然规律为先导。这是因为：第一，客观自然界构成了科学技术的存在前提。植物、动物、石头、空气、光等，不仅是科学技术的研究对象，还是科学技术的实践对象。1873 年 5 月 30 日，恩格斯在致马克思的信中进一步指出："自然科学的对象是运动着的物质，物体。"①他强调，物质是从多种具体的物质形态中抽象出来的概念，在现实生活中，真正存在的是多种多样、处于运动过程中的物质形态，而这正是科学技术所要研究的内容。自然科学探讨不同物质的运动形式，追求背后的运动规律。而从实践领域来说，每一科学认识、每一技术改良，都必须要投入到现实运动中得以检验。没有客观自然界，科学技术也就失去了其存在和发展的依据。第二，客观自然界报复科学技术的盲目作用。作为一种重要的生产力，科学技术是人类改造自然的一种重要力量。科技进步体现出对自然规律认识的正确程度，但是，科学技术一旦违背了自然规律，就会受到自然界的报复和惩罚。在《自然辩证法》中，恩格斯指出，"我们不要过分陶醉于我们人类对自然界的胜利。对于每一次这样的胜利，自然界都对我们进行报复。每一次胜利，起初确实取得了我们预期的结果，但是往后和再往后却发生完全不同的、出乎预料的影响，常常把最初的结果又消除了……因此我们每走一步都要记住：我们决不像征服者统治异族人那样支配自然界，决不像站在自然界之外的人似的去支配自然界——相反，我们连同我们的肉、血和头脑都是属于自然界和存在于自然界之中的；我们对自然界的整个支配作用，就在于我们比其他一切生物强，

---

① 《马克思恩格斯文集》第 10 卷，人民出版社 2009 年版，第 385 页。

能够认识和正确运用自然规律。"① 可见，科学技术必须要遵循客观的自然规律，正视自然界的客观性和规律性。

科学技术深切地影响着生态环境。科学技术代表着人们认识自然、改造自然的水平。第一，科学是认识自然的重要方式。以客观自然界为研究对象的科学技术对自然界的认识越深入和越全面，人们就越能感受到自身和自然界的一体性，从而学会认识和控制生产行为对自然界所造成的后果。第二，技术是改变自然面貌的重要方式。工具作为人的身体器官——手的延伸，在改造自然的过程中起着无可比拟的作用。恩格斯指出，"随着自然规律知识的迅速增加，人对自然界起反作用的手段也增加了；如果人脑不随着手、不和手一起、不是部分地借助于手而相应地发展起来，那么单靠手是永远造不出蒸汽机来的。"② 工具改良的关键是技术革新。可见，技术对提高改造自然的水平具有重要意义。第三，科学技术是优化自然的重要方式。提高资源利用率不仅是物质生产的重要诉求，还是科技发展的主要动力。马克思在《资本论》中指出："化学的每一个进步不仅增加有用物质的数量和已知物质的用途，从而随着资本的增长扩大投资领域。同时，它还教人们把生产过程和消费过程中的废料投回到再生产过程的循环中去，从而无须预先支出资本，就能创造新的资本材料。"③ 科学技术凭借其对客观自然界的正确认识，使得在一定条件下，物质的运动形式可以相互转换；凭借其所生产的机器设备和交通工具，缩短了地理空间中自然物相互之间的距离。科技的发展密切联系了自然和人，改变了原有的自然面貌。可见，科学技术直接关系到人和自然关系是否能够和谐、持续地发展。

总之，在恩格斯看来，科学技术是影响人与自然关系的"序参量"，科学技术生态化是实现人与自然和谐发展的根本力量。

综上，在《自然辩证法》中，立足于自然辩证法和历史唯物论相统一的马克思主义整体性视野，恩格斯科学地阐明了科学技术的社会性质和功能，开启了科学技术社会学的先河。

---

① 《马克思恩格斯全集》第 26 卷，人民出版社 2014 年版，第 769 页。
② 《马克思恩格斯全集》第 26 卷，人民出版社 2014 年版，第 479 页。
③ 《马克思恩格斯文集》第 5 卷，人民出版社 2009 年版，第 698—699 页。

第六节　从自然运动向社会运动的过渡

随着文明的进步，人类不断地拓宽认识和实践的边界，不断创造人化自然和人工自然，从自然运动向社会运动过渡。恩格斯在《自然辩证法》中通过论述人类社会与自然界的交互关系，指出自然运动向社会运动的过渡是以劳动为基础和中介的社会历史过程。

一、自然运动向社会运动过渡的基础

从自然界走向人类社会，从原始人过渡到社会人，由自然运动向社会运动的过渡，是建立在人类劳动基础上的过程。通过劳动，人类改造自然界的结构和面貌、重新划分自然界领域和边界，在自然界的平台上搭建了属于人类自己、能够满足人类需要的社会存在。从这一角度来说，劳动是自然运动向社会运动过渡的基础。

通过劳动，人类从自然界中获得了必要的生存条件和发展条件。人类能够从自然界中脱颖而出，区别于其他动物，最初正是因为要获取食物，获取食物的方式和方法发生了革命性变化。以达尔文生物进化论为科学依据，恩格斯在作为《自然辩证法》重要文献的《劳动在从猿到人转变中的作用》一文中指出，劳动为人类提供了从自然界向社会过渡的身体条件、语言条件和组织条件。这一过程大体经历了直立行走能力的形成、手的专门化、脑髓的形成三个阶段。直立行走是从猿过渡到人的关键性的一步，而其直接动机在于想要摘取树上的果实；工具的产生大大解放了手，也丰富了手的技能，其直接的目的也是想要获取更多的食物、抵御森林之中的危险。"手不仅是劳动的器官，它还是劳动的产物"[①]。首先将人和动物区分开来的关键就是直立行走和能够灵活使

[①] 《马克思恩格斯全集》第 26 卷，人民出版社 2014 年版，第 761 页。

用工具的双手，而正是在获取食物和防御危险的劳动过程中，人们才逐渐形成了属于自身所独有的一套身体条件，使得人类虽然没有狮子、猎豹的速度快，没有飞鸟灵活，但还是能够在森林中存活下来，并获得充足的生存条件。手的解放大大改善了人类的身体条件，身体的其他部位也都获得了劳动功能和工具的性质。同时，在劳动过程中，在相互协作和沟通的过程中，正在生成中的人产生了语言，学会用语言传递信息。紧接着，在语言和劳动的基础上，大脑形成了。不同于动物大脑的发育机制，人类在劳动过程中获得了充足的营养供应，并在身体其他部分的支持下升级为具有高级功能的思维器官。大脑和为它服务的感觉器官，形成越来越清楚的意识，不断提高的抽象能力和推理能力的发展，又相应地推动了语言功能和身体功能的发展，这种相互作用的发展，逐渐将人与动物区分开来，构成独特的人所具有的身体条件和语言条件。当真正的人从动物中走出时，偶然性地混居在一起的人为了获取共同的劳动目标，逐渐构成了固定的团体，也就是形成了"社会"。人类社会的出现，从本质上改变了自然界。这样，自然界不再是由个体的生理驱动形成的"纯自然"，而是有目的性的组织参与的活动了。可见，"劳动是整个人类生活的第一个基本条件，而且达到这样的程度，以致我们在某种意义上不得不说，劳动创造了人本身。"[1] 劳动将人类社会与猿群区别开来，也创造了自然运动向社会运动过渡的物质前提。

通过劳动，人类不断增强对自然规律的认识。大脑的发展为人们能动建立与自然界的非直接联系提供了基础。直立行走大大增强和拓展了人们对自然界的适应性，从自然界之中走出来，获取更多的食物。这也为人体最高器官——大脑的发展提供了基础，尤其是肉食的出现为大脑提供了新的营养。与此同时，火的使用和动物的驯养为人类的进步同样奠定了重要基础。大脑能够获得充足而持续的营养，是认识自然、与自然建立起能动关系的客观前提。在脑的发展和人的活动的基础上，文明得以迅速前进。反映在头脑中的需要以思维的形式展现在人们面前，以致在很长一段时间内大脑都成为文明的代名词，唯心主义世界观成为占主流地位的世界观。在此基础上，人们开始与自然界发生新的稳定的必然的联系。我们已经知道：动物跟自然界发生联系，改变自然界，完全是一种本能性的生理活动。从动物的自然属性来说，这种改变也属于自然

---

[1] 《马克思恩格斯全集》第 26 卷，人民出版社 2014 年版，第 759 页。

界的一部分。但是，在自然界中，任何事物都不是孤立发生的，而是处于普遍联系之中。"每个事物都作用于别的事物，反之亦然，而且在大多数场合下，正是忘记这种多方面的运动和相互作用，才妨碍我们的自然科学家看清最简单的事物。"①动物的身上只保有最原始的生理本能，对自然界的认识停留在本能阶段，即使存在着改变自然的行为也完全是在生理驱动的情况下进行的。而人类与动物不同，在大脑的帮助下能够建立与自然的内在联系，重新认识自然界的复杂关系和内在运动。自然科学建立的目的就是，以自然界为研究对象，认识自然规律，改变自然规律运行的条件以更好地适应自然界。人类之所以能够认识自然界，一方面，是因为大脑的作用，拥有抽象思维，具备从自然界的复杂关系中抽取精华，以认识其本质的能力；另一方面，是因为劳动的要求。劳动以自然界为对象，是人与自然之间的物质变换过程。在劳动过程中，如果能够充分认识劳动对象的话，劳动便会更加顺利地实现预期目标；反之，劳动目的就难以实现。在劳动中，人们与自然界建立起内在联系。

通过劳动，自然运动才能真正向社会运动过渡。劳动是人们获取生活资料、满足基本生存需要的活动，是人类得以延续的基本活动。只有通过劳动，人们才能够从自然界走向社会，构成独特的生存空间。可以说，劳动既是自然运动的新质涌现，也是社会运动的全新内容。通过劳动，人们才能真正从自然运动走向社会运动。首先，劳动对象的丰富是自然运动向社会运动过渡的前提。没有劳动对象，人们的劳动只能是无源之水、无本之木，巧妇难为无米之炊。通过劳动，人们"在自然对象中不断地发现新的、以往所不知道的属性"②。真正的社会运动必须要建立在丰富的劳动资料的基础上。其次，劳动工具为自然运动向社会运动的过渡提供了手段。"劳动是从制造工具开始的。"③劳动工具代表着人们改造自然的水平，先进的劳动工具将会大大提高生产力水平，推动劳动进程的开展。一个石器的出现往往需要花费大量的时间和精力，在这一阶段，劳动水平是低下而缓慢的；而大型机器的诞生能够产生足够多的产品，满足人们的需要，使得人们得以从事多种劳动活动，有精力、有能力探索自然界，从而实现人与自然的统一。最后，拓展劳动主体能力是自然运动向

---

① 《马克思恩格斯全集》第26卷，人民出版社2014年版，第767页。
② 《马克思恩格斯全集》第26卷，人民出版社2014年版，第762页。
③ 《马克思恩格斯全集》第26卷，人民出版社2014年版，第765页。

社会运动过渡的目标。劳动不是无主体的过程。只有作为劳动主体的人的需要得到全面满足、能力得到全面提高、素质得到全面提升，劳动才能全面展开。这样，社会才能全面进步。这一过程就是人的全面发展的过程。全面发展的人必然以自然作为自己的无机身体。在此基础上，就从自然运动过渡到社会运动。总之，以劳动要素的丰富程度为指标，从原始社会到资本主义社会，人们逐渐从荒芜的自然界走向繁华的人类社会，真正实现了在自然的基础上从事社会运动的目标。

综上，劳动是自然运动向社会运动过渡的中介，也是基础。没有劳动，自然运动不可能走向社会运动。

二、自然运动向社会运动过渡的主体

自然运动是没有人的参与下进行的自发过程，社会运动是在人的参与下展开的自觉过程。历史不过是追求着自己目的的人的活动过程而已，因此，人是实现从自然运动向社会运动过渡的主体。

人和动物有着本质区别。尽管人是从类人猿进化而来的，但二者有着本质区别。第一，劳动是人猿相揖别的根本标志。人的手、脑，乃至语言都是在劳动的过程中形成的。通过劳动，人们在自然界打上了自己的印记，并从中形成了属于人类自身所特有的身体器官和社会组织。第二，行为的目的性是人猿相揖别的另一个重要特征。与动物不同，人对自然界的改造带有深思熟虑的性质，以满足自身的需求为最终目的，人们学会运用自然规律来为自身的目的服务。第三，行为的能动性是人猿相揖别的关键。对于自身行为的"前因后果"，人们显然有着与动物不同的敏感性，能够有意识地调节自身活动，与自然运动相适应。"一句话，动物仅仅利用外部自然界，简单地通过自身的存在在自然界中引起变化；而人则通过他所作出的改变来使自然界为自己的目的服务，来支配自然界。这便是人同其他动物的最终的本质的差别，而造成这一差别的又是劳动。"[1] 总之，劳动创造了人，劳动是人和动物的根本区别，因此，人才成为了社会运动的主体。

---

[1] 《马克思恩格斯全集》第 26 卷，人民出版社 2014 年版，第 768 页。

人和社会本质上是统一的。人是社会的人，社会是人的社会，人的本质在其现实性上是一切社会关系的总和，而社会生活在本质上是实践的。第一，人和社会系统的发生具有同时性。完全的人和社会的出现是同步的。社会的形成标志着人们活动的组织性和能动性进入了高水平阶段。"由于随着完全形成的人的出现又增添了新的因素——社会，这种发展一方面便获得了强有力的推动力，另一方面又获得了更加确定的方向。"[①] 可见，人和社会是系统地关联在一起。第二，社会组织在劳动中产生。"劳动的发展必然促使社会成员更紧密地互相结合起来，因为劳动的发展使互相支持和共同协作的场合增多了，并且使每个人都清楚地意识到这种共同协作的好处"[②]。在劳动过程中，人们由于不得不说的需求产生了语言，由于相互协作的需求产生了社会，社会组织是劳动的中介，更是劳动的直接结果。第三，社会结构要素在劳动中产生。恩格斯指出，"劳动本身经过一代又一代变得更加不同、更加完善和更加多方面了。除打猎和畜牧外，又有了农业，农业之后又有了纺纱、织布、冶金、制陶和航海。伴随着商业和手工业，最后出现了艺术和科学；从部落发展成了民族和国家。法和政治发展起来了，而且和它们一起，人间事物在人的头脑中的虚幻的反映——宗教，也发展起来了。"[③] 经济、政治、文化等社会结构各要素，都离不开劳动。在《劳动在从猿到人转变中的作用》这篇文章中，恩格斯指出，在完全形成的人出现后，社会这个新的因素也出现了，推动了历史的发展，使得社会运动有了更加确定的方向。我们知道，人是社会的构成要素。社会活动是人的活动，需要人的参与。无论是生理性的驱动，还是发展性的需求，社会运动本质上都是在需要的驱动下发生的。个体组成了群体性的社会，群体性的活动本质上是由无数个个体的活动所构成的。

人的发展和需要是实现从自然运动向社会运动过渡的根本推动力。在人类产生之后，自然的面貌有了很大的改善，其根本原因在于人类对自然的影响和作用。与其他动物不同，人类可以生活在任何气候下，烹制任何可以食用的食物，并且是独立自主的行为，这就使得人类可以跨越不同的地理区域、分布在地球各个地区。拥有相同习惯、相同风俗，生活在同一区域的人们就构成了族

① 《马克思恩格斯全集》第 26 卷，人民出版社 2014 年版，第 763—764 页。
② 《马克思恩格斯全集》第 26 卷，人民出版社 2014 年版，第 762 页。
③ 《马克思恩格斯全集》第 26 卷，人民出版社 2014 年版，第 766 页。

群，形成不同的社会团体。于是，民族、国家出现在了社会生活中。社会的不断发展，组织化程度的不断提高，推动了文明的进步。在科学技术的帮助下，自然早已脱离了原初自然。在人化自然和人工自然的环境中，人类社会获得了更高层次的美学感受。从自然运动向社会运动的过渡，不可能脱离人的发展和需要。从原始社会到奴隶社会，从奴隶社会走向封建社会，从封建社会发展到资本主义社会，在自然运动向社会运动过渡的这一阶段，人们的寿命在增加、工艺越来越精巧，而人们的需要也从简单的口腹之欲向复杂的物质需要和精神需求过渡。没有人的需要、没有人对美好生活的追求，人们只会停留在茹毛饮血的原始生活，根本不可能到达文明社会。

总之，从作为自然存在物的人向作为社会存在物的人的转变，就是自然运动向社会运动的转变，有了人，就有了历史，因此，人尤其是现实的人是自然运动向社会运动过渡的主体。

三、自然运动向社会运动过渡的条件

从自然运动向社会运动的过渡，需要建立在一定的基础上，需要一定的条件。我们说，在劳动的基础上人类实现了自然运动向社会运动的过渡，就在于人类在劳动中创造了从自然运动向社会运动过渡的条件。

没有人类从动物界脱离出来，不会有人类社会的出现，更不会有自然运动向社会运动的过渡。人类脱离自然界，是自然运动向社会运动过渡的逻辑基础，更是现实前提。第一个在平地上行走摆脱了手的束缚，以直立的姿势行走的类人猿，迈出了从猿过渡到人的具有决定意义的一步。这一步开始了人从动物界解放出来的进程。开始使用工具、在交往过程中产生语言、大脑的进化以及身体结构的改变，最终使真正的人类出现。人类与动物的区别，不在于简单的形体差别和属性差别，而是能够运用和使用工具，不再是简单地适应外部环境，而是能够自觉地将外部环境与自身发展融为一体。开始时，猿类对待食物的态度与一般动物没有差异，觅食具有流动性，随着环境的变化，为寻求充足的食物来源，人们学会了使用火和驯养动物，改善饮食结构，有储存食物和保护产地的意识。这是一种在自然界生存的天然危机感，正是这种内在感受促使人类有意识地通过改变自身来适应自然运动，并且，在这种自然环境中，改变群体的内部相处方式。在适应自然的基础上，发展出了社会环境。自然环境与社会环境在逻辑上虽然有先来后到的差异，但是，从人类脱离动物界那天开始，自然环境的改变和社会环境的改变便是同一过程的两个方面而已。

人的生产是自然运动向社会运动过渡的动力，也是条件。从动物中脱离出来之后，在劳动中形成了不同的社会关系，开始只是偶然的聚集，再发展到由血缘组成的家庭、部落，在生产协作的基础上，最后逐渐发展成国家和社会。人构成的社会组织，一方面奠基于血缘所构成的基本的人际关系；另一方面服务于社会生产的需要。社会达尔文主义认为，自由竞争、生存斗争不仅是自然界的运动规律，也是社会运动的必然规律。从这一角度出发，他们自然认为，资本家对工人阶级的剥削具有正当性和合理性。恩格斯指出了这一观点的荒谬性，认为这是对达尔文生物进化论的讽刺。他指出，"达尔文的全部生存斗争学说，不过是把霍布斯关于一切人反对一切人的战争的学说和资产阶级经济学的竞争学说以及马尔萨斯的人口论从社会搬到生物界而已。……要把这些学说从自然界的历史中再搬回到社会的历史中去，那是很容易的；如果断言这样一来便证明这些论断是社会的永恒的自然规律，那就过于天真了"①。将人从自然界提升到社会，不单单是物质生产的积累，而且还是有意识地将人类从粗暴的本能竞争提升为有意识的协作。正如恩格斯所强调的，即使是自然界也不完全是由竞争组成，也有协作和互相支持。社会达尔文主义将自然界规律搬到社会之中，一方面美化竞争、遮盖剥削；另一方面无视历史的发展，将社会再次等同于自然界。

一种有计划地生产和分配的自觉的社会生产组织是自然运动向社会运动过渡的社会条件。人是自然运动向社会运动过渡的主体，人的组织化水平意味着组织化程度的高低，意味着社会运动能否真正实现。生产方式变革是实现从自然运动向社会运动过渡、从必然王国向自由王国飞跃的必由之路。为此，要科学认识人类行为的后果，加以自觉调整。一方面，要正确认识人类行为的自然后果，协调人与自然关系的和谐发展。由于人类对自然的破坏，自然界会对人类的盲目行为进行报复，因此，人类必须正确认识自然规律。否则，人类的行为永远是盲目的；另一方面，要正确认识人类行为的社会后果，协调人与社会的关系。如果说我们需要经过几千年的劳动才多少学会估计我们的生产行为在

① 《马克思恩格斯全集》第26卷，人民出版社2014年版，第755页。

自然方面的较远的影响，那么我们想学会预见这些行为在社会方面的较远的影响就更加困难得多了。这在于，到目前为止的一切生产方式，都仅仅以取得劳动的最近的、最直接的效益为目的。那些只是在晚些时候才显现出来的、通过逐渐的重复和积累才产生效应的较远的结果，则完全被忽视了。因此，必须要改变旧有的生产方式，来彻底地改变这种破坏性的生产。"为此需要对我们的直到目前为止的生产方式，以及同这种方式一起对我们的现今的整个社会制度实行完全的变革。"① 就社会关系的调整来看，必须彻底变革资本主义制度，建立有计划的生产和分配的自觉的社会生产组织。这就意味着人不单是自然界的主人，也是自然界的管理者，需要以管理员的身份自觉地调配人和自然的关系，祛除以往人和自然关系中的对立和斗争。同时，资本主义社会的生产，虽然是社会化大生产，但是，维护的是私有者的利益，无法真正认识到人和自然的整体性、人和人的整体性，也就无法真正实现社会生产。计划意味着合理的利用和改造。因此，真正的社会运动，必然是在有组织的形态下进行的。

从自然运动向社会运动的过渡，意味着人在生产力和生产关系两个方面的真正提升，意味着生产方式的全方位的革命变革。

四、自然运动向社会运动过渡的目标

从自然运动向社会运动的过渡，最终要实现从必然王国向自由王国的飞跃，即走向共产主义。马克思早年指出，共产主义就是要实现人道主义和自然主义的统一；恩格斯早年提出，消灭私有制就是要实现人与自然的和解、人与社会的和解。在此基础上，恩格斯提出了"两个提升"的思想。

在物种方面，把人从其余的动物中提升出来，实现人与自然的和解。人要生存，必须要从自然界中获取足够多的资源和空间，但是，人和自然之间的关系存在着相互对抗力。因此，人们必须主动地调整自身，包括提高认识能力和劳动水平以更好地适应自然，并通过他所作出的改变来使自然界为自己的目的服务。但是，人类社会的进步，并不意味着人类已经完全脱离和战胜自然界，夺取了人类对自然界的胜利。生态灾难的不断发生、自然资源和物种的灭绝，

---

① 《马克思恩格斯全集》第26卷，人民出版社2014年版，第770—771页。

环境中不断暴发的灾害，说明自然界也在对人类进行报复。马克思在《资本论》中指出，人们是在劳动过程中建立与自然的关系，并从自然之中获取劳动资料和劳动产品，这是一个相互作用的关系。因此，人和自然的和解，不是意味着人完全屈从于自然，停止生产的步伐，也不是意味着将自然纳入人的目的，而是一种相互融合、相互占有的关系。恩格斯在《自然辩证法》中指出，"特别自本世纪自然科学大踏步前进以来，我们越来越有可能学会认识并从而控制那些至少是由我们的最常见的生产行为所造成的较远的自然后果。而这种事情发生得越多，人们就越是不仅再次地感觉到，而且也认识到自身和自然界的一体性"[1]。这种一体性建立在人们对自然的充分理解和足够尊重的基础上。显然，这种提升与和解的实质是，认识自然，改造自然，保护自然，在自然界实现人的自由。

在社会方面把人从其余的动物中提升出来，实现人与社会的和解。人和自然的和解是人和社会和解的前提，也是其结果。如果没有人和社会的和解，就不能实现人和自然的和解。在资本主义社会中，人和人之间一直是相互竞争、彼此倾轧的关系，尤其是有产者对无产者的剥削和压迫，达到了无以复加的地步。将人从其余物种中提升出来，建立有计划的自觉生产的组织，就意味着将人和人的关系的私人性转向公共化，人成为真正的社会的组成部分。不同于空想社会主义的空想，恩格斯提出从自然运动向社会运动的过渡既是解决人和自然之间的矛盾，推动人类社会持续发展的需要，也是人和人之间斗争性关系的真正解决。社会化大生产与生产资料私有制之间的矛盾，造成了资本主义社会无可避免的社会问题与环境问题。如果任由其发展，在自然界的有限范围内，一定会造成人类的灭绝。在必然性面前，只有调整人和人之间的关系，改变人对待自然的态度，才能真正实现人类社会的持续发展和解放。而人和人之间的关系本质上是社会关系，是由生产资料的所有制造成的。不消灭私有制，公平正义根本无从谈起。显然，这种提升和和解的实质是认识社会，改造社会，在社会中实现人的自由。

可以说，探求从自然运动过渡到社会运动的秘密，是恩格斯写作《自然辩证法》的真正诉求。在人和自然的和解中实现人和人的和解，在和谐的社会关系中正确处理人和自然的关系，只有这样，才能实现共产主义。

---

[1] 《马克思恩格斯全集》第26卷，人民出版社2014年版，第769页。

综上，以劳动二重性学说为起点，马克思在《资本论》中科学揭示出资本主义社会的秘密和人类社会的秘密。在《自然辩证法》中，恩格斯将劳动作为从自然运动向社会运动过渡的终点，作为自然运动和社会运动相统一的基础和中介，这样，恩格斯就科学地回答了《德意志意识形态》提出的自然史和人类史相统一的问题，将《自然辩证法》和《资本论》有机地统一了起来。显然，《自然辩证法》是马克思主义整体性的科学典范，是马克思主义发展史上伟大的篇章。

第四章 《人类学笔记》和《家庭、私有制和国家的起源》对史前史的探讨

19 世纪 70 年代到 90 年代，在批判地吸收文化人类学进化论学派成果的基础上，马克思恩格斯对史前社会(原始社会)进行了深入的研究，创作了《人类学笔记》和《家庭、私有制和国家的起源》(简称为《起源》)等马克思主义发展史上光辉的篇章，初步完成了对人类社会的"猴体解剖"，开创了科学的史前社会理论，丰富和发展了马克思主义社会形态理论，发展和完善了马克思主义理论体系。

第一节 史前社会和文明发生的科学探讨

19 世纪 60 年代后，文化人类学进化论派得以兴起和发展，通过大量的实证研究对史前社会和人类文明的发生进行了深入的探讨和研究，取得了丰富的理论成果。在此背景下，马克思恩格斯密切关注和利用文化人类学进化论学派的研究成果，对史前社会和文明发生展开了深入研究，科学阐述了人类社会历史发展的源头问题。

一、文化人类学进化论学派的崛起和问题

文化人类学是人类学的重要分支，主要是比较和研究世界各民族文化、社会的学问。文化人类学进化学派是文化人类学的重要流派，主要是以进化论学说为基础和方法，以原始民族文化为研究对象，关注人类文化的起源和演进问题。

文化人类学进化论学派产生的理论基础。文化人类学进化论学派的崛起是建立在进化论学说的基础之上的。1859 年 11 月，达尔文的《物种起源》（《根据自然选择的物种起源》）一书出版。该书从进化论的角度出发，研究自然界的发展问题，揭示了"物竞天择，适者生存"的自然发展规律，标志着生物进化论学说的诞生。进化论学说对马克思恩格斯的思想发展产生了重要影响。威廉·李卜克内西指出："马克思特别关心和重视自然科学（包括物理学和化学）和史学领域里的每一种新事物和新成就。……当达尔文对自己的研究作出结论并将它公之于世时，连续好几个月我们除了谈论达尔文以及他的科学成就所产生的革命威力，什么也不谈。"[①] 可见，马克思高度重视和评价达尔文的学说。在1860年12月19日给恩格斯的信中，马克思指出："在我经受折磨的时期——最近一个月——我读了各种各样的书。其中有达尔文的《自然选择》一书。虽然这本书用英文写得很粗略，但是它为我们的观点提供了自然史的基础。"[②] 可见，达尔文的学说从自然科学的角度论证了马克思恩格斯的学说的科学性。马克思逝世后，恩格斯指出："正像达尔文发现有机界的发展规律一样，马克思发现了人类历史的发展规律，即历来为繁芜丛杂的意识形态所掩盖着的一个简单事实：人们首先必须吃、喝、住、穿，然后才能从事政治、科学、艺术、宗教等等；所以，直接的物质的生活资料的生产，从而一个民族或一个时代的一定的经济发展阶段，便构成基础，人们的国家设施、法的观点、艺术以至宗教观念，就是从这个基础上发展起来的，因而，也必须由这个基础来解释，而不是像过去那样做得相反。"[③] 显然，恩格斯高度评价达尔文的理论功绩，将进化

---

① ［德］威·李卜克内西：《纪念卡尔·马克思——生平与回忆》，《回忆马克思》，人民出版社 2005 年版，第 64 页。

② 《马克思恩格斯全集》第 30 卷，人民出版社 1974 年版，第 130—131 页。

③ 《马克思恩格斯选集》第 3 卷，人民出版社 2012 年版，第 1002 页。

学说与唯物史观的贡献并列。

文化人类学进化论学派的产生和主要观点。文化人类学进化论学派的产生的标志是德国学者巴斯提安 1860 年发表的三卷本的《历史上的人》。该书第一次对文化进行系统的和科学的研究，开创了系统研究人类文化的先河。该书一经出版，马克思就对之进行了深入的阅读和剖析。在 1860 年 12 月 19 日给恩格斯的信中，马克思指出："阿·巴斯提安的《人在历史中》（三厚册，作者是不来梅的一个年轻医生，作过一次多年的环球旅行）试图对心理学作'自然科学的'说明并对历史作心理学上的说明，写得拙劣、紊乱而又模糊不清。唯一可取的是有的地方叙述了民族志学上的一些奇闻。"[1] 虽然马克思对巴斯提安的书整体上评价不高，但是仍然肯定了该书在民族学方面的价值。这充分反映了马克思对文化人类学进化论派成果的跟踪和研究与其产生的同步性。在巴斯提安之后，麦克伦南、巴霍芬、拉伯克、泰勒、梅恩、摩尔根、柯瓦列夫斯基和菲尔等文化人类学家出版了大量的著作，对原始家庭、氏族、原始文化、原始婚姻以及东方村社等问题展开了一定的研究。这些人类学家的观点并非完全一致，甚至存在一些矛盾和对立之处。例如，"摩尔根和梅恩对母系家族形态和父系家族形态的首要地位有不同的看法；柯瓦列夫斯基赞成梅恩的意见。摩尔根和约·弗·麦克伦南对麦克伦南的族内婚和族外婚的观点看法不同；拉伯克支持麦克伦南在这一争论中的观点。"[2] 然而，他们在坚持进化论上的立场是一致的，都对人类社会的发展持乐观的态度，都相信人类的进步，所以，都可以归为文化人类学进化论学派的代表人物。显然，文化人类学派也推动了进化论学说的发展。

总之，文化人类学进化论学派的崛起及其提出的一系列重要问题，在探究人类文明发展史中占据着重要地位。

---

① 《马克思恩格斯全集》第 30 卷，人民出版社 1974 年版，第 131 页。

② ［美］劳伦斯·克拉德：《作为民族学家的卡尔·马克思》，《马克思主义研究资料》第 14 卷，中央编译出版社 2015 年版，第 16 页。

二、人类学研究和马克思主义体系的完善

人类学研究在马克思主义体系发展和完善的进程中发挥着重要的作用，在某种意义上可以说，存在着"马克思主义人类学"。

19 世纪 60 年代之前，由于大量的文化人类学成果还没有出现，马克思恩格斯对史前社会的认识还很薄弱，对人类社会发展的认识存在着诸多不完善的地方。"在 60 年代开始以前，根本谈不到家庭史。历史科学在这一方面还是完全处在摩西五经的影响之下。"①为了弥补这一薄弱环节，马克思恩格斯不仅高度重视和深入研究文化人类学的研究成果，还和柯瓦列夫斯基等人类学家保持了密切的交往。在 1879 年 9 月 19 日给丹尼尔逊的信中，马克思指出："柯瓦列夫斯基的书（指《公社土地占有制，其集体的原因、进程和结果》——引者注），我已从他本人那里得到了。他是我的'学术上的'朋友之一，每年都要来伦敦，利用英国博物馆的珍藏。"② 1877 年，摩尔根的《古代社会》出版后，柯瓦列夫斯基给马克思邮寄了一本。通过研读文化人类学的理论成果，马克思恩格斯丰富和发展了马克思主义理论体系。

文化人类学进化论使马克思恩格斯最终确证了私有制的暂时性。马克思恩格斯毕生都致力于推翻资本主义社会，实现无产阶级和全人类的解放。这就要求首先从理论上揭示私有制和资本主义社会的暂时性，为共产主义的实现奠定科学的理论基础。要实现这一理论目标，单纯研究和论证资本主义私有制的不合理性是远远不够的，还必须论证共产主义公有制的合理性和必然性，即必须揭示出人类社会存在过一个没有私有制和阶级的发展阶段。这就需要马克思恩格斯加强对史前社会的研究。在创立唯物史观初期，马克思恩格斯并没有意识到私有制和阶级只是人类社会发展到一定阶段的产物，因而在《共产党宣言》中曾简单地断定：至今为止的一切人类社会的历史都是阶级斗争的历史。但是，根据文化人类学进化学派通过大量的实证调查得出的科学结论，史前社会并不存阶级和阶级斗争。这使马克思意识到："自从文明时代开始以来所经过的时间，只是人类已经经历过的生存时间的一小部分（而且是很小的一部分），

① 《马克思恩格斯选集》第 4 卷，人民出版社 2012 年版，第 16 页。
② 《马克思恩格斯全集》第 34 卷，人民出版社 1972 年版，第 385 页。

只是人类将要经历的生存时间的一小部分。社会的瓦解，即将成为以财富为唯一的最终目的的那个历程的终结，因为这一历程包含着自我消灭的因素……这（即更高级的社会制度）将是古代氏族的自由、平等和博爱的复活，但却是在更高级形式上的复活。"① 显然，私有制不是永恒的，原始社会不存在私有制，而未来的共产主义社会是原始公有制在更高形式上的复活。总之，通过吸收文化人类学的研究成果，马克思恩格斯最终论证了私有制的暂时性。

文化人类学进化论使马克思恩格斯完善了唯物史观的"艺术整体"，证明了唯物史观基本原理在史前社会的有效性。在系统研究史前社会之前，虽然马克思恩格斯对东方社会展开过一定的研究，而史前社会和东方社会在社会结构方面也具有一定的同构性，但是正如"人体解剖"无法代替"猴体解剖"一样，对东方社会的研究也无法代替对史前社会的研究，因此，他们也不确定唯物史观的基本原理能否适用于史前社会。通过研究文化人类学成果，马克思恩格斯获取了大量关于史前社会的第一手资料，为完善唯物史观的"艺术整体"奠定了基础。对此，恩格斯指出："摩尔根在美国，以他自己的方式，重新发现了 40 年前马克思所发现的唯物主义历史观，并且以此为指导，在把野蛮时代和文明时代加以对比的时候，在主要点上得出了与马克思相同的结果。"② 可见，摩尔根对史前社会的研究得出了和唯物史观相同的结论，从而证明了唯物史观的基本原理适用于史前社会。在研读摩尔根《古代社会》时，马克思指出，家庭是一个能动的要素，亲属制度是被动的；当家庭已经根本变化了的时候，亲属制度才发生根本的变化；因此，亲属制度之于家庭，正如政治的、宗教的、法律的以至一般哲学的体系之于经济基础。显然，在分析史前社会基本结构时，马克思已经认识到家庭在某种意义上扮演着经济基础的角色，表明了血缘亲属关系和人自身生产发挥着决定性作用，而亲属制度和政治、宗教、法律等属于上层建筑范畴，受前者制约。总之，通过对史前社会的研究，马克思恩格斯完善了唯物史观的"艺术整体"。

文化人类学进化论强调的方法为马克思恩格斯研究人类社会提供了重要的方法论启示。其一，典型研究是文化人类学家在开展田野调查时贯彻始终的方法。马克思摘录道："发展的道路应该在制度纯粹的那些地区去研究。波利尼

---

① 《马克思古代社会史笔记》，人民出版社 1996 年版，第 192 页。
② 《马克思恩格斯选集》第 4 卷，人民出版社 2012 年版，第 12 页。

西亚和澳大利亚是研究处于蒙昧状态的社会的最好地区；南北美洲是研究处于野蛮时代低级阶段和中级阶段的社会状况的最好地区。"① 显然，典型分析具有普遍性，强调要抓住特殊对象的特殊矛盾，展开具体问题具体分析。其二，实证研究是文化人类学家展开研究时坚持的重要方法，也是形成其观点和结论的基础。通过数十年的实证考察，摩尔根在占有大量第一手材料的基础上，写出了《古代社会》一书。在人类学研究中，马克思十分注重实证研究，强调分析、综合、比较、思辨的总体运用。其三，历史分期法是文化人类学家在探讨人类社会发展时运用的方法。马克思恩格斯接受了摩尔根将人类社会发展分为蒙昧阶段、野蛮阶段和文明阶段的提法。恩格斯指出："摩尔根是第一个具有专门知识而尝试给人类的史前史建立一个确定的系统的人；他所提出的分期法，在没有大量增加的资料要求作出改变以前，无疑依旧是有效的。"② 可见，恩格斯肯定和采纳了摩尔根的历史分期法。文化人类学的方法对马克思恩格斯研究人类社会发展具有重要的价值。

总之，人类学在马克思主义理论体系中占据着重要地位，在马克思主义理论体系发展和完善的过程中发挥着重要作用。

三、马克思恩格斯研究人类学的历史进程

人类学研究贯穿于马克思恩格斯思想发展的全过程，与唯物史观的创立和剩余价值理论的发现密切相关，不仅随着唯物史观和剩余价值理论这两大发现的发展而不断向前推进，还丰富和发展了两大发现和整个马克思主义理论体系。

马克思在青年时代就对人类学展开过研究，阅读过沙尔·德·布鲁斯论拜物教和克利斯托夫·迈纳斯论比较宗教的著作。③ 1836 年至 1837 年冬季学期，即马克思从波恩大学转入柏林大学的第一学期，他就在斯特芬斯教授开设的人类学课程的正规训练下，接受了康德、黑格尔等人的哲学人类学的传统教

① 《马克思古代社会史笔记》，人民出版社 1996 年版，第 158 页。
② 《马克思恩格斯选集》第 4 卷，人民出版社 2012 年版，第 29 页。
③ 参见［美］劳伦斯·克拉德：《作为民族学家的卡尔·马克思》，《马列主义研究资料》1985 年第 1 辑，人民出版社 1985 年版，第 200 页。

育，获得了"勤勉"的成绩。通过学习，马克思对人类学有了初步的认识和把握，并阐述了一系列哲学人类学的观点。在《黑格尔法哲学批判》中，马克思初步论述了市民社会和国家的关系，指出是市民社会决定国家，而不是黑格尔所说的国家决定市民社会；在《1844年经济学哲学手稿》中，马克思讨论了人的异化及其解放的途径。在此过程中，马克思逐渐认识到，单纯从哲学的角度研究人类社会及其发展规律无法解释诸多问题，必须从政治经济学的角度加强对"市民社会"的解剖。

1845年至1850年，在初步创立唯物史观的过程中，马克思恩格斯对人类学有了一定的认识。在《德意志意识形态》中，马克思恩格斯就强调，分工代表了生产力发展的程度和所有制的不同形式。因此，从分工及其发展的角度出发，他们将部落所有制看作是人类历史发展的第一种所有制形式。"在这个阶段，分工还很不发达，仅限于家庭中现有的自然形成的分工的进一步扩大。因此，社会结构只限于家庭的扩大：父权制的部落首领，他们管辖的部落成员，最后是奴隶。潜在于家庭中的奴隶制，是随着人口和需求的增长，随着战争和交易这种外部交往的扩大而逐渐发展起来的。"①显然，这种划分存在不完善的地方：从横向的社会结构上看，他们将父权制家庭看作是人类历史上最早的社会组织，将社会结构看作是仅限于父权制家庭的扩大，没有厘清氏族和家庭的关系；从纵向的社会形态上看，他们没有把原始社会末期和奴隶社会初期区分开来，即没有将原始社会和奴隶社会区分开来。实际上，部落所有制是一种混合所有制，并非人类社会历史发展的第一个阶段或所有制形式。在《雇佣劳动和资本》中，马克思明确提出了生产关系的概念，并从生产力和生产关系辩证运动的角度出发，划分了社会形态的更迭演进："古典古代社会、封建社会和资产阶级社会都是这样的生产关系的总和，而其中每一个生产关系的总和同时又标志着人类历史发展中的一个特殊阶段。"②这里，古典古代社会是指古希腊罗马社会。在《共产党宣言》中，马克思恩格斯提出了"至今一切社会的历史都是阶级斗争的历史"的命题，强调人类社会的原初状态也存在阶级斗争。总之，马克思恩格斯对人类社会的原初发展状态进行了一定的预测和研究，具有重要的探索意义。

---

① 《马克思恩格斯选集》第1卷，人民出版社2012年版，第148页。
② 《马克思恩格斯选集》第1卷，人民出版社2012年版，第340页。

19 世纪 50 年代，通过对东方社会这一中介，马克思对人类学进行了较为深入的研究。在研究东方社会的过程中，马克思恩格斯发现了东方国家在土地制度方面不同于西方资本主义社会，发现了亚细亚生产方式的存在，强调东方国家土地私有制、中央集权的专制制度和血缘宗法制是亚细亚生产方式的主要特征。在《政治经济学批判（1857—1858 年手稿）》中，马克思撰写了《资本主义生产以前的各种形式》一节，依次论述了亚细亚的所有制、古代的所有制和日耳曼的所有制三种前资本主义生产方式，将亚细亚的所有制形式看作是土地所有制的第一种形式。在 1859 年《〈政治经济学批判〉序言》中，马克思将亚细亚的、古希腊罗马的、封建的和现代资产阶级的生产方式看作是经济的社会形态演进的几个时代。可见，马克思明确将亚细亚生产方式看作是人类社会历史发展的第一个阶段。这样，马克思就加深了对史前社会的认识和把握。

19 世纪 60 年代后，文化人类学关于史前社会的大量研究成果涌现，为马克思恩格斯研究人类学提供了大量的第一手资料。文化人类学一经产生，马克思恩格斯就敏锐地意识到其重要性。1871 年 9 月 3 日，在给俄国革命家拉甫罗夫的信中，恩格斯就要给他代买泰勒《原始文化》（1871 年）、拉伯克《文明的起源和人的原始状态》(1875 年）、梅恩《古代法》(1861 年）等书籍。其中，对拉伯克的《文明的起源和人的原始状态》和梅恩另一本著作《古代法制史讲演录》的摘录构成了马克思《人类学笔记》的重要内容。在此情形下，马克思恩格斯积极利用当时文化人类学的最新成果，加强对人类学的研究。一方面，他们系统摘录和吸收了德国著名的历史学家毛勒关于欧洲古代社会(史前社会)马尔克制度的研究成果，从中发现了欧洲各国的古代社会也不同程度地存在着土地公有制。1868 年 3 月，马克思和恩格斯研读了《马尔克制度、农户制度、乡村制度、城市制度和公共政权的历史概论》简称《马尔克制度》(1854) 一书。同年 3 月 25 日，马克思在给恩格斯的信中指出，毛勒的书非常有意义，对原始时代，以及后来的帝国直辖市、享有豁免权的地主、公共权力以及自由农和农奴之间的斗争的全部发展，都作了崭新的说明。可见，毛勒的著作对于马克思认识和把握欧洲古代社会具有重要作用。1876 年，马克思不仅再次阅读并详细摘录了毛勒的《马尔克制度》，还摘录了毛勒的《德国马尔克制度史》(1856 年)、《德国领主庄园、农户和农户制度史》（四卷集，1862—1863 年）和《德国乡村制度史》（两卷集，1865—1866 年）。同时，恩格斯对欧洲的马尔克和日耳曼民族的古代历史进行了深入的研究，撰写了《论德意志人的古代历史》

（1878—1882 年）、《法兰克时代》（1878—1882 年）、《马尔克》（1882 年）、《关于原始家庭的历史（巴霍芬、麦克伦南、摩尔根）》（1891 年）、《论原始基督教的历史》（1894 年）等著作。其中，在写作《马尔克》时，恩格斯不仅再次阅读了毛勒的《马尔克制度》和《德国马尔克制度史》，并作了评注性的摘要，还将毛勒的资料同其他资料作了比较。另一方面，马克思高度重视文化人类学进化论思想的兴起和发展，系统摘录和批判吸收了文化人类学家的研究成果。马克思研读并摘录了柯瓦列夫斯基的《公社土地占有制，其解体的原因、进程和结果》（1879 年）、摩尔根的《古代社会》（1877 年）、拉伯克的《文明的起源和人的原始状态》（1870 年）、梅恩的《古代法制史讲演录》（1875 年）和菲尔的《印度和锡兰的雅利安人村社》（1880 年）等著作，形成了《柯瓦列夫斯基笔记》、《摩尔根笔记》、《拉伯克笔记》、《梅恩笔记》和《菲尔笔记》，简称"人类学笔记"或"古代社会史笔记"。在摘录柯瓦列夫斯基笔记时，为了充分掌握印度的历史和现实情况，马克思搜集并阅读了罗·修厄尔的《印度分析史》和蒙·埃尔芬斯顿的《印度史》等史料，并特别注意英国人征服和奴役印度的历史，编写了《印度史编年稿》（664—1858 年）。总之，通过借鉴和吸收文化人类学研究成果，马克思恩格斯对史前社会有了全面的认识和把握。

马克思逝世后，在整理他的遗稿时，恩格斯发现了《人类学笔记》。在充分利用《人类学笔记》尤其是《摩尔根笔记》的基础上，恩格斯于 1884 年完成了《起源》一书。该书用历史唯物主义的观点系统科学地分析了人类社会早期发展阶段的历史，系统地阐述了家庭、私有制和国家的起源和发展，明确提出了人自身生产的概念，科学地证明了未来共产主义社会实现的必然性。对此，列宁指出："这是现代社会主义的基本著作之一，其中每一句话都是可以相信的，每一句话都不是凭空说的，而是根据大量的史料和政治材料写成的。"① 概言之，《起源》是恩格斯研究人类学的理论结晶，在马克思主义理论体系中占据重要地位。

可见，人类学研究贯穿马克思恩格斯一生的思想发展进程，在马克思主义理论体系发展和完善进程中发挥着重要作用。

---

① 《列宁选集》第 4 卷，人民出版社 2012 年版，第 26—27 页。

四、马克思对史前史的研究及其成果

《人类学笔记》是马克思研究史前史的成果的集中体现，包含着十分丰富的内容，涉及诸多的题材和领域。从时间上看，《人类学笔记》论述了包括史前社会在内的整个前资本主义社会；从空间上看，除史前社会以外，《人类学笔记》对欧洲以外的广大亚非拉地区都有所涉及。其中，《摩尔根笔记》、《梅恩笔记》和《拉伯克笔记》主要是论述史前社会问题，尤其是原始社会的氏族组织，以及家庭、私有制和国家的起源和发展；《柯瓦列夫斯基笔记》和《菲尔笔记》主要是论述东方社会问题，尤其是东方国家的土地制度和村社结构。

《摩尔根笔记》的主要内容。1877年，摩尔根的《古代社会》一书出版后，马克思对之展开了详细的阅读和摘录，并作了大量的批注。在充分肯定该书成就的基础上，马克思将原书的结构"生产技术的发展→政治观念的发展→家庭形式的变化和私有制的产生"调整改造为"生产技术的发展→家庭形式的变化到私有制和国家的产生→政治观念的发展"，使之更符合唯物史观的要求。围绕着这一主线，马克思首先摘录了由各种发明和发现而来的智力的发展。在总体上，马克思同意和详细摘录了摩尔根从生产力的发展和生活资料的进步的角度将人类社会发展分为蒙昧时代、野蛮时代和文明时代，并将前两个时代又分为低级阶段、中级阶段和高级阶段。在此过程中，马克思也对摩尔根忽视火的技术发明的作用、过于强调人类对食物的绝对控制等错误观点进行了修正，进而使之更符合唯物史观的要求。马克思不仅详细摘录了血缘家庭、普那路亚家庭、对偶制家庭、专偶制家庭和一夫一妻制家庭等五种家庭形式的论述，还揭示了每一种家庭形式对应的经济关系的发展，以及相应的人们财产观念的产生和变化及其影响。在此基础上，马克思不仅摘录了蒙昧阶段和野蛮阶段财产观念的内容，还摘录了由于财产的不断增多而导致的三种继承法及其运用。马克思详细摘录了氏族的起源和发展，尤其是对易洛魁人的氏族、胞族、部落和部落联盟的产生和特征进行了摘录，为科学揭示国家的起源打下了基础。总之，《摩尔根笔记》包含着丰富的内容，是马克思研究史前社会的重要理论成果。

《柯瓦列夫斯基笔记》的主要内容。俄国著名的民族学家柯瓦列夫斯基的《公社土地占有制，其解体的原因、进程和结果》一书于1879年夏出版。该书研究了亚洲、非洲和美洲三大洲的公社土地所有制，着重探讨了公社土地所有制解体的原因和影响，通过从美洲、印度和北非的现实生活中引用了大量材料，证明了土地私有制并非一开始就有的。该书刚一出版，柯瓦列夫斯基就立即寄赠马克思，并在扉页上题词："赠给卡尔·马克思以表友谊和尊敬！"马克思十分重视这一著作，作了详细的摘录和批注。一方面，马克思驳斥了西方中心论，强调不能将西欧社会的社会结构照搬到东方社会。马克思指出，由于印度的法律明确规定了统治者的权力不得在诸子中分配，这就使得欧洲封建主义推行的分封制失去了基础，因此，不能将西欧社会的封建主义照搬到东方社会研究中。针对柯瓦列夫斯基将印度社会等同于西欧封建社会的观点，马克思指出，虽然印度存在"采邑制"、"公职承包制"和"荫庇制"，但这并非是西欧意义上的封建主义，因为"公职承包制"并非是封建主义的，况且印度不存在农奴制，而农奴制恰恰是西欧封建主义的一个重要特征。因此，不能将西欧社会的发展道路照搬到东方社会。另一方面，马克思论述了农村公社的解体的原因及其影响。柯瓦列夫斯基指出，农村村社解体的主要原因是西方殖民者的侵略以及由之导致的农村高利贷的迅速发展等外部条件。马克思指出："英属印度的官员们，以及以他们为依据的国际法学家亨·梅恩爵士之流，都把旁遮普公社所有制的衰落仅仅说成是经济进步的结果（尽管英国人钟爱古老的形式），实际上英国人自己却是造成这种衰落的主要的（主动的）罪人，——这种衰落又使他们自己受到威胁。"[1] 显然，英国的入侵是印度村社迅速解体的主要原因。同时，在接触欧洲文化的背景下，印度人的奢侈之风发展起来，经常为了举办婚礼而大量举债，进而付出高额利息，同时利用英国侵略者给他们的出让土地的自由将土地抵押给高利贷者，并且由于无力还贷而丧失土地，导致土地逐渐集中在与公社毫无关系的城市高利贷者手中，使得大土地私有制取代公社所有制。显然，印度村社解体的主要原因是外部环境，而非社会发展和经济进步的自发结果。总之，马克思充分吸收和科学批判了柯瓦列夫斯基的思想。

　　《梅恩笔记》的主要内容。1875 年，英国比较法学家梅恩出版了《古代法制史讲演录》一书。马克思研读并摘录了该书。由于摩尔根的《古代社会》一书的最新研究成果还没有问世，因此梅恩对氏族的地位和作用还不了解，否认最早的社会单位是氏族。对此，马克思指出："[这表明氏族是一个多么不为梅

---

[1] 《马克思古代社会史笔记》，人民出版社 1996 年版，第 94 页。

恩所注意的事实!］‘几年前我就指出（！）（《古代法》第 103 页及以下各页）
国际法的历史已向我们证明：作为国际体系的基础并与统治一定土地不可分割
地联系着的领土主权观念，非常缓慢地取代了部落主权的观念’。按梅恩先生
的意见，第一｛阶段｝是印度的联合家庭｛joint family｝，第二是南方斯拉夫
人的家庭公社，第三是先在俄国后在印度发现的真正的农村公社。"① 显然，梅
恩将印度的联合大家庭当作最早的社会单位，表明了他对氏族、母权制等文化
人类学最新研究成果毫无了解。针对梅恩从资产阶级和殖民者的角度和利益出
发，从法律的角度为英国殖民主义作辩护的做法，马克思严正揭露了英国在爱
尔兰的殖民主义暴行。在统治爱尔兰期间，英国采取了种种掠夺爱尔兰土地的
政策，尤其是宣布爱尔兰的土地占有权为非法，必须采用英国的习惯法。这
里，"詹姆斯的明确目的是‘掠夺’，他把这称为殖民化。驱逐和奴役爱尔兰
人，没收他们的土地和财产，所有这一切均以反教皇主义作为幌子。"② 这里，
马克思强烈谴责了英国对爱尔兰的掠夺和统治。同时，马克思对梅恩在资产阶
级的法学理论的基础上形成的抽象的、超阶级的国家观进行了全面的分析和驳
斥，阐述了国家的起源、实质和消亡等问题，强调国家是社会发展到一定阶段
的产物，实质上是代表统治阶级的利益的工具。针对梅恩的资产阶级的抽象的
人性观点，尤其是将精神的、道德的影响看作是第一性的观点，马克思指出：
"［这一‘道德的’表明，梅恩对问题了解得多么差；就这些影响（首先是经济
的）以‘道德的’形式存在而论，它们始终是派生的，第二性的，决不是第一
性的。］"③ 显然，经济因素是首要的决定力量。总之，马克思从多个角度驳斥
了梅恩的错误观点，阐述了马克思主义的许多重大理论和实践问题。

《拉伯克笔记》的主要内容。1870 年，英国文化人类学家拉伯克的《文明
的起源和人的原始状态》一书出版。马克思研读并简短地摘录了该书，尤其是
书中关于原始婚姻、家庭和宗教等内容，形成了《拉伯克笔记》。《拉伯克笔
记》是马克思在完成《摩尔根笔记》之后摘录的。这时，马克思已经在整体上
接受了摩尔根关于氏族、家庭和婚姻的思想，而拉伯克在这些问题上由于不了
解氏族的本质，主要是照搬照抄麦克伦南的错误观点，还带有资产阶级的偏

---

① 《马克思古代社会史笔记》，人民出版社 1996 年版，第 437 页。

② 《马克思古代社会史笔记》，人民出版社 1996 年版，第 466 页。

③ 《马克思古代社会史笔记》，人民出版社 1996 年版，第 509 页。

见。因此，马克思对拉伯克的观点基本上持批判态度。马克思指出，在原始婚姻问题上，拉伯克的观点是错误的，混淆了群婚制和淫婚制："[拉伯克在第70页上表示，他相信这种胡言乱语，即把群婚和淫婚等同起来；实际上清楚得很，淫婚是一种以卖淫为前提的形式（卖淫只是作为婚姻——不论是群婚之类的婚姻还是一夫一妻制的婚姻——之对立物而存在的）。因此这是逆序法。]"[①]同时，由于拉伯克不了解氏族的本质，照搬照抄麦克伦南关于外婚制和内婚制的观点，力图使两者的区别合理化。对此，马克思指出："拉伯克的批判态度的典型例子就是，他接受麦克伦南的关于'外婚制'和'内婚制'的胡言乱语，但接着又巧妙地来一番'求实'"[②]。显然，拉伯克的这一观点是不尊重事实的。同时，在肯定拉伯克的无神论立场的同时，马克思批判了其关于宗教的庸俗的观点："畜生拉伯克说：'科学为宗教事业……所立下的巨大功劳……迄今尚未得到应有的承认。科学仍然被许多卓越的但心地狭隘的（心地宽阔的庸人！）人士认为是同宗教真理相敌对的，而事实上科学所反对的只是宗教的错误'。"[③]可见，拉伯克从根本上否定科学和宗教的本质差别，企图调和两者之间的矛盾。总之，《拉伯克笔记》涉及原始婚姻、家庭和宗教等众多问题。

《菲尔笔记》的主要内容。1880年，英国法学家、曾在印度和锡兰等地长期担任法官的菲尔出版了《印度和锡兰的雅利安人村社》一书。马克思研读和摘录了该书。菲尔对印度和锡兰的农村情况作了详细的介绍，为人们了解当地的农业、农村公社的发展情况提供了大量的资料。菲尔描述了印度的土地占有制和欧洲的土地占有制有很大的不同、印度的农民也不同于欧洲的农民等情况，给了马克思很大的启发。马克思摘录道："在欧洲，与东方不同，代替了实物贡赋的是对土地的支配——耕作者被从他们的土地上赶走，沦为农奴或劳工。在东方，在村社制度下，人民实际上是自己管理自己的，贵族阶级的首领们的权力之争主要是争夺卡查理—塔比尔的控制权。"[④]然而，菲尔并没有摆脱西方中心论的窠臼，将村社的结构等同于西欧封建社会的结构，将西方社会的发展方式照搬到东方。对此，马克思将菲尔嘲讽为"蠢驴"。显然，马克思批判了菲尔的西方中心论思想。总之，在吸收菲尔著作中大量材料的同时，马克

---

① 《马克思古代社会史笔记》，人民出版社1996年版，第523—524页。

② 《马克思古代社会史笔记》，人民出版社1996年版，第524页。

③ 《马克思古代社会史笔记》，人民出版社1996年版，第541页。

④ 《马克思古代社会史笔记》，人民出版社1996年版，第433页。

思对其错误观点进行了批判。

总之，马克思的《人类学笔记》是马克思主义发展史中浓墨重彩的一笔，在马克思主义理论体系中占据重要的地位。

五、恩格斯对家庭、私有制和国家的起源的研究及其成果

《起源》是恩格斯研究史前社会的总结性著作，在马克思主义发展史上占据重要的地位，标志着马克思恩格斯对史前社会的研究达到一个新的高度。该书也丰富和发展了唯物史观。

《起源》的创作目的和过程。马克思逝世后，在整理马克思遗稿时，恩格斯发现了《人类学笔记》。在 1884 年 2 月 16 日致考茨基的信中，恩格斯指出："马克思谈到过这本书（摩尔根《古代社会》——引者注），但是，当时我脑子里正装着别的事情，而以后他也没有再回头研究；看来，他是很想回头再研究的，因为从他所作的十分详细的摘录中可以看出，他自己曾打算把该书介绍给德国读者。"① 然而，马克思没有来得及完成这一任务，没有撰写出和《资本论》相媲美的又一科学巨著。为了完成亡友的遗愿，恩格斯不仅于 1884 年 2 月研究了《摩尔根笔记》，还于同年 2 月底到 3 月初阅读了《古代社会》一书，并在书中发现了大量新的事实依据，可以证实他和马克思关于原始社会的看法，即重新发现了马克思的唯物主义历史观。在《起源》的《1884 年第一版序言》中，恩格斯指出："以下各章，在某种程度上是实现遗愿。不是别人，正是卡尔·马克思曾打算联系他的——在某种限度内我可以说是我们两人的——唯物主义的历史研究所得出的结论来阐述摩尔根的研究成果，并且只是这样来阐明这些成果的全部意义。"② 显然，《起源》的创作主要是为了阐述马克思恩格斯历史唯物主义的观点也适用于史前社会。

《起源》的篇章结构。《起源》主要包括正文和两篇序言。《起源》最早于 1884 年 10 月初在苏黎世出版。为此，恩格斯撰写了一篇序言，即《1884 年第一版序言》。到了 1890 年，恩格斯又积累了大量关于原始社会史的材料，着重

---

① 《马克思恩格斯选集》第 4 卷，人民出版社 2012 年版，第 563—564 页。
② 《马克思恩格斯选集》第 4 卷，人民出版社 2012 年版，第 12 页。

利用了考古学和民族学的最新材料和研究成果，对《家庭》一章进行了重要的补充。之后，恩格斯修订了《起源》的第四版，并为之撰写了新的序言，即《1891 年第四版序言》。从正文的篇章结构来看，《起源》主要包括九个部分的内容：史前各文化阶段（蒙昧时代和野蛮时代）、家庭、易洛魁人的氏族、希腊人的氏族、雅典国家的产生、罗马的氏族和国家、凯尔特人和德意志人的氏族、德意志人国家的形成、野蛮时代和文明时代。显然，上述内容主要围绕着家庭、氏族、私有制和国家的起源和发展来论述。

《起源》的主要内容。该书主要阐述了以下问题。其一，从总体上看，人类社会的发展经历了蒙昧时代、野蛮时代和文明时代。其中，蒙昧阶段和野蛮阶段主要是指史前社会，文明时代主要是指阶级社会。恩格斯不仅论述了通过生产力的发展和技术的进步，人类社会逐渐从蒙昧时代过渡到野蛮时代，还论述了随着生产力的发展及其引起的财富的不断增加，在野蛮时代高级阶段出现了私有制、阶级和国家，进而使人类社会进入文明时代。其二，家庭的产生及其发展形式。在借鉴摩尔根的《古代社会》和马克思的《人类学笔记》的基础上，恩格斯不仅论述了五种家庭形式，还论述了家庭形式是随着经济关系尤其是生产力的发展而不断向前推进的。其三，氏族制度的演变。氏族是人类社会发展的最初的单位，然而，不同发展阶段的氏族的发展水平也不完全一致。恩格斯全面论述了易洛魁人的氏族、希腊人的氏族、罗马人的氏族、凯尔特人和德意志人氏族的产生、发展、解体及其影响，进而全面论述了氏族制度的发展演变与经济关系和生产力的发展密切相关。其四，阶级、私有制和国家的产生。在野蛮时代的高级发展阶段，分工的发展引起了生产力的发展和财富的增加，逐渐产生了一些私有财产，同时财富和私有财产逐渐积累到少数人手中，进而最终产生了阶级。同时，生产力的发展和财富的增加也推动了氏族的发展，并在氏族的基础上逐渐形成了胞族、部落和部落联盟，最终在部落联盟的基础上形成了国家。希腊人的氏族、罗马人的氏族和德意志人的氏族等不同形式的氏族的废墟的基础上形成了三种不同类型的国家形式，即雅典国家、罗马国家和德意志国家。其五，家庭、阶级、私有制和国家的最终发展结果。理论研究是为现实服务的。《起源》论证了共产主义的必然性，为实现共产主义奠定了坚实的理论基础。在未来的共产主义社会，家庭将得到真正充分而自由的发展，阶级社会的家庭形式将被废除，妇女不仅在家庭中获得真正的平等，而且在社会中获得真正的平等，建立在现代爱情基础上的真正的一夫一妻制将最终实现。

随着生产力的充分发展和物质财富的极大提高，阶级将最终消灭、私有制也会被废除，进而导致国家逐渐走向消亡，人类将进入真正自由、平等和博爱的共产主义社会。显然，《起源》是一个内涵丰富的科学理论整体。

总之，《起源》是马克思主义关于史前社会研究的代表性和总结性的成文著作，是唯物史观的经典之作。

第二节　物质生产和人自身生产的历史作用

两种生产（物质生产和人自身生产）理论是恩格斯在《起源》中正式提出的重要理论，是马克思恩格斯研究人类社会发展尤其是史前社会过程中提出的重要理论，是科学解剖人类社会发展的一把手术刀。

一、两种生产理论的形成过程

两种生产理论贯穿马克思恩格斯思想发展的始终，在马克思主义理论体系形成和发展过程中发挥着重要作用。

19 世纪 40 年代，在《德意志意识形态》中，马克思恩格斯科学论述了人类社会活动的三个方面因素，初步提出了两种生产理论。除了物质资料的生产和再生产之外，社会发展的第三个方面是："每日都在重新生产自己生命的人们开始生产另外一些人，即繁殖。这就是夫妻之间的关系，父母和子女之间的关系，也就是家庭。"[①] 这里，马克思恩格斯明确提出了人自身生产的概念，强调人自身生产对于最初的社会关系的形成的重要性。在此基础上，他们强调不能将这三个因素看作是三个不同的阶段，而只能看作是三个方面。人自身生产的范围非常广泛，并不止于生物学意义上所描述的新生命的产生，即人口的

---

① 《马克思恩格斯选集》第 1 卷，人民出版社 2012 年版，第 159 页。

生产，还包括生命成长过程中自身的体力和智力的发育，即通过消费物质资料而形成的体力和智力。同时，人自身生产具有二重性：既是血缘亲属关系，又是社会关系。总之，马克思恩格斯初步论述了两种生产的概念和内涵，为两种生产理论的发展深化和科学提升初步奠定了基础。

19 世纪 50、60 年代，通过对西欧资本主义社会这一当时人类历史上最发达、最复杂、最多样的生产方式的研究，马克思深化和发展了两种生产理论。在《资本论》及其手稿中，马克思不仅强调物质生产在人类社会发展过程中占据基础性地位，还不断使用"人本身的生产"、"工人自身的生产"、"工人阶级的再生产"等概念，突出人自身生产的重要作用。马克思丰富和发展了资本主义社会中人自身生产的丰富内涵。一是通过生活资料的消费而生产出原有的主体。"这种与消费同一的生产是第二种生产，是靠消灭第一种生产（指物质资料的生产——引者注）的产品引起的。在第一种生产中，生产者物化，在第二种生产中，生产者所创造的物人化。"[①] 这里，马克思不仅明确地区分出两种生产，而且揭示出其各自的内涵和特征。二是种的繁衍和人口的增长。马克思又称之为"自然的生殖"。在资本主义社会，"劳动力所有者是会死的。因此，要使他不断出现在市场上（这是货币不断转化为资本的前提），劳动力的卖者就必须'像任何活的个体一样，依靠繁殖使自己永远延续下去'。"[②] 这样，通过人口增长，可以实现人种的繁衍，维持人口的持续性。三是在教育、培训和医疗等方面的投资。在资本主义制度下，为了生产人的劳动力，不仅需要消费物质生活资料，还需要通过对劳动者进行教育、培育，以维持和增强劳动者的劳动能力。"我们把劳动力或劳动能力，理解为一个人的身体即活的人体中存在的、每当他生产某种使用价值时就运用的体力和智力的总和。"[③] 可见，人自身生产并非简单等同于人口生产，人的体力和智力的再生产也是人自身生产的重要内容。四是人的个性的再生产。"培养社会的人的一切属性，并且把他作为具有尽可能丰富的属性和联系的人，因而具有尽可能广泛需要的人生产出来——把他作为尽可能完整的和全面的社会产品生产出来（因为要多方面享受，他就必须有享受的能力，因此他必须是具有高度文明的人）——，这同样是以

---

① 《马克思恩格斯选集》第 2 卷，人民出版社 2012 年版，第 690—691 页。
② 《马克思恩格斯文集》第 5 卷，人民出版社 2009 年版，第 199 页
③ 《马克思恩格斯文集》第 5 卷，人民出版社 2009 年版，第 195 页。

资本为基础的生产的一个条件。"① 显然，人的个性的再生产是人自身生产的重要内容，而资本主义生产方式是培养人的个性的重要条件。总之，马克思不仅论述了物质生产的基础性地位，还充分论述了人自身生产的丰富内涵及其重要作用。

19 世纪 70 年代后，在充分利用文化人类学研究成果的基础上，马克思恩格斯科学提升了两种生产理论。从生活资料的生产和进步的角度出发，摩尔根在《古代社会》中将人类社会发展划分为蒙昧、野蛮和文明三大时代，并通过大量的实证研究论证了物质生活资料的生产与人口的繁殖和家庭形式的发展变化的一致性，同时根据生活资料的发展将家庭形式划分为血缘家庭、普那路亚家庭、对偶制家庭、专偶制家庭和一夫一妻制家庭。马克思对摩尔根划分的五种家庭形式进行了摘录，不仅肯定了根据物质生活资料的发展来划分家庭形式的做法，还肯定了亲属制度具有的强大生命力和反作用。在论述血缘家庭和普那路亚家庭时，马克思指出："在血缘家庭和普那路亚家庭中，都必然流行生活上的共产制，因为这是他们生存的必要条件。共产制现在仍普遍流行于蒙昧和野蛮部落中［每一个较小的家庭按理说都是整个集团的缩影］。"② 可见，在史前社会，人自身生产占据着主导性地位。

在 1882 年 12 月 8 日致马克思的信中，恩格斯指出："为了最后彻底弄清楚塔西佗的日耳曼人和美洲的红种人间的相似之点，我从你的那部班克罗夫特著作的第一卷里作了一些摘要。这种相似确实特别令人感到惊奇，因为生产方式如此不相同——这里是渔业和狩猎业，没有畜牧业和农业，那里是向农业过渡的游牧业。这正好说明，在这个阶段，生产方式不象部落的旧的血缘关系和旧的两性（sexus）相互共有关系之解体程度那样具有决定性的作用。"③ 这样，在研读《人类学笔记》和《古代社会》之前，恩格斯就已经发现了在史前社会起决定性作用的不是物质资料生产方式，而是原始的血缘关系和两性关系。在《马尔克》中，恩格斯指出："有两个自发产生的事实，支配着一切或者说几乎一切民族的原始历史：民族按亲属关系的划分和土地公有制。德意志人的情况也是如此。"④ 这里，恩格斯肯定了血缘亲属关系和土地公有制在史前社会中的

① 《马克思恩格斯选集》第 2 卷，人民出版社 2012 年版，第 715 页。
② 《马克思古代社会史笔记》，人民出版社 1996 年版，第 141 页。
③ 《马克思恩格斯全集》第 35 卷，人民出版社 1971 年版，第 120 页。
④ 《马克思恩格斯全集》第 25 卷，人民出版社 2001 年版，第 567 页。

决定性作用，有利于我们科学理解人自身生产在史前社会中的作用。

在《起源》中，恩格斯科学总结和提升了两种生产理论。关于家庭的论述是该书着墨最多的一部分，而家庭问题的实质是人自身生产问题。在阐述家庭的产生及其不同的发展形式时，恩格斯指出，由于亲属关系在一切蒙昧民族和野蛮民族的社会制度中发挥着决定作用，因此，我们不能只用说空话来否认这一如此广泛流行的制度的价值。可见，血缘亲属关系在史前社会具有决定性作用。在《起源》的"1884年第1版序言"中，恩格斯进一步指出："根据唯物主义观点，历史中的决定性因素，归根结底是直接生活的生产和再生产。但是，生产本身又有两种。一方面是生活资料即食物、衣服、住房以及为此所必需的工具的生产；另一方面是人自身的生产，即种的繁衍。一定历史时代和一定地区内的人们生活于其下的社会制度，受着两种生产的制约：一方面受劳动的发展阶段的制约，另一方面受家庭的发展阶段的制约。"[①]这里，恩格斯系统阐述了两种生产思想及其在人类社会发展进程中的辩证关系，标志着科学的两种生产理论公开问世。

总之，两种生产理论贯穿于马克思恩格斯思想发展的始终，是他们始终关注的重要议题。

二、两种生产的划分和互补

两种生产是人类社会发展的两种基本动力，是一个互补的科学有机整体。

物质生产和人自身生产互为前提和基础。没有物质生产，人自身生产将无以为继，人类社会也将无法存在和发展；没有人自身生产，物质生产就无法开展，人类社会的存在和发展也无从谈起。马克思在《资本论》第1卷中指出："人自身作为一种自然力与自然物质相对立。为了在对自身生活有用的形式上占有自然物质，人就使他身上的自然力——臂和腿、头和手运动起来。当他通过这种运动作用于他身外的自然并改变自然时，也就同时改变他自身的自然。"[②]可见，在人类社会的发展进程中，两种生产互为前提和基础，两种

① 《马克思恩格斯选集》第4卷，人民出版社2012年版，第13页。
② 《马克思恩格斯文集》第5卷，人民出版社2009年版，第208页。

生产的过程是统一的。一方面，物质生产的发展是人自身生产的前提和基础。物质生产为人自身生产提供了最基本的物质生产资料，是人自身生产尤其是人口增长的前提和基础，有利于推动人自身生产的不断发展。马克思在《摩尔根笔记》中摘录道："一定地区的人口数量，要受该地区所产生的生活资料数量的限制。在以鱼类和禽兽为主要食物时，维持一个小部落的生活就需要一个辽阔的地域。在增加了淀粉食物之后，一个部落所占地区按人口比例来说仍然是很大的。"① 显然，没有必要的物质生产，人自身生产将无以为继。同时，在物质生产的过程中，人自身生产也不断得到发展。在《政治经济学批判（1857—1858 年手稿）》中，马克思指出："在再生产的行为本身中，不但客观条件改变着，例如乡村变为城市，荒野变为开垦地等等，而且生产者也改变着，他炼出新的品质，通过生产而发展和改造着自身，造成新的力量和新的观念，造成新的交往方式，新的需要和新的语言。"② 可见，只有在劳动过程中，人们才能形成新的力量、观念、交往方式、需要和语言等，才能使人自身生产不断得到丰富和发展。另一方面，人自身生产是物质生产的前提和基础。人自身生产为物质生产提供新的需要和劳动力，使物质生产得以开展。"人本身是他自己的物质生产的基础，也是他进行的其他各种生产的基础。因此，所有对人这个生产主体发生影响的情况，都会在或大或小的程度上改变人的一切职能和活动，从而也会改变人作为物质财富、商品的创造者所执行的各种职能和活动。在这个意义上，确实可以证明，所有的人的关系和职能，不管它们以什么形式和在什么地方表现出来，都会影响物质生产，并对物质生产发生或多或少是决定的作用。"③ 可见，人自身生产对于物质生产具有一定的制约作用，是物质生产得以开展的基本前提。总之，物质生产和人自身生产相互制约。

物质生产和人自身生产以及两者的关系，都是不断地发展变化的。在人类社会的不同发展阶段，随着物质生产和人自身生产的不断发展变化，两者发挥的作用并非完全一样，其关系也在不断发展和变化。由于物质生产主要对应的是经济关系，人自身生产主要对应的是血缘亲属关系，因此，经济关系和血缘亲属关系的内在关联也在不断发生变化。在人类社会早期，家庭起初是唯一的

---

① 《马克思古代社会史笔记》，人民出版社 1996 年版，第 228 页。

② 《马克思恩格斯选集》第 2 卷，人民出版社 2012 年版，第 747 页。

③ 《马克思恩格斯全集》第 33 卷，人民出版社 2004 年版，第 350 页。

社会关系，而家庭实际上是人自身生产的重要形式，主要表现为夫妻关系和父母与子女的关系。在《1844 年经济学哲学手稿》中，马克思指出："人对人的直接的、自然的、必然的关系是男人对妇女的关系。在这种自然的类关系中，人对自然的关系直接就是人对人的关系，正像人对人的关系直接就是人对自然的关系，就是他自己的自然的规定。"①可见，人自身生产及其形成的社会关系在人类社会早期发挥着重要作用。在史前社会，由于物质生产力的极端低下，对社会发展起决定性作用的不是由物质生产形成的经济关系，而是由人自身生产形成的血缘亲属关系，后一种关系构成了史前社会的基础，而经济关系则处于从属地位。也就是说，"劳动越不发展，劳动产品的数量，从而社会的财富越受限制，社会制度就越在较大程度上受血族关系的支配。"②显然，在史前社会，血缘亲属关系占据着主导地位，物质生产从属于人自身的生产。虽然人自身生产在史前社会发挥着主导作用，但这并不否定物质生产在史前社会发展进程中的重要作用。在《起源》中，恩格斯明确指出，以获取现成的天然产物为主的时期是蒙昧时代，这是人工产品主要是用做获取天然产物的辅助工具的时期。学会畜牧和农耕的时期是野蛮时代，这是人们学会靠人的活动来增加天然产物生产的方法的时期。可见，物质生产不仅在史前社会发挥着重要作用，还是划分史前社会不同发展阶段的重要标准。同时，在史前社会，物质生产也对人自身生产具有重要作用。对此，马克思在《摩尔根笔记》中摘录道："克里克人和彻罗基人的人口之所以异常之多，是由于他们已经有了家畜和发达的农业；他们现在已部分地文明化了，已用选举产生的立宪政府代替古老的氏族，立宪政府的影响正在使氏族迅速崩溃。"③显然，物质生产的发展不仅推动了人自身生产的发展，也推动着氏族的瓦解和崩溃。

随着生产力的发展，尤其是随着私有财产的出现和交往的扩大，经济因素的作用逐渐地上升为社会中的决定力量，而人自身生产的作用则逐渐处于从属地位。到了资本主义社会，"活动和产品的普遍交换已成为每一单个人的生存条件，这种普遍交换，他们的相互联系，表现为对他们本身来说是异己的、独立的东西，表现为一种物。在交换价值上，人的社会关系转化为物的社会关

---

① 《马克思恩格斯文集》第 1 卷，人民出版社 2009 年版，第 184 页。
② 《马克思恩格斯选集》第 4 卷，人民出版社 2012 年版，第 13 页。
③ 《马克思古代社会史笔记》，人民出版社 1996 年版，第 258 页。

系；人的能力转化为物的能力。"① 显然，在资本主义社会，人的生产是物质生产的手段，从属于物质生产。同时，资本主义大生产对于人自身生产具有双重影响："由各种年龄的男女个人组成的结合劳动人员这一事实，尽管在其自发的、野蛮的、资本主义的形式中，也就是在工人为生产过程而存在，不是生产过程为工人而存在的那种形式中，是造成毁灭和奴役的祸根，但在适当的条件下，必然会反过来转变成人道的发展的源泉。"② 可见，虽然资本主义的物质生产对于工人而言，是造成毁灭和奴役的祸根，但是在一定条件下，也会转变成人道的发展的源泉，会为家庭和两性关系的更高级的形式创造新的经济基础。在资本主义社会，物质生产不仅决定着人类社会的发展，还决定着人自身生产的进行，为人自身生产的积极发展奠定了物质基础。

未来的共产主义社会将实现两种生产的统一。科学理解两种生产的辩证关系，不仅能揭示人类以往全部历史的真相，还能科学揭示人类未来的发展前景。马克思指出："根据古代的观点，人，不管是处在怎样狭隘的民族的、宗教的、政治的规定上，总是表现为生产的目的，在现代世界，生产表现为人的目的，而财富则表现为生产的目的……这种发挥，除了先前的历史发展之外没有任何其他前提，而先前的历史发展使这种全面的发展，即不以旧有的尺度来衡量的人类全部力量的全面发展成为目的本身。"③ 可见，在史前社会，人是目的，物质生产是手段，物质生产服务于人自身生产；在阶级社会，物质生产成为目的，人自身生产降为手段，人自身生产服务于物质生产；在未来共产主义社会，人自身生产将再次成为目的，物质生产将重新服务于人自身生产。共产主义社会，将实现物质财富极大丰富，人的精神境界极大提高，每个人自由而全面发展。显然，物质财富极大丰富是物质生产的重要表现，人的精神境界极大提高和每个人自由而全面发展是人自身生产的重要表现。在总体上，共产主义社会是生产力高度发展和人的全面发展的高度统一。只有在社会主义和共产主义条件下，人们才能摆脱经济关系的奴役，实现自由全面发展。同时，随着物质生产的不断丰富和发展，人们追求精神生活的需要也将不断提高。这样，片面追求物质利益将不再成为人类历史发展进步的动力，物质生产将重新为人

---

① 《马克思恩格斯文集》第 8 卷，人民出版社 2009 年版，第 51 页。
② 《马克思恩格斯文集》第 5 卷，人民出版社 2009 年版，第 563 页。
③ 《马克思恩格斯选集》第 2 卷，人民出版社 2012 年版，第 739 页。

自身生产服务。显然，这种复归是建立在生产力高度发展和人自身全面发展的基础之上的。

总之，两种生产贯穿于人类社会发展进程的始终，是推动人类社会不断向前发展的两种基本动力。

三、人自身生产在社会发展中的作用

人自身生产是生产系统的重要组成部分，在人类社会发展进程中发挥着重要作用。

在系统研究史前社会和东方社会之前，马克思恩格斯主要以西欧资本主义国家为典型，揭示了西欧资本主义社会的基本矛盾运动规律。这里，"由于只有把社会关系归结于生产关系，把生产关系归结于生产力的水平，才能有可靠的根据把社会形态的发展看做自然历史过程。不言而喻，没有这种观点，也就不会有社会科学。"[①] 显然，生产力决定生产关系、经济基础决定上层建筑的基本规律对于人类社会的发展尤其是西欧资本主义社会的发展具有决定性的意义，是科学准确理解西欧资本主义社会的基础。但是，与西欧资本主义社会较为发达的生产力发展水平不同，史前社会和东方社会的生产力发展水平相对低下，起决定作用的并不完全是物质生产。因此，如果把上述原理简单地套用到史前社会和东方社会就具有明显的历史局限性。只有科学揭示史前社会和东方社会的具体的社会结构，才能深刻把握两种生产在史前社会和东方社会中发挥的作用。

在史前社会，由于生产力发展水平十分低下，起决定作用的并非单纯的物质生产和经济关系，而是血缘亲属关系，即人自身生产。和物质生产一样，人自身生产也是一种客观性的力量和社会的决定性力量，其对应的血缘亲属关系和经济关系一样，也是一种客观性关系和物质性的社会关系。在此情形下，单纯地将生产力决定生产关系、经济基础决定上层建筑的历史唯物主义基本原理简单地套用到史前社会中去，显然不能科学揭示史前社会的社会结构、性质、内在矛盾和发展规律。同样，虽然人自身生产在史前社会发挥着决定性作用，

---

① 《列宁选集》第 1 卷，人民出版社 2012 年版，第 8—9 页。

但这并不否定物质生产是人类社会存在和发展的基础。这一原理同样适用于史前社会。概言之，在史前社会，并不是简单的经济基础决定上层建筑，上层建筑对经济基础的反作用十分巨大，甚至可以决定着经济基础的发展和变更。总之，人自身生产在史前社会中发挥着决定性作用。

由于亚细亚生产方式的存在，一般的生产力决定生产关系、经济基础决定上层建筑的基本原理也不能简单地套用到东方社会中去，尤其是用之来理解东方社会的性质、结构和发展方向。由于生产力的不发达和地理环境的作用，使得血缘宗法制和村社土地所有制在东方社会发挥着重要作用。虽然血缘亲属关系是人自身生产的重要内容，宗法制的形成是建立在血缘亲属关系的基础之上的，但是，宗法制无疑是属于社会关系的范畴，而不是属于人自身生产的范畴。可见，血缘宗法制与人自身生产之间存在着紧密的联系，但又不局限于人自身的生产。同时，虽然不存在土地私有制是东方社会的主要特点，甚至是理解东方社会的一把重要钥匙，但是，这并不意味着东方土地制度就是公有的。实际上，东方的土地制度名为公有，即归主权国家所有，但是实际上是归作为主权国家的最高统治者的皇帝个人所有，即"普天之下莫非王土"。显然，亚细亚的土地制度只是以公有的形式掩盖了其极端私有的实质，因此产生了东方专制主义。这就导致了东方国家的上层建筑过于强大，使得其对经济基础的反作用过于强大，甚至阻碍了社会经济的发展，进而使东方国家长期处于一种相对停滞的状态。概言之，在自给自足的小农经济的基础上，东方国家的血缘宗法制和中央集权的专制主义是社会生活中的主导性力量，直接导致了传统东方社会的停滞、封闭、愚昧和落后。对此，在1853年6月14日给恩格斯的信中，马克思指出："亚洲这一地区的停滞性质（尽管有政治表面上的各种无效果的运动），完全可以用下面两种相互促进的情况来解释：（1）公共工程是中央政府的事情；（2）除了这个政府之外，整个国家（几个较大的城市不算在内）分为许多村社，它们有完全独立的组织，自成一个小天地。"[1]可见，中央集权的专制主义和农村公社是造成亚洲社会停滞的重要原因。总之，人自身生产在东方社会发展进程中起着重要作用，在一定条件下也发挥着主导作用。

人自身生产在史前社会和东方社会中的重要作用，有其特定的前提和基础，即生产力发展水平低下。只有在生产力水平发展低下的情况下，社会经济

---

① 《马克思恩格斯文集》第10卷，人民出版社2009年版，第117页。

关系才不能在社会发展中完全占据决定性地位，这样，血缘亲属关系、人自身生产和中央集权的专制制度等非经济因素才能在社会发展中发挥着重要作用。这就要求我们：一方面，必须坚持历史唯物主义的基本原理和基本立场，坚持从生产力和生产关系、经济基础和上层建筑这两对矛盾辩证关系的角度来考察史前社会和东方社会；另一方面，也要对史前社会和东方社会进行具体的历史的分析，充分认识到人自身生产、血缘亲属关系等非经济因素在其发展进程中的重要作用。总之，只有科学确定人自身生产发挥作用的前提，才能科学把握人自身生产在人类社会发展进程中的地位和作用。

总之，人自身生产也是一种客观力量，在人类社会发展进程中具有重要作用。

四、家庭形式的演变和经济关系的发展

在论述两种生产的过程中，马克思恩格斯还揭示了家庭形式的演变和经济关系的发展。

早在《德意志意识形态》中，马克思恩格斯就对家庭关系展开了一定的论述。然而，受制于当时的研究材料和研究成果，马克思恩格斯仍然将家庭看作是人类社会早期的最基本的单位。马克思在 1867 年的《资本论》第 1 卷中指出："在家庭内部，随后在氏族内部，由于性别和年龄的差别，也就是在纯生理的基础上产生了一种自然的分工。"[①] 显然，这一观点有失偏颇。对此，恩格斯明确指出，在 19 世纪 60 年代开始以前，家庭史根本无从谈起。这在于，历史科学对此议题仍然完全处在"摩西五经"的影响之下。"人们不仅毫无保留地认为那里比任何地方都描写得更为详尽的家长制的家庭形式是最古的形式，而且把它——除一夫多妻制外——跟现代资产阶级的家庭等同起来，这样一来，家庭实际上就根本没有经历过任何历史的发展；至多认为在原始时代可能有过杂乱的性关系的时期。"[②] 可见，19 世纪 70 年代前，家庭史研究的局限使得马克思恩格斯对家庭的认识还不够科学和全面。

---

① 《马克思恩格斯文集》第 5 卷，人民出版社 2009 年版，第 407 页。
② 《马克思恩格斯选集》第 4 卷，人民出版社 2012 年版，第 16 页。

在《人类学笔记》中，马克思厘清了家庭形式的变化和经济关系发展的内在关系。在批判吸收摩尔根成果的基础上，马克思对家庭关系进行了真正的科学研究："家庭是一个能动的要素，它从来不是静止不动的，而是由较低级的形式进到较高级的形式。反之，亲属制度却是被动的；它在一旁长久地记载着家庭所取得的进步，并且只有当家庭已经根本变化了的时候，它才发生根本的变化。[同样，政治的、宗教的、法律的以至一般哲学的体系，都是如此。]"①可见，家庭对于亲属制度的发展起着主导性的作用。同时，马克思摘录并驳斥了资产阶级学者格罗特的观点，"比较卑微的氏族也有其共同的宗教仪式（这是怪事吗，格罗特先生?），有一个共同的超人的祖先和系谱，像比较有名的氏族那样（格罗特先生，这在比较卑微的氏族那里真十分奇怪啊!）；根本的结构和观念的基础（亲爱的先生! 不是观念的，是物质的，直白地说是肉欲的!）在一切氏族中都是相同的。"②显然，马克思不同意格罗特关于结构和观念在氏族中占统治地位的错误观点，强调占统治地位的仍然是物质，即一种客观性的力量。同时，在摘录摩尔根划分的五种家庭形式（血缘家庭、普那路亚家庭、对偶制家庭、专偶制家庭、一夫一妻家庭）的基础上，马克思指出了亲属制度的滞后性。尽管每种亲属制度由以产生的各种关系已经改变或完全消失了，但是，保存这种亲属制度的强有力因素仍然存在着。显然，家庭形式的发展是随着经济关系的发展而不断向前发展的。总之，五种家庭形式的发展演变与经济关系的发展密切相关。

在《人类学笔记》的基础上，恩格斯在《起源》中丰富和发展了家庭形式的变化和经济关系发展的内在关系的理论。在历史发展演进的过程中，家庭关系的发展产生了相应的亲属制度。"如果说美洲的亲属制度，是以在美洲已经不存在，而我们在夏威夷确实还找到的比较原始的家庭形式为前提，那么，另一方面，夏威夷的亲属制度却向我们指出了一种更加原始的家庭形式，诚然，这一家庭形式的存在，现在我们在任何地方都不能加以证明，但是它一定是存在过的，否则，就不会产生相应的亲属制度。"③显然，家庭形式与亲属制度的发展直接相关。然而，在实际发展过程中，虽然家庭形式的变化决定了亲属制

---

① 《马克思古代社会史笔记》，人民出版社 1996 年版，第 147—148 页。
② 《马克思古代社会史笔记》，人民出版社 1996 年版，第 297—298 页。
③ 《马克思恩格斯选集》第 4 卷，人民出版社 2012 年版，第 37 页。

度的发展变化，但是亲属制度的发展变化经常滞后于家庭形式的发展变化。为此，恩格斯引用了马克思关于家庭是一个能动的要素，是由经济关系决定的论述，再次强调了马克思关于政治的、法律的、宗教的、哲学的体系都受经济关系决定的观点。恩格斯明确指出："当家庭继续发展的时候，亲属制度却僵化起来；当后者以习惯的方式继续存在的时候，家庭却已经超过它了。"[①] 显然，这既反映了家庭形式所具有的经济基础的功能，决定着亲属制度的变化，又反映了亲属制度变化的滞后性。因此，在分析亲属关系的普遍意义时，必须坚持科学的历史分析法，不能站在现在的角度去分析历史上发生的历史现象。"由于亲属关系在一切蒙昧民族和野蛮民族的社会制度中起着决定作用，因此，我们不能只用说空话来抹杀这一如此广泛流行的制度的意义。在美洲普遍流行的制度，在种族全然不同的亚洲各民族中间也存在着，在非洲和澳洲各地也经常可以发现它的多少改变了的形式，像这样的一种制度，是需要从历史上来说明的，决不能像例如麦克伦南所企图做的那样含糊过去。"[②] 显然，亲属制度作为上层建筑的范畴，在史前社会起着重要作用。

总之，家庭形式的演变和经济关系的发展具有密切关系，是随着经济关系的发展不断发展的。

五、氏族制度的演变和经济关系的发展

在论述物质生产和人自身生产的过程中，马克思恩格斯还论述了在史前社会中的氏族制度的演变及其对应的经济关系的发展。

19世纪50年代，马克思发现了氏族制度的存在。1853年，马克思指出："克兰不外是按军队方式组织起来的氏族，同任何氏族一样，它很少用法律来规定什么，而是受着各种传统的强烈约束。土地是氏族的财产，在氏族内部，尽管有血缘关系，但是等级差别占支配地位，正像在所有古代亚洲的氏族公社一样。"[③] 这里，马克思已经发现了亚洲的氏族公社的存在，并认为是等级差别

---

① 《马克思恩格斯选集》第4卷，人民出版社2012年版，第38页。
② 《马克思恩格斯选集》第4卷，人民出版社2012年版，第36—37页。
③ 《马克思恩格斯全集》第11卷，人民出版社1995年版，第610页。

而非血缘关系在氏族中占据支配地位。在文化人类学研究成果大量涌现之前，当时的流行看法仍将家庭看作是最基本的社会单位、氏族是家庭的集合体。根据文化人类学的最新成果，恩格斯在修订《资本论》第一卷第3版时指出："后来对人类原始状况的透彻的研究，使作者得出结论：最初不是家庭发展为氏族，相反地，氏族是以血缘为基础的人类社会的自然形成的原始形式。由于氏族纽带的开始解体，各种各样的家庭形式后来才发展起来。"① 可见，氏族不是从家庭中发展起来的，而恰恰是由于氏族的逐渐解体才产生了家庭形式。同时，在借鉴文化人类学研究成果的基础上，马克思科学地厘清了氏族和家庭的内在关系："在氏族社会的组织中，氏族是基本组织，它既是社会体制的基础，也是社会体制的单位；家庭也是一种基本组织，它比氏族古老。血缘家庭和普那路亚家庭在时间上早于氏族而存在；但家庭不是〔社会制度的〕有机系列中的一个环节。"② 总之，马克思认识到史前社会最基本的单位不是家庭，而是氏族，从而明确了氏族在史前社会中的重要作用。

氏族制度的产生和发展。氏族组织的局部发展是在蒙昧时代，其起源应该追溯到更久之前。"不论是在澳大利亚人的级别制中，还是在夏威夷人的普那路亚集团中，都发现有氏族的萌芽。在澳大利亚人那里也发现有氏族本身，它以婚姻级别制为基础，并且具有显然从这些级别中产生出来的组织……它（氏族组织）的起源应该到在它以前就存在的社会的因素中去寻找，而且它只是在产生以后经过一个长时期才达到成熟。"③ 可见，氏族组织从起源到产生需要经过一个长时期。当然，"氏族制度的前提，是一个氏族或部落的成员共同生活在纯粹由他们居住的同一地区中。"④ 氏族的产生需要一定的成员和一定的生活区域。同时，氏族存在需要一定的条件。"在澳大利亚人的级别制中，我们发现了古老形式的氏族的两条基本规则：禁止兄弟姊妹之间结婚和按女系来计算世系……当氏族出现时，子女处于他们的母亲的氏族之内。"⑤ 显然，这两条基本规则表明了氏族制度处于母系发展阶段，是在血缘亲属关系的基础之上形成的。根据文化人类学的研究成果，"氏族在蒙昧时代中级阶段发生，在高级阶

---

① 《马克思恩格斯文集》第5卷，人民出版社2009年版，第407页注释（50a）。
② 《马克思古代社会史笔记》，人民出版社1996年版，第294—295页。
③ 《马克思古代社会史笔记》，人民出版社1996年版，第146页。
④ 《马克思恩格斯选集》第4卷，人民出版社2012年版，第184页。
⑤ 《马克思古代社会史笔记》，人民出版社1996年版，第146页。

段继续发展起来，就我们现有的资料来判断，到了野蛮时代低级阶段，它便达到了全盛时代。"① 显然，氏族制度的存在持续了相当长的一个历史阶段。总之，氏族是原始社会最基本的单位，对于原始社会的发展具有重要作用。

氏族制度的解体。在《摩尔根笔记》中，马克思分析了氏族制度的解体的原因及其必然性："普卢塔克所说的'卑微贫穷的人欣然响应提修斯的号召'，以及他所引用的亚里士多德所说的提修斯'倾向于人民'这些话，不管摩尔根怎样说，显然表明氏族酋长等人由于财富等等已经和氏族的群众处于利益冲突之中，这种情况，在存在着与专偶制家庭相联系的房屋、土地、畜群的私有制的条件下，乃是不可避免的。"② 这表明，财富的发展直接导致了私有制的产生，进而推动了氏族的解体。同时，在摘录希腊氏族的过程中，马克思指出："这些移民都是希腊人；由于有文字，方言的差异已不可能成为隔离因素（即互不了解）；另一方面，移住、航海和各种与商业有关的人员流动——所有这些，以氏族为基础的社会都无法容纳了。"③ 可见，移民和交往对瓦解氏族社会的重要作用。同时，氏族制度解体也产生了重大的影响。"随着氏族(родовой)性质的公社解体，它作为单纯的农村公社也在许多地方瓦解了，因为已经彼此孤立的人都力求成为私有者。"④ 这样，氏族制度的瓦解就推动了私有化的进程。同时，随着财产差别的不断扩大，氏族成员的利益的共同性逐渐变成了对抗性，使得奴隶社会最终产生，也使得货币资本的发展具有了决定的意义。显然，阶级和阶级对抗以及货币资本的产生与氏族的解体是同步的。总之，生产力的发展和交往的扩大导致了氏族的解体。

氏族制度的历史局限和作用。在发展的过程中，氏族制度显示出自身的局限性。"氏族制度的伟大，但同时也是它的局限，就在于这里没有统治和奴役存在的余地。在氏族制度内部，还没有权利和义务的分别；参与公共事务，实行血族复仇或为此接受赎罪，究竟是权利还是义务这种问题，对印第安人来说是不存在的；在印第安人看来，这种问题正如吃饭、睡觉、打猎究竟是权利还是义务的问题一样荒谬。"⑤ 这里，由于氏族内部不存在阶级和奴役，使得我们

---

① 《马克思恩格斯选集》第 4 卷，人民出版社 2012 年版，第 174 页。
② 《马克思古代社会史笔记》，人民出版社 1996 年版，第 311 页。
③ 《马克思古代社会史笔记》，人民出版社 1996 年版，第 316 页。
④ 《马克思古代社会史笔记》，人民出版社 1996 年版，第 20 页。
⑤ 《马克思恩格斯选集》第 4 卷，人民出版社 2012 年版，第 175 页。

无法研究氏族内部的经济基础。由于氏族制度的生命力十分强大，导致了在氏族制度废墟上形成了雅典国家、罗马国家和德意志国家等三种国家形式。其中，雅典是最典型的国家形式，即国家是从氏族本身发展起来的阶级对立中直接产生的；罗马国家是建立在氏族内部平民和贵族的冲突的基础之上的，平民的胜利炸毁了旧的血族制度，进而产生了国家；德意志国家是建立在德意志人征服大量外国土地的基础上的，由于征服者和被征服者处于同一经济发展阶段，无法改变氏族原有的经济基础，只能用氏族制度发展的变体即马尔克制度来建立国家。可见，氏族制度的影响力具有持久性。显然，氏族制度的存在产生了十分深远的影响。

总之，氏族制度的发展演变及其消亡的过程，是与经济关系的发展同步的，不仅随着经济关系的发展而发展，也推动着经济关系的不断发展。

在总体上，两种生产理论丰富和发展了马克思主义关于生产的学说，揭示了社会发展的复杂动力机制，尤其是为把握史前社会发展规律提供了科学指导。

第三节　史前社会发展阶段的演变、特征和发展

马克思恩格斯全面论述了史前社会的演变、特征和发展，科学揭示了史前社会的发展规律，发展和完善了马克思主义史前社会理论。

一、划分史前社会发展阶段的技术标准

史前社会不仅是人类社会历史由低到高发展进程中的第一个阶段，也是迄今为止历时最长的一个阶段。从技术角度来划分，史前社会包括蒙昧时代和野蛮时代两个阶段。

在划分社会发展阶段时，技术标准是生产力发展标准的集中体现。在

1847 年的《哲学的贫困》中，马克思指出，在手推磨基础上产生的是封建社会，在蒸汽磨基础上产生的是资本主义社会。这里，手推磨和蒸汽磨是技术的重要代表，是马克思从技术的角度对社会形态展开划分的重要依据。我们可将这一理论称为技术社会形态理论。到了 19 世纪 70 年代到 80 年代，在研究史前社会的过程中，马克思恩格斯从技术社会形态的角度对史前社会的发展进行了深入的研究和划分。在《古代社会》一书中，摩尔根从生活资料的生产和进步的角度出发，将人类社会发展划分为蒙昧、野蛮和文明三大时代，并通过大量的实证研究论证了物质生活资料的生产与人口的繁殖和家庭形式的发展变化的一致性。在摘录《古代社会》一书时，马克思肯定了摩尔根的上述做法，并对之进行了详细的摘录和批注，但是对原书的结构做了重大调整，即将原书中"从生产技术的发展到政治观念的发展、再到家庭形式的变化和私有制的产生"的结构改造为"从生产技术的发展到家庭形式的变化、到私有制和国家的产生"。同时，马克思摘录了摩尔根关于火的使用对人类的生产和发展的作用的论述："当人类还不知道用火时，并没有音节清晰的语言，也没有人工制造的武器……依靠……地上自生的果实。"[1] 然而，摩尔根仅将取火当作是原始社会的次要的发明列举出来。对此，马克思指出："与此相反，一切与取火有关的东西都是主要的发明！"[2] 可见，火的发现具有重要意义。同时，马克思也批判了摩尔根的一些错误观点："人类在地球上获得统治地位的问题完全取决于他们（即人们）在这方面——生存的技术方面——的巧拙。一切生物之中，只有人类可以说达到了绝对控制（?!）食物生产的地步。人类进步的一切伟大时代，是跟生存资源扩充的各时代多少直接相符合的。"[3] 显然，人类的发展进步很大程度上取决于生存资源的扩充，而后者又取决于生存技术的发展。然而，从史前社会和整个人类社会的发展实际出发，马克思在绝对控制之后加了括号，括号里面是问号和感叹号，表明他不同意摩尔根关于人类已经达到绝对控制食物生产的地步的论断。事实上，到目前为止，人类也并没有绝对控制食物生产。这不仅取决于技术的发展和进步，也取决于人类自身生产的情况。可见，马克思并没有陷入技术决定论的窠臼，将之

---

① 《马克思古代社会史笔记》，人民出版社 1996 年版，第 173 页。
② 《马克思古代社会史笔记》，人民出版社 1996 年版，第 173 页。
③ 《马克思古代社会史笔记》，人民出版社 1996 年版，第 125—126 页。

作为衡量人类社会发展的唯一标准。

在《摩尔根笔记》中，马克思肯定了从技术的角度划分人类社会发展形态的思想："弓和箭标志着蒙昧时代高级阶段，正如铁剑标志着野蛮时代，火器标志着文明时代一样。"[1] 显然，不同时代有着不同的技术特征和技术标准。同时，马克思作了以下摘录："标志着人类进步的事件，不以特殊的人物为转移而体现在有形的记录之中：凝结在制度和风俗习惯中，保存在各种发明和发现中。"[2] 显然，技术的发展是划分人类社会发展和进步的重要标志。在《起源》中，恩格斯将之概括为："蒙昧时代是以获取现成的天然产物为主的时期；人工产品主要是用做获取天然产物的辅助工具。野蛮时代是学会畜牧和农耕的时期，是学会靠人的活动来增加天然产物生产的方法的时期。文明时代是学会对天然产物进一步加工的时期，是真正的工业和艺术的时期。"[3] 显然，恩格斯对摩尔根从技术角度划分人类社会发展阶段的做法加以科学的批判和改造，使之真正符合历史唯物主义的科学要求，丰富和发展了马克思主义社会形态理论。

总之，从技术的角度出发划分史前社会的各个发展阶段，是把握史前社会发展过程的重要的科学依据。

二、史前社会发展阶段的划分及其特征

最早对史前社会进行科学分期的是摩尔根。根据生产资料和生产技术的不同，摩尔根将人类社会发展分为蒙昧时代、野蛮时代和文明时代。其中，文明时代主要是指阶级社会；蒙昧时代和野蛮时代对应的主要是史前社会；野蛮时代也是蒙昧时代向文明时代过渡的阶段，其自身也兼具蒙昧时代和文明时代的一些特征。在《古代社会》一书中，摩尔根着重研究了蒙昧时代和野蛮时代以及野蛮时代向文明时代的过渡，并根据生活资料生产的进步，将蒙昧时代和野蛮时代分为低级阶段、中级阶段和高级阶段。马克思恩格斯从整体上接受了摩

---

① 《马克思古代社会史笔记》，人民出版社 1996 年版，第 126 页。
② 《马克思古代社会史笔记》，人民出版社 1996 年版，第 336 页。
③ 《马克思恩格斯选集》第 4 卷，人民出版社 2012 年版，第 35 页。

尔根的历史分期法，并对之进行了详细的摘录和论述。

蒙昧时代的主要标志和特征。就其主要内容来看，蒙昧时代分为三个发展阶段，即蒙昧时代低级阶段、中级阶段和高级阶段。在蒙昧时代的低级阶段，人类主要生活在丛林中，以树上的食物为生。"低级阶段。这是人类的童年。人还住在自己最初居住的地方，即住在热带的或亚热带的森林中。他们至少是部分地住在树上，只有这样才可以说明，为什么他们在大猛兽中间还能生存。他们以果实、坚果、根作为食物；音节清晰的语言的产生是这一时期的主要成就。"[1] 在蒙昧时代中级阶段，人类在获取食物方面突破了限制，不仅可以食用鱼类食物，还可以熟练地使用火，因此可以不受气候和地域的限制。"中级阶段。从采用鱼类（我们把虾类、贝壳类及其他水栖动物都算在内）作为食物和使用火开始。这两者是互相联系着的，因为鱼类食物，只有用火才能做成完全可吃的东西。而自从有了这种新的食物以后，人们便不受气候和地域的限制了；他们沿着河流和海岸，甚至在蒙昧状态下已散布在地球上的大部分地区。"[2] 在蒙昧时代高级阶段，人类可以熟练地使用弓箭等复杂工具，扩大了自身获取食物的范围，为自身的生存和发展创造了重要条件。"高级阶段。从弓箭的发明开始。由于有了弓箭，猎物便成了通常的食物，而打猎也成了常规的劳动部门之一。弓、弦、箭已经是很复杂的工具，发明这些工具需要有长期积累的经验和较发达的智力，因而也要同时熟悉其他许多发明。"[3] 总之，生活资料的生产是划分蒙昧时代不同阶段的主要标志。

野蛮时代的主要标志和特征。在蒙昧时代，对人类生存和发展产生重要影响的是生活资料的生产，而非他们所生活的地域环境。到了野蛮时代，自然条件的差异，对东西半球的发展产生的影响越来越大。野蛮时代的低级阶段，也就是刚进入野蛮时代，就产生了自身的标志。"野蛮时代的特有的标志，是动物的驯养、繁殖和植物的种植。东大陆，即所谓旧大陆，差不多有着一切适于驯养的动物和除一种以外一切适于种植的谷物；而西大陆，即美洲，在一切适于驯养的哺乳动物中，只有羊驼一种，并且只是在南部某些地方才有；而在一切可种植的谷物中，也只有一种，但却是最好的一种，即玉蜀黍。"[4] 即，人类

---

① 《马克思恩格斯选集》第4卷，人民出版社2012年版，第30页。
② 《马克思恩格斯选集》第4卷，人民出版社2012年版，第30页。
③ 《马克思恩格斯选集》第4卷，人民出版社2012年版，第31页。
④ 《马克思恩格斯选集》第4卷，人民出版社2012年版，第32页。

能够驯养、繁殖动物和种植植物是野蛮时代的特有标志，只是由于自然条件的差异，导致了东西半球驯养的动物品种和种植的植物品种有所不同。到了野蛮时代中级阶段，"在东大陆，是从驯养家畜开始；在西大陆，是从靠灌溉之助栽培食用植物以及在建筑上使用土坯（即用阳光晒干的砖）和石头开始。"① 在这一阶段，东西大陆的发展就出现了较大的不同。在野蛮时代的高级阶段，"从铁矿石的冶炼开始，并由于拼音文字的发明及其应用于文献记录而过渡到文明时代。这一阶段，前面已经说过，只是在东半球才独立经历过，其生产的进步，要比过去一切阶段的总和还要来得丰富。"② 可见，这一阶段正是向文明时代过渡的重要阶段，存在着铁矿石的冶炼和拼音文字的发明，创造的生产的丰富程度比过去一切阶段的总和还要多，是史前社会发展的最高阶段。

总之，蒙昧阶段和野蛮阶段是史前社会的两个重要发展阶段，是随着生产力的发展和生活资料的丰富而不断向前发展，并最终过渡到文明社会。

三、史前社会的主要社会结构

社会结构是指一个社会形态内部的经济、政治、文化、社会交往等各个方面的内容，以及这些内容之间的相互关联，是推动一个社会形态不断向前发展的重要因素。和其他社会形态一样，史前社会也有自身特有的社会结构。由于氏族是史前社会的最基本单位，胞族、部落和部落联盟都是在氏族的基础上发展起来的，因此，氏族社会的主要社会结构表明的就是史前社会的主要社会结构。

史前社会的经济结构。在蒙昧时代和野蛮时代低级阶段这一至少包括人类全部生存史的五分之四的阶段，由于生产力发展水平的极端低下，人们占有的劳动对象和创造的劳动成果都极其有限，因此，氏族内部的土地都归氏族所有，而人们居住的房屋也归居住者集体所有。在早期的易洛魁人的氏族内部，"死者的财产转归同氏族其余的人所有，它必须留在氏族中。因为易洛魁人所能遗留的东西为数很少，所以他的遗产就由他最近的同氏族亲属分享；男子死

---

① 《马克思恩格斯选集》第 4 卷，人民出版社 2012 年版，第 32 页。
② 《马克思恩格斯选集》第 4 卷，人民出版社 2012 年版，第 34 页。

时，由他的同胞兄弟、姊妹以及母亲的兄弟分享；妇女死时，由她的子女和同胞姊妹而不是由她的兄弟分享。根据同一理由，夫妇不能彼此继承，子女也不得继承父亲。"①由于生产力发展水平的极端低下，氏族成员基本上没有私有财产，因此，死者的财产转归氏族其他成员所有，即氏族成员有相互继承已故氏族成员的遗产的权利。在《摩尔根笔记》中，马克思作了如下摘录："在蒙昧时代，财产只限于个人用品；在野蛮时代低级阶段，又加上占有共同住宅和园圃的权利。个人用品之最贵重者，与已故的物主一起埋葬。一般说来，财产应该保留在氏族以内并在已故物主的同氏族人中进行分配。"②可见，在生产力水平极端低下的情况下，氏族成员相互继承已故氏族成员的遗产，以维持氏族的运行。随着生产力的发展和财富的增多，在野蛮时代的高级阶段，专偶制家庭和父权制逐渐产生，进而导致了将财产传给自己的子女的继承法的出现。这对史前社会传统的经济结构产生了重要影响，首先是将氏族成员的房屋和园圃私有化，其次促使个人的家畜和耕地逐渐归个人所有和支配，并且可以作为商品进行交换。这就导致了氏族内部的贫富差距的逐渐拉大，进而推动了氏族社会的瓦解和私有制的产生。

史前社会的政治结构。虽然史前社会还没有出现阶级和国家，但是也有一些政治生活，有着自身特有的政治结构。在氏族发展过程中，为了维持氏族的正常运行和发展，氏族内部设置一定的职位。在易洛魁人氏族中间，"氏族选举一个酋长（平时的首脑）和一个酋帅（军事领袖）。酋长必须从本氏族成员中选出，他的职位在氏族内世袭，一旦出缺，必须立刻重新补上；军事领袖，也可以从氏族以外的人中选出并且有时可以暂缺。"③氏族内部设有的酋长和酋帅主要履行管理的职能。同时，"氏族可以任意罢免酋长和酋帅。这仍是由男女共同决定的。被罢免的人，此后便像其他人一样成为普通战士，成为私人。此外，部落议事会也可以甚至违反氏族的意志而罢免酋长。"④这样，原始民主就获得了发展。这里，氏族酋长在氏族内部的权力，是由道义而并非制性的手段来保障的。同时，氏族内部的政治事务是通过氏族会议来进行的。对此，马克思作了以下摘录："会议是管理工具和氏族、部落和部落联盟的最高权力机

---

① 《马克思恩格斯选集》第4卷，人民出版社2012年版，第98页。
② 《马克思古代社会史笔记》，人民出版社1996年版，第205页。
③ 《马克思恩格斯选集》第4卷，人民出版社2012年版，第97页。
④ 《马克思恩格斯选集》第4卷，人民出版社2012年版，第97页。

构。日常事务由酋长解决；涉及总体利益的事情则交由会议决定；会议起源于氏族组织，——酋长会议；它的历史，就是氏族的、部落的和部落联盟的会议的历史，直到政治社会出现，把会议变为元老院。"① 可见，氏族会议是管理氏族的最高权力机关。这种人民自己管理自己的体制对后来的政治社会的发展产生了重要影响。在野蛮时代高级阶段，随着生产力的发展和财富的增加，出现了一些为了保护财产的专门的管理机关，并在财产不断私有化的基础上，最终产生了国家这一最大的政治机器。

史前社会的文化结构。史前社会有自己的文化生活，譬如祭祀、宗教等。这些是与当时极端低下的生产力水平和人们对自然界的认识的局限密切相关。在史前社会，祭祀和宗教仪式是公共生活的重要部分。"易洛魁人每年的 6 个宗教节日［枫树节、栽培节、浆果节、青谷节、收获节和新年节］，都是组成同一部落的所有氏族的共同节日，在每年的一定时间内庆祝。"② 可见，易洛魁人的宗教节日是与种植业的发展密切相关的，即与人们的生存和发展密切相关，一定程度上认识到了人与自然的关系。同时，每一个氏族都有一些信仰守护人，专门主持这些节日庆典，负责宗教祭祀。"易洛魁人的宗教崇拜是一种对神恩的感谢，向大神和众小神祈祷，希望继续把幸福赐给他们。"③ 从根本上看，史前社会人们的宗教崇拜是为了使自己过得更好。随着实践的发展，到了雅典氏族期间，"共同的宗教祭祀和祭司为祀奉一定的神所拥有的特权。这种神被假想为氏族的男始祖，并用独特的名称做这种地位的标志。"④ 这样，雅典氏族时期的宗教祭祀已经和祖先崇拜开始结合起来。总之，史前社会有着独特的文化结构。

史前社会的社会结构。这里的社会结构指社会生活或社会交往结构。由于史前社会没有阶级和国家，因此，人们之间是平等的，社会成员自己管理自己。在氏族组织内部，大部分社会事务都是由氏族成员在氏族会议上共同决定的。"最简单和最低形式的会议就是氏族会议，这是一个民主的大会，在会上，每一个成年男女对所讨论的一切问题都有发言权；会议选举和罢免酋长和酋帅，选举'信仰守护人'，宽恕或报复杀害本氏族人的凶手，收养外人加入

① 《马克思古代社会史笔记》，人民出版社 1996 年版，第 210 页。
② 《马克思古代社会史笔记》，人民出版社 1996 年版，第 209 页。
③ 《马克思古代社会史笔记》，人民出版社 1996 年版，第 209 页。
④ 《马克思恩格斯选集》第 4 卷，人民出版社 2012 年版，第 112 页。

氏族。"① 可见，氏族会议充分体现了社会成员自己管理自己的特征。同时，由于生产力发展水平的低下和自然生存条件的恶劣，氏族成员的生存必须依赖于其他成员。因此，氏族成员之间有"互相援助、保护和代偿损害的义务。个人的安全依靠他的氏族来保护；血缘关系是相互扶助的强有力的因素；侵犯个人就是侵犯他的氏族。"② 这表明，社会成员不仅是平等的，而且要互帮互助。原始社会的血族仇杀也起因于此。"古代的血族复仇的习俗即发源于氏族。审讯罪犯的法庭和规定刑罚的法律，在氏族社会中出现得很晚。在易洛魁人以及一般地在印第安人诸部落中，为被杀害的同氏族人复仇是被公认的一项义务。"③显然，血族复仇是维系史前社会发展的重要手段。此后，随着生产力的发展和财富的增加，社会越来越分裂为两个直接对立的阶级，最终导致了史前社会的解体。总之，只有在氏族成员是平等和互助的条件下，才能维系史前社会的发展。

总之，史前社会是人类社会发展的第一个阶段，是一个独立而完整的社会形态，有着自身特有的经济、政治、文化和社会等方面的结构。

四、自然条件对史前社会发展的影响

自然条件在人类社会发展进程中具有前提作用。在《德意志意识形态》中，马克思恩格斯明确将"各种自然条件——地质条件、山岳水文地理条件、气候条件以及其他条件"④ 视为社会存在的自然物质前提。在研究史前社会的过程中，马克思恩格斯对自然条件的作用展开了详细的论述，彰显了人类史研究和自然史研究的统一。

自然环境对史前社会发展的影响。在《摩尔根笔记》中，马克思详细摘录了自然环境对史前社会不同地区发展的作用的论述。在野蛮阶段的低级阶段上，"东西两半球的自然条件的差异具有了意义，不过可以把下述发明当作对等现象：在东半球是动物的驯养，而在西半球——则是用灌溉法来种植玉蜀黍

① 《马克思古代社会史笔记》，人民出版社1996年版，第210页。
② 《马克思古代社会史笔记》，人民出版社1996年版，第205页。
③ 《马克思古代社会史笔记》，人民出版社1996年版，第206页。
④ 《马克思恩格斯选集》第1卷，人民出版社2012年版，第146页。

和其他植物并使用土坯和石块来建造房屋。"① 可见，不同的自然条件已经对东西半球的发展产生了一定的影响。到了野蛮阶段的中级阶段，这一影响进一步扩大了。"东半球从驯养动物开始，西半球则从用灌溉法来种植植物和使用土坯和石块来建造房屋开始。"② 显然，用灌溉法种植植物对地理环境和气候条件都有一定的要求。这表明了自然条件的不同导致了野蛮阶段的中期东半球从畜牧业开始，西半球从种植业开始。在《起源》中，恩格斯强调在野蛮时代的低级发展阶段之前很长的一段时间，发展过程与各个民族的生活的自然环境无关，但到了野蛮时代就发生了变化。在这一时代，东大陆差不多有一切可以驯养的动物和除一种以外所有适合种植的谷物，西大陆只存在羊驼一种适于驯养的哺乳动物和玉蜀黍一种谷物。"由于自然条件的这种差异，两个半球上的居民，从此以后，便各自循着自己独特的道路发展，而表示各个阶段的界标在两个半球也就各不相同了。"③ 显然，自然条件的差异决定了东西半球采取了不同的发展方式，进而遵循着自身的道路向前发展。换言之，不同的自然条件使得东西半球的发展方式和发展道路有所不同。

自然资源对史前社会发展的影响。自然资源的不同导致了东西半球的发展程度不同。在《摩尔根笔记》中，马克思摘录道："两个半球的自然资源不一样：东半球拥有一切（除一种以外）适于驯养的动物和大部分谷物；西半球则只有一种适于种植的作物，但却是最好的一种（玉蜀黍）。"④ 这直接导致了东半球直至野蛮时期的中级阶段结束时，还没有种植谷物，而西半球在野蛮时期的低级阶段已经种植谷物。显然，由于各个地方的自然资源的不同，导致了其采用不同的发展方式，进而导致了其发展程度的不同。同时，自然资源的丰富与否对人类社会的发展产生了重要的影响。蒙昧时代中级阶段是从采用鱼类和使用火开始的，"自从有了这种新的食物以后，人们便不受气候和地域的限制了；他们沿着河流和海岸，甚至在蒙昧状态下已散布在地球上的大部分地区。"⑤ 可见，鱼类资源极大地推动了人类社会的发展。同时，"雅利安人和闪米特人这两个种族的卓越的发展，或许应归功于他们的丰富的肉乳食物，特别是这种食

① 《马克思古代社会史笔记》，人民出版社 1996 年版，第 123 页。
② 《马克思古代社会史笔记》，人民出版社 1996 年版，第 123 页。
③ 《马克思恩格斯选集》第 4 卷，人民出版社 2012 年版，第 32 页。
④ 《马克思古代社会史笔记》，人民出版社 1996 年版，第 127 页。
⑤ 《马克思恩格斯选集》第 4 卷，人民出版社 2012 年版，第 30 页。

物对于儿童发育的有利影响。的确，不得不几乎专以植物为食的新墨西哥的普韦布洛印第安人，他们的脑子比那些处于野蛮时代低级阶段而吃肉类和鱼类较多的印第安人的脑子要小些。"① 显然，肉类和鱼类有利于人类身体和智力的发展，进而有利于人的全面发展。此外，在史前社会早期，由于其他食物来源不可靠，因此，除了一些产鱼区能够保证人们的食物之外，很多地方不得不采取食人的办法。可见，充足的自然资源对于人类道德的形成和发展具有重要的作用。总之，自然资源在史前社会发展过程中具有重要作用。

地理环境对史前社会发展的影响。在论述不同的部落和族系的发展道路时，马克思摘录道："有一些在地理上与外界隔绝，以致独自经历了各个不同的发展阶段；另外一些则由于外来的影响而混杂不纯。例如非洲过去和现在都处于蒙昧时代和野蛮时代两种文化交织混杂状态；澳大利亚和波利尼西亚则曾经处于完完全全的蒙昧状态。"② 可见，地理环境的差异不仅对于一些部落和民族的发展阶段具有重要影响，还影响到这些部落民族的文化发展状态。由于地理条件的不同，使得处于同一时期的印第安人却处于三种不同的发展阶段。"极北地区的印第安人和北美南美一些沿海部落，都处于蒙昧时代高级阶段；密西西比河以东的半村居印第安人，处于野蛮时代低级阶段；北美和南美的村居印第安人，处于野蛮时代中级阶段。"③ 显然，地理环境的不同会对同一个族系的发展进程产生不同的影响。换言之，地理环境对史前社会发展中产生了重要作用。

总之，自然条件在史前社会发展进程中起着重要的作用，是史前社会向前发展的重要前提和基础，也是造成不同区域的史前社会的发展差异的重要条件。

五、史前技术、道德和宗教的基本状态

马克思恩格斯对史前技术、道德和宗教的基本状态展开了较为深入的研

---

① 《马克思恩格斯选集》第 4 卷，人民出版社 2012 年版，第 33—34 页。
② 《马克思古代社会史笔记》，人民出版社 1996 年版，第 125 页。
③ 《马克思古代社会史笔记》，人民出版社 1996 年版，第 125 页。

究，揭示了史前技术、道德和宗教的发展和作用。

史前社会技术的表现和特征。史前技术是划分史前社会发展阶段的重要标准，也是体现史前社会发展和进步的主要表现。马克思论述了史前社会的科学和技术的辩证关系："发明和发现一个接着一个出现；关于绳索的知识一定在弓箭以前，就像关于火药的知识在火枪以前、关于蒸汽机的知识在铁路和轮船以前一样；因此，生存的各种技术都是经过长时间的间隔而相继出现的，人类的工具经过用燧石和石头制造的阶段才达到用铁制造的阶段。社会制度也是如此。"① 显然，史前社会技术的出现和发展并非是无源之水和无本之木，一方面是建立在科学知识的出现和发展的基础之上的；另一方面也是建立在以往技术发展的基础之上的，即技术的发展也具有继承性和发展性。在《起源》中，恩格斯指出："弓箭对于蒙昧时代，正如铁剑对于野蛮时代和火器对于文明时代一样，乃是决定性的武器。"② 可见，技术是划分人类社会发展阶段的重要标准。通过史前社会技术的表现和特征，可以科学地把握史前社会的发展脉络。

史前社会道德的表现和特征。史前社会道德具有两面性。一方面，史前社会存在着一系列优良品德。在氏族制度中，没有任何压迫人和奴役人的国家机构和暴力机器，人们自己管理自己，一切问题都由自己解决。因此，在原始社会，人们获得了高度的自由。由于没有奴役和压迫，人们在获得自由的同时，也获得了平等。概言之，"大家都是平等、自由的，包括妇女在内。他们还不曾有奴隶；奴役异族部落的事情，照例也是没有的。"③ 在此情形下，平等和自由成为原始社会成员的重要优良品德。由于史前社会的生产力发展水平极端低下，人们要生存和发展，单靠个人的力量是完全不够的，必须依靠集体的力量。因此，"部落始终是人们的界限，无论对其他部落的人来说或者对他们自己来说都是如此：部落、氏族及其制度，都是神圣而不可侵犯的，都是自然所赋予的最高权力，个人在感情、思想和行动上始终是无条件服从的。"④ 这样，氏族内部的博爱和集体主义成为人们必须具有的品德。另一方面，史前道德具有野蛮和落后的一面。由于氏族内部人与人之间必须相互依赖，导致了氏族之间存在着血族复仇。"同氏族人必须互相援助、保护，特别是在受到外族人伤

---

① 《马克思古代社会史笔记》，人民出版社 1996 年版，第 172 页。
② 《马克思恩格斯选集》第 4 卷，人民出版社 2012 年版，第 31 页。
③ 《马克思恩格斯选集》第 4 卷，人民出版社 2012 年版，第 109 页。
④ 《马克思恩格斯选集》第 4 卷，人民出版社 2012 年版，第 110 页。

害时，要帮助报仇。个人依靠氏族来保护自己的安全，而且也能做到这一点；凡伤害个人，便是伤害了整个氏族。因而，从氏族的血族关系中便产生了为易洛魁人所绝对承认的血族复仇的义务。"①显然，血族仇杀体现了史前社会道德的落后性的一面。同时，"由于所有这些食物来源都靠不住，所以在广大的产鱼地区以外，人类便不得不采取食人的办法。古代食人之风盛行，这一点已逐渐得到了证实。"②可见，由于生产力水平的低下，人们的劳动产品较少，无法满足自身的需求，导致了食人现象的存在。在史前社会，不同的氏族之间在发生战争后，往往会有一些俘虏，由于连自身的温饱问题都难以解决，更谈不上给俘虏提供食物，因此，将俘虏杀掉作为食物就成为常态。总之，史前社会道德有进步和落后的二重性。

史前社会宗教的表现和特征。由于史前社会生产力的极端低下，史前宗教中存在着很多神秘主义的内容。"全盛时期的氏族制度，如我们在美洲所见的，其前提是生产极不发展，因而广大地区内人口极度稀少；因此，人类差不多完全受着同他异己地对立着的、不可理解的外部大自然的支配，这也就反映在幼稚的宗教观念中。"③在早期的宗教观念中，人类盲目地尊崇和服从自然界，没有任何自身的主体性和能动性。这种宗教观念也反映到了人们的现实生活中，即氏族、部落都被看作是自然所赋予的最高权力，是不可侵犯的，个人必须无条件地服从，即人必须无条件地服从自然界。在雅典人的氏族中，已经存在着一定的宗教祭祀。雅典人氏族将宗教祭祀和祖先祭祀结合在一起，认为神就是创造了氏族的始祖。在罗马人的氏族中，"共同的宗教节日。这些氏族祭典是众所周知的。"④显然，人们已经有了宗教节日，并在这一节日进行氏族祭典。随着宗教的发展，尤其是宗教祭祀和祭典的开展，宗教也需要一定的场所。因此，在野蛮时代高级阶段的末期，"在希腊人那里，土地有些仍为部落共同占有，有些为胞族共同占有供宗教之用，还有一些为氏族共同占有，但大部分土地都已归个人占有了。"⑤这是导致土地所有制复杂化的一个重要原因。总之，史前宗教反映了史前社会的发展程度和人们的生活状态。

① 《马克思恩格斯选集》第 4 卷，人民出版社 2012 年版，第 98 页。
② 《马克思古代社会史笔记》，人民出版社 1996 年版，第 126 页。
③ 《马克思恩格斯选集》第 4 卷，人民出版社 2012 年版，第 110 页。
④ 《马克思恩格斯选集》第 4 卷，人民出版社 2012 年版，第 135 页。
⑤ 《马克思古代社会史笔记》，人民出版社 1996 年版，第 184 页。

总之，史前技术、道德和宗教是史前社会的重要表现和表征，对史前社会的发展产生了重要的作用，也为阶级社会的技术、道德和宗教的发展奠定了一定的基础。

第四节　分工的发展和私有制、阶级、国家的产生

在研究史前社会的过程中，马克思恩格斯不仅科学揭示了人类社会发展的原生形态，还论述了分工的发展以及私有制、阶级和国家的产生，进而从理论上科学说明了私有制、阶级的消灭和国家的消亡的必然性。

一、分工的发展

19 世纪 70 年代到 80 年代，通过对文化人类学进化论学派研究成果的吸收和借鉴，以及对史前社会的深入研究，马克思恩格斯科学揭示了分工的发展及其历史作用。在《起源》中，恩格斯全面分析了从野蛮时代到文明时代过渡过程中，三次社会大分工的产生及其历史作用。

第一次社会大分工的标志是畜牧业从农业中分离出来。随着生产力的发展，人们所猎获的动物不仅可以满足自身当下的需求，还能有部分节余可供驯养，进而可以更加充分持续地满足自身未来的需求。在此情形下，"在亚洲，他们发现了可以驯服并且在驯服后可以繁殖的动物。野生的雌水牛，需要去猎取；但已经驯服的雌水牛，每年可生一头小牛，此外还可以挤奶。有些最先进的部落——雅利安人、闪米特人，也许还有图兰人——，其主要的劳动部门起初就是驯养牲畜，只是到后来才又有繁殖和看管牲畜。游牧部落从其余的野蛮人群中分离出来——这是第一次社会大分工。"① 这里，畜牧业和农业的分离，

---

① 《马克思恩格斯选集》第 4 卷，人民出版社 2012 年版，第 176 页。

极大地推动了畜牧业的发展。同时，由于游牧民族生产的生活资料种类繁多且数量不断扩大，使得经常的交换成为可能，推动了商品交换的产生及其不断扩大。"起初是部落和部落之间通过各自的氏族酋长来进行交换；但是当畜群开始变为特殊财产的时候，个人交换便越来越占优势，终于成为交换的唯一形式。不过，游牧部落用来同他们的邻人交换的主要物品是牲畜；牲畜变成了一切商品都用来估价并且到处都乐于与之交换的商品——一句话，牲畜获得了货币的职能，在这个阶段上就已经起货币的作用了。"①可见，第一次社会大分工推动了商品交换的产生，使得牲畜成为一般等价物，具有了货币的功能。第一次社会大分工还导致了主人和奴隶、剥削者和被剥削者的产生。

第二次社会大分工的标志是手工业和农业的分离。在实践中，"财富在迅速增加，但这是个人的财富；织布业、金属加工业以及其他一切彼此日益分离的手工业，显示出生产的日益多样化和生产技术的日益改进；农业现在除了提供谷物、豆科植物和水果以外，也提供植物油和葡萄酒，这些东西人们已经学会了制造。如此多样的活动，已经不能由同一个人来进行了；于是发生了第二次大分工：手工业和农业分离了。"②显然，生产力的快速发展使手工业从农业中分离出来，为手工业的快速发展打下了良好的基础。"随着生产分为农业和手工业这两大主要部门，便出现了直接以交换为目的的生产，即商品生产；随之而来的是贸易，不仅有部落内部和部落边境的贸易，而且海外贸易也有了。"③可见，第二次社会大分工进一步推动了商品生产和贸易的发展。在此基础上，贵金属开始成为占优势和普遍使用的货币商品。第二次社会大分工不仅进一步推动了奴隶阶级的形成和发展，还导致了富人和穷人的出现，使得社会有了新的阶级划分。"各个家庭家长之间的财产差别，炸毁了各地迄今一直保存着的旧的共产制家庭公社；同时也炸毁了为这种公社而实行的土地的共同耕作。耕地起初是暂时地，后来便永久地分配给各个家庭使用，它向完全的私有财产的过渡，是逐渐进行的，是与对偶婚制向专偶制的过渡平行地发生的。个体家庭开始成为社会的经济单位了。"④显然，耕地的不断私有化使得氏族成员之间的财产差别逐渐扩大，进而使得先前利益一致的成员之间的对抗关系形

① 《马克思恩格斯选集》第4卷，人民出版社2012年版，第176—177页。
② 《马克思恩格斯选集》第4卷，人民出版社2012年版，第179—180页。
③ 《马克思恩格斯选集》第4卷，人民出版社2012年版，第180页。
④ 《马克思恩格斯选集》第4卷，人民出版社2012年版，第180页。

成，而人与人之间的奴役和剥削的关系得到了发展。总之，第二次社会大分工推动了史前社会的发展和阶级社会的产生。

第三次社会大分工的标志是商业从其他生产部门的分离。在从野蛮时代向文明时代转变的过程中，"文明时代巩固并加强了所有这些已经发生的各次分工，特别是通过加剧城市和乡村的对立（或者是像古代那样，城市在经济上统治乡村，或者是像中世纪那样，乡村在经济上统治城市）而使之巩固和加强，此外它又加上了一个第三次的、它所特有的、有决定意义的重要分工：它创造了一个不再从事生产而只从事产品交换的阶级——商人。"① 显然，生产力的发展以及由之产生的城乡对立推动了第三次社会分工的出现，并产生了商人阶级。这个只从事交换而不从事生产的阶级，却真正成为了生产的领导者，成为生产者之间的不可或缺的中介，并靠剥削生产者积累了大量的财富并获得了相应的社会影响。"随着这个阶级的形成，出现了金属货币即铸币，随着金属货币就出现了非生产者统治生产者及其生产的新手段。商品的商品被发现了，这种商品以隐蔽的方式包含着其他一切商品，它是可以任意变为任何值得向往和被向往的东西的魔法手段。谁有了它，谁就统治了生产世界。"② 显然，商人阶级的形成推动了金属货币的出现和广泛使用，并使得货币成为财富的化身和非生产者统治世界的手段。除了货币财富之外，地产财富也越来越受到人们的重视。随着土地的世袭和不断的私有化，土地也成为一种可以出卖和抵押的商品。在此基础上，氏族制度逐渐被分工的发展彻底炸毁，国家得以产生。可见，第三次社会大分工对阶级和国家的最终形成发挥了决定性的作用。

总之，分工的发展不仅是生产力发展的重要结果，也推动了生产力的进一步发展，是推动史前社会发展的重要动力。

二、私有制的产生和继承权的发展

在史前社会，随着生产力的发展和财富的不断增加，导致了私有财产和私有制的逐渐出现，进而逐渐产生了三种继承法。

---

① 《马克思恩格斯选集》第 4 卷，人民出版社 2012 年版，第 182 页。
② 《马克思恩格斯选集》第 4 卷，人民出版社 2012 年版，第 183 页。

第一种继承法的产生。在蒙昧时代，由于生产力水平的极端低下，人们创造的物质财富极其有限，甚至很难满足人们的正常生活需要，因此，氏族成员的财产极其有限。"蒙昧人的财产是微不足道的：粗糙的武器、织物、家什、衣服、燧石制的、石制的和骨制的工具以及'个人的装饰品'，这就是他们的财产的主要项目。"[①]同时，这一阶段的土地归氏族部落所有，而住房则归居住者共有。在此情形下，为了维持氏族及其成员的生存，产生了第一种继承法。"继承：第一种主要的继承法是随着氏族的建立而产生的；根据这种继承法，死者的财产被分给其氏族成员。实际上，财产是被近亲所占有，但从一般原则上来说，财产应留在死者的氏族中并分配给它的成员。[这一原则被希腊、罗马的氏族一直保持到文明时代。] 子女继承他们的母亲，但不能从他们名义上的父亲那里得到任何东西。"[②]显然，第一种继承法规定死者的财产分给氏族成员，氏族内部及其成员的财产都是氏族的公有财产。总之，第一种继承法建立在生产力水平低下和母权制的基础之上。

第二种继承法的产生。随着生产力的发展，尤其是人们获取生活资料的工具的进步，人们获得的生活资料的数量不断增多，进而逐渐产生了财产的观念。"财产的增长是与发明和发现的进展齐头并进的。由此可见，每一个文化时期都比前一时期有着显著的进步，这不仅表现在发明的数量上，而且也表现在由这些发明造成的财产的种类和总额上。财产形式增加，关于占有和继承的某些法规也必然随之发展。"[③]这里，继承权和继承法的出现，是由财产的增长决定的，反映了经济基础决定上层建筑的事实。随着生产力的发展，到了野蛮时代低级阶段，人类社会的发展取得了显著的进步，财产的数量和种类都比蒙昧时代增多。这一时期，"虽然土地为部落公有，但耕地的占有权这时则被承认属于个人，或某个集团，成了继承的对象。联合在共同家户里的集团，大多数人都要属于同一个氏族，而继承法也不会容许耕地脱离氏族占有。"[④] 这样，随着生产力的发展，尤其是耕地和园圃等新财产的出现，出现了所有和占有的划分。在此情形下，"财产的种类和数量，都比蒙昧时代增多了，但还不足以引起强烈的继承要求。在这种分配方法中，有第二种主要继承法的萌芽，这种

① 《马克思古代社会史笔记》，人民出版社 1996 年版，第 174 页。
② 《马克思古代社会史笔记》，人民出版社 1996 年版，第 174 页。
③ 《马克思古代社会史笔记》，人民出版社 1996 年版，第 172 页。
④ 《马克思古代社会史笔记》，人民出版社 1996 年版，第 177 页。

继承法是将财产分给同宗亲属，而将其余的氏族成员除外。这时宗亲关系和同宗亲属是以按男系计算世系为前提的。"①显然，第二种继承法是以男系计算世系为前提，将财产分给同宗亲属。即，第二种继承法的产生是以生产力的发展和财产的增多为前提。

第三种继承法的产生。在野蛮时代中级阶段和高级阶段，农业和畜牧业都得到了很大的发展，土地和牲畜的数量大大增加，并且逐渐成为个人所有，进而要求继承权的进一步发展。由于家畜可以食用，可以交换其他商品，还可以繁殖，因此，家畜成为财富的主要代表，使人们内心第一次产生了财富的概念。随着农业的发展，人们开始经常耕种土地，使得土地和家庭的关系日益密切，家庭也因此成为了创造财产的组织，家庭的个体化也由此产生。对此，马克思摘录道："在没有农业时，畜群自然由以亲属关系为基础而结成一个集团谋生的人们共同占有。在这种条件下，就自然确立了父方宗亲继承法。但是，一旦土地成为财产对象并把土地分给单个人从而导致了个人所有，父方宗亲继承法就必然被取代，——被第三种主要继承法取代，即将死者的财产分给他的子女。"②随着生产力的发展和财富的增加，尤其是畜群和土地的私有化，导致了将财产直接传给子女的第三种继承法的产生。在实践中，"只要有一个简单的决定，规定以后氏族男性成员的子女应该留在本氏族内，而女性成员的子女应该离开本氏族，转到他们父亲的氏族中去就行了。这样就废除了按女系计算世系的办法和母系的继承权，确立了按男系计算世系的办法和父系的继承权。"③可见，随着生产力的发展和财富的增加，推行这一人类历史上最深刻的一次革命并不困难。同时，氏族内部的一些首领在将获得的大量财产传给子女的同时，也逐渐地将权力传给子女。因此，"在野蛮时代高级阶段，原来在氏族内世袭并由其成员选举产生的各级首领的职位，在希腊和罗马部落中很可能已由父亲传给儿子。"④可见，权力的继承的有序推进标志着继承权的全面发展。总之，生产力的发展最终推动了继承权的产生。

综上，私有制的产生和继承权的发展相互促进。私有财产的逐渐增多，要求有利于私有财产所有者及其家人的继承权的产生，而继承权的产生又促进了

① 《马克思古代社会史笔记》，人民出版社1996年版，第178页。
② 《马克思古代社会史笔记》，人民出版社1996年版，第186—187页。
③ 《马克思恩格斯选集》第4卷，人民出版社2012年版，第64—65页。
④ 《马克思古代社会史笔记》，人民出版社1996年版，第191—192页。

私有制的发展。

三、阶级的产生

随着生产力的发展和财富的增加，在野蛮时代向文明时代过渡的过程中，阶级也逐渐产生。

阶级产生的原因。阶级不是从来就有的，其产生的根本原因是生产力的发展。在史前社会早期，由于生产力水平的极端低下，人们生活在氏族内，他们之间的关系是平等的。随着生产力的发展和生产工具的改进，一些氏族成员逐渐有了私有财产，并想将之传给子女，进而导致父权制的逐渐产生。随着专偶婚制的发展，使得将财产传给自己的子女成为可能，因此，父权制是和专偶婚制一同产生的，专偶婚制奠定了父权制的真正基础。对此，马克思指出："傅立叶认为专偶婚制和土地私有制是文明时代的特征。现代家庭在萌芽时，不仅包含着 servitus（奴隶制），而且也包含着农奴制，因为它从一开始就是同田野耕作的劳役有关的。它以缩影的形式包含了一切后来在社会及其国家中广泛发展起来的对抗。"① 在现代家庭即专偶制家庭的发展过程中，不仅包含着阶级的产生，还包含着奴隶制和农奴制两种阶级形式的产生，即孕育着奴隶社会和封建社会的胚胎。当然，专偶制家庭存在和发展也有一定的前提。"实际上，专偶制家庭要能独立地、孤立地存在，到处都要以仆役阶级 {domestic class} 的存在为前提，这种仆役阶级最初到处都是直接由奴隶组成的。"② 随着奴隶的广泛使用，成为一种制度时，家庭经济也就逐渐消失了。总之，随着生产力的发展和家庭形式的发展，奴隶阶级逐渐产生。

阶级产生的历史进程。阶级的产生经历了长期的历史进程，与三次社会大分工的发展是同步的。第一次社会大分工是随着畜牧业的发展而产生的，推动了畜牧业和农业、家庭手工业等部门的发展，使得劳动力的需求得到了提高。因此，通过战争得到的俘虏就不再被简单地杀掉，而是变成了奴隶。"第一次社会大分工，在使劳动生产率提高，从而使财富增加并且使生产领域扩大的同

---

① 《马克思古代社会史笔记》，人民出版社 1996 年版，第 160 页。
② 《马克思古代社会史笔记》，人民出版社 1996 年版，第 161 页。

时，在既定的总的历史条件下，必然地带来了奴隶制。从第一次社会大分工中，也就产生了第一次社会大分裂，分裂为两个阶级：主人和奴隶、剥削者和被剥削者。"①可见，第一次社会大分工推动了奴隶制的产生。第二次社会大分工推动了生产力的快速发展和劳动生产率的不断提高，因此，人的劳动力的价值也得到提高。这就导致了第一次社会大分工之后出现的零星的奴隶被成批地被赶到田野和工场去劳动，成为社会制度的一个根本的组成部分。随着手工业从农业中分离出来，财富尤其是个体家庭的财富得到了快速的增加，使得氏族内部也出现了富人和穷人，进而推动了氏族内部成员之间剥削和奴役关系的逐渐形成。第三次社会大分工产生了商人这一新的社会阶级，进而推动了商品生产和商品贸易的快速发展，以及金属货币的出现和高利贷的发展。"随着贸易的扩大，随着货币和货币高利贷、土地所有权和抵押的产生，财富便迅速地积聚和集中到一个人数很少的阶级手中，与此同时，大众日益贫困化，贫民的人数也日益增长。"②可见，财富差距的不断扩大，尤其是贫民人数的日益增长使得奴隶数量不断增加，进而使奴隶劳动成为社会赖以发展的基础，推动了奴隶主阶级和奴隶阶级的关系最终形成。总之，生产力发展和社会分工最终推动了阶级的出现。

阶级产生的影响。阶级的产生是人类社会发展史上具有重大意义的事件，是文明时代产生的重要标志。阶级的产生是生产力发展的产物，也推动了生产力的发展。阶级社会的实质是占统治地位的阶级可以无偿地占有全部或部分被统治阶级的劳动成果，因此，阶级的出现拉大了氏族社会内部已经出现的贫富差别的鸿沟，进而加速推动了原始社会的解体和文明时代的产生。同时，社会日益分裂为两大直接对立的阶级，他们为了自身的利益进行你死我活的斗争。为了使这一斗争限制在可控的范围之内，不至于使整个社会毁灭，就需要社会成员将部分权力让渡给国家，并成立相应的国家机关，以维持整个社会的运转。可见，国家实质上是阶级对立不可调和的产物，而阶级的产生则是国家产生的不可或缺的前提。

总之，阶级的产生是生产力发展和社会分工的必然产物，也是人类社会发展的必然现象，将人类社会带入文明时代。

---

① 《马克思恩格斯选集》第4卷，人民出版社2012年版，第178页。
② 《马克思恩格斯选集》第4卷，人民出版社2012年版，第184页。

四、国家的起源、本质和消亡的必然性

在考察阶级产生的历史进程之后，马克思恩格斯全面论述了国家的起源、本质和消亡的必然性，不仅揭示了人类社会如何从无阶级社会过渡到阶级社会，还从理论上论证了国家的消亡和共产主义实现的必然性。

国家的起源。人类社会的发展经历了氏族、胞族、部落和部落联盟等发展阶段，最终是在部落联盟的基础上发展成为国家。随着生产力的发展和交往形式的不断扩大，以血缘关系为基础联结起来的旧的氏族公社已经无法适应这一情况，因为国家是按照区域划分的，必须具有相应的领土。在氏族内部，氏族成员通过氏族代表大会自己管理自己，氏族首领只是氏族成员选举出来的代表，人们之间是平等的关系。随着生产力的发展和财富的增加，尤其是氏族内部贫富差距和私有财产的出现，就要求设立相应的机构来保护这些新增的财富尤其是私有财产，国家机关就此建立起来。随着私有财产和阶级的出现，占统治地位的阶级就要求建立相应的国家暴力机器以镇压被统治阶级的反抗，进而导致了国家的公共权力的产生。同时，由于氏族成员是自己管理自己，没有相应的机关，因此，氏族成员就不用缴纳任何费用；而由于国家要通过国家机关及其工作人员来进行有效的治理，为了维持这种公共权力，国家就需要采取收税或发行公债等措施。总之，国家与氏族的区别，一定程度上就是国家自身的特征。

国家的本质。在《梅恩笔记》中，马克思全面批判了梅恩的抽象的资产阶级国家观，阐述了马克思主义关于国家的思想。"梅恩忽略了深得多的东西：国家的看来是至高无上的独立的存在本身，不过是表面的，所有各种形式的国家都是社会身上的赘瘤；正如它只是在社会发展的一定阶段上才出现一样，一当社会达到迄今尚未达到的阶段，它也会消失。"① 可见，国家是社会发展到一定阶段的产物。同时，马克思指出，国家产生的前提和基础是一定阶级所代表的经济条件和经济利益，本质上是阶级矛盾不可调和的产物。在《起源》中，恩格斯指出："国家是承认：这个社会陷入了不可解决的自我矛盾，分裂为不可调和的对立面而又无力摆脱这些对立面。而为了使这些对立面，这些经济利益

---

① 《马克思古代社会史笔记》，人民出版社1996年版，第510页。

互相冲突的阶级，不致在无谓的斗争中把自己和社会消灭，就需要有一种表面上凌驾于社会之上的力量，这种力量应当缓和冲突，把冲突保持在'秩序'的范围以内；这种从社会中产生但又自居于社会之上并且日益同社会相异化的力量，就是国家。"① 可见，国家是为了缓和社会的阶级矛盾而产生的。在此基础上，恩格斯指出："国家是文明社会的概括，它在一切典型的时期毫无例外地都是统治阶级的国家，并且在一切场合在本质上都是镇压被压迫被剥削阶级的机器。"② 显然，国家实质上是阶级统治的工具。即国家的实质是统治阶级压迫和剥削被统治阶级的工具。

国家的消亡。国家不是从来就有的，仅仅是阶级矛盾和阶级对立不可调和的产物，因此，随着阶级矛盾和阶级对立的消除，国家必然会走向消亡。对此，恩格斯论述了国家的阶段性和短暂性："随着阶级的消失，国家也不可避免地要消失。在生产者自由平等的联合体的基础上按新方式来组织生产的社会，将把全部国家机器放到它应该去的地方，即放到古物陈列馆去，同纺车和青铜斧陈列在一起。"③ 这表明，国家是一定历史条件的产物，其消亡具有历史必然性。当然，国家的消亡要经过一个相当长的历史时期。在经历了奴隶社会、封建社会和资本主义社会的长期发展阶段之后，国家还要经历另外一种形式，才能过渡到无阶级的社会。"国家的最高形式，民主共和国，在我们现代的社会条件下正日益成为一种不可避免的必然性，它是无产阶级和资产阶级之间的最后决定性斗争只能在其中进行到底的国家形式——这种民主共和国已经不再正式讲什么财产差别了。"④ 显然，只有无产阶级革命斗争取得胜利，并建立民主共和国，国家才能最终走向消亡。总之，国家的消亡是必然的，但必须具备一定的条件。

综上，通过对国家的起源、本质和消亡的必然性的考察，马克思恩格斯科学地指明了未来国家的发展道路，建立和完善了马克思主义国家观。

---

① 《马克思恩格斯选集》第 4 卷，人民出版社 2012 年版，第 186—187 页。
② 《马克思恩格斯选集》第 4 卷，人民出版社 2012 年版，第 193 页。
③ 《马克思恩格斯选集》第 4 卷，人民出版社 2012 年版，第 190 页。
④ 《马克思恩格斯选集》第 4 卷，人民出版社 2012 年版，第 189 页。

五、性别支配的产生和妇女解放的前景

性别支配特指男性对女性的支配，将女性看作是男性的私有财产。性别支配是和阶级支配一同产生的，其实质仍然是阶级支配，是阶级支配在家庭中的反映。

性别支配的产生。人类社会的发展经历了由母权制到父权制的转变。在原始社会，男女之间从事着不同的社会分工，女性主要从事家务劳动，男性主要从事谋取生活资料的劳动。在相当长一段时间内，由于生产力发展水平的极端低下以及生产工具的落后，导致了男性获取的生活资料的数量较少且非常不稳定，而女性所从事的家务劳动的成果相对较多且稳定。因此，在经济社会生活中占主导地位的是女性，这样，就使得人类社会处于母权制发展阶段。随着生产力的发展和生产工具的不断发展，男性猎取越来越多的牲畜，而短时间内又无法全部食用，从而使得畜牧业得到了发展。畜群不仅是男性所获得的生活资料，也成为他们谋取生活资料的工具。由于生产工具是男性的财产，因而剩余的牲畜也成为男性的财产，而用牲畜交换来的商品和奴隶也自然成为了男性的财产。这时，妇女创造的财富和男子创造的财富相比已经无足轻重，使得妇女在家庭中由主导地位变为次要地位，进而导致了父权制的产生。从时间上看，"父权的萌芽是与对偶制家庭一同产生的，随着新家庭日益具有专偶婚制的性质而发展起来。当财产开始大量产生和传财产于子女的愿望把世系由女系改变为男系时，便第一次奠定了父权的真正基础。"[①] 因此，专偶婚制奠定了父权制的真正基础。明确的专偶婚制出现于野蛮时代晚期，沉重地打击了母权制氏族社会。在此基础上，分工、生产力、财富的发展导致了家庭革命。"随着男子在家中的实际统治的确立，实行男子独裁的最后障碍便崩毁了。这种独裁，由于母权制的倾覆、父权制的实行、对偶婚制向专偶制的逐步过渡而被确认，并且永久化了。但是这样一来，在古代的氏族制度中就出现了一个裂口：个体家庭已经成为一种力量，并且以威胁的姿态起来与氏族对抗了。"[②] 可见，父权制的逐渐出现，成为对抗和瓦解氏族的一个重要因素。总之，生产力的发

---

① 《马克思古代社会史笔记》，人民出版社1996年版，第160—161页。
② 《马克思恩格斯选集》第4卷，人民出版社2012年版，第179页。

展和财富的增加是性别支配产生的根本原因。

妇女解放的历史进程、条件和前景。在人类社会发展史上，婚姻形式与人类发展具有一致性。史前社会主要存在群婚制、对偶婚制和专偶制三种婚姻形式，大体上与人类发展的蒙昧时代、野蛮时代和文明时代相适应。其中，"在野蛮时代高级阶段，在对偶婚制和专偶制之间，插入了男子对女奴隶的统治和多妻制。"① 这标志着母权制被彻底推翻，使得女性解放的主题得以凸显。"母权制被推翻，乃是女性的具有世界历史意义的失败。丈夫在家中也掌握了权柄，而妻子则被贬低，被奴役，变成丈夫淫欲的奴隶，变成单纯的生孩子的工具了。"② 显然，父权制取代母权制是妇女受奴役和压迫的开始。由于人类社会发展经历了从母权制到父权制的转变，因此，和阶级奴役和压迫一样，妇女的受奴役和压迫也是一种历史现象。因此，妇女在一定条件下可以实现解放。对此，恩格斯指出："妇女的解放，只有在妇女可以大量地、社会规模地参加生产，而家务劳动只占她们极少的工夫的时候，才有可能。而这只有依靠现代大工业才能办到，现代大工业不仅容许大量的妇女劳动，而且是真正要求这样的劳动，并且它还力求把私人的家务劳动逐渐溶化在公共的事业中。"③ 只有让妇女不再只从事家庭的私人劳动，和男子一样重新回到公共的事业中去、参与社会生产劳动，同时实现家务劳动社会化，才能实现真正的解放。同时，无产阶级解放不仅和妇女解放的历史进程是一致的，还能给妇女解放提供帮助。在恩格斯看来，只有在现代大工业的条件下，才能为妇女参与社会化生产开辟道路。要实现妇女解放，必须消除个体家庭作为社会的经济单位的属性。要实现这一目标，必须实现阶级解放和建立生产资料公有制。"随着生产资料转归公有，个体家庭就不再是社会的经济单位了。私人的家务变为社会的事业。孩子的抚养和教育成为公共的事情；社会同等地关怀一切儿童，无论是婚生的还是非婚生的。"④ 可见，只有在生产资料公有制的条件下，男子和女子的地位才能发生根本的变化，进而实现真正的平等。换言之，只有实现无产阶级解放，才能最终实现妇女解放。

总之，私有制是性别支配产生的根本原因，因此，只有大力发展生产力，

① 《马克思恩格斯选集》第4卷，人民出版社2012年版，第86页。
② 《马克思恩格斯选集》第4卷，人民出版社2012年版，第66页。
③ 《马克思恩格斯选集》第4卷，人民出版社2012年版，第178—179页。
④ 《马克思恩格斯选集》第4卷，人民出版社2012年版，第87页。

消灭私有制和父权制，才能最终实现妇女解放。

第五节 文明时代的产生、特征和发展方向

通过对史前社会的研究，马克思恩格斯全面阐述了文明时代的产生过程、社会特征和未来发展方向，丰富和发展了马克思主义关于人类社会发展规律和道路的学说，将马克思主义社会发展理论奠定在更加坚实的基础之上。

一、从野蛮时代到文明时代的发展

在研究史前社会的过程中，马克思恩格斯全面论述了人类社会的发展阶段和进程，尤其是从野蛮时代到文明时代的发展，揭示了人类社会发展的一般规律。

野蛮时代向文明时代发展的历史进程。在《古代社会》一书中，摩尔根主要研究了人类从蒙昧时代经过野蛮时代到文明时代的发展过程，并将野蛮时代划分为低级阶段、中级阶段和高级阶段。在《摩尔根笔记》和《起源》中，马克思和恩格斯在充分摘录和肯定摩尔根的上述论述的基础上，对其不科学的思想进行了批判。在野蛮时代向文明时代过渡的过程中，人类社会的发展经历了氏族、胞族、部落、部落联盟等发展形式，并在部落联盟的基础上形成了国家，最终进入文明时代。其中，氏族是在蒙昧时代产生的。到了野蛮时代低级阶段，氏族的发展达到全盛时期。氏族是史前社会最基本的构成单位，其自身具有一系列功能，可以实现自己管理自己。随着氏族的发展，几个氏族逐渐联合成为胞族。例如，"在许多有五六个以上氏族的印第安人部落中间，我们看到，每三四个或更多的氏族联合成一个特殊的集团，摩尔根根据希腊语对类似集团的称呼，忠实地把印第安语的名称译过来，把这种集团叫做 Phratrie

（胞族）。"① 在氏族的基础上形成了胞族，而胞族的功能要大于氏族。在胞族的基础上，部落得以形成。"正如几个氏族组成一个胞族一样，几个胞族就古典形式来说则组成一个部落；而那些大大衰微的部落则往往没有胞族这种中间环节。"② 相对于氏族和胞族而言，部落具有了一些新的功能和特征。在部落的基础上，部落联盟得以产生。"亲属部落间的联盟，常因暂时的紧急需要而结成，随着这一需要的消失即告解散。但在个别地方，最初本是亲属部落的一些部落从分散状态中又重新团结为永久的联盟，这样就朝民族［Nation］的形成跨出了第一步。"③ 一些部落联盟的产生是由于战争的需要，而另一些关系相近的亲属部落则联合成永久的联盟，为民族的形成创造了一定的条件。同时，部落联盟具有一般部落所不具备的职能和功能，是迈向国家形成的关键一步。然而，部落联盟本质上还是社会自己管理自己的一种社会组织和手段，而"国家是以一种与全体固定成员相脱离的特殊的公共权力为前提的，所以毛勒凭其正确的直觉，确认德意志的马尔克制度是一种纯粹社会的制度，虽然它以后大部分成了国家的基础，但在本质上它是和国家不同的。"④ 显然，部落联盟和国家之间存在着本质的区别。这里，"氏族作为社会单位出现以后，氏族、胞族和部落这整个社会组织就怎样以几乎不可抗拒的必然性（因为是天然性）从这种单位中发展出来。这三种集团代表着不同层次的血缘亲属关系，每个都是闭关自守，自己的事情自己管理，但是又互相补充。归它们管辖的事情，包括低级阶段上的野蛮人的全部公共事务。"⑤ 在野蛮时代，氏族的发展以及在氏族发展基础上形成的胞族、部落和部落联盟具有历史的必然性，和血缘亲属关系本身密切相关。

野蛮时代向文明时代的发展动力。相对于蒙昧时代而言，野蛮时代的发展受更多因素的制约。在蒙昧时代，东西半球的发展不受自然条件的影响。到了野蛮时代，东西大陆自然条件的差异在东西大陆的发展进程中开始发挥作用。在野蛮时代高级阶段，随着生产力的快速发展，产生了三次社会大分工。这不仅推动了生产力的发展以及商品生产和商品交换的发展，还推动了阶级和

① 《马克思恩格斯选集》第4卷，人民出版社2012年版，第100—101页。
② 《马克思恩格斯选集》第4卷，人民出版社2012年版，第102页。
③ 《马克思恩格斯选集》第4卷，人民出版社2012年版，第105—106页。
④ 《马克思恩格斯选集》第4卷，人民出版社2012年版，第107页。
⑤ 《马克思恩格斯选集》第4卷，人民出版社2012年版，第108页。

阶级对立的产生，使人类最终进入文明社会。随着生产力的发展和财富的增加，"在野蛮时代高级阶段末期，占有形式有两种倾向，即国家占有和私人占有。在希腊人那里，土地有些仍为部落共同占有，有些为胞族共同占有供宗教之用，还有一些为氏族共同占有，但大部分土地都已归个人占有了。在梭伦时代，雅典社会还是氏族社会，土地一般已被个人占有，人们已学会了抵押土地。"① 显然，生产力的发展导致了私有财产的出现和私有制的产生。同时，随着生产力的发展和财富的增加，人们产生了财富的观念，对氏族时期的思想观念有着颠覆性的改变。"最卑下的利益——无耻的贪欲、狂暴的享受、卑劣的名利欲、对公共财产的自私自利的掠夺——揭开了新的、文明的阶级社会；最卑鄙的手段——偷盗、强制、欺诈、背信——毁坏了古老的没有阶级的氏族社会，把它引向崩溃。而这一新社会自身，在其整整两千五百余年的存在期间，只不过是一幅区区少数人靠牺牲被剥削和被压迫的大多数人而求得发展的图画罢了，而这种情形，现在比从前更加厉害了。"② 显然，思想上的革命对于文明时代的到来发挥了重要的作用。即，推动野蛮时代向文明时代发展的根本动力，是生产力的发展及其导致的财富的增加和人们思想观念的变化。

总之，人类社会从野蛮时代到文明时代的发展经历了一个长期的历史进程，其根本原因是生产力的发展和财富的增加。

二、文明时代的商品生产和社会分工特征

商品生产和社会分工推动了人类社会从野蛮时代走入文明时代、从无阶级社会走向阶级社会，而文明时代的出现也极大地推动了商品生产和社会分工的发展。

文明时代的经济特征。这与商品生产和社会分工密切相关。分工尤其是三次社会大分工，是推动生产力的发展和文明时代产生的重要动力。随着生产力和分工的不断发展，农业、畜牧业和手工业都得到了快速的发展，人们生产出越来越多的劳动产品，并且不同的人生产的不同产品需要交换。这就推动了商

---

① 《马克思古代社会史笔记》，人民出版社 1996 年版，第 184 页。
② 《马克思恩格斯选集》第 4 卷，人民出版社 2012 年版，第 110—111 页。

品生产和商品交换的发展。第三次社会大分工，促使商业从其他产业中分离出来，使得社会上出现了一个只从事交换而不从事生产的商人阶级，进一步推动了商品生产和商品交换的发展。因此，恩格斯指出："文明时代是社会发展的这样一个阶段，在这个阶段上，分工、由分工而产生的个人之间的交换，以及把这两者结合起来的商品生产，得到了充分的发展，完全改变了先前的整个社会。"①在文明时代，商品生产和社会分工得到了很大的发展，进而推动了人类社会的发展进入一个新的发展阶段，即商品生产阶段。这一阶段在经济上有以下特征："（1）出现了金属货币，从而出现了货币资本、利息和高利贷；（2）出现了作为生产者之间的中间阶级的商人；（3）出现了土地私有制和抵押；（4）出现了作为占统治地位的生产形式的奴隶劳动。"②显然，文明时代有着突出的经济特征。即，商品生产和商品交换的快速发展是文明时代的重要经济特征。

文明时代的社会分工特征。在社会分工尤其是家庭分工方面，文明时代出现了一些新的特征。商品生产不仅推动文明时代出现，也决定了家庭形式的发展。"与文明时代相适应并随之彻底确立了自己的统治地位的家庭形式是专偶制、男子对妇女的统治，以及作为社会经济单位的个体家庭。"③文明时代要求专偶制家庭的出现和发展，而后者的产生有一定的经济基础。"专偶制的产生是由于大量财富集中于一人之手，也就是男子之手，而且这种财富必须传给这一男子的子女，而不是传给其他人的子女。为此，就需要妻子方面的专偶制，而不是丈夫方面的专偶制，所以这种妻子方面的专偶制根本不妨碍丈夫的公开的或秘密的多偶制。"④显然，商品经济的发展导致的财富的增加是专偶制家庭产生的根本原因。当然，在商品经济和私有制的条件下，这种专偶制仅仅是妻子方面的专偶制，而并非丈夫方面的专偶制。要消灭这种片面的专偶制，必须消灭商品生产，使生产资料变为社会所有。"因为随着生产资料转归社会所有，雇佣劳动、无产阶级，从而一定数量的——用统计方法可以计算出来的——妇女为金钱而献身的必要性，也要消失了。卖淫将要消失，而专偶制不仅不会灭亡，而且最后对于男子也将成为现实。"⑤可见，生产资料公有制是实现真正的

---

① 《马克思恩格斯选集》第4卷，人民出版社2012年版，第190—191页。
② 《马克思恩格斯选集》第4卷，人民出版社2012年版，第193页。
③ 《马克思恩格斯选集》第4卷，人民出版社2012年版，第193页。
④ 《马克思恩格斯选集》第4卷，人民出版社2012年版，第86页。
⑤ 《马克思恩格斯选集》第4卷，人民出版社2012年版，第87页。

专偶制的根本前提。总之，商品生产和生产力的发展，决定了文明时代的社会分工和家庭形式的发展演变。

文明时代商品生产和社会分工的辩证关系。三次社会大分工不仅直接推动了商品生产的发展和文明社会的产生，也推动了城乡差别、工农差别和脑体差别等三大社会差别的产生。这也是文明时代的重要特征。在文明时代，"一方面，是把城市和乡村的对立作为整个社会分工的基础固定下来；另一方面，是实行所有者甚至在死后也能够据以处理自己财产的遗嘱制度。"[①] 在社会分工的条件下，城乡对立逐渐产生和发展。也就是说，文明时代的社会分工与三大差别的产生和发展密切相关。三大差别推动了文明时代的产生和发展，而文明时代的发展又进一步拉大了三大差别。同时，商品生产的不断发展，在推动生产力不断发展的同时，也使人类社会逐渐发展到商品生产的最高阶段，即资本主义社会商品生产的阶段。在资本主义社会，生产力的飞速发展在推动商品生产和社会分工不断发展的同时，也为消灭商品生产和社会分工导致的三大差别创造了条件。显然，商品生产和社会分工之间是一种相互促进、共同发展的关系。

总之，商品生产和社会分工是推动文明时代产生和发展的重要动力，也是文明时代的重要特征。

三、推动文明时代的贪欲和财富动力

物质财富在人类社会发展过程中发挥着主导性作用，属于经济基础的范畴。贪欲是一种心理现象，属于上层建筑的范畴。由于经济基础决定上层建筑，上层建筑反作用于经济基础，因此，财富的出现和增多刺激着人类的贪欲的出现和加强，而贪欲的出现又刺激着人类追逐财富的动力不断增加。在财富和贪欲的共同作用下，人类社会逐渐由史前社会进入文明社会，并推动着文明社会的不断发展。

贪欲和财富动力是推动文明时代产生和发展的主要原因。在人类社会早期的漫长的蒙昧时代，由于生产力发展水平的极端低下，人们的财产仅限于个人

---

① 《马克思恩格斯选集》第4卷，人民出版社2012年版，第193页。

的衣服、武器和劳动工具等维持日常生活的必需品，而土地则归部落所有。在此情况下，"占有的对象很少，没有占有欲；没有现在这样强有力地支配着人们心灵的 studium lucri{贪欲}。"① 贪欲是否存在于人们的心中，与财富的多少密切相关。随着生产力的发展和财富的增加，到了野蛮时代高级阶段，畜牧业得到了快速的发展。"家畜是比先前各种财产的总和更有价值的财产。它们可以食用，可以交换其他商品，可以用来赎回俘虏，可以用来支付罚金和作敬神的牺牲；由于家畜能无限繁殖，所以占有它们便使人类心灵第一次产生了财富的概念。"② 家畜作为财富及一般财富的代表的出现，使得人类产生了财富的概念并发生了财富观念的革命，进而使人类不可遏制地追求财富。同时，耕种的发展使家庭和土地紧密结合成一体，使得家庭个体化，进而直接推动了将财产分给子女的第三种继承法的产生。"当田野耕作的发展已证明整个地球表面都能成为单个人的财产对象，并且家长成了财产积累的自然中心的时候，人类财产发展的新历程便于此发端，——到野蛮时代末期结束以前就已充分完成。财产对人类心灵产生了巨大影响，并唤醒人的性格中的新的因素；财产在英雄时代的野蛮人中已成为强烈的欲望（'booty and beauty'{战利品和美人}）。最古老和较古老习俗都无法抵抗它。[洛里亚先生！请看欲望的作用！]"③ 可见，财产的增加及其导致的强烈的欲望已经不可遏制地发展起来，并开始发挥作用。到了野蛮时代高级阶段，"财富的增长是如此巨大，它的形式是这样繁多，以致这种财富对人民说来已经变成一种无法控制的力量。"④ 当所有人都开始追求财富，必然导致氏族内部的贫富分化日益严重，使得氏族成员的利益共同性变成了对抗性，最终导致了氏族的解体，以及货币资本和奴隶制的发展。在《摩尔根笔记》中，马克思摘录道："无论怎样高度估计财产对人类文明的影响，都不为过甚。财产曾经是把雅利安人和闪米特人从野蛮时代带进文明时代的力量。管理机关和法律建立起来，主要就是为了创造、保护和享有财产。"⑤ 财产不仅将人类社会从野蛮时代带入文明时代，还使得保护财富的管理机关和法律得以建立，进而使得国家最终建立。总之，贪欲和财富最终造成了史前社会的

① 《马克思古代社会史笔记》，人民出版社 1996 年版，第 174 页。
② 《马克思古代社会史笔记》，人民出版社 1996 年版，第 186 页。
③ 《马克思古代社会史笔记》，人民出版社 1996 年版，第 187 页。
④ 《马克思古代社会史笔记》，人民出版社 1996 年版，第 192 页。
⑤ 《马克思古代社会史笔记》，人民出版社 1996 年版，第 171 页。

瓦解和文明时代的产生。

贪欲和财富动力是推动文明时代发展的主要原因。相对于不存在阶级和剥削的原始社会而言，文明社会给我们展现的只不过是一小部分统治阶级剥削和统治广大的被统治阶级的一幅画面而已。因此，一个阶级要成为统治阶级，必须首先占有大量的财富，在经济上占据绝对的主导地位，并通过经济基础掌握国家的上层建筑，进而在政治上占据主导地位，以便实现本阶级的统治。这就要求一个阶级必须不间断地追求财富、不断刺激自身的贪欲。在文明社会，不同的阶级和个人追逐财富日渐盛行，尤其是到了资产阶级社会，更是将贪欲和追求财富发展到极致。对此，恩格斯指出："鄙俗的贪欲是文明时代从它存在的第一日起直至今日的起推动作用的灵魂；财富，财富，第三还是财富——不是社会的财富，而是这个微不足道的单个的个人的财富，这就是文明时代唯一的、具有决定意义的目的。"[1] 显然，贪欲直接推动了个人财富的积累，是决定文明时代不断向前发展的重要目的和动力。

总之，在史前社会和文明社会，贪欲和财富的增加是相辅相成的辩证统一体，其相互作用最终推动了文明时代的产生和发展。

四、文明时代的奴役形式和阶级实质

文明时代的实质是代表统治阶级的利益，对被统治阶级进行着各种各样的奴役。"由于文明时代的基础是一个阶级对另一个阶级的剥削，所以它的全部发展都是在经常的矛盾中进行的。生产的每一进步，同时也就是被压迫阶级即大多数人的生活状况的一个退步。对一些人是好事，对另一些人必然是坏事，一个阶级的任何新的解放，必然是对另一个阶级的新的压迫。"[2] 虽然文明时代发展过程中充满了矛盾，但其实质都是一个阶级对另一个阶级的压迫和剥削。

文明时代的经济奴役方式。国家实质上是一个阶级对另一个阶级的统治，而阶级本质上是一个经济范畴，统治阶级与被统治阶级的根本区别就在于是否占有生产资料和占有生产资料的多少。阶级就是因为生产力的发展和财富的增

---

① 《马克思恩格斯选集》第 4 卷，人民出版社 2012 年版，第 194 页。
② 《马克思恩格斯选集》第 4 卷，人民出版社 2012 年版，第 194 页。

加，导致氏族内部成员之间的贫富差距的增加而产生的。因此，文明时代的统治阶级，就是经济上占主导地位的阶级，可以通过自身所占有的生产资料的优势，进而无偿地占有被统治阶级的全部或部分劳动成果。例如，在奴隶社会这一人类历史上第一个阶级社会中，奴隶自身都是奴隶主占有的生产资料，不仅在经济上依附于奴隶主，而且在人身上依附于奴隶主，其所有的劳动成果都归奴隶主所有。在封建社会，地主阶级通过占有大多数的土地这一最重要的生产资料，并将土地租给农民耕种，靠收取和剥削农民大量的地租和代役租为生。在资本主义社会，资本家占有大量的生产资料，而工人阶级除了劳动力之外，一无所有，因此，资本主义通过剥削工人的劳动成果，获得大量的剩余价值。可见，在阶级社会中，统治阶级都通过经济奴役的形式来剥削和压迫被统治阶级。

文明时代的政治奴役方式。在整个文明时代，社会都被分裂成剥削阶级和被剥削阶级，存在着奴隶社会、封建社会和资本主义社会三大奴役形式。这三大奴役形式分别对应着不同的统治阶级对被统治阶级的压迫形式，即三种剥削制度。"古希腊罗马时代的国家首先是奴隶主用来镇压奴隶的国家，封建国家是贵族用来镇压农奴和依附农的机关，现代的代议制的国家是资本剥削雇佣劳动的工具。"①在经济上占统治地位的阶级借助国家在政治上获得统治地位，来剥削和奴役被统治阶级，并获得了剥削和压迫被统治阶级的新手段。当然，在进行统治和压迫的过程中，政治奴役形式也在发生变化。马克思指出："在为时较短的文明时期中在很大程度上统治着社会的财产因素，给人类带来了专制政体、帝国、君主制、特权阶级，最后，带来了代议制的民主制。"②显然，由于所有制的不同，导致了政体形式的不同，反映了阶级社会不同的奴役形式。同时，为了维持统治阶级的统治和国家的正常运转，国家可以向人民征税和发行国债，也可以要求被统治阶级履行各种有利于统治阶级统治的义务。为了保护统治阶级的私有财产，以及防止和镇压被统治阶级的反抗，国家还建立了一整套暴力机器，包括军队、警察和监狱等。显然，文明时代的政治奴役手段十分繁多。

文明时代的文化奴役方式。在阶级社会，文化是上层建筑的重要范畴，受

---

① 《马克思恩格斯选集》第 4 卷，人民出版社 2012 年版，第 188—189 页。
② 《马克思古代社会史笔记》，人民出版社 1996 年版，第 352—353 页。

经济基础决定，并反作用于经济基础。文化是文明时代统治阶级维护阶级统治的重要形式，也是统治阶级压迫被统治阶级的重要奴役方式。"凡对统治阶级是好的，对整个社会也应该是好的，因为统治阶级把自己与整个社会等同起来了。……剥削阶级对被压迫阶级进行剥削，完全是为了被剥削阶级本身的利益；如果被剥削阶级不懂得这一点，甚至想要造反，那就是对行善的人即对剥削者的一种最卑劣的忘恩负义行为。"[1]可见，为了更合理地剥削和奴役被统治阶级，统治阶级首先对被统治阶级进行思想上的奴役和压迫，进行意识形态方面的灌输，把自己的思想和利益当作全社会的共同思想和普遍利益。显然，文化奴役是文明时代重要的奴役方式。

总之，只有科学理解和把握文明时代的政治、经济、文化等方面的奴役方式，才能全面把握文明时代的实质及其发展过程。

五、文明时代发展的否定之否定走向

文明时代的发展，有着自身的社会特征和发展方向。从整体上讲，文明时代遵循着否定之否定的发展方向。这种否定并不是单纯的否定，而是辩证的否定，并在此基础上向着更高级的、无阶级社会过渡。

文明时代的标志主要是文字、阶级、私有制和国家等因素的出现。在漫长的原始社会中，不存在阶级和私有制，也不需要国家和国家权力的存在。随着生产力的发展，尤其是财富的大量增加和贫富差别的扩大，在产生私有制的同时，使得社会分裂为不同的阶级。为了把阶级矛盾和阶级对立限制在一定的范围之内，不至于使整个社会灭亡，国家得以产生。然而，随着生产力的发展，逐渐发展到了这样一个阶段，即阶级的存在不仅无法继续推动生产的发展，反而日益成为生产发展的桎梏，这样，阶级就不可避免地被消灭，国家也就不可避免地消亡。可见，文明时代最终要走向没有阶级、私有制和国家的共产主义社会。当然，共产主义社会是建立在生产力极其发达的基础之上的，并非史前社会那种建立在极端低下生产力水平上的没有阶级、私有制和国家的状况。从这个意义上说，文明时代的发展遵循着否定之否定的辩证走向。这主要体现在

---

① 《马克思恩格斯选集》第4卷，人民出版社2012年版，第194—195页。

人的发展和社会的发展两方面。

在人的发展方面，马克思恩格斯在《共产党宣言》中指出："代替那存在着阶级和阶级对立的资产阶级旧社会的，将是这样一个联合体，在那里，每个人的自由发展是一切人的自由发展的条件。"① 显然，要实现共产主义社会，必须实现每个人的自由而全面发展，建立自由人的联合体。这里的人的自由而全面发展是和史前社会生产力水平极端低下条件下的人要依赖于氏族和氏族内的其他人的发展相对而言的。在《政治经济学批判（1857—1858 年手稿）》中，马克思从人的发展角度明确将社会发展分为人对人的依赖、人对物的依赖以及人的全面发展三个阶段。其中，人的全面发展对应的是共产主义社会，是人对人的依赖阶段对应的前资本主义社会的更高层次的复归。当然，这种复归要建立在生产力的充分发展的基础之上。恩格斯指出，相对于野蛮时代而言，共产主义社会是在更高层次上的复归。"生产是在极狭隘的范围内进行的，但生产品完全由生产者支配。这是野蛮时代的生产的巨大优越性，这一优越性随着文明时代的到来便丧失了。夺回这一优越性，但是以今日人类所获得的对自然的有力支配以及今日已有可能的自由联合为基础，这将是下几代人的任务。"② 显然，文明时代要实现否定之否定的历史使命，必须实现对自然的有力支配以及自由人的联合。

从社会的发展角度来看，文明时代否定之否定的发展走向是要建立在社会充分发展的基础之上的。文明时代的产生的根本推动力是生产力的发展和财富的增加，以及人们对财富的无止境的追求。然而，摩尔根指出，以财富为唯一目的的私有制社会只是人类社会发展的一个很小的阶段。这一阶段在发展生产力、创造财富的过程中也为自我消灭创造了基本的条件，未来的共产主义社会将是古代氏族的自由、平等和博爱在更高形式上的复活。共产主义的实现是建立在阶级社会发展的基础之上的，同时是对阶级社会发展的否定，也是对原始社会在更高层次上的复归。在 1881 年给查苏利奇的复信的初稿中，马克思指出："在俄国公社面前，资本主义制度正经历着危机，这种危机只能随着资本主义的消灭，随着现代社会回复到'古代'类型的公有制而告终，这种形式的所有制，或者像一位美国著作家（这位著作家是不可能有革命倾向的嫌疑的，

---

① 《马克思恩格斯选集》第 1 卷，人民出版社 2012 年版，第 422 页。
② 《马克思恩格斯选集》第 4 卷，人民出版社 2012 年版，第 127 页。

他的研究工作曾得到华盛顿政府的支持）所说的，现代社会所趋向的'新制度'，将是'古代类型社会在一种高级的形式下（in a superior form）的复活（a revival）'。"① 这位作者即摩尔根。显然，未来的共产主义社会有人道主义的目标。这一目标是建立在高度发达的生产力基础之上的，与史前社会极端低下水平之上的原始的自由、平等和博爱有着本质区别，是古代类型社会在更高层次上的复活。可见，只有建立在社会的全面发展的基础之上，文明时代才能最终实现否定之否定的走向。

总之，人类社会的发展是遵循着否定之否定的方向进行的，将在阶级社会的基础上进入无阶级的共产主义社会，在更高层次上实现向原始社会的辩证复归。

综上，马克思的《人类学笔记》和恩格斯的《起源》前后相继，珠联璧合，不仅建构了马克思主义的史前社会理论，而且丰富和发展了唯物史观和整个马克思主义理论体系。

① 《马克思恩格斯选集》第 3 卷，人民出版社 2012 年版，第 822 页。

第五章　东方社会发展道路的科学探索和未来设想

在坚持历史唯物主义和科学社会主义基本原理的前提下，马克思恩格斯一直强调要坚持具体问题具体分析，要求不能简单地将《资本论》中关于西欧资本主义起源的理论运用到东方，而应从俄国、印度、中国等东方国家的实际出发探求一条适合东方社会实际的发展道路。1875 年之后，马克思恩格斯更是将之作为关注的中心议题之一，形成了一套关于东方社会发展道路的科学理论，谱写了马克思主义发展史的新篇章。

第一节　马克思恩格斯科学探索东方社会发展道路

19 世纪 70 年代后，在世界历史的语境中，马克思恩格斯以俄国为典型，进一步深入研究和探索了东方社会发展道路，形成了一整套关于东方社会发展道路的科学设想。

一、马克思主义在俄罗斯的迅速传播及其广泛影响

19 世纪 40 年代至 90 年代，马克思主义在俄国广泛传播并产生了重大影

响。这引起了马克思恩格斯对以俄国为代表的东方社会的极大关注。

马克思主义在俄国的传播产生了巨大的影响。1848 年，马克思主义产生后，虽然在和蒲鲁东主义、巴枯宁主义、布朗基主义等错误思潮的斗争中不断取得胜利，进而在西欧资本主义国家得到了较为广泛的传播，但也遭到了西方资产阶级的强烈抵制。与此同时，1848 年革命后，马克思恩格斯一再强调，俄国是欧洲反动势力的最后堡垒，也是落后和反动的象征。因此，起初他们并没有意识到其著作能在俄国得到广泛传播并产生重大影响。但事实并非如此。1860 年 5 月 10 日，尼·伊·萨宗诺夫在给马克思的信中指出："您的成就在有思想的人中间享有崇高威望，如果有关您的学说在俄国得到广泛传播的消息能使您感到愉快，那我现在愿意告诉您：今年年初，某教授（伊·康·巴布斯特——引者注）在莫斯科举行了一系列关于政治经济学的公开讲演，第一次讲演就是介绍您最近发表的著作（《政治经济学批判》——引者注）。给您寄上一份《北方日报》，您可以看出您的名字在我的祖国受到多大重视。"[1] 同时，俄国的一些革命者和出版商一再请求马克思在俄国出版其著作。1867 年《资本论》第一卷出版后，在西方受到了资产阶级的缄默抵制，然而，俄国这样一个政治专制、经济落后且无产阶级力量还很薄弱的国家却以极快的速度率先组织人翻译《资本论》。这不能不说是一个"奇闻"。在 1868 年 9 月 18 日给马克思的信中，尼·弗·丹尼尔逊指出："您的新作（《资本·政治经济学批判》）（即《资本论》第一卷——引者注）的意义促使这里的一个出版商（尼·彼·波利亚科夫）着手把这一著作译成俄语。由于种种因素，最好在出版第一卷的同时出版第二卷（即《资本论》第二卷——引者注）。因此，作为出版商的代表，我恳请您把印好的第二卷的印张随时寄给我，要是您认为可能的话。"[2] 可见，俄国人在着手组织翻译《资本论》第一卷时，打算同步翻译马克思正在撰写的《资本论》第二卷相关章节，从而尽早出版《资本论》第二卷。后来，由于种种原因马克思生前没有完成《资本论》第二卷，这一计划就没有实现。这也表明了俄国革命者对马克思的著作及其思想的高度重视。经过数年的准备，《资本论》第一卷的第一个外文译本即俄译本于 1872 年在俄国公开出版，产生了重要的影响。仅在出版后的一个半

---

① 《马克思恩格斯与俄国政治活动家通信集》，人民出版社 1987 年版，第 34 页。
② 《马克思恩格斯与俄国政治活动家通信集》，人民出版社 1987 年版，第 37 页。

月中，就售出了总印数三千册中的九百册。这在当时已经是相当惊人的数目。哥尔布诺娃于 1880 年 7 月 25 日给恩格斯的信中指出："我还请您单独转告马克思先生，他的大作《资本论》在俄国广泛传播，不仅在学者中间，而且更多是在对社会科学和人民的处境多少有点兴趣的人们中间传播；很多男教师和女教师都在读《资本论》，就是说，那些对自己的职业持严肃认真态度的人在读《资本论》。"① 可见，《资本论》在俄国社会各阶层得到了广泛传播。对此，在 1882 年 12 月 14 日给拉法格的信中，马克思指出："有几本在神圣的罗斯而不是在国外印刷的新出版的俄文著作证明，我的理论正在那个国家迅速传播。不论在什么地方我所取得的成就都不会比这更使我愉快的了。我感到满意的是，我正在打击那个与英国一起构成旧社会的真正堡垒的强国。"② 可见，马克思十分满意自己的著作在俄国的广泛传播。

马克思主义在俄国也引发了激烈的争论。《哲学的贫困》、《共产党宣言》、《政治经济学批判》和《资本论》等重要著作相继在俄国出版发行，使俄国社会各阶层对马克思的思想有了较为全面和深刻的了解，也为一些俄国革命者用马克思主义来指导本国革命和改革提供了坚实的理论基础。但是，围绕着《资本论》在俄国的发行和传播，俄国社会各阶层之间进行了热烈的论战。在 1878 年 8 月 11 日致恩格斯的信中，拉甫罗夫指出："您有没有注意到去年俄国报刊上围绕他（指马克思——引者注）的名字而进行的激烈的论战？茹柯夫斯基（叛徒）和契切林反对马克思，季别尔和米海洛夫斯基支持马克思。"③ 在此之前，马克思就密切关注契切林和别利亚耶夫等人就俄国村社问题展开的热烈争论，并在 1873 年 3 月 22 日致丹尼尔逊的信中指出："如果您能告诉我一些关于契切林对俄国公社土地占有制的历史发展的看法以及他在这个问题上和别利亚耶夫的论战的情况，我将非常感谢。关于这种占有制形式在俄国（历史地）形成的途径问题，当然是次要的，它和关于这个制度的意义问题不能相提并论"④。在这场论战中，《资本论》发挥了重要的作用，成为论战双方争论的焦点。在 1881 年 2 月 16 日给马克思的信中，查苏利奇指出："看来有一件事您是不知道的，这就是您的《资本论》在我们关于俄国土地问题和我国农村公

① 《马克思恩格斯与俄国政治活动家通信集》，人民出版社 1987 年版，第 348—349 页。
② 《马克思恩格斯全集》第 35 卷，人民出版社 1971 年版，第 407 页。
③ 《马克思恩格斯与俄国政治活动家通信集》，人民出版社 1987 年版，第 279 页。
④ 《马克思恩格斯全集》第 33 卷，人民出版社 1973 年版，第 577 页。

社问题的争论中所起的作用。您了解得比谁都清楚，在俄国这个问题是多么重要，多么引人注目。"① 这段话表明了两层意思：一是《资本论》在俄国关于农村公社的争论中发挥了重大的作用，二是俄国村社问题对于整个俄国十分重要。该信促使马克思系统地阐述他长期关于俄国村社的研究和看法。换言之，马克思主义在俄国的传播引起了巨大影响和争议。

总之，马克思主义在俄国的迅速传播及其产生的广泛影响，促使马克思恩格斯深入思考产生这一现象的内在原因，从俄国社会结构即主要从俄国公社这一特殊现象入手去研究俄国，进而对以俄国为代表的东方社会进行深入的探索和研究。

二、俄国农奴制改革后社会矛盾的激化和革命可能性

1861 年俄国的农奴制改革是俄国历史发展进程中具有划时代意义的一件大事，使得俄国走上资本主义道路的同时，也激化了俄国社会的矛盾，进而使俄国革命成为可能。这一历史事件对马克思恩格斯探索俄国发展道路产生了重要影响。

俄国农奴制问题和农奴制改革是俄国现代化进程中面临的重要问题。马克思恩格斯长期关注俄国农奴制问题，并对 1861 年改革及改革后俄国社会经济情况作了详细的研究。在农奴制改革前，马克思就写过《关于俄国废除农奴制的问题》、《关于俄国的农民解放》等文章，对农奴制改革进行了科学预测和分析。1859 年 12 月 13 日，马克思写信给恩格斯，谈到俄国社会运动发展的速度比欧洲其他各地都快，尤其是农民反对贵族的运动和贵族反对沙皇的立宪运动都得到了快速发展。在 1860 年 1 月 11 日左右给恩格斯的信中，马克思着重指出："据我看来，现在世界上所发生的最大的事件，一方面是由于布朗的死而展开的美国的奴隶运动，另一方面是俄国的奴隶运动。"② 可见，马克思恩格斯密切关注俄国日益迫近的革命时机。农奴制改革后，通过对 1861 年后俄国农村社会发展的新文献的深入研究，恩格斯于 1875 年撰写了《论俄国的社会

① 《马克思恩格斯与俄国政治活动家通信集》，人民出版社 1987 年版，第 377 页。
② 《马克思恩格斯全集》第 30 卷，人民出版社 1974 年版，第 6—7 页。

问题》一文；在长期关注和研究农奴制改革的基础上，马克思于 1881 年年底至 1882 年撰写了《关于俄国一八六一年改革和改革后的发展的札记》一文，对农奴制改革的实质和影响作了深入而详尽的分析。总之，农奴制改革在马克思恩格斯研究东方社会过程中占有重要的位置。

1861 年俄国农奴制改革的原因和背景。在经济方面，19 世纪上半叶，俄国开始了工业革命，资本主义得到了一定程度的发展，工场手工业已达到一定规模。然而，农奴制严重限制了资本主义的发展：由于农奴被束缚在土地上，工业发展所需要的大量自由劳动力无法得到满足；由于农奴的日益贫困化，限制了国内市场的扩大。因此，废除农奴制成为俄国资本主义发展必须突破的首要障碍，这也是农奴制废除的根本原因。在政治方面，沙皇的专制统治和压迫，导致了国内各阶层矛盾的激化，尤其是广大农奴日益贫困化。为此，大量农奴通过逃亡或起义等手段来反对农奴制度，导致了农奴制在一定程度上名存实亡。同时，俄国社会各阶层的有识之士也看到了农奴制的弊端，不断呼吁废除农奴制。因此，废除农奴制已经是大势所趋，只是如何废除的问题。以沙皇亚历山大二世为代表的统治阶级认为，与其等农奴通过自下而上的革命手段来解放自己，不如通过自上而下的手段来解放农奴，以维护自己的统治地位。在军事方面，1853—1856 年俄国在克里米亚战争中的失败，进一步暴露出俄国与西欧国家之间的差距。对此，在 1890 年的《俄国沙皇政府的对外政策》中，恩格斯指出："战争证明：哪怕出于纯粹军事上的考虑，俄国也需要铁路和大工业。"① 可见，克里木战争进一步暴露了农奴制的弊端，使人们进一步认识到只有通过废除农奴制，大力发展以大工业为代表的生产力，才能缩小俄国与西欧先进国家之间的经济差距，进而保住俄国的大国地位。这也是 1861 年农奴制改革的直接原因。总之，1861 年改革是以沙皇亚历山大二世为首的统治阶级在面对严峻的国内外危机下发起的一场自上而下的改革，其目的是为了维护沙皇的专制统治。

1861 年俄国农奴制改革的内容及其影响。1861 年 2 月 19 日，沙皇亚历山大二世签署了废除农奴制的法令，共 17 个文件，其中比较重要的有《1861 年 2 月 19 日宣言》、《关于脱离农奴依附关系的农民的一般法令》等文件。1861 年改革的核心是废除农奴制度，主要包括两方面内容：在政治上规定农奴在法

---

① 《马克思恩格斯文集》第 4 卷，人民出版社 2009 年版，第 382 页。

律上享有人身自由权利，地主不能买卖农奴和干涉农奴的生活；在经济上规定土地仍然归属地主所有，农奴可以得到一定数量的份地，但必须出钱向地主赎买。解放农奴为俄国工业革命和资本主义的发展提供了大量廉价的自由劳动力，极大地推动了俄国资本主义的发展，使俄国最终走上了资本主义道路。这有利于俄国经济社会的发展，进而缩小与西欧国家之间的差距。因而，1861年改革是俄国历史上的一个重要转折点。然而，农奴制改革从根本上来说是为了维护沙皇政权的专制统治，因而它不可能是彻底的改革，依然保留了大量的农奴制残余，不利于俄国资本主义的进一步发展。同时，改革规定农奴可以从地主那里赎买一份份地，但由于赎买的价格过高，大部分农奴根本无力承担。这就造成了农奴不得不向地主借贷以赎买份地的事实，农奴依然依附于地主。对此，马克思在1881年年底至1882年的《关于俄国一八六一年改革和改革后的发展的札记》中明确指出："从前在农奴制时期，地主关心的是把农民当作必要的劳动力加以支持。这种情况已经成为过去了。现在农民在经济上依附于他们原先的地主。"[1] 可见，农奴并没有获得真正的解放。

虽然农奴制改革使俄国最终走上了资本主义道路，但是资本主义在俄国的发展也造成了十分严重的后果。对此，恩格斯在1875年的《论俄国的社会问题》中指出："没有任何一个国家像俄国这样，当资产阶级社会还处在原始蒙昧状态的时候，资本主义的寄生性便已经发展到了这样的程度，以致整个国家、全体人民群众都被这种寄生性的罗网覆盖和缠绕。而所有这些吮吸农民血液的吸血鬼，同运用法律和法庭来保护吸血鬼的巧取豪夺的俄罗斯国家的存在，竟没有丝毫利害关系！"[2] 可见，俄国农民在摆脱农奴的地位后的处境非常恶劣。同样，马克思也指出，通过高价赎买，国家对农民进行了一次新的掠夺，使许多农民无力耕种土地，为后来俄国农业大饥荒埋下了伏笔，更加激化了俄国社会已有的各种矛盾，直接导致了19世纪70年代俄国日益高涨的革命形势，使俄国革命成为可能。总之，1861年改革在推动资本主义在俄国发展的同时，也激化了俄国社会的矛盾，使俄国革命成为可能。

总之，1861年改革是俄国历史发展中的一件大事，是推动马克思恩格斯深入研究东方社会的一个重要背景。

---

[1] 《马克思恩格斯全集》第19卷，人民出版社1963年版，第463—464页。
[2] 《马克思恩格斯选集》第3卷，人民出版社2012年版，第326页。

三、土地、无产阶级同盟军和民族解放运动的新课题

马克思恩格斯探索东方社会发展道路的问题，不仅与唯物史观的创立和剩余价值理论的发展密切相关，还服从和服务于无产阶级的总体实践和全人类解放，尤其是要从理论上解答无产阶级总体实践过程中提出的土地、无产阶级同盟军和民族解放运动等新课题。

马克思恩格斯对东方社会发展道路的探索与土地和地租问题密切相关。《资本论》的创作和完善在整个马克思主义理论体系中占据极为重要的地位。随着《资本论》逻辑的深化，土地和地租问题的重要性日益凸显。19 世纪50 年代，在深入研究政治经济学的过程中，马克思发现了土地问题的重要性，并开始研究印度和中国等东方国家的土地所有制关系，进而发现不存在土地私有制是理解东方社会的一把钥匙。1867 年，《资本论》第一卷出版后，马克思在创作后几卷有关土地所有制和地租章节的过程中发现，由于农村公社的存在，俄国的土地所有制和地租制度与西欧国家存在着很大的差异。因此，俄国土地所有制和地租关系就成为马克思在研究土地所有制和地租过程中关注的重点。为此，马克思阅读了大量关于俄国土地制度的资料，并与丹尼尔逊等人就俄国土地所有制和农村公社等问题展开了深入的交流和探讨，深化了对俄国土地所有制和地租问题的研究。马克思在 1872 年 12 月 12 日给丹尼尔逊的信中指出："在《资本论》第二卷关于土地所有制那一篇中，我打算非常详尽地探讨俄国的土地所有制形式。"[1] 显然，对俄国农村公社和土地问题的研究在马克思创作《资本论》关于土地所有制关系的过程中具有"典型"意义。

马克思恩格斯探索东方社会发展道路是对 1848 年革命和对 1871 年巴黎公社革命的反思和解答。一方面，1848 年革命是一场席卷整个欧洲的资产阶级民主革命，与欧洲的无产阶级运动和民族解放运动联系紧密。在 1848 年革命中，沙皇俄国充当了镇压革命运动的刽子手，成为欧洲现存秩序的主要支柱和反革命势力的最后堡垒。这也促使马克思恩格斯认识到，无产阶级革命运动和民族解放运动要想取得最终胜利，首先必须推翻沙皇俄国的专制制度，使俄国

---

[1] 《马克思恩格斯全集》第 33 卷，人民出版社 1973 年版，第 549 页。

成为无产阶级革命运动和民族解放运动的推动因素。19 世纪 60 年代后，由于农奴制改革加剧了俄国社会的各种矛盾，尤其是资本主义生产方式和俄国原有的社会内部结构之间的矛盾，以及 19 世纪 70 年代爆发的俄土战争又引发和激化了俄国社会的一系列矛盾，使俄国处于革命的前夜，俄国革命对西欧无产阶级革命的推动作用似乎也指日可待。这也是马克思恩格斯在 19 世纪 70 年代到 90 年代深入探索俄国社会发展道路的一个重要原因。另一方面，1871 年巴黎公社革命是无产阶级夺取政权的第一次伟大尝试，在无产阶级总体实践中占有十分重要的地位，是社会主义从科学到实践飞跃的标志。公社的失败，再一次暴露了无产阶级在世界范围内建立同盟军问题的重要性。巴黎公社失败的直接原因是法国和普鲁士的反动势力的联合绞杀，这表明欧洲的反动势力在镇压无产阶级革命运动中再一次化敌为友，结成了反动同盟。为了打破这种反动同盟，无产阶级必须建立和巩固革命同盟军：各国无产阶级必须与本国农民结成牢固的工农联盟，以反抗本国资产阶级的统治；无产阶级革命运动也要和世界范围内的民族解放运动联合起来，共同反抗资产阶级的反动统治，实现东西方革命的互补。由于俄国的特殊性，俄国革命成为实现东西方革命互补的一个重要环节。总之，在探索东方社会发展道路的过程中，马克思恩格斯深化了对 1848 年革命和 1871 年巴黎公社革命的研究，有助于将无产阶级总体实践活动推向一个新的高度。

无产阶级革命运动和东方国家的民族解放运动密切相连。早在 19 世纪 50 年代，在研究中国和印度的过程中，马克思恩格斯就明确提出中国革命会引起欧洲革命的思想。他们探索东方社会发展道路，不仅要为无产阶级革命寻求革命同盟军，也要为东方被压迫民族争取民族解放寻求革命同盟军。这两者是一致的和互补的，缺一不可。西欧无产阶级革命与东方国家的民族解放运动的利益相一致，西欧无产阶级革命运动的爆发，能够沉重地打击西欧资产阶级的统治，甚至能推翻资产阶级的统治，进而为被压迫民族争取自身的独立和解放提供极大的帮助。东方被压迫民族争取独立和解放的斗争，也会极大地吸引和分散西方资本主义国家的统治阶级的力量，有利于西欧无产阶级的阶级斗争。同时，西欧资本主义对东方国家的侵略和掠夺，在打破东方国家旧的自给自足的小农经济和社会结构的同时，也使资本主义生产方式在这些国家以铁的必然性发展了起来，导致这些国家出现了资本主义生产方式和资产阶级。为了维护自身的反动的、腐朽的统治，东方国家的封建统治者也逐渐和帝国主义国家结成反动的同盟，成为西方殖民者侵略和压榨本国人民的帮凶。因此，东方国家在出现日益严重的民族矛盾的同时，阶级矛盾也不断凸显甚至激化。可见，东方国家不仅要反对西方殖民侵略者，争取民族独立和人民解放，还要反对本国的统治阶级，争取阶级解放。

总之，土地问题、无产阶级同盟军和民族解放问题的凸显，是马克思恩格斯研究东方社会的重要理论和实践动因。

四、马克思恩格斯探索东方社会发展道路的历史进程

对东方社会发展道路的探索贯穿于马克思恩格斯思想发展进程的始终，是整个马克思主义理论体系的形成、发展和完善过程的一个有机部分。

19 世纪 40 年代，马克思恩格斯对中国和印度等东方国家的历史、现状和发展前景进行了初步的阐述。在西方资本主义入侵之前，印度和中国都处在自给自足的状态，与外界联系很少。但是，资本主义大工业的迅猛发展和西方资产阶级的入侵，打破了这些国家长期闭关自守的状态，对其封闭性和停滞性产生革命性的冲击，将其拖入了文明的进程。1848 年，在标志着马克思主义公开问世的《共产党宣言》中，马克思恩格斯指出，资本主义的发展必将使东方从属于西方。显然，在充分肯定世界历史的积极作用时，马克思恩格斯看到了东方国家的发展要从属于西欧资本主义国家的历史事实。

19 世纪 50 年代到 60 年代，马克思恩格斯研读了大量关于东方社会的资料，对中国和印度等国家的历史、性质、现状、发展道路及前景进行了深入的探索。1850 年 12 月底，恩格斯开始学习俄文；1851 年，恩格斯开始研究其他斯拉夫语以及斯拉夫各民族的历史和文学；1854 年 12 月到 1855 年 1 月，恩格斯阅读了哈克斯特豪森和赫尔岑等人的书籍。从 1853 年开始，马克思开始研究文化史和斯拉夫人历史，阅读并摘录了加利阿尼、瓦克斯穆特、考尔福斯等人的著作，编制了公元 973 年至 1676 年的俄国历史事件一览表。1853 年 4 月至 5 月间，马克思阅读和摘录了麦克—库洛赫、克列姆、贝尔尼埃、萨尔梯柯夫等人的作品以及其他一些有关印度和中国的历史和经济的著作。1853 年 6 月，为了给《纽约每日论坛报》撰稿搜集资料，马克思特别注意查普曼、狄金逊、穆勒、坎伯尔、默里和其他作者的关于印度的著作，并摘录了其中有关英国的

殖民制度、印度的经济和政治制度问题等方面内容。[①] 通过研读上述资料，马克思恩格斯认识到，东方国家的社会结构和土地所有制不同于西方，不存在土地私有制是理解东方社会的钥匙，应从土地制度着手来考察东方社会的生产方式和社会发展规律。显然，这一研究不仅是发展和完善唯物史观的重要内容，也是创立剩余价值理论的必要环节。在此过程中，马克思提出了亚细亚生产方式的概念，并在《资本主义生产以前的各种形式》中将之看作是土地所有制的第一种形式，在1859年《〈政治经济学批判〉序言》中将之看作是人类社会历史发展的第一个阶段。同时，马克思恩格斯还为《纽约每日论坛报》、《新奥德报》等报刊撰写了大量论述中国、印度和俄国的评论和文章，内容涵盖了中国两次鸦片战争和太平天国起义、印度1857—1859年民族大起义、俄国农奴制改革等重大历史事件，包括《中国革命和欧洲革命》（1853年）、《不列颠在印度的统治》（1853年）、《不列颠在印度统治的未来结果》（1853年）和《波斯和中国》（1857年）等文献。其间，马克思提出了中国革命会引起欧洲革命的思想，突破了先前强调的东方从属于西方的论断，突出了东方国家的发展在世界历史进程中的独特作用。

1867年后，为了完善唯物史观的"艺术整体"和深化《资本论》的逻辑体系，马克思恩格斯对东方社会进行了全面深入的探索。为了撰写《资本论》后几卷关于土地所有制和地租等章节，马克思于1868年开始研究有关地租和土地关系的文献，尤其注意到东方国家依然存在的农村公社，以及不同时代的农村公社在各个民族尤其是俄国的社会经济制度中的地位和作用。由于农村村社的存在，俄国的土地所有制不同于西欧国家的土地制度，因此，马克思对俄国村社问题展开了深入的研究。由于农村村社不仅是东方国家土地所有制的重要形式，还是原始公社在发展进化链条上的最近一环。因此，这一研究成为探索东方社会发展道路的重要环节。为此，马克思于1869年10月底开始自学俄

---

① 据曾在阿姆斯特丹国际社会史研究所阅读过马克思的读书笔记手稿的诺曼·莱文统计，马克思于1853年研读和摘录了约翰·迪金逊的《印度政府》、托马斯·斯坦福德·莱佛士的《爪哇的历史》、马克·威尔克斯的《南印度历史概略》、约翰·福布斯·罗伊尔的《论印度生产资源的论文》，副标题"印度状况长期持续不变的原因探究"、乔治·坎伯尔的《印度政府的体制》、约翰·查普曼的《印度的棉花和贸易》、罗伯特·巴顿的《亚细亚君主政体的原则》等著作。（参见［美］诺曼·莱文：《亚细亚复辟的神话》，《马克思主义来源研究论丛》第16辑，商务印书馆1994年版，第533—534页）

语，并阅读了车尔尼雪夫斯基和弗列罗夫斯基等人的著作。1873 年，马克思着手考察了俄国公社土地占有制的历史，阅读了尼·卡拉乔夫的《古代和当代俄国的劳动组合》以及其他相关著述；1876 年至 1878 年，马克思阅读了大量关于农村公社的著作，包括哈克斯特豪森的《俄国土地制度》、乌蒂塞诺维奇的《南方斯拉夫人家庭公社》、卡尔德纳斯关于西班牙土地所有制历史的著作以及克雷马齐的《印度法和法国法比较》、索柯洛夫斯基的《俄国北部农村公社史概要》等。同时，恩格斯也对俄国村社的发展情况进行了深入的研究，并将土地问题看作是俄国的根本问题。1893 年年初，恩格斯指出：“俄国社会民主党人的最必要的工作就是认真研究俄国的土地问题；如果有大量的材料加以阐明，这方面的研究一定会取得崭新的成果，这些成果不论就土地占有形式和土地使用形式的历史来说，或者就运用和检验经济理论，特别是级差地租来说，都是很重要的。”① 在此基础上，马克思恩格斯撰写了大量的文章、通信和摘录，包括《论俄国的社会问题》及其导言（1875 年）、《给〈祖国纪事〉杂志编辑部的信》（1877 年）、《给维·伊·查苏利奇的复信》（1881 年）、《关于俄国一八六一年改革和改革后的发展的札记》（1881 年年底—1882 年）、《〈共产党宣言〉1882 年俄文版序言》、《俄国沙皇政府的对外政策》（1889—1890 年）、《〈论俄国的社会问题〉跋》（1894 年）等。其间，马克思恩格斯指出，以俄国为代表的东方国家与西欧资本主义国家在社会结构、土地制度等方面存在着很大的差异，不仅可以探索一条不同于西欧资本主义的发展道路，可以不通过资本主义制度的“卡夫丁峡谷”，还可以实现俄国革命和西方革命的互补。这标志着马克思恩格斯对东方社会发展道路的探索达到了新的高度。

总之，马克思恩格斯对东方社会发展道路的探索与唯物史观的创立和剩余价值理论的发现密切相连，也与整个马克思主义理论体系的形成、发展和完善密切相连。

五、马克思恩格斯探索东方社会发展道路的主要成果

19 世纪 70 年代后，马克思恩格斯对东方社会发展道路的深入探索构成了

---

① ［俄］阿·沃登：《和恩格斯的谈话》，《回忆恩格斯》，人民出版社 2005 年版，第 119 页。

一个丰富的理论宝库，形成了丰富的理论成果，在马克思主义发展史上占有重要地位。

世界历史进程中的东方社会及其发展前景。东方社会的发展道路问题是在世界历史的语境中产生的，没有西方资产阶级开创的世界历史，东方国家的发展道路问题就不会融入整个世界的发展进程之中。世界历史思想贯穿马克思恩格斯思想发展进程的始终，不仅是马克思主义的重要思想，也是他们分析东方社会发展问题的理论框架。当然，在揭示世界历史的复杂性和多样性的过程中，马克思恩格斯的思想并非一成不变，是随着世界历史自身的发展，以及西欧资本主义发展和东方社会发展的历史进程不断发展。马克思恩格斯分析了世界历史对东方国家发展的建设性和破坏性的双重作用，以及给东方社会所提供的发展机遇。当然，世界历史本质上是由西方资产阶级开创和主导的发展进程，本质上是代表西方资产阶级利益的。因此，东方国家要抓住世界历史的机遇，实现自身的跨越式发展，必须要具备一系列国内外的条件。总之，世界历史条件下的东方社会发展问题是马克思恩格斯研究东方社会的重大问题和重要视角。

亚细亚生产方式概念的发展和扬弃。亚细亚生产方式问题是马克思恩格斯研究东方社会的重要议题，也是推进史前社会研究的重要问题，是连接东方社会问题和史前社会问题的一座桥梁。马克思恩格斯19世纪50年代初提出亚细亚生产方式的概念，并将其范围仅限于亚洲。在19世纪50年代末和60年代将其范围扩展到全世界，并将之看作是经济的社会形态演进的第一个阶段，将印度公社看作是原始公社。在此过程中，马克思恩格斯揭示出：不存在土地私有制、血缘宗法制和中央集权专制制度是亚细亚生产方式的主要特征。他们还指出了亚细亚生产方式中存在着国家、阶级和公共工程，表明了亚细亚生产方式并非是没有阶级的原始社会，而是有阶级和国家的阶级社会。19世纪70年代后，在充分吸收文化人类学研究成果的基础上，通过对俄国村社的典型研究，马克思恩格斯厘清了原始公社和农村公社的区别和联系，科学扬弃了亚细亚生产方式概念，用原始社会这一科学的概念取代亚细亚生产方式在社会形态演进中的"原生形态"的位置。可见，亚细亚生产方式的概念经历了一个发展变化和科学扬弃的过程。虽然马克思恩格斯最终扬弃了亚细亚生产方式的概念，但并没有否认亚细亚生产方式的历史作用。事实上，亚细亚生产方式在马克思恩格斯研究东方社会和史前社会过程中发挥了重要作用，对于马克思主义社会形态理论的完善和发展产生了重要作用。

东方社会的结构和性质。东方社会的结构和性质是马克思恩格斯研究东方社会的重要内容，也是深化东方社会研究的重要前提。由于农村公社是史前公社发展链条中的最近的环节，而血缘宗法制在东方社会也发挥着重要的作用，这就使得东方社会和史前社会具有一定的同构性或类似性。因此，为了准确把握东方社会的社会结构，不仅要对东方村社进行深入研究，还要深入研究史前公社，要科学揭示两者的区别和联系。在此基础上，马克思恩格斯科学阐述了东方农业公社特有的政治、经济、文化和社会结构，揭示了东方社会不同于西欧资本主义的社会结构，为东方国家探索自己的发展道路打下了基础。同时，马克思恩格斯分析了俄国农村公社兼具的公有和私有的二重性，明确了农村公社的社会性质，揭示了农村公社解体的原因及其可能面临的历史命运，为研究东方社会发展道路扫清了障碍。在世界历史条件下，东方国家必须抓住历史机遇，积极利用国内外有利条件，大力进行生产力移植，实现自身的跨越式发展。

不通过资本主义制度"卡夫丁峡谷"的科学设想。在马克思恩格斯之前，俄国民粹派就对俄国发展道路进行了深入探索，提出了俄国可以在村社的基础上，依靠农民自身的力量，直接进入共产主义社会的村社社会主义理论。在与民粹派的长期交往和论争的过程中，在深入分析俄国村社二重性的基础上，马克思提出了著名的不通过资本主义制度"卡夫丁峡谷"的设想，强调在一定条件下，俄国可以走出一条不同于西欧的发展道路，在农村村社的基础上进入更高形态的社会。当然，与民粹派村社理论不同的是，马克思恩格斯强调的是不通过资本主义峡谷的条件性和可能性，而非必然性和决定性，并着重分析了俄国实现跨越发展的前提和条件、可能和现实，为不通过资本主义制度"卡夫丁峡谷"的设想成为科学理论打下了坚实基础。同时，马克思恩格斯站在无产阶级和全人类解放的高度，强调俄国革命与西欧无产阶级革命的互补的重要意义，尤其是对俄国实现跨越发展的重要意义。

总之，马克思恩格斯研究东方社会形成了丰富的理论成果，在马克思主义发展史上和马克思主义理论体系中形成了一个专门的研究领域。

第二节　东方社会在"世界历史"中的可能前景

世界历史是马克思恩格斯研究东方社会的历史背景和分析框架。只有在西方资产阶级开创的世界历史的条件下，东方社会才真正和西方资本主义社会的发展紧密相连，日益成为一个交往整体。世界历史的发展对东方社会具有建设性和破坏性的双重的历史作用，为东方社会的发展提供了难得的历史机遇。

一、马克思恩格斯世界历史思想的发展历程

世界历史的形成和发展是马克思主义形成和发展的重要时代背景，世界历史思想也是马克思主义发展进程中始终强调的重要思想。

在唯物主义的基础上，马克思恩格斯创造性地改造了世界历史思想。世界历史思想最早由黑格尔提出。尽管其世界历史思想有助于消解欧洲中心论，但是，黑格尔将世界历史看作是绝对精神的外化过程。基于物质生产和物质交往，马克思恩格斯提出了自己的世界历史思想。随着资本主义的迅猛发展，资产阶级在世界范围内展开侵略和掠夺，使得世界市场和世界贸易不断发展起来，打破了各个国家和民族闭关自守、毫无关联的状态，使得整个世界日益成为一个紧密联系、不可分割的有机整体。这里的世界历史不是历史学意义上的世界历史，而是和民族史、地方史相对的世界历史。在 1846 年《德意志意识形态》中，马克思恩格斯在唯物史观的基础上初步论述了世界历史的问题："各个相互影响的活动范围在这个发展进程中越是扩大，各民族的原始封闭状态由于日益完善的生产方式、交往以及因交往而自然形成的不同民族之间的分工消灭得越是彻底，历史也就越是成为世界历史。"[1] 显然，世界历史主要是指资本主义的发展和交往的扩大，打破了各个民族国家的闭关封闭的状态。在 1848

---

① 《马克思恩格斯选集》第 1 卷，人民出版社 2012 年版，第 168 页。

年《共产党宣言》中,马克思恩格斯的世界历史思想正式形成。马克思和恩格斯揭示出了"世界市场"→"世界历史"→"世界文学"形成的发展进程和内在逻辑。"世界市场"是"世界历史"的经济基础和经济动力,"世界历史"是各民族的各方面的互相往来和各方面的互相依赖的过程和状态,"世界文学"是"世界历史"的文化产物和文化表现。

19世纪40年代,在世界历史逐步形成和发展的条件下,通过对东方社会的研究,马克思恩格斯初步形成了世界历史思想。在《德意志意识形态》和《共产党宣言》中,马克思恩格斯指出,资产阶级在世界范围内的扩张所开创的世界历史,打破了东方社会封闭的、停滞的和落后的状态,将其拖入世界市场和世界历史之中,造成东方从属于西方的世界格局。到了19世纪50年代,通过对印度和中国等国家政治、经济和社会结构等方面以及对西方殖民入侵的具体的历史的分析,马克思恩格斯科学揭示了西方殖民主义和东方古老制度的碰撞,在肯定世界历史给东方国家带来的积极的革命性的影响的同时,也揭示了西方资本主义殖民势力的侵略和掠夺给东方国家带来的深重灾难,突出了世界历史条件下中国革命和中国发展对于西欧无产阶级革命的促进作用,揭示了世界历史条件下,东方国家的发展和变革也会对西欧国家产生重要的影响,展示出了世界历史的复杂性。

19世纪60年代后,随着世界市场的不断形成和发展,马克思恩格斯深化和发展了世界历史的思想。随着世界市场的不断发展,整个世界之间的联系更加密切,使得东方国家的发展也对整个世界产生了世界历史性的影响。在1886年3月18日给奥古斯特·倍倍尔的信中,恩格斯指出,中国铁路建设的开放不仅会促使欧洲的工业复苏,也会使最后一个闭关自守的、以农业和手工业相结合为基础的文明将被消灭。"如果中国今后将开放,那么不仅生产过剩的最后一个安全阀门将会失灵,而且中国将开始大批向外移民,仅仅这一点就会在整个美洲、澳洲和印度的生产条件方面引起革命,甚至也许还会波及欧洲——如果这里的情况能一直延续到那个时候的话"[1]。即,在世界市场形成的历史条件下,中国修建铁路和门户开放会产生世界历史性影响。1894年,甲午战争爆发后,恩格斯密切关注战争的发展进程,并论述了这次战争可能引发的世界历史性影响。"中日战争意味着古老中国的终结,意味着它的整个经济

---

[1] 《马克思恩格斯文集》第10卷,人民出版社2009年版,第550—551页。

基础全盘的但却是逐渐的革命化，意味着大工业和铁路等等的发展使农业和农村工业之间的旧有联系瓦解，因而中国苦力大批流入欧洲。"①这意味着，数以万亿的劳动力背井离乡甚至移居国外，并对欧美的资本主义产生革命性的影响，推动欧洲和美洲资本主义的崩溃。这是对马克思19世纪50年代提出的中国革命促进欧洲革命发展的思想在新的历史条件下的深化和拓展，也是在世界市场和世界历史形成条件下，以中国为代表的东方国家积极主动参与世界历史进程的重要表现。

总之，世界历史思想贯穿于马克思主义发展史始终，在马克思主义理论体系中占据着重要地位。

二、世界历史的形成、影响及其阶级实质

世界历史的形成和发展经历了一个长期的历史过程。从实质上说，世界历史是西方资产阶级主导的，体现的是西方资产阶级的利益和意志。

世界历史形成的原因和表现。资本主义条件下生产力的发展是世界历史形成的根本原因。生产力的发展和科学技术的进步，尤其是造船业和指南针的发展，以及新兴资产阶级对财富的追求，推动了航海业的快速发展，使得人们了解到世界上各个国家和民族之间在地理上并非是完全隔绝的，而是相互联系的一个整体。这为世界历史的形成奠定了地理基础。同时，西方机器大工业生产创造了大量物美价廉的工业制品，不仅充分满足了本国市场的需要，还可以远销世界各地、打破东方国家的闭关自守的状态，使其成为西方国家的销售市场和原料产地，使得整个世界在商品和贸易的作用下日益成为一个密不可分的整体，进而使得世界市场和世界历史得以形成。虽然资产阶级的廉价商品是摧毁一切野蛮人仇外心理的重炮，但是往往首先彻底打开东方国家大门的是资产阶级的坚船利炮。通过殖民战争，西方资产阶级不断地用坚船利炮叩开东方国家的大门，使其接受自己的野蛮统治，客观上不得不成为西方的原料产地和销售市场，进而加速世界历史的形成。总之，世界历史的形成和发展是必然的，与西欧资本主义的发展密切相连。

① 《马克思恩格斯全集》第39卷，人民出版社1974年版，第288页。

世界历史的影响和后果。马克思于 1853 年在《不列颠在印度统治的未来结果》中指出:"英国在印度要完成双重的使命:一个是破坏的使命,即消灭旧的亚洲式的社会;另一个是重建的使命,即在亚洲为西方式的社会奠定物质基础。"① 即,世界历史对东方国家的影响具有双重性。一方面,世界历史给东方国家及其人民带来了深重的灾难。在世界历史条件下,西方资产阶级通过血与火的手段,将东方国家拖入世界历史进程,沉重地打击了东方社会的社会结构,占领了东方社会的大部分土地,掠夺了大量的资源、财富,使东方国家成为资本主义国家的原料产地和销售市场,成为资本主义发展链条中的最低的一环,进而处于资本主义世界体系的末端,使东方国家长期处于殖民地半殖民地的状态,使东方国家的人民长期处于水深火热之中。另一方面,世界历史将长期封闭、停滞、落后的东方社会拖入了世界历史的进程中,给东方社会带来了革命性的变化。在 1875 年《〈论俄国的社会问题〉一书导言》中,恩格斯指出:"俄国人民的主体,农民,千百年来在脱离历史发展的泥潭中世世代代愚昧地过着苟且偷安的生活,而打破这种荒漠状况的惟一变动,便是零星的毫无结果的起义,以及贵族和政府的新压迫。"② 可见,生活在农村公社中的俄国农民历史上的生活状况十分单调,没有明显的变化。然而,俄国通过农奴制改革,大力发展资本主义大工业,打碎了俄国传统的社会结构,使农民脱离这种世世代代的愚昧的生活状态,也为资本主义的发展提供了大量的廉价劳动力。显然,世界历史对于东方国家而言是一把双刃剑。

世界历史的阶级实质。在开创世界历史的过程中,无论是西方的殖民战争,还是通过工业革命和大机器的发展所推动的世界贸易,实质都是为西方资产阶级服务的,都是为了使西方国家的利益最大化。在《共产党宣言》中,马克思恩格斯指出:"资产阶级使农村屈服于城市的统治。它创立了巨大的城市,使城市人口比农村人口大大增加起来,因而使很大一部分居民脱离了农村生活的愚昧状态。正像它使农村从属于城市一样,它使未开化和半开化的国家从属于文明的国家,使农民的民族从属于资产阶级的民族,使东方从属于西方。"③ 这里,"三个从属于"的思想鲜明地体现了世界历史是由西方资产阶级开创和

---

① 《马克思恩格斯选集》第 1 卷,人民出版社 2012 年版,第 857 页。
② 《马克思恩格斯全集》第 25 卷,人民出版社 2001 年版,第 36 页。
③ 《马克思恩格斯选集》第 1 卷,人民出版社 2012 年版,第 405 页。

主导的，实质上是为资产阶级服务的。因此，英国在侵略和统治印度过程中所做的一切完全是受极卑鄙的利益所驱使，并非是想让印度社会变得更好，即便是给印度社会带来的一些革命性的变革和影响，以及在印度所造成的亚洲社会的唯一的一次社会革命，也只是充当了历史的不自觉的工具而已。事实上，"英国资产阶级将被迫在印度实行的一切，既不会使人民群众得到解放，也不会根本改善他们的社会状况，因为这两者不仅仅决定于生产力的发展，而且还决定于生产力是否归人民所有。"[①] 显然，要从根本上解放人民群众并改善他们的社会状态，就必须在发展生产力的同时使生产力归人民所有，即要将生产力的发展与生产力发展的成果归人民所有紧密结合起来。毫无疑问，这是与英国殖民者征服和统治印度的初衷相反的，他们只会将印度生产力及其发展成果掌握在自己手中，而不会将其交给印度人民。因此，在世界历史条件下，东方国家要实现自身的发展，首先必须推翻西方资本主义的殖民统治，实现民族独立。总之，世界历史是在西方资产阶级的主导下形成和发展的，代表了西方资产阶级的利益和意志。

可见，只有充分理解世界历史的形成、影响及其阶级实质，才能在世界历史条件下科学把握东方国家的发展现状和命运，并为东方国家寻找一条适合自身的发展道路。

三、世界历史对东方社会的建设性作用

在研究东方社会的过程中，马克思恩格斯客观地论述了世界历史对东方社会的建设性作用，实事求是地分析了东方社会转型的可能。

大工业的发展对东方社会的建设性作用。在世界历史的发展进程中，为了实现自己的利益最大化，西方资产阶级决定将中国和印度等东方国家作为自己的原料产地和销售市场，变成西方资本主义生产体系中的一环。为此，西方殖民者将蒸汽机、铁路等大工业带入东方国家，客观上对东方国家的发展具有积极的影响。马克思于1853年指出："蒸汽机使印度能够同欧洲经常地、迅速地交往，把印度的主要港口同整个东南海洋上的港口联系起来，使印度摆脱了孤

---

① 《马克思恩格斯选集》第 1 卷，人民出版社 2012 年版，第 861 页。

立状态，而孤立状态是它过去处于停滞状态的主要原因。"① 可见，大工业的发展打破了印度社会孤立的状态，为印度的建设打下了基础。克里木战争失败后，俄国极力推进以铁路为代表的大工业的发展。在 1894 年《〈论俄国的社会问题〉跋》中，恩格斯指出："铁路意味着兴建资本主义工业和把原始的农业革命化。一方面，最边远的地区的农产品也同世界市场发生了直接的联系；另一方面，没有提供钢轨、机车、车厢等等的本国的工业，就不可能建造和利用广阔的铁路网。"② 这就进一步推动了俄国现代化的纺织工业和银行业的发展，进而使俄国在很短的时间内就奠定了资本主义生产方式的全部基础。同时，为了全面占领中国这一广袤的市场，英国资本必须在中国极力修建铁路。对此，在 1892 年 9 月 22 日给丹尼尔逊的信中，恩格斯指出："中国的铁路意味着中国小农经济和家庭工业的整个基础的破坏；由于那里甚至没有中国的大工业来予以平衡，亿万居民将陷于无法生存的境地。其后果将是出现世界上从未有过的大规模移民，可憎的中国人将充斥美洲、亚洲和欧洲，并将在劳动市场上以中国的生活水准即世界上最低的生活水准，同美洲、澳洲和欧洲的工人展开竞争；如果在那之前欧洲的整个生产体系还没有发生改变，到那时也必定要发生改变。"③ 可见，大工业在中国的发展不仅会对中国产生革命性的影响，也会对西方资本主义世界产生革命性的影响。总之，现代大工业在东方国家的发展将促进东方社会发生革命性变革。

世界市场和世界贸易的发展对东方社会发展的建设性作用。虽然英国的自由贸易使印度的传统社会遭到大规模的破坏，但是也使英国工业的发展依赖于东方国家。对此，马克思于 1853 年在《东印度公司，它的历史和结果》中指出："英国工业界越是依靠印度市场，他们就越是感到在他们摧毁了印度本国的工业之后必须在印度造成新的生产力。一味向某个国家倾销自己的工业品，而不让它也能够向你销售一些它的产品，那是不行的。英国工业界发现，他们的生意没有增加，反而衰退了。"④ 可见，贸易的发展对东方社会的发展产生了一定的建设性的作用。同时，为了满足工业和市场的需要，英国对印度的自给自足的自然经济进行了干涉和改造。1853 年，马克思在《不列颠在印度的统治》

---

① 《马克思恩格斯选集》第 1 卷，人民出版社 2012 年版，第 858 页。
② 《马克思恩格斯选集》第 4 卷，人民出版社 2012 年版，第 318 页。
③ 《马克思恩格斯文集》第 10 卷，人民出版社 2009 年版，第 636 页。
④ 《马克思恩格斯全集》第 12 卷，人民出版社 1998 年版，第 169 页。

中指出："英国的干涉则把纺工放在兰开夏郡，把织工放在孟加拉，或是把印度纺工和印度织工一齐消灭，这就破坏了这种小小的半野蛮半文明的公社，因为这摧毁了它们的经济基础；结果，就在亚洲造成了一场前所未闻的最大的、老实说也是唯一的一次社会革命。"① 可见，世界市场的发展对印度社会产生了巨大革命性的影响。

　　西方国家的入侵客观上加速了东方国家的革命的发生，并具有了新的世界历史意义。由于西方国家廉价的工业品对于中国传统手工业的冲击，使得中华帝国遭受了严重的社会危机。对此，马克思于 1850 年在《国际述评（一）》中指出："不再有税金收入，国家濒于破产，大批居民落得一贫如洗，这些居民起而闹事，迁怒于皇帝的官吏和佛教僧侣，打击并杀戮他们。这个国家现在已经接近灭亡，已经面临着一场大规模革命的威胁，但是更糟糕的是，在造反的平民当中有人指出了一部分人贫穷和另一部分人富有的现象，要求重新分配财产，甚至要求完全消灭私有制，而且至今还在要求。"② 显然，世界历史不仅刺激了中国革命的发生，而且使得对中国革命提出了新的要求。1853 年，在分析太平天国起义时，马克思指出推动这次革命的重要原因是西方国家的侵略，而中国革命也对西方国家产生重要影响，会引起西方国家革命的发生，使得中国革命具有世界历史意义。在 1894 年 11 月 10 日给左尔格的信中，马克思分析了中日甲午战争的影响，"在中国进行的战争给古老的中国以致命的打击。闭关自守已经不可能了；即使是为了军事防御的目的，也必须敷设铁路，使用蒸汽机和电力以及创办大工业。这样一来，旧有的小农经济的经济制度（在这种制度下，农户自己也制造自己使用的工业品），以及可以容纳比较稠密的人口的整个陈旧的社会制度也都在逐渐瓦解。千百万人将被迫离乡背井，移居国外；他们甚至会移居到欧洲，而且是大批的。而中国人的竞争一旦规模大起来，就会给你们那里和我们这里迅速地造成极端尖锐的形势，这样一来，资本主义征服中国的同时也将促进欧洲和美洲资本主义的崩溃"③。可见，中国的发展和变革具有重要的世界历史意义，会影响到资本主义国家的发展。

　　显然，世界历史客观上打破了东方国家传统的政治、经济、文化和社会结

---

① 《马克思恩格斯选集》第 1 卷，人民出版社 2012 年版，第 853 页。
② 《马克思恩格斯全集》第 10 卷，人民出版社 1998 年版，第 277 页。
③ 《马克思恩格斯选集》第 4 卷，人民出版社 2012 年版，第 655 页。

构，实际上对东方国家的发展发挥了建设性的作用。

四、世界历史对东方社会的破坏性作用

由于世界历史本质上是由西方资产阶级通过刀与火的手段主导和推进的，因此，世界历史给东方社会带来了血与泪的代价，具有巨大的破坏性作用。马克思恩格斯对之进行了深刻的揭露和批判。

资产阶级的殖民入侵给东方社会带来了巨大的破坏。在历史上，西方国家通过种种卑劣的手段掠夺了东方国家的大量的财富、土地、资源和劳动力，破坏了东方国家原有的经济社会结构。对此，马克思在《不列颠在印度统治的未来结果》中指出："不列颠人是第一批文明程度高于印度因而不受印度文明影响的征服者。他们破坏了本地的公社，摧毁了本地的工业，夷平了本地社会中伟大和崇高的一切，从而毁灭了印度的文明。他们在印度进行统治的历史，除破坏以外很难说还有别的什么内容。"[①] 显然，英国殖民侵略给印度社会造成了全方位的彻底破坏，使印度同其一切传统和过去的全部历史断绝关系。明治维新后，日本也走上了资本主义发展道路，成为了帝国主义列强中的一员。1894 年，中日甲午战争爆发，给久经磨难的中国带来了更为深重的灾难。在1894 年 9 月下半月给拉法格的信中，恩格斯预测了中日甲午战争的影响："不管这次战争的直接后果如何，有一点是必不可免的：古老中国整个传统的经济体系将完全崩溃。在那里，同家庭工业结合在一起的过时的农业体系，是通过严格排斥一切对抗成分而人为地维持下来的。这种全盘排外的状况，已由同英国人和法国人的战争而部分地打破了；这种状况将由目前这场同亚洲人、即中国人最邻近的敌手的战争来结束。"[②] 可见，甲午战争将彻底打碎中国旧的经济社会结构，进而使得大量中国人口流离失所。总之，殖民入侵全面破坏了东方社会的社会结构。

资本主义的殖民贸易对东方国家造成了深重的灾难性影响。西方国家主导的世界贸易是推进世界历史和世界市场形成的重要手段。西方商品尤其是工业

---

① 《马克思恩格斯选集》第 1 卷，人民出版社 2012 年版，第 857 页。
② 《马克思恩格斯全集》第 39 卷，人民出版社 1974 年版，第 285 页。

产品的低廉价格摧毁了东方社会的自给自足的小农经济，其纺织品迅速占领了作为传统手工纺织业大国的中国和印度等国的市场，沉重打击了这两个国家的手工纺织业，使其不得不从英国进口大量的纺织业产品。同时，除了通过正常的贸易之外，为了获得自身的利益最大化，英国资产阶级通过东印度公司向中国走私倾销大量的鸦片，以国家的名义推行肮脏的、邪恶的鸦片贸易，并在此过程中通过行贿腐蚀了大量中国官员，不仅使中国的巨额财富像潮水般涌入西方，还使得中国的财政、社会风尚、工业和政治结构都遭到了前所未有的破坏。对此，马克思于 1858 年在《鸦片贸易史》中明确指出了英国自由贸易的实质："英国政府公开宣传毒品的自由贸易，暗中却保持自己对毒品生产的垄断。任何时候只要我们仔细地研究一下英国的自由贸易的性质，我们大都会发现：它的'自由'说到底就是垄断。"① 显然，罪恶的鸦片贸易本质上是为英国服务的，给中国带来了沉重的灾难。同时，从 19 世纪中叶起，主要资本主义国家在中国东南沿海一带长期拐骗一批批劳动者，强迫他们接受定期的卖身契约，然后运往古巴、秘鲁和英属西印度等地从事牛马般的强迫劳动。这实际上是一种变相的奴隶贸易，是西方殖民者在东方国家复活了在欧洲已经被禁止的奴隶贸易。据统计，在 1845—1875 年间，被卖往海外的"契约华工"总数不下 50 万人。总之，西方国家种种卑劣的贸易手段，使东方国家的财富和劳动力大量流入西方，限制了东方国家的现代化的发展。

资本主义生产方式在东方国家的确立给东方国家带来了深重灾难。随着英国对印度的侵略和掠夺的加剧，印度完全沦为英国的殖民地，不可避免地走上了资本主义发展道路，导致了一切人反对一切人的战争的开始。同样，虽然俄国走上资本主义道路并非是由西方国家入侵直接导致的，但是也是在西方资本主义国家的压力下的被迫选择。在 1892 年 9 月 22 日致丹尼尔逊的信中，恩格斯指出："克里木战争的特点就是一个采用原始生产形式的民族同几个拥有现代生产的民族进行绝望的搏斗。俄国人民对这一点了解得很清楚，因而要过渡到现代的形式，这个过渡在 1861 年的解放法令颁布以后就最后确定了。"② 可见，为了保住大国地位，沙皇俄国不得不选择走资本主义发展道路。然而，在一个具有浓郁的专制传统的小农生产的国度中直接嫁接资本主义生产方式，使

① 《马克思恩格斯选集》第 1 卷，人民出版社 2012 年版，第 808 页。
② 《马克思恩格斯全集》第 38 卷，人民出版社 1972 年版，第 465 页。

得资本主义在俄国的发展是一种极端畸形的发展，给俄国人民尤其是农民造成了深重的苦难。在 1894 年《〈论俄国的社会问题〉跋》中，恩格斯指出："铁路为早先的许多边远地区开放了谷物销售市场，同时又运来了便宜的大工业产品，结果排挤了农民的家庭工业，这类产品原先是由农民制造的，一部分供自用，一部分供出售。久已习惯的经济关系被破坏了，随着自然经济向货币经济的过渡，各地出现了混乱局面，在公社社员中间出现了巨大的财产差别——穷人沦为富人的债务奴隶。"[①] 可见，资本主义大工业的发展瓦解了俄国村社，使得大量农民沦为赤贫的状态。在发展资本主义的过程中，为了筹集资金，国家对农民进行了新的掠夺，捐税不断加重，这样，无力负担的农民不得不举借高利贷，进而加剧了自身的破产。显然，在世界历史条件下，资本主义生产方式在印度和俄国等国家的确立是一个刀与火、血与泪并存的过程。

总之，世界历史对东方社会产生了巨大的破坏性作用，不仅对当时的东方社会如此，即使对东方社会的未来发展亦如此。

五、世界历史提供给东方社会的发展机遇

在给东方社会带来一系列建设性和破坏性影响的同时，世界历史客观上也给东方国家的发展提供了难得的历史机遇。当然，东方社会要抓住这一历史机遇，实现自身的发展，还必须具有一系列的主客观条件。

世界历史为东方国家吸收西方的先进生产力，进行生产力移植创造了必要条件。生产力移植是指生产力发展水平较低的国家和民族从生产力发展水平较高的国家和民族引入先进的科学技术和生产力，进而加速自身的发展，是实现跨越式发展的一种重要形式。在人类社会发展史上，生产力移植并非是个别的现象。早在《德意志意识形态》中，马克思恩格斯就指出，一些殖民者或统治者为了保证自己有持久的政权，经常将发展起来的生产关系直接搬到被征服国家，使后者实现跨越式发展。例如，诺曼人在征服英格兰和那不勒斯之后，在当地建立起了最完善的封建组织形式。1861 年农奴制改革后，在世界历史的条件下，俄国大力向西方资本主义国家学习，走西欧资本主义道路，大力发展

---

① 《马克思恩格斯选集》第 4 卷，人民出版社 2012 年版，第 314 页。

以铁路为代表的资本主义大工业和以银行业为代表的资本主义金融业，进而在短时间内移植了西方的先进生产力，取得了快速发展。虽然这种发展给农村公社造成了不可挽回的损害，但是在短期内奠定了资本主义发展的全部基础。对此，在1886年2月8日给丹尼尔逊的信中，恩格斯指出："近三十年在全世界表明，即使在至今还是纯农业的国家里，现代工业的巨大生产力也可以在多么短的期间里移植过去，并且牢牢地扎下根子，而且随这一过程而来的现象到处都在重现。"①在世界历史条件下，生产力移植更是一种普遍的现象，是东方国家实现跨越式发展的必由之路。

东方国家抓住世界历史的机遇需要一定的主客观条件。在世界历史条件下，印度社会要实现重建必须具备一定的条件。由于印度社会已经完全沦为英国的殖民地，是世界市场的一个重要环节，因此印度的重建与英国和整个世界的发展紧密相连。对此，马克思在《不列颠在印度统治的未来结果》中明确指出："在大不列颠本国现在的统治阶级还没有被工业无产阶级取代以前，或者在印度人自己还没有强大到能够完全摆脱英国的枷锁以前，印度人是不会收获到不列颠资产阶级在他们中间播下的新的社会因素所结的果实的。"②这里，马克思将欧洲工人阶级革命运动和被压迫国家民族解放运动结合在一起思考，并将其作为被压迫国家摆脱奴役、实现重建的前提性条件，与他强调的中国革命引起西方革命、实现东西方革命互补的思想具有连贯性和一致性。此外，印度社会的重建，单靠在自身的基础上发展是很难实现的，必须利用与资产阶级历史时期处于同一个发展阶段的优势，必须充分利用资产阶级历史时期的一切积极成果。对此，马克思于1853年指出："资产阶级历史时期负有为新世界创造物质基础的使命：一方面要造成以全人类互相依赖为基础的普遍交往，以及进行这种交往的工具；另一方面要发展人的生产力，把物质生产变成对自然力的科学支配。"③显然，只有加强与西方世界的联系和交往，大力发展生产力尤其是人的生产力，印度才能抓住世界历史的机遇，在英国殖民者造成的一片废墟的基础上真正完成重建。在此基础上，19世纪70年代后，马克思恩格斯以俄国为重点，对东方社会进行了全面的研究，并提出了以俄国为代表的东方社会

---

① 《马克思恩格斯全集》第36卷，人民出版社1974年版，第429页。
② 《马克思恩格斯选集》第1卷，人民出版社2012年版，第861页。
③ 《马克思恩格斯选集》第1卷，人民出版社2012年版，第862页。

在一定条件下，可以不通过资产本主义制度的"卡夫丁峡谷"，走出一条非欧的、适合自己实际的发展道路的科学设想。

总之，在世界历史的环境中，东方国家不仅要积极利用与资本主义同处一个时代的优势和自身的有利条件，还要积极借鉴吸收资本主义国家的一切积极成果，进而实现自己的发展。

第三节　社会形态演进中的亚细亚问题

在研究东方社会发展的历史进程中，马克思恩格斯立足于社会形态的历史变迁，提出了亚细亚生产方式的概念，并对之进行了全面剖析和科学扬弃，进而丰富和发展了马克思主义社会形态理论。

一、亚细亚生产方式概念的提出过程

在研究东方社会的过程中，马克思恩格斯提出了亚细亚生产方式概念，用以指代人类社会的原生形态。

19世纪50年代前期，马克思恩格斯以印度和中国为典型对东方社会展开研究，发现东方社会的结构和土地制度不同于西方资本主义国家，亚洲国家普遍存在着公社土地所有制。因此，他们将亚洲社会及其生产方式称为亚细亚社会和亚细亚生产方式，并揭示了其主要特征。在亚细亚生产方式的概念初步形成的阶段，马克思恩格斯主要是将其看作是一个限定在亚洲范围之内的地域性的概念。19世纪50年代中期到60年代末，马克思恩格斯将亚细亚生产方式从一个地域性的概念上升为人类社会发展的第一阶段。在《资本主义生产以前的各种形式》中，马克思将亚细亚的所有制形式看作是土地所有制的第一种形式。"在这种土地所有制的第一种形式中，第一个前提首先是自然形成的共同体。家庭和扩大成为部落的家庭，或通过家庭之间互相通婚［而组成的部落］，或部落的联合。"① 这里，由于当时的大量文化人类学的研究成果还没有问世，马克思仍将家庭看作是早期人类社会的最基本的单位，并认为亚细亚的所有制形式包含原始社会的一些特征。然而，马克思对亚细亚所有制的论述突破了亚洲的地域范围，提到了斯拉夫公社和罗马尼亚公社等。"统一体能够使劳动过程本身具有共同性，这种共同性能够成为整套制度，例如在墨西哥，特别是在秘鲁，在古代凯尔特人那里，在印度的某些部落中就是这样。"② 可见，马克思不再将亚细亚生产方式当作亚洲特有的现象，将其地域性扩大，但还没有将之上升为一个普遍性的概念。在此过程中，马克思将不存在土地私有制、存在中央集权的专制政府、大型公共工程视作亚细亚的所有制形式的主要特征。总之，亚细亚生产方式既不同于原始生产方式，也不同于奴隶制和封建制生产方式，包含原始社会和阶级社会的一些特征，是原始社会和阶级社会的混合体。

　　1858 年 11 月—1859 年 1 月，在《政治经济学批判。第一分册》中，马克思在论述一切文明民族的历史初期自然发生的共同劳动时指出："仔细研究一下亚细亚的，尤其是印度的公有制形式，就会证明，从原始的公有制的不同形式中，怎样产生出它的解体的各种形式。例如，罗马和日耳曼人的私有制的各种原型，就可以从印度的公有制的各种形式中推出来。"③ 这里，马克思将印度村社看作是原始公有制的一种类型，并将罗马和日耳曼的私有制的各种类型的公社，看作是从印度的公有制形式中产生出来的，即将亚细亚的公有制形式看成是原生形态的形式。在此基础上，马克思在《〈政治经济学批判〉序言》中将亚细亚的生产方式看作是经济的社会形态演进的几个时代中的第一个阶段。这里，马克思不仅明确提出了亚细亚生产方式的概念，还将其从一个地域性的概念上升为一个普遍的概念，使之成为一切文明民族发展的起点。在 1867 年《资本论》第一卷中，马克思指出："在古亚细亚的、古代的等等生产方式下，产品转化为商品，从而人作为商品生产者而存在的现象，处于从属地位，但是共同体越是走向没落阶段，这种现象就越是重要。"④ 这里，马克思仍将亚细亚生产方式放在古代的（"古代的"和"古希腊罗马的"德文是一个词"antik"——引者注）生产方式之前，认为它们都是前资本主义社会的生产方式。其中，亚

① 《马克思恩格斯选集》第 2 卷，人民出版社 2012 年版，第 725 页。
② 《马克思恩格斯选集》第 2 卷，人民出版社 2012 年版，第 727 页。
③ 《马克思恩格斯全集》第 31 卷，人民出版社 1998 年版，第 426 页脚注①。
④ 《马克思恩格斯文集》第 5 卷，人民出版社 2009 年版，第 97 页。

细亚生产方式的主要特征是个人尚未脱掉同其他人的自然血缘关系的脐带,古希腊罗马社会的主要特征是直接的统治和服从的关系。可见,马克思仍将亚细亚生产方式放在奴隶社会之前,当作人类社会发展的原生形态。

1868 年 3 月,马克思恩格斯开始阅读毛勒的《马尔克制度、农户制度、乡村制度、城市制度和公共政权的历史概论》等著作。毛勒通过大量的第一手资料证明了欧洲各国的古代社会也不同程度地存在着土地公有制,这样,就使马克思恩格斯意识到不存在土地私有制并不是亚细亚社会所特有的现象,而是整个人类社会都曾经历过的重要阶段。在 1868 年 3 月 14 日致恩格斯的信中,马克思指出:“俄国人在一定时期内(在德国起初是每年)重分土地的做法,在德国有些地方一直保留到 18 世纪,甚至 19 世纪。我说过,欧洲各地的亚细亚的或印度的所有制形式都是原始形式,这个观点在这里(虽然毛勒对此毫无所知)再次得到了证实。这样,俄国人甚至在这方面要标榜其独创性的权利也彻底丧失了。”[①] 这里,马克思将马尔克制度看作是亚细亚生产方式的一种,和印度村社是本质上相同的制度。同时,在 1868 年 3 月 25 日给恩格斯的信中,马克思还为自己的家乡发现马尔克制度而感到高兴:“恰好在我的故乡,即在洪斯吕克,古代德意志的制度一直保存到最近几年。我现在还记得,我的当律师的父亲还和我谈到过这件事呢!”[②] 这样,马克思就发现农村公社并非局限于亚洲范围,并将欧洲马尔克等类型的公社也看作是亚细亚公社的一种。

总之,19 世纪 70 年代之前,马克思将亚细亚生产方式的范围从亚洲社会不断扩展,将之看成是世界范围内普遍存在的现象和人类社会发展的原生形态。

二、亚细亚生产方式的形成条件

马克思恩格斯不仅明确提出亚细亚生产方式的概念,还全面论述了亚细亚生产方式的形成条件。

亚细亚生产方式形成的经济基础。在研究东方社会的过程中,马克思恩格

---

① 《马克思恩格斯文集》第 10 卷,人民出版社 2009 年版,第 281—282 页。
② 《马克思恩格斯选集》第 4 卷,人民出版社 2012 年版,第 470 页。

斯意识到东方国家的土地制度不同于西方资本主义国家，不仅认为东方国家不存在土地私有制，还将之看作是理解东方国家的一把钥匙。然而，不存在土地私有制并不意味着亚细亚社会直接存在着土地公有制。对此，马克思在《资本论》第三卷中指出："在这里，国家就是最高的地主。在这里，主权就是在全国范围内集中的土地所有权。但因此在这种情况下也就没有私有土地的所有权，虽然存在着对土地的私人的和共同的占有权和用益权。"①从实质上来看，东方社会的土地制度是一种公有和私有的奇怪的混合体，名义上是国家所有，实质上是国家名义上的代表即皇帝所有。同时，由于生产力发展水平的低下，在不存在土地私有制和实行农村公社的情况下，导致了东方国家的农业和手工业结合在一起，普遍实行自给自足的小农经济，由此构成了东方社会的主要经济结构。马克思在《资本论》第三卷中指出："在印度和中国，小农业和家庭工业的统一形成了生产方式的广阔基础。此外，在印度还有建立在土地公有制基础上的农村公社的形式，这种农村公社在中国也是原始的形式。在印度，英国人曾经作为统治者和地租所得者，同时使用他们的直接的政治权力和经济权力，以图摧毁这种小规模的经济公社。如果说他们的商业在那里对生产方式发生了革命的影响，那只是指他们通过他们的商品的低廉价格，消灭了纺织业，——工农业生产的这种统一体的一个自古不可分割的部分，这样一来也就破坏了公社。但是，就是在这里，对他们来说，这种解体进程也是进行得极其缓慢的。在中国，那就更缓慢了，因为在这里没有直接政治权力的帮助。"②显然，虽然这种经济结构必然要亡于资本主义大工业的冲击，但是由于历史惯性的原因，其短期内也具有强大的生命力。总之，不存在土地私有制和小农经济是亚细亚生产方式形成的经济基础。

亚细亚生产方式形成的政治基础。在东方社会，中央集权的专制制度产生了东方专制主义。由于东方社会特殊的自然条件，以及落后的生产力发展水平，使得兴修水利等公共工程成为中央政府的事务，导致了中央集权专制制度的形成。农村村社的分散性、落后性和停滞性，及其导致的生活在其中的农民的狭隘视野和冷漠的态度，也是中央集权专制制度的强大支柱。恩格斯于1894年在《法德农民问题》中指出："农民至今在多数场合下只是通过他们那

① 《马克思恩格斯文集》第 7 卷，人民出版社 2009 年版，第 894 页。
② 《马克思恩格斯文集》第 7 卷，人民出版社 2009 年版，第 372 页。

种根源于农村生活闭塞状况的冷漠态度而证明自己是一个政治力量的因素。人口的主体的这种冷漠态度，不仅是巴黎和罗马议会贪污腐化的最强大的支柱，而且是俄国专制制度的最强大的支柱。"① 显然，农民的冷漠态度产生了极大的消极后果。在此情形下，君主制和家长制构成了东方社会的主要的政治结构。19 世纪 60 年代末到 70 年代初，俄罗斯大批知识青年发起到民间去的运动，形成了著名的民粹派运动。他们中的一部分人到民间号召广大农民群众起来推翻沙皇的专制统治。事与愿违，广大农民不仅不响应民粹派的号召，反而将他们扭送到警察局。虽然 1861 年改革后，俄国农民的处境十分恶劣，但是爆发的一系列零星的农民起义主要是反对贵族和个别官吏，而不是沙皇。对此，在 1875 年《〈论俄国的社会问题〉跋》中，恩格斯指出："沙皇被俄国农民看成人间的上帝：Bogvysok，Cardaljok，即上帝高，沙皇远——这就是他们绝望中的哀叹声。"② 可见，君主专制制度在俄国根深蒂固。这一情形同样适用于中国。对此，马克思在《中国革命和欧洲革命》中指出："正如皇帝通常被尊为全中国的君父一样，皇帝的官吏也都被认为对他们各自的管区维持着这种父权关系。"③ 家长制的权威是维持中国这个庞大的国家机器的各部分间的唯一精神联系。总之，家长制和集权制构成了亚细亚生产方式的政治基础。

亚细亚生产方式形成的社会基础。在东方社会，由于生产力的不发达和交往的有限性，使得以血缘宗法制为基础的农业村社广泛存在，不仅成为东方专制制度存在的社会基础，也成为亚细亚生产方式形成的社会基础。19 世纪 50 年代，在研究印度的过程中，马克思发现由于印度的公共工程也由中央政府来管，加之由于印度人通过农业和制造业的家庭结合而聚居在全国各地各个很小的中心点，因此，"从远古的时候起，在印度便产生了一种特殊的社会制度，即所谓村社制度，这种制度使每一个这样的小结合体都成为独立的组织，过着自己独特的生活。"④ 这里，由于村社分散在全国各个地方，缺乏有效的联系和交往，导致了公社的落后性、孤立性和封闭性，进而直接造成了亚细亚社会发展的停滞的性质。在 1881 年给查苏利奇的复信三稿中，马克思在论述俄国村社时指出："可是公社受到诅咒的是它的孤立性，公社与公社之间的生活缺乏

---

① 《马克思恩格斯选集》第 4 卷，人民出版社 2012 年版，第 355 页。
② 《马克思恩格斯选集》第 3 卷，人民出版社 2012 年版，第 334 页。
③ 《马克思恩格斯选集》第 1 卷，人民出版社 2012 年版，第 779 页。
④ 《马克思恩格斯选集》第 1 卷，人民出版社 2012 年版，第 852 页。

联系，不正是这种与世隔绝的小天地使它至今不能有任何历史创举吗？而这种与世隔绝的小天地将在俄国社会的普遍动荡中消失。"①可见，公社的孤立性使得东方社会陷入了相对停滞的发展状态，没有相应的首创精神。总之，农村村社是造成亚细亚社会停滞的重要原因，是亚细亚生产方式形成的社会基础。

亚细亚生产方式形成的自然基础。在1853年6月6日给马克思的信中，恩格斯指出，东方国家之所以不存在土地私有制，是了解东方社会的一把钥匙，是东方全部政治史和宗教史的基础，"这主要是由于气候和土壤的性质，特别是由于大沙漠地带，这个地带从撒哈拉起横贯阿拉伯、波斯、印度和鞑靼直到亚洲高原的最高地区。"②这表明不存在土地私有制与东方国家的气候和土壤的条件密切相关。在1867年《资本论》第一卷中，马克思论述了地理环境在东方社会发展中的重要作用："不是土壤的绝对肥力，而是它的差异性和它的自然产品的多样性，形成社会分工的自然基础，并且通过人所处的自然环境的变化，促使他们自己的需要、能力、劳动资料和劳动方式趋于多样化。社会地控制自然力，从而节约地利用自然力，用人力兴建大规模的工程占有或驯服自然力，——这种必要性在产业史上起着最有决定性的作用。"③显然，地理环境是社会分工形成的自然基础，也是社会存在的自然基础，在东方社会发展进程中发挥着重要作用。在1881年给查苏利奇的复信的二稿中，马克思在论述俄国农村村社时指出："在俄国，这种由幅员辽阔决定的原始的孤立性，一旦摆脱了政府的桎梏是很容易消除的。"④可见，辽阔的地理环境是导致村社孤立性的重要原因。显然，独特的地理环境是亚细亚生产方式形成的自然基础。这也反映了马克思在研究东方社会的进程中坚持人类史研究和自然史研究的统一。

总之，亚洲社会的经济、政治、社会和自然基础等内容具有特殊性，不仅决定了亚细亚生产方式的形成和发展，也决定了亚细亚生产方式的主要特征及其发展演变的内在轨迹。

---

① 《马克思恩格斯选集》第3卷，人民出版社2012年版，第837页。
② 《马克思恩格斯文集》第10卷，人民出版社2009年版，第113页。
③ 《马克思恩格斯文集》第5卷，人民出版社2009年版，第587—588页。
④ 《马克思恩格斯全集》第25卷，人民出版社2001年版，第473页。

三、亚细亚生产方式的主要特征

在论述亚细亚生产方式形成和发展的过程中，马克思恩格斯从东方社会的实际情况出发，全面揭示了亚细亚生产方式的主要特征。

在所有制方面，不存在土地私有制。在马克思恩格斯之前，法国医生和旅行家弗朗索尔·贝尔尼埃在《大莫卧儿等国游记》等著作中指出了东方国家不存在土地私有制，强调土地是归国家的君主所有。在 1853 年 6 月 2 日给恩格斯的信中，马克思指出，"贝尔尼埃正确地看到，东方（他指的是土耳其、波斯、印度斯坦）一切现象的基础是不存在土地私有制。这甚至是了解东方天国的一把真正的钥匙"①。可见，不存在土地私有制是东方社会的鲜明特征。在此情形下，财产属于公社所有，其成员只是作为财产的占有者，不存在个人财产。同样，恩格斯不仅强调不存在土地私有制是了解东方社会的一把钥匙，还将东方社会独特的自然条件作为产生这一现象的内在原因加以论述。在肯定地理环境的作用的基础上，马克思指出，"节省用水和共同用水是基本的要求，这种要求，在西方，例如在佛兰德和意大利，曾促使私人企业结成自愿的联合；但是在东方，由于文明程度太低，幅员太大，不能产生自愿的联合，因而需要中央集权的政府进行干预"②。显然，"文明程度太低"主要是指生产力发展水平太低，这是导致东方不存在土地私有制的根本原因。在 1881 年给查苏利奇的复信的初稿中，马克思在论述农村公社的孤立性时指出："俄罗斯北部各公国的联合证明，这种孤立性在最初似乎是由于领土辽阔而形成的，在相当大的程度上又由于蒙古人入侵以来俄国遭到的政治命运而加强了。在今天，这个障碍是很容易消除的。也许只要用各公社自己选出的农民代表会议代替乡这一政府机关就行了，这种会议将成为维护它们利益的经济机关和行政机关。"③可见，幅员辽阔的地理环境是导致村社公有制存在的重要原因。这样，马克思在指出东方社会特殊性的同时，又指出了克服这种特殊性的途径，即要大力发展生产力和推行民主化。总之，不存在土地私有制是亚细亚生产方式的重要

---

① 《马克思恩格斯文集》第 10 卷，人民出版社 2009 年版，第 112 页。

② 《马克思恩格斯选集》第 1 卷，人民出版社 2012 年版，第 850—851 页。

③ 《马克思恩格斯选集》第 3 卷，人民出版社 2012 年版，第 825—826 页。

特征。

在社会组织方面，存在着以血缘宗法制为基础的村社制度。在借鉴和吸收文化人类学研究成果之前，马克思独立发现了印度村社的存在，进而深入研究了东方社会结构。由于生产力发展水平的极端低下，原始社会的血缘亲属关系在社会发展中占据决定性的地位。由于以印度村社为代表的东方村社是在原始公社的基础上发展起来的，也是原始公社在发展链条中的最近的环节，因此，在社会结构方面，血缘宗法制在东方社会占据着重要的地位，进而形成了东方村社制度。由于村社制度在经济上对应的是大批建立在家庭工业基础上的家庭式公社，主要是手工业、手工纺织业和小农业的特殊结合，是一种典型的自给自足的自然经济。因此，农村村社天然就具有封闭性、软弱性和孤立性的特点，使东方社会陷入了孤立状态和停滞状态，使得各个村社之间就像一个个毫无内在关联的原子一样，成为东方专制主义的基础。对此，恩格斯在1875年《论俄国的社会问题》中论述农村公社时指出："从印度到俄国，凡是这种社会形式占优势的地方，它总是产生这种专制制度，总是在这种专制制度中找到自己的补充。不仅一般的俄罗斯国家，并且连它的特殊形式即沙皇专制制度，都不是悬在空中，而是俄国社会状态的必然的和合乎逻辑的产物"①。显然，村社在东方国家的经济社会生活中发挥着重要作用，是亚细亚生产方式的重要特征。

在政治方面，存在着中央集权专制制度。由于东方社会独特的地理环境和低下的生产力水平，使得兴修水利等公共工程成为东方国家发展生产的必要条件，而这又是单个人所无力承担的，因此，承办大型公共工程成为东方各国政府最为重要的经济职能，进而导致了东方国家中央集权专制制度的形成。恩格斯在1853年6月6日给马克思的信中指出："在东方，政府总共只有三个部门：财政（掠夺本国）、军事（掠夺本国和外国）和公共工程（管理再生产）。"②这表明，公共工程在亚细亚社会中发挥着重要作用。同时，在多数亚细亚的基本形式中，公社只是表现为世袭的占有者，存在着凌驾于公社之上的更高的或唯一的所有者，即专制君主。同样，马克思在《政治经济学批判（1857—1858年手稿）》中指出："公社的一部分剩余劳动属于最终作为一个个人而存在的更

---

① 《马克思恩格斯选集》第3卷，人民出版社2012年版，第331页。
② 《马克思恩格斯文集》第10卷，人民出版社2009年版，第113页。

高的共同体,而这种剩余劳动既表现在贡赋等等的形式上,也表现在为了颂扬统一体——部分地是为了颂扬现实的专制君主,部分地为了颂扬想象的部落体即神——而共同完成的工程上。"① 可见,亚细亚社会存在着阶级、国家和专制君主,以及贡赋和公共工程,而这些都是阶级社会才存在的现象。这表明了亚细亚社会是一个阶级社会,而并非无阶级的原始社会。在 1881 年给查苏利奇的复信的初稿中,马克思指出,"俄国的'农业公社'有一个特征,这个特征造成它的软弱性,从各方面来看对它都是不利的。这就是它的孤立性,公社与公社之间的生活缺乏联系,这种与世隔绝的小天地并不到处都是这种类型的公社的内在特征,但是,在有这一特征的地方,这种与世隔绝的小天地就使一种或多或少集权的专制制度凌驾于公社之上。"② 可见,农村公社的软弱性和孤立性是产生中央专制制度的社会基础。总之,中央集权的专制制度是亚细亚社会的重要特征。

要之,不存在土地所有制、血缘宗法制和中央集权的专制制度是亚细亚生产方式的三个主要特征。

四、亚细亚生产方式概念的科学扬弃

通过对文化人类学研究成果的积极借鉴和对俄国村社的典型研究,在 19世纪 70 年代之后,马克思恩格斯最终科学扬弃了亚细亚生产方式的概念。

在 1872 年至 1875 年分册出版的《资本论》第一卷的法文修订版中,马克思指出:"在古亚细亚的,一般说来古代世界的生产方式下,产品变为商品,只起从属的作用。"③ 这里,马克思将亚细亚生产方式放在了古代生产方式之中,改变了先前将之放在古代的生产方式之前、当作人类社会原生形态的看法。此后,马克思恩格斯没有再公开使用亚细亚生产方式的概念。19 世纪 70 年代后,由于印度和中国分别沦为了西方列强的殖民地和半殖民地,导致了其传统社会结构遭到了很大的破坏,而作为上层建筑的中央集权的专

---

① 《马克思恩格斯选集》第 2 卷,人民出版社 2012 年版,第 727 页。
② 《马克思恩格斯选集》第 3 卷,人民出版社 2012 年版,第 825 页。
③ 《资本论》(根据作者修订的法文第一卷翻译),中国社会科学出版社 1983 年版,第 59 页。

制制度也遭到了极大的破坏。相反，由于俄国村社既没有西欧村社那样随着生产力的发展而全面解体，也没有像东印度那样成为外国公司的猎获物，因而成为欧洲保存最完整的村社，其孤立性、封闭性和落后性等弊端也在继续发挥作用。恩格斯在《论俄国的社会问题》中指出："各个公社相互间这种完全隔绝的状态，在全国造成虽然相同但绝非共同的利益，这就是东方专制制度的自然形成的基础。"[①] 显然，俄国成为村社制度、血缘宗法制、东方专制制度保存得最为完整的国家，因而成为马克思恩格斯深入研究亚细亚生产方式的典型。

通过对俄国村社的深入研究，马克思恩格斯发现农村公社的土地公有制形式是一切民族发展都必然经历的阶段，其出现符合历史发展的客观规律。在《论俄国的社会问题》中，恩格斯指出："土地公社所有制这种制度，我们在从印度到爱尔兰的一切印度日耳曼语系各民族的低级发展阶段上，甚至在那些在发展中曾受到印度影响的马来人中间，例如在爪哇，都可以见到。"[②] 同时，恩格斯还提及印度村社所有制和西欧公社所有制，揭示了公社所有制是在世界范围内普遍存在的现象。由于世界范围内的农村公社是原始公社解体后的重要变体，也是原始公社发展链条上的重要环节，从根本上反映了人类进入阶级社会之后，逐渐解体的原始公社仍具有强大的生命力。因此，农村公社的发现有利于科学厘清原始公社和农村村社的内在关系，最终确立了原始公社在人类社会发展过程中的原生形态的地位。在吸收大量文化人类学研究成果和对俄国村社长期深入研究的基础上，马克思在 1881 年给查苏利奇的复信的初稿和三稿中明确指出俄国村社是在原始公社的基础上演化而来的，原始社会才是社会形态的原始形态，是一切民族发展的起点和必然经历的阶段。在明确原始公社的地位的基础上，在给查苏利奇的复信的初稿中，马克思指出："各种原始公社（把所有的原始公社混为一谈是错误的；正像在地质的层系构造中一样，在历史的形态中，也有原生类型、次生类型、再次生类型等一系列的类型）的衰落的历史，还有待于撰述。"[③] 即便是原始公社内部，也存在着不同的层次和类型。总之，在确立原始社会在人类社会发展中的原生形态地位时，马克思恩格斯科学

① 《马克思恩格斯选集》第3卷，人民出版社2012年版，第331页。
② 《马克思恩格斯选集》第3卷，人民出版社2012年版，第330页。
③ 《马克思恩格斯选集》第3卷，人民出版社2012年版，第831页。

地扬弃了亚细亚生产方式的概念。

马克思恩格斯还扬弃了亚细亚生产方式理论中存在的一些内在矛盾。在研究东方社会之初，马克思恩格斯认为东方社会不存在土地私有制。这里，就存在一个令他们长期困惑不解的现象，在土地公有的情况下，应该产生的是民主制度，然而，东方国家却普遍盛行中央集权的专制制度。随着对亚细亚生产方式研究的深入，他们逐渐发现了这一现象背后的深层次原因。由于生产力的不发达，使得血缘宗法制和村社制度在东方社会发展中占据了重要的地位。东方国家所谓的公有制并非真正的公有制，反而是在公有制的表面下掩藏着极端私有制，因此导致了政治上的专制主义。之后，在研读柯瓦列夫斯基的著作时，马克思摘录了印度历史上的土地所有制形式："没有一个国家象印度那样具有如此多种形式的土地关系。除了氏族公社之外还有比邻公社或农村公社；定期的平均的重新分配耕地和草地——包括交换住房——的制度与终身的不平等的份地制度并存，这些份地的大小或者是由继承法规定的，或者是由最近一次重新分配时期的实际占有情况决定的；公社的经营和私人的经营同时存在；有的地方有公社耕地，而另外一些地方则只有公社附属地（угодья）（如森林、牧场等）；有的地方，公社全体居民都可以使用公社土地，有的地方使用权仅限于少数古老移民家庭；除了上述形形色色的公共所有制形式以外，还有农民的小块土地所有制，最后，还有往往包括整个区的大面积的大土地所有制。"[①] 可见，印度社会的土地所有制形式十分多样，既有公有制，也有私有制。从柯瓦列夫斯基的著作中，马克思了解到印度早在《摩奴法典》时期就已经出现了土地私有制，证明了印度社会也存在土地私有制。这样，在深入研究亚细亚生产方式的基础上，马克思就纠正了东方国家不存在土地私有制的观点。

总之，马克思恩格斯最终用原始社会这一科学概念扬弃了亚细亚生产方式的概念，丰富和发展了马克思主义社会形态理论，尤其是史前社会理论。当然，亚细亚生产方式概念中所含的东方社会的社会结构和社会形态的特殊性问题，马克思恩格斯将之归并到了东方社会理论之中。

---

① 《马克思古代社会史笔记》，人民出版社 1996 年版，第 25 页。

五、亚细亚生产方式的历史定位

亚细亚生产方式概念的提出是马克思恩格斯研究东方社会进程中的关键环节，在马克思主义社会形态理论形成和发展过程中占据重要的地位。

在研究东方社会的过程中，马克思提出了亚细亚生产方式的概念。这里的生产方式不是指生产力和生产关系的矛盾统一体，而是指社会形态。亚细亚生产方式即亚细亚社会形态，是具有不存在土地私有制、血缘宗法制和中央集权专制制度等特征的社会形态。作为一种社会形态，亚细亚生产方式的性质和定位一直是世界学术界争论的焦点：其一，亚细亚生产方式是人类社会普遍存在的阶段，还是东方社会特有的一种社会形态呢？其二，亚细亚生产方式是否是五种社会形态之外的一种独立的社会形态，还是五种社会形态中的哪一种或数种社会形态的混合体？显然，这就需要我们从马克思恩格斯的文本出发，结合当时的历史语境，科学确定亚细亚生产方式的历史定位。

虽然马克思恩格斯科学扬弃了亚细亚生产方式的概念，但是并没有否定亚细亚生产方式在马克思主义社会形态理论形成和发展过程中的地位。在《德意志意识形态》中，马克思恩格斯指出："第一种所有制形式是部落〔Stamm〕所有制。这种所有制与生产的不发达阶段相适应，当时人们靠狩猎、捕鱼、畜牧，或者最多靠耕作为生。……第二种所有制形式是古典古代的公社所有制和国家所有制。这种所有制首先是由于几个部落通过契约或征服联合为一个城市而产生的。……第三种形式是封建的或等级的所有制。古代的起点是城市及其狭小的领域，中世纪的起点则是乡村。"[①] 这里，他们从分工的角度把资本主义以前的历史分为部落所有制、古典古代的公社所有制和国家所有制、封建的或等级的所有制，并将部落所有制看作是人类社会发展的第一个阶段，将后两种所有制形式看作是西欧的奴隶社会和封建社会。这三种所有制形式在历史上是先后出现的、由低级向高级阶段依次更迭演替的。这里，前资本主义的三种所有制形式加上资本主义社会和共产主义社会，表明了他们已经初步提出了五种社会形态理论。然而，在部落所有制阶

---

① 《马克思恩格斯选集》第 1 卷，人民出版社 2012 年版，第 148—149 页。

段,"分工还很不发达,仅限于家庭中现有的自然形成的分工的进一步扩大。因此,社会结构只限于家庭的扩大:父权制的部落首领,他们管辖的部落成员,最后是奴隶。潜在于家庭中的奴隶制,是随着人口和需求的增长,随着战争和交易这种外部交往的扩大而逐渐发展起来的。"[1] 显然,部落所有制阶段并非是没有阶级和私有制的原始社会,而是存在着父权制和奴隶,反映的是原始社会末期和奴隶社会初期的一些情况,是原始社会末期和奴隶社会初期的结合体。

虽然马克思恩格斯19世纪40年代关于人类社会原初阶段的论述值得商榷,但这主要是因为文化人类学进化论学派还没有兴起和发展,人们对原始社会还知之甚少。19世纪50年代,通过对东方社会这一通向史前社会的中介的研究,马克思首先独立地发现了印度村社的存在,并通过印度村社和恩格斯一道发现了亚细亚生产方式的存在,并分析了其主要特征。亚细亚社会并非是没有阶级和私有制的原始社会,而是存在着中央集权的专制政府、君主和阶级等阶级社会的因素,因此,亚细亚社会实质上是阶级社会。然而,亚细亚生产方式又与西欧的奴隶社会和封建社会存在着根本不同,因此,亚细亚社会究竟是人类社会发展的原初形态还是东方社会特有的社会形态成为马克思恩格斯研究的重点。然而,由于他们对史前社会还知之甚少,因此将亚细亚生产方式看作是人类社会发展的第一个阶段。19世纪70年代后,在深入研究文化人类学成果和以俄国村社为代表的东方村社的基础上,马克思恩格斯最终用原始社会的科学概念和东方社会理论扬弃了亚细亚生产方式的概念。显然,没有亚细亚生产方式的概念,就无法确立原始社会在人类社会发展中的原生形态问题,也就无法发展和完善马克思主义社会形态理论。

总之,亚细亚生产方式在马克思主义发展进程中占据重要地位,是马克思恩格斯发展和完善马克思主义社会形态理论的关键一环。

---

① 《马克思恩格斯选集》第1卷,人民出版社2012年版,第148页。

第四节　东方社会的结构和性质

在研究东方社会的历史进程中，马克思恩格斯对东方社会的结构和性质展开了深入的研究，全面科学地分析了东方村社和史前公社的区别和联系，以及东方村社的社会结构、社会性质和社会解体等问题。

一、史前公社和农业公社的区分

史前公社就是指原始公社，农业公社主要是指东方村社。在马克思恩格斯所处的时代，虽然资产阶级开创了世界历史，将整个世界纳入到资本主义生产体系之中，但由于各个国家和民族生产力发展水平不同，因此，世界范围内不仅有许多国家仍然处于前资本主义社会，还存在着处于原始社会阶段的美洲印第安人部落。可见，史前社会不仅是一个历史概念，还是客观存在的现实。同时，由于东方社会存在着一些处于原始社会末期的氏族公社，保留着史前社会的一些成分，因此，史前社会和东方社会在外延上存在着一定程度的交叉和重合。因此，科学区分史前公社和农业公社是马克思恩格斯研究东方社会过程中必须解决的重要问题。

19 世纪 70 年代后，在充分吸收文化人类学研究成果的基础上，通过对俄国村社为典型的农业公社的深入研究，马克思恩格斯改变了之前将次生形态的农村公社当作原生形态的史前公社的观点。恩格斯在 1875 年《论俄国的社会问题》中指出，农村公社并非俄国所特有的现象，西欧国家也有。这是人类社会发展过程中一切民族都必经的一个阶段，西欧国家的公社只是由于生产力的发展而解体了。在 1881 年给查苏利奇的复信的初稿中，马克思明确指出："日耳曼人的农村公社是从较古的类型的公社中产生出来的。在这里，它是自然发展的产物，而决不是从亚洲现成地输入的东西。在那里，在东印度也有这种农村公社，并且往往是古代形态的最后阶段或最后时期。"①显然，无论是印度公社还是日耳曼公社，都是从较古类型的公社中产生的，都是农村公社，而并非史前公社。这样，马克思就明确将史前公社和农村公社区分开来，并运用比较分析法科学地厘清了二者的区别。其一，社会关系的区别。原始公社是建立在公社成员的血缘亲属关系上的。在这些公社中，只容许有血缘亲属或收养来的亲属，其结构是系谱树的结构。而农业公社割断了这种牢固然而狭窄的联系，更能够扩大范围并经受得住同外界的接触，是最早的没有血缘关系的自由人的社会组织。其二，财产关系的区别。在原始公社中，公共房屋和集体住所是社会的经济基础，是社会的物质基础之一。但是，在农业公社中，房屋及其附属物——园地，已经成为农民的私有财产。其三，分配方式的区别。在原始公社中，生产是共同进行的，只有产品才拿来分配。这种原始类型的合作生产或集体生产显然是单个人的力量太小的结果，而不是生产资料社会化的结果。在农业公社中，虽然耕地仍然是公有财产，但定期在各个社员之间进行分配，因此，每个农民自力经营分配给他的田地，并且把产品据为己有。其四，解体原因的不同。原始公社的解体是自然历史发展的结果，而俄国村社的解体是人为造成的。可见，农村公社和史前公社之间存在着本质的区别。

马克思恩格斯阐述了原始公社和农村公社之间的联系。在给查苏利奇的复信的三稿中，马克思指出，在社会演进过程中，农村村社是原始公社进化链条中的最近类型，"农业公社既然是原生的社会形态的最后阶段，所以它同时也是向次生形态过渡的阶段，即以公有制为基础的社会向以私有制为基础的社会的过渡。不言而喻，次生形态包括建立在奴隶制上和农奴制上的一系列社会。"②可见，农业公社是原始公社的最近的类型，是从公有制到私有制、从原生形态到次生形态的过渡时期。同样，在1894年《〈论俄国的社会问题〉跋》中，恩格斯根据最新的研究资料指出："土地公有是一种在原始时代曾经盛行于德意志人、凯尔特人、印度人，总而言之曾经盛行于一切印度日耳曼语系各民族中的占有形式，这种占有形式，在印度至今还存在，在爱尔兰和苏格兰，只是不久前才遭到暴力压制，在德国，甚至现在在一些地方还能见到；这是一种衰亡中的占有形式，它实际上是所有民族在一定的发展阶段上的共同

---

① 《马克思恩格斯选集》第3卷，人民出版社2012年版，第823页。
② 《马克思恩格斯选集》第3卷，人民出版社2012年版，第836页。

现象。"① 可见，史前公社是一切民族的发展阶段，农村公社是史前公社发展链条中的一个环节。这样，马克思恩格斯就科学区分了史前公社和农村公社，将东方社会研究推向前进。

总之，马克思恩格斯科学地揭示了原始公社和农业公社的区别和联系，为深入研究史前社会和东方社会奠定了重要的基础。

二、东方农业公社的社会结构

在研究东方社会的过程中，马克思恩格斯发现，由于东方村社的存在，使得东方国家的社会结构和土地所有制形式不同于西欧资本主义国家，因此，他们对农业公社的社会结构进行了长期深入的研究。

东方农业公社的经济结构。在东方国家，在经济上占统治地位的是自给自足的小农经济，是小农经济和家庭手工业为核心的结合。这种经济结构持续的时间很长，因此，具有很强的生命力。在这种经济结构被打破之前，东方国家无需过多地进口西方的工业制成品。在发现了印度公社之后，马克思指出与印度村社制度对应的是大批建立在家庭工业基础上的家庭式公社，主要是手工业和传统农业的特殊结合。马克思在《菲尔笔记》中指出，虽然在自给自足的小农经济下，印度的孟加拉公社的耕种主要是以自己为主，但是也存在各个家庭耕地数量多少不等的情况，需要相应的劳动力。在那里，"没有英国那样的纯农业阶级。小农，或家庭的闲散人手，都在闲暇时间受雇在领家土地上干活；某些村社的某个种姓例如纺工种姓的行业衰亡了，{该种姓的}成员就不得不用体力劳动谋生，有的也同样受雇做农活。"② 显然，村社制度下的经济结构，仍然是将劳动力限制在村社的范围之内，以维持自给自足的小农经济。在研究俄国村社的基础上，马克思恩格斯对农村公社的经济结构有了更深入的把握，科学把握了农村公社的二重性，既掌握了村社内的公有地要定期进行重新分配之外，其所有制属于公社而非农民自身，但是农民可以掌握劳动产品，又了解到房屋和园地已经成为农民的私有财产。总之，通过对印度村社和俄国村社的

---

① 《马克思恩格斯选集》第 4 卷，人民出版社 2012 年版，第 307—308 页。
② 《马克思古代社会史笔记》，人民出版社 1996 年版，第 371 页。

研究，马克思恩格斯厘清了东方农业村社的经济结构。

东方农业公社的政治结构。1853 年，在《不列颠在印度的统治》一文中，马克思论述了印度村社的政治结构：各个村社都有固有的管理机构及其官员和职员，主要包括帕特尔（居民首脑）、卡尔纳姆（负责督察耕种情况）、塔利厄尔（搜集关于犯罪和过失的情况）和托蒂（保护庄稼和帮助计算收成）、边界守卫员（负责保护村社边界）、婆罗门（主持村社的祭祀）和教师等，在一定程度上构成了一个地方的自治机构。村社居民们在这种简单的自治制的管理形式下生活，只要自己的村社完好无缺、内部的经济生活没有发生改变，外界发生的一切事情都与其无关。显然，印度村社内部有自己相对完整的管理机构，可以自己管理自己。当然，这种自治性和村社之间的分散性、孤立性是紧密相连的。在《柯瓦列夫斯基笔记》中，马克思摘录道："在《摩奴法典》中并没有关于公社管理组织的任何条文；可是，《耶遮尼雅瓦勒基雅法典》和《那罗陀法典》都证实由公社自己任命公社长（首领），两部法典都劝告人们选举通晓自己的职责、大公无私、清廉自守的人担任公社长，都规定公社成员绝对服从这样选举出来的人员的决定（指示）。"① 可见，印度村社在很早的历史时期就开始自己选举和任命首领，实行自治。在《菲尔笔记》中，马克思揭示了东西方社会的不同政治结构："在欧洲，与东方不同，代替了实物贡赋的是对土地的支配——耕作者被从他们的土地上赶走，沦为农奴或劳工。在东方，在村社制度下，人民实际上是自己管理自己的，贵族阶级的首领们的权力之争主要是争夺卡查理—塔比尔的控制权。"② 由于村社的存在，使得东方社会较为发达，承担了很多国家应该承担的职能。总之，自治性是东方村社的政治结构的重要特点。

东方农业公社的文化结构。一定社会的文化结构是其经济结构和政治结构在文化领域中的集中反映，受经济结构的决定和政治结构的制约，也反作用于经济结构和政治结构。印度村社重视文化建设，设有主持村社的祭祀的婆罗门和负责教育村社成员的教师。在农村村社的发展过程中，法律也发挥了重要作用。印度的《耶遮尼雅瓦勒基雅法典》和《那罗陀法典》都对选举公社的首领作出了相应的劝告。由于生产力的低下，东方村社在文化方面尤其是道德方面

---

① 《马克思古代社会史笔记》，人民出版社 1996 年版，第 45 页。
② 《马克思古代社会史笔记》，人民出版社 1996 年版，第 433 页。

表现出了两重性。一方面，农村村社的社员之间有着守望相助的传统。在《柯瓦列夫斯基笔记》中，马克思摘录道："他们由血缘关系、比邻而居和由此产生的利害一致结合在一起，能够抗御各种变故，他们受害只不过是暂时的；危险一过，他们照旧勤勉地工作。遇有事故，每一个人都可以指望全体。"① 可见，公社成员之间相互帮助，有助于抵御各种天灾人祸。对此，在 1870 年 2 月 17 日致路德维希·库格曼的信中，马克思在论述俄国村社时指出："公社所有制并没有造成贫困，恰恰相反，只有它才减轻了贫困。"② 可见，公社所有制有利于减轻贫困。另一方面，公社的孤立性、软弱性和停滞性也使得公社社员的思想极为僵化和野蛮。在论述印度村社时，马克思指出：农业公社"使人的头脑局限在极小的范围内，成为迷信的驯服工具，成为传统规则的奴隶，表现不出任何伟大的作为和历史首创精神"③。这就使得大部分人安于现状、不敢甚至不愿去反抗征服者的统治和奴役。同时，这种文化又产生了一种野性的、盲目的、放纵的破坏力量，不仅表现为种族与种族之间、部落与部落之间长期旷日持久的战争，还表现为杀害生命成为印度的一种重要的宗教仪式。总之，东方农业公社有着自己独特的文化结构，维持着自身的运行和发展。

　　东方农业公社的社会结构。和政治结构一样，村社的社会结构的重要特点也是自治性。在研究俄国村社的过程中，马克思揭示了俄国社会分解为许多固定不变、互不联系的村社，构成了东方专制制度的基础的现象。在 1881 年给查苏利奇的复信的二稿中，马克思指出："农村公社的孤立性、公社与公社之间的生活缺乏联系，这种与世隔绝的小天地，并不到处都是这种最后的原始类型的内在特征，但是，在有这一特征的任何地方，它总是把集权的专制制度矗立在公社的上面。"④ 可见，农村村社构成了东方专制制度的社会基础。当民粹派提出俄国村社自身能生长出社会主义的因素时，恩格斯在 1894 年《〈论俄国的社会问题〉跋》中指出，"俄国的公社存在了几百年，在它内部从来没有出现过要把它自己发展成高级的公有制形式的促进因素"⑤。显然，发展缓慢是农村公社社会结构的重要特点。同时，在村社的结构下，社会发挥着重要的

① 《马克思古代社会史笔记》，人民出版社 1996 年版，第 92 页。
② 《马克思恩格斯文集》第 10 卷，人民出版社 2009 年版，第 320 页。
③ 《马克思恩格斯选集》第 1 卷，人民出版社 2012 年版，第 853—854 页。
④ 《马克思恩格斯全集》第 25 卷，人民出版社 2001 年版，第 473 页。
⑤ 《马克思恩格斯选集》第 4 卷，人民出版社 2012 年版，第 311 页。

作用，社会成员通过村社自己管理自己，而非直接通过国家来治理。在此情形下，虽然村社的首领享有一定的权力，但是他们并非政府任命的官员，且其权力是可控的。在《菲尔笔记》中，马克思指出："首领从耕作者那里所能取得的产品份额不是由他自己任意决定，也不是通过讨价还价决定，而是由习俗或惯例决定，在这方面，村社潘查亚特是最高权威，首领无权剥夺耕作者的土地。"[1] 显然，村社首领只是东方社会实现社会自治的一个手段。中国传统社会实行数千年的乡绅自治一定意义上也是村社条件下社会自治的体现。总之，东方社会具有一种社会高度自治的社会结构。

可见，只有全面理解和把握东方农村公社的经济、政治、文化和社会等方面的结构，才能科学全面把握东方社会的性质和面貌。

三、东方农业公社的社会性质

在研究东方社会和东方农业村社的过程中，马克思恩格斯发现东方农业公社具有公有和私有的二重性，这样，就为全面科学研究东方社会打下了坚实的基础。

19世纪70年代初，在研究俄国村社的过程中，马克思初步意识到农业村社的二重性。从1870年12月中旬起，马克思曾几次会见俄国女革命家托马诺夫斯卡娅并讨论了俄国村社的前途问题。1871年1月7日，托马诺夫斯卡娅在给马克思的信中指出："至于您在有关俄国公社土地所有制的命运问题上所预见的二者必择其一，那末，遗憾的是，它的解体和转为小私有制是十分可能的。"[2] 或许受之启发，马克思明确提出俄国村社具有公有和私有的二重性，并揭示了在公有制和私有制并存下的农村公社的两种不同的发展命运，即或者是公有战胜私有，使村社在更高形式上发展，或者是私有战胜公有，导致农村公社的解体。1881年，在给查苏利奇的复信的初稿中，马克思明确阐述了农业公社的二重性及其导致的两种不同的历史命运。一方面，公社内部的耕地是公有财产，定期在其成员之间进行分配，农民自己耕种自己的土地，产品

---

① 《马克思古代社会史笔记》，人民出版社1996年版，第430页。
② 《马克思恩格斯与俄国政治活动家通信集》，人民出版社1987年版，第69页。

归为己有；另一方面，在公社内，房屋和园地已经是农民的私有财产。在此情形下，"'农业公社'所固有的二重性能够赋予它强大的生命力，因为，一方面，公有制以及公有制所造成的各种社会联系，使公社基础稳固，同时，房屋的私有、耕地的小块耕种和产品的私人占有又使那种与较原始的公社条件不相容的个性获得发展。但是，同样明显，这种二重性也可能逐渐成为公社解体的根源。"① 显然，农业公社具有公有和私有的这种二重性在赋予农业公社强大的生命力的同时，也是其解体的根源，因此，农业公社面临着两种可能的发展命运：一种是集体因素战胜私有因素，使农村公社获得新生；一种是后者战胜前者，使农村公社彻底瓦解。

在揭示农业公社二重性的基础上，马克思恩格斯从俄国当时面临的具体的历史条件出发，揭示了农业公社的历史命运。从土地所有制来看，虽然 1861 年改革使得资本主义在俄国不可避免地得到了发展，也造成了部分农业公社的解体，但是即便如此，在马克思所处的时代，公社仍在全国范围内保存了下来。到了 1894 年，"在俄国，全部耕地的半数左右却仍然是农民公社的公有财产。"② 可见，土地公社所有制是俄国村社的经济基础。从生产方式来看，俄国农民习惯于劳动组合关系。虽然这种劳动组合是当时生产力低下的产物，但是客观上这种集体生产方式有助于农民从小地块劳动向合作劳动过渡。恩格斯在 1893 年 2 月 24 日给丹尼尔逊的信中指出："毫无疑问，公社，在某种程度上还有劳动组合，都包含了某些萌芽，它们在一定条件下可以发展起来，使俄国不必经受资本主义制度的苦难。"③ 可见，俄国可以在一定条件下不经受资本主义的苦难。然而，由于 1861 年改革使俄国走上资本主义道路，俄国村社也不可避免地走向解体，加上在高利贷、苛捐杂税、外国资本的入侵等一系列因素的作用下，农业公社内部的私有制因素不断增多，其解体的过程也在加快。显然，在世界历史的条件下，"'农业公社'的构成形式只能有两种选择：或者是它所包含的私有制因素战胜集体因素，或者是后者战胜前者。先验地说，两种结局都是可能的，但是，对于其中任何一种，显然都必须有完全不同的历史环境。一切都取决于它所处的历史环境。"④ 显然，俄国村社结构的固有特征和

---

① 《马克思恩格斯选集》第 3 卷，人民出版社 2012 年版，第 824 页。
② 《马克思恩格斯选集》第 4 卷，人民出版社 2012 年版，第 310 页。
③ 《马克思恩格斯选集》第 4 卷，人民出版社 2012 年版，第 639 页。
④ 《马克思恩格斯选集》第 3 卷，人民出版社 2012 年版，第 824 页。

内在矛盾决定了俄国发展前景具有两种可能性。简言之，农业公社的二重性及其面临的具体条件决定了农业公社的不同发展道路。

总之，科学阐明农业公社的二重性，是马克思恩格斯推进东方社会研究的重要一环。

四、东方农业公社的社会解体

在研究东方社会的过程中，马克思恩格斯全面研究和科学揭示了东方农业村社的解体的原因及其影响。

东方农业公社解体的原因。从一般意义上讲，农业公社自身的私有制因素就是导致其解体的主要原因。对此，马克思在1881年给查苏利奇的复信的初稿中明确指出："撇开敌对环境的一切影响不说，仅仅从积累牲畜开始的动产的逐步积累（甚至有像农奴这样一种财富的积累），动产因素在农业本身中所起的日益重要的作用以及与这种积累密切相关的许多其他情况（如果我要对此加以阐述就会离题太远），都起着破坏经济平等和社会平等的作用，并且在公社内部产生利益冲突，这种冲突先是使耕地变为私有财产，最后造成私人占有那些已经变成私有财产的公社附属物的森林、牧场、荒地等等。"[①] 如果任由农村公社内部的私有制因素的发展，必然会导致其私有制的程度不断增加，进而导致自身不可避免地走向解体。在历史上，西欧的日耳曼公社、斯拉夫公社和马尔克公社都是因为内部生产力水平的发展而逐渐走向解体的。与之不同的是，东方国家是被西方国家的机器大工业和坚船利炮裹挟着进入世界历史的，因此，东方农业公社的解体与西欧资本主义的发展和殖民入侵密切相关。

俄国村社解体的原因。虽然1861年农奴制改革规定农民可以获得一块份地，但是要缴纳一定的赎金，而这笔赎金又超出了大多数农民的支付能力范围，因此，他们不得不以土地为抵押物向地主或者高利贷者贷款，在无力还贷时就失去了自己的土地，进而导致了大地产的发展和村社的解体。农奴制改革使俄国不可避免地走上了资本主义道路，从根本上瓦解了农村公社。在1875年《论俄国的社会问题》中，恩格斯指出："俄国向资产阶级的方向继续发展，

---

① 《马克思恩格斯选集》第3卷，人民出版社2012年版，第824页。

即使没有俄国政府的'刺刀和皮鞭'的任何干涉，在这里也会把公社所有制逐渐消灭掉的。"① 然而，俄国的资本主义是一种畸形的发展，与之相伴的是国家的苛捐杂税的日益增多和高利贷的迅速发展。因此，在分析俄国村社和原始公社的区别时，马克思指出，原始公社的解体是自然发展的结果，而俄国农村的解体是人为的结果。当然，这种人为原因同样要经过改变农村公社内部的关系结构才能发挥作用。对此，恩格斯在 1894 年的《〈论俄国的社会问题〉跋》指出："随着自然经济向货币经济的过渡，各地出现了混乱局面，在公社社员中间出现了巨大的财产差别——穷人沦为富人的债务奴隶。总而言之，那种在梭伦之前曾经因货币经济的渗入导致雅典氏族解体的过程，在这里开始导致俄国公社解体。"② 这就揭示出，货币因素是导致俄国农村公社解体的主要原因。总之，俄国村社解体是世界历史条件下俄国自身的发展历程推动的。

印度村社解体的原因。由于印度很早就沦为英国的殖民地，成为后者的原料产地和商品销售市场，因此，印度村社的解体与英国的侵略密切相关。在马克思恩格斯之前，柯瓦列夫斯基就看到了印度公社注定要灭亡的特征，强调外部的因素对东方传统社会的破坏作用，指出英国资本主义的入侵必然导致印度公社的灭亡。在殖民地条件下，公社内部的高利贷者、投机商人以及和殖民者合作并从中获益的暴发户，也是导致公社必然灭亡的重要原因。在《柯瓦列夫斯基笔记》中，马克思摘录道："印度人由于接触欧洲文化，奢侈之风便发展了起来。他们往往耗费自己收入的一半，来举办婚礼等等；他们为此举债，付出高利贷的利息，[在一切实行非资本主义生产并以农业为主的国家里，都可以看到高利贷的发展] 并且利用英国人给予他们的出让份地的自由，把份地抵押给高利贷者。当还债期到来的时候，农民们通常却没有足够的钱。高利贷者提出诉讼，并且不费多大开销，无须迁延，就能获得对公社份地的所有权。"③ 这样，高利贷者就成为公社社员，接着又用同样的办法扩大自己的地产。而以前的公社所有制不是被逐出自己先前的土地，就是成为佃农留在原地。于是，城市的高利贷者的土地所有权逐渐地取代了公社所有权，进而导致了公社的解体。显然，柯瓦列夫斯基将外部资本主义的入侵看作是导致公社必然灭亡的根

---

① 《马克思恩格斯选集》第 3 卷，人民出版社 2012 年版，第 331 页。
② 《马克思恩格斯选集》第 4 卷，人民出版社 2012 年版，第 314—315 页。
③ 《马克思古代社会史笔记》，人民出版社 1996 年版，第 94—95 页。

本原因。马克思不仅在《柯瓦列夫斯基笔记》中详细摘录了印度村社解体的原因及其影响，还在《印度史编年稿》中详尽摘录和叙述了18世纪后半期和19世纪前半期印度的土地关系和英国的统治对这一关系的影响。在此基础上，马克思运用阶级分析法，批判了以梅恩为代表的资产阶级学者关于村社解体原因的错误观点。为了论证资产阶级的殖民侵略和掠夺的合理性，梅恩一再辩称是印度公社的落后导致了其必然解体，还强调西方国家的殖民统治促进了当地的发展和进步并给当地人民带来了幸福。对此，马克思在给查苏利奇的复信的三稿中严正地指出："至于比如说东印度，那么，大概除了亨·梅恩爵士及其同流人物之外，谁都知道，那里的土地公有制是由于英国的野蛮行为才被消灭的，这种行为不是使当地人民前进，而是使他们后退。"[①] 显然，印度村社解体的主要原因是英国的殖民侵略。

农业公社解体产生的影响。客观上说，无论是俄国社会发展过程中人为的原因导致了村社的解体，还是英国的殖民入侵导致了印度村社的解体，都对生活在农业公社中的农民产生了巨大的伤害，使他们失去长期以来赖以为生的土地，沦为贫民或者无产阶级。在这个意义上，马克思鲜明地驳斥了梅恩等资产阶级学者关于英国的殖民入侵给印度社会带来的进步的荒谬观点，站在世界历史的高度揭露和批判英国殖民者运用各种手段对印度的侵略及其造成的巨大灾难，强调英国的殖民入侵才是印度村社解体的真正原因，而公社的解体又给印度社会造成了严重的灾难。在《柯瓦列夫斯基笔记》中，马克思指出："公社团体的瓦解过程，并不以确立小农所有制为限，而且不可避免地导致大土地所有制。如上所述，由于与公社毫不相干的资本家阶级侵入公社内部，公社的宗法性质就消失了，同时公社首领的影响也消失了；一切人反对一切人的战争开始了。"[②] 当然，不可否认的是，俄国村社的解体打破了俄国传统的村社结构，客观上为俄国资本主义的发展提供了必要的劳动力、资金和原料产地，有利于推进俄国资本主义的发展；印度村社的解体也打破了印度传统的社会结构，使印度不得不融入世界历史的发展历程中去，客观上有利于印度社会向西方国家学习先进的科学技术，实现自身的发展。简言之，东方农村社会的解体的社会影响具有双重性。

---

① 《马克思恩格斯选集》第3卷，人民出版社2012年版，第834页。
② 《马克思古代社会史笔记》，人民出版社1996年版，第98页。

总之，农村公社的解体有复杂的原因，其解体的影响亦是复杂的。

五、东方社会发展的可能性及其选择

在世界历史条件下，马克思恩格斯强调东方社会的发展不仅取决于东方国家自身的历史传统和现实条件，还取决于西欧资本主义社会的发展，论述了东方社会发展的可能性及其选择，为其发展指明了科学的方向。

东方社会的发展道路与自身的历史传统和社会结构密切相连。由于东方国家在经济、政治、文化等社会结构方面与西方国家存在着很大的差异，尤其是由于东方社会存在农业公社和土地公有制，因此，将西方资本主义的发展道路简单地照搬到东方国家显然是不科学的。俄国民粹派曾抓住农业公社这一东方社会结构与西欧社会结构最大的不同，对俄国发展道路进行探索。特卡乔夫在《人民与革命》中指出："村社正站在两条道路交叉的十字路口上：一条道路通向共产主义的王国，另一条则通向个人主义的王国；生活把村社推向哪里，它就会走向哪里。如果生活既不把它推向这一方，也不把它推向另一方，那么它就会永远停留在十字路口上。村社本身没有任何可以推动它前进或后退的东西；它的组成部分都处于稳定的平衡状态之中。这就是为什么几个世纪以来村社几乎没有丝毫变化的原因，这就是为什么自行其是的村社还能够千百万年维持现状的原因。"[①] 在特卡乔夫看来，在农业公社基础上，俄国可能面临三种可能性：资本主义发展道路、社会主义发展道路和保持原样。当然，民粹派强调村社的优越性，不仅认为俄国农民是天生的社会主义者和共产主义者，也认为俄国农业公社是直接进入共产主义社会的历史起点。

东方社会的发展道路与西欧资本主义国家的发展密切相连。在西方资产阶级开创的世界历史的语境中，东方国家被西方国家裹挟到世界历史的进程中去，其发展无法脱离西方资本主义的发展状况，不仅受西方资本主义发展的影响和制约，也在一定程度上影响着西方资本主义的发展。不可否认的是，在世界历史形成之前，东方社会依靠自身的力量的发展相对缓慢。然而，西方国家

---

① ［俄］彼·尼·特卡乔夫：《人民与革命》，《俄国民粹派文选》，人民出版社 1983 年版，第 408—409 页。

的殖民入侵、廉价的商品打破了东方国家的闭关自守的状态，使其发展轨迹发生了明显的改变。在此过程中，印度迅速地沦为英国的殖民地，其发展的自主性完全丧失，成为英国的附庸，也间接成为英国侵略中国的前沿阵地和重要工具。这样，在印度，在主要完成了破坏使命的同时，英国也充当了历史的不自觉的工具，客观上为印度社会的重建打下了一定的基础。因此，印度社会走上了西方资本主义发展道路，成为资本主义世界体系中的一个重要因子。显然，印度走上资本主义发展道路，是在纯粹的西方殖民入侵即外力作用下完成的，而并非依靠自身力量。同时，在西方资本主义的入侵下，中国虽然没有像印度那样完全沦为西方的殖民地和附庸，但是也迅速沦为半殖民地，成为资本主义世界市场和世界体系的半边缘部分。在此情形下，中国社会的发展和变革受西方国家的影响很大。例如，导致中国太平天国起义爆发的一个重要原因就是西方国家的殖民入侵。在马克思看来，中国社会的发展也会对西方国家产生一定的影响，中国革命可以引发欧洲革命。可见，在世界历史条件下，中国不再是一个从属于西方资本主义国家并且跟在其后面亦步亦趋的被压迫被殖民的国家，可以不断推动自身向前发展。1857年，在《波斯和中国》一文中，恩格斯在对中国社会进行全面分析的基础上科学地预测了中国革命和中国社会发展前景："过不了多少年，我们就会亲眼看到世界上最古老的帝国的垂死挣扎，看到整个亚洲新纪元的曙光。"[1] 在马克思恩格斯看来，中国作为一个东方大国，有着光明的发展前景。

19世纪70年代后，在科学扬弃民粹派村社理论和深入研究文化人类学进化论学派研究成果的基础上，通过对俄国村社和俄国发展道路的深入研究，马克思恩格斯发现了俄国村社是史前公社发展链条上的最近一环，兼具公有和私有的性质，既可能朝着公有的方向发展，也可能朝着私有的方向发展。随着1861年改革的推进，俄国农村公社的解体程度不断扩大，农村公社内的私有制因素和资本主义因素不断发展，客观上加剧着农村公社的解体，使得俄国走上资本主义发展道路。对此，马克思在1877年《给〈祖国纪事〉杂志编辑部的信》中指出："如果俄国继续走它在1861年所开始走的道路，那它将会失去当时历史所能提供给一个民族的最好的机会，而遭受资本主义制度所带来的一

---

[1] 《马克思恩格斯选集》第1卷，人民出版社2012年版，第800页。

切灾难性的波折。"①可见，俄国存在着很大的可能走上资本主义发展道路。同时，在世界历史条件下，如果俄国能够抓住世界历史的历史机遇，积极利用农村公社的历史传统和优势，就有可能不通过资本主义"卡夫丁峡谷"，而占有资本主义的一切积极的成果，进而直接走上社会主义发展道路。无论走社会主义发展道路，还是走资本主义发展道路，都取决于具体的历史环境。

事实上，在人类社会发展进程中，所有生产方式都有自身发展的内在动力机制，都是由各种相互冲突的力量组成。这些力量的相互对立和作用导致了各个生产方式的变动、发展乃至解体。在一定阶段，导致这个社会稳定的因素可能得以确立并占据主导地位，因此，这个社会的经济、政治、文化和社会的制度就可以保持相对稳固的地位。亚细亚生产方式也是如此。"亚细亚生产方式，表面上好像是一种停滞的经济形态，但在它的内部，导致这种经济形态解体的力量已在起作用。各种生产职能的专门化和社会分工的发展，农村公社彼此之间相互依赖的发展，由此产生的社会的生产单位同消费单位之间的分离和对立；商品交换的发展和扩大；以及私人地租和公共税收的分离——二者起初是难以区别的，从这个意义上来说，二者的分离就是剩余价值形式中的质变——，这些都是在亚细亚生产方式和东方社会内部起作用的历史发展。这些内在因素不曾导致亚细亚生产方式的解体和转变，但不是由于这些因素缺少动力；相反，一种导致东方社会本身结束的外在力量即早期资本主义殖民化力量的介入，中断了亚细亚生产方式的解体过程。"②显然，和任何一种生产方式一样，亚细亚生产方式也具备不断发展的内部力量，只是这一进程比较缓慢，且被西方的殖民入侵所打断。在《印度史编年稿》和《柯瓦列夫斯基笔记》中，马克思以大量篇幅谴责和论述了英国给印度带来的深重灾难，没有提及任何英国侵略给印度造成的积极影响，不再强调英国殖民主义给印度带来的双重影响。这表明马克思更加强调东方国家可以主动参与世界历史进程，而不只是被动接受。东方国家有自身的发展方式，即便没有西方殖民入侵，它们也可以主动参与到世界历史进程中去，只是可能会更加缓慢而已。这就从根本上否定了东方国家一定要接受西方殖民入侵带来的血与火的代价，并按照西方国家的方

---

① 《马克思恩格斯选集》第3卷，人民出版社2012年版，第728页。

② ［美］劳伦斯·克拉德：《进化论、革命和国家：马克思与他的同时代人达尔文、卡莱尔、摩尔根、梅恩和柯瓦列夫斯基的批判关系》，《马克思主义来源研究论丛》第15辑，商务印书馆1993年版，第182—183页。

式和要求跟在它们后面亦步亦趋地进入世界历史进程的观点。

总之，在世界历史语境中，东方社会的发展存在着各种可能性，而各个具体的国家走何种发展道路，取决于其所处的具体的历史环境和历史条件。

第五节　不通过资本主义"卡夫丁峡谷"的科学设想

19 世纪 70 年代后，马克思恩格斯以俄国为解剖对象，对东方社会展开较为全面深入的研究，同时结合俄国村社在世界历史条件下面临的国内外环境，提出了"不通过资本主义制度'卡夫丁峡谷'"的科学设想，指出东方社会可以走出一条跨越式的非欧发展道路，将他们对东方社会发展道路的探索推向了一个新的高度。

一、俄国民粹派探讨俄国跨越发展的努力

俄国社会发展道路问题是 19 世纪俄国思想界关注和研究的重点问题。19 世纪中叶，俄国产生了一个带有浓厚空想社会主义思想色彩的小资产阶级流派——民粹派，对俄国社会发展道路进行了长期探索，形成了一套具有自身特色的村社社会主义理论。

由于俄国所处的特殊地理位置和自身所具有的欧亚文化特征，使得俄国一直保持着和东方西方之间的联系，成为东西方交流的桥梁。彼得大帝改革要求俄国向西方学习，加强与西方的交流和合作，使得俄国和西方的联系日益密切。到了 19 世纪前期，由于国内严重的沙皇专制统治和落后的封建农奴制度，不仅使俄国国内各阶层的矛盾日益激化，也使俄国与西欧资本主义国家之间的差距越来越大。俄国究竟向何处走，成为俄国知识分子关心的中心问题。早在民粹派之前，俄国形成了西欧派和斯拉夫派两个重要的自由主义思想派别，对俄国的发展道路问题进行了长期探索和争论。西欧派认为俄国是世界的

一部分，自身没有独特性，并认为西欧文明是世界文明的真正代表，俄国必须以西欧为榜样，必须掌握西方文化的成果，必须采用西欧资本主义生产方式，即主张俄国走西欧的发展道路，代表人物有季·格拉诺夫斯基、康·卡维林、弗·契切林等人。斯拉夫派强调俄国存在东正教和村社等优越于西方的因素，强调俄国历史道路的独特性，反对俄国步西方资本主义道路的后尘，主张探索自己的不同于西欧的发展道路，代表人物有阿·霍米亚科夫、阿克萨科夫兄弟、基列耶夫斯基兄弟等人。显然，民粹派的思想与斯拉夫派的思想有很大的渊源关系。西欧派和斯拉夫派进行了长期的争论，对于民粹派村社思想的形成发挥了一定的作用。

民粹派村社理论最早产生于 19 世纪 40 年代，发轫于俄国伟大的民主主义者赫尔岑。赫尔岑在西欧派和斯拉夫派的争论中扮演了重要的角色，与两派之间都有着一定的渊源和联系，而他的"村社社会主义"思想对后来的民粹派又产生了巨大的影响。赫尔岑曾向往西方的先进文化，并对俄国官方的斯拉夫文化进行过尖锐的批评和斗争，但是，他也对西欧派否定俄国自身文化并全盘接受西欧文化的做法持反对态度。赫尔岑在 1848 年革命期间旅居欧洲，亲眼目睹了革命的失败和资本主义生产方式给广大人民群众带来的深重灾难，从而对西欧资本主义产生怀疑和对西欧文化进行新的反思，进而使他在某些重要观点上向斯拉夫派靠拢，并把目光重新转回俄罗斯。在阅读了哈克斯特豪森关于俄国村社的著作之后，赫尔岑得知他的庄园里的农奴不知道土地私有，而且时常在相互之间重新分配耕地，因此，他对俄国村社和俄国社会进行新的思考，进而提出了"村社社会主义"理论，即俄国在村社的基础上，依靠农民的力量，直接过渡到社会主义。这一思想被俄国另一位伟大的民主主义者车尔尼雪夫斯基继承和发展。"车尔尼雪夫斯基也把俄国农民公社看做从现存社会形式过渡到新的发展阶段的手段，这个新阶段一方面高于俄国的公社，另一方面也高于阶级对立的西欧资本主义社会。俄国拥有这种手段，而西方却没有这种手段，车尔尼雪夫斯基认为这是俄国优越的地方。"[1] 显然，车尔尼雪夫斯基相信可以通过俄国公社过渡到比西欧资本主义更高的社会发展阶段。虽然赫尔岑和车尔尼雪夫斯基不属于民粹派行列，但是，其村社社会主义思想构成了民粹派思想的基础。

---

[1] 《马克思恩格斯选集》第 4 卷，人民出版社 2012 年版，第 309 页。

在吸收借鉴斯拉夫派思想和赫尔岑、车尔尼雪夫斯基的"村社社会主义"思想的基础上，民粹派在新的历史条件下将这一思想向前推进，使之成为一个相对完整的理论体系。那就是，"相信俄国生活的特殊方式，相信俄国生活的村社制度，由此相信农民社会主义革命的可能性"[①]。具体而言，以特卡乔夫为代表的民粹派强调人民主体地位的同时，将人民理想化，认为俄国人民尤其是农民是天生的社会主义和共产主义的选民。当然，人民的理想化是建立在村社的特殊性和村社的理想化的基础之上的。弗列罗夫斯基指出："村社土地所有制至少能在村社内部工人之间合理地分配土地。每一个人都能得到他为充分经营家业所必需的地块；会拨给他草地、林地、大麻田以及一切土地，只要不损害别的工人，能给他多少就给他多少。"[②] 可见，民粹派认为俄国农村公社优越于西方的大土地所有制和小土地所有制。同时，村社还自发地孕育了共产主义精神。"人民的社会理想是自治的村社、个人服从米尔、土地的私人使用权，而决不是私人占有权、连环保，以及村社全体成员兄弟般的团结，总之，这是带有明显的共产主义色彩的理想。"[③] 这里，民粹派将村社理想化，将之打上天然的共产主义色彩，并认为村社孕育了共产主义发芽和成长的种子。同时，民粹派看到了俄国和西方的差异，反对俄国走西欧资本主义发展道路。"难道俄国按其地理位置，按其自然财富，按其土壤条件，按其土地的数量和质量，与英国有任何共同之处吗？难道英国人在俄国土地上能成为他们在自己的岛上形成的那种人吗？我们已经当够了法国人和德国人的猴子，难道我们还要当英国人的猴子吗？不，我们不要英国的经济成熟性，俄国人的胃消化不了它。"[④] 在民粹派看来，由于俄国与西欧国家存在着不同国情，尤其是村社的存在，使俄国可以积极利用村社的共产主义因素，依靠天生的社会主义选民，跨过资本主义发展阶段，直接进入社会主义社会。

总之，虽然民粹派的跨越思想有其不可避免的局限性，但是他们探索俄国

---

① 《列宁全集》第 1 卷，人民出版社 2017 年版，第 233 页。

② ［俄］恩·弗列罗夫斯基：《俄国工人阶级状况》（摘录），《俄国民粹派文选》，人民出版社 1983 年版，第 156 页。

③ ［俄］彼·尼·特卡乔夫：《人民与革命》，《俄国民粹派文选》，人民出版社 1983 年版，第 408 页。

④ ［俄］尼·瓦·舍尔古诺夫、米·拉·米哈伊洛夫：《致青年一代》，《俄国民粹派文选》，人民出版社 1983 年版，第 6 页。

跨越发展的努力及其跨越设想仍然具有重要的价值。

二、马克思跨越设想的形成和发展

不通过资本主义制度"卡夫丁峡谷"设想的形成，不是一蹴而就的，也并非马克思一个人的思想，而是马克思恩格斯长期研究俄国发展道路的理论结晶。

不通过资本主义制度"卡夫丁峡谷"设想的初步形成。针对民粹派思想家特卡乔夫将俄国农民说成是天然的共产主义者、俄国农业公社可以直接进入共产主义等错误论调，恩格斯在1875年的《论俄国的社会问题》中旗帜鲜明地予以驳斥的同时，强调虽然俄国农村公社所有制正在逐渐走向解体，"但是也不可否认有可能使这一社会形式转变为高级形式，只要它能够保留到条件已经成熟到可以这样做的时候，只要它显示出能够在农民不再是单独而是集体耕作的方式下向前发展；就是说，有可能实现这种向高级形式的过渡，而俄国农民无须经过资产阶级的小块土地所有制的中间阶段。"[①] 显然，这一思想的实质与不通过资本主义制度"卡夫丁峡谷"的设想是一致的，但它与民粹派空想的直接跨越理论有着本质区别，强调的是跨越的可能性和条件性，而非必然性。可见，最早提出俄国可能在村社的基础上进入更高形态社会的思想是恩格斯。这也标志着不通过资本主义制度"卡夫丁峡谷"设想的初步形成。

不通过资本主义制度"卡夫丁峡谷"设想的正式提出。在1881年2月16日给马克思的信中，俄国女革命家查苏利奇请求马克思谈谈对俄国历史发展前景尤其是对俄国公社命运的看法。接到该信后，马克思立即着手回信，先后撰写四封草稿和一封正式复信，充分表明了他对这次复信的重视程度和慎重程度。在复信中，马克思强调西欧资本主义起源的历史必然性仅限于西欧，俄国与西欧面临的具体情况不同，不能盲目照搬西欧国家的发展道路，应该立足自身实际走一条非欧发展道路。针对查苏利奇关于一些人所认为的俄国村社是一种陈腐的形式和村社的历史命运的提问，马克思在给她的复信的初稿中指出，由于俄国特殊国情以及它和资本主义生产是同时存在，因此，俄国可以不经受

---

① 《马克思恩格斯选集》第3卷，人民出版社2012年版，第332—333页。

资本主义生产的可怕的波折而占有它的一切积极的成果。可见，俄国可以在农村公社的基础上不经受资本主义的苦难，而占有其一切积极成果。在深刻分析俄国农村公社的基础上，马克思指出，由于俄国各种独特情况的结合，使得俄国村社仍然在全国范围内保存下来，而保存下来的村社又与资本主义生产同时存在。因此，俄国面临两种可能的发展前途，即是摧毁农村公社以过渡到资本主义制度呢，还是在村社的基础上不经受资本主义的苦难，而占有资本主义制度的全部成果呢？对于这一问题，马克思先后四次明确提出俄国农村公社可能不通过资本主义制度的"卡夫丁峡谷"，而占有资本主义制度所创造的一切积极的成果①。这一思想是对马克思恩格斯一再强调的希望俄国立足自身实际走出一条非欧发展道路思想的深化和发展，标志着不通过资本主义制度"卡夫丁峡谷"设想的正式提出。

不通过资本主义制度"卡夫丁峡谷"设想的深化发展。随着实践的发展，马克思恩格斯深化和发展了不通过资本主义制度"卡夫丁峡谷"的设想，使之贯穿于马克思恩格斯东方社会理论形成和发展过程的始终。1882年，马克思恩格斯指出，在俄国革命和西欧无产阶级革命实现互补的情况下，俄国村社的土地公有制将会成为共产主义发展的起点。马克思逝世后，面对着俄国资本主义的进一步发展和农村公社解体进程加快的现实，恩格斯在1892年6月18日给丹尼尔逊的信中提出了一个疑问："工业变革、资本主义的迅猛发展、家庭工业的破坏、公社对牧场及森林的无权地位、农民的自然经济向货币经济的演变以及富农与恶霸的财富和权力的增长等等，对公社的打击连续不断，而公社是否能经受住这些打击呢？"②在此情形下，恩格斯对俄国在村社的基础上进入更高形态的社会的条件进行更加严格的限制，即一再强调其前提和条件：西欧无产阶级革命必须首先取得胜利，且西欧国家给俄国建立一个未来社会的样板。在1893年10月17日给丹尼尔逊的信中，恩格斯指出，像任何其他地方一样，在俄国，从原始的农业共产主义中发展出更高级的社会形态是不可能的。除非这种更高级的社会形态业已存在于其他某个国家，从而起到样板的作用。可见，恩格斯并没有否认这种跨越的可能性，只是进一步限制了实现跨越的条件。在1894年《〈论俄国的社会问题〉跋》中，恩格斯指出："不仅可能

---

① 参见《马克思恩格斯选集》第3卷，人民出版社2012年版，第825、828—829、830、837页。
② 《马克思恩格斯选集》第4卷，人民出版社2012年版，第629页。

而且毋庸置疑的是，当西欧各国人民的无产阶级取得胜利和生产资料转归公有之后，那些刚刚进入资本主义生产而仍然保全了氏族制度或氏族制度残余的国家，可以利用公有制的残余和与之相适应的人民风尚作为强大的手段，来大大缩短自己向社会主义社会发展的过程，并避免我们在西欧开辟道路时所不得不经历的大部分苦难和斗争……这不仅适用于俄国，而且适用于处在资本主义以前的阶段的一切国家。"① 显然，这一思想是对不通过资本主义制度"卡夫丁峡谷"设想的深化和发展，其实质是希望以俄国为代表的东方国家可以在立足自身实际的基础上，走出一条非欧发展道路。

总之，在世界历史的语境中，马克思恩格斯提出并发展了不通过"卡夫丁峡谷"的科学设想，为东方社会走出一条不同于西欧资本主义社会的发展道路指明了方向。

三、俄罗斯实现跨越发展的前提和条件

不通过资本主义制度"卡夫丁峡谷"是一个重大的理论和实践课题，并非简单的跳跃，而是需要一系列的前提和条件。在跨越问题上，马克思恩格斯始终坚持唯物主义的立场。

不通过资本主义制度"卡夫丁峡谷"设想实现的前提是俄国村社能够正常发展。在给查苏利奇的正式复信中，马克思指出："这种农村公社是俄国社会新生的支点；可是要使它能发挥这种作用，首先必须排除从各方面向它袭来的破坏性影响，然后保证它具备自然发展的正常条件。"② 一方面，农村公社若要正常发展，必须爆发俄国革命。1861年改革对农村公社造成了巨大的破坏，使之遭受了严重的危机并逐渐走向解体。要避免农村公社的灭亡，促使其回到正常发展的轨道，就必须用更大的反作用来打破这种破坏性影响。这种更大的反作用就是革命，尤其要有推翻沙皇专制制度的俄国革命。马克思在给查苏利奇的复信初稿中两次明确指出："要挽救俄国公社，就必须有俄国革命。"③ 恩

---

① 《马克思恩格斯选集》第4卷，人民出版社2012年版，第313页。
② 《马克思恩格斯选集》第3卷，人民出版社2012年版，第840页。
③ 《马克思恩格斯选集》第3卷，人民出版社2012年版，第829、832页。

格斯在 1894 年的《〈论俄国的社会问题〉跋》中再次强调："要想保全这个残存的公社，就必须首先推翻沙皇专制制度，必须在俄国进行革命。"[1] 可见，只有革命才能打破不利因素对农村公社的破坏性影响，使之处于符合时代历史发展方向的正常发展的状态。另一方面，农村公社若要正常发展，还必须消除自身二重性中所包含的私有的根源。俄国村社的二重性在赋予自身强大的生命力的同时，也是其解体的根源，使得自身面临着两种可能的发展命运，一种是集体因素战胜私有因素，使农村公社获得新生，一种是后者战胜前者，使农村公社彻底瓦解，而这一切都取决于农村公社所面临的具体的历史条件。在 1893 年 10 月 17 日给丹尼尔逊的信中，恩格斯指出："至于公社，只有在其成员间的财产差别很小的条件下，它才可能存在。这种差别一旦扩大，它的某些成员一旦成为其他较富有的成员的债务奴隶，它就不能再存在下去了。"[2] 显然，如果不消除这种私有的根源的话，农村公社便无法向前发展。总之，只有确保俄国村社正常发展，才能不通过资本主义制度"卡夫丁峡谷"。

不通过资本主义制度"卡夫丁峡谷"设想实现的物质保障是俄国国内需要创造一定的物质条件。马克思指出："要使集体劳动在农业本身中能够代替小地块劳动这个私人占有的根源，必须具备两样东西：在经济上有这种改造的需要，在物质上有实现这种改造的条件。"[3] 这就要求俄国必须采取以下措施：一是要把压在农村公社肩上的各种重担除掉，使农民能够大规模组织起来进行合作劳动；二是俄国村社和控制着世界市场的西方生产同时存在，要积极利用自己与资本主义生产同时存在的有利条件，广泛吸取资本主义制度创造的一切积极成果；三是在公社土地公有制为俄国农民从小地块个体耕种转化为集体耕种创造了必要条件、农民已经习惯于劳动组合关系的情形下，利用俄国村社的土地公有制和土地广袤的优势，利用机器进行大规模组织起来的、实行合作劳动的农业经营；四是由于社会长期以来从农民身上榨取过多，因此，国家还必须为村社的正常发展支付智力的和物质的费用，因为它长久靠"农村公社"生存并且也必须从公社中寻找自己新生的因素，即有义务帮助农民实现向合作劳动和集中耕种的过渡。可见，不通过资本主义制度"卡夫丁峡谷"需要相应的物

① 《马克思恩格斯选集》第 4 卷，人民出版社 2012 年版，第 320 页。
② 《马克思恩格斯文集》第 10 卷，人民出版社 2009 年版，第 664 页。
③ 《马克思恩格斯选集》第 3 卷，人民出版社 2012 年版，第 828 页。

质条件。

　　不通过资本主义制度"卡夫丁峡谷"设想的重要支撑是西欧国家必须爆发无产阶级革命，并在革命胜利后给俄国提供物质帮助和榜样示范。1875 年，恩格斯指出，俄国要在农村公社的基础上转变为高级形式，必须具备一定的外部条件，"即西欧在这种公社所有制彻底解体以前就胜利地完成无产阶级革命并给俄国农民提供实现这种过渡的必要条件，特别是提供在整个农业制度中实行必然与此相联系的变革所必需的物质条件。"[①] 显然，只有西欧国家完成无产阶级革命，并给俄国提供物质帮助，才能使俄国在村社基础上进入更高形态的社会。同时，针对民粹派认为俄国可以在村社基础上直接进入共产主义社会的论调，恩格斯在 1893 年 10 月 17 日给丹尼尔逊的信中指出："在俄国，从原始的农业共产主义中发展出更高的社会形式，也像任何其他地方一样是不可能的，除非这种更高的形式已经存在于其他某个国家，从而起到样板的作用。"[②] 可见，西欧革命胜利后进入社会主义社会后给俄国提供的物质帮助和典型示范是俄国不通过"卡夫丁峡谷"的重要前提。

　　总之，在世界历史条件下，俄国必须紧紧抓住和资本主义同处一个时代的优势，大力吸收资本主义先进生产力和其他先进成果，同时利用自身的集体劳动、土地公有等优势，这样才能不经历资本主义社会，实现社会制度和社会形态的整体变革，直接进入社会主义社会。

四、俄罗斯实现跨越发展的可能和现实

　　在世界历史的语境下，俄国有可能不通过资本主义制度的"卡夫丁峡谷"，且这种可能性在 1861 年改革后得到了发展，推动着俄国在实现跨越式发展的道路上迈进。

　　俄国实现跨越式发展的前提是俄国村社的二重性。在写作《资本论》第二、三卷中关于土地和地租问题时，马克思发现，由于俄国将公社土地所有制较好地保存了下来，其土地所有制与西方土地所有制存在着很大差异，于是将俄国

---

① 《马克思恩格斯选集》第 3 卷，人民出版社 2012 年版，第 333 页。

② 《马克思恩格斯文集》第 10 卷，人民出版社 2009 年版，第 664 页。

作为典型进行解剖来考察土地所有制和地租问题，并对俄国村社和俄国社会发展情况进行了深入的研究，进而揭示了俄国农村公社的二重性。一方面，公社内部的耕地是公有财产，定期在其成员之间进行分配，农民自己耕种自己的土地，产品归为己有；另一方面，在公社内，房屋和园地已经成为农民的私有财产。这种二重性是俄国村社向前发展的基础。同时，在俄国农村公社在全国范围内保存下来的情况下，资本主义正在遭受着深刻的危机。因此，马克思在给查苏利奇的复信的初稿中指出："'农村公社'的这种发展是符合我们时代历史发展的方向的，对这一点的最好证明，是资本主义生产在它最发达的欧美各国中所遭到的致命危机，而这种危机将随着资本主义的消灭，随着现代社会回复到古代类型的高级形式，回复到集体生产和集体占有而告终。"① 显然，资本主义社会并不代表着人类发展进步的最终方向，并且自身正在经历着深刻的、不可调和的危机，再加上俄国村社所具有的公有的性质，因此，俄国未必一定要走西方资本主义发展道路。总之，农村公社的二重性为俄国不通过"卡夫丁峡谷"和实现跨越式发展奠定了重要基石。

在西方资本主义大工业的推动下，世界历史和世界市场的形成和发展，经历了一个从西方到东方、从资产阶级民族到农民的民族的过程。这必然导致世界范围内的生产力和生产关系存在不对称性和不平衡性的内在矛盾。在《德意志意识形态》中，马克思恩格斯已经意识到这个问题，"一切历史冲突都根源于生产力和交往形式之间的矛盾。此外，不一定非要等到这种矛盾在某一国家发展到极端尖锐的地步，才导致这个国家内发生冲突。由广泛的国际交往所引起的同工业比较发达的国家的竞争，就足以使工业比较不发达的国家内产生类似的矛盾"② 。这时，他们还没有提出生产关系的概念，就用交往形式这个概念来表达生产关系的内容。当然，这里的交往形式的外延要超过生产关系，不仅包括物质交往，还包括精神交往。显然，由于生产力和生产关系之间存在着不对称性和不平衡性的内在矛盾，西方发达国家发生的一切会对不发达国家产生很大的影响，使后者可以充分利用世界历史、交往和国际贸易等一系列条件，实现跨越式发展。

1861 年改革后，在发展资本主义的过程中，俄国的生产力一定程度上实

---

① 《马克思恩格斯选集》第 3 卷，人民出版社 2012 年版，第 829 页。

② 《马克思恩格斯选集》第 1 卷，人民出版社 2012 年版，第 196 页。

现了跨越式发展，使不通过资本主义"卡夫丁峡谷"设想的实现建立在一定的现实的基础之上。在给查苏利奇的复信中，针对资本主义制度的俄国崇拜者主张在俄国走资本主义道路，否认俄国可以不经受资本主义的苦难而占有西欧资本主义的积极成果的做法，马克思提出了这样一个诘问："如果资本主义制度的俄国崇拜者要否认这种进化的理论上的可能性，那我要向他们提出这样的问题：俄国为了采用机器、轮船、铁路等等，是不是一定要像西方那样先经过一段很长的机器工业的孕育期呢？同时也请他们给我说明：他们怎么能够把西方需要几个世纪才建立起来的一整套交换机构（银行、信用公司等等）一下子就引进到自己这里来呢？"[1] 这一思想在马克思的复信初稿中出现了两次，二稿中出现了一次。[2] 这不仅表明了俄国资本主义得到了迅速的发展，在很短的时间内就完成了西方国家几个世纪才走完的路，还表明了移植西欧国家的先进生产力为俄国不通过资本主义"卡夫丁峡谷"、实现跨越式发展奠定了必要的物质基础，进而使俄国可以实现社会制度和社会形态的整体变革。要实现这一目标，俄国不仅必须吸收和移植西欧的机器、轮船和铁路等当时工业化的最新发展成果，还必须吸收和移植银行、信用公司等当时市场化的最新发展成果。这表明生产力是不可跨越的，尤其是以工业化和市场化为代表的现代化是不可跨越的。显然，马克思不仅论述了俄国实现跨越式发展的可能性和现实性，还论述了跨越和非跨越的辩证统一，在东方发展道路问题上体现了唯物论和辩证法的统一。

　　总之，俄国实现跨越式发展并非是建立在空想基础上的，而是建立在考察俄国现实发展基础上提出的科学设想，有一定的可能性和现实性。

五、东西方革命互补与俄罗斯跨越前景

　　在探索东方社会发展道路的过程中，马克思恩格斯强调俄国要实现跨越式发展，必须实现东西方革命即俄国革命与西欧无产阶级革命的互补。

---

[1]　《马克思恩格斯选集》第 3 卷，人民出版社 2012 年版，第 821 页。

[2]　参见《马克思恩格斯选集》第 3 卷，人民出版社 2012 年版，第 821、825 页；《马克思恩格斯全集》第 25 卷，人民出版社 2002 年版，第 472 页。

俄国革命和西欧无产阶级革命互补的重要性。在 1848 年欧洲革命中，沙皇俄国充当了镇压无产阶级革命运动和民族解放运动的刽子手。这促使马克思恩格斯深刻地认识到，要取得西欧国家无产阶级革命运动和被压迫国家民族解放运动的最终胜利，必须首先在俄国爆发推翻沙皇专制制度的革命。这一革命的性质是具有资产阶级革命性质的民族的民主的革命，而非社会主义革命。当然，在世界历史的环境中，俄国革命可能会带上无产阶级革命的色彩，使得自身具有阶级解放和民族解放的双重意义。一是可以使俄国成为西欧无产阶级革命运动的推动因素，至少不会再次成为扼杀西欧无产阶级的刽子手。二是不仅有利于俄国国内各族人民摆脱沙皇的专制统治，为俄国内部各民族和各个阶级从沙皇大民族主义和专制统治的压迫中解放出来创造最基本的条件，还有利于推动包括波兰、土耳其等直接遭受俄国统治和剥削的诸民族的解放。显然，如果俄国不发生革命，沙皇的专制制度必然会成为西欧无产阶级革命的障碍。到了 19 世纪 90 年代，由于世界大战发生的风险日益增大，恩格斯在 1890 年的《俄国沙皇政府的对外政策》中论述世界大战的巨大危害时指出："只有当俄国局势发生变化，使得俄国人民能够永远结束自己沙皇的传统的侵略政策，抛弃世界霸权的幻想，而关心自己在国内的受到极严重威胁的切身利益时，这种世界战争的全部危险才会消失。"[1] 可见，俄国革命对于避免世界大战的爆发具有重要意义。虽然第一次世界大战最后还是不可避免地爆发了，但是十月革命胜利后，俄国退出了不义的世界大战，对于一战的结束发挥了重要的作用。同时，由于沙皇专制制度力量的强大，俄国革命爆发后，如果得不到西欧无产阶级的支持，俄国革命也很难取得成功，会面临种种意想不到的困难。因此，俄国革命与西方无产阶级革命的互补，就成为实现跨越的重要条件。

俄国革命和西方革命互补的提出和发展。马克思在 1853 年强调，在世界历史条件下，西方资本主义国家的侵略和扩张在引发中国革命的同时，"中国革命将把火星抛到现今工业体系这个火药装得足而又足的地雷上，把酝酿已久的普遍危机引爆，这个普遍危机一扩展到国外，紧接而来的将是欧洲大陆的政治革命。"[2] 可见，中国革命会推动欧洲革命爆发、实现东西方革命互补。到了 19 世纪 70 年代，在研究俄国社会发展的过程中，马克思恩格斯深化了东西方

---

① 《马克思恩格斯文集》第 4 卷，人民出版社 2009 年版，第 390 页。

② 《马克思恩格斯选集》第 1 卷，人民出版社 2012 年版，第 783 页。

革命互补的思想。1875 年，在《论俄国的社会问题》及其跋中，恩格斯首先提出俄国革命与西欧无产阶级革命互补的思想。一方面，"如果有什么东西还能挽救俄国的公社所有制，使它有可能变成确实富有生命力的新形式，那么这正是西欧的无产阶级革命。"① 可见，西欧无产阶级革命是保存俄国村社，使其向前发展的重要条件。另一方面，由于俄国是欧洲反动势力的最后堡垒，俄国革命可以一举摧毁欧洲整个反动势力的最后堡垒，对于全欧洲具有极其重大的意义。同样，在给查苏利奇的复信的初稿中，马克思在论述俄国革命时强调："如果革命在适当的时刻发生，如果它能把自己的一切力量集中起来以保证农村公社的自由发展，那么，农村公社就会很快地变为俄国社会新生的因素，变为优于其他还处在资本主义制度奴役下的国家的因素。"② 可见，只有实现推翻沙皇专制制度的民族的民主革命，俄国村社才能正常发展，俄国才能走上正常的发展道路。

俄国革命与西方革命的互补对于跨越式发展的作用。在研究东方社会的过程中，马克思主要强调俄国革命对于农村公社正常发展的重要作用，恩格斯主要强调西欧无产阶级革命对俄国村社正常发展和俄国革命对推动西欧国家工人运动的重要作用。显然，两人强调的侧重点不同，但这并非观点对立，而是一种互补。在此基础上，在《〈共产党宣言〉1882 年俄文版序言》中，马克思恩格斯共同指出，假如俄国革命将成为西方无产阶级革命的信号，而这两种革命互相补充的话，那么，当下的俄国土地公有制便可成为共产主义发展的起点。即，俄国革命和西方无产阶级革命的互补是俄国农村公社直接过渡到高级的共产主义公共占有形式，成为共产主义发展的起点的前提条件，而且这种革命是同时进行的。马克思逝世后，恩格斯在新的历史条件下坚持和发展了这一思想，并在 1894 年《〈论俄国的社会问题〉跋》中进一步指出："俄国革命还会给西方的工人运动以新的推动，为它创造新的更好的斗争条件，从而加速现代工业无产阶级的胜利；没有这种胜利，目前的俄国无论是在公社的基础上还是在资本主义的基础上，都不可能达到社会主义的改造。"③ 这里，恩格斯强调俄国革命对于整个欧洲的重要意义，西欧无产阶级革命取得胜利和东西方革命的

---

① 《马克思恩格斯选集》第 3 卷，人民出版社 2012 年版，第 333 页。
② 《马克思恩格斯选集》第 3 卷，人民出版社 2012 年版，第 832 页。
③ 《马克思恩格斯选集》第 4 卷，人民出版社 2012 年版，第 321 页。

互补是俄国不通过"卡夫丁峡谷"的重要条件。简言之，东西方革命互补对于俄国的跨越发展具有重要作用。

总之，东西方革命的互补是马克思恩格斯揭示出的俄国村社实现跨越发展的重要条件。

第六节　历史科学理论的超历史品格

在研究东方社会的过程中，马克思科学地提出了"一切历史哲学理论的最大长处就在于它是超历史的"著名观点，并全面论述了历史科学理论的超历史品格，丰富和发展了矛盾特殊性学说，奠定了社会发展理论的科学方法论基础。

一、历史哲学理论的科学性、系统性和层次性

通俗地讲，历史哲学理论就是对人类社会历史的发展进行一种哲学的思考。从这个意义上讲，历史唯物主义就是马克思主义的历史哲学理论，也就是马克思主义社会发展理论，具有科学性、系统性和层次性等特征。

历史哲学理论的科学性。在《给〈祖国纪事〉杂志编辑部的信》中，马克思明确提出了一般历史哲学理论的概念。为了反对米海洛夫斯基将马克思在《资本论》中关于西欧资本主义起源的发展道路的理论运用到一切国家和民族身上，马克思列举了古罗马平民的事例。在古罗马历史上，随着大地产的形成和发展，平民的土地不断地被剥夺。按照一般历史哲学理论来说，大地产的形成应该是导致资本的集中和资本主义生产方式的形成，大量的平民应该沦为雇佣工人，然而，事实上，这些平民要么沦为奴隶，要么沦为无所事事的游民，并没有形成资本主义的生产方式。马克思从哲学方法论的高度指出，极为相似的事变发生在不同的历史环境中会引起完全不同的结果。如果对之进行分别研

究，然后加以比较和对照，那么，人们就会找到理解这种现象的钥匙。但是，如果使用一般历史哲学理论这一把万能钥匙，那么，人们是永远达不到这种目的的。这种历史哲学理论的最大长处就在于它是超历史的，具有超历史的特征。当然，马克思反对的是不顾各国的具体的历史情况，将超历史的历史哲学理论运用到一切国家和民族身上，而并非历史哲学理论本身。也就是说，各国的社会发展道路是具体的、历史的，应根据自己国情进行探索和选择，不能盲目照搬西欧的发展道路，更不能将西欧发展道路上升为所谓的一般的历史哲学理论。早在《德意志意识形态》中，马克思恩格斯就指出："对现实的描述会使独立的哲学失去生存环境，能够取而代之的充其量不过是从对人类历史发展的考察中抽象出来的最一般的结果的概括。这些抽象本身离开了现实的历史就没有任何价值。它们只能对整理历史资料提供某些方便，指出历史资料的各个层次的顺序。但是这些抽象与哲学不同，它们绝不提供可以适用于各个历史时代的药方或公式。"① 显然，不存在适用于各个历史时代的万能药方或公式，能够解决各个时代问题的答案必须从其自身中找出，而不能超出时代去试图找出一个适用于所有时代的药方。从这个意义上讲，具体问题具体分析就是马克思主义的历史哲学理论，这是其具体科学性的重要特征。

历史哲学理论的系统性。历史哲学理论是一个系统的有机整体，具有系统性的特征。在研究人类社会发展的进程中，马克思恩格斯始终坚持典型研究的重要方法，强调必须在事物最成熟最典型的意义上把握事物，因为一个事物有自己的不同的发展阶段，处于同样发展阶段的事物具有不同的发展程度。在研究西欧资本主义国家发展道路的过程中，由于英国资本主义的发展最为成熟和典型，因此，在《资本论》第一卷中，马克思主要以英国作为解剖对象和例证，来研究资本主义生产方式以及和它相适应的生产关系和交换关系，进而对西欧资本主义的发展起源做了较为详细的阐述和理论提升，揭示了资本主义产生、发展和消亡的历史规律和一般发展道路的理论。同时，马克思发现以俄国、印度为代表的东方社会在土地制度等一系列方面与西欧国家存在众多不同，因此，马克思在《资本论》后几卷中考察土地所有制和地租问题时将俄国作为解剖对象。对此，恩格斯指出："由于俄国的土地所有制和对农业生产者的剥削具有多种多样的形式，因此在地租这一篇中，俄国应该起在第一册研究工业雇

_____

① 《马克思恩格斯选集》第 1 卷，人民出版社 2012 年版，第 153 页。

佣劳动时英国所起的那种作用。"① 在此基础上，通过对俄国、印度、中国等东方社会的研究，马克思恩格斯东方社会理论得以形成，并与马克思恩格斯西方社会理论一道，共同构成了马克思主义社会发展理论和马克思主义理论体系。显然，两者的形成和发展紧密相连，不仅在时间上是交叉的，而且在内容上也是互补的，都是服从和服务于无产阶级和全人类解放这一马克思主义的最终奋斗目标，共同构成了马克思主义社会发展理论，彰显了历史哲学理论的系统性。在广义上，马克思主义史前社会理论也属于这一理论体系。

历史哲学理论的层次性。作为研究人类社会发展规律的历史哲学理论，即社会发展理论，是一个多层次的有机整体。一是本质规律层面上的社会发展理论（一般社会发展理论），主要是阐述社会发展的一些基本观点，揭示社会发展的特征、本质及其规律。在《政治经济学批判(1857—1858 年手稿)》中，马克思对社会发展的辩证特征和实质进行了科学的阐述："发展不仅是在旧的基础上发生的，而且就是这个基础本身的发展。这个基础本身的最高发展（这个基础变成的花朵；但这仍然是这个基础，是作为花朵的这株植物；因此，开花以后和开花的结果就是枯萎），是达到这样一点：这时基础本身取得的形式使它能和生产力的最高发展，因而也和个人的最丰富的发展相一致。一旦达到这一点，进一步的发展就表现为衰落，而新的发展则在一个新的基础上开始。"② 这里的发展是指广义上的社会发展，即将生产力的发展和人的发展有机统一起来。在历史唯物主义基础上，马克思恩格斯科学全面地论述了社会发展的基础、动力、途径和方向等内容，科学揭示了社会发展的普遍规律和各国发展的特殊道路的统一，强调社会发展规律是普遍性和特殊性、渐进性和跨越性、客观性和选择性、统一性和多样性的统一。这既是唯物史观阐述的关于人类社会发展的一般规律，也是马克思主义社会发展理论区别于其他社会发展理论的根本之处。二是具体运行层次的社会发展理论，主要是研究传统社会如何向现代社会过渡，即研究加速社会发展的条件、途径和方法等。马克思在《〈政治经济学批判〉导言》中指出："具体之所以具体，因为它是许多规定的综合，因而是多样性的统一。因此它在思维中表现为综合的过程，表现为结果，而不是表现为起点，虽然它是现实的起点，因而也

① 《马克思恩格斯文集》第 7 卷，人民出版社 2009 年版，第 11 页。
② 《马克思恩格斯文集》第 8 卷，人民出版社 2009 年版，第 170 页。

是直观和表象的起点。"① 显然，要科学揭示和验证唯物史观关于人类社会发展规律的科学性，就必须将这一原理运用到包括东方社会在内的具体的发展进程中。在探索人类社会发展的过程中，马克思恩格斯全面揭示了东方社会如何实现以工业化和市场化为核心基础的现代化问题，形成了我们通常所说的现代社会发展理论。本质规律层面上的社会发展理论和具体运行层面上的社会发展理论紧密相连，前者是后者的理论基础和提升，后者是前者的具体运用和发挥。显然，历史哲学理论是一个具有层次性的科学整体。

　　总之，作为马克思主义历史哲学理论的历史唯物主义，不仅是超历史的，还具有科学性、系统性和层次性等特征。

二、破除西方中心主义发展理论的独断性

　　在研究东方社会的过程中，马克思恩格斯站在被压迫民族实现民族解放和阶级解放的高度，全面驳斥了西方中心论的错误论点，破除了西方中心主义发展理论的独断性。

　　马克思恩格斯发现了东方国家的社会结构和土地制度等方面不同于西欧资本主义社会，强调不能将西欧社会的发展道路简单地照搬到东方社会。针对米海洛夫斯基将西欧资本主义起源的发展道路运用到一切国家的西方中心论的思想和做法，马克思一再强调《资本论》中关于西欧资本主义起源的历史必然性仅限于西欧，西欧资本主义发展起源的道路并非是每个国家都必然要经历的发展道路。在给查苏利奇的复信的一、二、三稿和正式复信中，马克思先后四次强调，《资本论》中关于资本主义起源的"历史必然性"限于"西欧各国"。② 在历史上，西欧资本主义生产起源是建立在对农民的剥夺的基础之上的，使得生产者和生产资料彻底分离。当时，只有英国彻底完成了对农民的剥夺，而西欧其他国家正在经历这一过程，即将分散的小私有制形式变为资产阶级的大私有制形式。然而，虽然俄国农奴制改革造成了俄国农村公社的一定程度的解

---

① 《马克思恩格斯选集》第2卷，人民出版社2012年版，第701页。

② 参见《马克思恩格斯选集》第3卷，人民出版社2012年版，第820、833、839页；《马克思恩格斯全集》第25卷，人民出版社2001年版，第470页。

体，但是俄国当时还在全国范围内较为完整地保存着农村公社，即俄国农民手中的土地是公有的，并非其私有财产，因此，西欧资本主义起源的历史情况在俄国难以存在，俄国 1861 年改革后是用资本主义的私有制来代替农村公社的土地公有制。因此，对西欧资本主义起源的论述不完全适用于俄国，俄国应该根据自身国情探索自己的发展道路。虽然农奴制改革客观上使俄国走上了资本主义发展道路，然而，这与西欧资本主义起源的道路仍然存在着本质上的区别。"如果资本主义生产要想在俄国确立自己的统治，那么，绝大多数农民即俄国人民定将变成雇佣工人，因而也会遭到剥夺，即通过共产主义所有制先被消灭而遭到剥夺。但是，不管怎样，西方的先例在这里完全不能说明问题。"[1]这里，马克思强调各国的发展道路具有具体性、多样性和历史性，不能将西欧资本主义起源的论述生搬硬套到东方国家。总之，通过破除西方中心主义理论的独断性，马克思明确表示了反对西方中心论的科学的世界历史观的立场。

马克思坚决反对和驳斥了西方中心主义将西欧封建主义的发展道路照搬到东方传统社会的做法。柯瓦列夫斯基脱离东方社会的实际，忽视由于村社的存在而造成的东方社会结构和土地制度的特殊性，将印度历史上发生的土地关系的变化看作是封建化的过程，即将西欧社会的封建化进程照搬到以印度为代表的东方国家。对此，马克思指出："由于在印度有'采邑制'、'公职承包制'（后者根本不是封建主义的，罗马就是证明）和荫庇制，所以柯瓦列夫斯基就认为这是西欧意义上的封建主义。别的不说，柯瓦列夫斯基忘记了农奴制，这种制度并不存在于印度，而且它是一个基本因素。"[2]显然，公职承包制和农奴制并非是西欧封建主义的典型特征。在论述西欧封建主义的起源的过程中，恩格斯指出西欧封建主义建立在土地私有制以及土地和权力可分封的基础之上。然而，在经济上，不存在土地私有制是理解东方国家一切现象的一把钥匙；在政治上，东方社会不存在分封权力的现象。"根据印度的法律，统治权不得在诸子中分配；这样一来，欧洲封建主义的一个主要源泉便被堵塞了。"[3]显然，印度传统的社会制度并非是西欧的封建社会。针对资产阶级学者菲尔将印度村社结构看作是西欧封建社会结构的观点，马克思将菲尔讽刺为"蠢驴"，明确表

---

① 《马克思恩格斯全集》第 25 卷，人民出版社 2001 年版，第 471 页。
② 《马克思古代社会史笔记》，人民出版社 1996 年版，第 78 页。
③ 《马克思古代社会史笔记》，人民出版社 1996 年版，第 68 页。

达了对西方中心论思想的强烈批判态度。简言之，马克思破除了西欧中心主义发展理论的独断性。

综上，通过全面驳斥和破除西方中心论的独断性，马克思恩格斯科学地确定了东方社会在人类发展进程中的位置，为东方国家走一条适合自己的发展道路奠定了科学方法论基础。

三、破除俄国民粹主义发展理论的空想性

在研究东方社会的进程中，马克思恩格斯与民粹派思想家保持了长期的密切交往，在受到民粹主义发展理论影响的同时，也破除了这一理论的空想性。

民粹派村社思想强调俄国可以在村社的基础上，依靠农民的力量，直接过渡到社会主义。这一思想强调尊重人民的主体地位、立足本国国情探索适合自身的发展道路、试图走一条非资本主义道路。这些思想具有一定的价值，对马克思恩格斯研究东方社会有所启示。然而，民粹主义发展理论从根本上属于空想社会主义的范畴，具有明显的空想性。一方面，民粹派将俄国公社和农民理想化，不仅将村社打上天然的共产主义色彩，并认为村社孕育了共产主义发芽和成长的种子，还将村社内生活的农民看作是天然的社会主义和共产主义者。另一方面，由于民粹派对俄国村社具有天然的乐观和优越感，本能地看不起和排斥西欧资本主义，不仅看不到其进步作用，还笼统地将之看成是一种祸害。这直接导致了民粹派看不到俄国社会资本主义的发展和无产阶级力量发展的事实，也看不到无产阶级在俄国革命和俄国社会发展中所起的历史作用，相信单纯依靠农民的力量就可以在村社的基础上直接进入共产主义社会。可见，这一思想充满了浓厚的空想社会主义色彩和盲目的乐观精神。

在研究俄国社会发展道路过程中，马克思恩格斯破除了民粹主义发展理论的空想性，科学地扬弃了民粹派村社思想。早在 1852 年 3 月 18 日给马克思的信中，在评论民粹派的重要代表人物巴枯宁的观点时，恩格斯就指出：“说实在的，巴枯宁之所以捞到了一点东西，只是由于谁也不懂俄语。而这种把古代斯拉夫公社所有制变成共产主义和把俄罗斯农民描绘成天生的共

产主义者的陈旧的泛斯拉夫主义的骗人鬼话，将会再次十分广泛地传播。"①这里，恩格斯对那种从斯拉夫公社直接变成共产主义的论调不屑一顾。到了19世纪70年代，民粹派空想的村社理论传播得越来越广，产生了很大的危害，为此，恩格斯在《论俄国的社会问题》中对之展开了系统的批判。针对民粹主义者特卡乔夫强调的俄国比西方更容易进行社会主义变革是因为俄国既没有资产阶级也没有无产阶级的观点，恩格斯指出："资产阶级正如无产阶级本身一样，也是社会主义革命的一个必要的先决条件。因此，谁竟然断言在一个虽然没有无产阶级然而也没有资产阶级的国家里更容易进行这种革命，那就只不过证明，他还需要学一学关于社会主义的初步知识。"②这里，恩格斯批判了特卡乔夫否认无产阶级的历史作用的错误观点，指出了他对社会主义认识的肤浅和无知。在特卡乔夫看来，俄国之所以能比西欧国家更容易进入社会主义阶段，"是因为俄国人可以说是社会主义的选民，而且他们还有劳动组合和土地公社所有制！"③显然，这一观点是民粹派空想理论的重要体现。恩格斯对之进行了驳斥，强调农村公社并非俄国特有的现象，西欧社会也存在农村公社，只是因为生产力的发展已经逐渐消亡，且农村公社并非没有弊端。事实上，各个公社之间的孤立性恰恰是东方专制制度形成的自然基础。同时，恩格斯指出，劳动组合只是一种以血族关系为基础的很普遍的协作形式，是建立在生产力水平发展低下的基础之上的，如果不向前发展，必然要亡于资本主义大工业。同时，在论述氏族公社和社会主义社会在生产资料公有制方面的共同点时，恩格斯在1894年《〈论俄国的社会问题〉跋》中从方法论的高度指出："但是单单这一个共同特性并不会使较低的社会形式能够从自己本身产生出未来的社会主义社会，后者是资本主义社会的最独特的最后的产物。每一种特定的经济形态都应当解决它自己的、从它本身产生的问题；如果要去解决另一种完全不同的经济形态的问题，那是十分荒谬的。"④可见，必须坚持具体问题具体分析的方法论原则，明确特定经济形态只能解决自身的问题。这样，恩格斯就全面破除了民粹主义发展理论的空想性。

---

① 《马克思恩格斯文集》第10卷，人民出版社2009年版，第108页。
② 《马克思恩格斯选集》第3卷，人民出版社2012年版，第323—324页。
③ 《马克思恩格斯选集》第3卷，人民出版社2012年版，第327页。
④ 《马克思恩格斯选集》第4卷，人民出版社2012年版，第313页。

民粹派村社理论之所以是空想的，是因为民粹派坚持形而上学的思维方式，不是从俄国社会变化发展、而是从自己头脑中先入为主的观念出发得出的结论。最早发现俄国农村公社并对之展开系统研究的并非是包括民粹派在内的俄国人，而是普鲁士政府顾问的哈克斯特豪森。在阅读了哈克斯特豪森的著作后，赫尔岑形成了村社理论。对此，在《给〈祖国纪事〉杂志编辑部的信》中，马克思批评了赫尔岑，因为"他不是在俄国而是在普鲁士的政府顾问哈克斯特豪森的书里发现了'俄国'共产主义，并且俄国公社在他手中只是用以证明腐朽的旧欧洲必须通过泛斯拉夫主义的胜利才能获得新生的一种论据。"① 显然，赫尔岑从书本而非实际出发得出的结论无疑具有一定的局限性。虽然马克思恩格斯都强调俄国可以在村社的基础上进入更高形态的社会，提出了跨越发展和不通过资本主义制度"卡夫丁峡谷"的重要设想，并没有全面否定民粹主义发展理论，但是，这是建立在破除民粹主义发展理论的空想性的基础之上的，即强调俄国在农村公社基础上进入社会主义社会的条件性，而非必然性。脱离了俄国在世界历史的语境中所面临的国内外条件，尤其是农村公社的正常发展、东西方革命的互补、西欧资本主义国家对俄国的帮助的示范效应等条件，俄国不通过资本主义"卡夫丁峡谷"只是空想和幻想。因此，19 世纪 80 年代到 90年代，在俄国资本主义的快速发展和农村公社的不断解体的情况下，民粹派思想家丹尼尔逊仍然强调资本主义在俄国的发展是弊大于利，俄国不可能通过资本主义过渡到更高形态的社会。对此，在 1895 年 2 月 26 日给普列汉诺夫的信中，恩格斯指出："同他所属的这一代俄国人是无法进行辩论的，他们至今还相信那种自发的共产主义使命，似乎这种使命把俄罗斯、真正神圣的罗斯同其他世俗民族区别开来。"② 显然，恩格斯不同意丹尼尔逊等民粹派继续坚持空想的村社理论的做法。

总之，马克思恩格斯从根本上破除了民粹派村社思想的空想性，为他们研究东方社会和探索东方社会发展道路扫清了一个重要障碍。

---

① 《马克思恩格斯选集》第 3 卷，人民出版社 2012 年版，第 727 页。
② 《马克思恩格斯全集》第 39 卷，人民出版社 1974 年版，第 394 页。

四、运用西欧资本主义起源理论的条件性

在研究东方社会的过程中，马克思一再强调，西欧资本主义起源的历史发展道路仅限于西欧，不能将之照搬照抄到东方国家。

《资本论》第一卷俄译本的出版在俄国社会产生了巨大的影响和争议，尤其是在俄国自由派和民粹主义者之间引起了论战。为了反对自由派思想家茹科夫斯基在自由派报纸《欧洲通报》上对马克思的攻击，民粹派思想家米海洛夫斯基于1877年10月在《祖国纪事》杂志上发表了《卡尔·马克思在尤·茹科夫斯基先生的法庭上》一文来捍卫马克思的思想。然而，在此过程中，米海洛夫斯基对《资本论》作了刻意的曲解，将书中关于西欧资本主义起源的发展道路上升为一般历史哲学理论，强调一切国家和民族都必然要经历这一发展阶段。为了反驳这一曲解，马克思写作了《给〈祖国纪事〉杂志编辑部的信》，明确指出："关于原始积累的那一章只不过想描述西欧的资本主义经济制度从封建主义经济制度内部产生出来的途径。因此，这一章叙述了使生产者同他们的生产资料分离，从而把他们变成雇佣工人（现代意义上的无产者）而把生产资料占有者变成资本家的历史运动。"[1] 显然，西欧资本主义起源的历史必然性仅限于西欧，俄国不能照搬西欧的道路。当然，马克思关于西欧发展道路的理论并非对俄国完全没有启示意义。事实上，"假如俄国想要遵照西欧各国的先例成为一个资本主义国家——它最近几年已经在这方面费了很大的精力——，它不先把很大一部分农民变成无产者就达不到这个目的；而它一旦倒进资本主义制度的怀抱，它就会和尘世间的其他民族一样地受那些铁面无情的规律的支配。"[2] 这表明，俄国不可以照搬西欧资本主义起源的发展道路的理论，但可以从中获得一定的借鉴和启示。

为了反驳米海洛夫斯基的一般历史哲学理论的错误观点，马克思列举了古代罗马平民的历史命运的事例。在历史上，罗马平民原先是自己耕种小块土地的自由农民，但在罗马历史发展的过程中，他们被剥夺了。这一使他们同自己生产资料分离的运动，蕴含着大地产和大货币资本的形成。按照一般发展道路

① 《马克思恩格斯选集》第3卷，人民出版社2012年版，第729页。
② 《马克思恩格斯选集》第3卷，人民出版社2012年版，第730页。

的历史哲学理论，这一过程应该出现的情况是资本主义生产关系的形成，出现一大批资本家和雇佣劳动者。然而，罗马出现的不是资本主义生产方式，而是奴隶制生产方式，罗马的无产者并没有因此变成雇佣工人，相反却成了无所事事的游民。可见，人类社会历史的发展具有多样性，会根据具体的历史条件的不同而选择不同的发展道路，而绝非按照某种单一的发展模式向前推进，因此，一般历史哲学理论是不符合人类社会历史发展实际的。在马克思看来，米海洛夫斯基关于西欧资本主义历史起源的一般历史哲学理论，即一切民族都注定要走这条道路，"以便最后都达到在保证社会劳动生产力极高度发展的同时又保证每个生产者个人最全面的发展的这样一种经济形态。但是我要请他原谅。（他这样做，会给我过多的荣誉，同时也会给我过多的侮辱。）"① 这表明，一般历史哲学理论将马克思关于西欧资本主义起源的论述看作是放之四海而皆准的真理，会给他带来过多的荣誉，使各个国家有识之士运用这一理论来实现生产力高度发展和个人全面发展的共产主义社会，事实上必将使他的理论变成僵化的教条，不仅无法科学地指导实践的发展，还会将实践引向错误的方向，进而肢解他的理论的生命力，并最终给他带来过多的侮辱。总之，关于西欧资本主义起源的道路的理论仅限于西欧，不能盲目照搬到东方国家。

由于《给〈祖国纪事〉杂志编辑部的信》没有公开发表，因此，马克思关于运用西欧资本主义起源的条件下的观点并未在俄国思想界广泛传播。1881年2月16日，俄国著名女革命家查苏利奇代表后来加入"劳动解放社"的同志们给马克思写了一封信，其中的一个重要目的就是请求马克思阐述一下对那种认为由于历史发展的必然性，所有国家都必须经过资本主义生产的一切阶段的看法。一接到查苏利奇的信，马克思就立即着手回信，在经过四易其稿之后，于同年3月8日写了一封简短的回信。其中，关于西欧发展道路的历史必然性仅限于西欧的思想是贯穿于整个复信始终的。马克思一再强调西欧资本主义生产起源是这样的，即"在资本主义制度的基础上，生产者和生产资料彻底分离了……全部过程的基础是对农民的剥夺。这种剥夺只是在英国才彻底完成了……但是，西欧的其他一切国家都正在经历着同样的运动。可见，这一运动的'历史必然性'明确地限制在西欧各国的范围内。"② 这一表述在四封草稿中

① 《马克思恩格斯选集》第3卷，人民出版社2012年版，第730页。
② 《马克思恩格斯选集》第3卷，人民出版社2012年版，第833页。

连续出现，最终在正式复信中得到确认。显然，这不仅是对那种关于"世界上所有国家都必须经过资本主义生产的一切阶段"的说法的明确反对，也是对《给〈祖国纪事〉杂志编辑部的信》中思想的深化。西欧资本主义起源是"以自己的劳动为基础的私有制……被以剥削他人劳动即以雇佣劳动为基础的资本主义私有制所排挤。"① 可见，这个过程的实质是将小私有制形式变为大私有制形式，而这种情况在俄国根本不可能存在，因为俄国农民手中的土地并非其私有财产。显然，马克思对西欧资本主义起源的论述不适用于俄国，不能把西欧发展道路套用到一切国家。

总之，通过科学阐述运用西欧资本主义历史起源理论的条件性，马克思鲜明地驳斥了将西欧资本主义起源的发展道路简单地套用到东方社会上去的做法，为东方社会走适合自身的发展道路提供了科学方法论。

五、坚持具体问题具体分析方法的科学性

具体问题具体分析方法是马克思主义活的灵魂。事实是处于普遍联系之中的，同时由于其内在的矛盾而处于变化发展之中。因此，唯物辩证法要求一切以时间、地点和条件的转移而转移，要坚持具体问题具体分析的方法。由于东方国家在社会结构、土地制度和地租形式等方面与西方国家存在很大的差异，因此，马克思恩格斯始终都强调要从具体事物的实际出发，对东方社会展开具体的历史的研究，并科学论述了坚持具体问题具体分析方法的科学性。

在探索俄国发展道路的过程中，马克思一再强调要从俄国的实际出发，俄国面临着和西欧不同的情况，不能照搬西欧资本主义起源的道路。在给查苏利奇的复信中，针对西欧资本主义制度的崇拜者认为农村公社不存在任何发展进化的可能并且必然灭亡的论调，马克思进行了驳斥："从历史观点来看，证明俄国农民的公社必然解体的唯一有力论据如下：回顾一下遥远的过去，我们发现西欧到处都有不同程度上是古代类型的公有制；随着社会的进步，它在各地都不见了。"② 显然，按照西欧的先例，俄国的农村公社必将随着社会的进步

---

① 《马克思恩格斯选集》第 3 卷，人民出版社 2012 年版，第 840 页。
② 《马克思恩格斯选集》第 3 卷，人民出版社 2012 年版，第 821 页。

而灭亡。但事实上，"在俄国，由于各种独特情况的结合，至今还在全国范围内存在着的农村公社能够逐渐摆脱其原始特征，并直接作为集体生产的因素在全国范围内发展起来。正因为它和资本主义生产是同时存在的东西，所以它能够不经受资本主义生产的可怕的波折而占有它的一切积极的成果。俄国不是脱离现代世界孤立生存的；同时，它也不像东印度那样，是外国征服者的猎获物。"① 马克思认为，要具体分析俄国农村公社所面临的具体历史环境，不能轻易地做出结论，更不能以西方的先例来判断俄国公社和俄国社会的发展趋势，而应该坚持具体问题具体分析的方法来探索俄国发展道路。

恩格斯也从俄国变化发展的实际出发，强调根据俄国的生产力发展情况及其所处的时代历史条件展开研究和探索。马克思逝世后，恩格斯在运用马克思的理论研究俄国发展道路的过程中，一再强调不能把这一理论教条化，而应该与俄国的具体历史条件相结合，坚持具体问题具体分析的方法论原则。在1885年4月23日给查苏利奇的信中，恩格斯强调要从俄国的实际出发，来分析俄国所应采取的策略。在1887年2月8日给丹尼尔逊的信中，恩格斯指出了将马克思的理论与俄国实际相结合所需要的条件："我认为，您如果向贵国广大读者指明如何将我们作者（马克思——引者注）的理论应用于你们本国的条件，那是很好的。但是，正如您所说的，等到作者的著作全部出齐对您来说也许会更好些。"② 可见，马克思的理论在俄国的应用，一是需要俄国革命者的探索，二是需要马克思的著作在俄国的大量出版。同时，恩格斯本人也是坚持具体问题具体分析原则的典范，尤其在对待俄国革命者请求他谈论有关俄国社会各方面的问题时更是如此。对于古尔维奇1893年请求他谈谈农民在俄国革命运动中的作用的问题，恩格斯指出："至于俄国革命运动中的迫切问题和农民在其中所能起的作用，在我没有对整个问题从头重新研究一番，并用最新的材料补充我对此问题的实际情况的极贫乏的了解以前，在这些方面我是不能在报刊上问心无愧地发表自己的意见的。"③ 这里，我们不仅可以看到恩格斯严谨科学的研究态度，还可以看到他坚持具体问题具体分析的方法论原则。显然，具体问题具体分析原则贯穿于恩格斯研究东方社会的始终。

---

① 《马克思恩格斯选集》第3卷，人民出版社2012年版，第821页。
② 《马克思恩格斯全集》第36卷，人民出版社1974年版，第604页。
③ 《马克思恩格斯全集》第39卷，人民出版社1974年版，第74页。

　　总之，具体问题具体分析要求从东方社会的实际出发，对东方社会这一特殊现象的特殊矛盾展开具体的历史的分析。按照这一科学方法，马克思恩格斯取得了丰硕的理论成果，形成了马克思主义东方社会理论。

　　综上，马克思恩格斯对东方社会发展道路的深入探索历时二十年，将历史唯物论和历史辩证法高度统一起来，丰富和拓展了马克思主义理论体系，对当今时代仍具有重大指导意义。

第六章 《历史学笔记》等史学成果对唯物史观的验证和发展

马克思恩格斯坚持将自己的理论称为历史科学,始终要求坚持逻辑和历史的一致。19世纪70年代后,为了验证和发展唯物史观,他们对世界历史和欧洲历史进行了深入研究,创作了《历史学笔记》、《法兰克时代》、《论德意志人的古代历史》等科学文献,进一步深化了对欧洲和整个人类社会发展规律的研究,进一步丰富和发展了唯物史观尤其是唯物史观的社会形态理论。

第一节 1875年后马克思恩格斯的历史研究

19世纪70年代中后期,在研究史前社会史的同时,马克思恩格斯也加强了对欧洲历史和世界历史的研究,取得了丰富的理论成果。

一、史学研究在马克思主义整体中的地位

为了服务无产阶级和全人类解放这一主题,马克思恩格斯向来重视史学研究。这不仅有利于马克思主义理论体系的发展和完善,也是马克思主义理论体系的重要组成部分。

史学研究是马克思主义理论体系形成和发展的重要前提。早在中学时代，马克思就立志为人类的幸福而奋斗。马克思恩格斯会面后，立志共同为无产阶级和全人类的解放而奋斗。这就要求他们必须深度研究人类社会历史发展的历史进程和规律，必须加强对历史的学习和研究。1842年，马克思指出，"世界史本身，除了用新问题来回答和解决老问题之外，没有别的方法。因此，每个时代的谜语是容易找到的。这些谜语都是该时代的迫切问题"①。显然，研究历史尤其是世界史，是马克思揭示历史之谜的一把钥匙。在《德意志意识形态》中，马克思恩格斯明确指出，我们仅仅知道一门唯一的科学，即历史科学。可见，历史科学在马克思主义理论体系中占据重要地位。例如，19世纪50年代初期，为了研究印度、中国和波斯等东方国家的发展状况，马克思恩格斯对东方国家的历史进行了深入研究。在此过程中，为了更好地把握东方国家的历史和现实，恩格斯还自学波斯语和俄语。之后，在研究丹麦、土耳其、爱尔兰和俄国等国家时，马克思恩格斯都对这些国家的历史进行了较为深入的研究，以便对相关问题有更为全面和准确的把握。总之，史学研究在马克思主义理论体系的发展和完善过程中具有重要意义。

史学研究有利于马克思恩格斯深化人类社会发展规律的研究，丰富和完善唯物史观。对资本主义生产方式的研究是马克思恩格斯毕生研究的重点，但是，要科学把握资本主义生产方式，单靠研究资本主义社会是不够的，还必须从历史的角度研究前资本主义社会以及和资本主义社会处于同一历史时期的其他国家。对此，恩格斯在《反杜林论》中指出："要使这种对资产阶级经济的批判做到全面，只知道资本主义的生产、交换和分配的形式是不够的。对于发生在这些形式之前的或者在不太发达的国家内和这些形式同时并存的那些形式，同样必须加以研究和比较，至少是概括地加以研究和比较。到目前为止，总的说来，只有马克思进行过这种研究和比较"②。只有对前资本主义社会进行全面的研究，才能为科学地把握资本主义社会提供史学支撑。同时，研究资本主义社会发展历史也有利于深化对资本主义社会的研究。在《政治经济学批判（1857—1858年手稿）》中，马克思指出："要揭示资产阶级经济的规律，无须描述生产关系的真实历史。但是，把这些生产关系作为历史上已经形成的

① 《马克思恩格斯全集》第1卷，人民出版社1995年版，第203页。
② 《马克思恩格斯选集》第3卷，人民出版社2012年版，第529页。

关系来正确地加以考察和推断，总是会得出这样一些原始的方程式——就像例如自然科学中的经验数据一样——，这些方程式将说明在这个制度以前存在的过去。"① 可见，研究资本主义发展史对于全面科学把握资本主义社会具有重要价值。为此，在创作《资本论》的过程中，马克思对资本主义发展的经济史进行了全面深入的梳理和研究。这里，经济史研究不仅为马克思研究资本主义经济发展和创作《资本论》奠定了重要基础，还是马克思经济学研究和《资本论》的重要组成部分。《资本论》的第四卷《剩余价值学说史》，就是从历史的角度全面把握剩余价值学说形成和发展的历史的力作。

史学研究有利于全面揭示人类社会历史的发展进程。在研究资本主义社会时，马克思恩格斯以英国为典型，揭示了资本主义产生、发展和必然灭亡的历史进程，留下了《资本论》这一科学巨著。在研究史前社会的过程中，马克思恩格斯通过俄国村社这一典型通向史前公社，揭示了原始社会发生、发展和解体的历史进程，留下了《人类学笔记》和《家庭、私有制和国家的起源》等著作。这里，不研究史前社会，就无法走向人类社会历史的深处；不研究资本主义社会，就无法预知人类社会历史的未来。然而，除了原始社会和资本主义社会之外，人类社会发展史上还存在过奴隶社会和封建社会两种重要的经济的社会形态。1852年，马克思在《路易·波拿巴的雾月十八日》中指出："人们自己创造自己的历史，但是他们并不是随心所欲地创造，并不是在他们自己选定的条件下创造，而是在直接碰到的、既定的、从过去承继下来的条件下创造。"② 历史发展有着自身的继承性和延续性，每一个时代都是建立在先前时代发展的基础之上的。因此，只有科学揭示奴隶社会和封建社会的发展进程，才能在原始社会和资本主义社会的基础上，全面揭示人类社会历史发展的长篇画卷。为此，1875年之后，马克思恩格斯对西欧古代史和整个人类社会历史进行了深入的研究，尤其是将重点放在研究奴隶社会和封建社会的发展进程上，留下了《论德意志人的古代历史》、《法兰克时代》、《马尔克》和《历史学笔记》等著作，全面揭示了人类社会发展的历史进程，揭示了人类社会历史发展的继承性和发展性。

总之，史学研究在马克思主义形成、发展的过程中占据重要地位，是丰富

---

① 《马克思恩格斯文集》第8卷，人民出版社2009年版，第109页。
② 《马克思恩格斯选集》第1卷，人民出版社2012年版，第669页。

和发展马克思主义理论体系的重要一环。

二、马克思恩格斯研究历史学的主要进程

历史学研究伴随马克思恩格斯思想发展始终，为他们创立、发展和完善马克思主义理论体系奠定了重要的历史学基础。

早在大学时期，马克思就对历史学产生了浓厚的兴趣。在 1859 年《〈政治经济学批判〉序言》中，马克思指出："我学的专业本来是法律，但我只是把它排在哲学和历史之次当做辅助学科来研究。"① 马克思早年十分重视对历史的学习和研究。在 1837 年 11 月给父亲的信中，马克思指出，"我养成了对我读过的一切书作摘录的习惯，例如，摘录莱辛的《拉奥孔》、佐尔格的《埃尔温》、温克尔曼的《艺术史》、卢登的《德国史》，并顺便写下自己的感想。同时我翻译了塔西佗的《日耳曼尼亚志》和奥维狄乌斯的《哀歌》"②。可见，马克思很早就开始阅读和摘录大量的历史学方面的著作，并将之作为一种习惯贯穿于他的整个科学研究历程之中。在其一生的历史学研究中，马克思一共做了 7 个编年史摘录：《克罗茨纳赫笔记》中关于法国和德国的 2 个编年史、《巴黎笔记》中关于古罗马的简短编年、1857 年 1 月关于俄国的编年史、1860 年 6 月关于欧洲历史的编年史、1879 年—1880 年的《印度史编年稿》、1881 年年底—1882 年年底的《历史学笔记》。1842 年，马克思摘录了《波恩笔记》，主要是关于艺术史和宗教史的内容。1843 年 7 月—8 月，马克思在克罗茨纳赫期间阅读和摘录了《克罗茨纳赫笔记》。该笔记是以法国大革命为主线的历史学摘录，摘录了大量的国家史著作，主要包括路德维希的《近五十年史》、瓦克斯穆特的《革命时代的法国史》、兰克的《德国史》、路易·勃朗的《十年历史》、汉密尔顿的《论北美》等著作。在此基础上，马克思写作了《历史—政治笔记》、《法兰西历史笔记》、《英国历史笔记》、《法兰西、德意志、英国、瑞典历史笔记》、《德意志和美国历史笔记和国家、宪法著作摘要》等涉及 2000 多年欧洲历史的笔记，统称《克罗茨纳赫笔记》。在《克罗茨纳赫笔记》中，除了法国

① 《马克思恩格斯选集》第 2 卷，人民出版社 2012 年版，第 1 页。
② 《马克思恩格斯全集》第 47 卷，人民出版社 2004 年版，第 11—12 页。

大革命史的内容之外，马克思还摘录了一些通史类的著作。这些著作的时间跨度很长，比如格·亨利希的《法国史》是从公元前 600 年到 1589 年的历史、J.C. 普菲斯特的《德国史》涉及的历史时期有"上古的制度"、"封建制度时期"、"国家主权时期"等、约翰·林加德的《罗马人第一次入侵以来的英国史》所追溯的时代也很久远。①1844 年，马克思专门研究了法国大革命史，阅读了路韦的《回忆录》、蒙格亚尔的《法国史》、德穆兰的《论法国和布拉邦的革命》等著作。总之，在 19 世纪 50 年代前，马克思对历史学有了较为深入的研究，作了大量笔记。

1848 年欧洲革命失败后，为了总结革命失败的原因，马克思拓展了研究范围，尤其是对一些国家的国家史、战争史和外交史等方面的内容进行了研究。19 世纪 50 年代，东方国家爆发了一系列反对帝国主义侵略和本国封建统治的革命，马克思恩格斯对之进行了深入的研究，尤其是深入研究了东方国家的战争史、外交史、贸易史等内容。1853 年 1 月至 3 月，马克思研究文化史和斯拉夫人历史，阅读和摘录了加利阿尼、瓦克斯穆特、考尔福斯等人的著作。1853 年 4 月至 5 月，马克思特别注意亚洲殖民地和附属国的历史和发展前途，阅读和摘录了麦克库洛赫、克雷姆、贝尔尼埃、萨尔梯柯夫的著作以及其他有关印度和中国的历史和经济的著作。由于英国议会即将讨论对印度的管理问题，马克思研究议会的蓝皮书和东印度公司的历史。在此基础上，马克思恩格斯撰写了《中国革命和欧洲革命》、《鸦片贸易史》、《不列颠在印度的统治》等文章。在研读和摘录各国历史的过程中，为了进一步研究的需要，马克思恩格斯还编制各国的历史大事记。1857 年 1 月至 2 月，马克思研究俄国的历史，编制了 973 年至 1676 年的俄国历史事件一览表。总之，在这段时间，马克思较为全面地研究了东方国家的历史。

19 世纪 50 年代到 60 年代，马克思恩格斯认真研究和摘录欧洲国家的历史。1853 年 6 月，马克思研究关于丹麦历史的著作，阅读和摘录了德罗森、扎姆维尔、奥尔斯豪森等人的作品，还在为《纽约每日论坛报》撰写的关于丹麦的事件的文章中利用了这些研究成果。1854 年 3 月底至 4 月初，为了研究东方问题，马克思阅读了约瑟夫·哈麦尔的《奥斯曼帝国史》一书。1854 年 5 月初，由于并入土耳其帝国版图的特萨利亚和伊皮罗斯的希腊居民的暴动，马

---

① 参见《马恩列斯研究资料汇编》(1981)，书目文献出版社 1985 年版，第 8—20 页。

克思着手研究 19 世纪 20 年代末至 30 年代初独立的希腊国家形成的历史，阅读和摘录了帕里什的《希腊君主国 1830 年以来的外交史》一书。1854 年 8 月至 12 月初，马克思继续在英国博物馆研究西班牙历史，阅读了大量英文、法文和西班牙文著作，从托雷诺、普腊德、霍韦利亚诺斯和其他作者的著作中作了大量摘录。1856 年 10 月下半月至 1857 年 3 月，马克思研究波兰历史，特别注意 18 世纪和 19 世纪革命中的波兰问题，阅读了梅洛斯拉夫斯基的《欧洲均势中的波兰民族》一书以及列列韦尔的《波兰史》第一卷和《论昔日波兰的政治状况及其人民的历史》。1864 年 10 月下半月，恩格斯继续研究德国语言学和古代日耳曼人的历史。1867 年 12 月 16 日，马克思在伦敦德意志工人教育协会上作关于爱尔兰问题的报告，详尽地叙述了英国奴役爱尔兰的历史，并阐明了国际对于爱尔兰民族解放运动所采取的立场。1869 年 10 月至 12 月，恩格斯着手撰写《爱尔兰史》，研究了大量的历史文献和古爱尔兰文原著，力图恢复被资产阶级学者们歪曲了的爱尔兰人民的历史真面目。1869 年 10 月中至 12 月，马克思研究爱尔兰问题。总之，在这一时期，马克思恩格斯对欧洲国家的历史展开了深入的研究。

19 世纪 70 年代后，马克思恩格斯对包括欧洲历史在内的整个世界历史进行了深入的研究，取得了丰富的理论成果。1870 年 1 月至 7 月上半月，恩格斯继续写作《爱尔兰史》，研究古爱尔兰法律，阅读爱·威克菲尔德、约·帕·普兰德加斯特、约·尼·墨菲等人的著作。他原计划写四章，却因为种种原因只写完了第一章和第二章的一部分。约 1873 年 10 月至 1874 年 2 月，恩格斯计划撰写一部关于德国史的著作，研究相关资料和著作并作详细摘要，进而撰写了关于德国史著作的草稿，标题为《关于德国的札记》。在此基础上，恩格斯对西欧古代历史，尤其是对欧洲的马尔克制度和德意志人的古代历史进行了深入研究，撰写了《论德意志人的古代历史》（1878—1882 年）、《法兰克时代》（1878—1882 年）、《马尔克》（1882 年）、《关于原始家庭的历史（巴霍芬、麦克伦南、摩尔根）》（1891 年）、《论原始基督教的历史》（1894 年）等著作。1876 年 12 月，马克思阅读格·汉森、费·德梅利奇、奥·乌提舍诺维奇—奥斯特罗日钦斯基关于公社所有制的著作，弗·卡尔德纳斯关于西班牙土地所有制历史的著作和克雷马齐的《印度法和法国法比较》。约 1879 年 10 月至 1880 年 10 月，马克思搜集了大量关于印度的史料，包括罗·修厄尔的《印度分析史》和蒙·埃尔芬斯顿的《印度史》，编写了《印度史编年稿》（664—1858 年），对印度社会历史进行了深入细致的研究。[①] 约 1881 年年底至 1882 年年底，马克思研究世界通史，编写了《历史学笔记》，对从公元前 1 世纪到公元 17 世纪中叶的世界各国尤其是欧洲的历史事件，按照编年顺序作了批判性的评述。在写作《历史学笔记》时，马克思充分利用了德国历史学家施洛塞尔的十八卷本《世界史》，还利用了博塔的《意大利人民史》、科贝特的《英格兰和爱尔兰的新教改革史》、马基雅弗利的《佛罗伦萨史》、卡拉姆津的《俄罗斯国家史》、塞居尔的《俄国和彼得大帝史》、格林的《英国人民史》等历史学资料。马克思逝世后，恩格斯发现并整理了这一手稿，并加上了《编年摘录》的标题。

总之，史学研究贯穿于马克思恩格斯思想发展的全过程，是他们始终关注的重要领域。

三、马克思晚年研究世界历史的成果

《历史学笔记》是马克思晚年创作的最后一部规模宏大的读书笔记，是他研究世界历史成果的集中体现。该笔记共有四本手稿，约一百零五个印张，共一百四十多万字，包含着丰富的理论内容，在马克思主义发展史上占据重要地位。

《历史学笔记》的开端是同盟者战争导致罗马共和国公民权的扩大。"公元前 91 年。罗马城建立后过了六百五十年即公元前 91 年。[元老院违背玛

---

① 《印度史编年稿》摘录了从公元 664 年阿拉伯人征服信德到印度民族大起义（1857—1859年）期间印度社会发展的所有重大历史事件，尤其是英国人征服和奴役印度的历史。马克思从印度人民摆脱异族，特别是英国殖民统治与赢得民族解放的历史任务出发，对相关的历史事件和人物以科学的评价。他不仅详细摘录了英国殖民者在印度的殖民统治和掠夺的形式和方法，以及 18 世纪后半期和 19 世纪前半期印度的土地关系和英国的统治对这一关系的影响，还深切同情和高度赞扬了自 1764—1857 年印度人民前仆后继的反殖民主义的斗争。《印度史编年稿》是马克思在摘录《柯瓦列夫斯基笔记》的中途创作的。因此，《印度史编年稿》既是马克思研究东方社会的重要理论成果，也是马克思研究历史学的重要理论成果，更是马克思连接人类学研究、东方社会研究和历史学研究的重要一环，彰显了马克思人类学研究、东方社会研究和历史学研究的内在关联和整体性，进而彰显了马克思主义理论体系的整体性。该文献是马克思长期关注和研究印度村社和印度社会的一个总结，具有重要的科学价值。——引者注

丽亚的旨意] 根据儒略法，把公民权即罗马公民权 [获得公民权的人组成八个特里布斯，他们在特里布斯民会中有很大的影响] 先授予仍然效忠于拉丁人、翁布里亚人的那些盟友。"① 这里，《历史学笔记》研究的起点，恰好是马克思的《人类学笔记》研究的终点。同时，《历史学笔记》最后摘录的内容是空想社会主义的创始人托马斯·莫尔的论强迫迁徙及圈地运动，即终结于资本主义的原始积累，而这恰恰是《资本论》的研究起点。可见，《历史学笔记》和《人类学笔记》、《资本论》之间在历史发展时间上存在着继起的关系，在马克思的研究和创作生涯中是一个紧密联系的理论整体。同时，在 1857 年《〈政治经济学批判〉导言》中，马克思指出："世界史不是过去一直存在的；作为世界史的历史是结果。"② 在《历史学笔记》中，马克思加强了历史发生过程的研究，不仅全景式地研究了奴隶社会和封建社会的产生、发展和灭亡的过程，还研究了资本主义的萌芽和发展起点。在此过程中，马克思一方面按照时间的顺序摘录相关的历史事件，另一方面按照社会形态的发展演进规律摘录相关的历史事件，依次摘录和研究了奴隶社会的兴起和衰亡、封建社会的兴起和衰亡、资本主义的萌芽和发展等内容。

《历史学笔记》的第一册笔记（共有 141 页手稿），按年代顺序包括公元前 91 年到 14 世纪初的 1400 多年的历史。从内容上来看，主要包括从奴隶制和罗马帝国到 14 世纪意大利封建制度的形成时期，欧洲各民族的历史，5 世纪到 12 世纪的阿拉伯人、土耳其人、蒙古人、花剌子模人的历史，以及 14 世纪中叶以前的北欧和东欧诸国的历史。其中，马克思以罗马奴隶制为典型揭示了西欧奴隶制度的产生和发展的历史进程，尤其是对罗马奴隶制和罗马帝国的兴起、发展和解体进行了全面深刻的分析，为我们科学把握奴隶制社会形态的更迭演替提供了大量的第一手资料。同时，11 世纪到 13 世纪是西方国家和东方国家历史中充满了重要事件的时代，因此，由罗马天主教会煽动的法、德、意、英封建主的十字军远征，在这本笔记中占有相当篇幅。马克思详细摘录了十次十字军东征的历史背景、历史进程及其产生的影响，在充分肯定了十字军东征在沟通东西方的贸易和交往方

---

① 马克思：《历史学笔记》第 1 册，中国人民大学出版社 2005 年版，第 1 页。
② 《马克思恩格斯选集》第 2 卷，人民出版社 2012 年版，第 710 页。

面作出的突出贡献的同时，也旗帜鲜明地指出了十字军东征给被侵略地区和人民造成的深重的历史灾难，为我们全面了解十字军东征和天主教会的作用提供了大量的材料。

《历史学笔记》的第二册笔记（共145页手稿），按年代顺序包括14世纪和15世纪前70年左右的约170年历史。从内容上来看，主要是探讨封建制度的确立及其动摇衰落的历史过程。随着经济的发展，城市市民阶层势力得到增长，开始动摇封建制度的支柱。在封建主义的欧洲，由于封建君主、贵族和教会对农民、小手工业者的残酷剥削和掠夺，导致阶级斗争异常激烈，爆发了多次大规模的农民起义。马克思详细摘录了扎克雷运动、瓦特·泰勒起义以及捷克的胡斯战争等农民起义，不仅高度评价了其历史作用，而且客观分析了其历史局限，更是强烈谴责了封建统治阶级运用种种卑劣的手段对农民起义的残酷镇压。在研究群众运动的同时，马克思也注意研究国家机构的发展及军事上的改革。简言之，这一册笔记主要论述封建制度的确立和动摇及其原因，充分肯定了生产力的发展、市民阶级力量的增长、农民起义在动摇封建制度中所发挥的作用，并对之进行了全面科学的分析，为我们全面科学把握西欧封建社会的历史全貌提供了指南。

《历史学笔记》的第三册笔记（共有143页手稿），按年代顺序包括15世纪上半叶到16世纪70年代。15世纪末，经历了全盛时期的封建制度正在衰落，封建社会内部孕育了资本主义的萌芽。这不仅加速了封建制度的解体，还推动了资本主义时代的开始。随着资本主义因素的发展，货币成为占据主导地位的社会力量。人们对货币的追求达到了一个新的高度，直接导致了黄金热席卷西欧。为了最大限度地追逐黄金，在一些国家的王室的支持下，麦哲伦、哥伦布等航海家远赴海外寻找黄金，他们不仅掠夺了大量的黄金，推动了资本主义的发展，还有众多地理发现，使得各个国家和地区之间的经济和交往日益密切，进一步推动了国际贸易的发展和世界市场的形成。同时，在欧洲各国内部，随着生产力的发展和市民阶级力量的壮大，形成了资本主义生产发展的前提。在此过程中，为了反抗封建专制制度，推动资本主义因素的发展，王权同城市资产阶级联合起来，粉碎了封建主义的势力，像英国那样的一些大的君主国形成了。同时，宗教改革及其与之相关的一系列宗教战争是马克思摘录的重点内容，尤其是整个16世纪在德国、意大利和法兰西发生的内战。通过摘录宗教改革和宗教战争，马克思深刻解释了作为上层建筑的宗教，是受经济基础制约的，尤其是这一时期的宗教改革和宗教战争与资本主义因素的发展密切相关。总之，《历史学笔记》第三册全面揭示了资本主义因素的萌发和发展的历史进程。

《历史学笔记》的第四册笔记（共有116页手稿），按年代顺序包括16世纪最后25年到17世纪上半叶之间的历史事件。从内容上来看，重点考察了1618年—1648年的"三十年战争"，不仅详细考察了三十年战争的历史进程，还详细地说明了这场战争前发生的各种事件，研究参战各国的历史和其相互关系，阐明其对外政策以及当时欧洲各国的发展和国际关系的发展过程。三十年战争对英国资本主义生产方式的形成和发展产生了重要的作用，因此，马克思将其产生的影响称为"社会革命"。马克思非常重视这一阶段的俄国社会发展情况，因此，在这册笔记中有关俄国的篇幅比前三册明显增多。同时，马克思对这一时期的英国史进行了深入的关注和研究，不仅注意英国的国内事件，而且注意它的对外政策。在此过程中，马克思对英国的原始积累尤其是对英国的圈地运动进行了重点考察，全面揭示了圈地运动产生的原因、历史进程及其影响，科学揭示了资本主义的历史起点。在充分肯定资本主义原始积累在推动资本主义发展过程中所起的积极作用的同时，马克思也揭示了原始积累给广大农民造成的深重灾难，以及给社会稳定造成的不利影响，即全面揭示了资本主义的二重性，为从根本上否定资本主义打下了基础。

总之，《历史学笔记》的四册内容是一个内容丰富的理论整体，是马克思晚年研究人类社会历史尤其是西欧社会历史的重要理论结晶，在马克思主义发展史上占据重要地位。

四、恩格斯晚年研究西欧古代历史的成果

为了分析和验证社会形态的演进规律，恩格斯对西欧古代历史进行了深入研究，尤其是重点研究了欧洲的马尔克制度、德意志民族的古代历史、法兰克时代、原始基督教的历史、封建制度的瓦解以及近代民族国家的产生等问题，形成了丰富的理论成果。

德意志民族的古代历史。1878年中至1882年8月初，恩格斯研究德国史，撰

写了《论德意志人的古代历史》①一文，论述了德意志民族的古代历史，即德意志人史前社会的演进轨迹。恩格斯首先论述了德意志人通过民族大迁徙进入欧洲，并逐渐出现在多瑙河下游，同时论述了凯撒和塔西佗时期的德意志人的生活方式。在凯撒时期，德意志人还没有定居下来，仍然生活在原始森林中，生活方式比较原始。到了塔西佗时期，德意志人的生活方式有了很大的进步，逐渐实现定居。同时，在德意志人史前社会的发展轨迹中，与罗马人的战斗是德意志民族取得独立并向前发展的重要前提和保证。从凯撒时期开始，罗马人与德意志人开始长期对峙，并在战争中占领了德意志人的大片土地，对之进行有效的统治，在使得部分德意志人逐渐接受罗马习俗和罗马法的同时，也使得德意志人对罗马的反抗和战争从来没有停止。最终，德意志人在瓦鲁斯的会战中战胜了罗马人，取得了民族独立，为自身的发展奠定了坚实的基础。在此基础上，恩格斯全面论述了德意志民族在民族大迁徙之前的进步："我们研究的结论是：德意志人从凯撒到塔西佗时期，在文明方面有了显著的进步，而从塔西佗直到民族大迁徙开始（公元400年左右），他们的进步更要快得多。商业传播到了他们那里，并为他们运来了罗马人的工业品，因而至少也带来了罗马人的一部分需求；商业唤起了本地的工业，这个工业固然仿效了罗马人的榜样，然而它是完全独立发展起来的。"②在此，恩格斯

① 为了写作《论德意志人的古代历史》，恩格斯利用了大量的关于欧洲古代史的资料，包括凯撒的《高卢战记》、塔西佗的《日耳曼尼亚志》和《编年史》、狄奥·卡西乌斯的《罗马史》、盖尤斯·韦莱·帕特库尔的《罗马史》（两卷本）、博伊德·道金斯的《不列颠的原始人》、卡·弥伦霍夫的《德国考古学》、普鲁塔克的《希腊罗马名人传》、斯赫拉本的《地理学》、雅·格林的《德意志语言史》、汉斯·希尔德布兰德的《瑞典的异教时代》等。这些材料不仅包括历史学家的一般历史著作，还包括罗马君主在战争期间所记录的一手资料，还包括考古学家和语言学家所写的关于考古学和语言学的著作，可以从多个方面为恩格斯研究德意志人史前社会的演进轨迹提供大量的第一手资料。
　　在创作《论德意志人的古代历史》的过程中，恩格斯首先列出了一个写作提纲，包括正文和注释两个部分，其中正文包括凯撒和塔西佗、马尔克制度和军事制度和罗马的最初战斗、民族大迁徙以前的进步四个部分，注释包括正文中的内容、德意志诸部落、法兰克方言三个部分。然而，在写作的过程中，《论德意志人的古代历史》不包括马尔克制度和军事制度以及法兰克方言两个部分。这两个部分在恩格斯的另一本专门叙述法兰克时代和西欧封建制度的出现的著作《法兰克时代》中。从这个意义上看，恩格斯的《论德意志人的古代历史》和《法兰克时代》是一个整体，前者主要是研究欧洲社会发展早期阶段的著作，后者主要是研究西欧封建制度的出现的著作。——引者注
② 《马克思恩格斯全集》第25卷，人民出版社2001年版，第239页。

全面论述了德意志人古代历史的发展轨迹，深化了对西欧古代社会的研究。

马尔克公社的产生和发展。在充分研读和摘录毛勒关于马尔克论述的基础上 ①，恩格斯于 1882 年 9 月至 12 月撰写了《马尔克》（又名《德国农民。他过去怎样？他现在怎样？他将来会怎样》）一文，论述了马尔克公社的产生和发展。恩格斯研究马尔克公社是为了无产阶级和全人类解放服务的。"在德国这样一个还有大约三分之二人口靠种地过活的国家里，有必要使社会主义工人，并且通过他们使农民知道，当前的大小土地所有制是怎样产生的；有必要拿古代一切自由人对于当时实际上是他们的'父辈的土地'，即祖传的自由的公有土地的公有制，同当前短工的贫困和小农受债务奴役的状况对比一下。所以，我打算对最古老的德意志土地制度，作一个简短的历史叙述。"② 显然，恩格斯写作《马尔克》从根本上是为了使得工人和农民掌握公有土地所有制的产生原因，为无产阶级革命寻找同盟军服务。同时，恩格斯指出，马尔克公社是在罗马时期出现和发展起来的，并在发展过程中形成独特的结构：在经济方面，公社在坚持土地公有制的前提下，也存在家宅和耕地的私有化；在政治方面，社员享有充分的政治权利；在生态方面，公社十分强调可持续发展。同时，和东方村社一样，马尔克公社也兼具公有和私有的二重性，并随着生产力的发展和交往的不断扩大和贵族、僧侣的掠夺，而不断私有化并最终解体。在实践中，马尔克公社要获得新生，使德国农村和农民得到发展，不仅要采用机器大工业，还要将马尔克的土地公有制形式发展到更高形式的土地所有制形式，还要得到德国社会民主党人的帮助。可见，恩格斯全面研究了马尔克公社的过去、现在和未来的发展。

封建制的出现和确立。1878 年年中至 1882 年年初，恩格斯撰写了《法兰克时代》一文，详细论述了封建制度确立的历史进程。其一，封建经济关系的确立。通过论述墨洛温王朝和洛林王朝土地关系的变革，恩格斯从经济方面论述了封建制的出现。在历史上，民族大迁徙推动了罗马帝国的奴隶制的解体和

---

① 作为一种古老的土地公有制制度的马尔克，最早发现其重要意义并对之展开深入研究的是格·路·毛勒。毛勒在《马尔克制度、农户制度、乡村制度、城市制度和公共政权的历史概论》、《德国马尔克制度史》、《德国领主庄园、农户和农户制度史》、《德国乡村制度史》等著作中对之进行了深入的研究，使得马尔克制度及其重要意义进入人们的视野。——引者注

② 《马克思恩格斯全集》第 25 卷，人民出版社 2001 年版，第 567 页。

西欧封建制的建立。在罗马帝国的土地上，日耳曼人打破了氏族和部落的单位，建立了一个个具有自给自足特征的马尔克公社。马尔克公社自身具有的私有性，以及耕地逐渐归个人支配并成为商品的做法，导致财富的积累和大地产的集中，进而在政治上逐渐产生封建大地主阶级和小农，最终使得封建经济关系得以确立。其二，封建政治关系的确立。土地占有关系的变化导致封建大地主阶级逐渐产生，并逐渐发展成为封建领主和贵族，同时产生了大量的佃农和农奴，使得佃农和农奴不仅在经济上依附于封建领主和贵族，还在人身关系上依附于封建领主和贵族，进而使得封建等级制度全面确立，最终使得封建政治制度得以形成。概言之，通过改革尤其是土地关系的变革，普通的自由人阶级被消灭了，大土地占有者、臣仆和农奴得以产生，封建的等级制度得以形成。其三，封建军事制度的变革。为了应对战争形势不断发展的需要，在法兰克时代，统治者改革旧的军事制度，试图建立起和封建的经济和政治制度相适应的军事制度。总之，封建制度的出现和发展是恩格斯研究西欧古代史的重要内容。

封建制度的瓦解和民族国家的产生。在研究西欧古代史的过程中，恩格斯于1884年年底撰写了《论封建制度的瓦解和民族国家的产生》一文，论述了封建制度的瓦解和民族国家的产生。一方面，恩格斯考察了封建制度的瓦解。随着生产力的发展，市民阶级在西欧出现并不断发展壮大，极大地推动了生产、贸易、货币、社会制度和政治制度的发展，进而瓦解了封建贵族和封建制度。在此基础上，市民阶级还和封建王权联合起来，借助于科学技术的发展，共同反对封建贵族和封建制度，最终于15世纪下半叶取得了对封建制度斗争的胜利，使得封建制度得以瓦解。另一方面，恩格斯研究了民族国家的形成。现代民族和语族的形成是建立民族国家的重要基础。市民阶级和封建王权的联合，反抗封建制度的斗争并取得胜利，也为现代民族国家的形成扫清了重要的障碍，从而使得欧洲的民族国家基本上得以形成。总之，封建制度的解体和民族国家的产生，是恩格斯研究西欧古代和中世纪的历史的重要成果。

原始基督教的产生及其发展历史。从无产阶级和全人类解放的高度出发，恩格斯于1894年6月至7月撰写了《论原始基督教的历史》一文。一方面，恩格斯全面阐述了原始基督教产生的历史原因、演变过程和社会本质。在罗马统治时期，面对着巨大的罗马世界的强权统治，被压迫人民为了寻求精神上的解脱，创造了基督教。可见，基督教是适应被压迫的受苦的人民群众的需求而产生的。然而，基督教要求人们忍受现世的苦难，将希望寄托于彼岸的天堂，有利于统治阶级维护统治。因此，基督教逐渐被统治阶级所接受，并在其产生 300 年后成为罗马世界公认的国教。因此，基督教的产生是一种社会历史现象，是人类社会发展到一定阶段的必然产物，是被奴役被压迫阶级逃避现实中的苦难世界而获得精神上的解脱的一种武器和解药，是统治阶级维护统治的重要工具。另一方面，恩格斯分析了基督教和现代工人运动的联系和区别。两者的产生都是被压迫者的运动，都要求摆脱奴役和贫困、都曾遭到统治阶级的迫害，然而，基督教号召人民从天国中获得解放，而社会主义要求无产阶级在现世中实现解放。从本质上看，基督教运动和现代社会主义运动都是群众运动，都是人民群众自己创造出来的。因此，通过研究基督教运动的发展，可以发现群众运动的许多规律，为社会主义工人运动的开展提供很多的经验教训，进而推动工人运动更好地发展。显然，恩格斯对原始基督教的研究有利于深化对西欧古代史和社会主义运动的研究。

总之，在研究西欧古代史的过程中，恩格斯不仅深化了对社会形态更迭演替规律的认识，还深化了对社会主义运动中的许多问题的认识，将历史研究和现实研究紧密地联系了起来。

五、马克思恩格斯的史学方法

在研究史前社会和资本主义社会的过程中，马克思恩格斯主要采用猴体解剖和人体解剖的方法，科学揭示了人类社会的原初形态和当时人类社会最发达的形态。然而，在原始社会和资本主义社会之间，在人类社会发展史上还存在着奴隶社会和封建社会两种社会形态。因此，在猴体解剖和人体解剖两种方法的基础上，马克思恩格斯运用了一系列方法，研究整个人类社会尤其是欧洲历史，发展和完善了科学的马克思主义史学方法。

典型研究方法。在《资本论》中，马克思主要采用人体解剖的方法，对当时社会发展最充分、最典型的英国资本主义社会进行研究，科学解释了资本主义社会发展的起源、历史进程和消亡的历史必然性。在研究欧洲历史时，马克思恩格斯意识到深入研究奴隶社会和封建社会的历史进程和发展规律，有利于丰富和发展唯物史观关于社会形态的演进规律以及人类社会发展规律。虽然

《历史学笔记》涉及众多国家、众多历史时期，使得马克思无法像《资本论》第一卷那样可以将当时最发达的英国作为研究典型，但是他还是采用典型研究法，选取不同历史时期的不同代表性国家来研究，希望从大量的具体的实证材料中，发现历史发展的规律，尤其是社会形态更迭演进的规律。例如，马克思以古罗马帝国为例研究奴隶制的更迭演替，以意大利为典型研究封建社会的更迭演替，以英国为典型研究资本主义的原始积累。在研究西欧历史的过程中，恩格斯从方法论的高度论述了从采邑制入手研究封建经济关系出现的重要意义："可以理解，这一章里谈的，只是纯粹的、典型形态的采邑；这种采邑当然只是一种短暂的、并非到处同时出现的形态。可是，只有在这种纯粹的形态上来把握它，才能理解经济关系的这样一些历史表现形式，而罗特的主要功绩之一就在于，他去除一切芜杂的附属物，取出了采邑这种古典形态。"[①] 显然，通过对采邑制的典型研究，从纯粹的经济形态上进行把握，才能真正理解采邑制所代表的封建制的经济关系。可见，典型研究同样是马克思恩格斯研究历史的重要方法。

实证研究方法。在《历史学笔记》中，马克思通过大量具体的历史材料，对奴隶社会和封建社会的形成、发展和衰亡以及资本主义的萌芽和兴起进行了深入的研究。早在1858年，马克思就在《马志尼与拿破仑》一文中指出："现代历史著述方面的一切真正进步，都是当历史学家从政治形式的外表深入到社会生活的深处时才取得的。杜罗·德·拉·马尔以探究古罗马土地所有制的各个不同发展阶段，为了解这个曾经征服过世界的城市的命运提供了一把钥匙——与此相较，孟德斯鸠关于罗马盛衰的论述差不多就像是小学生的作业。年高德劭的列列韦尔由于细心研究了使波兰农民从自由民变为农奴的经济条件，在阐明他的祖国被奴役的原因方面比一大堆全部货色仅仅是诅咒俄国的著作家做出了远为更大的贡献。"[②] 显然，研究历史必须深入到社会生活的方方面面中去。因此，在《历史学笔记》中，马克思深入研究西欧各个国家的政治、经济、文化、社会、宗教等各个方面的发展情况，掌握了大量的第一手资料，坚持实证研究的方法。例如，马克思摘录了博塔的《意大利人民史》中关于许多罗马社会人们实际生活过程的描述："意大利人的风俗也太淫荡了，竟然把

---

① 《马克思恩格斯全集》第25卷，人民出版社2001年版，第270页。
② 《马克思恩格斯全集》第12卷，人民出版社1962年版，第450—451页。

婚姻看成是难以忍受的束缚。……独身的恶习最早起源于罗马的巨商富贾,后来不仅罗马,而且各行省的一般百姓也是这样。……皇帝,无论是昏君还是贤君,发给百姓的粮食,有时分文不收,有时只收几个钱,这就更助长了人们的游手好闲,骄奢淫逸,造成了导致亡国的政治灾难。"①重视这些史实表明了马克思的历史研究已经深入到社会生活的深处,从罗马社会各阶层的实际生活过程中得出罗马帝国灭亡的必然性的结论。在创作《历史学笔记》过程中,马克思坚持两种写法,一种是先摘录历史史实后评价,一种是先评价后摘录历史史实。显然,无论哪一种方法,都表明了马克思的评价和结论是建立在大量的第一手历史材料的基础之上的。总之,坚持实证研究和论从史出的方法是马克思恩格斯进行历史研究的重要方法。

阶级分析方法。阶级是马克思恩格斯考察和把握人类社会发展进程的核心范畴之一,阶级分析法是他们研究人类社会发展进程的一个基本方法。在研究西欧社会、东方社会和史前社会的进程中,马克思恩格斯充分运用阶级分析法,取得了重要的成果。在研究欧洲古代史和世界历史的进程中,马克思恩格斯将阶级分析法运用到史学研究中去,从无产阶级和劳苦大众解放的立场出发,分析历史发展进程中的重大历史事件。在《马尔克》中,恩格斯指出,随着14世纪和15世纪的城市的迅速发展和富裕,使得德国南部和莱茵河畔的城市的奢靡之风盛行。为了满足容克地主阶级的享乐需要,他们对农民进行新的压迫,增加代役租和徭役,想尽各种方法再度将自由农民变为依附农,将依附农变为农奴,将公有的马尔克土地变成地主的私有土地。"在这些事情上面,君主和贵族得到了罗马法学家的帮助。这些法学家善于把罗马的法律条文,应用到大半他们不了解的德意志的关系中去,制造极度的混乱,但是他们善于这样制造混乱,就是使地主总是占便宜,农民总是吃亏。僧侣们的做法比较简单:他们伪造文件,在文件中缩小农民的权利,扩大农民的义务。"②这不仅充分表明了在封建社会,君主、贵族、法学家和僧侣作为统治阶级所具有的阶级性,在掠夺农民方面的利益的高度一致性,还反映了在阶级社会法律所具有的明显的阶级性,是为了统治阶级利益服务的工具。在《印度史编年稿》中,马克思从被压迫民族和阶级的立场出发,全面揭露了英国殖民者在印度进行统治

① 马克思:《历史学笔记》第 1 册,中国人民大学出版社 2005 年版,第 229 页。
② 《马克思恩格斯全集》第 25 卷,人民出版社 2001 年版,第 580 页。

和掠夺的种种卑劣方式，深切关怀和高度评价了 1764 年到 1857 年期间，以及 1857—1859 年民族大起义期间印度人民前仆后继地反抗英国殖民侵略的斗争，用大量的第一手材料驳斥了梅恩等资产阶级学者关于英国的殖民入侵给印度带来的是幸福而非灾难、印度村社的解体是经济进步的自发结果等无耻论调，彰显了鲜明的阶级性。在《历史学笔记》中，在分析英国资本主义萌芽发展的过程中，马克思摘录道："1430 年亨利六世颁布特别法，各郡的表决权只限于那些土地收入估计至少为 40 先令的自由农，这笔钱等于我们的 20 英镑的年金，与现在相比却是很大的一笔收入。由于这项法令，许多人被剥夺了表决权。"① 可见，阶级社会的法律具有鲜明的阶级性，其实质是统治阶级进行统治的工具。总之，马克思恩格斯将阶级分析法引入到史学研究中去，使之成为马克思主义史学分析法的特色之一。

比较研究方法。任何历史都是当代史。这不仅揭示了任何历史都能为当代史提供宝贵的经验教训，而且表明任何当代史都能从以往历史中找到一些痕迹。要做到这一点，必须充分运用比较研究方法，发挥历史对现实的观照作用。在研究西欧古代史和世界历史的过程中，马克思恩格斯高度重视并充分运用比较研究方法，将历史研究带入现实中来，使之为无产阶级和全人类解放服务。在《马尔克》一文中，恩格斯在论述 13 世纪和 14 世纪的马尔克时指出："较大的马尔克的继续存在，是德国的公有制同今天俄国的公有制的根本区别；在俄国尚未因废除农奴制而剥夺农村公社的公有地并宣布归庄园主所有时，每个村社都拥有自己单独的公有地。"② 这里，恩格斯考察了德国的公有制和俄国现在的公有制的区别，将德国的马尔克的历史和俄国的村社的现状进行比较，试图从马尔克的历史命运中科学地把握俄国村社的发展命运。在《论原始基督教的历史》一文中，恩格斯指出，"原始基督教的历史与现代工人运动有些值得注意的共同点。基督教和后者一样，在产生时也是被压迫者的运动"③。显然，恩格斯研究原始基督教不仅要揭示基督教的产生和发展规律，而且有着强烈的现实关照，希望通过全面比较原始基督教和现代工人运动的异同，揭示群众运动的规律，为无产阶级和全人类解放提供理论指引。在《历史学笔记》中，

① 马克思：《历史学笔记》第 4 册，中国人民大学出版社 2005 年版，第 229 页。
② 《马克思恩格斯全集》第 25 卷，人民出版社 2001 年版，第 569 页。
③ 《马克思恩格斯选集》第 4 卷，人民出版社 2012 年版，第 327 页。

马克思将比较研究方法运用到全书的创作和研究过程之中。《历史学笔记》绝对不是简单的资料的摘抄和堆积，而是马克思在充分利用施洛塞尔、博塔、科贝特、马基雅弗利、卡拉姆津、塞居尔、格林等世界上著名历史学家的大量著作的基础上经过再加工和创作形成的伟大著作。在此过程中，有时为了选择一则历史材料，马克思往往要阅读多本历史著作，并对不同的史料进行分析和比较，进而摘录最正确和最合适的材料。在分析封建社会和资本主义萌芽发展的过程中，马克思充分比较了自由民、工人等不同阶级的历史命运，以及城市和农村发展的不同。1350 年，英国议会不仅规定了劳动的价格，而且实行强迫劳动，重新把工人拴在土地上，并对违反者施以各种残酷的惩罚。对此，马克思摘录道："在强迫劳动实行得比乡村更加坚决的城市，下层手工业者的罢工和联合行动已经习以为常了。"[1] 可见，比较分析方法是马克思恩格斯史学研究的重要方法。

总之，1875 年后，马克思恩格斯的史学方法不仅在研究人类社会历史发展进程中发挥了重要作用，还丰富和发展了马克思主义的方法论体系，对于发展和完善马克思主义理论体系具有重要意义。

第二节　马克思史学成果对社会形态演进规律的分析和验证

在《历史学笔记》中，马克思从历史的角度全面分析和验证了社会形态的演进规律，着重分析了原始社会向奴隶社会的过渡、奴隶制度的发展和灭亡、封建制度的确立和动摇、资本主义制度的萌发和发展以及资本主义制度的历史起点等重大问题。

---

[1]　马克思:《历史学笔记》第 4 册，中国人民大学出版社 2005 年版，第 210 页。

一、从原始社会向奴隶社会的过渡

《历史学笔记》研究的起点，是《人类学笔记》研究的终点。《人类学笔记》主要研究原始社会及其向阶级社会过渡的问题。在《历史学笔记》中，马克思简要论述了从原始社会向阶级社会的过渡。

在研究史前社会的过程中，马克思恩格斯通过大量材料不仅论证了阶级、私有制和国家的产生，还论证了从原始社会向奴隶社会的过渡。在《家庭、私有制和国家的起源》中，恩格斯论述了在氏族制度的废墟上形成奴隶制国家的三种主要形式，即雅典式国家、罗马式国家和德意志式国家。"雅典是最纯粹、最典型的形式：在这里，国家是直接地和主要地从氏族社会本身内部发展起来的阶级对立中产生的。在罗马，氏族社会变成了封闭的贵族制，它的四周则是人数众多的、站在这一贵族制之外的、没有权利只有义务的平民；平民的胜利炸毁了旧的血族制度，并在它的废墟上面建立了国家，而氏族贵族和平民不久便完全溶化在国家中了。最后，在战胜了罗马帝国的德意志人中间，国家是直接从征服广大外国领土中产生的，氏族制度不能提供任何手段来统治这样广阔的领土。"① 其中，雅典是最纯粹的形式，是从社会内部的阶级对立中发展起来的，而不是通过一个阶级反抗另一个阶级的胜利来实现的，也不是通过征服和战争掠夺来完成的。因此，马克思恩格斯都对雅典式奴隶制国家的形成进行了深入研究，考察了从原始社会向奴隶社会过渡的历史进程。

在《家庭、私有制和国家的起源》中，恩格斯通过三次社会大分工的产生和发展，全面地揭示了奴隶制国家的产生。第一次社会大分工即畜牧业从农业中分离出来，游牧民族从其他的野蛮民族中分离出来，不仅推动了生产力的发展，还推动了交换的扩大，进而使得财富增加和生产领域不断扩大，最终使社会分裂为两个阶级：主人和奴隶、剥削者和被剥削者，即直接推动了奴隶制的出现。随着财富的增加，手工业取得了巨大的发展，日益成为独立的领域，最终导致了第二次社会大分工，即手工业从农业中分离出来。手工业的发展直接导致了对劳动力的需求的不断增加，使得奴隶制的使用成为社会的一个重要组成部分，"奴隶们不再是简单的助手了；他们被成批地赶到田野和工场去

---

① 《马克思恩格斯选集》第 4 卷，人民出版社 2012 年版，第 186 页。

劳动。"①这样，第二次社会大分工进一步推动了奴隶制的发展，加速了奴隶社会的产生。随着生产力的进一步发展，第三次社会大分工即商业从其他产业中分离出来，直接产生了商人这一新的社会阶级，进一步推动了奴隶制的形成和发展。总之，奴隶社会产生的根本原因是生产力的发展和财富的增加。

在《历史学笔记》中，马克思进一步通过大量的资料论述了罗马奴隶制的形成。《历史学笔记》开篇指出，罗马城建立后过了 650 年即公元前 91 年。马克思之所以从公元前 91 年开始叙述，而不是从 650 年前的罗马城建立算起，主要是因为公元前 91 年是罗马奴隶制度建立的重要标志。根据法律的规定，罗马公民权授予群体的范围不断扩大。这不仅标志着奴隶社会的法律的制定和完善、实施，而且标志着不同阶级享受的权利不同。这些都是阶级社会的重要特征。"公元前 60 年—前 59 年　南　阿尔卑斯高卢（由于儒·凯撒的侵扰）要求公民权；在三执政（凯撒、庞培、克拉苏）时期获得了公民权。"② 显然，罗马公民权扩展到罗马入侵之处，即逐渐扩展到整个罗马帝国，有力地推动了罗马奴隶制的推广。也就是说，公元前 91 年之前的 650 年是原始社会向奴隶社会过渡的重要时期，而这一时期是马克思的《人类学笔记》和恩格斯的《家庭、私有制和国家的起源》的研究重点。

总之，从原始社会向奴隶社会的过渡是马克思恩格斯研究的重要内容，是研究社会形态更迭的关键一环。

二、奴隶制度的发展和灭亡

马克思以古罗马的奴隶社会为例，全面论述了奴隶制度的发展和灭亡的历史进程，从史学角度对奴隶社会的发展演进规律进行了研究。

罗马奴隶制的发展进程及其历史作用。在《历史学笔记》的开篇，马克思论述了西罗马帝国发展和灭亡的历史，并为之加了一个标题：从罗马帝国初期到东哥特人占领意大利（公元前 91 年—公元 493 年）。这一阶段与西罗马帝国的发展和灭亡大概处于同一时期。通过连年战争，罗马帝国占领了大量的土

---

① 《马克思恩格斯选集》第 4 卷，人民出版社 2012 年版，第 180 页。
② 马克思：《历史学笔记》第 1 册，中国人民大学出版社 2005 年版，第 1 页。

地，并在这些地方推行罗马的法律，将罗马公民权授予当地人民，将奴隶制生
产方式推广到此。然而，随着实践的发展，公民权逐渐成为罗马统治者敛财的
工具。"211—217 年　　正是由于他(指马·奥略宁·安敦宁·巴西安努斯·卡
拉卡拉——引者注）需要钱，他想出了一条妙计：把公民权赏赐给各省。这样
就能征收 vicesima hereditarum 和 manumissionum① 了。他立即把它们变成什一
税。不久，罗马人和意大利人为了能住在哥特人和汪达尔人中间，自愿放弃
了公民权。"② 显然，罗马公民权是罗马统治者维护奴隶制统治的重要工具。这
不仅扩大了罗马帝国的疆域，还扩大了罗马法律的影响，推动了奴隶制的发
展。在此情形下，"180—192 年……人口稠密兴旺，各省物产丰富，各个城市
繁荣昌盛，国内外贸易也十分活跃。对外贸易：主要是同印度的贸易（因为罗
马帝国包括整个西欧）；后来通过埃及、巴尔米拉、叙利亚，继续同印度进行
贸易。"③ 在罗马奴隶制下，生产获得了发展，贸易规模扩大。虽然公元476年
西罗马帝国的最终灭亡，标志着奴隶制度在西欧的崩溃，但是奴隶制度的存在
发挥了一定的历史作用，不仅孕育了封建社会的发展萌芽，还产生了较为深远
的历史影响。"西罗马帝国灭亡（476 年）后，六百年来从古罗马文化残余和
从亚洲、非洲、西西里、西班牙的新伊斯兰教文化残余形成的文化，在意大
利、法兰西、德意志和英格兰也逐渐传播了。在 13 世纪和 14 世纪，这种文化
通过德意志人传到斯堪的纳维亚和波罗的海沿岸斯拉夫各国。瑞典和丹麦同一
些德意志公爵结盟；汉撒诸城市和挪威，利夫人、库尔人、爱斯人和普鲁士人
逐渐接受这种文明；他们不是被消灭就是成为农奴；一个以奴隶为主的德意志
骑士共和国成立了；同时，德意志的一些城市公社也建立了，它们的市民不用
当地的工业品，都喜欢用外国货和外国手工业品。"④ 显然，马克思着重将历史
作为一个过程来考察，强调历史发展的延续性和发展性，突出了奴隶制度的产
生和发展的深远历史影响。

罗马奴隶社会解体的原因。随着罗马奴隶制的发展，其局限性也逐渐
凸显，最终不可避免地走向灭亡。在历史上，"意大利的小土地占有者非常
少，大部分土地没有耕种，其余的土地都是属于罗马豪绅，主要是属于元老

---

① 遗产税和释放税。——译者注
② 马克思：《历史学笔记》第 1 册，中国人民大学出版社 2005 年版，第 3 页。
③ 马克思：《历史学笔记》第 1 册，中国人民大学出版社 2005 年版，第 2 页。
④ 马克思：《历史学笔记》第 1 册，中国人民大学出版社 2005 年版，第 212 页。

们的大块地产，但是这些贵人都用奴隶来耕种，而奴隶根本不能增强国家的实力。"① 显然，奴隶制生产关系不适应生产力的发展，是奴隶社会衰亡的根本原因。具体而言，罗马奴隶制的解体有如下原因。其一，罗马帝国连年战争。罗马帝国的连年战争遭遇到极大的反抗，极大地损耗了罗马帝国的国力。"373年　　被匈奴人赶出境的东哥特人，侵犯那些被瓦伦兹准许来罗马居住的西哥特人，如果不算从君士坦丁时期起就住在班诺尼亚的汪达尔人，这就是迁到帝国边境的第一个夷族；由于罗马统治者的压迫，他们起来反抗，瓦伦兹镇压他们，但是在阿德里安堡被击败，死于378年。"② 可见，被压迫民族的反抗是罗马奴隶制消亡的重要原因。除了罗马帝国入侵其他民族外，蛮族也对罗马帝国进行了长期入侵，双方发生了长期战争。"81—96年　　梯·弗拉维·多米奇安。抵御卡滕人的战争并不顺利（82年），抗击达契亚人和凯尔特人的战争更无成效；他们由迪赛巴卢斯王率领，多次侵犯罗马边境，从而引起他们与邻近的马科曼尼人、夸迪人、雅泽格人的战争（86—90年）。这场战争对罗马来说非常不利，多米齐安只好每年向达契亚人纳贡才维持了和平。这是野蛮人对帝国的第一次卓有成效的侵犯。"③ 这里，野蛮人和罗马帝国的战争一直持续到罗马帝国的灭亡，是罗马奴隶制解体的重要原因。其二，罗马腐化堕落的风气。博塔在《意大利人民史》中指出："在王室宫廷的所在地，总有许多壮观的节日庆宴和娱乐场所；一些人在加官晋爵时往往一掷千金，有时两三天内就能花掉几百万——皇帝，无论是昏君还是贤君，发给百姓的粮食，有时分文不收，有时只收几个钱，这就更助长了人们的游手好闲、骄奢淫逸，造成了导致亡国的政治灾难。向穷人大量施舍的基督教教会也促使这种坏的风气绵延不绝。"④ 在此情形下，行善成为一种危害社会的事件。除了穷人和残疾人之外，大量懒汉和游手好闲者也涌进罗马，企图领取一份施舍和恩赐。大多数人不愿意承担家庭生活的重担，而愿意到罗马去领取接济，同时享受剧院和马戏城中的各种节目，进而导致了各省的人口尤其是农业人口减少、土地荒芜，经济遭到严重破坏。同时，统治阶级的腐化堕落和贪生怕死使国家走向衰亡。"一些曾经指挥过千军万马、已经功成名就的达官贵人，特别是一些元老，这时都避免参加

---

① 马克思：《历史学笔记》第1册，中国人民大学出版社2005年版，第230页。
② 马克思：《历史学笔记》第1册，中国人民大学出版社2005年版，第6—7页。
③ 马克思：《历史学笔记》第1册，中国人民大学出版社2005年版，第1页。
④ 马克思：《历史学笔记》第1册，中国人民大学出版社2005年版，第229页。

战事，就怕有失体面和尊严。他们畏缩不前，漠不关心，不仅他们本人不想打仗，而且还反对招收他们的奴仆去打仗。一些元老甚至宁愿向皇帝缴一笔金币，让他取消使他们惴惴不安的命令。历史学家德尼纳公正地指出，一旦国破家亡，他们最担心的是：家里能有许多家臣和身着华服的侍从在身边。"① 这种风气对全社会造成了极其恶劣的影响，以致许多人宁愿贫困和饿死，都不愿意当兵打仗保家卫国，甚至有人为了逃避兵役而自残。显然，整个社会的腐化是造成罗马帝国衰亡和奴隶制灭亡的重要原因。其三，统治阶级的专横腐败。在罗马，"达官贵人这样专横霸道，这是由来已久的，早在奥古斯都和提比利乌斯统治时期就是这样，从君士坦丁时期起，由于政权的威望逐渐削弱，才更加肆无忌惮。常常发生这样的事：有人为了逃避征兵，自愿囚禁在强制劳动所，当这些劳动所主人的奴隶；这些主人花钱专门雇全副武装的奴仆把别人强行送去当兵。"② 虽然皇帝阿德里安颁布法令制止这种胡作非为，但是不仅达官贵人无视这一法令，继续为非作歹，而且平民也趁机行暴，造成社会动乱。其四，法制的松弛。法制曾是罗马征服其他民族的重要武器，也是维护罗马帝国长治久安的重要工具。然而，随着时间的推移，罗马帝国的法制逐渐仅对普通平民起作用，不仅制约不了统治阶级，而且成为统治阶级掠夺平民的工具。"惩办这种罪行的法令的确很严厉，但是仍然束手无策，因为神圣的执法机关也道德败坏。一个曾当过匈奴人的俘虏、同他们混得很熟的罗马人说，罗马的法律很好，但是那些负责贯彻法律的罗马官员想做什么就做什么，就是不尽自己的职责。"③ 可见，执法者都不遵守法律，不履行自己的职责，这必然会使法律名存实亡。此外，"一些官员、警官、省长以及拥有生杀予夺之权的人，都变成了诛戮人民的暴君。他们放任恶棍任意犯罪，从不绳之以法；他们对强盗的成败并不关心，只想同他们分赃。"④ 可见，法制废弛是导致罗马奴隶制消亡的重要原因。总之，在上述因素的综合作用下，罗马奴隶制最终走向了灭亡，被新的更高级的生产方式所取代。

可见，作为第一个阶级社会的奴隶社会的发展和消亡是马克思《历史学笔记》研究的重点问题。

---

① 马克思：《历史学笔记》第 1 册，中国人民大学出版社 2005 年版，第 230 页。
② 马克思：《历史学笔记》第 1 册，中国人民大学出版社 2005 年版，第 230 页。
③ 马克思：《历史学笔记》第 1 册，中国人民大学出版社 2005 年版，第 231 页。
④ 马克思：《历史学笔记》第 1 册，中国人民大学出版社 2005 年版，第 236 页。

三、封建制度的确立和动摇

马克思以意大利为典型，全面论述了封建制度的确立和动摇，从史学角度论证了封建社会的发展和演进的规律。

西欧封建制度的确立。意大利封建制度是建立在罗马奴隶制衰亡的基础之上的。"568 年春天（4 月）　　［这时纳尔塞斯死亡］阿尔博因开始进军［除了郎哥巴底人，还有匈奴人、萨克森人、哥特人、苏维汇人、保加利亚人］，占领弗留利，让自己的侄子基苏尔夫成为弗留利的公爵。隆金努斯任命的公爵有文职人员和武职人员，阿尔博因任命的公爵都是封建领袖，他们带一部分人在自己的地区定居下来（侵占当地人的财产和权利，使当地人大受损失）。"① 显然，从阿尔博因时期开始，意大利的封建制度逐渐确立。在《意大利人民史》一书中，博塔论述了封建制度的第一块基石："这时在意大利的边境有成千上万的蛮族人：匈奴人、萨克逊人、哥特人、苏维汇人、保加利亚人，等等，他们把自己的武器和族名同郎哥巴底人的武装和族名合并了。他们首先进入威尼斯，发现阿奎莱亚已成废墟，便就地支起帐篷，驻扎下来。他们派一批人占领弗留利，模仿隆金努斯的新的统治方法在那里建立一个公国。阿尔博因让自己的侄子基苏尔夫在那里成为第一个公爵，这是最早的一个公国。后来郎哥巴底人在意大利各地陆续成立了一些公国，为封建制度奠定了第一块基石。"② 在郎哥巴底公国，阿尔博因的公爵是真正的封建主，不仅有自己的奴仆，还听命于国王，且对于治理的百姓有生杀予夺的权力，具有典型的封建社会的特征。同时，"郎哥巴底国王任命了一些公爵，从而造成了一批封建制度的上层人物。查理大帝使封建制度往下扩展。｛为此，｝他与郎哥巴底的显贵举行会议；把至今还驳杂不清的领地按自然疆界（山脉、河流、森林）加以划分，组成了相应数量的州。各个州内的堡寨和城市的治理权转交给有伯爵（Comte）头衔或有统帅头衔的显贵人物；那些负责守卫边界的人得到了侯爵的头衔（marques，marches——边防省——现在还存在的安科纳边区、特雷维索边区等等）。凡是担任行政管理工作的人都被称为封建主，有些省则永远（？）由他们管理。一

① 马克思：《历史学笔记》第 1 册，中国人民大学出版社 2005 年版，第 15 页。
② 马克思：《历史学笔记》第 1 册，中国人民大学出版社 2005 年版，第 245 页。

些侯爵、伯爵以及普通的封建主也都有权管理城市、教会、寺院。"①可见，意大利的封建制度起源于郎哥巴底公国，并在查理大帝时期得到了充分发展。这里，统帅和封建领主的最初设立是出于军事方面的需要，因此，其最初的管理权只涉及军事行政方面，不涉及民政方面。然而，由于连年战争，封建领主逐渐抢去了民政权，攫取了国君的统治权和臣民的权利。这就导致了事实上的分封制的形成，广大的土地和人民由各个封建领主直接统治，并对国王负责。这样，经过长期的发展，西欧封建制度得以确立。

西欧封建制度的动摇及其原因。《历史学笔记》第二册笔记的时间横跨170余年，主要论述封建制度的动摇和瓦解的过程。第二册笔记以阿尔布雷特一世去世和亨利希七世的即位为开端。"1308年11月　亨利希这位在马斯河、摩泽尔河和下莱茵颇有威望的卢森堡伯爵借助于美因茨大主教彼得·艾希施帕特（Aichapalter）和特里尔大主教鲍德温——前者曾是这位卢森堡人（derLuxemburger）的幕僚，后者是他的弟弟——被选为德意志皇帝，称亨利希七世。"②亨利希七世是神圣罗马帝国的一个重要皇帝，也是封建制度由发展走向动摇的转折点。从根本上说，生产力的发展及其导致的财富的增加是打破封建枷锁的根本原因。随着生产力的发展，资本主义因素在封建社会内部得以孕育和发展，市民阶级的力量不断壮大，使得王权和市民阶级联合起来，共同反对封建专制制度，进而推动了封建制度的动摇和解体。具体而言，推动封建制度动摇和解体的原因有以下方面。其一，封建诸侯力量的发展及其相互之间的战争。到了1356年，德意志查理四世颁布了著名的黄金诏书。"一部分被诸侯们在1月纽伦堡的会议上通过，另一部分在他们12月梅斯的会议上通过，然后公之于世。这是德意志多头政体的一部基本法，这也是根据查理四世的私人利益而产生的。"③可见，多头政体的出现，有利于削弱封建皇权，加速封建制度的动摇。同时，黄金诏书将诸侯之间战争合法化。"{诏书}区别对待一些经许可的和未经许可的城市同盟和骑士同盟，局部战争并不禁止，但须提早三天发出通知。"④显然，战争的合法化有利于削弱皇权，加速封建制度的解体。其二，对外贸易的发展及其引起的战争。随着经济的发展尤其是对外贸易的发

① 马克思：《历史学笔记》第1册，中国人民大学出版社2005年版，第21页。
② 马克思：《历史学笔记》第2册，中国人民大学出版社2005年版，第1页。
③ 马克思：《历史学笔记》第2册，中国人民大学出版社2005年版，第45页。
④ 马克思：《历史学笔记》第2册，中国人民大学出版社2005年版，第46页。

展，威尼斯和佛罗伦萨等新兴的沿海城市，逐渐摆脱了王权和教权的统治，成为新兴的商业城市共和国。为了争夺贸易和市场，这些城市之间发生了多次海战。1353 年，热那亚人成为威尼斯人唯一的海上贸易对手，双方展开了激烈的争夺并爆发大规模的海战，并且互有胜负。"1353 年 8 月　　海战。热那亚人一败涂地，载有几千名著名热那亚人的 30 艘船被俘，其余的船被击沉。"[①]第二年，热那亚海军战胜了威尼斯海军。"1354 年在莫顿的一次战役中，威尼斯的海军，整个舰队以及 5000 名士兵都被海军将领帕加尼尼·多里亚（热那亚人）指挥的热那亚人消灭了。"[②]这里，开展海上贸易和海战，不仅需要大规模地建造舰船、训练士兵，以及先进的科学技术和训练方法，还需要强大的国力尤其是经济实力。其三，农民起义。马克思摘录了杜尔奇诺起义、瓦特·泰勒起义等农民起义。其中，杜尔奇诺起义是由教会腐败而引起的，以宗教改革的形式出现的农民起义。在意大利，随着教皇的政治影响和皇帝的威望都化为乌有，宗教改革者杜尔奇诺"利用口述和书信（其实就是一些传单，因为人们都竞相传阅）宣传早期基督教的淳朴道理，宣传财产公有、建立基督教共和国、推翻世俗的恶霸和富翁，以解救穷人和被压迫者。"[③]之后，杜尔奇诺在诺瓦拉和韦尔切利的几座几乎终年白雪皑皑的高山上聚集了 6000 多人，靠抢劫为生。显然，农民起义推动了封建制度的动摇和解体。在上述因素的综合推动作用下，西欧封建社会最终走向解体，被资本主义生产方式取代。

总之，马克思全面揭示了封建社会的更迭演替的历史规律及其必然性，同时考察了瓦解封建社会力量的出现。

四、资本主义因素的萌发和发展

马克思对资本主义因素的萌发和发展进行了详细的论述，全面揭示了资本主义萌芽的原因，深化了对资本主义的认识和把握。

王权的发展和市民阶级力量的壮大推动了资本主义因素的萌发和发展。

---

① 马克思：《历史学笔记》第 2 册，中国人民大学出版社 2005 年版，第 23 页。

② 马克思：《历史学笔记》第 2 册，中国人民大学出版社 2005 年版，第 48 页。

③ 马克思：《历史学笔记》第 2 册，中国人民大学出版社 2005 年版，第 2 页。

14、15 世纪，生产力的发展推动了王权的发展和市民阶级力量的壮大，进而推动了封建制度的动摇和解体，也使得资本主义的萌芽得以产生。在此过程中，资本主义萌芽的发展与封建王权的发展密切相关，而封建王权的发展又引起了相应的战争。在历史上，英国资本主义萌芽的发展与蔷薇战争密切相关。蔷薇战争从 1455 年到 1485 年持续了三十年，反映了英国两个王室家族——兰开斯特家族和约克家族争夺王权的斗争，前者的支持者主要是经济落后地区的大贵族，后者的支持者主要是经济发达地区的封建主以及新贵族和市民。由于兰开斯特家族和约克家族分别用红、白两种蔷薇作为族徽，因此，这场战争被称为蔷薇战争。为了扩大自身的力量、争夺战争的胜利，两大家族都积极从事海上贸易，促进国内纺织业等工商业的发展，进而推动了英国经济上和政治上的发展变化。蔷薇战争对英国经济社会的发展产生了深刻的影响，马克思将之称为社会革命。"在内战时期，几乎有五分之一的土地逐渐归国王所有。爱德华四世和亨利七世是自爱德华一世以后两个最有权势的国王，不仅如此，他们比所有的先辈，从亨利二世算起，都更富有。因此，他们放眼外界（其实打仗是要花钱的），他们巧施各种手段来充实金库。爱德华四世迅速地——以各种关税供国王终生享用的方法——开辟了财源，这就使他几乎完全摆脱了国会。然后，他通过没收和大笔生意而积累了财富，他的满载着铅块、羊毛和呢绒的船只，使这位做生意的国王的名字在意大利和希腊各个港口尽人皆知。亨利七世也是这样，他亲自把那笔因西部各郡企图造反而从那里征收的钱记入了账簿。"① 可见，为了占有和获得大量的物质财富，爱德华四世和亨利七世都采取了推动资本主义发展的措施，推动了资本主义的萌芽的发展。"工场手工业的雏形也反映在爱德华四世的立法机关所制定的许多保护性的法令中"②。这样，就推动了工场手工业雏形的出现和资本主义萌芽的发展。同时，市民阶级的形成和发展，从根本上说是经济发展的结果。从 13 世纪末开始，"城市市民（商人）的实力由于财富的增长而日益强大。"③ 财富的发展导致了市民阶级力量的增大。随着市民阶级的产生和力量的逐渐增大，对经济发展尤其是资本主义萌芽的发展产生积极的推动作用。"1321 年 5 月　　爱德华在约克召开一次

---

① 马克思：《历史学笔记》第 4 册，中国人民大学出版社 2005 年版，第 227 页。
② 马克思：《历史学笔记》第 4 册，中国人民大学出版社 2005 年版，第 228 页。
③ 马克思：《历史学笔记》第 1 册，中国人民大学出版社 2005 年版，第 191 页。

议会，其中包括一些宗教和世俗界的人士以及市民阶级的代表，删除了法规委员会条例中那些削弱王权的条款。"① 市民阶级力量的壮大使得其在议会中的地位得到了提高，并逐渐和王权联合起来，共同反对封建专制制度，进一步推动了资本主义萌芽的发展。

新航路的开辟推动了资本主义因素的萌发和发展。哥伦布发现了美洲新大陆，"1495 年 2 月　哥伦布让 12 艘船回西班牙去为他运一些他迫切需要的补给品。[劫船打劫是一些美洲的西班牙冒险家的唯一目的，在哥伦布写给西班牙宫廷的一些报告中也有所证明。] [哥伦布的报告把自己描绘成一个海盗……。] [贩奴就是基本原则!]"② 可见，航海大发现不仅促进了西方国家贸易、商品经济的发展和资本主义萌芽的产生，还通过贸易的发展和掠夺为西方资本主义的产生积累了大量的财富。在《资本论》第一卷中，马克思指出："美洲金银产地的发现，土著居民的被剿灭、被奴役和被埋葬于矿井，对东印度开始进行的征服和掠夺，非洲变成商业性地猎获黑人的场所——这一切标志着资本主义生产时代的曙光。这些田园诗式的过程是原始积累的主要因素。接踵而来的是欧洲各国以地球为战场而进行的商业战争。这场战争以尼德兰脱离西班牙开始，在英国的反雅各宾战争中具有巨大的规模，并且在对中国的鸦片战争中继续进行下去，等等。"③ 显然，资本主义的发展是建立在血与火的基础之上的。这也表明了马克思分析资本主义的过程中坚持事实原则和价值原则的统一，在肯定资本主义发展取得的成就的同时，深刻揭示了资本主义发展造成的灾难。同时，航海业的发展推动了新兴城市的兴起。"随着威尼斯的衰败，尼德兰成长壮大了。"④ 尼德兰的发展推动了资本主义萌芽的充分发展，为尼德兰革命的发生创造了重要条件，而这也是世界上第一次成功的资产阶级革命。

在论述资本主义因素萌发和发展的过程中，马克思敏锐地揭示了资本主义发展的二重性，即资本主义不仅具有进步的一面，也有十分残忍的一面。马克思摘录英国平均主义者约翰·鲍尔的大声疾呼："善良的人们，只要一切财产没有变成公有，只要还存在贵族和农奴，在英国就永远不会有好日子过。那些我们称为贵族的人，凭什么自认为比我们显贵？他们有什么功劳？为什么他

---

① 马克思：《历史学笔记》第 1 册，中国人民大学出版社 2005 年版，第 210 页。

② 马克思：《历史学笔记》第 3 册，中国人民大学出版社 2005 年版，第 57 页。

③ 《马克思恩格斯文集》第 5 卷，人民出版社 2009 年版，第 860—861 页。

④ 马克思：《历史学笔记》第 3 册，中国人民大学出版社 2005 年版，第 73 页。

们要奴役我们?"[1] 在分析 1377 年开始的英法之间的百年战争时,马克思指出:"战争引起的苦难导致劳动同资本之间第一次公开的大冲突。"[2] 显然,劳动和资本的对立和冲突早在资本主义萌芽时期就得以出现。随着压迫和剥削的加深,底层民众也采取一系列手段进行反抗,表明了资本主义在发展过程中就孕育了反抗自身的力量。简言之,资本主义的二重性宣告了资本主义必然灭亡。

总之,资本主义的萌发和发展是建立在封建社会内部发展的基础之上的,为封建制度的解体和资本主义制度的确立奠定了重要基础。

五、资本主义制度的历史起点

马克思对资本主义制度的历史起点进行了深入的研究和论述。从时间上看,《历史学笔记》的研究终点恰好是《资本论》的研究起点,即以英国的圈地运动为代表的资本原始积累。

原始积累产生的原因。在资本主义萌芽发展的基础上,资本主义生产方式逐渐形成和发展,其历史起点是资本的原始积累。马克思以英国为典型对资本原始积累进行了历史考察,重点考察了被称为"羊吃人"运动的圈地运动。作为一种社会历史现象,羊吃人运动在 13 世纪就已经出现。12 世纪,随着英国和欧洲大陆贸易的发展,尤其是羊毛的大量输出,使得羊毛成为重要的商品,引起了封建主掠夺农民的土地并将之变成牧羊场。到了 15 世纪末至 16 世纪初,这种羊吃人运动具有了资本主义原始积累的性质。这时,英国手工业的繁荣引起了羊毛价格的上涨。"羊毛价格的上涨又推动了农业的改颜换貌……这种变化就是小块耕地的合并,大规模养羊业的产生。促使这种变化的是商人阶级日益增长的财富。许多商人把大量资金投入土地,这些被拉蒂默骄傲地称作'经营农场的绅士和威武的办事人员',不因循守旧,也不讲个人情面,可以放手地把一些小农场主逐出土地。"[3] 显然,经济的发展尤其是纺织业的发展是推动圈地运动产生的主要原因。同时,资本主义发展的过程需要大量廉价的劳动

---

① 马克思:《历史学笔记》第 4 册,中国人民大学出版社 2005 年版,第 211 页。
② 马克思:《历史学笔记》第 4 册,中国人民大学出版社 2005 年版,第 207 页。
③ 马克思:《历史学笔记》第 4 册,中国人民大学出版社 2005 年版,第 228 页。

力和资本积累。这不仅需要将占人口绝大多数的农民从其生产资料——土地上脱离出来，成为廉价的自由劳动力，还需要将农民分散的小生产资料集中成贵族和新兴资产阶级的大生产资料。圈地运动正好实现了上述目的，不仅为资本主义的发展提供了大量廉价的劳动力，而且使广大土地集中到新兴的资本家手中，为新兴的资产阶级和资本主义的发展积累了大量财富。总之，原始积累的产生是生产力发展的必然结果。

原始积累产生的影响。圈地运动严重损害了农民的利益，给广大失去土地的农民造成了深重的灾难。马克思摘录了托马斯·莫尔关于圈地运动的论述，这些失去土地的人，甚至不知道要投奔何方，"他们菲薄的家当被卖掉了，结果是他们在其他地方无处栖身，到处流浪，被关进监狱，靠乞讨或行窃为生。"① 显然，圈地运动使得一些失去土地的农民成为无产者，导致了居无定所的工人越来越多，对社会的不满情绪也越来越重。这些人不但开展反对圈地运动的暴乱，甚至进行有组织的犯罪，给社会治安造成了极大的不稳定。"英国第一次出现了特殊的犯罪阶级——一群有组织的匪徒，这些人专门在通衢要道抢劫，随时准备在起义的旗帜下闹事。动用绞刑架已无济于事了。莫尔痛心地说：'如果你们不能消灭产生盗贼的贫困，那么无论多么严酷的处罚也不能使盗贼绝迹。'不过，就连莫尔也只能提供这样一种药物，它虽然在日后被证明是有效的，但实现它却只能在一百年之后。'大力发展毛纺织工业，使许多因贫困而变成或者即将变成窃贼的人都能在这种工业里找到一份诚实的工作。'确实是这样，发达的工业终于吞噬了这支剩余工人人口的大军，但这个过程只是到了伊丽莎白在位的最后时期才告结束，而在都铎王朝时期，工人阶级的这种不满情绪是所有富足阶级集结在王冠周围的原因。"② 这不仅表明了英国原始积累给广大农民和整个社会造成了严重的损害，引发了一系列严峻的社会问题，也表明了英国的原始积累是在特定的历史条件下产生的，不能将之照搬到所有国家。同时，为了镇压无产阶级的反抗，维护自身的统治和财产的安全，资本主义因素和封建王权相结合。"巩固都铎王朝专制制度的基础之一就是社会的危急状态。'对于有产阶级来说，镇压穷人是一个生死攸关的问题。业主和私有者都准备让那个能保护他们免受混乱之苦的唯一政权放手大干一番。地

① 马克思：《历史学笔记》第4册，中国人民大学出版社2005年版，第242页。
② 马克思：《历史学笔记》第4册，中国人民大学出版社2005年版，第243页。

主们出于私利惶恐万状，因此在英国就有了惩治工人的法令，造成了严峻的后果——赤贫现象。地主和商人们因私利而惶恐不安，因而产生了君主专制制度.'"① 显然，为了维护自身的经济利益，有产阶级向封建专制王权寻求保护，和封建君主专制制度相勾结，以对付他们共同的敌人——穷人。可见，资本原始积累在推动资本主义快速发展的同时，给广大农民造成了深重的灾难，也对社会稳定造成了严重影响。

总之，通过对资本原始积累的研究，马克思深化了对资本主义制度历史起点的认识和把握，进一步厘清了资本主义发展的历史规律。

综上，《历史学笔记》不是历史事实的简单汇集和历史事件的随意摘抄，而是用唯物史观作为指导思想研究历史的科学探索过程。这种探索同时丰富和发展了唯物史观尤其是马克思主义的社会形态理论。

第三节　恩格斯史学成果对社会形态演进规律的分析和验证

1875 年之后，恩格斯全面研究了西欧古代史，深入研究德意志人史前社会的发展、马尔克公社、封建制度的出现和瓦解、原始基督教等问题，取得了丰富的研究成果。

一、德意志人史前社会的演进轨迹

在研读《人类学笔记》和创作《家庭、私有制和国家的起源》之前，恩格斯就全面论述了德意志人史前社会的演进轨迹，打开了研究史前社会的一扇大门。

---

① 马克思：《历史学笔记》第 4 册，中国人民大学出版社 2005 年版，第 229 页。

德意志人的产生及其早期的生活方式。德意志人并非是他们现在居住地的最初居住者。早在旧石器时代，欧洲土地上就出现了古老的爱斯基摩人，后来被欧洲出现的新种族消灭干净了。这一新种族在今天的最后代表是巴斯克人。之后，在欧洲大陆的史前时代，出现了包括德意志人在内的多次的种族的迁徙。对此，恩格斯指出："在克尔特人以后迁来的是德意志人。德意志人迁徙的时期，我们在这里至少大体上可以比较确实地指出来。这大约在-400多年以前不久已经开始，在凯撒时代还没有完全结束。"① 显然，在公元前400多年前，德意志人逐渐迁徙到欧洲大陆。到了公元前180年左右，德意志人出现在多瑙河下游，并成为马其顿国王柏修斯的军队中的雇佣步兵，负责和罗马军队作战。此后，罗马帝国通过侵略占领了莱茵河和多瑙河流域的很多领土，并建立起相应的统治，进而限制了日耳曼人的民族迁徙。"根据凯撒的描写，日耳曼人的生活方式也表明他们还根本没有在他们的领土上定居下来。他们主要以畜牧为生，食用干酪、奶和肉，较少食用谷物。男子的主要工作是打猎和习武。他们也搞一点农业，但只是附带的，采用的方法也非常原始。凯撒报道说，他们的耕地只种一年，第二年总要耕种一块新土地。"② 显然，日耳曼人的生活方式比较原始，还没有定居下来。同时，德意志人主要生活在原始森林中，因此，他们既不是游牧民族，也没有达到定居的农业民族的发展阶段。到了凯撒逝世一百五十多年后，在塔西佗的《日耳曼尼亚志》等著作中，德意志人的生活方式已经发生了很大的改变，不仅基本上实现了定居，耕作也有了一定的发展，还使用了借用拉丁字母创制的鲁恩文字，同时产生了小规模的商业交换；男女之间的分工也和原始人一样：男人从事打猎，女人从事家务和耕作。总之，德意志人历史发展的第一个重要阶段是从凯撒到塔西佗时期，其民族的绝大部分从游牧生活过渡到定居的生活。

和罗马人的最初战斗在德意志民族发展中的重要作用。从凯撒时代以来，罗马人先后在莱茵河岸和多瑙河岸与德意志人长期对峙，并征服了日耳曼尼亚。之后，由于边境居民的不断摩擦和德意志人入侵高卢等原因，罗马人和德意志人又发生了长期的战争。由于罗马人占领了德意志人的大片土地，并对之实行了有效的统治，以至于使一些人习惯了罗马人的统治和习俗，也扩大了

---

① 《马克思恩格斯全集》第25卷，人民出版社2001年版，第197页。
② 《马克思恩格斯全集》第25卷，人民出版社2001年版，第201页。

人们之间的交往，形成了城市和市场。然而，由于德意志人长期实行土地公有制，并且拥有自己的民众法庭可以进行审判，因此，"瓦鲁斯和他的传播文明的使命，走在历史前面差不多有 1500 年，因为大约经过了这么多的岁月之后，德意志方才成熟到能够'接受罗马法'的地步。"① 同时，罗马人统治德意志人的目的"不过是为国库征收赋税，为总督及其帮凶们进行勒索和贿赂，从而为吸干这个国家的民脂民膏而大开方便之门罢了。"② 哪儿有压迫，哪儿就有反抗。德意志人反抗罗马人侵略和掠夺的斗争也从未停止。德意志人通过各种手段来反抗罗马人的统治，并被罗马人贴上了背信弃义的日耳曼人的标签。对此，恩格斯明确指出："用来奴役别人的手段，也应该允许别人用来摆脱奴役。只要一方面存在着剥削和统治的民族与阶级，另一方面存在着被剥削和被统治的民族与阶级，那么，使用暴力的同时使用权术对双方都是必要的，反对这样做的任何道德说教都是没有力量的。"③ 被压迫和奴役民族可以运用适合自身的手段来反对压迫和奴役。此后，德意志人在同瓦鲁斯的会战中战胜了罗马人，获得了独立。对此，恩格斯给予了高度的评价："这次会战使德意志永远摆脱罗马而取得了独立。关于这种独立对德意志人本身是否有很大的好处，可以作许多翻来覆去的无益争论，但有一点是肯定的，没有这种独立，整个历史就会朝另一个方向发展。"④ 显然，取得民族独立，是德意志人向前发展的基本条件。总之，德意志人通过和罗马人的长期斗争赢得了民族独立，为自身的独立发展奠定了基础。

德意志民族在民族大迁徙之前的进步。从凯撒到塔西佗时期，直到民族大迁徙开始（公元 400 年左右），德意志民族取得了全面的进步。在贸易方面，塔西佗时期的苏伊翁人就有了从事海上贸易的舰队，发展海上贸易，贸易的中心是在离大陆最远的哥得兰岛。海上贸易的发展客观上推动了造船业的发展，使得日耳曼民族站在了世界上一切航海民族的前列。除了海上贸易，德意志人和罗马人之间也存在着一些贸易，只是由于战争的频发而时断时续。在货币的使用方面，虽然罗马硬币于 2 世纪末流入了德意志，但是德意志人仍然喜欢使用边缘为锯齿形并铸有双驾马车花纹的旧硬币。在工业发展方面，北德意志的

① 《马克思恩格斯全集》第 25 卷，人民出版社 2001 年版，第 216 页。
② 《马克思恩格斯全集》第 25 卷，人民出版社 2001 年版，第 216 页。
③ 《马克思恩格斯全集》第 25 卷，人民出版社 2001 年版，第 221 页。
④ 《马克思恩格斯全集》第 25 卷，人民出版社 2001 年版，第 222 页。

金属工业和织布业方面到了 3 世纪上半叶得到了迅速的发展，到了民族大迁徙时代已经达到了很高的水平。在农业和畜牧业的发展方面，德意志人在耕作和畜牧上有了显著的进步。在文字的使用方面，由于鲁恩文字仅适用于祭礼、巫术等极狭小的领域中，无法满足真正书籍文字的需求，因而逐渐被改变了的希腊字母和罗马字母所取代，仅保留个别字母。显然，在德意志人的史前发展阶段，他们在文明方面取得了显著的进步，而从塔西佗时期到民族大迁徙开始期间的进步要快于从凯撒时期到塔西佗时期。这也表明了历史的发展不仅是建立在之前发展的基础之上的，而且往往是以加速度进行的。总之，这些进步从多个方面勾勒出德意志人史前社会的演进轨迹。

综上，通过全面论述德意志人史前社会的演进轨迹，恩格斯加深了对西欧古代历史的研究。

二、马尔克的出现、结构及性质

19 世纪 60 年代，恩格斯就与马克思一道，对德国学者毛勒关于以马尔克为代表的欧洲村社进行了深入的研究，并在 1875 年《论俄国的社会问题》中将俄国村社和西欧村社进行比较研究。在研究西欧古代史的过程中，恩格斯不仅高度关注德国的马尔克公社的存在和发展情况，还于 1882 年再次研读和摘录了毛勒的《马尔克制度》和《德国马尔克制度史》，并在此基础上全面论述了马尔克的出现、结构和性质等内容。

马尔克的出现。在人类社会历史发展的进程中，"有两个自发产生的事实，支配着一切或者说几乎一切民族的原始历史：民族按亲属关系的划分和土地公有制。德意志人的情况也是如此。他们从亚洲带来了这种按部落、亲族和血族的划分，他们在罗马时代编制战斗队时就总是使有近亲关系的人并肩作战，所以，当他们占领莱茵河以东和多瑙河以北这一带新领土的时候，也受到了这种划分的支配。"[1] 可见，一切民族原始历史发展都存在着两个支配因素。早在罗马时期，德意志人就在战斗中按照血缘亲属关系编制战斗队形，并在新占领的土地上推行土地公有制。这时，各个部落在新占领的土地上定居下来的过程

---

① 《马克思恩格斯全集》第 25 卷，人民出版社 2001 年版，第 567 页。

中，依旧是以亲属关系的远近为依据的。亲属关系较近的一些集团，往往被分配到一个地区。在这个地区里面，一些血缘亲属家庭，又以村的形式定居下来，几个较近的有亲属关系的村，又构成一个百户，几个百户构成一个区。这些村、百户和区就构成了马尔克公社的不同的层次。在发展的过程中，"由于人口的激增，在划归每一个村的极其广阔的土地上，也就是在马尔克里面，产生了一批女儿村，它们作为权利平等或者权利较小的村，跟母村一起，构成一个单一的马尔克公社。因此，我们在德国，在史料所能追溯的范围内，到处可以看到，有或多或少的村联合成一个马尔克公社。但在这种团体之上，至少在初期，还有百户或区这种较大的马尔克团体。最后，为了管理归民族直接占有的土地和监督在它领土以内的下级马尔克，整个民族在最初阶段构成一个单一的大马尔克公社。"① 显然，马尔克公社具有不同的层次。总之，在罗马时期，马尔克公社逐渐出现和发展起来。

马尔克的结构。马尔克公社在德意志的公共生活中发挥着重要的作用，有着经济、政治、文化和生态等方面的独特结构。在经济方面，马尔克公社实行土地公有制，将公社内部的土地分配给其成员，各个成员拥有平等的土地份额和使用权。在马尔克内部，森林和牧场等没有耕种的土地，仍然归公社共同占有和利用。在此前提下，马尔克公社也存在着私有制的情况，包括家宅和园地以及耕地上的劳动成果的私有化。随着实践的发展，公社成员可以通过出卖或者其他方式来自由地支配这些耕地。在政治方面，马尔克公社是中世纪一切社会制度的基础和典范，有自己独立的立法、行政和司法职能，通过民众大会来行使这些职能。马尔克社员拥有充分的政治权利，不仅可以参与公社内部的立法、行政和司法，还可以"制定法律（虽然只是在少有的十分必要的情况下），推举公职人员，检查公职人员执行职务的情形，但主要还是审判。主席只能提出问题，判决由到会的全体社员决定。"② 可见，马尔克社员具有充分的政治权利。在社会结构方面，马尔克公社内部存在着一些公共马尔克，可以供社员放牧牲畜和采摘橡实来喂猪，而公共森林又可以为社员提供木料和燃料、浆果和蘑菇等生活资料。同时，马尔克社员在公共的社会生活中占据着主导性的地位，可以举行集会来商定公社内部的社会事务。在生态结构方面，马尔克公社

---

① 《马克思恩格斯全集》第 25 卷，人民出版社 2001 年版，第 568—569 页。
② 《马克思恩格斯全集》第 25 卷，人民出版社 2001 年版，第 575 页。

十分注重可持续发展，强制推行轮作制。"凡是实行三年轮作制的地方（差不多到处都实行这种制度），村的全部耕地被分成相等的三大块，其中每一块轮换着第一年用于秋播，第二年用于春播，第三年休耕。所以，一个村每年都有它的秋播地、春播地和休耕地。"① 为了保证公平，在分配土地时，就会使每一个社员的土地均分在秋播地、春播地和休耕地上。显然，这种做法有利于保证土地的肥力，实现土地的持续利用。总之，马尔克公社有着相对完整的结构。

马尔克的性质。在 1868 年 3 月 14 日给恩格斯的信中，马克思指出："我除钻研其他著作外，还钻研了老毛勒（前巴伐利亚枢密官，曾当过希腊摄政，并且是远在乌尔卡尔特之前最早揭露过俄国人的人之一）关于德国的马尔克、乡村等等制度的近著。他详尽地论证了土地私有制只是后来才产生的，等等。"② 根据毛勒的研究，马克思意识到马尔克公社并非是私有制。在《马尔克》中，恩格斯全面论述了马尔克公社的二重性："其他一切土地，即除去家宅和园地或已经分配的村有地以外的一切，和古代一样，仍然是公共财产、共同利用。这里有森林、牧场、荒地、沼泽、河流、池塘、湖泊、道路、猎场和渔场。"③ 显然，马尔克公社具有二重性。一方面，森林、牧场、荒地、沼泽等土地和资源仍然公共占有，公社成员共同利用。公社成员在利用公共马尔克方面的权利是相等的，而如何利用则由全体公社成员共同决定。同时，虽然马尔克公社分配给社员一定的份地用作耕地和草地，且作为社员的世袭财产，放弃了在社员之间重新分配耕地和草地的权利，但是公社把这些土地分配给社员仅仅是作为耕地和草地，而非其他用途。"除此以外，单个的占有者是没有任何权利的。所以，地下发现的宝藏，如果埋藏的地方深到犁头所不及，那就不属于他，而当初是属于公社的。关于采矿等权利，情形也是一样。"④ 可见，土地上的采矿等权利仍然属于马尔克公社所有。另一方面，家宅和园地或已经分配的村有地属于马尔克公社社员的私有财产。在发展的过程中，"变成个人私有财产的第一块土地是住宅地。住所的不可侵犯性，一切个人自由的这个基础，开始于迁徙队伍的大篷车，转到定居农民的木屋，逐渐变为一种对于家宅和

---

① 《马克思恩格斯全集》第 25 卷，人民出版社 2001 年版，第 573 页。
② 《马克思恩格斯文集》第 10 卷，人民出版社 2009 年版，第 281 页。
③ 《马克思恩格斯全集》第 25 卷，人民出版社 2001 年版，第 574 页。
④ 《马克思恩格斯全集》第 25 卷，人民出版社 2001 年版，第 573 页。

园地的完全所有权。这在塔西佗时代早已发生。"①在马尔克中，住宅和园地首先实现私有化。虽然公社成员世袭的耕地并非其自由财产，但是他们可以自由地支配耕地上获得的劳动成果，并且随着实践的发展可以出卖或转让自己的耕地，导致了耕地的私有化程度不断加大。随着生产力的发展和交往的扩大，马尔克公社的私有化程度不断加大并最终解体。总之，马尔克公社兼具公有和私有的二重性质为其发展提供了两种不同的可能性。

马尔克的解体和新生。虽然马尔克制度在中世纪遭到了很大的挑战，但是仍然得以保存。"马尔克制度在整个中世纪时代，都是在和占有土地的贵族的不断的艰苦斗争中生存下来的。但是马尔克制度当时还是非常需要的，因此在贵族把农民土地攫为己有的地方，依附的村的制度依然是马尔克制度（虽然由于地主的侵犯已大为削弱）。"②可见，马尔克制度具有一定的生命力。然而，随着一系列因素的影响，马尔克制度不可避免地走向没落。"马尔克制度所以没落，是因为贵族和僧侣在君主们心甘情愿的支持下，夺去了差不多全部农民土地（不管是分配了的或没有分配的）。但是，马尔克制度在经济上落伍，作为农业经营方式已失去了生命力，这事实上是由于近百年来农业的巨大进步使种地成为一门科学，并引进了全新的经营方式。"③显然，贵族和僧侣的掠夺是马尔克没落的重要原因，而生产力的发展尤其是农业科学技术的广泛应用则是其没落的主要原因。然而，"这种土地制度，今天虽然只剩下了很少的残迹，但在整个中世纪里，它却是一切社会制度的基础和典范，浸透了全部的公共生活，不仅在德意志，而且在法兰西北部，在英格兰和斯堪的纳维亚。"④显然，马尔克制度在历史上产生过重大的影响。同时，马尔克制度的土地公有制对于推进德国农业的发展、改变德国农民的悲惨命运具有重要的启示。"采用恢复马尔克的方法，但不用其陈旧的过时的形式，而用更新了的形式；采用这样一种更新土地公有制的方法，以便使这种公有制不但能保证小农社员得到大规模经营和采用农业机器的全部好处，而且能向他们提供资金除农业以外去经营利用蒸汽动力或水力的大工业，并且不用资本家，而依靠公社去经营大工业。"⑤

① 《马克思恩格斯全集》第 25 卷，人民出版社 2001 年版，第 570 页。
② 《马克思恩格斯全集》第 25 卷，人民出版社 2001 年版，第 576 页。
③ 《马克思恩格斯全集》第 25 卷，人民出版社 2001 年版，第 576 页。
④ 《马克思恩格斯全集》第 25 卷，人民出版社 2001 年版，第 567 页。
⑤ 《马克思恩格斯全集》第 25 卷，人民出版社 2001 年版，第 584 页。

在结合现代科学技术和资金的情况下，马尔克公社的优良传统可以使得德国农业和农民获得新生。要实现这一目标，还必须将德国分散的自由农民有效地组织起来。"这究竟怎样组织呢？德国农民们，好好地想一想吧。在这方面能够帮助你们的，只有社会民主党人。"① 只有充分发挥社会民主党的作用，才能将分散的农民团结成为一股新生的力量，使得马尔克公社获得新生。

总之，马尔克公社是恩格斯全面研究西欧古代史的重要一环。《马尔克》与《家庭、私有制和国家的起源》具有互补的作用，可将二者视为姊妹篇。

三、法兰克时代和封建制的出现

在《法兰克时代》一文中，恩格斯全面论述了法兰克时代的政治、经济和军事等方面的发展情况，详细论述了封建制出现的历史进程及其原因。

封建经济关系的确立。公元 3—7 世纪，日耳曼、斯拉夫和其他部落向罗马帝国境内进行了规模浩大的民族大迁徙。其中，日耳曼人中的西哥特人于 4 世纪上半叶侵入罗马帝国，并于 5 世纪在罗马帝国内建国，对于摧毁罗马帝国的奴隶制和推动西欧封建制的确立发挥了重要作用。在罗马领土上的新区，日耳曼人打破了以前的氏族和部落的单位划分，建立了一个个马尔克公社。这些自给自足的公社在经济上几乎没有任何联系，缺乏共同的经济利益，有利于打破罗马帝国的农奴制，进而建立自给自足的封建小农经济。随着实践的发展，在罗马领土上的马尔克公社内部，耕地和草地的各个份地，逐渐成为社员的自主地和只须负担普通的赋役的自由财产，即成为可以交换和买卖的商品。而土地一旦成为商品，必然会导致财富分配的不均和贫富差距的加大，进而必然导致土地集中于少数大土地占有者手中。教会利用具有豁免权的得天独厚的优势，通过捐赠、勒索、欺骗、诈骗、造假等种种手段占有大量的地产。此外，还有一部分自由人占有部分自主地。同时，一个特殊的无地的法兰克人阶级正在不断形成。由于内战和没收，以及形势的逼迫等原因，为了求得安全和生存，一些自由人主动把土地转给教会和世俗豪绅显贵们，而后者也积极鼓励这种转让，并让他们在缴纳代役租的前提下保留其原土地使用权，同时划拨相应

---

① 《马克思恩格斯全集》第 25 卷，人民出版社 2001 年版，第 584 页。

的土地给其耕种，进而使其自由人的身份逐渐转变为不自由的佃农。随着实践的发展，这些佃农不仅在经济上日益依附于大土地占有者阶级，而且在政治上日益依附于大土地占有者阶级，成为封建制度下的小农，而先前的大土地占有者阶级，也逐渐发展成为封建贵族和封建领主。这样，墨洛温王朝和加洛林王朝的土地占有关系的变革就逐渐完成，封建的经济关系逐渐确立起来。

　　封建政治制度的确立。墨洛温王朝和加洛林王朝的土地占有关系的变革，必然要求当时的社会制度和政治制度进行相应的变革。事实也是如此。土地的可以交换和买卖直接导致了大土地占有者阶级的形成，而大土地占有者阶级的形成必然要求获得相应的政治方面的权利。同时，在政治上占统治地位的阶级也获得大量的土地，成为大土地占有者。"当豪族、巨室、地主、官吏和军事首领所组成的统治阶级在内战中和由于内战的影响而开始形成时，邦君也通过赠送土地来贿买他们的支持。罗特无可辩驳地证明，所有这一切在绝大多数场合下，都是真正的馈赠，赠送的土地成为自由的、世袭的、可以出让的财产，直到查理·马特，在这方面才有了改变。"① 同时，随着帝国的不断瓦解和外敌的不断入侵，为了保证国家的长治久安，加洛林王朝的王室必须将豪绅贵族和自己紧密结合起来共同应对危机。要实现这一目的，必须从变革土地占有关系开始。在实践中，"这种变革是以两种新制度为基础的。第一，为了把帝国的豪绅显贵同王室拴在一起，王室领地以后在通常情况下就不再赠送给他们了，而是仅仅作为'采邑'授予他们，仍然终生使用；不过这是带有须要遵守的一定条件的，违反这些条件，就以收回采邑相处罚。这样一来，豪绅显贵本人也成了王室的佃农。第二，为了确保豪绅显贵的自由佃农服兵役，把区的伯爵对移居在他们领地上的自由人的部分管辖职权转交给他们，任命他们当这些自由人的'领主'。"② 这种变革不仅使得豪绅贵族成为王室的佃农，也使得领主对所辖领地内的自由人的管辖权越来越大，以至于随着实践的发展，自由人服兵役的事务都要经过领主的同意，甚至要由领主们带领他们的佃农参军。这使得佃农不仅在经济上从属于领主，在政治上也从属于领主，并且在法律上成为了领主的臣属。除了自由佃农对领主的人身依附之外，封建的随从和侍从也在人身方面依附于领主，对领主宣誓效忠并签订协议。这种做法在加洛林王朝时期

---

① 《马克思恩格斯全集》第 25 卷，人民出版社 2001 年版，第 260—261 页。
② 《马克思恩格斯全集》第 25 卷，人民出版社 2001 年版，第 266 页。

得到了法律的认可和鼓励。大概在847年的一道敕令中，将之规定为一切普通自由人的义务。在推行采邑制的过程中，不仅王室向豪绅贵族推行采邑制，一些拥有大地产的大土地占有者也往往将大地产转变为采邑。在此情形下，采邑制的推行奠定了封建等级制的基础。"从国王起，向下经过大的受采邑者到他们的自由佃农，最后直到非自由人，这一种身份等级制度，已成为国家制度中被确认的、正式起作用的要素了。国家承认，没有等级制度的帮助，它就不能存在下去。"① 显然，采邑制在封建等级制的形成过程中起到了重要作用。总之，通过改革尤其是土地关系的变革，普通的自由人阶级被消灭了，大土地占有者、臣仆和农奴得以产生，封建的等级制度得以形成。

封建军事制度的确立。在法兰克时代，由于对内要镇压人民起义，对外要侵略扩张和抵御其他国家的侵略，因此，战争成为国家政治生活的常态，许多改革都是为了应对战争的需要。同时，连年战争也要求国家有一整套完善的军事制度。在实行军事变革之前，旧的军事制度的基础是一切自由人服兵役。在授予采邑代替授予自主地之前，在墨洛温王朝以及在加洛林王朝初期，大土地占有者往往对国王和伯爵的号令不加尊重，因此，他们的自由佃农对应征入伍的命令也比较忽视。为了改变这种情况，国王实行了一定的变革，即将对自由佃农的部分管辖权力交给豪绅显贵们，以求得豪绅显贵们对于自己的佃农服兵役承担相应的责任。"这种改革也要追溯到查理·马特。至少是从他那时起，我们才看到教会显贵亲身上阵的习俗；而这一习俗，按照罗特的看法，只有从这里才能得到说明，即查理命令主教们带领他们的佃农参军，是为了保证后者能够应征。毫无疑问，对于世俗的豪绅显贵及其佃农也是如法炮制。在查理大帝统治之下，这种新制度看来已经稳固地确立起来，而且已经普遍推行了。"② 同时，自由人在服兵役时必须自理装备和自备前半年的伙食。由于连年不断的战争，许多自由人根本无力承受。为此，为了不服兵役，许多小自由人宁愿将自己的田产，甚至自己及其后代的人身自由送给豪绅显贵和教会，心甘情愿地去做依附农民和农奴。在此情形下，这种建立在一切自由人普遍和平均占有土地基础上的军事制度已经无法维持下去，必须推行新的军事制度。为此，查理大帝在807年的亚坤敕令中对服兵役义务加以限制，以便能够保证兵员的装备

---

① 《马克思恩格斯全集》第25卷，人民出版社2001年版，第275页。

② 《马克思恩格斯全集》第25卷，人民出版社2001年版，第272页。

和给养。"首先，每个王室的受采邑者都要毫无例外地应征；其次，占有 12 胡菲（mansi［芒斯］）的人，必须以甲胄武装起来，因而也要骑马出征（caballarius［骑士］，这个词出现在这同一个敕令里）。占有 3 至 5 胡菲的人，都有出征的义务。每两个占有 2 胡菲的人，每 3 个占有 1 胡菲的人，每 6 个占有半胡菲的人，每次需出兵一人，由其余的人负责装备。完全没有土地但拥有价值 5 索里达动产的自由人，也必须每 6 人出兵一人，其他 5 人每人出 1 索里达，以资助他。征发亦因地区的不同而有所区别；在邻近地区发生战争时，必须全部出征，如战地相离较远，则根据距离远近，将人员数目缩减到二分之一至六分之一。"[1] 显然，这种军事制度是对旧有制度的一种变革，以保证有充足的兵员。由于效果不理想，查理又在不久后的"关于征募兵役的敕令"里，再度减免兵役的负担。"它把每出兵一人所需的胡菲数，由 3 胡菲提高到 4 胡菲；占有半胡菲的人和没有土地的人是豁免兵役的，而受采邑者的兵役义务也限制到每 4 胡菲出兵一人。"[2] 即便如此，仍然有大量的自由人因害怕服兵役，直接当了农奴。显然，在法兰克时代，为了建立起和封建的经济和政治制度相适应的军事制度，统治者也做了一些尝试和变革，但是收效甚微。

总之，恩格斯全面论述了封建经济关系、封建政治制度和封建军事制度的形成和发展，进而全面揭示了西欧封建制产生和发展的历史画卷。

四、封建制度的瓦解和民族国家的产生

在研究西欧古代史的过程中，恩格斯在《论封建制度的瓦解和民族国家的产生》一文中，论述了封建制度的瓦解和民族国家的产生。

西欧封建制度解体的过程。早在中世纪，被压迫阶级的反抗就不断削弱西欧封建主的地位，破坏着西欧的封建制度。到了 15 世纪，城市市民阶级作为一个新的阶层在西欧逐渐兴起，"贵族越来越成为多余并且阻碍着发展，而城市市民却成为体现着进一步发展生产、贸易、教育、社会制度和政治制度的阶

---

① 《马克思恩格斯全集》第 25 卷，人民出版社 2001 年版，第 279 页。
② 《马克思恩格斯全集》第 25 卷，人民出版社 2001 年版，第 280 页。

级了。"①相对于封建贵族而言，城市市民阶级代表了当时先进生产力和发展方向，推动着经济、政治、文化和社会的发展。在对付封建制度方面，城市市民阶级拥有一个强有力的武器——货币。由于货币作为一般等价物成为了普遍交换的手段，而封建贵族因为不从事生产和贸易，本身并没有足够的货币，因此不得不经常向高利贷者借款。这样，"货币是市民阶级的巨大的政治平衡器。凡是在货币关系排挤了人身关系、货币贡赋排挤了实物贡赋的地方，封建关系就让位于资产阶级关系。"②随着货币的广泛使用，农民向地主缴纳货币来代替先前的徭役和实物租，使得封建制度在广大农村地区逐渐丧失了社会基础。而对货币的大量需求导致人们对黄金的渴望，推动了葡萄牙人通过航海远赴非洲和印度寻找黄金。"这种到远方去冒险寻找黄金的渴望，虽然最初是以封建和半封建形式实现的，但是从本质上来说已经与封建主义不相容了，封建主义的基础是农业，它对外征讨主要是为了取得土地。而且，航海业是确确实实的资产阶级的行业，这一行业也在所有现代的舰队上打上了自己的反封建性质的烙印。"③可见，航海业的发展具有反封建的性质，在推动封建制度瓦解的过程中发挥着重要作用。同时，在反对封建主义的斗争中，早在10世纪末，市民阶级就开始和王权进行联盟，并得到了新兴的法学家提供的法理支持。"无论国王或市民，都从新兴的法学家等级中找到了强大的支持。随着罗马法被重新发现，教士即封建时代的法律顾问和非宗教界的法学家之间出现了分工。不言而喻，这批新的法学家一开始在实质上就属于市民等级；而且，他们本身所学的、所教的和所应用的法律，按其性质来说实质上也是反封建的，在某些方面还是市民阶级的。"④可见，法律是为特定阶级的利益服务的，法学家在反抗封建制度的斗争中发挥了一定的作用。在发展过程中，印刷术的推广、文艺复兴的开展等因素，都推动了市民阶级和王权反对封建制度的斗争。在这些因素的作用下，到了15世纪下半叶，王权和市民阶级就取得了对封建制度斗争的胜利。总之，15世纪到16世纪，封建社会内部产生了众多瓦解封建制度的因素。

民族国家的形成及其特点。民族国家的产生和发展是建立在现代民族形成的基础之上的。"从中世纪早期的各族人民混合中，逐渐发展起新的民族

① 《马克思恩格斯文集》第4卷，人民出版社2009年版，第216页。
② 《马克思恩格斯文集》第4卷，人民出版社2009年版，第217页。
③ 《马克思恩格斯文集》第4卷，人民出版社2009年版，第217页。
④ 《马克思恩格斯文集》第4卷，人民出版社2009年版，第220—221页。

[Nationalitäten]，大家知道，在这一发展过程中，大多数从前罗马行省内的被征服者即农民和市民，把胜利者即日耳曼统治者同化了。因此，现代的民族[Nationalitäten]也同样是被压迫阶级的产物。"① 可见，现代民族是在中世纪各民族的融合中形成的，其实质是阶级压迫的产物。同时，各个民族使用不同的语言，使得语族得以形成。"语族一旦划分（撇开后来的侵略性的和毁灭性的战争，例如对易北河地区斯拉夫人的战争不谈），很自然，这些语族就成了建立国家的一定基础，民族 [Nationalitäten] 开始向民族 [Nationen] 发展。"②显然，语族的形成是国家形成的重要条件。虽然中世纪语言的分界线和国家的分界线还远不相符，建立民族国家的进程也十分缓慢，但是这种趋向却日益明显，成为推动中世纪进步的有力杠杆。随着市民阶级和王权的联合，并不断取得和封建贵族和封建制度的斗争的胜利后，使得王权的地位最终确立，为民族国家的发展扫清了重要的障碍。到了 15 世纪下半叶，王权取得决定性胜利后，"在比利牛斯半岛，当地的两个罗曼语部落合并成西班牙王国，于是说普罗旺斯语的阿拉贡王国就屈从于卡斯蒂利亚的标准语；第三个部落则把它的各语言区（加利西亚除外）合并成为葡萄牙王国即伊比利亚的荷兰，它从内地分了出去，并且用它的海上活动证明了它独立存在的权利。"③ 这样，现代意义上的民族国家西班牙和葡萄牙就首先产生。同时，法国路易十一恢复了以王权为代表的民族统一；英国的封建贵族和王权通过长期的蔷薇战争，都收获了他们的预期成果，王权也得到了空前的加强；斯堪的纳维亚各国实现了合并；波兰在王权未受削弱的情况下进入了自己的光辉时期。至此，"全欧洲只剩下两个国家，在那里，王权和那时无王权便不可能出现的民族统一根本不存在，或者只是名义上存在，这就是意大利和德意志。"④ 显然，欧洲的民族国家于 15 世纪到 16世纪基本上得以形成，这与王权和市民阶级反抗封建制度取得胜利密切相关。

总之，通过全面梳理和论述封建制度的解体和民族国家的产生，恩格斯对西欧古代和中世纪的历史有了更深入的把握。

---

① 《马克思恩格斯文集》第 4 卷，人民出版社 2009 年版，第 218 页。
② 《马克思恩格斯文集》第 4 卷，人民出版社 2009 年版，第 219 页。
③ 《马克思恩格斯文集》第 4 卷，人民出版社 2009 年版，第 224 页。
④ 《马克思恩格斯文集》第 4 卷，人民出版社 2009 年版，第 224—225 页。

五、原始基督教的历史和群众运动的规律

从无产阶级和全人类解放的高度出发，在《论原始基督教的历史》一文中，恩格斯论述了原始基督教的历史和群众运动的规律。

原始基督教产生的历史原因、演变过程和社会本质。原始基督教的出现是西方社会发展史上的重要历史事件。其一，基督教的产生。在罗马统治时期，面对着巨大的罗马世界的强权统治，包括形形色色破产的自由人、被释放和未被释放的奴隶、陷入债务奴役的小农等广大被奴役、被压迫以及沦为赤贫的人们苦苦寻找出路。"对所有这些人说来，天堂已经一去不复返；破产的自由人的天堂是他们先人曾在其中作自由公民的过去那种既是城市、又是国家的城邦；战俘奴隶的天堂是被俘和成为奴隶以前的自由时代；小农的天堂是已经被消灭的氏族制度和土地公有制。所有这一切，都被罗马征服者用荡平一切的铁拳消灭净尽了。"[1] 由于这些人无法在现实的世界中找到天堂，因此把目光投向彼岸的世界——宗教领域。"于是，基督教出现了。它认真地对待彼岸世界的报偿和惩罚，造出天国和地狱。一条把受苦受难的人从我们苦难的尘世引入永恒的天堂的出路找到了。"[2] 显然，基督教是被压迫人民寻找精神解脱的产物。其二，基督教的演变过程。由于基督教宣传人们要忍受现世的苦难，将希望寄托在彼岸的世界，而这客观上有利于维护统治阶级的利益和统治。因此，"基督教在产生300年以后成了罗马世界帝国的公认的国教"[3]。可见，统治阶级将基督教上升到国家宗教的高度，使之从代表被压迫、被奴役的贫苦人民的宗教变为自身在精神上统治广大劳动人民的工具。其三，基督教的社会本质。基督教的产生是一种社会历史现象，是人类社会发展到一定阶段的必然产物。对于被奴役被压迫阶级而言，基督教是其逃避现实中的苦难世界而获得精神上的解脱的一种武器和解药。在这个意义上，"宗教是被压迫生灵的叹息，是无情世界的情感，正像它是无精神活力的制度的精神一样。宗教是人民的鸦片。"[4] 对于被压迫阶级来说，基督教是一把双刃剑，既有有利的一面，也有有害的

① 《马克思恩格斯选集》第4卷，人民出版社2012年版，第343页。
② 《马克思恩格斯选集》第4卷，人民出版社2012年版，第344页。
③ 《马克思恩格斯选集》第4卷，人民出版社2012年版，第327页。
④ 《马克思恩格斯选集》第1卷，人民出版社2012年版，第2页。

一面；对于统治阶级而言，基督教有利于维护统治阶级的统治，为统治阶级所利用。总之，对基督教产生和发展的分析，深化了恩格斯关于西欧古代历史的研究。

基督教和现代工人运动的联系和区别。由于都具有群众运动的性质，恩格斯比较了原始基督教和现代工人运动的异同。一方面，原始基督教的历史与现代工人运动的共同点在于：都产生于被压迫者的运动，都宣传要从奴役和贫困中解脱，都遭到过迫害和排挤，都在排挤和迫害中胜利地为自己开辟了前进的道路。另一方面，两者存在着本质的区别：基督教是号召人们在死后的天国中获得解放，社会主义是引导无产阶级和广大劳动群众通过持续不断的斗争在现世中实现解放。"事实上，对起初极其强大的尘世作斗争，同时又在革新者自己之间作斗争，这既是原始基督教教徒的特点，也是社会主义者的特点。这两个伟大的运动都不是由领袖们和先知们创造出来的（虽然两者都拥有相当多的先知），两者都是群众运动。"[①] 从本质上看，基督教运动和现代社会主义运动都是人民群众自己创造出来的群众运动。

群众运动的发展规律。在分析基督教运动与现代社会主义运动的进程和特点的基础上，恩格斯总结了群众运动的重要规律。其一，群众运动初期的混乱性。"群众运动在起初的时候必然是混乱的；其所以混乱，是由于群众的任何思想开始都是矛盾的，不明确的，无联系的；但是另一方面也是由于先知们起初在运动中还起着的那种作用。这种混乱表现为形成许许多多的宗派，彼此进行斗争，其激烈至少不亚于对共同外敌的斗争。"[②] 显然，群众运动初期的混乱表现表明了自身需要科学理论的指导。其二，必须同形形色色的投机分子作斗争。早期的基督教徒和社会主义者中都混进了形形色色的人。在第一国际存在时期，存在着魏特林派的共产主义者、蒲鲁东主义者、布朗基主义者、巴枯宁无政府主义者。"从国际建立时起，为了在各处彻底同无政府主义者划清界限，至少在最一般的经济观点上能够达到统一，竟花费了整整四分之一世纪的时间。而且这还是依靠了现代的交通工具，依靠了铁路、电报、巨大的工业城市、报刊和有组织的人民集会才达到的。"[③] 显然，

①　《马克思恩格斯选集》第 4 卷，人民出版社 2012 年版，第 339 页。
②　《马克思恩格斯选集》第 4 卷，人民出版社 2012 年版，第 339 页。
③　《马克思恩格斯选集》第 4 卷，人民出版社 2012 年版，第 339—340 页。

要保证社会主义运动的健康发展，必须同形形色色的社会主义者进行斗争。其三，群众运动都追求实实在在的利益。由于自身的局限性，许多群众运动尤其是中世纪农民和城市平民起义在兴起和发展的过程中往往披上宗教的外衣。"这些起义同中世纪的所有群众运动一样，总是穿着宗教的外衣，采取为复兴日益蜕化的原始基督教而斗争的形式；但是在宗教狂热的背后，每次都隐藏有实实在在的现世利益。"[①] 显然，群众运动不管采用什么样的形式、披上什么样的外衣，其追求的都是实实在在的利益。因此，社会主义运动必须在代表广大人民群众现实利益的基础上，为他们谋取实实在在的利益，这样，才能得到他们的拥护，进而向前发展。

总之，通过对原始基督教的分析，恩格斯不仅深化了对宗教问题的研究，还深化了对现代社会主义运动和群众运动的发展规律的研究，具有重要的价值。

综上，恩格斯在1875年之后的史学研究，进一步揭示了人类社会发展的秘密，与马克思的《历史学笔记》交相辉映，成为唯物史观和史学研究相结合的光辉典范。

第四节　马克思恩格斯对影响历史发展的动力因素的史学分析

在研究欧洲古代史和世界史的过程中，马克思恩格斯深入到历史现象的背后，全面分析了物质生产、政治革命、法制变革、社会交往和科学技术等因素在历史发展中的影响和作用，丰富和发展了马克思主义关于人类社会发展的系统动力学说。

---

① 《马克思恩格斯选集》第4卷，人民出版社2012年版，第328—329页。

一、物质生产在历史发展中的决定作用

物质生产在历史发展中发挥决定性作用，是推动人类社会发展的根本动力。在研究人类社会发展尤其是西欧历史发展的过程中，马克思恩格斯进一步丰富和发展了这一思想。

在研究西欧古代历史的过程中，恩格斯充分肯定物质生产在西欧社会历史发展过程中的决定性作用。例如，物质生产决定了马尔克制度的发展和解体。"马尔克制度，直到中世纪末，依然是德意志民族几乎全部生活的基础。这种制度在存在了 1500 年之后，终于由于纯粹的经济原因而逐渐没落下去了。它之所以瓦解，是因为它不再适应经济上的进步。"[①] 显然，经济因素的发展是马尔克解体的根本原因。再如，在《法兰克时代》中，恩格斯论述了物质生产导致了大土地占有者的产生，在封建生产关系形成过程中起着决定性作用。"工业和商业在罗马崩溃时期就已经衰落了，德意志人的侵略几乎把它们全部摧毁。留下来的大半都由非自由人和外国人经营，并且仍然是被人轻视的行业。这里随着财产不均的出现而逐渐形成的统治阶级，只能是一个大土地占有者阶级，他们的政治统治形式也只能是一种贵族统治形式。因而，当我们就要看到，在这一阶级产生和形成的过程中，起作用的往往是，而且仿佛主要是政治手段即暴力和欺诈时，我们就不要忘记，这些政治手段，只是在促进和加速一个必然的经济过程。"[②] 显然，物质生产的发展及其导致的财富不均是大土地占有者阶级的形成的根本原因。最后，在 1894 年的《法德农民问题》中，恩格斯指出："资本主义生产形式的发展，割断了农业小生产的命脉；这种小生产正在无法挽救地灭亡和衰落。北美、南美和印度的竞争使廉价的粮食充斥欧洲市场，这种粮食廉价到没有一个欧洲的生产者能够跟它竞争。"[③] 可见，生产力发展推动的资本主义大生产导致了小农经济的必然解体。总之，物质生产在西欧社会发展进程中的决定性作用的观点，贯穿于恩格斯的研究过程的始终。

在《历史学笔记》中，马克思全面论述了物质生产在人类社会发展进程中

---

① 《马克思恩格斯全集》第 25 卷，人民出版社 2001 年版，第 257 页。
② 《马克思恩格斯全集》第 25 卷，人民出版社 2001 年版，第 259—260 页。
③ 《马克思恩格斯选集》第 4 卷，人民出版社 2012 年版，第 356 页。

的决定性作用。无论是奴隶制度的确立和解体，还是封建制度的确立、动摇和解体，抑或是资本主义萌芽的发展，从根本上都是生产力的发展，尤其是物质生产的发展直接推动的。马克思在摘录 11 世纪初的意大利的概况时指出："威尼斯一开始就是独立自主的。在一些商业城市里，而不是在农村里，开始有了自由。…… [威尼斯一开始就是一个独立的大城市公社；阿马尔非，尤其是比萨和热那亚也都成为独立的城市，逐渐打碎了封建枷锁，它们之所以称为共和国是因为它们实际上也是这样。]"[①] 可见，物质财富的发展不仅决定了政治地位的变化，决定了城市的发展地位及人民政治自由的多少，而且在打碎封建枷锁方面发挥了决定性作用。同时，马克思将英国的蔷薇战争引起的影响称为社会革命。"这一时期，各地的财富和工业都有所增长。各郡小业主的财富和人数越来越多，市民阶级随着贸易的发展也大发其财……财富决定着贵族地位的高低。波哲奥在来这个岛旅行时指出，'收入丰盈的贵族最受尊敬，出自名门的人都在做生意，出售自己的羊毛和牲畜，并不认为从事农业是丢人的事'。……实业阶级人数众多，遭到破产和覆灭的其实主要是一些贵胄显爵及其封建家臣。"[②] 显然，各个阶层物质财富和经济地位的变化，决定了其政治地位的变化。随着商业阶级日益增长的财富，推动了羊毛价格的上涨，进而导致小块耕地的合并和大规模养羊业的产生，即推动了资本主义原始积累的产生。显然，物质生产及其财富的增加是推动人类社会发展的决定性力量。

总之，物质生产推动了社会各阶级政治地位的变化和人们自由的提升，是推动人类社会发展的决定性力量。

二、政治革命在历史发展中的基础作用

在研究历史的过程中，马克思恩格斯详细论述了议会制度、农民起义、资产阶级革命等政治革命在推动人类社会历史发展进程中，尤其是在社会形态更迭演替中的基础作用。

议会制度在限制封建王权的过程中发挥了重要作用。议会制度的最初产

---

① 马克思：《历史学笔记》第 1 册，中国人民大学出版社 2005 年版，第 46 页。
② 马克思：《历史学笔记》第 4 册，中国人民大学出版社 2005 年版，第 228 页。

生是为了限制封建王权。英国议会制度的产生是在亨利三世（1207—1272 年）时期。1226 年，"亨利为了弄到一笔他同法兰西作战所需要的钱——因为普瓦图和吉廷可能丢失——只好承认他不愿意承认的大宪章（Magna Charta）。这时他被迫颁布森林法（Charta forestarum），也就是说，把亨利二世侵占的狩猎权和林木权还给一些男爵。"① 显然，大宪章是限制封建王权的重要法律。1248 年，"由于财政困难，亨利三世召开教会和世俗的等级代表会议，一场风波又爆发了。大家指责他的过失，指责他利用审判和惩罚权来增加收入……等级会议不同意亨利再补收捐税，他卖掉自己的全部银器，流着眼泪答应改正错误，借口要发动十字军远征，央求伦敦市民出钱。"② 这里的等级会议就是指议会。这表明了议会是为了限制封建王权而产生的，并在限制封建王权的过程中发挥了重要的作用。然而，随着实践的发展，议会逐渐从限制封建王权的工具过渡成为维护和确认封建王权的工具。随着封建王权力量的不断加强，尤其是封建专制制度的确立，议会制度最终取消。1461 年，"随着蔷薇战争的结束（确切地说，自从爱德华四世获胜后），英国人的自由｛也就｝结束了，｛确定了｝专制制度。这个专制制度在王位继承的斗争结束后大获全胜。爱德华四世登基后，'议会的活动'由于王权无限增长，几乎停顿了，或者说，变得徒有虚名了。御前会议篡夺上下两院的合法权利；又出现了以乐捐（benevolences）和强制性公债形式的苛捐杂税；几乎没有个人的自由，到处是密探，随时随地有银铛入狱之险。司法的职能荡然无存，因为滥用议会的惩治叛国罪的法令（bills of attainder），御前会议的审判权力越来越大，法庭奴颜婢膝的现象越来越严重，对陪审员的压力越来越大。"③ 显然，专制王权力量的增长使得议会制度最终名存实亡，甚至在一定程度上成为专制王权维护自身统治的工具。事实上，"约克家族和爱德华四世的胜利是王权对议会的胜利，因为被打败的兰开斯特家族是由于议会的决定才得到王位的。"④ 可见，王权最终取得了对议会斗争的胜利。显然，议会制度的产生、发展和消失是一场深刻的政治革命，有其历史必然性，在西欧封建社会发展过程中发挥着重要作用。

农民起义在推翻封建专制制度过程中发挥了重要作用。在阶级社会，被统

---

① 马克思：《历史学笔记》第 1 册，中国人民大学出版社 2005 年版，第 195 页。
② 马克思：《历史学笔记》第 1 册，中国人民大学出版社 2005 年版，第 196 页。
③ 马克思：《历史学笔记》第 4 册，中国人民大学出版社 2005 年版，第 226 页。
④ 马克思：《历史学笔记》第 4 册，中国人民大学出版社 2005 年版，第 227 页。

治阶级通过发动起义的方式来推翻统治阶级的统治。在《历史学笔记》中，马克思记述道，14世纪中后期，在理查二世执政初期，理查二世年龄还小，软弱无能，而他的几个叔父又很贪权，彼此争吵。在此情形下，"下层百姓失去了英国宪法规定的各项权利，市民还能享有这些权利，而下层人民却在经受贵族和教会的重压。这时，启蒙思想已从意大利传入英国。在一系列宗教的和政治的浪潮以后，农村的居民处境日益艰难。"① 这不仅反映了法律是为统治阶级利益服务的，还反映了遭受贵族和教会的双重压迫的农民的悲惨处境。在剥削和压迫农民这件事上，贵族和教会之间也存在着瓜分不均的矛盾，并进行了多次斗争。这进一步加剧了农民的悲惨处境，使得他们只能通过发动起义才能生存下去。1381年，泥瓦匠瓦特·泰勒领导的起义爆发了，其参与者主要是农民、手艺人和工人。对此，马克思作了以下摘录："[在摄政时代，'自由'贵族和神职人员让农奴大失所望。暴动的直接原因是理查二世在财政上的失利。议会早就实行新的人头税，征收这种税只有利于税吏和包税人，国库仍然是空的。这时征收的捐税越来越多，税吏和包税人故伎重演。国王同他们就应上缴国库的钱讨价还价，同这帮胆大包天、丧尽天良、靠压榨农民以自肥的吸血鬼达成协议。]"② 可见，瓦特·泰勒起义是由统治阶级的无情压迫和剥削直接造成的。起义爆发后，泰勒带领起义队伍向伦敦进发，沿途抢劫贵族财产、焚毁文契、杀死官吏，给封建统治阶级造成了极大的震动和打击。1381年6月12日，起义队伍逼近伦敦，并将理查二世及其僚属围困在伦敦塔里。面对这种局面，理查二世不得不答应废除人头税，在整个王国境内取消农奴法和徭役制。同时，"理查二世答应向起义者发布一些有关文件，他还取消了狩猎权和捕鱼权。"③ 这表明了农民起义对封建统治阶级统治的巨大冲击，是瓦解封建社会的重要力量。然而，在和理查二世公开洽谈时，泰勒中了统治阶级的诡计，被当场杀害。紧接着，理查二世通过卑劣的手段镇压了起义队伍，不仅收回了之前的承诺，还对起义者进行公开审判。这不仅反映了封建统治阶级的卑劣和残酷，揭示了统治阶级和被统治阶级之间的矛盾的不可调和性，也反映了农民起义的历史局限性。虽然瓦特·泰勒起义最终失败了，但是它沉重地打击了封

---

① 马克思：《历史学笔记》第2册，中国人民大学出版社2005年版，第37页。
② 马克思：《历史学笔记》第2册，中国人民大学出版社2005年版，第38页。
③ 马克思：《历史学笔记》第2册，中国人民大学出版社2005年版，第38页。

建统治阶级的统治，迫使封建统治阶级作出了一定的让步。此外，马克思还摘录了杜尔奇诺起义、扎克雷运动等农民起义，高度评价了这些起义在瓦解封建社会、推翻封建专制制度过程中的作用。

资产阶级革命在推翻封建专制制度过程中发挥了关键作用。在西欧封建社会向资本主义社会过渡的过程中，随着市民阶级力量的不断发展壮大，尤其是新兴的资产阶级的力量的发展壮大，爆发了一系列资产阶级革命。作为当时最重要的政治革命，资产阶级革命对于封建社会的解体和资本主义社会的确立发挥着重要的作用。随着航海的大发展，西方国家在地理方面有许多重大的发现，例如好望角、印度、美洲新大陆等。地理大发现极大地推动了各国之间的经济联系和交往的发展，使得封建社会内部的资本主义萌芽得到迅速发展，进而推动了封建社会内部的革命因素的迅速发展。地理大发现直接导致了欧洲国际贸易中心由地中海沿岸转移到大西洋沿岸。威尼斯原是国际贸易的中心，"但是，威尼斯的强盛基础受到来自各个方面的破坏：在东方，土耳其的势力日益强大；与东印度和中国的贸易已转入葡萄牙之手，葡萄牙控制着德干高原上的整个帝国，很快又占领南美洲的一些岛屿和土地；西班牙有美洲的领地等等，海上都是它的船只，使威尼斯的船相形失色；尼德兰利用西班牙人和葡萄牙人的发现得到许多好处；最后，一些大的（已经不是封建的）君主国的建立——这与许多重大的变革有关，在 15 世纪就准备好了——使威尼斯像汉撒各个城市那样到了末日。"① 随着威尼斯的衰败，尼德兰成长壮大了，并爆发了著名的尼德兰革命。这是资产阶级革命，为资产阶级取得政权打下了坚实的基础。

总之，革命是历史进步的火车头，政治变革在推动历史发展的进程中发挥着基础作用。

三、法制变革在历史发展中的保障作用

在研究人类历史尤其是欧洲历史发展的过程中，马克思恩格斯高度重视法制变革在人类社会历史发展进程中的保障作用。

---

① 　马克思：《历史学笔记》第 3 册，中国人民大学出版社 2005 年版，第 73 页。

法制变革在历史发展中的作用。在《历史学笔记》开篇，马克思摘录了儒略法的应用："公元前91年。罗马城建立后过了六百五十年即公元前91年。[元老院违背玛丽亚的旨意] 根据 Lex Julia①，把公民权即罗马公民权 [获得公民权的人组成八个特里布斯，他们在特里布斯民会中有很大的影响] 先授予仍然效忠于拉丁人、翁布里亚人的那些盟友；后来根据 Lex Plautia②，逐渐授予其他人。"③由于凯撒姓氏是儒略，因此，儒略法是以凯撒姓氏命名的法。同时，马克思摘录了卡尔洛·博塔的《意大利人民史》中大量关于郎哥巴底人重视法制的材料，揭示了法制变革在社会历史发展中的重要作用。博塔指出："要想了解郎哥巴底人的政体的实质，似乎还应该指出，他们的历代国王都很关心维护法律在本地的实效，而不是野心勃勃地追求无限的权力，他们也不想独揽立法大权。在需要制定新的法律时，他们总是同本王国内的有名望的缙绅和身负要职的官员商榷，经过专门召开的大会批准后，这些法律才生效。"④可见，郎哥巴底人制定法律有着严格的程序，而并非君主个人专断。同时，"立法材料非常丰富，有各种各样的资料可供立法者达到一个共同的目的：使一个社会有条不紊。在这方面，郎哥巴底人也许可以有幸与被认为是文明的民族较量一下。"⑤可见，郎哥巴底人的法制是建立在丰富的立法材料的基础之上的。在实践中，郎哥巴底人"只颁布有利于黎民百姓的法律。郎哥巴底人的君主政权是经过选举产生的，尽管郎哥巴底人一向承认继承人——只要他们有管理能力——的权力。因为少数人享有选举权，这样就达到了两个目的：一方面可以防止通常由于君主无能或心狠手毒而造成的灾难，另一方面可以防止由于选民太多而必然产生的混乱。这个民族知情达理，总是谨慎地做国法所允许的事……所以他们的选举结果总是万无一失的。"⑥显然，法制在郎哥巴底人政治生活中发挥着重要作用，从制度上保证了他们选举出来的国王都是一心想做好事的人。总之，法制对于西欧社会的发展起着重要作用。

法制变革的实质。法律是上层建筑的重要组成部分，受经济基础制约并为

① 儒略法。——译者注
② 普劳提乌斯法。——译者注
③ 马克思：《历史学笔记》第1册，中国人民大学出版社2005年版，第1页。
④ 马克思：《历史学笔记》第1册，中国人民大学出版社2005年版，第248页。
⑤ 马克思：《历史学笔记》第1册，中国人民大学出版社2005年版，第250页。
⑥ 马克思：《历史学笔记》第1册，中国人民大学出版社2005年版，第250页。

之服务，从根本上代表了经济上占统治地位的阶级的利益。因此，法律具有典型的阶级性，法制变革也是为特定阶级利益服务的。在实践中，推动法制变革、为之提供直接理论论证的群体就是法学家，因此，法学家也具有鲜明的阶级性。在《马尔克》中，恩格斯指出，在 14 世纪和 15 世纪，随着城市的兴起，君主和贵族为了获得更多的钱，就加紧对农民进行新的剥削和压迫，增加代役租和徭役，希望将自由农民变为依附农、将依附农变为农奴、将马尔克的公有地变为地主的土地。在法学家的帮助下，君主和贵族积极利用法律条文来实现自身的利益最大化，也对农民的压榨达到最大化。在《关于普鲁士农民的历史》一文中，恩格斯论述了在法学家的帮助下，领主将农民变为农奴给领主带来的好处："一旦农民变成了农奴，并且以罗马法为依据的法学家又把这种农奴和罗马的奴隶等同起来，领主们就完全换了另外一副腔调。现在，他们在法院里有法学家的支持，可以随时随地要求农民从事各种毫无限制的劳役。只要领主一有吩咐，农民即使荒废自己的田地，让自己应收获的庄稼泡在雨水中烂掉，也得去为领主服徭役、搬运、耕耘、播种、收割。而农民用谷物或货币交纳的代役租也同样被提高到了最高限度。"① 显然，对法律的理解和运用成为统治阶级压迫和奴役被统治阶级的重要工具。同样，在《历史学笔记》中，马克思也深刻阐述了法律和法制变革的实质。1314 年，封建君主菲利普"实行一套新的管理体制，利用一些不属于特权阶级的人，特别是法学家（拜占庭罗马法）。他到处建立王室法庭和最高法院，实行这种法律，企图通过一些新的法律使旧的法律惯例符合自己的目的。……那些商讨国家大事的议会被他变成最高法院或者王室审判委员会，其成员由他指定，他还把国内的一些法庭交给王室的官员；这样，国内的诉讼程序全都由王室控制。"② 显然，统治阶级推行法制变革是为了更好地维护自身的阶级利益和阶级统治。在研究英国历史时，马克思作了以下摘录："1349 年底颁布工人法（Statute of Labourers）。其中有这样一段：'所有年龄在 60 岁以下的健康男女，无论其身份如何，也无论是自由人和奴隶……凡不具备本人的生活费用或者可供本人耕种的土地且未替他人效劳者，今后必须为有此种要求的主人效劳，劳动报酬只能按他所效劳地区发生

---

① 《马克思恩格斯文集》第 4 卷，人民出版社 2009 年版，第 250—251 页。

② 马克思：《历史学笔记》第 1 册，中国人民大学出版社 2005 年版，第 206 页。

鼠疫两年前通常的标准收取.'违者处以监禁。"① 可见,《工人法》并没有成为保障工人阶级合法权益的工具,反而为统治阶级剥削和奴役工人阶级提供了法律支撑。简言之,法律和法制变革的实质是统治阶级实现阶级统治的工具。

总之,法制变革是推动人类社会不断向前发展的重要手段,也是推动阶级社会历史发展的重要动力。

四、社会交往在历史发展中的显著作用

在研究西欧古代历史和世界历史的过程中,马克思恩格斯全面论述了民族迁徙、战争和贸易等社会交往形式在历史发展中所起的显著作用。

民族大迁徙的作用。在人类社会发展史中,各个民族之间的迁徙是推动民族交流和融合的重要手段。公元3—7世纪,日耳曼、斯拉夫及其他部落向罗马帝国的大规模迁徙,史称民族大迁徙,对西欧历史发展产生了重要影响。其中,日耳曼民族的各个部落在罗马境内、欧洲和北非等地建立了自己的国家。恩格斯指出:"向罗马境内的迁徙把区的血统联盟也破坏了,而且必然要破坏它。虽然原来打算以部落和氏族为单位来定居,但这是做不到的。长期的流动,不仅把各个部落和氏族,甚至把整个整个的民族都混合了起来。而各个农村公社的血统联盟,也是费了很大力气才维系下来。这些农村公社从而成为构成民族的实际政治单位了。罗马领土上的新区,一开始就成为多少是任意划定的(或者是由业已存在的关系所决定的)司法区,或者很快就变成这种司法区。"② 显然,民族大迁徙客观上推动了罗马奴隶制度的解体和西欧封建制度的产生。总之,民族大迁徙对欧洲历史发展产生了重大的影响。

战争的作用。战争是一种重要的交往形式。在《历史学笔记》中,马克思详细摘录了十次十字军东征和三十年战争的历史进程及其影响。其一,十字军东征。从十字军东征开始,"许多雕刻珍品从君士坦丁堡被运到西方,这样西方才知道东方有如此高超的技艺。后来拉丁人就用这些偷来的珍品装饰自己的住宅、宫殿和教堂。在这方面也很擅长的威尼斯人特别努力。他们用君士坦丁

① 马克思:《历史学笔记》第4册,中国人民大学出版社2005年版,第210页。
② 《马克思恩格斯全集》第25卷,人民出版社2001年版,第258页。

堡的豪华物品装饰自己的集市广场和市政厅。在威尼斯的圣马可广场、圣马可教堂门前的青铜饰金骊是古代的艺术珍品之一，也是当时从君士坦丁堡运到威尼斯的。"①可见，十字军东征推动了东西方交往的扩大，沟通了东西方之间的联系。与此同时，十字军东征也造成了巨大灾难："1099 年 7 月 15 日　　耶路撒冷陷落。十字军无恶不作。第三天，城防军在自由撤退的条件下投降了，因此鼓励军队再一次屠杀居民。十字军在耶路撒冷的暴行激起了东方一切信仰伊斯兰教居民的愤怒。"②显然，对战争要有科学全面的认识，要深刻看到战争给社会和人民带来的深重灾难。其二，三十年战争。1618—1648 年，欧洲历史上发生了世界历史上第一次大规模的国际战争，史称三十年战争。在马克思看来，虽然三十年战争是在宗教名义下进行的战争，但是绝不仅仅是一场宗教战争，其实质是欧洲社会各种矛盾的集中爆发，反映了欧洲社会新旧贵族之间、新兴的资产阶级和封建势力之间政治利益和经济利益的矛盾和对抗。"1648 年 8 月 6 日　　瑞典、皇帝和新教帝国官员三方在奥斯纳布吕克签订了威斯特伐利亚和约。"③到了 10 月份，军事行动停止了，三十年战争正式结束。《威斯特伐利亚和约》的签订是在国际关系发展史上具有里程碑意义的历史事件，不仅标志着神圣罗马帝国的彻底衰落和以神圣罗马帝国为核心的国际关系体系走向解体，还标志着以英、法、德等近代主权国家为主体的近代国际关系体系的形成，也促进了资本主义经济的萌芽和发展。总之，战争在推动人类社会发展进程中客观上具有重要作用。

贸易的作用。贸易是一种重要的社会交往手段，沟通了人与人之间、民族与民族之间、国家与国家之间的联系。在西欧的奴隶社会，贸易就得到了一定程度的发展。到了 180 年至 192 年，罗马帝国已经通过埃及、巴尔米拉、叙利亚，继续同印度进行贸易，客观上扩大了东西方的联系和社会交往。12 世纪初，在第一次十字军东征期间，"意大利的沿海各国仍然帮助鲍德温控制海岸线，靠着同东方开展的自由贸易而日渐富裕，运送朝圣者所得的高收益使它们的船舶日渐增多。工业蓬勃兴起。"④显然，十字军东征加强了东西方之间的联系，推动了东西方贸易的发展。到了 13 世纪，东西方贸易得到了进一步的发

①　马克思：《历史学笔记》第 1 册，中国人民大学出版社 2005 年版，第 135 页。
②　马克思：《历史学笔记》第 1 册，中国人民大学出版社 2005 年版，第 85 页。
③　马克思：《历史学笔记》第 4 册，中国人民大学出版社 2005 年版，第 175 页。
④　马克思：《历史学笔记》第 1 册，中国人民大学出版社 2005 年版，第 86 页。

展。"1219 年 铁木真成了花剌子模的近邻，尽管要求巴格达的哈里发给以援助，当时花剌子模的居民并没有促使他发动战争。[花剌子模的居民和东方的贸易往来相当活跃。]"① 显然，贸易的发展推动了东西方联系的加强。同时，在航海业的蓬勃发展和地理大发现的条件下，国际贸易得到了极大的发展，欧洲的贸易中心从地中海沿岸的意大利转移到大西洋沿岸的尼德兰。同时，贸易的发展不仅涉及到商品贸易，也涉及银钱业务。"意大利人正垄断整个东方的银钱业务和商品贸易，南德意志的一些城市也在这两方面模仿他们，还学会了在米兰、威尼斯、热那亚和布雷西亚 {十分流行的} 呢绒贸易，玻璃、镜子和丝绸的生产，金银器皿的制作技术和染织生意。佛罗伦萨人都是国王、公侯、骑士和主教的银行家，不仅如此，作为丝织厂主，还把丝绸推销到整个欧洲，同在呢绒生产方面超过他们的佛来米人保持紧密的联系。"② 显然，贸易的发展推动了欧洲各国的内部联系的加强。简言之，贸易在推动人类社会发展进程中发挥着重要作用。

总之，社会交往构成了推动人类社会历史发展的重要动力，推动着世界各国间的联系日益密切。

五、科学技术在历史发展中的关键作用

在研究欧洲历史的过程中，马克思恩格斯运用大量历史事例，论证了科学技术在历史发展中所起的关键作用，丰富和发展了马克思主义关于科学技术的社会作用的学说。

科学技术对于推动经济发展尤其是生产力发展的重要作用。科学技术是推动生产力发展的重要要素，也是先进生产力发展的集中体现。在研究德国古代历史的过程中，恩格斯指出，随着实践的发展，"出现在这样一个时代，在这个时代里，不单是科学的农业，而且还有那些新发明的农业机械，日益使小规模的经营变成一种过时的、不再有生命力的经营方式。正如机械的纺织业排斥了手纺车与手织机一样，这种新式的农业生产方法，一定会无法挽救地摧毁农

---

① 马克思:《历史学笔记》第 1 册，中国人民大学出版社 2005 年版，第 148 页。
② 马克思:《历史学笔记》第 2 册，中国人民大学出版社 2005 年版，第 8 页。

村的小土地经济，而代之以大土地所有制，——只要给这种生产方法以这样做的必要时间。"① 虽然机器大工业推动了马尔克公社的解体，但是要实现马尔克公社的新生，必须依靠机器大工业，即在采用马尔克公社的土地公有制的形式下，通过机器大工业对马尔克的土地公有制制度进行社会主义改革。这不仅能够使马尔克获得新生，也能使农村得到发展。"经营大农业和采用农业机器，换句话说，就是使目前自己耕种自己土地的大部分小农的农业劳动变为多余。要使这些被排挤出田野耕作的人不致没有工作，或不会被迫涌入城市，必须使他们就在农村中从事工业劳动，而这只有大规模地、利用蒸汽动力或水力来经营，才能对他们有利。"② 只有大力发展农村工业，才能使农村得到全面的发展。可见，科学技术对于推动马尔克和农村生产力的发展具有突出的作用。

科学技术对于推动政治发展的重要作用。在《历史学笔记》中，马克思指出，菲利普四世在繁荣的蒙彼利埃城奠定了法兰西统治的基础。"这个城市是法兰西南部的贸易中心，此外，各门科学特别是医学、犹太教和基督教的学校教育也十分发达。"③ 显然，科学技术的发展有利于统治者巩固自身的统治。与此同时，科学技术也可以为代表更高生产力和生产关系的阶级利用，成为推动旧的统治阶级统治的重要工具。在研究欧洲封建制度发展的过程中，恩格斯指出："印刷术的推广，古代文献研究的复兴，从 1450 年起日益强大和日益普遍的整个文化运动，所有这一切都有利于市民阶级和王权反对封建制度的斗争。"④ 可见，科学技术是市民阶级和王权反对封建专制的推动因素。在《历史学笔记》中，马克思论述了以指南针和航海技术为代表的科学技术的发展对于资产阶级世界市场的形成和资本主义制度确立的重要作用。14 世纪初，"那不勒斯、西西里和阿拉贡同意大利其他地区之所以能有贸易联系，是因为使用了指南针——这显然是中国人的发明。根本不是西方的弗拉维欧·乔伊雅这个阿马尔非人在 1320 年首先发明的，13 世纪末，指南针已经被广泛应用。所以近海航行才能变成乘风破浪的远航。"⑤ 指南针对于推动西方的航海发挥了关键的作用。14 世纪中叶，葡萄牙人发现了很多新的国度，为了扩大海上贸易，"葡

---

① 《马克思恩格斯全集》第 25 卷，人民出版社 2001 年版，第 583 页。
② 《马克思恩格斯全集》第 25 卷，人民出版社 2001 年版，第 584 页。
③ 马克思：《历史学笔记》第 1 册，中国人民大学出版社 2005 年版，第 205 页。
④ 《马克思恩格斯文集》第 4 卷，人民出版社 2009 年版，第 223—224 页。
⑤ 马克思：《历史学笔记》第 1 册，中国人民大学出版社 2005 年版，第 174 页。

萄牙人租用热那亚人的船只，聘请他们的海军将领，向他们学会了航海术。"①
显然，航海术的应用对于葡萄牙人开拓世界市场具有重要作用。和印刷术一
样，指南针和航海术也是推翻封建专制制度的重要助推器。总之，科学技术在
推动西欧政治发展进程中发挥着重要作用。

　　科学技术对于推动文化繁荣和社会发展的重要作用。科学技术的发展不仅
是文化繁荣的表现，而且能够推动人们的思想解放和文化的繁荣发展。在论述
阿尔比派战争以前的法兰西南方时，马克思记述道："除了萨莱诺，法兰西南
方的医学也很发达，犹太人在那里建立了许多科学机构。随着教育的高度发
展，出现了各种异端。"②异端思想就是指不同于宗教专制思想的其他思想。这
表明，科学和教育促进了思想的自由、解放和发展。同时，教育的发展极大
地推动了文化的繁荣。11 世纪，意大利首先建立了波伦亚法律学校；12 世纪，
法国的巴黎大学和英国的牛津大学相继成立；1348 年，查理四世在捷克建立布
拉格大学，主张文明开化；到 15 世纪，西欧共建立六十多所世俗大学。在推
动科学技术发展的过程中，统治阶级中的一些有识之士也发挥了重要作用。马
克思摘录道："1252—1284 年　　智者阿方索十世。{他主持编制} 天文图表，
{建立一些} 天文观测站等等。萨拉曼卡大学的水平已经与巴黎大学和博洛尼
大学不相上下。早在 14 世纪那批伟大的意大利人以前，{这里已经教授} 一些
中世纪从未有过的科学知识。"③显然，阿方索十世十分重视科学的发展，不仅
为天文学的发展做出了重要贡献，也推动了意大利科学和教育的发展。马克思
还摘录了黎塞留的功绩："1635 年　　黎塞留建立了法国科学院。"④此外，马
克思记述了罗杰二世的统治时期科学教育的发展情况："在他统治时期，双西
西里日趋繁荣；双西西里的地位因萨莱诺的医学学校、自然科学学校、阿马尔
非的法律学校而日渐重要。在那不勒斯，学校越来越多。在萨莱诺的一个学校
里（讲授）阿拉伯人的怀疑论哲学；在阿马尔非，有一个完全脱离教会的诺曼
人创办的国家法学校；从那不勒斯传入了许多意大利和希腊的法学知识。"⑤可
见，科学教育的发展是推动双西西里繁荣的重要原因。简言之，西欧文化和社

---

① 　马克思：《历史学笔记》第 2 册，中国人民大学出版社 2005 年版，第 64 页。
② 　马克思：《历史学笔记》第 1 册，中国人民大学出版社 2005 年版，第 156 页。
③ 　马克思：《历史学笔记》第 2 册，中国人民大学出版社 2005 年版，第 58 页。
④ 　马克思：《历史学笔记》第 4 册，中国人民大学出版社 2005 年版，第 165 页。
⑤ 　马克思：《历史学笔记》第 1 册，中国人民大学出版社 2005 年版，第 92 页。

会的繁荣发展离不开科学技术的推动。

　　总之，科学技术是生产力，在推动人类社会历史发展过程中发挥着重要的作用，是历史发展的重要动力。

　　综上，马克思恩格斯的历史研究，事实上就是理论研究，作为科学的马克思主义，在总结和概述史学成果的基础上，进一步揭示了人类社会发展的客观规律。

第七章　政治经济学视野的扩展和《资本论》手稿的整理与出版

19世纪70年代以来，马克思非常关注西欧资本主义发展的新情况，其政治经济学的研究从理论转向最新现实问题。马克思收集大量关于美国和俄国的经济和土地问题的资料，并且作了详细的记录。与此同时，马克思利用最新的材料继续进行《资本论》第二卷和第三卷的写作。1883年马克思去世，留下了未能完成和出版《资本论》续卷的遗憾。为了执行挚友的遗愿，恩格斯克服了重重困难，肩负起编辑出版《资本论》第二、第三卷的工作，并最终使得《资本论》这个艺术整体呈现在世人面前。同时，马克思和恩格斯还与讲坛社会主义进行了坚决斗争。在这个过程中，马克思恩格斯进一步丰富和完善了马克思主义政治经济学理论体系。

第一节　马克思晚年政治经济学研究视野的新扩展

马克思在撰写《资本论》续卷的过程中，注意到了美国资本主义经济的新发展和俄国土地问题的特殊性，并且继续运用典型分析方法对美国和俄国的经济问题进行了解剖，为科学阐明货币资本和地租问题提供了最新的现实材料。

一、研究以美国为典型的资本主义经济的新进展

19 世纪后三十年，资本主义生产方式出现了一系列新的变化，包括信用制度的发展、虚拟资本的涌现、股份公司的发展、国际垄断组织出现等等。美国资本主义迅速发展，继英国之后成为政治经济学研究的典型对象。为了证明历史唯物主义的科学性和发展政治经济学，马克思对美国的经济发展情况进行了深入了解，收集了大量的研究材料。这为《资本论》的后续研究提供了广阔的历史视野。

（一）美国资本主义发展和无产阶级运动新动向

19 世纪后期，美国取代了英国，成为资本主义国家中一颗冉冉升起的新星，充分展现了资本主义的新发展，尤其是金融资本的迅速发展。无论在资本主义经济，还是在工人运动方面，美国都取得了一系列进展。

一方面，美国成为新的世界经济中心。1872 年，世界经济重新布局，美国进入了一个全新的推广工业阶段，在发明节约劳动力的机械方面，走在前列的已不再是英国，而是美国。英国的专利品和机器的地位每一天都被美国的发明取代。美国的机器输入英国，几乎包括所有的工业部门。此外，美国拥有世界上精力最旺盛的人民和丰富的自然资源，尤其是矿产资源。1876 年，美国的银行业迅速发展，金融资本主义逐渐走向工业资本主义。经过二十年左右的保护关税政策，美国的工业水平已经达到了一个全新的高度。因而，美国东部海岸取代伦敦，成为世界经济的中心。1873 年，以泽依—库克银行破产为标志，金融危机在美国再次爆发。一开始，危机的主要中心在美国和德国。70 年代末，危机逐渐扩展到了英国。新的危机形式使得马克思确信，资本主义极有可能将会倒塌，这使他决意研究美国的经济问题。马克思意识到美国作为研究资本主义发展最新形态的典型性意义，因而，他通过左尔格、哈尼、里弗斯等人收集了大量关于美国经济发展、土地问题和社会问题的材料，以期破解美国土地问题的秘密。

另一方面，美国的工人运动高潮迭起，成为第一国际的新中心。美国国内战争后产生了联合资本寡头。工人阶级的反抗运动遭到镇压。在这种情况下，马克思认为，美国极有可能建立一个真正的工人政党。19 世纪 70 年代，马克

思参与了纽约国际支部各项创建和发展工作，起草了一系列的活动草案、工人宣言，撰写了很多活动评论，打击美国的宗派主义，强调建立国际的目的是用真正的工人阶级的战斗组织代替那些"社会主义"的和半社会主义的宗派。1872年第一国际的总部迁往美国。同年4月到5月，马克思密切关注北美联合会的内部斗争问题和美国各支部的状况，密切注视指导无产阶级一翼同资产阶级和小资产阶级改革派作斗争，清醒地意识到该联合会的领导权有被资产阶级分子篡夺的危险。在当时美国支部通讯书记埃卡留斯实际上已被总委员会开除出国际的纽约第十二支部的情况下，马克思在总委员会会议上阐明了北美联合会内部斗争的实质。1877年，在美国，工人阶级同资产阶级进行了激烈的抗争。其中，7月铁路工人的罢工是这一抗争中最重大的事件之一。此次罢工的原因是宾夕法尼亚铁路、巴尔的摩俄亥俄铁路和纽约中央铁路建设过程中，降低工人工资的百分之十而引起的。最终，政府军队和资产阶级的武装队伍对罢工进行镇压，事件才结束。此外，马克思非常关注美国的煤炭工人受压迫及其对其雇主封建式的依附状况。美国工人阶级受压迫程度之深，足以产生新一轮的工人运动高潮。这对于进一步深化剩余价值理论和历史唯物主义来说，无疑是最新的历史材料。

（二）马克思对美国土地问题的研究及其意义

19世纪70年代，马克思经常请求自己的友人帮忙搜集美国的报纸书籍等资料，尤其是要注意搜集有关美国土地所有权以及土地关系的材料。1870年后，马克思正式开始对美国的土地关系问题进行研究。为了完成《资本论》第二卷和第三卷的写作，马克思研究了美国土地史方面的大量材料，其中包括了格·汉森和斯·亚契尼的著作以及《美国土地管理总局委员会1870年年度报告》、《劳动统计局第一年度报告》、隆纳的《美国农业概论》、《双周评论》上的奥勃莱恩的文章《爱尔兰的地租……》和《试论农民所有制》等。为此，马克思写信给左尔格，请左尔格为他寄来从1873年到1876年的美国有关这些问题的书目。当然，马克思承诺支付资料费用。

通过对大量关于美国经济发展的材料的研究，马克思发现了美国大农业的竞争优势，即美国土地面积大并且集中。美国西部存在大量适合于规模耕作的土地。美国西部大草原的处女地不是一小片、一小片的土地，而是几千、几千平方英里的土地。这些开垦的土地决定了小麦的价格和小麦地的地租。其他旧土地都无法与之竞争。这些"极好的土地，地势平坦，或者稍有起伏，没有陡峭的岗峦阻隔，完全和第三纪海底慢慢淤积起来的状况一样，没有石块、岩石和树木，适合于直接耕种而不需要做任何准备工作。用不着清理和排水，只要犁一犁就可以播种，可以连续收获二三十次小麦而不用施肥。"① 土地本身的优势和农业上的革命性进步与革新的运输工具，尤其是铁路的发展，使他们出口到欧洲的小麦价格非常低廉，以致任何欧洲的农场主都不能与之竞争，至少在他必须缴纳地租的时候是不行的。同时，欧洲的移民也是北美农业规模化发展的一大助推力。这种农业生产的竞争震撼着欧洲大小土地所有制的根基。"此外，这种移民还使美国能够以巨大的力量和规模开发其丰富的工业资源，以至于很快就会摧毁西欧特别是英国迄今为止的工业垄断地位。这两种情况反过来对美国本身也起着革命作用。作为整个政治制度基础的农场主的中小土地所有制，正逐渐被大农场的竞争所征服；同时，在各工业区，人数众多的无产阶级和神话般的资本积聚第一次发展起来。"② 可见，美国的大农业发展，无论在自然条件，还是在科技和人力资源上，都具有天然优势。

此外，马克思还关注美国的土地投机问题。地租会随着资本总额以及和它相适应的耕作的集约化一起增加，因此，对未耕地部分来说会形成一个名义价格，这种未耕地还会因此变为一种商品，对其所有者来说，变为财富的一个源泉。从美国移民时期开始，美国政府一直持续不断地把国有土地转售给私人和私营机构。这种情况在西部更甚。19 世纪下半叶，垄断资本控制土地投机领域，控制土地流通的速度。与此同时，移民进程迟缓，土地开荒受阻。这种土地投机行为在一定程度上阻碍了美国大农业的发展。对此，马克思指出，这种土地投机行为是以资本和劳动在未耕地上的这种反映为基础的。

马克思对美国土地问题的研究对于其研究地租问题而言至关重要。因为，这涉及土地所有权变更和资本主义农业发展的问题。

（三）马克思对美国金融资本的研究及其意义

19 世纪 70 年代，为了写作《资本论》的续卷，尤其为了阐明剩余价值的具体表现形式中的生息资本，马克思着手研究信贷和银行问题。当时，美国

---

① 《马克思恩格斯全集》第 19 卷，人民出版社 1963 年版，第 296 页。
② 《马克思恩格斯选集》第 1 卷，人民出版社 2012 年版，第 378—379 页。

在信贷领域和金融行业方面，发展进展突出。1878 年，马克思阅读了考夫曼的《银行业的理论和实践》，并作了大量的摘录工作。马克思还阅读了加西奥的《财政破产和挽救之法》，罗塔的《银行史》和《银行原理》，吉斯特的《金融市场和社会主义》等，此外，还研究了美国大量官方出版物和关于经济发展的文献。在阅读这些财政学、金融学的材料时，马克思作了很详细的批注和摘录。材料中关于信用、银行和虚拟资本等内容对马克思撰写《资本论》第三卷而言具有非常重要的启发性意义，同时，也是马克思引证时的重要论据。虽然马克思没有写成一本专门研究美国金融资本的著作，但是从马克思的大量笔记和通讯中可以发现，马克思已经对美国的资本主义新发展有了一定程度的把握。

一方面，马克思研究了美国的经济危机及其影响问题。为此，马克思请求哈尼、左尔格、里弗斯等人寄给他有关美国的闲置公有土地的材料、关于美国经济危机的美国报纸的剪报和美国出版物和旧书的目录。马克思注意到美国在国内战争结束后垄断组织的增长和英国的工业危机。马克思意识到：北美合众国将是第一个商业会沿着上升路线发展的国家。只不过是，在那里，这种回升将在条件完全变了的、而且是变得更坏的情况下出现。因而，人民要想摆脱大公司的垄断权力及其对于群众的直接福利的有害的影响，将是徒劳的。这些大公司从内战一开始就以日益加快的速度控制工业、商业、地产、铁路和金融业等经济命脉。这里存在着一个无可辩驳的事实：尽管南北战争打碎了束缚黑人的锁链，却在另一个方面，使白人生产者陷入奴役状态。美国仅仅用了几年时间就实现了英国用数百年才能实现的变化，表现得最为明显的是俄亥俄、加利福尼亚等新开发的州上。欧洲的许多蠢人把原因归结为像马克思这样的理论家，而没有从实际的情况出发，吸取有益的教训。

1879 年 4 月 10 日在给丹尼尔逊的信中，马克思除了说明了《资本论》第二卷推迟出版的理由之外，还评述了欧洲和美国的经济危机的原因和后果，并论述了交通的发展情况，尤其是铁路的发展情况及其对资本主义经济发展和人民群众生活的影响。马克思指出，苏格兰以及在英格兰的一些郡出现了银行倒闭的现象。但是，作为联合王国和世界金融市场的真正中心的伦敦却还很少受到影响。甚至一部分大股份银行，如英格兰银行，还能从普遍停滞中获取利润。当时，法兰西银行的条件也非常优越，因为法兰西银行的黄金储备充足。伦敦证券交易所稍微出现不稳定的迹象，法国货币就会涌来购买暂时跌价的证券。另外，美国悄无声息地恢复了现金支付，消除了加之于英格兰银行储备的种种压力。马克思通过对美国现实经济危机的分析和对大量文献材料的把握，提出了"危机有时候也会先在美国，在这个从英国接受商业信用和资本信用最多的国家爆发"①的论断。此外，马克思分析了欧洲和美洲的经济危机的新特点。他指出，当前的经济危机是英国以往经历过的危机中最大的一次危机。危机的时间长、规模大、程度异常强烈。但是，此次危机又出现了新的特点。虽然苏格兰和英格兰的某些地方银行破产，但是，其结局跟英国每一次大规模周期性危机的通常结局不一样。这种极不平常的情况是由于各种情况的特殊凑合引起的。其中，最具有决定性的情况之一是：在法兰西银行和德意志帝国银行的帮助之下，1879 年的黄金需求得到了满足。另外，从 1879 年起，美国金融业异常活跃并且影响到英国。

　　另外，马克思研究了美国金融业的发展，尤其是金融寡头的出现。美国的金融业发展与铁路交通的发展息息相关。作为"实业之冠"的铁路首先出现在英国、美国、比利时和法国等现代工业最发达的国家。铁路、远洋轮船和电报等交通和通讯工具成为了大型的股份公司的基础。于是，铁路为资本的积累和集中提供了一种前所未有的助推力，使得借贷资本的世界性活动异常活跃，从而使整个世界陷入金融欺骗和相互借贷的陷阱当中，在美国尤其如此。美国为铁路公司无偿地提供大量国有土地，其中包括了铺设铁路所需要的土地。其结果便是，美国的铁路公司成为了最大的赢家。

　　马克思在研究美国金融资本问题时尤其关注美国西部问题，特别是加利福尼亚州的资本集中问题。马克思通过整理左尔格提供的关于加利福尼亚经济状况相关文献材料，研究了美国异常快速的资本主义集中过程。马克思还分析了美国的金融寡头在当时的处境，并指出美国的铁路大王受到西部的农场主和其他工业"企业家"以及商业界最大的代表——纽约商会的攻击。马克思还引用了铁路大王和金融骗子古耳德的话，指出了股份公司的发展以及各种形式的合伙资本都在为共产主义铺平道路。

　　此外，马克思分析了美国与俄国之间的区别。马克思认为，没有办法寻找出美国和俄国之间的真正的共同点。美国政府的开支明显在持续变小，国债也在日益减少。而俄国却有可能发生国家破产的后果。"美国已经摆脱了自己的

---

① 《马克思恩格斯文集》第 7 卷，人民出版社 2009 年版，第 556 页。

纸币（尽管采取的是有利于债权人而有损于平民的极端可耻的方式），俄国却没有任何工厂像印钞厂那样兴隆。在美国，资本的积聚和对群众的逐步剥夺不仅是空前迅速的工业发展、农业进步等等的先决条件，而且也是它们的自然结果（虽然被内战人为地加速了）；俄国则同路易十四和路易十五时代更为相像，那时财政、商业和工业方面的上层建筑，或者更确切地说是社会大厦的正面，看起来好像是对生产的主体部分（农业）的停滞状态和生产者的贫困现象的一种讽刺（诚然，法国当时有一个比俄国稳固得多的基础）。"①虽然在积累财富的数量方面，美国还赶不上英国，但是美国经济进步的速度已经远远超越英国。此外，美国的工人运动比较活跃，并掌握着比较强大的政治手段，这些都可以作为维护其自身利益的武器。

总之，马克思晚年对美国的研究有理论和实践双重的意图。在理论上，马克思正在写作《资本论》的第二、三卷，需要对资本主义最新发展做出理论回应，同时这也是完善《资本论》生产价格理论和剩余价值理论的必要条件。马克思曾经设想过，如果要出一套用通俗的语言解说《资本论》内容的小册子，那么分篇结构应该是："第一册——剩余价值理论；第二册——榨取剩余价值的各种形式的历史（协作、工场手工业、现代工业）；第三册——积累和原始积累史；第四册——殖民地的剩余价值生产的发展（最后一章），这在美国也许是特别有教益的，因为这会提供一种可能来探索这个国家的经济史，研究它如何从一个独立农民的国家变为一个现代工业的中心，同时，在解说中还可以补充一些美国所特有的事实。"②在实践上，美国从19世纪70年代起，逐渐成为国际共产主义运动的新据点。研究美国资本主义新进展，对于指导工人运动具有重要的意义。美国的金融资本的出现和蓬勃发展大大掩盖了资本家榨取剩余价值的本质的同时，也大大加深了对工人的剥削和压迫。美国的金融资本积聚的问题是：一方面资本大规模积聚；另一方面群众日益贫困。无产阶级革命将会是唯一的结局。

这样，美国问题尤其是美国资本主义的发展问题就进入到了马克思政治经济学研究的视野中。

---

① 《马克思恩格斯选集》第4卷，人民出版社2012年版，第533页。
② 《马克思恩格斯全集》第36卷，人民出版社1974年版，第495页。

二、研究以俄国为典型的土地问题和地租问题

马克思为了完成《资本论》第三卷的地租篇，在其晚年专门开辟了一个全新的研究领域——俄国土地问题。俄国的土地所有制和资本主义的农业剥削问题可以说是《资本论》地租篇的典型素材，能够起到研究雇佣劳动时英国所扮演的角色。

俄国农奴制改革与资本主义发展的特殊性。1861 年，俄国实行了自上而下的农奴制改革。这场改革使得国家借助手中的力量压迫公社。俄国公社成为了国家财政搜刮的对象，成为商业、地产、高利贷随意剥削和摆布的对象。同时，资本主义的因素入侵俄国，国家培植了一些西方资本主义制度的部门。这些部门丝毫不发展农业生产力，还助力于那些不从事生产的中间人和寄生虫窃取农民生产的果实。所以，这场改革不仅没有使俄国走上正常的发展轨道，反而加剧了俄国的社会矛盾。1877—1878 年的俄土战争进一步激化了社会矛盾，加速了革命的进程。

《资本论》俄文版的翻译出版工作及其对俄国革命的影响。在马克思系统研究俄国问题之前，马克思主义已经在俄国得到广泛的传播。《资本论》在俄国的进步青年和知识分子中非常受欢迎。1867 年，《资本论》第一卷正式出版。柯瓦列夫斯基图书馆就收录了这本书，俄国的经济学家们也在其著作中引用了《资本论》。经济学家和社会活动家丹尼尔逊为《资本论》俄文版的翻译和出版工作做出了重要贡献。洛帕廷和丹尼尔逊共同翻译了《资本论》第一卷。1872 年 3 月 27 日，《资本论》第一卷俄文第一版在俄国出版，这是该书的第一个外文译本。沙皇统治下的审查官斯库拉托夫为《资本论》颁发了天主教出版许可，他认为《资本论》虽然是供小众阅读的书籍，但是具有严谨的数学和科学精神，因而可以免除对《资本论》的法律追究。《资本论》第一卷俄文版在圣彼得堡出版，引起俄国学术界广泛议论。考夫曼在《欧洲通报》第三卷上发表《卡尔·马克思的政治经济学批判的观点》一文，概述了《资本论》的基本思想，评述了马克思的研究方法。他指出，马克思把社会运动看作遵循一定客观规律的自然历史过程。马克思研究的科学价值在于展示社会历史的发展规律，也就是社会有机体的产生、生存、发展和灭亡的特殊规律。马克思肯定考夫曼对他的方法的评述的正确性，但也指出考夫曼对马克思的整个方法和理论的歪曲和

误解。在考夫曼看来，马克思所持的社会观点是经济唯物主义，研究方法是唯物的，而在叙述方法上犯了唯心主义的错误。可见，马克思的《资本论》在俄国一经出版就产生了深刻的影响。

马克思晚年为研究俄国的土地所有制和资本主义发展的情况，收集了大量的官方和非官方材料。这些材料主要是靠马克思在俄国的友人和革命家、理论家们的帮助。马克思收集到的材料包括车尔尼雪夫斯基的著作《论土地私有制》、《没有收信人的信》、季别尔的《李嘉图的价值和资本的理论》、戈洛瓦乔夫的《十年改革》、斯克列比茨基的《皇帝亚历山大二世时期的农民状况》、阿·阿·戈洛瓦乔夫的《1861—1871年的十年改革》、车尔尼雪夫斯基的《赎买土地困难吗?》、瓦西里契科夫的《俄国和其他欧洲国家的土地占有制和农业》、亚·伊·瓦西里契柯夫的《俄国和欧洲其他国家的土地占有制和农业》第1—2卷、米·瓦·涅鲁切夫的《俄国的土地占有制和农业》。1877年—1878年，马克思阅读了俄国经济学家和统计学家伊·伊·考夫曼的著作《价格波动论》、《论货币和信贷学说》第一册和卡·克尼斯的著作《货币。货币基本学说论》、英格列姆的《政治经济学的现状和前景》。1881年，马克思整理研究了一系列关于改革后的俄国社会经济发展状况的材料，并作了详细的笔记和摘录。1882年1月至12月，马克思非常注意新出版的关于俄国社会经济关系方面的著作，阅读了瓦·伊·谢梅夫斯基的《女皇叶卡特琳娜二世时期的农民》第一卷，安·伊萨也夫的《俄国的劳动组合》，格·米讷伊科的《阿尔汉格尔斯克省的农村土地公社》，瓦·巴·沃龙佐夫的《俄国资本主义的命运》等书籍。1882年秋天，马克思阅读了俄国著名学者、民粹派政论家恩格尔加尔特的《乡村来信》一书，并在这本书上作了大量的批注。他在研究恩格尔加尔特的其他著作时所作的札记《俄国的状况。劳动，资产阶级的形成，资本，地租（以俄国为例）》说明，他的这些研究是同政治经济学的理论研究密切相关的。

通过阅读和整理这些材料，马克思全面地考察了俄国农奴制改革后的农民和农村土地状况。他发现，改革后农民的生活更艰苦、更贫穷，甚至需要吃糠咽菜果腹。加上高利贷者和富农的盘剥，农民生活苦不堪言。马克思在《关于俄国一八六一年改革和改革后的发展的札记》中一针见血地指出："解放一般说来就是高贵的地主再也不能支配农民的人身，出卖他们等等。这种人身奴役制已被消灭。地主失去了支配农民人身的权力。""从前在农奴制时期，地主关心的是把农民当做必要的劳动力加以支持。这种情况已经成为过去了。现在农民在经济上依附于他们原先的地主。"① 所以，马克思认为俄国农奴制改革的实质是一种自上而下的改革，是一场以牺牲农民利益为前提的改革。农民在经济上受剥削，在政治上无权利。

俄国的土地问题和公社所有制问题是马克思研究俄国问题的重点。这与马克思《资本论》第三卷的撰写工作息息相关。《资本论》第三卷的最后一章是地租问题，为了对地租问题进行全面的剖析，马克思在 19 世纪 70 年代曾对俄国进行了专门的研究。这种典型分析方法是马克思研究社会经济问题的核心方法之一。在 19 世纪末，俄国出台了强制赎买法令。农民需要交付足够的代役租。但是由于农民本身能力上的限制，以及农民购买土地的价格远远超过土地自身的价值，农民没有办法缴纳如此巨额的赎金。俄国政府创建所谓的土地银行向农民贷款，农民虽然摆脱了封建的人身依附关系，但是却陷入了巨额的贷款和利息的牢笼，日益贫困。

另外，马克思发现了俄国的新资本主义因素。首先，俄国农村出现了新的经济结构，逐渐从徭役制和工役制转向雇佣劳动制。这种地主经济的资本主义转向展示了俄国农业资本主义的发展成果。其次，俄国农民无产阶级化特征日益明显。农民的无产阶级化是资本主义关系发展的表现。一开始只是在财产上出现分化，分化出少数的农村资产阶级——富农和农村无产者。这种农民分化的最终结果是资本主义社会中的阶级对立。再次，俄国工商业的显著发展。马克思注意到彼得堡、莫斯科、弗拉基米尔、黑海—亚速海沿岸、波兰等地区的工业发展。马克思摘录了沃龙佐夫的文章《俄国工业和它的贫困》中一份 1761—1866 年俄国工厂和工人人数统计表。从统计表中可以发现，1861 年改革后，俄国工厂的数量大幅度增加。这些工厂得到了国家的大力支持，从一开始就呈现出生产集中的特点。

这样，俄国问题尤其是俄国的土地问题就进入到马克思政治经济学的科学视野中。

---

① 《马克思恩格斯全集》第 19 卷，人民出版社 1963 年版，第 463—464 页。

三、撰写《资本论》后几卷的艰苦工作和科学精神

正因为美国和俄国进入了《资本论》的研究视野，因此，马克思晚年对自己的政治经济学研究抱着更为严谨、更为认真的态度。

《资本论》第二、三卷一直没有完成，这其中有其多方面的原因。其一，实践出现了新问题。马克思秉承着科学严谨的研究态度不可能为了出版而出版。他认为，必须研究资本主义的新发展和东方问题，才能全面地在理论上呈现出来资本主义的发展面貌。资本主义从自由竞争阶段走向垄断阶段，出现了新的生产组织形式等。这些新动向对整个资本主义生产而言所起的影响是极其深远的。马克思已经观察到了新变化，但是这些变化形式还没有发展到其成熟形态，其内部矛盾还没有充分暴露出来。其二，马克思还要花费大量精力在第一卷的第二、三版的出版工作、法文版、俄文版等版本的出版工作。《资本论》在无产阶级中的传播是迅速的、影响是巨大的。因此，《资本论》的再版工作尤为必要。其三，马克思年事已高，精力有限，加之常年被各种疾病折磨。马克思为了革命理论和实践工作牺牲了家庭和健康，到了晚年时期，他的身体状况已经大不如前了。因而马克思在去世前都没有办法出版《资本论》的续卷。

首先，对于《资本论》第二卷的撰写和出版问题，马克思认为当时英国的工业危机还没有达到顶峰，还有新的现象会出现，不通过研究这些实践问题，决不能出版第二卷。这在于这一次的危机现象是十分特殊的，在很多方面都和以往的现象不同，完全撇开其他各种正在变化着的情况不谈，这是很容易用下列事实来解释的：在英国经济危机发生之前，在美国、南美洲、德国和奥地利等地已经出现了几乎持续五年之久的严重危机。这还是前所未有的时期。因此，必须注意事件的进展，直到其完全成熟，然后才能在理论上加以概括和抽象。马克思在 1880 年 6 月 27 日写给纽文胡斯的信中也提到："在目前条件下，《资本论》的第二卷在德国不可能出版，这一点我很高兴，因为恰恰是在目前某些经济现象进入了新的发展阶段，因而需要重新加以研究。"[①] 对于《资本论》第三卷而言，俄国土地问题是马克思解决地租问题的关键。因而，在没有彻底研究透俄国土地和俄国公社问题的情况下，马克思是不可能出版《资本论》

---

① 《马克思恩格斯文集》第 10 卷，人民出版社 2009 年版，第 449 页。

第三卷的。马克思曾说，他"不能下决心在一个完整的东西还没有摆在我面前时，就送出任何一部分。不论我的著作有什么缺点，它们却有一个长处，即它们是一个艺术的整体；但是要达到这一点，只有用我的方法，在它们没有完整地摆在我面前时，不拿去付印"①。为了《资本论》的科学性和完整性，马克思不可能在研究工作还没有完成的时候就贸然出版《资本论》续卷。

其次，马克思还要从事其他方面的工作。《资本论》法文版的翻译和出版工作占据了马克思很大一部分的时间，并且在法文版的翻译过程中，马克思进行了订正、补写等工作。法文版自身就具有独立的价值。1872 年，马克思在龙格的帮助下，同约·鲁瓦商洽《资本论》第一卷的法文版问题，并同巴黎出版商莫·拉沙特尔签订分册出版《资本论》第一卷法文版的合同。1872 年 3 月至 1875 年 1 月，马克思校订由约·鲁瓦翻译的《资本论》第一卷法文译稿。1872 年 3 月至 8 月，马克思加紧进行《资本论》第一卷德文第二版的校订工作，同时为准备出版《资本论》第一卷的法文版进行大量工作。在德文第二版中，马克思对《资本论》第一版的整体结构进行了重大改动，对价值和价值形式作了更加详尽而严密的科学分析，对其他各章中的一系列原理作了进一步的阐发。1872 年，马克思写信给《资本论》第一卷法文版的出版商莫·拉沙特尔，同意定期分册出版《资本论》法译本，因为这样可以使《资本论》更容易到达工人的手里。1872 年 4 月底至 5 月，马克思用很大一部分时间修改《资本论》第一卷法译文，同时校对德文第二版校样。在 1871 年到 1872 年间，马克思花费了大量的时间在法文版的翻译和出版上。

最后，马克思自身的身体和家庭情况影响马克思的研究工作。当然，《资本论》续卷迟迟未完成，也与实施"非常法"密切相关。"非常法"扼制了无产阶级理论斗争和实践斗争的发展。

总之，注重解剖典型是马克思政治经济学研究的主要方法论特征。在《资本论》写作的后期，美国和俄国的资本主义发展是世界资本主义发展的最新典型。通过对美国和俄国问题的研究，马克思开启了信用理论、金融资本理论和垄断理论的探讨，完善了土地理论和地租学说。也正是由于美国问题和俄国问题进入马克思政治经济学研究的视野，才进一步提升了马克思政治经济学的科学性、完整性和整体性，才使得《资本论》以一种思想整体的姿态呈现在世人面前。

---

① 《马克思恩格斯文集》第 10 卷，人民出版社 2009 年版，第 231 页。

第二节 流通过程的分析和研究

《资本论》第二卷的研究对象是资本的流通过程，也就是生产资料和劳动力的购买过程和生产出来的商品的销售过程，要解决的问题是：剩余价值的实现问题。虽然马克思生前一直想出版《资本论》的续卷，但是，由于现实世界资本主义经济的变化和马克思本人的时间问题，马克思没能出版《资本论》的续卷，只留下了一系列手稿。恩格斯为了完成挚友的遗愿，承担起了编辑出版《资本论》续卷的工作。实际上，能够担负起解释马克思思想历史重任的人只有恩格斯，因为只有恩格斯最了解《资本论》的理论和逻辑体系。恩格斯也是当时唯一能够辨认马克思笔迹的人。此外，编辑出版《资本论》这样的鸿篇巨制，需要有高度的人文社会科学和自然科学的知识素养以及精通德、法、英等多国语言，并且愿意奉献大量的个人宝贵时间的人。能够满足所有条件的人仅仅只有恩格斯一人。

一、恩格斯整理、出版《资本论》第二卷的工作

恩格斯第一次看到《资本论》第二卷的手稿是在1883年3月15日。当时找到的《资本论》第二卷手稿，共有五百多页对开纸。恩格斯还不知道手稿已为出版准备到什么程度，也不知道能否找到别的什么东西，所以没有在报纸上透露这个好消息。恩格斯希望能够尽快投入到《资本论》续卷的整理编辑工作中，让挚友的思想呈现在世人面前。可是，恩格斯无法立即投入到编辑出版《资本论》第二卷的工作当中，因为在马克思逝世后，恩格斯在整理马克思的遗物时，发现了一个已经按照法文版修订过的德文第三版稿件，因此，必须担负起修订《资本论》德文第三版的繁重工作。直到1883年9月，《资本论》德文第三版在德国汉堡出版。此外，恩格斯还在准备《资本论》的英译版的出版工作和时刻关注国际工人运动。1883年9月下旬一直到1885年，恩格斯开始

整理《资本论》第二卷的手稿，核对《资本论》第二卷各种不同手稿，根据手稿的内容整理全卷的结构，根据马克思对资本主义最新发展的研究成果誊写定稿，以及校订全文。

（一）《资本论》第二卷整理工作的艰巨性

恩格斯仔细搜寻了马克思的书房后发现了马克思《资本论》第二卷的手稿和大量的笔记、摘录和提纲。对此，恩格斯感到非常开心，因为"主要的东西已经有了"。但是，当恩格斯仔细审查这些资料时，明显感受到整理工作的艰巨性。第一，手稿的筛选是一大难题。手稿内容庞杂，文稿很多，但是，多半具有片段性。只有第Ⅳ稿内容已经过校订，但是结合其他手稿看，这一稿有很多内容和例子已经过时了。1884 年 1 月 28 日，恩格斯在致拉甫罗夫的信中曾说，"第二册即《资本的流通》，关于它最重要的一些部分，关于它的开头部分和结尾部分，我们有 1875 年写的和后来写的稿本。这里只要按已有的提示把引文搞出来就行了。关于第二册的中间部分，至少有 1870 年以前写的四种稿本；唯一的困难就在这里"①。第二，手稿中的文字没有经过细致的推敲打磨，往往粗俗而诙谐。文体没有讲究，存在着术语不统一、语言不统一的问题。文稿中语言文字不统一，夹杂着英语和法语，甚至出现整页的英文材料。这无疑为恩格斯的编辑工作带来很多困难。第三，文稿部分的论述不完全，只是收集了材料或者作了简要提示，很多地方的结尾部分逻辑联系常常中断。作为例证的材料也相当混乱，没有进行分类，也没有加工。第四，手稿字迹潦草，不易辨认。由于这些文稿都是手稿性质的，马克思在撰写的过程时没有打算直接付印，而是作为进一步加工整理的材料。马克思的字迹甚至自己都难以辨认，为恩格斯的整理工作带来很大的阻力。第五，恩格斯自身身体状况欠佳。从 1884 年的复活节开始，恩格斯加紧工作，每天伏案超过八个小时，使得恩格斯的老毛病有些复发。但是疾病并没有打消恩格斯为亡友整理遗稿的热情。恩格斯在 1885 年 3 月 8 日致劳拉的信中说："我不能去，因为有时还行动不便，刚刚还受到一个小小的警告，要我务必保持安静。不管怎样，我要把整理摩尔的书的工作坚持下去。这部书将成为他的一座纪念碑，这是他自己树立起来的，比别人能为他树立的任何纪念碑都更加宏伟。到星期六就是两年了！

---

① 《马克思恩格斯全集》第 36 卷，人民出版社 1974 年版，第 97 页。

然而，说实在的，在整理这部书时，我感到好像他还活着跟我在一起似的。"①恩格斯之所以带病坚持把《资本论》第二卷和第三卷抄写成誊清本，是因为恩格斯担心如果他没有完成《资本论》第二卷和第三卷的整理和出版工作就去世的话，那么就没有人能够辨认出马克思的手稿了。这样，马克思关于政治经济学的成就和影响就会大打折扣。总的说来，恩格斯的编辑工作不仅有技术上的困难，还有精神上的困难，因为恩格斯需要设法根据马克思原有的精神和逻辑去解决技术上的困难。

（二）《资本论》第二卷的文本誊写与筛选工作

为了尽快整理出版《资本论》第二卷，恩格斯认为，现有的手稿中，没有任何一个可以作为成熟的文稿进行排印，只有对所有手稿和笔记进行整理，才能够较为全面地表达马克思《资本论》第二卷的内容。而首要任务就是整理出马克思手稿的誊清本。恩格斯在1883年8月30日致倍倍尔的信中说道，"那种字迹只有我才能认得出来，但也很费劲"②。恩格斯整理《资本论》第二卷的工作主要有三个环节。第一，恩格斯需要按照马克思的手稿，把原文重新誊写一遍，以方便日后的编辑工作。一开始，是由恩格斯自己誊抄手稿，每天坚持抄写十个小时以上。由于高强度的工作，恩格斯旧患复发不能久坐。1883年10月，恩格斯已经无法握笔了。为了使誊抄工作继续进行，从1884年初开始，恩格斯聘用了德国社会民主党员艾森加尔藤做助手。恩格斯向艾氏口授手稿，由艾氏记录。从每天早上十点工作到十七点。第二，恩格斯需要对马克思遗留下来的手稿进行筛选。马克思《资本论》第二卷的写作主要从1865年开始，供恩格斯整理《资本论》第二卷的手稿一共有四份，马克思用Ⅰ—Ⅳ进行了编号。第一个手稿也是最早的手稿，内容相对独立，但是可利用性不强。第Ⅲ稿主要由引文和个别论点组成。马克思《资本论》第二卷的手稿可以分成两个部分，第一部分是在1865年—1870年写的四个手稿，其中包括两个完整的手稿，第二部分是1877年—1881年写的四个手稿，四个关于不同章节的手稿。第Ⅳ稿形式比较完整，有多处可以加以利用。第Ⅱ稿是相当完整的文稿，是恩格斯整理《资本论》第二卷的基本框架。恩格斯跟劳拉说过："第二卷要花去我非

① 《马克思恩格斯文集》第10卷，人民出版社2009年版，第531页。
② 《马克思恩格斯全集》第36卷，人民出版社1974年版，第57页。

常多的劳动，至少第二册是这样。有一份完整的稿子，大约是 1868 年写的，但这只是一个草稿。此外至少还有三份甚至四份属于不同的较晚时期的修改稿，但其中没有一份是完成了的。要从中搞出一份定稿来，那可是一件吃力的事情！"① 恩格斯以最后的文稿为依据，充分利用其他手稿，整理《资本论》第二卷。经过了多次的整理和校对，《资本论》第二卷的定稿约为手稿总篇幅的三分之一。由此可见恩格斯在整理过程中严谨科学的态度。第三，恩格斯需要对誊抄出来的文稿进行编辑修订。修订工作又包括两个方面具体工作。其一，确定《资本论》第二卷的基本框架。马克思在《资本论》第二卷的相关手稿中两次制定了第二卷的写作计划。两个计划都把第二卷设定为三章，分别是：资本流通、资本周转以及流通和再生产。按照马克思的计划，恩格斯把第二卷分成三篇，而不是三章。每一篇再划分出更细一层的章节。其二，调整和改动部分内容。恩格斯力求基本保持原稿的面貌，改动的地方也会附上恩格斯姓名的缩写。恩格斯根据马克思一贯的叙述逻辑安排内容顺序，例如，在安排两大部类定义的顺序时，恩格斯进行了调整。恩格斯对手稿进行了必要的删减，力图使行文更加简洁流畅。对手稿进行必要的补充，因为，马克思《资本论》第二卷的"大部分手稿是 1868 年以前写的，而且有些地方仅仅是一个草稿。"② 在文本方面，改变了某些词语的顺序，修改复杂长句，把其他语言表达转换成德文，修正手稿中的笔误和语法错误，增加索引和序言等。③ 尽管恩格斯的整理稿与马克思手稿中的文本篇章存在一定的差异，但是，仍然忠实了马克思思想和逻辑的原貌。

（三）恩格斯整理编辑《资本论》第二卷的原则

在整个整理出版的过程中，恩格斯始终坚持遵循马克思的原意，力图"使本书既成为一部连贯的、尽可能完整的著作，又成为一部只是作者的而不是编

---

① 《马克思恩格斯全集》第 36 卷，人民出版社 1974 年版，第 31 页。
② 《马克思恩格斯全集》第 36 卷，人民出版社 1974 年版，第 63 页。
③ 《马克思恩格斯全集》历史考证版 MEGA² 还原了马克思《资本论》第二卷的手稿，通过原手稿的还原，能够对比发现恩格斯在编辑《资本论》续卷的过程中所作的调整和改动。通过考证，恩格斯在《资本论》第二卷中创造了"流通资本"（Crikulationskapital）的概念（马克思原来使用的是"流动资本"circulirendes Capital）。这种创造并没有破坏《资本论》的逻辑结构和思想原貌，反而避免了思想混乱。

者的著作"①。首先，恩格斯在整理手稿的过程中尽量逐字摘录，仅对马克思自己也认为需要改动的地方进行必要的改动，或者加入一些解释性的语句使得原观点更加清晰。如果遇到恩格斯本人也无法理解的语句，则原封不动地誊写下来。总之，恩格斯仅仅进行形式上的改动，而不影响原意的表达。正如恩格斯所说，"特别重要的是，我所出的应当是马克思的真正著作"②。其次，恩格斯遵循无产阶级革命运动发展的根本利益的原则整理《资本论》第二卷。《资本论》及其手稿是服务于无产阶级革命运动的，其目的是在认识资本主义经济发展的客观规律的基础上，武装无产阶级。"这对整个旧经济学确实是一场闻所未闻的变革。只是由于这一点，我们的理论才具有不可摧毁的基础，我们才能在各条战线上胜利地发动起来。"③ 最后，恩格斯在整理《资本论》第二卷时遵循逻辑与历史相统一的原则。恩格斯对《资本论》第二卷的相关手稿进行比较和研究之后，认为不能简单地把材料拼凑起来，应该对材料进行梳理，使其成为一个合乎逻辑的、完整的作品。

（四）恩格斯为《资本论》第二卷所作的牺牲和贡献

恩格斯在整理《资本论》第二卷的过程中，驳斥了洛贝尔图斯等"讲坛社会主义者"对马克思的诬陷和指责，捍卫了马克思的剩余价值理论，研究了新的历史材料和社会现实，完善了《资本论》的体系。马克思曾向恩格斯表达过希望恩格斯可以"直接以合著者的身份出现"④。可以说，《资本论》第二、三卷是马克思和恩格斯的共同著作。马克思写作《资本论》第二、三卷的过程中，恩格斯在经济上给予了巨大的支持，让马克思能够安心创作，与马克思共同探讨理论问题，为马克思提供大量的研究资料。可以说，没有恩格斯的牺牲，马克思就不可能完成资本论的全部手稿的写作。恩格斯为了编辑出版马克思的

---

① 《马克思恩格斯文集》第 6 卷，人民出版社 2009 年版，第 3 页。
② 《马克思恩格斯全集》第 36 卷，人民出版社 1974 年版，第 97 页。
③ 《马克思恩格斯全集》第 36 卷，人民出版社 1974 年版，第 293 页。
④ 对于恩格斯的编辑工作，俄国的马克思主义研究者、西方马克思学流派、MEGA 编辑者们等提出了很多不同意见。考茨基 1926 年提出了将马克思全部手稿按照其历史原样发表出来的必要性，并且在恩格斯版本的基础上编辑出版《资本论》第二卷的大众版本；西方马克思学创始人吕贝尔认为恩格斯在《资本论》第二卷的编辑工作上"既做得太多，又做得太少"；MEGA² 编者大村泉认为，恩格斯在编辑过程中对马克思的手稿作了大幅变更，包括文本的章句、篇制、顺序等改动。

《资本论》第二、第三卷，甚至中断了自己的《自然辩证法》写作。

（五）《资本论》第二卷的出版及再版工作

在对整理《资本论》第二卷的工作有了一定把握后，恩格斯就在考虑出版的相关事宜。1884年2月14日和3月7日，恩格斯与汉堡出版商奥·迈斯纳商谈有关出版《资本论》第二卷的具体事宜。与此同时，为了扩大《资本论》第二卷在国际工人运动中的影响作用，加速出版《资本论》第二卷的俄文版，恩格斯答应民粹派经济学家尼·弗·丹尼尔逊的要求，同意把《资本论》第二卷德文版的校样寄给他翻译。1885年，恩格斯完成了《资本论》第二卷的最后一部分手稿的整理工作，并交付给出版社。同年5月5日，恩格斯为了纪念马克思诞辰，完成了《资本论》第二卷序言。在这篇序言中，他尖锐地指出洛贝尔图斯之流的德国讲坛社会主义者的阴谋，戳穿了德国庸俗资产阶级们的剽窃谎言，维护了挚友的名誉。7月初，《资本论》第二卷正式出版。

总之，恩格斯力图使《资本论》第二卷既成为一部连贯的、完整的著作，又成为一部只是作者而不是编者的著作。为了达到这个目的，恩格斯付出了常人无法想象的艰辛和努力。《资本论》第二卷的问世向世人展示了马克思思想光辉的同时，也展现了自谦为第二小提琴手的恩格斯的劳苦功高。

二、资本流通过程的各个环节

《资本论》第一卷是关于资本生产的学说，具体阐明了剩余价值是如何产生的，资本又是如何增殖的。《资本论》第二卷的副标题是"资本的流通过程"，开篇就说明资本如何围绕着生产和交换反复循环运动。第二卷的流通不是指单纯流通，而是资本的流通。对资本流通的分析只能建立在对资本生产过程的透彻分析的基础之上，因为只有在资本生产分析的过程中才能弄清楚资本的实质，才能进一步理解资本的生产和再生产，才能提出资本在循环过程中进行不同形式的更替的问题。质言之，《资本论》第二卷是第一卷的历史和逻辑的延续和继续。第二卷在第一卷的基础上详细阐释了资本的循环周转过程，剩余价值如何在资本流通中实现，以及资本如何追求周转时间的缩短，更快地实现再生产。

（一）资本形态变化及其循环

在《政治经济学批判（1857—1858年手稿）》的资本章中，马克思已经对资本的流通过程进行过深入的研究，尤其是资本的流通时间和流通费用问题。对于资本循环的重要性、资本循环的要素、资本流通时间的分类、资本流通时间和生产时间的区别、资本流通的费用计算方式等问题，马克思已经得出了基本结论。在此基础上，《资本论》第二卷第一篇对资本的形态变化及其循环作出了深刻的分析和阐述，其中除了论述三种资本形态之间的循环之外，还深刻阐述了资本的流通时间和流通费用。在《资本论》第二卷中，马克思的循环理论得到了清晰的表达，使得马克思主义政治经济学向前迈进了一大步。

在三种资本的循环方面，马克思指出："资本的循环，只有不停顿地从一个阶段转入另一个阶段，才能正常进行。如果资本在第一阶段 G—W 停顿下来，货币资本就会凝结为贮藏货币；如果资本在生产阶段停顿下来，一方面生产资料就会搁置不起作用，另一方面劳动力就会处于失业状态；如果资本在最后阶段 W′—G′ 停顿下来，卖不出去而堆积起来的商品就会把流通的流阻塞。"[①] 马克思认为，资本的运动形态有货币资本、生产资本、商品资本等三种形态。资本必须通过这些"外衣"而存在，也就是说，不存在既不是货币资本，又不是生产资本或者商品资本的纯粹资本。但是，资本并不是总是以一种形式出现的，相反，资本总是在更换其外衣。货币资本不断购买劳动力和生产资料，穿上了货币资本的外衣；随着劳动力和生产资料进入生产环节，资本又换上了生产资本的外衣；伴随着商品生产的完成，资本换上了商品资本的外衣。完成一次循环的时间是生产时间和流通时间之和。生产时间是资本停留在生产领域的时间，包括生产资料的储备时间、生产过程时间和生产中断时间。通过分析生产时间，马克思明确了劳动时间和非劳动时间的区别，确认只有劳动时间才能创造价值和剩余价值。资本家竭力缩短非劳动时间的秘密就在于此。流通时间，顾名思义，就是指资本在留在流通领域的时间。流通时间跟生产时间相互排斥。生产时间所占的比例越大，资本的职能就发挥得越充分。流通过程是不参与剩余价值的创造的，甚至由于流通时间压缩了生产时间，从而对价值的增殖起消极作用。由于资本主义的利润计算方法和流通在资本周转中

---

① 《马克思恩格斯文集》第6卷，人民出版社2009年版，第63页。

的中介作用，资本家往往局限在经济现象的表面，把价值增殖的源泉归结于资本的流通，而不是生产。

　　资本流通的过程当中不仅需要一定的时间，还需要一定的费用。马克思在《政治经济学批判（1857—1858 年手稿）》中花费了一定的篇幅讨论流通费用，尤其是交通费用问题。一方面，马克思指出，"创造交换的物质条件——交通运输工具——对资本来说是极其必要的：用时间去消灭空间"[①]。另一方面，马克思论述了减少交通费用的必要性。但是，马克思在此并没有系统论述流通费用的问题。因为马克思认为"需要辟出一篇来专门讨论交通工具，因为交通工具构成固定资本的一种形式，有自己的价值增殖规律"[②]。在《资本论》第二卷中，马克思便完成了这一设想，专门辟出一篇专门研究各种流通费用，其中包括运输费用。根据流通费用的性质和作用，可以区分为纯粹流通费用、保管费用和运输费用三个部分。纯粹流通费用涉及买卖时间的费用、簿记费用和生产货币的费用。这些费用由商品价值形式的变化引起，其目的是实现商品的价值，是非生产性的。保管费用和交通费用能够创造价值和剩余价值，具有生产性。马克思的流通费用理论是对重商主义、重农主义和古典政治经济学的批判和借鉴的成果。重商主义者对资本主义流通过程作了最早的理论探讨，但是，重商主义者只看到商业资本的流通过程，发现买卖过程中货币增殖的结果，就片面得出财富产生于流通领域的错误结论。重农学派坚持生产领域才是财富的起点，但是重农学派局限在农业生产领域而无法科学表达流通费用理论。古典政治经济学则重蹈重商主义的覆辙。对此，马克思在批判性地继承前人的观点的过程中，把资本的生产过程和流通过程统一起来，坚持了生产领域产生财富的正确立场，制定出科学的流通费用理论。这在整个剩余价值学说史上是一个巨大的进步，同时，使《资本论》第一卷的剩余价值理论的科学性得到进一步的提升。

　　可见，在资本循环的问题上，马克思打破了以往任何经济学家的思想禁锢，从资本的所有形式及其相互关系的角度考察资本的循环过程，第一次指明资本生产和流通的统一性，第一次从动态的角度阐明资本在时间和空间上的运动变化。

---

① 《马克思恩格斯全集》第 30 卷，人民出版社 1995 年版，第 521 页。
② 《马克思恩格斯全集》第 30 卷，人民出版社 1995 年版，第 520 页。

（二）资本周转

在《资本论》第二卷中，马克思研究了不同形式的资本的周转问题，重点阐明资本周转的速度和时间对资本增殖的影响。所谓资本的周转是指这样一个过程：资本家从预付一定形式的资本出发，通过生产领域和流通领域，到这个资本带着剩余价值以同样的形式回到资本家手中为止。判断资本周转速度的两大标准是资本的周转时间和周转次数。资本周转的时间越短，资本周转的速度越快，剩余价值率和剩余价值量就越大。

马克思按照价值的周转方式把生产资本划分为固定资本和流动资本。在《政治经济学批判（1857—1858年手稿）》中，马克思在批判资产阶级经济学基础上，对固定资本和流动资本的范畴作出了科学的规定。马克思把流动资本规定为一次性把全部价值再现在产品中的资本，把固定资本规定为一部分逐渐转移到产品中的资本，并阐述了流动资本和固定资本的区别表现。在此基础上，马克思在《资本论》第二卷中不仅对流动资本和固定资本进行了科学的规定和区分，而且科学区分了固定资本和不变资本、流动资本和可变资本。马克思指出，流动资本和固定资本、不变资本和可变资本之间的划分标准是不同的。垫付在劳动手段上，需要经过多次的循环才能把垫付的货币资本完全恢复到原有形式的生产资本，叫作固定资本。而垫付在劳动力、生产资料的辅助材料和原料上的生产资本，能够一次性把价值转移到新产品中去的资本，叫作流动资本。划分可变资本和不变资本的标准是资本的用途，垫付在生产资料上，只产生价值转移而不产生价值增殖的那部分资本，叫作不变资本；垫付在劳动力上，除了创造出劳动力的价值外还创造剩余价值的资本为可变资本。在政治经济学理论史上，马克思第一次正确地区分了这四者的关系。正确区分可变资本和流动资本对于计算剩余价值率而言是至关重要的。剩余价值率是剩余价值和可变资本的比例，而不是与总资本的比例。资产阶级总是混淆固定资本和不变资本、流动资本和可变资本，把生产资料中的辅助材料和原料都列入固定资本的行列。马克思认为，重农学派和古典政治经济学家们在固定资本和流动资本领域中都具有无法克服的局限性。他指出，魁奈正确地把固定资本和流动资本之间的区别说成是生产资本内部的区别，但是，在魁奈看来只有农业的固定资本才是生产资本，表现出明显的局限性。亚当·斯密把固定资本和流动资本范畴普遍化了，把流通领域中的商品资本和货币资本都归于流动资本的领域，在列举流动资本时更是把劳动力摒除在外。质言之，斯密把生产资本和流通资本的区别和固定资本与流动资本的区别混淆了。李嘉图则把流动资本跟可变资本混为一谈。于是可变资本的特征被抹杀，剩余价值的真正来源被掩盖。换句话说，在重农学派和古典政治经济学家那里，资产阶级对无产阶级的剥削被隐藏起来了。

总之，在政治经济学思想史上，马克思首次通过价值转移方法区分生产资料的类型，分析资本周转在资本主义生产各部门之间的作用，从而揭示出隐藏在资本流通外衣下的剥削实质。

（三）社会总资本的再生产和流通

在 1863 年 7 月 6 日致恩格斯的信中，马克思已经明确区分了社会生产的两大部类。他指出，第一部类是生活资料，第二部类是机器和原料。此外，马克思阐明了第一部类和第二部类之间的资本流通情况。在此基础上，在《资本论》第二卷中，马克思对社会生产的两大部类进行了科学的分类，首次理清了社会总资本再生产过程中的各种经济条件，规定了简单再生产和扩大再生产的经济条件。马克思在批判重农学派和古典经济学派等代表人物在社会总资本的再生产和流通理论方面的观点的基础上，建立起马克思主义科学的社会总资本的再生产和流通理论。

马克思首先对法国古典政治经济学奠基人之一也是重农学派的创始人——魁奈医生、英国古典政治经济学代表人物之一的亚当·斯密以及之后的资产阶级、小资产阶级关于社会总资本再生产理论进行了批判性的评价。魁奈曾任皇宫御医，1758 年发表了《经济表》。马克思详细分析了魁奈的《经济表》后，对其给予了很高的评价。1877 年 3 月 7 日，马克思在写给恩格斯的信中就曾说过，"重农学派是资本和资本主义生产方式的最早有系统的（不象配第等只是偶然的）解释者"[1]。1878 年 10 月 3 日，马克思在致柯瓦列夫斯基的信中肯定"魁奈第一个把政治经济学建立在它的真正的即资本主义的基础上"，即使"他在这样做的时候看起来却象是土地占有者的一个租户"[2]。马克思认为，魁奈的《经济表》的理论贡献主要包括魁奈第一次研究了社会总资本的生产和流

---

① 《马克思恩格斯全集》第 34 卷，人民出版社 1972 年版，第 40 页。
② 《马克思恩格斯全集》第 34 卷，人民出版社 1972 年版，第 343 页。

通，也"第一次证明了消灭土地私有制的必要性"①。同时，马克思也指出了重农学派的局限性。魁奈局限在封建眼界之中，把农业看成是唯一的生产部门，忽视了农业和工业之间的不同作用。

斯密使资本概念普遍化，试图克服重农学派的局限性，特别是摆脱重农学派只把资本局限在农业生产领域的错误。从这方面而言，斯密是进步的。但是，在很多地方斯密重犯了重农学派的错误，并且在固定资本和流动资本的划分上向后倒退了一大步，还形成了"斯密教条"。马克思重点批判了斯密的观点。首先，马克思指出斯密的一般观点，包括社会总产品价格中不包含不变资本，但是又利用"总收入"概念，把不变资本偷偷塞进来。斯密把消费品说成是流动资本，混淆生活消费和生产消费。斯密还把工资、利润、地租看成是一切交换价值和收入的源泉，与劳动价值论相悖。马克思指出："亚·斯密有时'内在地'抓到了正确的东西，即使在这种场合，他也只是在分析商品的时候，也就是在分析商品资本的时候，才考虑价值的生产。"② 在此基础上，马克思表明自己对这一问题的看法。

马克思认为，对社会年产品的考察应该分两大部类进行，其一是生产资料；其二是消费资料。第一部类和第二部类的年产品都包括 c（不变资本）+v（可变资本）+m（剩余价值）。而资本主义的再生产也包括了简单再生产和扩大再生产两部分。当资本主义生产的全部剩余价值都用于资本家的个人消费时，再生产将在原有的规模中进行，这就是简单再生产的过程。在分析简单再生产的前提下，马克思进一步分析了资本主义的扩大再生产模式。马克思首先交代了社会总资本的积累和扩大的前提。也就是剩余产品必须转化为货币，然后再转化为生产资料和劳动力等要素。可见，扩大再生产必须建立在资本积累的基础之上。此外，马克思指出了货币贮藏的来源。货币的贮藏来源于生产者只卖不买，但是，这本身存在矛盾。

马克思关于社会总资本的生产和流通理论，克服了前人的局限性，第一次科学地解决了资本的积累和扩大问题，科学划分了社会生产的两大部类，找到了社会总资本运动中的各种各样的经济条件和因素，并且从两大部类之间的关系分析了资本主义经济危机的必然性。

---

① 《马克思恩格斯全集》第 4 卷，人民出版社 2012 年版，第 528 页。
② 《马克思恩格斯文集》第 6 卷，人民出版社 2009 年版，第 432 页。

三、资本流通过程理论的价值

出版《资本论》第二卷，是马克思主义发展史上的一件大事。《资本论》第二卷通过展示资本循环、资本周转和社会资本再生产三大部分的内容，详细说明了资本运动的连续性、条件性等问题，进一步阐明了资本主义生产关系的本质和资本主义生产内部矛盾的不可调和性。恩格斯对《资本论》第二卷给予了极高的评价，认为它是"对资本家阶级内部发生的过程作了极其科学、非常精确的研究"[1]，"是异常出色的研究著作，人们从中将会第一次懂得什么是货币，什么是资本，以及其他许多东西"[2]。无论是从《资本论》的整体结构来看，还是从其对马克思主义理论的各个组成部分来看，《资本论》第二卷都有着不可或缺的作用。

（一）对《资本论》的结构整体性的贡献

马克思在《资本论》第一卷第一版的序言中对《资本论》的整体结构作了新的安排。马克思指出："这部著作的第二卷将探讨资本的流通过程（第二册）和总过程的各种形式（第三册），第三卷即最后一卷（第四册）将探讨理论史。"[3] 在此时，马克思已经完成了第二卷、第三卷的部分手稿以及《政治经济学批判（1861—1863 年手稿）》以及政治经济学说史的大部分内容。在《资本论》第一卷中，马克思研究的是资本生产过程，并没有对资本流通过程展开分析。但是，资本的生产过程和流通过程是一个有机统一体。资本生产决定资本流通，流通在一定的条件下反作用于生产。剩余价值在生产中产生，却在流通中实现。所以，马克思在第二卷中又进一步研究资本的流通过程，即剩余价值的实现过程。这里考察的资本流通过程，不论就单个资本来看，还是就社会资本来看，都是生产和流通统一的资本循环再生产过程。在这个整体中，占首要地位的是生产。《资本论》第一卷和第二卷分别研究了一个整体的两个不同方面。可见，《资本论》第一卷和第二卷是一个有机整体。只有把二者组合起

---

① 《马克思恩格斯全集》第 36 卷，人民出版社 1974 年版，第 63 页。
② 《马克思恩格斯全集》第 36 卷，人民出版社 1974 年版，第 168 页。
③ 《马克思恩格斯文集》第 5 卷，人民出版社 2009 年版，第 13 页。

来，才能够真正理解资本的运动过程和剩余价值的运动过程。但是应该表明，对这个整体的各个方面不应该孤立地、而应该把它们经常联系起来并互为条件地加以研究。单独研究资本的流通过程，凸显了对资本运动条件性进行独立研究的重要性。此外第二卷的内容里已经蕴含了资本积累的时间等，这为第三卷论述借贷资本的内容埋下了伏笔。① 由此可见，第二卷是第一卷的理论逻辑的继续，同时是第三卷的引言。

（二）对马克思主义政治经济学的贡献

马克思在《资本论》第二卷中，对单个资本流通的规律和社会资本流通的规律，从各个方面、各种过程进行了理论概括，阐明了一系列再生产的基本原理，建立了严密的科学体系，是对马克思主义政治经济学的重要贡献。马克思主义的经济学说是一门严谨的科学。恩格斯在《资本论》第二卷"序言"中指出，"马克思在公布他的经济学方面的伟大发现以前，是以多么无比认真的态度，以多么严格的自我批评精神，力求使这些伟大发现达到最完善的程度。正是这种自我批评的精神，使他的论述很少能够做到在形式上和内容上都适应他的由于不断进行新的研究而日益扩大的眼界"②。这里，恩格斯高度赞扬了马克思的研究态度，阐明了马克思主义经济学的科学性。

《资本论》第二卷不仅在内容上丰富了马克思政治经济学理论，而且在方法上也对马克思政治经济学作出了巨大贡献。首先，生产力和生产关系的矛盾运动是社会发展的内在动力，矛盾分析方法是马克思历史唯物主义基本分析方法，《资本论》第二卷对资本运动规律分析完美地体现了这一方法。《资本论》第二卷揭示了以资本运动的内在规律和资本主义制度下资本运动固有的局限性和剥削性。也就是说，资本运动内在地必然带来两极分化和供求失衡的经济危机。其次，从抽象到具体的叙述方法是马克思《资本论》第二卷的主要叙述方法。在《资本论》第二卷中，依次从单个资本的运动过程，上升到多个资本运动过程交织互动的运动过程，灵活再现了马克思资本运动的逻辑。最后，《资本论》第二卷充分运用了逻辑与历史相统一的方法。恩格斯指出，马克思主义

---

① 大卫·哈维对《资本论》第二卷和第三卷的关系作过深刻的阐释，他指出，第二卷关于资本循环的时间和空间问题，为第三卷的信用制度埋下伏笔。

② 《马克思恩格斯文集》第6卷，人民出版社2009年版，第4页。

政治经济学是研究人类社会中支配物质生活资料的生产和交换的规律科学。社会生产实践的水平和发展情况取决于人类认识和改造自然的能力、社会的经济状况和科学技术发展水平，还受自然资源和环境等等的影响。认识对象的变化，必然引起认识内容的变化。经济理论以其特有的结构反映经济实践的具体内容。《资本论》第二卷在逻辑上再现了资本的循环和周转过程以及剩余价值的实现问题，极强地展示了马克思主义政治经济学对历史的尊重。

总之，《资本论》第二卷在内容和方法上补充和完善了马克思主义政治经济学，为展示马克思主义政治经济学的整体性作出了巨大理论贡献。一方面，《资本论》体系内容庞杂，第一卷从高度抽象的视角解决了剩余价值的生产问题，这就决定了在内容上进一步具体化的必要性；另一方面，整个《资本论》的方法论也是一个复杂的方法论系统，集中展示了《资本论》的整体性和系统性等特征。可见，《资本论》第二卷在展示马克思主义政治经济学的科学性和整体性方面扮演着重要的角色。

（三）对科学社会主义的理论贡献

《资本论》第二卷科学地展示了资本流通过程中经济危机的表现问题，进一步表明了资本主义必然灭亡、社会主义必然胜利的科学社会主义内核。《资本论》第二卷使庸俗的社会主义者大失所望。这一册的内容，几乎只是对资本家阶级内部作了极其科学和精确的研究，通过对社会总资本的再生产和流通的分析，从整体上揭示了资本运动的内在规定性和矛盾。既然体现两大部类之间内在联系的一定比例的平衡关系是社会再生产的客观规律，那么，破坏了两大部类一定比例的平衡关系，也就违背了社会再生产的客观规律，必然导致社会总产品不能顺利实现。在资本主义社会中，一方面，生产社会化要求各生产部门必须按比例进行，另一方面，生产资料的资本主义私人占有又不能按比例进行，这是产生经济危机的根源。资本主义经济危机的特点是生产过剩。这个过剩是通过市场供求矛盾表现出来的。供求不平衡包含在每一次买卖的脱节之中。而货币和信用的作用，又不断加大买和卖在时间上和空间上的分离，从而不断加大经济危机的可能性。马克思在分析社会资本再生产两大部类及第二部类内部两个分部类的平衡关系，分析货币在再生产中的作用，分析固定资本更新的矛盾，分析货币积累和实际积累的不平衡等问题时，都揭示了资本主义经济危机爆发的内在原因和客观必然性，从而阐明了资本主义必然灭亡和社会主义必然胜利的历史规律。

总之,《资本论》第二卷展示的两大部类的经济增长模型代表了非凡的智力成就,抨击了资本主义社会的经济危机,离开了第二卷的讨论,无论从结构上还是内容上,《资本论》的完整性都会大打折扣。

第三节　资本主义生产的总过程的分析和研究

《资本论》第三卷的主题是资本主义生产的总过程。马克思从理论上把资本的生产和流通过程作为一个整体呈现出来。第三卷只有手稿性质的材料。恩格斯在整理编辑这些材料的过程中,按照马克思的思想原意,把整卷分为七篇,论述了利润的基本规律和各种形式,科学阐明只有工人的劳动才是剩余价值的源泉,进一步揭露了资本主义生产的剥削性质及其隐秘性。

一、恩格斯整理、出版《资本论》第三卷的工作

恩格斯整理出版《资本论》第三卷用了十余年之久。一方面,这是因为第三卷只有手稿性质的材料,整理这些材料遇到了很多的理论和技术问题;另一方面,恩格斯自身有大量的理论研究任务和工人运动的领导工作,这些烦琐的工作使得恩格斯无法一心一意整理编辑《资本论》第三卷。

（一）恩格斯在编辑整理《资本论》第三卷时遇到的困难

一开始,恩格斯以为整理出版第三卷只是技术问题。后来发现全书很多章节都有理解和编辑上的困难。只有对马克思阅读的书目和笔记以及资本主义的实际运动进行深入的研究,才能排除这些困难。此外,第三卷的编辑工作同样遇到与第二卷相类似的困难——辨认字迹等。但是,第三卷的编辑工作根本不同于第二卷。第三卷整理编辑起来更困难。"第三册只有一个初稿,而且极不

完全。每一篇的开端通常都相当细心地撰写过，甚至文字多半也经过推敲。但是越往下，文稿就越是带有草稿性质，越不完全，越是离开本题谈论那些在研究过程中冒出来的、其最终位置尚待以后安排的枝节问题，句子也由于表达的思想是按照形成时的原样写下来的而越冗长，越复杂。"[1] 更为糟糕的是恩格斯的身体状况欠佳，一是无法坐着誊写，只能口授；二是长期视力衰退，1888年恩格斯在致丹尼尔逊、倍倍尔和施米特的信中多次提到要保护眼睛的问题。他不得不把写作时间限制到最低限度。加之恩格斯年事已高，大脑中的迈内尔特联想纤维工作起来迟钝得令人讨厌，已经没有过多的精力去克服理论工作上的种种困难。

此外，恩格斯还有其他无法推卸的理论和实践工作。如马克思和恩格斯以前各种著作的重新出版和翻译、订正、作序、增补等，而这些工作没有新的研究往往不可能进行。以《资本论》第一卷英文版为例来看，恩格斯对这个版本的文字担负最后审核的责任，所以它占了恩格斯非常多时间。《资本论》作为国际社会主义的核心文献对国际工人运动而言具有重要的指导意义。因而，恩格斯认为承担有限的几种文字上的校订的责任不容推卸。恩格斯既是理论家也是革命家。国际工人运动的发展又赋予了恩格斯新的责任。从马克思和恩格斯参加革命运动一开始，他们就肩负起联络各国社会主义者和工人的工作。对恩格斯而言，从事国际共产主义运动是一种义不容辞的、必须立即履行的义务。恩格斯曾经感慨道："如果我能够有一年时间完全脱离当前的国际运动，不看报，不写信，任何事情都不过问，那就能很容易地结束这一工作。"[2] 虽然遇到很多困难和阻碍，但是恩格斯在整理编辑《资本论》第三卷的十余年中，时时刻刻把第三卷的整理编辑工作放在首位，在大量给友人的信中强调自己要减少通信和其他工作，全身心投入到第三卷的整理工作当中。这在于，一方面，恩格斯享受整理编辑的过程，因为他能感觉到自己又能够跟马克思在一起，能够完成自己挚友的遗愿。1886年恩格斯告诉左尔格，全部工作都"应该让位给《资本论》第三卷，这一卷已经根据手稿作了口授，但其中极重要的几章还得做很多校订工作，因为许多地方只是汇集在一起的原始材料。这是唯一能给

---

① 《马克思恩格斯文集》第7卷，人民出版社2009年版，第4、7页。
② 《马克思恩格斯全集》第37卷，人民出版社1971年版，第374页。

我带来愉快的工作"①；另一方面，恩格斯发现了第三卷的惊人、伟大之处。恩格斯在 1885 年 3 月 8 日致劳拉信中说道，"我钻研得越深，就越觉得《资本论》第三册伟大"②。

（二）恩格斯整理编辑《资本论》第三卷的时间进程

1884 年，恩格斯发现关于第三册即《资本主义生产的总过程》有 1869 年以前写的两种稿本，此外，有一部分札记和一整本都是用方程式来表示剩余价值率同利润率关系的笔记。马克思晚年研究俄国和美国问题时所作的摘录包含了大量有关地租、货币资本、信用、纸币的材料和札记。恩格斯还不知道能在多大程度上把这些材料用在第三卷上。或许把这些材料以单行本的形式出版更为妥当。1885 年 2 月底，恩格斯开始了接近十年的整理工作。在此期间，恩格斯完成了辨认手稿的工作；根据马克思在手稿中的提示重新编排材料和补充材料以及补撰某些内容和安排第三卷纲目和结构。在补充手稿的过程当中，恩格斯对 19 世纪最后 25 年资本主义经济中的某些新现象做了一系列研究。他对第三卷的文字做了大量修饰和修改，写了序言和跋，对最后的定稿做了总校订。1885 年初，恩格斯已经完全把握住《资本论》第三卷的理论内核了。他惊呼："它是卓越的，出色的。这对整个旧经济学确实是一场闻所未闻的变革。只是由于这一点，我们的理论才具有不可摧毁的基础，我们才能在各条战线上胜利地发动起来。只要书一出来，党内的庸人习气也会再次受到久久不会忘记的打击。须知，那时又将首先辩论一般的经济问题。"③1885 年 6 月，《资本论》第三卷的手稿基本上已经口授和誊写清楚了，7 月下半月，完成了对《资本论》第三卷手稿的辨认。1888 年 10 月到 1889 年年初，恩格斯确定了《资本论》第三卷篇章结构和各级标题，根据马克思的个别提示编写第一、二、三章和只有一个标题的第四章。1889 年 2 月《资本论》第三卷三分之一以上的稿件已经整理完毕。从 1885 年开始，恩格斯对第三卷的个别篇章进行了润色加工、补充和校订。1893 年 12 月 2 日，恩格斯在信中告诉左尔格，他已经把《资本论》第三卷的颇大部分准备好付印。1894 年开始，恩格斯陆续把《资本论》

---

① 《马克思恩格斯全集》第 36 卷，人民出版社 1974 年版，第 421—422 页。

② 《马克思恩格斯文集》第 10 卷，人民出版社 2009 年版，第 530 页。

③ 《马克思恩格斯全集》第 36 卷，人民出版社 1974 年版，第 293 页。

第三卷的第一批校样寄给丹尼尔逊，以便译成俄文。1894 年 10 月 4 日，恩格斯写成《资本论》第三卷序言，简述了《资本论》第三卷的编辑整理工作以及其中的困难。1895 年，恩格斯撰写《资本论》第三卷增补，共两篇文章：《价值规律和利润率》和《交易所》。在增补中，恩格斯注意到了资本主义发展的最新变化，剖析了许多关于《资本论》第三卷的书评，分析了交易所的作用和股份公司的发展情况。这两篇文章在恩格斯生前未刊印。

（三）恩格斯编辑出版《资本论》第三卷的原则和具体工作

在《资本论》第三卷的整理编辑过程中，恩格斯最大限度地还原马克思的思想。他在最必要的范围之内进行编辑工作，尽量保持初稿的性质。手稿中个别重复的地方，恩格斯也没有划去，因为在那些地方，像马克思通常所做的那样，都是从不同的角度论述同一问题，或至少是用不同的说法阐明同一问题。在这种情况下，读者能够更直观地了解马克思关于资本主义生产总过程这一卷的研究思路和观点。凡是被恩格斯改动过的地方或者进行过增补的地方，或者在必须利用马克思提供的实际材料的地方，恩格斯都用四角括号括起来，并附上他的姓名的缩写。虽然有些脚注没有括号，但是，凡是注的末尾有恩格斯的姓名的缩写的地方，都由恩格斯负责。这样，读者对于《资本论》第三卷中，哪些是马克思原稿中的内容，哪些是恩格斯改动过或者增补过的就一目了然了。

恩格斯对手稿进行了细致的阅读和整理，并制定出逻辑严密的七篇结构。但是，在手稿的选取和利用上，着实让恩格斯伤透了脑筋。对于第一篇而言，主要的手稿需要进行压缩才能使用，因为马克思在研究剩余价值率和利润率的过程中进行了大量的数学计算。前两章都可以利用手稿，但是第三章的数学计算没有完成，于是恩格斯请了剑桥的老数学家穆尔帮忙整理笔记。恩格斯就是按照这位老数学家的摘要进行整理第三章的。第四章只有标题，所以恩格斯亲自执笔补写。由于在马克思写作《资本论》及其续篇的过程中，恩格斯经常与马克思进行讨论，实际上参与到了《资本论》的创作过程之中。同时，马克思也经常向恩格斯通报自己研究的最新进展。虽然恩格斯在马克思生前不知道第三卷手稿的存在，但是恩格斯是唯一一个能够把握马克思思想的人。第二到第四篇基本上也是按照手稿进行编辑，除了某些文字的修订之外。恩格斯遇到的最大阻碍是第五篇，因为第五篇很多地方只是开了个头，或者只有一些未经整理的笔记、评述和摘录资料。恩格斯经过了各种尝试，发现没有办法完全填补空白。1893 年，恩格斯当机立断，尽量整理现有材料，只作了一些必要的补充。在所有的篇章中，地租部分是写得最为完整的。在写地租这一篇时，马克思还专门研究了俄国和美国的土地问题，"为地租理论所收集的俄国和美国的材料也需要加工并加到旧稿里去"①，不断补充和更新新材料。1893 年 2 月 24 日，恩格斯写信告诉丹尼尔逊，"我已经结束了第五篇（银行和信用）的编辑工作，这一篇无论从内容本身或就手稿的状况来说，都是最难的。现在只剩下两篇，占全卷三分之一，其中的一篇（地租）内容也很难，但这一篇的手稿，我记得，要比第五篇的手稿完善得多。因此，我仍有希望在预定期限内完成任务。原先一个很大的困难，是保证在 3 至 5 个月的时间里不受任何干扰，把全部时间都用在第五篇上，现在这一篇幸而已经完成。在工作的时候，我时常想到这一卷出版之后会带给您多么大的喜悦"②。第七篇是最完整的，但是也只是初稿性质，关于阶级这一章甚至只有开头。除了主体内容之外，恩格斯也对第三卷的引文进行了编辑、校对和补入。

此外，在编辑出版《资本论》第三卷的过程中，洛里亚等人断言马克思的生产价格理论否定了劳动价值论。为了应对资本主义经济形势的最新变化以及捍卫马克思的政治经济学，恩格斯对第三卷进行了必要的增补，也就是《价值规律和利润率》和《交易所》。恩格斯不仅论证了价值规律的历史真实性，而且分析价值规律和平均利润率的历史联系，有力地驳斥了洛里亚等人的谬论。

总而言之，在恩格斯的努力下，《资本论》第三卷以一种完整的姿态呈现在世人面前，有力地回击了庸俗资产阶级的诽谤和污蔑，反驳了资产阶级政治经济学家的错误观点，展示了马克思主义政治经济学的科学性。

二、资本总生产过程的环节

在《资本论》第三卷中，马克思要揭示和说明的是资本运动过程作为整体考察时所产生的各种具体形式。资本在自己的现实运动中就是以这些具体形式

① 《马克思恩格斯文集》第 10 卷，人民出版社 2009 年版，第 531 页。
② 《马克思恩格斯文集》第 10 卷，人民出版社 2009 年版，第 648 页。

互相对立的。因此，只有阐明资本的各种形式，同资本在社会表面上，在各种资本的互相作用中，在竞争中，以及在生产当事人自己的通常意识中所表现出来的形式，才能把握资本主义社会的整体。在《资本论》第三卷中，马克思在科学地阐明剩余价值各种表现形式的同时，科学揭示了生产价格规律、利润率下降规律，丰富和发展了价值规律和劳动价值论，实现了理论和实践的有机统一。

（一）剩余价值向利润的转化

在《政治经济学批判（1857—1858年手稿）》手稿中，马克思已经对利润和剩余价值的关系作出了科学界定。他指出："剩余价值作为由资本本身产生的、并由这一价值对资本总价值的数字比例来计量的价值，就是利润。"①在《资本论》第三卷中，马克思主要阐述了剩余价值转化为利润的问题，包括剩余价值率转化为利润率以及影响利润率的各种因素——剩余价值率、资本周转速度的快慢，不变资本使用上的节约程度，由价值变动引起的价格变动，等等。

马克思从分析成本价格开始，研究剩余价值转化为利润的问题。对资本家而言，在生产过程中，他们耗费的是资本而不是劳动。商品使资本家耗费的东西和实际上耗费的东西是两回事。在资本家看来，商品的价值等于他们所耗费的预付资本和收益两个部分。"商品价值的这个部分，即补偿所消耗的生产资料价格和所使用的劳动力价格的部分，只是补偿商品使资本家自身耗费的东西，所以对资本家来说，这就是商品的成本价格。"②价格包括了两部分的内容，一部分是已经耗费的不变资本，这部分资本已经通过价值转移的方式加入到新产品之中；另一部分是耗费的可变资本。剩余价值表现为产品价值超过成本价格的部分，也就转化成了利润。实际上，剩余价值和利润是同一回事，不同的仅仅是形式。剩余价值是相对于可变资本而言的价值增殖，而成本价格是相对于全部预付资本而言的。剩余价值是利润的本质。但是，成本价格掩盖了不变资本和可变资本的区别，只表现固定资本与流动资本的区别。这样，可变资本这个核心范畴就被忽略了，从而掩盖了剩余价值的真正来源。古典政治经

---

① 《马克思恩格斯全集》第31卷，人民出版社1998年版，第230页。
② 《马克思恩格斯文集》第7卷，人民出版社2009年版，第30页。

济学家们被经济现象迷惑，没有办法看清成本价格背后最一般的东西。成本价格在整个资本主义生产过程中占据极其重要的位置。只有商品以等于或者大于成本价格出售时，生产要素才能得到补偿，生产才能得以继续进行。所以，资本家尤其看重成本价格。

由于剩余价值转化为利润了，那么，自然而然产生了一个由利润和总资本形成的比率。如果用 C 来表示总资本的话，那么利润率：$p'=m/C=m/(c+v)$。这就与剩余价值率 $m'=m/v$ 不同。用可变资本作为参照系来计算的剩余价值比率叫作剩余价值率，而用总资本来计算的则叫作利润率。这是基于两种不同的标准计算同一个量的比率关系。利润率是历史的出发点，是在现象中呈现出来的东西。资本家们很清楚这一点，但是他们关心的仅仅是剩余价值与预付总资本的比率而不会关心这个剩余价值与资本的各个特殊组成部分之间的关系。

资本家谋求利润最大化，利润率是关键。马克思详细分析了在资本主义生产方式下，影响利润率的各种不同的因素。首先，是周转对利润率的影响。在马克思的手稿中，这一章只有一个标题，恩格斯在编辑第三卷的过程中，根据资本主义生产和流通的规律、马克思的原意和整个《资本论》第三卷的主旨、结构，亲自补写了这部分内容。周转的时间越短，周转的次数越多，利润率就会越高。由于周转时间由生产时间和流通时间构成，所以，提高劳动生产率和改进交通都能够缩短资本的周转时间。正是由于流通时间的缩短也会加快资本的周转速度，从而增加利润，一部分人就基于这种情况把流通看成是利润的源泉。

其次，节约不变资本的使用对利润率的影响。由于利润率是 $p'=m/C=m/(c+v)$，在剩余价值量 m 不变的前提下，节约不变资本 c 能够引起利润率的提高。节约不变资本的途径包括了延长工作日。延长工作日可以在不追加固定资本的前提下，获取更多的剩余价值，从而提高利润率。劳动的社会结合也能够节约不变资本。工人的聚集和协作也就是劳动的社会结合使得生产资料的集中和大规模生产得以可能。生产资料的集中和大规模生产能够节省发动机、传动机和工作机的费用；节省各种建筑物、燃料和照明用具等。机器的改良带来了不变资本的节约。"凡是使机器从而全部固定资本在一定生产期间内的损耗减少的事情，不仅会使单个商品变得便宜（因为每个商品都在它的价格中再现归它负担的损耗部分），而且会使这个期间内相应的资本支出减少。"① 机器的改良包括了构成机器原材料、制造技术和工艺的改良，等等。此外，不变资本本身使用上的节约也是一个重要的途径。这种节约往往是以牺牲工人的利益为前提的，包括使工人挤在一个狭小的空间中劳动，在安全设备方面偷工减料，在危险的劳动过程中不采取任何安全保护措施等。不变资本的节约还包括排泄物的利用、发明等。

最后是价格变动对利润率的影响。价格变动对利润率的影响包括原料价格变动对利润率的影响以及其他要素的价格变动带来的影响的二重性。一方面，原料价格的变动对利润率有着直接的影响。在这里，马克思作出两个假定，一个是假定剩余价值率和剩余价值量不变；一个是仅研究使用机器时投入的主要材料。在这种假定之下原料的价格越高，成本就越高，利润越少，利润率越低。可见，利润率与原料的价格成反比。另一方面，资本的增殖与贬值对由于价格变动引起的利润率变动产生反作用；劳动力价值的变动会产生资本的游离和束缚。马克思把 1861 年—1865 年的英国棉纺织业的危机作为一般例证，说明了原料紧缺和价格上涨的后果。

马克思在《资本论》第三卷开篇就强调了利润和剩余价值的同质性，交代了利润是如何从剩余价值中转化而来的，补充说明了预付资本量对利润率的影响以及资本价值的变动对利润率的影响。总而言之，马克思揭开了利润的神秘面纱，揭露了资本家掩盖剩余价值来源的阴谋。

（二）平均利润和生产价格

关于平均利润和生产价格的思想，马克思在《哲学的贫困》中就已经提出来了。在《政治经济学批判（1857—1858 年手稿）》中，马克思清楚地表达了平均利润的思想。在 19 世纪 60 年代，马克思在批判古典政治经济学家的地租理论的过程中，建立了科学的平均利润和生产价格理论。而《资本论》第三卷则是这个理论最清晰、最科学的表达。马克思在具体分析不同部门的资本有机构成差异的同时，阐明了平均利润的形成过程，实现了政治经济学领域的一大跃进。

马克思首先分析了不同生产部门的资本的不同构成以及由此形成的利润率的差别。利润平均化的前提是不同的生产部门的利润率存在差别。在研究这种

---

① 《马克思恩格斯文集》第 7 卷，人民出版社 2009 年版，第 95 页。

差别的过程中，剩余价值率的差别和价格变动的差别对其影响甚微，因而，可以撇开这些问题。而资本有机构成的差别和资本周转的时间差别对不同部门的利润率差别影响很大，需要加以详细地分析和研究。马克思在专门研究资本有机构成和资本周转时间的差别时，除了假定各生产部门的剩余价值率相同之外，也摒除了同一部门中不同企业之间的差别。所以说，当马克思说到某一生产部门的资本的有机构成时，总是指投在这个生产部门的资本的平均正常状况，而不是指投在这个部门的各个资本的偶然差别。此外，一定的劳动时间的工资也被假定为是不变的。

马克思指出，资本的构成可理解为资本的能动组成部分和被动组成部分的比率。在这个比率中，生产资料所占的比重越大，说明技术基础越雄厚。这种比率形成资本的技术构成，是资本有机构成的基础。由资本技术构成决定并且反映这种技术构成的资本价值构成就是资本的有机构成。不变资本所占的比重越大，资本的有机构成就越高。马克思在研究过程中分别研究了由于不同生产部门的技术构成差别而引起的价值构成差别对利润率的影响和假定不同生产部门的技术条件相同的情况下，生产要素价值量的差别对利润率的影响。通过对这两方面的深入剖析，马克思得出，"不同生产部门的不等资本的利润，不可能和这些资本各自的大小保持比例，也就是说，不同生产部门的利润，不和各部门分别使用的资本量保持比例"[1]。

由于资本的有机构成存在差异，不同部门的利润率也存在差别，但是就整个资本家阶级而言，平均利润的总额与工人阶级创造的剩余价值总额是一致的。在利润率不同的条件下，一部分资本家多得，一部分资本家少得，平均利润就是在不同的资本家之间进行重新分配的结果。所以，利润转化成了平均利润。商品的价值是由不变资本、可变资本和剩余价值组成的。在资本主义生产条件下，不变资本和可变资本之和被称之为成本价格。当利润转化为平均利润的时候，商品价值就等于成本价格与平均利润之和。商品的价值也就转化成了生产价格。按照劳动价值论，商品应该按照价值出售，但是，在资本主义生产条件下，商品是根据生产价格出售的。生产价格与商品的价值往往不一致。这就导致主张劳动价值论的古典经济学家们遇到无法逾越的瓶颈。但是，马克思通过分析生产价格与商品价值之间的关系以及价格在价值基础上的背离，解决

---

[1] 《马克思恩格斯文集》第 7 卷，人民出版社 2009 年版，第 167 页。

了这一难题，捍卫了劳动价值论。

平均利润率和生产价格形成以后，成为资本主义生产的各个部门之间的调整中心和依据。但是平均利润率和生产价格是在严密的数学计算和逻辑推演中产生的理想模型，是现实中时时刻刻发生的一种趋势。马克思不仅分析了利润向平均利润、商品价值向生产价格的转化，而且分析了这种转化在现实历史条件下是如何通过竞争逐步形成的。但是商品按照生产价格出售需要一定的历史条件，也就是说，只有在资本主义发展的高级阶段，商品的交换才是按照生产价格进行的。平均利润率学说揭露了资产阶级和无产阶级以及资产阶级之间的深刻矛盾。在剩余价值的分配过程中，"每个生产部门的资本，都应按照各自大小的比例来分享社会总资本从工人那里榨取来的总剩余价值；或者说，每个特殊资本都只作为总资本的一部分，每个资本家事实上都作为总企业的一个股东，按照各自资本股份的大小比例来分享总利润"①。每个资本家都不满足于平均利润，都想把自己的利润率提高到一般利润率之上，以获取超额利润。为此，资本家们通过降低工资或者提高劳动生产率的方式，使其个别价值低于社会价值，个别生产价格低于社会生产价格，从中获取超额利润。

总而言之，李嘉图等资产阶级经济学家把资本主义制度看成是永恒的社会制度，无视价值规律在商品经济不同阶段中作用的变化，因而，他没有办法解答等量资本如何产生等量利润的问题。对此，马克思通过阐明平均利润和生产价格的本质，揭示出生产价格规律和价值规律的内在一致性，进一步捍卫了马克思主义的劳动价值学说和剩余价值学说，深刻揭露了资产阶级和无产阶级之间的阶级矛盾。

（三）利润率趋向下降的规律

在《政治经济学批判（1857—1858年手稿)》中，马克思明确指出了利润率有下降趋势的规律。在《政治经济学批判（1861—1863年手稿)》中进一步揭示了利润率下降的一般规律。马克思指出，"利润率在资本主义生产进程中有下降的趋势"②。这个规律曾经引起了李嘉图和马尔萨斯学派的恐慌。在此基础上，马克思进一步分析了一般利润率下降的原因。他指出："一般利润率的

① 《马克思恩格斯文集》第7卷，人民出版社2009年版，第232页。
② 《马克思恩格斯全集》第32卷，人民出版社1998年版，第450页。

下降，只能由于：（1）剩余价值的绝对量降低。""（2）可变资本与不变资本之比下降。"① 此外，马克思总结了一般利润率下降的意义。"一般利润率下降的趋势等于资本生产力的发展，也就是等于对象化劳动与活劳动相交换的比例的提高"②。古典政治经济学家已经发现利润率下降的趋势问题，由于其阶级局限性和理论缺陷，他们根本无法对这个问题作出科学的回答。古典政治经济学家不能科学区分不变资本和可变资本、剩余价值和利润，所以，不可能对资本的有机构成问题进行有效分析，也就无法解决一般利润率和生产价格形成的问题了。

在《资本论》第三卷中，马克思进一步揭示了一般利润率下降的规律。马克思指出，"不仅发生在个别生产部门，而且或多或少地发生在一切生产部门，或者至少发生在具有决定意义的生产部门，因而这种变化就包含着某一个社会的总资本的平均有机构成的变化，那么，不变资本同可变资本相比的这种逐渐增加，就必然会有这样的结果：在剩余价值率不变或资本对劳动的剥削程度不变的情况下，一般利润率会逐渐下降"③。在利润率不断下降的同时，利润量却在不断增加。可见，利润率下降的规律与整个社会资本或者单个资本的利润量不断增加并不相互排斥，并且利润率的下降和利润量的增加是资本积累规律的两个重要表现，是矛盾的两个方面，是"二重性规律"。这种规律往往表现为单个商品价格的下降和总的利润量的增加。马克思通过分析一般利润率规律和生产价格问题，发现了在资本主义生产方式下存在着平均利润率下降趋势的客观规律。

但是，在现实的生产过程中，在各种起反作用因素的作用下，利润率的下降趋势受到阻挠。所以马克思说，"实际上利润率从长远来说会下降"④。马克思分析了现实生产中阻挠利润率下降的各种因素。其一，劳动剥削程度的提高阻挠甚至抵消利润率下降趋势的规律。资本家通过工作日的延长、劳动的强化、技术的革新以及大规模使用妇女儿童劳动等方式提高资本的有机构成，从而减弱利润率的下降。其二，资本家把工人的工资压低到劳动力的价值以下。这一种情况是作为经验事实提出来的，与资本的一般分析无关，但是却是阻碍

---

① 《马克思恩格斯全集》第 32 卷，人民出版社 1998 年版，第 453 页。
② 《马克思恩格斯全集》第 32 卷，人民出版社 1998 年版，第 455 页。
③ 《马克思恩格斯文集》第 7 卷，人民出版社 2009 年版，第 236 页。
④ 《马克思恩格斯文集》第 7 卷，人民出版社 2009 年版，第 255 页。

利润率下降趋势的最显著的原因之一，因而，应该被提及。其三，不变资本各要素变得便宜。在劳动生产力提高的前提下，不变资本的各个要素的价值会下降，基本的技术构成提高，或者正在进行生产的生产资料发生贬值，阻碍了利润率的下降趋势。其四，相对人口过剩。马克思指出，相对过剩人口的产生，是和表现为利润率下降的劳动生产力的发展分不开的。随着资本积累的进行和资本有机构成的提高，社会上会出现一支人口众多的失业队伍，形成了廉价的劳动力，从而在生产部门中造成非常高的剩余价值率和剩余价值量，阻碍利润率的下降。其五，对外贸易的发展对利润率的下降规律也有减弱作用。对外贸易的发展，使得大量廉价的生产资料特别是原材料和机器设备能够从国外进口，从而提高利润率，但是对外贸易具有二重性，因为对外贸易也会引起资本积累的加大和资本有机构成的提高，从而加速利润率的下降。最后，股份资本的增加也会阻碍利润率下降趋势。对于这一点，马克思没有深入展开，但是马克思明确了一部分资本不参与到一般利润率的平均化的过程当中，如果这部分资本参与进来的话，会使得平均利润率下降得更快。

在阐明利润率下降的规律本身之后，马克思进一步揭露了由于利润率下降而引起的各种矛盾，以及这些矛盾所引发的经济危机。他在批判李嘉图的利润学说的同时，揭示出了资本主义经济危机的必然性。马克思指出，李嘉图混淆了利润率和剩余价值率之间的区别，不能理解剩余价值率和利润率之间的反向运动关系；片面理解利润率下降和资本积累之间的关系；把利润率的下降理解为土地本身的原理而忽视制度性的根源；把地租排除在剩余价值之外，不能理解地租只是剩余价值的一种形式。所以，李嘉图及其学派根本无法理解平均利润率下降趋势的实质，更无法理解经济危机的根源。对此，马克思认为，平均利润率下降趋势的规律表现了资本主义社会化大生产和资本主义生产资料私人占有之间的矛盾。通过论述生产的扩大和价值增殖之间的矛盾、生产扩大和人口过剩时资本过剩的矛盾，马克思论证了资本主义经济危机的根源在于资本主义制度本身。

总之，在科学地揭示一般利润率下降规律的基础上，马克思进一步揭示了一般利润率下降所引发的种种矛盾，揭示了经济危机的根源。只要资本主义存在，马克思主义的政治经济学依旧能够发挥其批判作用。因而，在当今社会，依然能够发现一般利润率下降的发展趋势。可见，马克思对一般利润率下降规律的研究，具有巨大的现实意义。

（四）商人资本和商业利润

恩格斯在《国民经济学批判大纲》中就已经对商人和商业资本做过一定的探讨，并且批判了重商主义。在《资本论》第三卷中，马克思开始论述剩余价值在不同职能资本家之间分配的规律问题。在资本主义社会中，除了产业资本家之外，还有专门从事商品经营销售和货币经营的资本家。这些资本家也会参与到产业部门工人所创造的剩余价值的分配当中来。商人资本或者商业资本衍生了商品经营资本和货币经营资本这两个亚种。其中，商品经营资本是产业资本的派生形式，而借贷资本则是产业资本和商业资本的派生形式。

商品经营资本是专门从事商品销售的流通资本，其职能是商品价值和剩余价值的实现。商品经营资本是随着产业资本家专门从事商品的生产活动而出现的。商品销售者从产业资本家中分离出来成为流通当事人，并且这个流通当事人有了一定的预付资本之后才出现。商业经营资本的出现是资本主义历史发展的必然，同时也推动了资本主义生产方式的发展。商业资本家从产业资本家中分离出来能够有效防止再生产过程的中断，缩短再生产的时间；加快了商品形态的变化过程，使得整个社会资本家之间的联系更加紧密，从而推动整个社会商品经济的发展；有效地缩短资本的流通时间，扩大市场，助力于产业资本家的剩余价值生产。

在对商业资本家的职能、性质、产生的历史等方面进行阐述之后，马克思进一步阐明商业利润和剩余价值的关系问题。马克思指出："因为商人资本本身不生产剩余价值，所以很清楚，以平均利润的形式归商人资本所有的剩余价值，是总生产资本所生产的剩余价值的一部分。"[1] 商业资本通过竞争获得平均利润。产业资本以成本价格和生产价格之间的价位把商品出售给商业资本家，商业资本家则可以按照商品的生产价格进行出售，从而获得商业利润。

商业资本也存在着周转问题。但是商业资本的周转不同于产业资本的周转，在商业资本的周转中不存在生产过程环节，事实上只是商品资本的独立化运动。但是商业资本的周转离不开产业资本的周转。只有产业资本的周转顺利进行，商业资本的周转也才能保持畅顺。虽然商业资本的周转对商品价格的出售具有重要的影响，但是归根结底，价格还是由商品的价值决定的。由于从商

---

[1] 《马克思恩格斯文集》第7卷，人民出版社2009年版，第314页。

品的生产到最后价值的实现经过了多重中间环节，价格就容易被误认为是由周转决定的，资本主义生产方式的假象就产生了。

紧接着，马克思分析了商业资本的另一个亚种——货币经营资本。货币在产业资本和商品经营资本的流通过程中，完成了一系列纯粹技术性的运动。当这些技术性运动独立起来成为特殊的资本职能时，货币经营资本就产生了。作为商业资本的货币经营资本的职能包括货币的收付、差额的平衡、往来账的登记、货币的保管、汇兑、世界货币等。货币经营资本在资本流通中起着重要的中介作用。马克思指出，"货币经营者所操作的货币资本的总量，就是商人和产业家的处在流通中的货币资本；货币经营者所完成的各种活动，只是他们作为中介所实现的商人和产业家的活动"①。所以，货币经营者的利润的本质也是剩余价值。

总之，关于商业资本的问题，马克思不仅科学地阐明了商业资本获取利润的方式，而且克服了古典政治经济学混淆商业资本和产业资本的弊病，真正厘清了商业资本和利润之间的关系。不能科学地认识商业资本和产业资本的区别，就不能形成科学的剩余价值理论。可见，马克思在这个问题上超越了古典政治经济学家。

（五）生息资本和利息概念

在《政治经济学批判（1857—1858年手稿）》中，马克思对利息、生息资本等问题进行过概括性的研究和分析。关于利息问题，马克思指出，"利息的形式比利润古老"，"利润和利息之间的实际区别是作为货币资本家阶级和产业资本家阶级之间的区别而存在的。"② 在《资本论》第三卷中，马克思专门辟出一部分章节讨论生息资本问题，科学表述了生息资本的实质。

马克思在此之前的阐述都是在假定只有职能资本家参与利润分配的前提下进行的。实际上，在资本主义生产的过程中，产业资本家和商业资本家不可能全部使用自己的资本，在很多时候，职能资本家们需要向货币资本家借钱并支付利息。于是，货币资本家也会参与到利润的分配上来。这样，利润就会被分割成两个部分，一是企业主收入，二是利息。马克思研究了生息资本的形式、

---

① 《马克思恩格斯文集》第7卷，人民出版社2009年版，第359页。
② 《马克思恩格斯全集》第31卷，人民出版社1998年版，第265—266页。

分配方式、运动形式（信用）和历史沿革，着重考察了信用问题。

生息资本是最早出现的资本形式之一，在前资本主义时期已经以高利贷的形式出现，在资本主义时期被称为借贷资本。由于马克思的研究对象是资本主义的生产方式，所以他着重研究了借贷资本这种形式。马克思首先说明了借贷资本产生的前提。"货币除了作为货币具有的使用价值以外，又取得一种追加的使用价值，即作为资本来执行职能的使用价值。在这里，它的使用价值正在于它转化为资本而生产的利润。就它作为可能的资本，作为生产利润的手段的这种属性来说，它变成了商品，不过是一种特别的商品。或者换一种说法，资本作为资本，变成了商品"①。资本无非是货币的转化形式，所以归根结底，资本是由商品转化而来的。所以拥有一定量的货币资本，并愿意让渡这个货币资本的使用权限时，就能够以利息的形式获得一定量的平均利润。

生息资本有其独特的流通方式：G—G—W—G′—G′。在这个运动之中，货币资本家把资本借贷给职能资本家；职能资本家购买生产资料和劳动力，再通过产品的出售收回成本价格和利润，归还本金和利息给货币资本家。这是一种双重回流的形式。可见，货币资本家把他的资本贷出去时并没有得到等价物，货币资本所有者在生息资本的流通过程中并没有出让所有权，即没有发生交换，只是通过贷出者和借入者之间的法律契约获得利息。

马克思并没有停留在考察借贷资本在它的所有者和产业资本家之间的运动上，而是进一步考察这个运动的结果，也就是货币资本家所获得的利息。借贷资本家把他的货币作为资本让渡给职能资本家的价值额是资本，这个价值额会重新回流到他的手中。但是如果仅仅是原价值额的回流，只是贷出价值的偿还，这不是借贷资本家的预付资本的真正回流。货币资本家预付资本的回流包括了原价值额的回流，也必须包含一个增加的价值，也就是一个剩余价值，也就是说 G′=G+△G。△G 就是落到了货币资本家手中的平均利润，即利息。

马克思对事物的研究是全面的、深刻的研究，所以在阐明了利息的本质之后，也就是说明了利息无非就是平均利润的一部分之后，进一步开始研究利息的量的问题，即研究职能资本家和货币资本家之间的平均利润分配问题。当借贷资本的量确定时，利息量是由利息率决定的。利息率就是一定时期内利息量和借贷资本之间的比率。利息率的确定跟商品价格、工资、利润等的确定不

---

① 《马克思恩格斯文集》第 7 卷，人民出版社 2009 年版，第 378 页。

同，它由借贷双方议定。所以，马克思认为只能从某些因素中对利息率作出一定的说明。首先，有待分割的利润总量对利息率有影响。其一，有待分割的利润总量规定的利息的最高限度。因为利润大于利息是每个职能资本家的基本要求。其二，等于平均利润的一个不变的部分，结果就是："一般利润率越高，总利润和利息之间的绝对差额就越大，因而总利润中归执行职能的资本家的部分就越大；反过来，情况也就相反"①。其三，在平均利润率下降规律的影响下，利息率也具有下降的趋势。其次，货币市场本身的供求关系和竞争情况也会影响利息率。在资本主义的周期性生产过程中，利息率会发生改变。繁荣时期，借贷容易，利息率低。危机时期借贷成本高，利息率高。在整个资本主义历史发展中，货币资本越来越充足，使得利息率在不考虑平均利润率下降规律的情况下也具有下降趋势。最后，各个国家由于自身特殊的习惯和法律传统的差异，也会出现不同的利息率的问题。

马克思再次回到利息和企业主收入这两种利润分割方式中来，探究这个质上的分割的产生及其后果。特别强调了这种质的分割使得利息表现为资本所有权的结果，企业收入变成职能资本家执行其职能的产物。在表面上形成了货币资本家与职能资本家的对立，特别在利息上完全掩盖了资本跟雇佣劳动之间的对立。马克思发现了生息资本形式是资本关系最表面最富有拜物教性质的形式。在资本主义生产的过程中，利息变成了职能资本家利润的附加物和添加品。资本表现为一种直接能够自行增殖的价值，"尽管利息只是利润即执行职能的资本家从工人身上榨取的剩余价值的一部分，现在利息却反过来表现为资本的真正果实，表现为原初的东西，而现在转化为企业主收入形式的利润，却表现为只是在再生产过程中附加进来和增添进来的东西。在这里，资本的物神形态和资本物神的观念已经完成"②。这样，拜物教的实质就被揭示出来了。

马克思对借贷资本的质和量进行了详尽的阐述之后，转而研究借贷资本的实际运行问题。借贷资本通过信用这个中介进行运行。信用是指在商品交易中，债务人向债权人定期还本付息的价值运动，包括商业信用和银行信用两种方式。信用制度在解决资本自由流通问题、支持股份公司的建立、减少流通费用方面发挥了重要的作用。但是，信用制度具有二重性，信用制度助长了产业

---

① 《马克思恩格斯文集》第 7 卷，人民出版社 2009 年版，第 402 页。
② 《马克思恩格斯文集》第 7 卷，人民出版社 2009 年版，第 441—442 页。

投机行为和贸易诈骗，引发虚假繁荣和经济危机。

马克思对生息资本的理论成果离不开其对资本主义的最新发展的研究。马克思在 19 世纪 70 年代，曾集中研究美国信用机制和虚拟资本问题。也正是在此基础上，马克思的政治经济学理论与最新的材料相接轨，试图解决金融资本出现后的全球资本主义生产问题。可是，在 19 世纪 80 年代，金融资本还没有成熟到完全暴露其内在矛盾，这样一来，马克思就没能最终完成《资本论》四卷的写作和出版工作。

（六）土地所有权和地租

在《政治经济学批判（1861—1863 年手稿）》中，马克思在批判洛贝尔图斯、斯密和李嘉图的地租理论的同时，已经详尽地论述了地租问题。在整理俄国土地材料，大量研究俄国土地问题的基础上，马克思进一步深化了地租理论。在《资本论》第三卷中，马克思在论述产业资本、商业资本以及货币资本如何分割剩余价值之后，进而考察土地所有者如何参与到雇佣工人所创造的剩余价值的分配上来的问题。也就是论述农业资本家向土地所有者租佃土地时，把农业生产中的超额利润转化为地租交付给土地所有者的问题。

首先，马克思确定了研究的对象问题。在地租问题的研究上，"对土地所有权的各种历史形式的分析，不属于本书的范围。我们只是在资本所产生的剩余价值的一部分归土地所有者所有的范围内，研究土地所有权的问题。"[①] 所以马克思主要研究的是资本主义条件下的级差地租和绝对地租问题，并对地租作了历史考察。

马克思指出，在资本主义生产条件下，地租主要有两种形式——级差地租和绝对地租。无论是级差地租还是绝对地租都是由超额利润构成的，但是二者又有一定的区别。级差地租"是产生于支配着一种被垄断的自然力的个别资本的个别生产价格和投入该生产部门的一般资本的一般生产价格之间的差额"[②]。级差地租不仅取决于垄断自然条件下的个别生产价格的大小，还取决于社会生产价格的高低。自然力并不是级差地租的源泉，而是超额利润的自然基础。自然力本身不能形成地租，但是自然力是高劳动生产力的自然基础，能够使得个

---

① 《马克思恩格斯文集》第 7 卷，人民出版社 2009 年版，第 693 页。
② 《马克思恩格斯文集》第 7 卷，人民出版社 2009 年版，第 728 页。

别的生产价格低于社会生产价格，从而产生超额利润。形成级差地租的超额利润与土地所有权也没有关系。马克思在分析级差地租的时候，考察了级差地租的两种形式——级差地租Ⅰ和级差地租Ⅱ。级差地租Ⅰ是等量资本投入到面积相同的不同土地之上形成的不同地租。影响级差地租Ⅰ的主要因素是土地的肥沃程度和位置的差别。土地的面积是有限的，在资本主义条件下，劣等地也有人耕种。耕种劣等地的资本家也要求分割平均利润。所以，农产品的价格就由劣等地的个别生产价格决定。耕种其他等级的土地的资本家的个别生产价格就与社会生产价格之间产生了差额，形成了超额利润。级差地租Ⅱ是指在同一块土地上，连续追加等量资本所具有的高于最坏耕地的生产率的结果。可见，"地租的提高只是土地投资增加的结果，而且是和资本的这种增加成比例的。产量和地租的这种增加是投资增加的结果，而且是和投资的增加成比例的，就产量和地租量来说，这种增加就好像发生下述情形一样：提供地租的同质土地的耕种面积已经扩大，并且使用和过去在同级土地上投入的同样多的资本来进行耕种"①。在资本主义发展的初期，级差地租Ⅰ是地租的主要形式。但是，随着资本主义农业集约化的发展，级差地租Ⅱ成为形成超额利润的重要因素。总之，级差地租有其产生的各种条件，但是，这些条件并不是级差地租的源泉。级差地租只是剩余价值的一种转化形式，是农业工人劳动产生的结果。

绝对地租是资本主义地租的另一种形式。级差地租与土地所有权没有任何关系，而绝对地租却是基于土地所有权的垄断而产生的。由于土地所有权对最坏的土地进行限制，土地所有权本身就是引起价格上涨的原因，"土地所有权本身已经产生地租。"② 概言之，绝对地租是由于农产品的垄断价格超过农产品的生产价格而带来的超额利润，是在土地所有权的前提下，由农业工人生产出来的价值。绝对地租的产生不仅不违反价值规律，相反，只有在价值规律之下才能有效阐明价值规律。首先，绝对地租是由超额利润构成的。其次，不能离开土地所有权去研究地租。最后，不能把商品的价值和生产价格混为一谈。既然绝对地租是农产品的价值跟生产价格的差额，那么为什么会产生这种差额呢？马克思进一步解释农业资本有机构成跟绝对地租之间的关系。由于农业资本有机构成低于社会平均资本的构成，同量的资本会带来更多的剩余价值，这

① 《马克思恩格斯文集》第 7 卷，人民出版社 2009 年版，第 775 页。
② 《马克思恩格斯文集》第 7 卷，人民出版社 2009 年版，第 854 页。

是农业绝对地租形成的基本条件。但是，在其他的部门中也存在商品价值超过生产价格的情况，可超过平均利润以上的超额利润会转化为平均利润。农业部门的超额剩余价值却能留在本部门。这是由于土地所有权决定的。所有权会对企图投入这一部门的资本进行限制，从而使得超额剩余价值不会全部转移到其他部门。

结束了农业部门的地租研究之后，马克思随即转入非农业地租的研究，包括对建筑用地地租和矿山地租的研究以及土地价格变动问题。建筑地段的地租是资本家为了建造各种建筑物而租用土地时向土地所有者支付的地租。在建筑地段地租问题上，位置起了决定性的作用。人口的增加和固定资本的发展必然会提高建筑地段的地租。在迅速发展的城市里，"建筑投机的真正主要对象是地租，而不是房屋"①。矿山地租是资本家租用矿山时支付给矿山所有者的租金。"真正的矿山地租的决定方法，和农业地租是完全一样的。"② 这样，马克思揭示出了各种地租实质上的一致性。

对农业和非农业的地租问题进行了详细的阐述后，马克思进一步分析了土地的价格问题。土地价格和劳动的价格一样，是一个不合理的范畴，因为土地本身并不是劳动的产品，自身没有价值，只是凭借着所有权获得超额利润。在现实的资本主义运动的过程中，土地价格会发生变化。一方面，在地租不增加的情况下，利息率下降或者投入到土地上的资本利息增加都会使土地价格提高。另一方面，地租和土地的价格成正比。在利息率不变的情况下，土地价格取决于地租。

总而言之，马克思揭露了李嘉图等人在地租问题上的局限性，建立了科学的地租理论，揭露了资本主义生产中剥削工人的两大阶级——资产阶级和土地所有者。同时，随着科学的地租理论的建立，马克思深化了其生产价格理论，捍卫了劳动价值论，建立了完整的劳动价值理论和剩余价值理论。

（七）资本主义经济形态的总体矛盾运动

马克思在《资本论》第三卷的最后一篇中，对《资本论》前三卷进行了高度的概括和总结，深刻论述了生产、交换和分配之间的关系以及在此基础上形

---

① 《马克思恩格斯文集》第 7 卷，人民出版社 2009 年版，第 875—876 页。
② 《马克思恩格斯文集》第 7 卷，人民出版社 2009 年版，第 876 页。

成的阶级对立关系。但是最后一章关于阶级的论述未能彻底完成。

马克思首先对资产阶级经济学家的"三位一体公式"进行了彻底的批判。资产阶级经济学家认为工资是劳动的价格，归工人所有；利润来源于资本，应该归资本家所有；地租来源于土地，应该由土地所有者获得。马克思指出，在这样的"三位一体公式"中，利润的各种形式不见了，剩余价值更是被掩盖得无影无踪。实际上，是资产阶级经济学家们把资本跟生产资料混为一谈、把价值和使用价值混为一谈，土地是自然要素，劳动是抽象的活动，完全忽视自然属性和社会属性之间的区别，把人与人之间的关系歪曲为物与物之间的关系。马克思更正道，"土地所有权、资本和雇佣劳动，就从下述意义上的收入源泉，即资本使资本家以利润的形式吸取他从劳动中榨取的剩余价值的一部分，土地的垄断使土地所有者以地租的形式吸取剩余价值的另一部分，劳动使工人以工资的形式取得最后一个可供支配的价值部分"[①]。马克思除了指出这种"三位一体公式"之外，还进一步对其进行批判。由于这种"三位一体公式"是在斯密教条的基础上产生的，所以，要彻底批倒这种公式还必须批判斯密教条。马克思指出，斯密没有理解不变资本和可变资本之间的关系、剩余价值的性质，劳动过程中追加的新价值、收入和资本之间的关系，因而不能理解资本主义生产方式的整个基础。工资、利润和地租并不是构成价值的要素，这三者的价格取决于价值而不是市场竞争。

完成对资产阶级经济学家的清算之后，马克思对《资本论》第三卷，同时也是对前三卷的内容进行了综合性的总结。该总结主要是通过对各种分配形式进行综合性的分析研究，并论述了生产与分配的内在关系。在资本主义社会当中，工资、利润和地租是三种不同的分配形式，也是资本主义社会所特有的形式。但是，这些分配形式不是自然的、永恒的形式，而是历史的、暂时的形式。分配关系是以一定的生产条件和生产关系为前提的。"所谓的分配关系，是同生产过程的历史地规定的特殊社会形式，以及人们在他们的人类生活的再生产过程中相互所处的关系相适应的，并且是由这些形式和关系产生的。这些分配关系的历史性质就是生产关系的历史性质，分配关系不过表现生产关系的一个方面。资本主义的分配不同于各种由其他生产方式产生的分配形式，而每一种分配形式，都会随着它由以产生并且与之相适应的一定的生产形式的消失

---

① 《马克思恩格斯文集》第 7 卷，人民出版社 2009 年版，第 936 页。

而消失"①。通过对不同的分配关系的研究，马克思思想进一步建立完整的、科学的阶级理论。但是，遗憾的是，手稿在阶级部分就中断了。但是值得庆幸的是，马克思在其《人类学笔记》以及恩格斯在《家庭、私有制和国家的起源》中对阶级问题进行了深入而全面的探讨，完善了马克思主义科学的阶级理论。

三、资本总生产理论的价值

《资本论》第三卷是《资本论》整个理论部分的完成，因为按照马克思的计划，第四卷是理论史部分。第三卷作为《资本论》的理论总结和升华部分，具有巨大的价值。恩格斯曾说，他"钻研得越深，就越觉得《资本论》第三册伟大"，"一个人有了这么巨大的发现，实行了这么完全和彻底的科学革命，竟会把它们在自己身边搁置 20 年之久，这几乎是不可想象的。"②《资本论》第三卷对《资本论》在诸多方面都具有重要的理论贡献。

（一）《资本论》第三卷在《资本论》整体结构中的地位和作用

马克思在《资本论》的研究和写作过程中区分了研究方法和叙述方法。在研究的过程中需要把握大量的感性具体，从中抽象出一般规律。但是在叙述的过程中则相反，从抽象开始，一步步具体化。马克思在第一卷中对"资本"、"剩余价值"等一般性的概念和范畴进行了系统的阐述。在第二卷和第三卷中则进一步具体化。例如，在资本主义生产方式下，剩余价值这个一般性的概念表现为利润、地租等具体形式。对这些具体形式进行深度解剖，能够反过来加深对"剩余价值"这个一般概念的理解。对于《资本论》前三卷的逻辑关系问题，马克思在第三卷的开篇就作出了这样的概述："在第一册中，我们研究的是资本主义生产过程本身作为直接生产过程考察时呈现的各种现象，而撇开了这个过程以外的各种情况引起的一切次要影响。但是，这个直接的生产过程并没有结束资本的生活过程。在现实世界里，它还要由流通过程来补充，而流通过程则是第二册研究的对象。在第二册中，特别是在把流通过程作为社会再生产过

---

① 《马克思恩格斯文集》第 7 卷，人民出版社 2009 年版，第 999—1000 页。
② 《马克思恩格斯文集》第 10 卷，人民出版社 2009 年版，第 530—531 页。

程的中介来考察的第三篇中指出：资本主义生产过程，就整体来看，是生产过程和流通过程的统一。至于这个第三册的内容，它不能是对于这个统一的一般的考察。相反地，这一册要揭示和说明资本运动过程作为整体考察时所产生的各种具体形式。资本在其现实运动中就是以这些具体形式互相对立的，对这些具体形式来说，资本在直接生产过程中采取的形态和在流通过程中采取的形态，只是表现为特殊的要素。因此，我们在本册中将阐明的资本的各种形态，同资本在社会表面上，在各种资本的互相作用中，在竞争中，以及在生产当事人自己的通常意识中所表现出来的形式，是一步一步地接近了。"① 由此可见，《资本论》第三卷作为《资本论》整体构架中的一部分，是第一卷和第二卷的具体化。是马克思从抽象上升到具体方法的重要体现。总之，无论把《资本论》第三卷自身看作一个独立的著作还是在《资本论》的整体结构中审视它，它"是光彩夺目的，它将给人以雷鸣电闪般的印象"②，具有科学的价值。

（二）《资本论》第三卷对政治经济学的理论贡献

《资本论》第三卷作为《资本论》理论部分的综合，是马克思主义政治经济学的核心文本之一。《资本论》第三卷的出版面世对政治经济学而言，是一个巨大的惊喜。一方面，第三卷揭示了资本主义运动总过程的各种具体形式——产业资本、商业资本、借贷资本以及农业资本的运动过程；说明了剩余价值在不同职能资本家之间的分配问题；解决了古典政治经济学无法解决的等量资本获得等量利润与价值规律之间的关系问题。彻底解决了等量资本获得等量利润的复杂问题。恩格斯在第三卷的序言中指出，当时他在第二卷的序言中要求洛贝尔图斯之流对相等的平均利润率怎么能够不仅不违反价值规律，反而要以价值规律为基础的问题进行回答。当然，洛贝尔图斯之流的庸俗资产阶级经济学家是不可能对此作出科学回答的。马克思《资本论》的第三卷正是解决了这个理论问题。"这个包含着最后的并且是极其出色的研究成果的第三卷，一定会使整个经济学发生彻底的变革，并将引起巨大的反响。"③ 具体来看，"因为它第一次从总的联系中考察了全部资本主义生产，完全驳倒了全部官方

① 《马克思恩格斯文集》第 7 卷，人民出版社 2009 年版，第 29—30 页。
② 《马克思恩格斯全集》第 36 卷，人民出版社 1974 年版，第 336 页。
③ 《马克思恩格斯全集》第 36 卷，人民出版社 1974 年版，第 288 页。

的资产阶级经济学"①。在分配制度方面，资本主义分配关系的实质是生产要素按贡献参与分配。在资本主义私有制的前提下，劳动者没有生产资料，仅靠出卖劳动力获得一定的报酬，劳动创造出来的价值和新价值由资本家进行分配。资本家按照等量资本获取等量利润的原则在资本家之间进行新价值的分配，产业资本家获得产业利润，商业资本家获得商业利润，银行资本家获得银行利润，土地所有者获得地租。而资产阶级经济学家们通过劳动—工资、资本—利润、土地—地租这三位一体公式为资本主义分配方式作辩护。为此，在《资本论》第三卷中，马克思对此进行了深入的分析和批判，论证了资本主义制度下分配关系的实质，揭示了不同收入的真正来源。

另一方面，《资本论》第三卷科学分析了资本主义从自由竞争阶段向垄断阶段的转化，反映了资本主义历史发展的最新进展。马克思在写作《资本论》第三卷手稿的时候，资本主义还处于自由竞争的时代。这时候，金融资本、信用制度等还不发达，股份公司的发展还不成熟。金融资本只是资本主义经济体系中的一个次要部分。因而，马克思不可能对金融资本进行透彻的研究。但是，马克思已经注意到这种新的因素将会对资本主义的经济体系产生重要影响。在《资本论》第三卷中，马克思论述了股份公司与垄断的关系。在一定程度上涉及相关的问题。在19世纪最后三十年，主要资本主义国家都完成了工业化革命，资本主义生产方式也发生了翻天覆地的变化，垄断逐渐代替自由竞争成为资本主义支配方式。卡特尔、托拉斯等垄断组织成为资本主义工业企业的最新形式。恩格斯在编辑出版《资本论》第三卷的时候注意到这些新变化了。他指出，"交易所的作用大大增加了，并且还在不断增加。这种变化在其进一步的发展中有一种趋势，要把全部生产，工业生产和农业生产，以及全部交往，交通工具和交换职能，都集中在交易所经纪人手里，这样，交易所就成为资本主义生产本身的最突出的代表"②。以交易所作为媒介的信用制度使得卡特尔、托拉斯等垄断组织以大型股份公司的面目出现。这种新的垄断方式，使得世界资本市场的竞争更加激烈，经济危机的爆发更加剧烈。垄断代替竞争，生产得到更多的调节。但是，这也加剧了资本主义生产力和生产关系之间的矛盾。因而，垄断组织的出现不仅没有办法解决经济危机，然而会进一步激化资

① 《马克思恩格斯文集》第10卷，人民出版社2009年版，第535页。
② 《马克思恩格斯文集》第7卷，人民出版社2009年版，第1028页。

本主义生产方式固有的矛盾。

　　总之，《资本论》第三卷不仅解决了困扰资产阶级政治经济学家多时的利润率下降问题、生产价格与价值偏离问题，而且关注了资本主义发展的最新动向。马克思和恩格斯时刻坚守历史唯物主义的基本立场，从经济现实出发探究资本主义发展的规律。这使得马克思主义政治经济学能够时刻保持与时俱进的理论品质以及强有力的现实解释力。

　　（三）《资本论》第三卷对科学社会主义理论的贡献

　　只有完成了对资本主义生产总过程的研究，才能完成对资本主义生产方式的整体剖析，才能了解资本主义生产方式发展的规律，进而了解人类社会发展的规律。《资本论》第三卷完成了进一步解剖资本主义社会、揭示资本主义制度的运动规律的理论任务，进一步夯实了科学社会主义的基础。

　　《资本论》第三卷最后一个范畴是阶级。一方面是因为阶级是最具体、最丰富、规定性最多的范畴；另一方面是因为马克思的政治经济学是无产阶级革命斗争的武器。通过对资本主义生产方式的透彻分析，把握资本主义发展的内在规律，揭示资本主义生产方式的内在矛盾，从而揭示出了无产阶级受压迫受剥削的历史现实，会激发出无产阶级的战斗热情。可以说，《资本论》是无产阶级的"圣经"。但是仅仅是《资本论》第一卷和第二卷还不能完全完成科学社会主义的历史任务。第三卷可以说是无产阶级革命理论的升华部分。如果说第三卷还有什么不尽如人意的地方，那么对阶级问题的探讨可以说是其中一个问题。值得庆幸的是，虽然手稿在此中断了，但是，马克思和恩格斯对阶级的研究还在继续。无论如何，《资本论》第三卷在无产阶级革命斗争中的理论指导作用是毋庸置疑的。

　　此外，第三卷运用危机理论阐释了"两个必然性"的科学性。一方面，马克思在揭示一般利润率下降规律的过程中，科学揭示了资本主义经济危机的必然性；另一方面，马克思在批判资本主义生产方式下的巨大物质浪费，揭示了资本主义生态危机的必然性。恩格斯在增补中进一步揭示了垄断形势下资本主义危机的必然性。可见，无论是经济危机还是生态危机，都说明了资本主义制度的历史局限性和历史暂时性。

　　总之，《资本论》第三卷揭示资本主义剥削的秘密，阐明资本主义产生、发展、灭亡的规律。为无产阶级的革命斗争奠定了厚实的理论基础。由此可见，第三卷对科学社会主义而言具有不可或缺的理论价值。

（四）《资本论》第三卷对辩证逻辑理论的贡献

马克思是在辩证逻辑的指导之下制定《资本论》逻辑的。正如列宁所说："虽说马克思没有遗留下'逻辑'（大写字母的），但他遗留下《资本论》的逻辑，应当充分地利用这种逻辑来解决这一问题。"① 马克思用辩证唯物主义的立场改造了黑格尔关于辩证法、逻辑学和认识论相统一的原则。在《资本论》的内容和结构安排中都坚持了逻辑与历史的统一，坚持了辩证法、逻辑学和认识论的统一。在《资本论》第三卷中，马克思根据现实资本主义的发展情况，研究剩余价值的各种历史表现形式，密切联系社会实践的变化和发展，根据现实的历史逻辑制定相应的概念和范畴体系。这是一个开放的、辩证的逻辑体系，而不是黑格尔式的封闭的、形而上的逻辑体系。马克思在整部《资本论》的写作过程中，充分应用了辩证逻辑的思维方法。

抽象和具体相统一方法的运用。《资本论》前两卷已经把资本主义生产方式的内在规律高度抽象出来了，这样，通过第三卷的表达，资本的各种复杂活动就在思维中再现出来，达到多样性的统一、许多规定的综合。这种综合表现为结果而不是起点。所以阶级是《资本论》第三卷的最后一个、也是最具体、最丰富的一个范畴。

逻辑与历史相统一方法的运用。恩格斯在《卡尔·马克思〈政治经济学批判。第一分册〉》中科学表述了马克思研究政治经济学的方法。恩格斯指出，"逻辑的方式是唯一适用的方式。但是，实际上，这种方式无非是历史的方式，不过摆脱了历史的形式以及起扰乱作用的偶然性而已。历史从哪里开始，思想进程也应当从哪里开始，而思想进程的进一步发展不过是历史过程在抽象的、理论上前后一贯的形式上的反映；这种反映是经过修正的，然而是按照现实的历史过程本身的规律修正的，这时，每一个要素可以在它完全成熟而具有典型性的发展点上加以考察"② 。换句话说，逻辑体系需要符合历史发展的进程。但是，这并不意味着逻辑与历史的完全等同。事物的发展历史是一个曲折的过程，有很多偶然的因素包含在内。

---

① 《列宁全集》第 55 卷，人民出版社 1990 年版，第 290 页。
② 《马克思恩格斯选集》第 2 卷，人民出版社 2012 年版，第 14 页。

分析和综合相统一方法的运用。分析和综合的统一是通过辩证综合方法和辩证分析方法实现的。所谓辩证的综合方法指包含分析在内，但是以综合为主体的分析方法。在《资本论》前两卷中，马克思主要运用了辩证分析方法，而在第三卷中，马克思研究的是资本运动的总过程，这需要大规模的综合工作，当然在其中不能完全抛开分析的方法。利润这个范畴是综合的结果，与剩余价值相比，它是更为具体的东西，但是与平均利润相比，它又是更抽象的东西。因而在研究平均利润的过程当中既要分析，也要综合，以综合为主，即辩证综合方法。

归纳和演绎相统一方法的运用。归纳和演绎的统一是通过辩证归纳和辩证演绎实现的。在《资本论》第三卷中，剩余价值的具体表现形式需要通过辩证演绎的方法获得。马克思从剩余价值的一般原理和规律出发，借助辩证演绎的方法，引申出了利息、商业利润、地租等具体形式。但是这并不意味着马克思只使用了演绎的方法。演绎的过程时常被归纳的过程所打断。在《资本论》第三卷的认识过程中，归纳和演绎是一个过程的两个方面。

总之，《资本论》第三卷是马克思辩证逻辑思想的典型运用，展示了马克思主义辩证法、逻辑学和认识论的有机统一。

(五)《资本论》第三卷对马克思生态思想的贡献

马克思在科学阐述地租理论的过程当中，沿袭了"土地是财富之母，劳动是财富之父"的思想，阐述了人与自然的辩证关系，进一步展示了其在生态方面的独特视角。

自然在生产过程中的基础性地位。关于这点，马克思在《1844年经济学哲学手稿》中就已经肯定地说："自然界，就它自身不是人的身体而言，是人的无机的身体。人靠自然界生活。"[1] 马克思在《资本论》第三卷中科学阐述了自然条件和劳动生产率之间的关系。马克思指出："劳动生产率也是和自然条件联系在一起的，这些自然条件的丰饶度往往随着社会条件所决定的生产率的提高而相应地减低。"[2] 随着科学技术的发展，人对自然的依赖程度也会发生相应的变化，劳动生产率也会产生一定的变化。

---

① 《马克思恩格斯选集》第1卷，人民出版社2012年版，第55页。
② 《马克思恩格斯文集》第7卷，人民出版社2009年版，第289页。

环境污染和生态破坏的社会历史根源。马克思尖锐地指出生态危机的资本主义制度根源。在资本主义生产方式之下，"大工业和按工业方式经营的大农业共同发生作用。如果说它们原来的区别在于，前者更多地滥用和破坏劳动力，即人类的自然力，而后者更直接地滥用和破坏土地的自然力，那么，在以后的发展进程中，二者会携手并进，因为产业制度在农村也使劳动者精力衰竭，而工业和商业则为农业提供使土地贫瘠的各种手段。"①马克思进一步阐明了大土地和大工业下产生的人与自然之间物质变换的断裂。他指出，"社会的以及由生活的自然规律所决定的物质变换的联系中造成一个无法弥补的裂缝，于是就造成了地力的浪费，并且这种浪费通过商业而远及国外"②。在《资本论》第三卷中，马克思再次揭示了资产阶级的贪婪本性。正是资产阶级大肆掠夺自然、破坏土地结构、破坏城乡整体性、破坏自然和社会的物质循环，导致了严重的生态失衡。究其本质，就在于资本主义生产方式带来了人与自然的尖锐对抗。

废物循环利用的生态经济思想。马克思指出，在资本主义生产方式之下，工业和农业的生产产生大量的生产排泄物和消费排泄物。"在利用这种排泄物方面，资本主义经济浪费很大"③。原料成本日益昂贵的现实刺激了废物利用行业的诞生。但是，废物利用的循环生产是有条件的。马克思指出："总的说来，这种再利用的条件是：这种排泄物必须是大量的，而这只有在大规模的劳动的条件下才有可能；机器的改良，使那些在原有形式上本来不能利用的物质，获得一种在新的生产中可以利用的形态；科学的进步，特别是化学的进步，发现了那些废物的有用性质。"④这既是原料的节约，又是废物的循环利用。这表达了循环经济的基本理念。

解决生态危机的社会出路。马克思强调，只有在共产主义的条件下，才能实现人与自然的和谐统一，从根本上解决生态问题。因为，在共产主义社会当中，"社会化的人，联合起来的生产者，将合理地调节他们和自然之间的物质变换，把它置于他们的共同控制之下，而不让它作为一种盲目的力量来统治自己；靠消耗最小的力量，在最无愧于和最适合于他们的人类本性的条件下来进

---

① 《马克思恩格斯文集》第7卷，人民出版社2009年版，第919页。
② 《马克思恩格斯文集》第7卷，人民出版社2009年版，第919页。
③ 《马克思恩格斯文集》第7卷，人民出版社2009年版，第115页。
④ 《马克思恩格斯文集》第7卷，人民出版社2009年版，第115页。

行这种物质变换"①。可见，只有推翻私有制，建立起公有制的社会制度，才有可能实现人与自然的和解，促进人与自然的和谐。这样，马克思就科学回应了恩格斯早年提出的"两大和解"的思想，以及自己早年提出的人道主义和自然主义的统一问题。

总之，马克思在《资本论》第三卷中表达了自己独到的生态见解，这些思想到今天依旧是建设社会主义生态文明的科学指南。

第四节　马克思恩格斯晚年批判讲坛社会主义的斗争

19世纪70年代以来，马克思在继续撰写《资本论》续篇的同时，密切关注着政治经济学思想的发展动向。马克思发现资产阶级的政治经济学已经被庸俗化了，其中讲坛社会主义就是其中典型代表。为了捍卫马克思主义，马克思和恩格斯与之进行了顽强的斗争。

一、讲坛社会主义的兴起及其危害

讲坛社会主义者在经济理论上主要依仗于杰文斯等人提出的"边际效用"论。19世纪70年代，边际效用理论作为庸俗经济学理论，与马克思的劳动价值论相抗衡。该理论认为价值的基础是商品的边际效用，不是社会必要劳动。"边际效用"论的拥护者否认劳动价值理论的正确性。他们认为价值一般取决于某些偶然的、与生产无关的情况，如商品短缺等。讲坛社会主义者的政治经济学从一开始就没有摆脱封建主义的成分，并且长久地表现为国家学（Staatswissenschaft）和政治学（Staatskunst）的一个组成部分。讲坛社会主义的实践纲领也仅仅局限于工人保险和工厂立法上，企图通过保险和劳动立法缓

---

① 《马克思恩格斯文集》第7卷，人民出版社2009年版，第928—929页。

和阶级矛盾。

讲坛社会主义者从多方面攻击马克思以及马克思主义，企图通过诬陷、歪曲等手段击垮马克思主义，从而达到为资本主义辩护的目的。首先，在政治经济学方面，讲坛社会主义者通过"剽窃论"和所谓的"纠正论"来攻击马克思的劳动价值论和剩余价值学说。例如，洛贝尔图斯企图把剩余价值理论占为己有，人为炮制"剽窃论"；布伦坦诺指责马克思捏造引文；洛里亚编造《资本论》第一卷和第三卷的矛盾等。其次，在唯物史观方面，讲坛社会主义者故技重施，洛里亚企图把马克思的唯物史观据为己有。最后，在科学社会主义方面，他们对马克思"两大发现"的攻击只为满足他们保护资产阶级的利益，和平过渡到"社会主义"的主张。

讲坛社会主义的出现，不仅在理论上攻击马克思主义，在实践上也极其有害。在讲坛社会主义者看来，资本主义制度是永恒的制度，社会发展过程中出现的矛盾都可以通过资本主义制度自身的改良得以解决，在无须触动资本家和地主利益的前提下能够实现"社会主义"。因而，这些老学究们反对工人运动和无产阶级革命，攻击工人阶级。总之，讲坛社会主义企图按照大学的处方炮制社会主义，实质上是资产阶级的辩护士。

二、马克思对瓦格纳的批判及其理论贡献

为了回击讲坛社会主义尤其是瓦格纳对马克思主义的攻击，马克思撰写了《评阿·瓦格纳的〈政治经济学教科书〉》（简称为《评瓦格纳》）这一科学文献，丰富和发展了马克思主义理论尤其是马克思主义价值理论。

（一）批判瓦格纳的理论背景

1875年后，世界经济发展出现了新情况，尤其是美国金融资本迅猛发展。这让马克思重新思考政治经济学的问题，因为马克思在其研究工作中时刻贯彻其唯物主义的立场和逻辑与历史相统一的方法。除了深刻的现实背景之外，批判瓦格纳的斗争也有着深厚的理论背景。

在批判瓦格纳的时候，马克思已经完成了"两大发现"的工作。马克思的政治经济学理论、历史唯物主义和科学社会主义理论都基本趋于成熟，尤其是

后两者。而《资本论》第二、三卷的理论体系也趋于完整，只是由于美国金融资本等新经济现象的发展与马克思本人严谨的学术研究态度，马克思才延迟了出版工作。但是，瓦格纳对经济现状的漠视以及其唯心主义的抽象思维挑战了马克思的忍耐力。为了展示马克思主义与时俱进的理论品质和对新问题的研究成果，马克思选择了理论回应的方式。在 1879 年到 1880 年期间，马克思撰写了关于已出版的阿·瓦格纳的《政治经济学教科书。第一卷。国民经济的一般性的或理论性的学说》一书的批评意见。这篇手稿写于《资本论》第一卷发表之后，其主要内容是批驳德国资产阶级经济学家瓦格纳在其《政治经济学教科书》（第二版）中对《资本论》尤其是对马克思关于商品价值和使用价值理论的歪曲。马克思在批评意见中表述并发展了《资本论》中所阐述的一系列价值论原理以及自己的新哲学唯物主义的基本观点，并加以具体化。此外，马克思晚年对东方社会问题的探究、对人类学问题的深入研究等，都为马克思全面批判瓦格纳的理论奠定了基础。

　　总之，在讲坛社会主义者们的挑衅和社会现实问题发展的驱使之下，马克思灵活运用已有的理论基础展开了批判瓦格纳的斗争。

（二）批判瓦格纳斗争中的理论问题

　　在批判瓦格纳的斗争过程中，马克思涉及了一系列的理论问题。
　　1. 捍卫和发展马克思主义政治经济学
　　关于价值理论的问题。关于价值概念问题，瓦格纳有两个基本的观点。第一，价值是被赋予的。在他看来，价值是一个一般范畴，是通过估价，了解人的自然愿望——清楚认识内部和外部财物对人自身的需要的关系，赋予外界物价值。第二，使用价值和交换价值从价值一般中得出。"按照瓦格纳先生的意见，从价值概念中，应该首先得出使用价值，然后得出交换价值"①。也就是说瓦格纳在价值问题上遵循的逻辑是"价值一般—使用价值—交换价值"。为了从某一个"概念"中得出"价值"这一经济学范畴，瓦格纳使用的办法是按照德语的用法，把"使用价值"改称为"价值"，并宣称找到了"价值一般"，再在"价值一般"前面重新加上原先被省略的"使用"得出"使用价值"。这个所谓的"价值一般"就是根据外界物对人的需要的满足情况而进行的估价。也

---

① 《马克思恩格斯全集》第 19 卷，人民出版社 1963 年版，第 404 页。

就是说，价值是被赋予的。实质上，瓦格纳只有一个概念，无论是价值、使用价值、财物、外界物、价格，都是使用价值。瓦格纳之所以会得出如此抽象的概念，与瓦格纳政治经济学的出发点有着密不可分的关系。政治经济学研究的起点范畴问题，是政治经济学的重大理论问题。瓦格纳的出发点是"人把成为满足他的需要的资料的'外界物'当做'财物'来'对待'。因而，他对这些物进行估价，正是通过把它们当做'财物'来对待"①。在这里，瓦格纳、洛贝尔图斯不是从"社会物"、"商品"出发，而是从价值的"概念"出发。这两个概念都是臆想的，都不具有真实性。瓦格纳始终无法弄清楚价值的来源，只能将之归之于人的"自然愿望"。对此，马克思针锋相对地指出："我的出发点是劳动产品在现代社会所表现的最简单的社会形式，这就是'商品'。我分析商品，并且最先是在它所表现的形式上加以分析。在这里我发现，一方面，商品按其自然形式是使用物，或使用价值，另一方面，是交换价值的承担者，从这个观点来看，它本身就是'交换价值'。对后者的进一步分析向我表明，交换价值只是包含在商品中的价值的'表现形式'，独立的表达方式，而后我就来分析价值。"②马克思还特别指出，对他来说，"对象既不是'价值'，也不是'交换价值'，而是商品"③。对于政治经济学的出发点问题，马克思在《资本论》第一卷一开篇就作了明确的说明。在这里只是再一次提醒瓦格纳先生而已。从概念而不是从商品出发研究政治经济学，必然陷入唯心主义的泥潭，只能在语言上进行自圆其说，而不能真正反映现实的社会历史。

马克思指出了瓦格纳价值演化逻辑的非科学性和非历史性，并展示了自己的逻辑体系。马克思从具体的商品中得出使用价值和交换价值，并在此基础上抽象出了价值一般的概念。在这里，马克思运用了辩证归纳法和辩证抽象方法以及逻辑与历史相统一的方法。马克思的"价值一般"概念并不是一个虚构的、抽象的名词，而是对现实经济活动，尤其是对交换活动以及商品的观察研究前提下，对具体的使用价值和交换价值的研究下，抽象出来的一个种概念。一方面，马克思在实践维度下探讨"价值一般"概念。马克思指出，实践是外界物满足人的需要的中介。即实践是价值一般产生的基础。没有人与自然的现实价

① 《马克思恩格斯全集》第 19 卷，人民出版社 1963 年版，第 407 页。
② 《马克思恩格斯全集》第 19 卷，人民出版社 1963 年版，第 412 页。
③ 《马克思恩格斯全集》第 19 卷，人民出版社 1963 年版，第 400 页。

值关系，没有满足需求的实践活动，没有对这种实践活动的总结，就不可能产生对"价值一般"的认识。另一方面，马克思在主客体关系的视野下探讨"价值一般"概念。没有主体对客体的需要以及客体对主体需要的满足，就不会产生现实的"价值"，所以价值就内在地体现了这种主客体关系。这个种概念包含了价值最一般的本质。但是，它并不是游离于具体的价值形式之外的一个独立的存在，而是每一种具体价值形式内在共同的、普遍的东西。马克思把瓦格纳本末倒置的错误纠正过来，从而发现了价值概念自身的内在逻辑。为此，马克思从哲学的高度给出了界定价值概念的科学方法论原则："'价值'这个普遍的概念是从人们对待满足他们需要的外界物的关系中产生的，因而，这也是'价值'的种概念，而价值的其他一切形态，如化学元素的原子价，只不过是这个概念的属概念"[1]。可见，马克思在《评瓦格纳》中的价值定义与《资本论》及其手稿中对价值的定义没有任何的冲突。对"价值一般"的讨论既是对瓦格纳抽象谈论"价值一般"的唯心主义本质的批判，也是对马克思价值理论的深化。

为了进一步捍卫劳动价值论，马克思并没有停留在对价值定义问题的论述上面，而是详细论述了瓦格纳如何对政治经济学的基本范畴进行庸俗化解释，将价值和使用价值混为一谈，硬是把利润说成是价值的构成因素，并且把马克思的价值理论与李嘉图的费用理论相混淆，妄图借助价值理论全盘否定马克思的《资本论》的理论基础。马克思批评瓦格纳，认为他没有看到马克思跟李嘉图价值理论的本质差别。"李嘉图实际上把劳动只是当做价值量的尺度来考察，因而他看不到自己的价值理论和货币的本质之间的任何联系"[2]。马克思指出，他的出发点是商品。商品具有两重性，一方面，商品必须能够满足人的一定需要，即具有一定的自然形式——使用价值；另一方面，商品又是用于交换的产品，是无差别人类劳动的凝结，也就是具有一定的价值。使用价值和价值是两个完全不同的概念，统一于商品之中。不能因为二者都有价值二字，就把二者等同起来。洛贝尔图斯曾经给他写过一封信，在信中表明只有一种价值——使用价值，而瓦格纳也同意这种观点。瓦格纳等人把价值和使用价值混同的原因在于，他们跟李嘉图一样，不研究也不了解价值本身，不知道价值是一种历史

---

[1] 《马克思恩格斯全集》第 19 卷，人民出版社 1963 年版，第 406 页。
[2] 《马克思恩格斯全集》第 19 卷，人民出版社 1963 年版，第 400 页。

性、社会性的存在，是劳动力消耗的共同性。马克思以其敏锐的洞察力看穿了这位德国学究纯粹卖弄语言的伎俩。

2. 捍卫和发展马克思主义哲学

关于哲学的基本立场问题。《评瓦格纳》是一部综合性的著作，除了捍卫马克思的政治经济学观点之外，还捍卫了马克思主义的哲学党性原则。瓦格纳把法律和道德规范看成是社会的决定力量，把经济现象看成是法律和道德规范的反映。瓦格纳认为"满足需要的愿望""不是作为而且也不应当作为纯自然力发生作用，但是，它也和人的任何愿望一样，受理智和良心的指导。因此，由此产生的任何行动都是负责的，并且总是服从于道德的判断，诚然〈!〉，这种道德判断本身正在经受历史的变动。"① 可见，瓦格纳等讲坛社会主义者对经济基本问题采取庸俗的、唯心主义的态度，是典型的历史唯心主义者。他们仅关注经济现象，而忽视经济规律。对此，马克思在批判的过程中重申了自己的唯物主义立场。马克思说，这个蠢汉（vir obscurus）完全本末倒置。在他看来，先有法，后有交易；而实际情况却相反：交易在前，后来才由交易发展为法制。马克思则相反，不是从人出发，而是从一定的经济现实出发的分析方法，同德国讲坛社会主义者们把概念归并在一起的方法截然相反。

马克思批判了瓦格纳庸俗的社会进化论思想。瓦格纳等人鼓吹肤浅的、庸俗的社会进化论思想，企图通过否定资本主义制度的暂时性以及硬生生把资本主义制度说成是永恒的来为资本主义制度辩护，否定马克思主义的革命论。瓦格纳的社会历史理论只是斯宾塞庸俗社会进化论的变种，只承认事物发展的量变和渐进性，而不承认事物发展的质变和突变性。瓦格纳无法证明公社内社会的生产过程（更不必说生产过程一般）为何不存在。这些公社在私人资本家出现以前就普遍存在。此外，他只能狡辩说"关于资本家阶级对工人阶级的剥削，简言之，关于资本主义生产的性质，马克思的说明是正确的，但是他的错误在于，把这种经济看做是暂时的，而相反地，亚里士多德的错误在于把奴隶制经济看做不是暂时的"② 马克思指出，瓦格纳等讲坛社会主义者认为资产阶级国家有着跟其他社会形态不一样的特殊使命——吹捧和颂扬俾斯麦的警察官僚国家和为容克地主土地占有制作辩护。马克思揭示出这些资产阶级学究们的阶级

① 《马克思恩格斯全集》第 19 卷，人民出版社 1963 年版，第 396 页。
② 《马克思恩格斯全集》第 19 卷，人民出版社 1963 年版，第 401 页。

本质，他们"一只脚却仍然站在旧的垃圾上"，却由"地主的农奴变成了国家的，俗称政府的农奴。"① 总之，他们惧怕无产阶级的革命热情和革命力量，妄想通过社会改良缓和阶级矛盾，把资本主义秩序永恒化。

关于人的本质理论的问题。在瓦格纳的理论中，人变成了"一般的人"这个范畴。这种"一般的人"压根就没有"任何"需要，仅仅孤立地站在自然面前，被看做是一种非群居的动物，与具体的社会形式无关。凡是瓦格纳"本人做不到的事，他就迫使'人'去做，但是'人'自己其实也无非是这个当教授的人，这个当教授的人认为，当他把世界列入抽象的标题时，他就了解世界了"②。马克思站在唯物主义的哲学立场上尖锐地揭露出瓦格纳思想的唯心主义性质，重新强调了人的现实性和社会性。在马克思看来，出发点应该是"具有社会人的一定性质，即他所生活的那个社会的一定性质，因为在这里，生产，即他获取生活资料的过程，已经具有这样或那样的社会性质"③。对于这个问题，马克思在《1844 年经济学哲学手稿》、《关于费尔巴哈的提纲》和《德意志意识形态》等前期作品中已经做过详细的论述。在《1844 年经济学哲学手稿》中，马克思的术语还带有黑格尔和费尔巴哈的语言色彩。他把人归结为自由的有意识的类存在物：人作为一种类存在物，通过劳动这种生命活动、这种生产活动显示人的本质。这种活动本身对人来说不过是满足一种需要即维持肉体生存的需要的一种手段。在《关于费尔巴哈的提纲》和《德意志意识形态》中，马克思发现了人的真正本质，并科学地表述出来。在《关于费尔巴哈的提纲》中，马克思指出，人的本质不是单个人所固有的抽象物，在其现实性上，它是一切社会关系的总和；而全部社会生活在本质上是实践的。在《德意志意识形态》中，马克思批判了青年黑格尔派在理解人的本质时的唯心主义实质。在青年黑格尔派那里，人是宗教的人，而不是现实的人。马克思指出，人通过生产自己的生活资料，把自己和动物区别开来。这种与动物相区别的现实的人，是从事活动的，进行物质生产的，因而是在一定的物质的、不受他们任意支配的界限、前提和条件下活动着的人。在这里，马克思科学阐述了物质生产活动与人的本质之间的内在关系。可见，马克思早已经解决了人的本质问题。在批判瓦格纳的

① 《马克思恩格斯全集》第 19 卷，人民出版社 1963 年版，第 415 页。
② 《马克思恩格斯全集》第 19 卷，人民出版社 1963 年版，第 408 页。
③ 《马克思恩格斯全集》第 19 卷，人民出版社 1963 年版，第 404—405 页。

过程中，马克思再一次重申了人的实践本质观点。对象性活动确证了人的本质力量。人是在认识世界和改造世界的实践中，证明自身的现实性特征和社会本质的。

3.论人和自然的关系类型

关于人与自然之间的关系问题。人与自然之间的关系是对象性活动的首要问题。对象性活动是主客体之间相互联系、相互影响、相互作用的过程。自然界为人的对象性活动提供的最初的客体。因而，在对象性活动当中，首先产生的便是人与自然的关系。瓦格纳对人与自然的关系进行了抽象的、唯心的解读。在这个学究教授看来，"人对自然的关系首先并不是实践的即以活动为基础的关系，而是理论的关系"①。此外，"人的自然愿望是要清楚地认识和了解内部和外部的财物对他的需要的关系"②，满足需要的愿望要受理智和良心的引导，总要服从道德判断。换句话说，瓦格纳认为理论关系是在价值关系之前的首要关系。可见，瓦格纳把理论关系置于价值关系和实践关系之上，其人与自然关系的思想理论完全建筑于唯心主义的基础之上。

针对瓦格纳对人与自然关系进行抽象的解读已经颠倒人与自然的价值关系、实践关系和理论关系位置的行为，马克思指出，人与自然之间有三种基本关系。其一，人与自然之间存在着需要和需要的满足关系，即价值关系。也就是说，人作为自然人，正如任何动物一样，他们首先是要吃、喝，等等，也就是满足自己的需要。价值关系在人与自然的关系总体当中处于首要位置，也就是说，人首先产生的是满足自身生存的需求，而不是认识需求。其二，在人与自然之间存在着改造和被改造的关系、作用和被作用的关系，即实践关系。"正如任何动物一样，他们首先是要吃、喝等等，也就是说，并不'处在'某一种关系中，而是积极地活动，通过活动来取得一定的外界物，从而满足自己的需要。(因而，他们是从生产开始的。)"③只有从生产实践开始，人与自然的价值关系和理论关系才能转化为现实。其三，在实践过程产生了人对自然的认识和被认识、反映与被反映的关系，即理论关系。但是，人们决不是首先"处在这种对外界物的理论关系中"。在人的需求以及人的需求借以满足的实践活动得

---

① 《马克思恩格斯全集》第 19 卷，人民出版社 1963 年版，第 405 页。

② 《马克思恩格斯全集》第 19 卷，人民出版社 1963 年版，第 404 页。

③ 《马克思恩格斯全集》第 19 卷，人民出版社 1963 年版，第 405 页。

到发展以后，人才会逐渐根据经验对外界事物进行认识、分类和命名。换句话说，由于人与自然之间的实践活动过程的重复，"满足人类需要"这一属性，就铭记在人的头脑中了，人才学会"从理论上"区分能满足他们需要的外界物和其他的外界物。

人与自然关系这一核心论题始终贯穿在马克思的政治经济学、唯物主义历史观和科学社会主义理论当中。马克思在不同时期的理论著作中，对这个问题也有着不同程度的阐释。在《神圣家族》当中，马克思和恩格斯阐明了"人对自然界的理论关系和实践关系"[1]，并且进一步指出这两种关系的历史表现是自然科学和工业。马克思在《评阿·瓦格纳〈政治经济学教科书〉》中把人与自然的价值关系补充到人与自然的总体性关系当中，完整地论述了人与自然的三种关系以及这三种关系的内在联系。

总之，价值关系、实践关系和理论关系在实践中达到了融合与统一。实践为理论提供了来源和动力，为价值的实现提供手段和基础，最终使人的对象化活动变成一种总体性的活动。

总而言之，在批判瓦格纳的斗争中，马克思重申了自己唯物主义的哲学立场，捍卫了劳动价值论，展示了科学的社会发展理论，总结了人与自然的三种关系。

（三）批判瓦格纳斗争的理论意义

在批判瓦格纳的理论斗争中，马克思完成了《评瓦格纳》这一科学文献。该文献是马克思晚年的一篇重要著作，是马克思"最后的理论兴趣"[2]，有力地回击了资产阶级学者对马克思主义经济学说的各种歪曲和伪造，再次证明了《资本论》不是某种纯粹抽象的、纯粹逻辑上的论证，而是对现实经济情况分析和对经济规律的揭示。它不仅是一部政治经济学的著作，对加深理解马克思的经济学说和研究资本主义社会的生产关系而言具有重要作用，而且是一部重要的哲学著作，对于深入理解唯物史观和马克思的方法论具有重要的价值。

《评瓦格纳》有力地捍卫了马克思主义政治经济学。一方面，科学的劳动

---

① 《马克思恩格斯文集》第 1 卷，人民出版社 2009 年版，第 350 页。

② ［美］特雷尔·卡弗：《马克思与恩格斯：学术思想关系》，中国人民大学出版社 2008 年版，第 126 页。

价值理论是马克思主义剩余价值理论的科学基础。马克思在批判瓦格纳的价值理论时，再次重申政治经济学的起点，展示马克思主义的劳动价值论，与其他资产阶级价值理论完全划分了界限。另一方面，马克思立足于当时社会经济发展的新情况新问题思考政治经济学问题和批判瓦格纳政治经济学的庸俗性、非历史性。特别值得说明的是，通过研究俄国和美国经济发展的最新成果，尤其是美国的金融资本和俄国的土地问题，马克思晚年的政治经济学视野得到了进一步的扩展。因而，马克思才能够在信贷问题上批判瓦格纳。总之，虽然《评瓦格纳》是手稿性质的作品，但是丝毫不减损其在马克思政治经济学领域的价值。

《评瓦格纳》明晰地表达了唯物史观。一方面，马克思通过批判瓦格纳的庸俗社会进化论，阐明了人类社会的历史性，证明了资产阶级社会的暂时性；另一方面，马克思批判瓦格纳的抽象的人的理论，阐明了人的社会实践本质。进一步展示了人类社会的历史性，表明了唯物史观的基本立场和观点。可见，《评瓦格纳》是一部政治经济学类型的论战性作品，但是其中却包含着丰富的马克思主义哲学思想。

《评瓦格纳》展示了马克思的科学方法论。马克思在揭示和批判瓦格纳的形而上学的抽象方法和逻辑与历史相分离的方法过程中，灵活运用了辩证的抽象法和逻辑与历史相统一的方法。瓦格纳运用抽象思维，从一般的概念出发理解具体的历史现象，把所谓历史—法的范畴直接理解为社会范畴。在瓦格纳看来，现实的主客体关系依赖于抽象概念。例如，瓦格纳及其同伙认为"要根据'财产和经济财物的定义'来决定'服务是否也包括在它们之中'"[①]。在"法"的问题上也如此。在瓦格纳看来，先有法，后有交易，而现实却刚好相反，先有交易，后有法。瓦格纳的抽象思维方法是建立在其脱离历史的逻辑方法之上的。瓦格纳不会关注现实历史，仅仅运用语言技巧，建构自己的理论体系。在这一点上，瓦格纳作为洛贝尔图斯的信徒，完全继承了洛贝尔图斯把逻辑的概念和历史的概念对立起来的方法。马克思强调其分析方法不是从人出发，而是从一定的经济现实出发，同德国教授们的分析方法完全对立。借此，马克思与讲坛社会主义的方法划清了界限。

总而言之，《评瓦格纳》是一部整体性作品，系统展示了马克思主义政治经

---

① 《马克思恩格斯全集》第 19 卷，人民出版社 1963 年版，第 398 页。

济学、唯物史观和辩证唯物主义方法论的重要作品，是马克思晚年思想的遗著。

三、恩格斯对洛贝尔图斯的批判及其理论贡献

在恩格斯为战友整理遗稿，尤其是《资本论》第二、第三卷期间，德国庸俗经济学家、讲坛社会主义者洛贝尔图斯—亚格措夫和洛里亚等人对马克思理论尤其是《资本论》中的核心思想——劳动价值论和剩余价值理论，大肆进行攻击，对马克思本人进行诬陷和诽谤。这使得恩格斯非常愤慨，决意对这些非难进行一一反驳。

洛贝尔图斯以及信徒迈耶尔、瓦格纳、巴拉诺夫斯基等在 19 世纪 70 年代和 80 年代时到处宣扬马克思"剽窃"了洛贝尔图斯的经济思想，"抄袭"了他的著作，而并没有任何的标注。这种责难最先出现在迈耶尔 1874 年出版的《第四等级的解放战争》一书中。该书认为，马克思的政治经济学批判思想来源于洛贝尔图斯的思想。洛贝尔图斯自己认为马克思的政治经济学思想汲取了其 1842 年出版的《关于德国国家经济状况的认识——五大原理》的大部分思想，却没有做任何的引证。洛贝尔图斯坚持马克思在剩余价值理论上犯了剽窃之罪。在《洛贝尔图斯—亚格措夫博士书信和社会政治论文集》[①] 中，洛贝尔图斯强调自己在剩余价值理论方面所做的贡献，并强调自己先于马克思指明了资本家的剩余价值的来源。科扎克作为洛贝尔图斯遗稿的出版者，反复强调这种"剽窃"的论调。对于这些无聊的"剽窃"谣言，马克思并没有理睬。马克思去世后，"马克思剽窃洛贝尔图斯，洛贝尔图斯才是社会主义的创始人"的谣言一时间甚嚣尘上。这些无聊的把戏持续发酵，甚至出现在《新时代》上。为了戳穿洛贝尔图斯等人所捏造的剽窃谎言，恩格斯进行了一系列的理论战斗工作。在 1884 年 6 月 21 日至 22 日，恩格斯致信考茨基，交代了《资本论》第二卷的整理工作，并提出撰写一篇反驳洛贝尔图斯的序言。这篇序言就是恩格斯在 1884 年 10 月 23 日所写的《马克思和洛贝尔图斯——卡·马克思〈哲学的贫困〉一书德文第一版序言》。这篇序言发表在 1885 年 1 月《新时代》杂志上，接着又载于 1885 年 1 月在斯图加特出版的《哲学的贫困》一书中。在《马

① 该书信集由鲁道夫·迈耶尔在 1881 年整理出版。

克思和洛贝尔图斯》中，恩格斯完成了自己的承诺，戳穿了德国资产阶级讲坛社会主义者的剽窃诽谤。

（一）戳穿马克思剽窃洛贝尔图斯的谎言

马克思在对洛贝尔图斯一无所知的情况下，就已经发现并且论述了剩余价值的来源和本质。马克思是从英国人和法国人那里开始研究经济学的，对于德国人，他只知道李斯特，根本不知道洛贝尔图斯的存在。1847 年出版的《哲学的贫困》和《雇佣劳动与资本》的讲演就已经证明了这一点。马克思在《〈政治经济学批判〉序言》中指出，我们见解中有决定意义的论点，在我的 1847 年出版的为反对蒲鲁东而写的著作《哲学的贫困》中第一次作了科学的、虽然只是论战性的概述。在《雇佣劳动与资本》当中，马克思已经克服了古典政治经济学的劳动价值论的缺陷，研究了劳动创造价值的特性，提出科学的劳动价值论。同时，在这一著作中，马克思通过对工资和利润的来源和变化的研究，详细地阐明了剩余价值的来源问题。在 1859 年出版的《政治经济学批判》中，马克思已经实现了政治经济学的巨大变革，阐明了科学的劳动价值理论和剩余价值理论。马克思真正了解到洛贝尔图斯是一个经济学家的时间是 1859 年，并且只是从拉萨尔那里听说。一直到他在英国博物馆查阅资料的时候，马克思才发现洛贝尔图斯的《第三封社会问题书简》。马克思通过阅读洛贝尔图斯的作品，发现了洛氏地租理论的弊病，并且对其地租理论进行了有力抨击。

在马克思之前，从来没有人能够阐明科学的剩余价值理论。为了说明马克思的剩余价值理论在整个剩余价值学说史上的作用和地位，恩格斯用了化学史上的著名的例子加以类比说明。在关于氧气的发现史当中，经历了燃素说——氧气的析出——发现氧这一新元素的历史过程。虽然普利斯特列和舍勒都把"氧气"析出来了，但是他们并不知道这种气体就是"氧气"。与化学史相类似，在马克思之前的经济学家们已经意识到"剩余价值"的存在，但是他们拘泥于自己的范畴体系当中，而不知作为一般范畴的"剩余价值"本身。具体言之，在资本主义生产方式之下，剩余价值的生产是一个现实历史过程。在这种具体的社会实践之下，人们逐渐开始思考剩余价值的起源问题。重商主义者已经意识到"一人之所得必然是他人之所失"①。古典政治经济学

---

① 《马克思恩格斯文集》第 6 卷，人民出版社 2009 年版，第 13 页。

家亚当·斯密在《国富论》当中已经把商品中超过工人工资部分的劳动剩余理解为一般范畴，并且已经发现了资本家和土地所有者的剩余价值来源。在地租问题上，亚当·斯密已经发现了绝对地租，并指出了绝对地租是土地所有权的结果。大卫·李嘉图则进一步发现工人工资和资本家利润的相互关系及其部分规律。在地租问题上，大卫·李嘉图为了理论的前后一致，否认绝对地租的存在。而在马克思那里，资本家的阴谋已经被完全揭露出来了。在1859年前后，马克思的政治经济学批判工作已经基本完成，只剩下寻找到一种恰当的叙述方式把剩余价值理论条理明晰地叙述出来。在马克思之前，资产阶级政治经济学家们仍停留在对剩余价值的特殊范畴——地租、利润等上面，止步于工人工资的扣除。只有马克思把"剩余价值"这个本质上共同的东西找出来，详尽地阐述了剩余价值的产生及其形式。马克思发现了确立"剩余价值"这个科学范畴。在地租问题上，马克思更是绝对地租理论的创始人，第一次科学地分析了绝对地租和级差地租存在的条件。这是在剩余价值学说发展史的过程中不可磨灭的历史贡献。

对李嘉图经济学的社会主义应用不是洛贝尔图斯的独创。《政治经济学》、《为人类谋取最大福祉的财富分配原则》、《实践的、精神的和政治的经济学》、《劳动的弊害及其消除方法》等等作品都是对李嘉图政治经济学的应用[①]。通过对李嘉图经济学的社会主义应用，社会主义者们产生了很多对剩余价值的源泉和本质的认识。洛贝尔图斯也是其中一个。但是洛贝尔图斯和他的同时代者都犯了一个错误——不研究劳动、资本、价值等经济范畴的内容，仅仅从表面上理解它们，仅仅把道德运用于经济学而已。马克思则相反。马克思通过对经济范畴的内容进行细致的研究和分析，在《哲学的贫困》中就发现了生产力和生产关系的辩证法以及作为劳动时间的价值。当马克思批判蒲鲁东的时候，已经有力地反驳了他当时连姓名都不知道的容克地主。这样，恩格斯就有力地反驳了洛贝尔图斯之流的剽窃谎言。

[①] 托马斯·霍吉斯金：《政治经济学》（1827年版）；威廉·汤普逊：《为人类谋取最大福祉的财富分配原则》（1824年版）；托·娄·艾德门兹：《实践的、精神的和政治的经济学》（1828年版）；约·弗·布雷《劳动的弊害及其消除方法》（1839年版）。

（二）全面批判洛贝尔图斯的错误论调

恩格斯在与这些小资产阶级庸俗经济学家、讲坛社会主义者论战的过程中重申了马克思的基本立场和观点。

洛贝尔图斯的劳动价值论并没有超越李嘉图关于商品二重性的理论。李嘉图已经具备了商品的二因素思想的萌芽，把商品的价值区分为交换价值和使用价值。对商品二因素的区分是理解劳动二重性的关键环节。洛贝尔图斯在这一方面，向后大大地退了一步。他试图取消商品的二因素，把价值直接归结为使用价值。"物品只是作为一件满足需要的东西，才获得那种称为'价值'的意义。价值不是物品的质量，而是物品的一种 status（状况。——俄译本校者），物品处于这种状况，是由于对它的客观性能的需要。"①洛氏把价值和使用价值混同起来。实质上，洛氏远远背离了科学的劳动价值论。在洛氏看来，"劳动是财货产生过程中可以从财货价值的角度加以指明的唯一因素。"②自然界并不参与到价值的生产过程中。当然，这里的价值其实是使用价值。可见，洛氏压根没有发现价值和使用价值、抽象劳动和具体劳动的区别，更不用说科学理解劳动创造价值的真正过程了。洛贝尔图斯的"价值构成"理论只是欧文、格雷、蒲鲁东等人的空想社会主义的"波美拉尼亚"变种而已。亚当·弥勒醉心于封建浪漫主义，反对自由竞争，标榜所谓的"国家利益"。费希特尤其中意君主制国家中人民与宫廷之间的融洽关系。谢林的门徒、弗里德里希·威廉四世的御用哲学家、普鲁士主义的宣扬者什塔尔建立了基督教的法学和国家学说。阿伦斯攻击古典学派的自由主义，提倡有机国家学说。这些资产阶级经济思想的代表人物都对洛贝尔图斯的思想产生过巨大的影响。在洛贝尔图斯的著作中，时时刻刻能够看到他们的影子。洛氏价值理论是把李嘉图的经济理论与费希特、什塔尔、弥勒的精神混合在一起的国家政治理论，用一种新的狡猾的方式发展了国家社会主义、普鲁士君主社会主义的思想。在洛贝尔图斯这种普鲁士道路的资本主义中，资产阶级的利益与土地所有者的利益紧密相连，往往一个人同时为地主和资产者，也就是资产阶级的容克贵族。

---

① ［德］卡·洛贝尔图斯：《关于德国国家经济状况的认识——五大原理》，商务印书馆 1997 年版，第 61 页。

② ［德］卡·洛贝尔图斯：《关于德国国家经济状况的认识——五大原理》，商务印书馆 1997 年版，第 64 页。

　　洛贝尔图斯的"租金论"并非是科学的剩余价值论。洛贝尔图斯认为他的"租金论"是比马克思的剩余价值理论更为简洁明了的理论。"资本家的剩余价值是从哪里产生的，这个问题我已经在我的第三封社会问题书简中说明了，本质上和马克思一样，不过更简单、更明了。"① 在他看来，"租金"是利润和地租的总和，而不是剩余价值的转化形式。因为，如前所述，洛贝尔图斯根本没有科学的劳动价值理论和生产价格理论。庸俗资产阶级经济学家洛贝尔图斯与其追随者们认为在马克思的生产价格理论之前，洛贝尔图斯已经有了关于平均利润率规律作用下的商品价格问题的理论。但是，在实际上，洛贝尔图斯只是指出了资本利润在一切企业内平均化的趋势。而这一点，李嘉图在《政治经济学及赋税原理》中已经说过了，只是洛贝尔图斯表达得更清晰罢了。李嘉图认为价值自身支配着商品的价格波动过程。但李嘉图没有充分揭示价值规律的矛盾和价值如何成为资本主义制度下价格形成的基础的问题。虽然如此，李嘉图没有堵塞进一步思考价值规律的通道。洛贝尔图斯明明看到平均利润和价值规律之间的矛盾，但是他却不去解决它，并试图把这种矛盾当成一种既定的前提条件。相等的平均利润率究竟是如何遵循价值规律的？对于这个问题，洛贝尔图斯之流显然无法给出科学的答案。在他看来，资本家购买的商品是劳动而不是劳动力；"租金"是由劳动创造的，并不是资本家对无产阶级的剩余劳动剥削，因为资本家和土地占有者在生产过程中履行了相关的职能。因而，"租金"是资本家和土地占有者应得的报酬。而马克思的剩余价值理论却认识到剩余价值是生产资料所有者占有工人无偿劳动成果的一般形式，并且发现了这个一般形式是如何转化为利润和地租的，具体阐明了剩余价值在不同职能资本家之间的分配规律。当然，这一切都与马克思攻克了李嘉图劳动价值论的矛盾而创立科学的劳动价值论息息相关。马克思发现了劳动的二重性和商品的二因素，证明了劳动力成为商品是货币向资本转化的前提，明确了不变资本和可变资本的区分，证明了可变资本与剩余价值之间的关系，进而阐明剩余价值本身的运动变化过程。这些都是洛贝尔图斯的"租金论"望尘莫及的。洛贝尔图斯在其经济范畴的束缚下，用剩余价值的转化形式来代替剩余价值成为一般范畴，使得已经日渐明朗的剩余价值理论再度走进死胡同。而他自己则陷在令人费解的经济学行话中无法自拔。可见，洛贝尔图斯的"租金论"与马克思的剩余价值理

―――――――――――

① 《马克思恩格斯文集》第6卷，人民出版社2009年版，第11页。

论还隔着一条无法逾越的鸿沟。

洛贝尔图斯的分配理论显示了其狭隘、自私的资产阶级立场。洛贝尔图斯学说的立足点就是保持私有制和保证资本家和土地占有者的收入，这里的土地占有者是指充当资本主义制度内部一员的土地占有者，而不是与资产阶级利益对立的土地占有者。因而，在分配问题上，洛贝尔图斯只是喋喋不休地论述资本和收入的区别，本质上还是把工资、利润和地租作为分配的三个部分。洛氏明确指出："国民收入一部分构成工资，一部分构成地租，还有一部分构成资本租金"[①]。可见，洛贝尔图斯只是重弹亚当·斯密的老调，"说要提出关于国民产品分配的完整而卓越的新理论的诺言不过是一句空话"[②]。例如，在论及提高工资的过程中，洛贝尔图斯指出："工资是由国民收入中支付的，因此就可以增加，并不触及资本，而是（如果知道怎样做的话）靠减少租金，或者——我的建议就是如此——不减少租金，靠采取一些措施，使工人享受如今科学掌握实业时生产率每日提高之利。"[③] 可见，洛氏自身对"收入"概念是模糊不清的，只是在经院哲学的范围内继续对"工资是来源于资本还是来源于收入"进行思辨讨论。这显然是毫无建树的。

洛贝尔图斯的绝对地租理论是幼稚的容克地主的地租观点。19 世纪 50 年代，在研究李嘉图的地租理论过程中，洛贝尔图斯发现了李嘉图只有级差地租理论而没有绝对地租理论。洛贝尔图斯紧紧抓住这一弊病，在批判李嘉图的过程中，企图建立"新的地租理论"。为了说明绝对地租的存在，洛贝尔图斯首先研究在土地占有和资本占有还没有分离的国家中是什么情况，并且得出租（他所谓的租，是指全部剩余价值）只等于无酬劳动，或无酬劳动借以表现的产品量。洛氏的基本观点是：农业生产过程中，原料不计入生产费用，因而，农业的利润率高于工业的利润率，其差额就是绝对地租。洛贝尔图斯是以"社会主义者"面貌出现的波美拉尼亚容克地主，实质上，是极权主义和普鲁士君主的国家资本主义的辩护者。"一切资产阶级分子现在都聚集在洛贝尔图斯的

① [德] 卡·洛贝尔图斯：《关于德国国家经济状况的认识——五大原理》，商务印书馆 1997 年版，第 158 页。

② 《列宁选集》第 1 卷，人民出版社 2012 年版，第 187 页。

③ [德] 卡·洛贝尔图斯：《关于德国国家经济状况的认识——五大原理》，商务印书馆 1997 年版，第 80 页。

周围，这实在是好极了。我们不能指望比这再好的了。"[1]可见，虽然洛贝尔图斯认为土地所有权的垄断是绝对地租的来源，但是其论证过程幼稚而可笑。马克思对洛贝尔图斯地租理论的批判集中在《政治经济学批判（1861—1863年手稿）》和《剩余价值理论》之中。1862年夏天，拉萨尔要求马克思把从自己那里借去的洛贝尔图斯的著作《给冯·基尔希曼的社会问题书简。第三封：驳李嘉图的地租学说，并论证新的租的理论》寄还。这就促使马克思在考察李嘉图之前先研究洛贝尔图斯的地租理论。马克思在这一部分的研究中，批判了洛贝尔图斯的错误理论，从理论上论证了李嘉图所一直否认的绝对地租的存在，从而一步步地制定出了自己的绝对地租理论。马克思指出，洛贝尔图斯不了解农业生产和工业生产的重大差别以及资本主义生产的历史特殊性。以超额剩余价值为例，工业生产过程中由于产品生产更为便宜，超额剩余价值随之产生，而农业恰恰相反，超额剩余价值产生于农业产品较贵的生产。马克思认为洛贝尔图斯所设定的情况不符合资本主义农业的实际情况。在资本主义的农业生产中，作为农业中的不变资本要素的农业原料加入到农业生产当中来，"连普通粪便这样的肥料都成了交易品，骨粉、鸟粪、碳酸钾等就更不用说了"[2]。洛贝尔图斯之所以把农业生产要素摒除在外，无非是一种计算上的错误而已。"一定的人们对土地、矿山和水域等的私有权，使他们能够攫取、拦截和扣留在这个特殊生产领域即这个特殊投资领域的商品中包含的剩余价值超过利润（平均利润，由一般利润率决定的利润率）的余额，并且阻止这个余额进入形成一般利润率的总过程"[3]。具体言之，在资本主义生产方式之下，不同的生产部门的资本有机构成不同，利润率也不同。在竞争条件下，利润率转化为一般利润率，价值转化成生产价格。一方面，农业资本的有机构成低于工业资本的有机构成，农产品的生产价格高于价值。另一方面，由于土地私有权的存在，超额利润不参与利润的平均化过程而形成绝对地租。因而，马克思认为生产部分之间的资本有机构成差异构成了绝对地租存在的条件，土地所有权的存在则是绝对地租得以产生的前提。洛贝尔图斯与李嘉图的问题是一样的。由于他们缺乏科学的生产价格理论，无法把价值和生产价格区分开来，因而不可能得出科学

① 《马克思恩格斯全集》第36卷，人民出版社1974年版，第211页。
② 《马克思恩格斯全集》第34卷，人民出版社2008年版，第18—19页。
③ 《马克思恩格斯全集》第34卷，人民出版社2008年版，第34页。

的绝对地租理论。

洛贝尔图斯的危机理论只涉及社会矛盾的表层，是非科学的危机理论。洛氏认为整个资本主义的矛盾就在于"赤贫和危机"。而解决赤贫和危机问题的关键在于稳定工人的工资份额。工人工资在国民收入中所占的份额下降导致了赤贫现象。到这里，洛氏就停下了脚步。他没有进一步分析赤贫产生的制度根源以及资本主义制度下鲜活的阶级斗争辩证法。洛氏对社会问题的揭露是表面的、浅显的。这种简单的赤贫与危机理论只是西斯蒙第危机理论的翻版，带有明显的历史局限性、阶级局限性和空想性。工人阶级的贫困化源自资产阶级对生产资料的私人占有，不从根本上解决社会矛盾，就不可能根除周期性危机。

洛贝尔图斯的共产主义学说是虚伪的普遍主义变种。洛贝尔图斯在哲学上奉行的是费希特和谢林的那一套唯心主义，敌视唯物主义。他曾经宣称自己完全不是一个唯物主义者。他曾经高呼自己的宇宙观和历史观来自上帝。在洛贝尔图斯看来，社会的基础是精神的、伦理的共同性（Gemeinschaft），这种共同性决定了经济关系。这种共同性是一种与个人主义相对立的普遍主义学说。普遍主义在弥勒那里已经萌芽，并在后来发展成为法西斯主义的利用工具。洛氏从这个共同性出发制定自己的"共产主义学说"。在洛贝尔图斯看来，所谓的"共产主义"只是一切社会历史条件下都有的逻辑范畴。洛氏的这种习惯可以归因于他在方法上所使用的"逻辑与历史相分离"的诡辩术。"洛贝尔图斯的理论中丝毫没有历史主义，也丝毫没有历史现实性"[1]。按其实质而言，洛贝尔图斯企图把所有历史性的经济概念都变成一般性的逻辑范畴。

可见，不仅马克思不可能剽窃洛贝尔图斯，并且洛贝尔图斯幼稚的思想根本无法与马克思的"两大发现"相提并论。洛贝尔图斯的资产阶级立场在其理论观点中体现得淋漓尽致。洛贝尔图斯是德国资产阶级当中有远见的人物，他在无产阶级革命的幽灵面前惴惴不安。他惧怕工人运动，企图通过自己的政界活动，尤其是其经济改良计划去阻止无产阶级的革命运动，维护普鲁士专制国家的统治。在理论上，他竭力论证普鲁士国家存在的必要性，并寄希望于提高工资来缓和阶级矛盾而丝毫不触及资本主义制度。其理论在本质上是国家社会主义、君主社会主义和普鲁士主义的结合体。当然，洛贝尔图斯的整个理论体系是德国资本主义的特殊普鲁士道路的结果，有其深刻的历史根源。总之，洛

---

[1] 《列宁全集》第16卷，人民出版社2017年版，第267页。

贝尔图斯的理论是德国政治经济学和资本主义发展的历史产物，具有无法克服的局限性和无效性。

四、恩格斯对布伦坦诺的批判及其理论贡献

讲坛社会主义者不仅诬陷马克思剽窃洛贝尔图斯，而且诽谤马克思捏造引文，侮辱马克思的学术人格。具体表现为讲坛社会主义者布伦坦诺等人发起了一场诽谤马克思捏造引文的运动。

当漠视《资本论》的阴谋无法得逞的时候，肆无忌惮的攻击成为资产阶级学者企图抵消《资本论》的影响的主要方式。为此，布伦坦诺等人企图在引文上做手脚，妄想消解《资本论》的科学性。1873 年 3 月，布伦坦诺在德国工厂主联盟的机关刊物《协和。工人问题杂志》上匿名发表了《卡尔·马克思是怎样引证的》，指责马克思在《资本论》中捏造引文。布伦坦诺在这篇文章中义愤填膺地指责马克思歪曲格莱斯顿在 1863 年 4 月 16 日预算演说中引用的话。马克思随即对这种诽谤进行回应，分别在 1873 年 6 月 1 日和 1873 年 8 月 7 日于《人民国家报》中作出答辩。这就是《答布伦坦诺的文章》和《答布伦坦诺的第二篇文章》。在这两篇文章中，马克思指出《资本论》中引用格莱斯顿的话是英国众人皆知的，在其他人的著作中也被引用过，只有这些工厂主浑然不知。马克思列举了当时伦敦三家权威报纸对格莱斯顿演说的报道，详细地说明了《资本论》引文的有效性、确切性。这些报纸完全记载着马克思的引文——"财富和实力令人陶醉的增长完全限于有产阶级"[1]。这段话不仅在《资本论》中被引用了，而且在 1864 年的《国际工人协会成立宣言》中已经引用了这句话。《国际工人协会成立宣言》是用英文在英国首先发表的，也就是说，当着格莱斯顿的面发表的。该宣言发表以来，在布伦坦诺的诽谤出现前，一直没有受到任何质疑。此外，布伦坦诺认为马克思捏造引文的论据是英国半官方刊物《汉萨德》没有马克思所引用的那句话。但是实际上，《汉萨德》中所发表的官方文件或者发言总是被修改过的。而修改文件或者发言稿向来是英国资产阶级惯用的伎俩。马克思指出，在《汉萨德》中没有这句话并不能证明格莱斯顿在

---

① 《马克思恩格斯全集》第 22 卷，人民出版社 1965 年版，第 111 页。

演讲中没有说过这句话。对布伦坦诺进行了两次回应之后，马克思没有时间跟这位匿名的作者进行论辩。这件事情就貌似沉寂下来了。

但是，在马克思逝世后，布伦坦诺大放厥词，掀起一场诽谤马克思的无耻运动。1883 年，英国剑桥大学的泰勒在《泰晤士报》上对马克思《资本论》的引文大肆责难。他在《泰晤士报》上发表了一封信。信中不仅暴露了布伦坦诺就是当年攻击马克思的匿名小人，而且再一次对马克思的引文进行"巧妙的攻击"。这个小人非常狡猾，他没有使用"捏造"、"增添"等语词，代之以"狡猾的断章取义"、"歪曲"等词句。恩格斯跟爱琳娜奋起应战。爱琳娜不辞劳苦地对《资本论》的所有引文进行核对，用铁一般的事实戳穿这些资产阶级辩护士的谎言。1884 年 2 月，爱琳娜在《今日》月刊上对泰勒进行了回应。爱琳娜指出，泰勒与布伦坦诺之间就存在着前后不一致的矛盾。布伦坦诺认为，按照惯例应该从《汉萨德》而不是《泰晤士报》中引用格莱斯顿的话，而泰勒却坚持引用《泰晤士报》中的话。实际上《汉萨德》中根本没有他们认为的"马克思伪造出来的引文"，《泰晤士报》却实实在在地报道了格莱斯顿演说的全部内容。泰勒"不但'增添'了原来没有的东西，而且'否定'了原来已有的东西。要么他没有读过这些论战文章，如果是这样，那他就无权开口。无论如何，他肯定再也不敢支持他的朋友布伦坦诺控告马克思'增添'引文了"[1]。在确凿的证据面前，泰勒上演沉默的脱身之计。恩格斯利用《资本论》新版的机会，在《资本论》第一卷第四版的序言中对引文争论进行了回顾。布伦坦诺知道后立即跳出来。他在 1890 年发表了《我和卡尔·马克思论战序言》和《我和卡尔·马克思的论战》，重弹老调，再次对马克思进行人身攻击和诽谤。

为了维护挚友的声誉和作为工人阶级运动理论纲领的《资本论》的科学性，恩格斯和布伦坦诺之流继续进行斗争，粉碎了这些资产阶级学者的阴谋。1890 年，恩格斯写信给威廉·李卜克内西，希望李卜克内西能够提供"载有布伦坦诺和格莱斯顿言论的那期《德国周报》的原文"[2]。信中，恩格斯向李卜克内西宣示其对布伦坦诺进行反驳和批判的决心。为此，恩格斯撰写了《布伦坦诺 contra 马克思——关于所谓捏造引文问题。事情的经过和文件》。这是恩格斯

---

① 《马克思恩格斯文集》第 5 卷，人民出版社 2009 年版，第 44 页。
② 《马克思恩格斯全集》第 37 卷，人民出版社 1971 年版，第 510 页。

集中反驳布伦坦诺的文本。这本小册子于 1891 年 4 月出版。

　　布伦坦诺认为，马克思引用英国财政大臣格莱斯顿在演说中说到的"财富和实力这样令人陶醉的增长完全限于有产阶级"，这句话完全跟实际上克莱斯顿的话相反，"马克思在形式上和实质上增添了这句话"①。布伦坦诺认为，格莱斯顿的原意是财富和实力这样令人陶醉的增长不限于富裕阶级。而马克思厚颜无耻地歪曲了格莱斯顿的原话。恩格斯在驳斥布伦坦诺的时候，一方面引用了当年伦敦的八家晨报的相关报道，并指出其中四家报纸——《泰晤士报》、《晨星报》、《晨报》、《每日电讯》——转述的这句话和马克思所"增添"的这句话完全相同。恩格斯认为，马克思的答辩过于忠厚了。马克思还认真地仔细分析了布伦坦诺先生关于比斯利教授、"兑换论"等的一大堆废话。恩格斯认为，可以撇开这些次要问题不谈，仅仅谈马克思在结尾的地方引用了两件对主要问题具有决定性意义的事实。除了《泰晤士报》的报道外，另外两家伦敦的晨报在 1863 年 4 月 17 日的报道中也有这个"增添"的地方。另一方面，恩格斯用事实说话，他指出，"路约·布伦坦诺，以一种确实与马克思的迥然不同的'厚颜无耻'的态度，硬要格莱斯顿说，'他认为，财富和实力这样令人陶醉的增长不限于富裕阶级'。而事实上，无论根据'泰晤士报'或'汉萨德'，格莱斯顿都说，他会怀着悲痛和忧虑的心情来看待这种'财富和实力的令人陶醉的增长，如果他相信，这种增长仅限于富裕阶级的话'，而根据'泰晤士报'的报道，接着他说，这种增长确实'只限于有产阶级'"②。恩格斯批评布伦坦诺污蔑马克思破口大骂，自己却慷慨地加在马克思头上的诸如"谎言"、"无耻地撒谎"、"假引文"、"简直无耻"等的卑劣行为。

　　恩格斯还在劳动法和工会问题上驳斥布伦坦诺，指出布伦坦诺的剽窃行为以及理论局限。"布伦坦诺先生经常反复谈论的所谓工人劳动保护法以及工会组织有助于工人阶级状况的改善，这根本不是他自己的发明。马克思和我在自己的著作中，从'英国工人阶级状况'和'哲学的贫困'起，到'资本论'和我最近的著作止，对此曾谈过几百遍，不过，我们在谈到这一点时作了很多的保留。"③恩格斯直截了当地指出布伦坦诺关于工人阶级进步问题的两个致命弱

① 《马克思恩格斯全集》第 22 卷，人民出版社 1965 年版，第 111 页。
② 《马克思恩格斯全集》第 22 卷，人民出版社 1965 年版，第 115 页。
③ 《马克思恩格斯全集》第 22 卷，人民出版社 1965 年版，第 109—110 页。

点。第一，布伦坦诺高估了工会的作用。恩格斯指出，只有在市场条件良好的前提下，工会抵抗才会发挥一定的效力。在危机期间，工会则会丧失其作用。第二，布伦坦诺忽视阻碍工人进步的真正社会根源——资本主义关系。这种关系的内在矛盾表现在阶级矛盾上就是资产阶级与雇佣工人的矛盾。布伦坦诺企图利用劳动法和工会等工具解决社会问题，这显然充满空想性和欺骗性。

恩格斯还揭穿了这些资产阶级辩护士的真实目的。这些大学教授们恐惧《资本论》，妄图使工人变成心甘情愿的雇佣奴隶，因而，他们企图通过污蔑、歪曲等形式攻击马克思和《资本论》以削弱《资本论》在工人阶级中的影响。他们目睹了《资本论》在工人阶级中的传播的影响，发现了越来越多先进分子拥护马克思的学说，企图通过歪曲和污蔑等形式，转移工人阶级和有识之士的视线，已达到弱化《资本论》影响的阴谋。但是布伦坦诺之流的攻击污蔑及其改良思想丝毫无法改变资本主义的关系，也无法调和资产阶级跟工人之间的矛盾。

最后，恩格斯开心地宣告："从此以后，连塞德莱·泰勒先生也闭口不言了。大学教授们所发动的整个这场攻击，在两大国持续二十年之久，而其结果是任何人也不敢再怀疑马克思写作上的认真态度了。可以想像得到，正如布伦坦诺先生不会再相信'汉萨德'像教皇般永无谬误那样，塞德莱·泰勒先生今后也将不会再相信布伦坦诺先生笔战获胜的战报了。"[1] 这样，这场关于"捏造引文"的论争，最后以资产阶级学者们的失败告终。

五、恩格斯对洛里亚的批判及其理论贡献

由于马克思来不及完成《资本论》第二、三卷就离开人世，很多居心叵测的浅薄之徒想方设法诽谤和攻击马克思及其《资本论》，诬陷马克思根本写不出《资本论》第二、三卷。意大利的讲坛社会主义者、资产阶级社会学家和经济学、庸俗政治经济学的代表人物洛里亚就试图攻击马克思以达到吹嘘自己的目的。为此，恩格斯再版了一部分马克思的重要论著，编译了马克思重要著作的其他语言版本，亲自写了许多再版的序或导言，撰写了《卡尔·马克思的逝

---

① 《马克思恩格斯全集》第22卷，人民出版社1965年版，第202—203页。

世》、《关于共产主义者同盟的历史》、《马克思和新莱因报》等一系列著作，向无产阶级和共产党人介绍了马克思四十年伟大的理论和实践贡献。恩格斯在《资本论》第三卷的序言和与其他人的通信中也有力反驳了洛里亚这个无耻之徒的诽谤。

洛里亚对马克思的攻击集中在四个方面。首先，洛里亚剽窃马克思的历史理论。1883 年，马克思刚逝世，洛里亚就在《科学、文学和艺术最新集萃》杂志上发表了一篇题为《卡尔·马克思》的文章。在文章中，洛里亚不仅对马克思的社会活动、政治活动和写作活动进行了攻击和批评，而且"以一种自信态度伪造和歪曲了马克思唯物主义历史观"[1]。他把马克思的历史理论宣布为自己的发现，并把马克思的唯物史观降低到十分庸俗的水平。他认为在相应的经济状态能够说明政治事件和状态这一发现不是马克思作出的，而是他在 1886 年的《关于政治制度的经济学说》一书中作出的。恩格斯在 1890 年 4 月 12 日致康·施米特的信中曾说："您是否在《康拉德年鉴》上看到阿基尔·洛里亚（锡耶纳人）对您的书的评论？可能有人受洛里亚本人的指使，把它从意大利寄给了我。我认识这个洛里亚。他曾经来过这里，也和马克思通过信，他讲和写的德语，跟他那篇文章一样，水平很差。这是我见过的人中追求个人名利最厉害的人。当时他认为，小农土地占有制是世界的救星，现在他是否还这样想，我就不知道了。他写出一本又一本书，都是剽窃来的，除了意大利，在任何地方甚至在德国也找不出这样无耻的剽窃。例如，几年以前，他出版了一本小书，把马克思的唯物史观当作他自己的最新发现来宣扬，并且把这本东西寄给了我！"[2] 其实，马克思和恩格斯合写于 1844 年的《神圣家族》以及 1845—1846 年的《德意志意识形态》中已经明确表达了经济关系对于政治关系的基础性地位。

洛里亚认为马克思的价值学说是建立在诡辩的基础上的。在他看来，"马克思即使认识到谬误本身，也不会在这些谬误面前停下来"[3]。洛里亚认为，马克思的价值理论与现实出现了矛盾——在资本主义社会中，一个企业所生产的剩余价值（洛里亚认为利润和剩余价值没有区别）的量不是取决于可变资本，

① 《马克思恩格斯文集》第 7 卷，人民出版社 2009 年版，第 20 页。
② 《马克思恩格斯全集》第 37 卷，人民出版社 1971 年版，第 381—382 页。
③ 《马克思恩格斯文集》第 7 卷，人民出版社 2009 年版，第 21 页。

而是取决于总资本；而在马克思那里，剩余价值取决于可变资本，利润不能在可变资本中产生。马克思解决理论与现实的矛盾的方法就是让读者去看《资本论》的续卷。然而，洛里亚认为马克思根本没有写《资本论》的续卷，甚至连撰写的念头都没有。他曾得意洋洋地断言，"我过去的说法不是没有道理的，我曾说过，马克思经常拿第二卷来威胁自己的反对者，但这第二卷始终没有出版，这第二卷很可能是马克思在拿不出科学论据时使用的一种诡计"[①]。但是，根据恩格斯 1883 年 4 月 2 日致拉甫罗夫的信中可以发现，恩格斯在马克思去世后就已经找到了《资本的流通》和第三册中《总过程的各种形式》约一千页的手稿。马克思之所以没有出版《资本论》第二、第三卷，很大程度上是因为当时资本主义现实出现了新情况，马克思是一个学术严谨的理论家，他在还没有把俄国和美国的资本主义发展情况研究透彻的情况下，不会贸然发表《资本论》的续卷。

洛里亚构造《资本论》第一卷和第三卷之间子虚乌有的矛盾，指责马克思在第三卷中直接放弃了价值理论，用故弄玄虚的方法把价值转化为生产价格，愚弄读者。洛里亚认为，这是马克思价值理论的破产，是科学上的自杀行为。实际上，马克思的《资本论》第一卷和第三卷之间存在着严密的逻辑关联。在《资本论》的第一卷之中，马克思通过分析资本主义社会的商品生产，创立了科学的劳动价值论，也就是说，价值是由社会必要劳动时间决定的。《资本论》第三卷要解决的是资本生产的总过程中的剩余价值实现问题，因而必须研究剩余价值如何转化为利润的问题。在弄清楚这个问题的基础上，马克思发现了价值向生产价格转化的秘密。但是，马克思在第一卷中只是分析了资本主义生产方式中最基础的部分和领域——生产领域。为了进一步分析资本主义的生产方式，马克思还要分析流通和分配领域。因而，马克思必须进一步分析剩余价值与利润的关系，利润的平均化现象和价值转化为生产价格的问题，也就是必须回答等量资本获得等量利润的问题。生产价格理论科学地解决了这个困扰着资产阶级经济学家的问题。在资本主义发展的成熟阶段，存在着各种部门，不同部门之间的竞争使得资本发生自由的流动，等量资本获得等量利润。这时候价格以生产价格为基础。这种变化是与资本主义本身的发展历史相一致的。生产价格规律是资本主义发展的表现。马克思的生产价格理论是建立在科学的劳动

---

① 《马克思恩格斯文集》第 7 卷，人民出版社 2009 年版，第 22 页。

价值论的前提之下的，没有劳动价值论，就不可能得出科学的生产价格理论。价格和价值的偏离是完全符合价值规律的。可见，《资本论》第三卷不仅与第一卷不矛盾，而且是第一卷的补充和完成。

即使恩格斯已经把马克思《资本论》第二、三卷编辑出版了，但是洛里亚仍然自我欺骗，造谣说恩格斯故意编造出《资本论》第二、三卷。因而，马克思还是没有《资本论》的续卷。在见证了《资本论》第二、三卷的出版的情况下，洛里亚仍旧顽强抵抗。他声称，现在恩格斯得意洋洋地把第二卷和第三卷扔在我面前作为答复妙极了！这两卷书使我感到这么大的愉快，我由此得到了这么多精神上的享受，以致从来没有一个胜利像今天的失败——如果这真是失败的话——这样使我觉得如此可喜。但是，这真是失败吗？马克思真的为了发表而写下这么一大堆不连贯的笔记，好让恩格斯怀着虔诚的友谊把它们编在一起吗？真的可以设想，马克思以为这些文稿会成为他的著作和他的体系的王冠吗？真的可以相信，马克思会发表关于平均利润率的那一章吗，在这一章里，好多年前就答应要提出的解决，被归结为最无聊的故弄玄虚和最庸俗的文字游戏？这至少是可以怀疑的。这证明马克思在发表他的光辉（splendido）著作以后就没有打算写什么续卷。说不定，他原来就是想把他的巨著交给他的继承人去完成，而自己不担负什么责任。对此，恩格斯在《〈资本论〉第三卷编者序言》、《〈资本论〉第三卷增补》和一系列书信中进行了严厉的驳斥和反击。恩格斯指出，洛里亚的价值论是庸俗经济学的价值论。在洛里亚看来，任何一个稍有点理智的经济学家都不会，而且将来也不会去研究这样一种价值，商品既不按照它来出售，也不能按照它来出售。当马克思主张，从未作为商品出售依据的价值，是比例于商品中包含的劳动来决定的时候，难道他不是以相反的形式重复正统派经济学家的下述论点：作为商品出售依据的价值，不是比例于商品中耗费的劳动？马克思说，虽然个别价格会偏离个别价值，但全部商品的总价格始终和它们的总价值一致，或者说始终和商品总量中包含的劳动量一致，这样说也无济于事。因为价值既然不外是一个商品和另一个商品相交换的比例，所以单是总价值这个观念，就已经是荒谬的，是胡说，是形容语的矛盾。可见，在洛里亚看来，价值只是外部飞到商品上面来的偶然的东西，仅仅是商品交换的比例关系而已。他认为价值就是价格，价值不是由社会必要劳动时间决定的，而是由供求关系决定的。按照洛里亚的观点，价值有可能等于零，这显然偏离了真实的历史。

　　总而言之，马克思恩格斯在晚年时依旧时时刻刻关注着资本主义发展的新变化，不断补充和完善劳动价值理论和剩余价值理论，并且在与各种资产阶级辩护士的斗争中捍卫了马克思主义的"两大发现"，坚定了无产阶级革命的信心。

第八章　恩格斯晚年对马克思主义哲学的
　　　　丰富和发展

在反对新康德主义、庸俗社会学和教条主义斗争的过程中，恩格斯晚年创作了《路德维希·费尔巴哈和德国古典哲学的终结》（以下简称《费尔巴哈论》）和"历史唯物主义通信"等科学文献，提出了哲学基本问题理论，总结了马克思主义哲学产生和发展的规律，厘清了马克思主义哲学与德国古典哲学的关系，在突出历史唯物论的前提下发展了历史辩证法，阐明了对待马克思主义的科学态度，丰富和发展了马克思主义哲学，奠定和夯实了科学马克思主义观的基础。

第一节　科学总结马克思主义哲学产生和发展规律

马克思去世前后，新康德主义和新黑格尔主义等资产阶级思潮喧嚣一时，对马克思主义哲学提出了挑战。为了捍卫和发展马克思主义哲学，为国际工人运动提供正确的理论指导，恩格斯晚年创作了《费尔巴哈论》。在这部著作中，他考察了马克思主义哲学形成和发展的历史过程，阐明了马克思主义哲学与德国古典哲学的批判继承关系，说明了马克思主义哲学的理论来源和自然科学基础，论证了马克思主义哲学的诞生是哲学领域内的伟大变革。总体而言，恩格斯科学总结了马克思主义哲学产生和发展的规律。

一、批判复活德国古典哲学中消极因素的理论思潮

马克思主义哲学是在批判和继承德国古典哲学的基础上产生和发展起来的，但与后者存在本质的区别。在《德意志意识形态》中，马克思和恩格斯就试图在批判青年黑格尔派的同时清算自己的哲学信仰。他们揭露了青年黑格尔派实际上是停留在黑格尔基础上，批判了费尔巴哈唯物主义的不彻底性，这样，就清算了"真正的社会主义"的反动思潮。之后，马克思和恩格斯在多次与资产阶级思想的斗争中不断完善自己的思想。随着马克思主义在世界范围内的广泛传播和国际共产主义运动的高涨，资产阶级唯恐无产阶级革命风暴的来临，不仅在政治上实行镇压，而且在思想上企图复活德国古典哲学中的消极因素，曲解马克思主义哲学与德国古典哲学的关系，以此来对抗马克思主义。对此，恩格斯严正地指出，"德国的古典哲学在国外，特别是在英国和斯堪的纳维亚各国，有某种复活。甚至在德国，各大学里借哲学名义来施舍的折中主义残羹剩汁，看来已叫人吃厌了"[1]。这些复活的思潮的代表就是新康德主义和新黑格尔主义。

新康德主义的观点及其历史局限性。新康德主义主要盛行于德国，它不是一种哲学派别，而是一种复活和重新解释康德哲学的广泛思潮，其代表人物有李普曼、朗格、柯亨和文德尔班等。首先提出"回到康德去"口号的是李普曼。他在《康德及其模仿者》一书的每一章都以"回到康德去"为结论，唤起了大家对康德哲学的热情。以李普曼为代表的新康德主义所回去的康德，并不是真正的康德哲学。他们竭力复活的是康德哲学的糟粕，发展的是康德哲学中的唯心主义先验论、不可知论。他们抛弃了康德哲学中的唯物主义因素，声称唯物主义已经过时，马克思的历史唯物主义根本不是一门科学，而是马克思臆造出来为自己的政治需要服务的。朗格在《唯物主义史》一书中，提出唯物主义过于"矫揉造作"，并不是合适的世界观。柯亨认为，不应将唯物主义作为社会主义的基础，应该将康德的伦理唯心主义作为社会主义的基础，代替社会革命和无产阶级专政的理论。文德尔班则认为人们只能针对某一件事情作出主观评价，而不承认社会发展的规律性。新康德主义的代表公然声称康德是工人阶级

---

[1] 《马克思恩格斯选集》第4卷，人民出版社2012年版，第218页。

的导师，是德国的社会主义之父，并认为康德是太阳，马克思在康德面前是黯淡的星辰，处于明显的弱势状态。正是在这样的情况下，新康德主义得到了资产阶级的赏识。从本质上来说，新康德主义就是通过新的解释来维护统治阶级的利益的资产阶级思潮。恩格斯曾写信给新康德主义的代表人物朗格，批判其将资本主义的发展规律等同于自然规律的错误行为。恩格斯也写信给马克思，说朗格的小册子《工人问题及其在现在和将来的意义》非常混乱，是马尔萨斯和达尔文主义的混合物。恩格斯提到："如果新康德主义者企图在德国复活康德的观点，而不可知论者企图在英国复活休谟的观点（在那里休谟的观点从来没有绝迹），那么，鉴于这两种观点在理论上和实践上早已被驳倒，这种企图在科学上就是开倒车，而在实践上只是一种暗中接受唯物主义而当众又加以拒绝的羞羞答答的做法。"[①]新康德主义者对历史唯物主义的批判，对不可知论的复活，其错误性是不证自明的。

新黑格尔主义的观点及其历史局限性。在19世纪末至20世纪上半叶期间，新黑格主义主要盛行于英国，流行于欧洲和美国，是一种以继承和发展黑格尔哲学、法学思想为基本特征的法学派别。新黑格尔主义的代表人物是格林、布拉德雷和鲍桑葵等。新黑格尔主义在英国出现的标志，主要是斯特林在其著作《黑格尔的秘密》中将黑格尔比作当代的亚里士多德，进而掀起了复兴黑格尔哲学的运动。但是，新黑格尔主义者没有看到黑格尔辩证法的合理因素，没有真正懂得黑格尔辩证法的魅力，只是单纯地看到了黑格尔体系中唯心主义的部分。他们不仅忽视了黑格尔辩证法革命的一面，只看到了其保守的一面，还忽视了黑格尔的理性主义，宣扬主观唯心主义和神秘主义。格林批判了经验分析，强调了事物之间关系的重要性，强调了要对世界作整体的解释。格林所说的内在关系需要人的自我意识将各种不同事物联系起来，他认为真正的知识只能存在于关系中，强调了人的自我意识的重要性。布拉德雷强调"绝对精神"的重要性，精神之外没有实在，精神就是实在。鲍桑葵指出，整个世界都统一于绝对，作为整体的绝对是一种具体的普遍，包含了一切特殊的事物的过程。总体而言，新黑格尔主义者们抛弃了黑格尔从唯心主义角度分析社会历史是从低级发展到高级的有规律的思想，他们根本不相信客观规律的存在；他们利用黑格尔国家学说的保守一面为资产阶级的统治辩护。实质上，新黑格尔主义就

---

① 《马克思恩格斯选集》第4卷，人民出版社2012年版，第232—233页。

是利用黑格尔的名义，建立属于他们的为资产阶级统治服务的世界观和方法论。恩格斯通过具体阐述黑格尔的哲学体系来反面回击新黑格尔主义。例如，在对黑格尔的"凡是现实的都是合乎理性的，凡是合乎理性的都是现实的"命题的分析中，恩格斯指出，"在黑格尔看来，决不是一切现存的都无条件地也是现实的。在他看来，现实性这种属性仅仅属于那同时是必然的东西"①。恩格斯还在对思维与存在关系的分析中指出，随着自然科学和工业的进步，唯心主义内容也添加了唯物主义的成分，"黑格尔的体系只是一种就方法和内容来说唯心主义地倒置过来的唯物主义"②。这表明恩格斯肯定了黑格尔哲学的合理因素，并以此来回应新黑格尔主义。

新康德主义和新黑格尔主义都没有真正理解康德和黑格尔的哲学体系，只是借用康德和黑格尔为自己的理论服务，为资产阶级的统治服务。他们极力宣扬的是康德和黑格尔哲学体系中不合理的成分，极力回避的是其中的合理成分。恩格斯批判了这两种错误的思潮，并在分析黑格尔哲学体系和费尔巴哈理论的是非得失的过程中，重新科学地评价了德国古典哲学。恩格斯对德国古典哲学的阐释，对马克思主义和德国古典哲学关系的区分，揭示了新康德主义和新黑格尔主义的真正面目。也正是在回应这些错误思潮的过程中，恩格斯科学地总结了马克思主义哲学产生和发展的规律。

二、哲学基本问题和实践标准

在人类理论思维史上，恩格斯第一次明确地将思维和存在的关系问题视为哲学基本问题。在他看来："全部哲学，特别是近代哲学的重大的基本问题，是思维和存在的关系问题。"③这样，就为正确把握哲学发展规律提供了科学的总体性的方法论原则。

将哲学基本问题归结为思维和存在的关系问题，是对哲学史发展规律的科学总结。在远古时代，人们并不了解自身的身体构造，更没法解释睡梦这种生

① 《马克思恩格斯选集》第4卷，人民出版社2012年版，第221页。
② 《马克思恩格斯选集》第4卷，人民出版社2012年版，第233页。
③ 《马克思恩格斯选集》第4卷，人民出版社2012年版，第229页。

理和心理现象，于是就产生了人有灵魂的想法，认为人自己的感觉和思维都是灵魂的活动，灵魂是不死的，可以脱离人的肉体活动。这就促使人们开始思考灵魂与客观世界的关系，这也就是思维与存在关系的最初萌芽之一。人们还会思考自然力所引起的现象，思考自然力受什么支配，结合灵魂的观念，就认为自然的现象也是意识活动作用的结果，于是产生了万物有灵的想法和"图腾崇拜"，这也是思维与存在关系的最初萌芽的表现形式。随着生产力的发展，人们的思维能力有了进一步发展，人们从多神崇拜转向一神崇拜，这就可以看到，"思维对存在、精神对自然界的关系问题，全部哲学的最高问题，像一切宗教一样，其根源在于蒙昧时代的愚昧无知的观念"①。思维和存在的关系虽然根源于远古时代，但是那个时候认识得不清楚，也很不自觉。在中世纪，教会占主导地位，神学占据统治地位，所以思维和存在的关系问题以唯心主义的形式解决了，但是经院哲学内部唯名论和唯实论的讨论也以隐晦的形式提出了思维与存在的关系问题。哲学的基本问题，"只是在欧洲人从基督教中世纪的长期冬眠中觉醒以后，才被十分清楚地提了出来，才获得了它的完全的意义"②。这源于14世纪和15世纪。当时，资本主义经济和生产力的发展，要求摆脱封建神学的束缚。15世纪的文艺复兴运动和16世纪的宗教改革运动，高举人权的旗帜，把人们的视线从"天国"降到现实的尘世。反映在哲学上就是近代唯物主义与宗教神学的对抗，使得人和自然以及思维与存在的关系问题成为各哲学派别争论的焦点。到了德国古典哲学中，思维和存在的关系问题成为讨论的中心，侧重于两者之间关系问题。譬如，黑格尔坚持思维第一性，存在第二性，认为思维与存在的关系问题也就是思维与思维的关系问题。费尔巴哈不了解人类历史实践，所以即使在自然观上能够坚持唯物主义，但在社会观上却陷入了唯心主义，所以也并不能真正认识思维与存在的关系。只有马克思和恩格斯在批判吸收德国古典哲学的基础上，才在哲学史上第一次科学地解决了思维和存在的关系问题。

　　思维和存在的关系问题是马克思主义哲学一直关注的主题。马克思和恩格斯在开始转向历史唯物主义时就已经认清了哲学的基本问题，只是没有明确地表述出来而已。在《黑格尔法哲学批判》导言中，马克思通过对宗教的批

---

① 《马克思恩格斯选集》第 4 卷，人民出版社 2012 年版，第 230 页。
② 《马克思恩格斯选集》第 4 卷，人民出版社 2012 年版，第 230 页。

判，就揭示出了宗教这种意识性活动是现实存在的反映，当然也是存在对现实反抗的反映。马克思指出，"人创造了宗教，而不是宗教创造人。就是说，宗教是还没有获得自身或已经再度丧失自身的人的自我意识和自我感觉"①。在《1844年经济学哲学手稿》中，马克思通过阐述现实生活与类意识的关系，肯定了意识是存在的反映，并且具有统一性。他指出："作为类意识，人确证自己的现实的社会生活，并且只是在思维中复现自己的现实存在；反之，类存在则在类意识中确证自己，并且在自己的普遍性中作为思维着的存在物自为地存在着。"②此处，他还提出，"思维和存在虽有区别，但同时彼此又处于统一中"③。在《神圣家族》中，马克思和恩格斯主要批判了布鲁诺·鲍威尔的思辨唯心主义。他们指出："我们的阐述主要涉及布鲁诺·鲍威尔的《文学总汇报》（我们手边有该杂志的前八期），因为在该报中鲍威尔的批判，从而整个德国思辨的胡说达到了顶点。"④马克思和恩格斯指出，虽然鲍威尔认为社会存在的一切祸害都只在工人们的"思维"中，但是工人们自己却不是这样认为的。他们指出，"这些群众的共产主义的工人，例如在曼彻斯特和里昂的工场中做工的人，并不认为用'纯粹的思维'就能够摆脱自己的企业主和他们自己实际的屈辱地位。他们非常痛苦地感觉到存在和思维之间、意识和生活之间的差别"⑤。因此，必须用实际的和具体的方法来消灭财产、资本和金钱等对工人的支配，"以便使人不仅能在思维中、在意识中，而且也能在群众的存在中、在生活中真正成其为人"⑥。马克思恩格斯批判了鲍威尔将一切问题都看成是抽象的理论问题，认为这其实是工人阶级认识世界和改造世界的实践问题。在《关于费尔巴哈提纲》中，马克思在第二条中明确提出："人的思维是否具有客观的[gegenständliche]真理性，这不是一个理论的问题，而是一个实践的问题。人应该在实践中证明自己思维的真理性，即自己思维的现实性和力量，自己思维的此岸性。"⑦这就肯定了人要在实践中检验自己的思维的真理性。在《德意

① 《马克思恩格斯选集》第1卷，人民出版社2012年版，第1页。
② 《马克思恩格斯文集》第1卷，人民出版社2009年版，第188页。
③ 《马克思恩格斯文集》第1卷，人民出版社2009年版，第189页。
④ 《马克思恩格斯文集》第1卷，人民出版社2009年版，第253页。
⑤ 《马克思恩格斯文集》第1卷，人民出版社2009年版，第273页。
⑥ 《马克思恩格斯文集》第1卷，人民出版社2009年版，第273页。
⑦ 《马克思恩格斯选集》第1卷，人民出版社2012年版，第134页。

志意识形态》中，马克思指出了人们的想象、思维和精神交往是人们物质行动的直接产物，人们在改变现实世界的同时也在改变自己的思维和思维的产物，并提出了这样一个著名的命题："不是意识决定生活，而是生活决定意识。"①之后，马克思在《〈政治经济学批判〉序言》中即在历史唯物主义经典范式的表达中直接指出："不是人们的意识决定人们的存在，相反，是人们的社会存在决定人们的意识。"②恩格斯之后在给马克思的《政治经济学批判，第一分册》写书评的时候说到："人们的意识取决于人们的存在而不是相反，这个原理看来很简单，但是仔细考察一下也会立即发现，这个原理的最初结论就给一切唯心主义，甚至给最隐蔽的唯心主义当头一棒。关于一切历史的东西的全部传统的和习惯的观点都被这个原理否定了。"③马克思恩格斯对哲学的基本问题的想法和提法也经历了一个发展的过程，最后，恩格斯在《费尔巴哈论》中正式提出了哲学的基本问题是思维和存在的关系问题。

马克思和恩格斯创造性地阐述了哲学基本问题的内容。在恩格斯看来，哲学基本问题存在两个方面。首先，在哲学基本问题的第一方面上，也就是物质和意识何者为世界本原的问题，是每个哲学家都必须首先回答的问题，哲学家对这个问题的不同回答就分成了两个阵营——唯物主义和唯心主义。如果哲学家认为物质第一性，意识第二性，就属于唯物主义阵营。唯物主义阵营在历史发展中也有不同的形态，有古代朴素的唯物主义，近代的机械唯物主义，还有辩证唯物主义。它们的共同特点就是坚持物质第一性，意识第二性。如果哲学家认为意识第一性，物质第二性，就属于唯心主义阵营。唯心主义阵营可分为客观唯心主义和主观唯心主义两种类型。客观唯心主义认为世界的本原是不依赖于人存在的客观精神，例如，黑格尔的"绝对精神"。主观唯心主义则认为世界的本原是主体的感觉和意识，例如，贝克莱提出的"存在就是被感知"。唯心主义的共同点就是坚持意识第一性，物质第二性。在世界本原的问题上，历史上也存在过二元论的思想。对它们最终属于哪个阵营，可以根据它们的哲学倾向来判断。恩格斯认为，唯物主义和唯心主义只有在回答世界本原问题时才有意义，"唯心主义和唯物主义这两个用语本来没有任何别的意思，它们在

① 《马克思恩格斯文集》第1卷，人民出版社2009年版，第525页。
② 《马克思恩格斯选集》第2卷，人民出版社2012年版，第2页。
③ 《马克思恩格斯选集》第2卷，人民出版社2012年版，第9页。

这里也不是在别的意义上使用的"①。空谈唯物主义和唯心主义的对立，只会引起思想混乱。恩格斯指出，施达克把对理想和目的的追求叫唯心主义，将追求"理想的意图"并承认"理想的力量"对自身影响的人叫作唯心主义者，将持有人类总的说来是沿着进步方向运动的这种信念的人称为唯心主义者。恩格斯认为，这是对唯心主义一词的误用。恩格斯提出这样的质疑："如果一个人只是由于他追求'理想的意图'并承认'理想的力量'对他的影响，就成了唯心主义者，那么任何一个发育稍稍正常的人都是天生的唯心主义者了，怎么还会有唯物主义者呢?"② 恩格斯认为，"关于人类（至少在现时）总的说来是沿着进步方向运动的这种信念，是同唯物主义和唯心主义的对立绝对不相干的"③。在这方面，施达克把这一切说成是唯心主义，这只是证明：唯物主义这个名词以及两个派别的全部对立，在这里对他来说已经失去了任何意义。唯物主义并不是意味着对物质的享受，唯心主义也并不是对美德、普遍的人类爱的信仰，施达克并没有搞清楚唯物主义和唯心主义这两个词的适用范围，所以对费尔巴哈的哲学立场做出了误判。恩格斯借助于批判施达克就对历史上那些误判唯物主义和唯心主义的思想做出了有力的回应。其次，恩格斯指出了哲学基本问题内容的第二个方面，也就是思维和存在是否具有同一性的问题。恩格斯指出，绝大多数的哲学家认为思维和存在具有同一性，这里也包括了黑格尔。在黑格尔那里，思维和存在是同一的，我们在现实世界认识到的就是思维的内容，现实世界就是思维逐渐实现出来的东西，所以，思维和存在的同一性是不证自明的。但是也有一些哲学家否认认识世界的可能性，例如休谟和康德就是代表。休谟认为我们只能认识到我们经验到的东西，经验之外的东西不仅不能认识到，连是否存在也是不可能知道的；康德认为人们只能认识到事物的表象，不能认识到事物的本质（物自体）。马克思恩格斯在坚持思维和存在具有同一性的基础上，把辩证法运用于反映论，并将实践论引入认识论。

科学实践观的运用是马克思和恩格斯对回答哲学基本问题的贡献。恩格斯在反驳不可知论的时候提出："对这些以及其他一切哲学上的怪论的最令人信服的驳斥是实践，即实验和工业。"④ 首先，实践对物质第一性的证明，是对

① 《马克思恩格斯选集》第4卷，人民出版社2012年版，第231页。
② 《马克思恩格斯选集》第4卷，人民出版社2012年版，第238页。
③ 《马克思恩格斯选集》第4卷，人民出版社2012年版，第238—239页。
④ 《马克思恩格斯选集》第4卷，人民出版社2012年版，第232页。

唯心论的有力驳斥。马克思在《1844 年经济学哲学手稿》中就提到，"通过实践创造对象世界，改造无机界，人证明自己是有意识的类存在物"①。在《德意志意识形态》中，马克思和恩格斯提出生活决定意识的命题。在《反杜林论》中，恩格斯提出："世界的真正的统一性在于它的物质性，而这种物质性不是由魔术师的三两句话所证明的，而是由哲学和自然科学的长期的和持续的发展所证明的。"② 因此，在物质和意识何者为第一性上，实践给予了有力的回答。

其次，实践对思维是否具有真理性的证明，是对不可知论的有力驳斥。马克思在《关于费尔巴哈的提纲》中直接指出了人应该在实践中证明自己思维的真理性。随着马克思恩格斯研究的深入，科学的实践观在他们的思想中已经逐渐成熟。恩格斯在《费尔巴哈论》中指出，如果我们能够制造出一个自然过程，按照它的条件把它生产出来，并且使它为我们的目的服务，从而我们证明我们正确理解了这个过程，那么就能反驳不可知论的观点了。恩格斯列举了茜素的提炼的例子来说明之。我们不再从地里的茜草中提取茜素，而是用容易得多和便宜得多的方式从煤焦油中提炼出茜素。哥白尼的太阳系学说，不管有多大的可靠性，都只是假说。但是勒维烈从这个学说提供的数据中，推算出了必定存在一个未知的行星还推算出了它的位置。当加勒根据其研究发现了这个行星时，哥白尼的学说就被证实了。这就说明人可以通过实践认识存在，并且通过实践来检验自己的认识。恩格斯指出，推动哲学家们前进的主要是自然科学和工业的强大而日益迅猛的进步。恩格斯不仅辩证地解决了思维和存在的关系问题，而且讨论了社会存在和社会意识的问题。通过梳理唯物主义发展的阶段，恩格斯指出费尔巴哈唯物主义在社会领域并没有进步。他指出："我们不仅生活在自然界中，而且生活在人类社会中，人类社会同自然界一样也有自己的发展史和自己的科学。"③ 但是费尔巴哈局限于自己的生活，并没有理解感性的实践，所以就只能局限在自己的生活视野中。只有马克思和恩格斯在对社会领域进行深入的研究的基础上对社会存在和社会意识的关系问题作出了科学的回答，创立了历史唯物主义。

在对哲学基本问题进行深入探索的基础上，马克思和恩格斯在哲学基本问

---

① 《马克思恩格斯选集》第 1 卷，人民出版社 2012 年版，第 56 页。
② 《马克思恩格斯选集》第 3 卷，人民出版社 2012 年版，第 419 页。
③ 《马克思恩格斯选集》第 4 卷，人民出版社 2012 年版，第 237 页。

题的论述中引入了实践的范畴，这就为反对唯心论和不可知论提供了科学的武器。只有在实践的基础上，才能深入理解社会领域的发展规律，才能真正回答哲学的基本问题。

三、马克思主义哲学对德国古典哲学的扬弃

在《费尔巴哈论》中，"终结"一词不是结束之意，而是表明了马克思主义哲学既批判了德国古典哲学中消极因素，也汲取了德国古典哲学的积极要素，是德国古典哲学新的出口或出路。恩格斯认为，"从黑格尔学派的解体过程中还产生了另一个派别，唯一的真正结出果实的派别，这个派别主要是同马克思的名字联系在一起的。"①他还说："德国的工人运动是德国古典哲学的继承者"②，即马克思主义哲学是对德国古典哲学的扬弃。

马克思主义哲学批判地汲取了黑格尔辩证法的"合理内核"，创立了唯物辩证法。马克思早期参加青年黑格尔运动，接着就开始批判青年黑格尔派，与青年黑格尔派决裂，并清算黑格尔的思想。在《黑格尔法哲学批判》中，马克思对黑格尔的国家理论进行了分析和批判，称黑格尔的观点是头足倒置的，认为黑格尔的思想是"逻辑的泛神论的神秘主义"。在《1844年经济学哲学手稿》中，马克思揭示了黑格尔哲学体系的唯心主义实质。黑格尔是在思维中扬弃异化而不是诉诸革命的批判，将异化的本质看成是思维的问题。不仅如此，马克思还肯定了黑格尔辩证法的合理因素。在《神圣家族》中，马克思和恩格斯揭露了思辨结构的秘密，也就是说揭示了为什么黑格尔会主谓颠倒。黑格尔的问题就在于他将认识过程看成了一般到特殊的生产过程，也就是说黑格尔的思辨哲学混淆了现实的生产过程和认识过程。在《德意志意识形态》中，马克思和恩格斯批判了青年黑格尔派的思想，并提出"不是意识决定生活，而是生活决定意识"③，指出马克思主义哲学的出发点是从事实际活动的人，并且指出意识形态和头脑中模糊幻想都与物质生活相联系。在《资本论》中，马克思完成了

---

① 《马克思恩格斯选集》第4卷，人民出版社2012年版，第248页。
② 《马克思恩格斯选集》第4卷，人民出版社2012年版，第265页。
③ 《马克思恩格斯选集》第1卷，人民出版社2012年版，第152页。

对黑格尔辩证法的彻底改造，借助黑格尔的辩证法来分析资本主义社会，进而揭示出了资本主义发展的规律。他声称自己是黑格尔的学生，"在关于价值理论的一章中，有些地方我甚至卖弄起黑格尔特有的表达方式。辩证法在黑格尔手中神秘化了，但这决没有妨碍他第一个全面地有意识地叙述了辩证法的一般运动形式。在他那里，辩证法是倒立着的。必须把它倒过来，以便发现神秘外壳中的合理内核。"①这种倒立就是要将辩证法建立在唯物论的基础之上，唯物辩证法和唯心辩证法具有本质的区别。

在《费尔巴哈论》中，恩格斯总结了马克思主义哲学对黑格尔理论的继承和发展。恩格斯指出，马克思主义哲学返回到唯物主义的立场上，必然会与黑格尔哲学相分离。但是，马克思和恩格斯并没有将黑格尔的理论抛弃，而是将其思想中革命的部分即辩证法接过来了。恩格斯以对黑格尔著名的哲学命题"凡是现实的都是合乎理性的，凡是合乎理性的都是现实的"分析为例，揭示出黑格尔哲学的二重性。恩格斯指出，在黑格尔那里，现实性只属于同时是必然的东西，必然的东西归根到底都会证明自己是合乎理性的。但是，现实性不等同于某一种状态的永恒性，举例来说，法国的君主制一开始是现实的，但是到了1789年就变得不现实了，也就丧失了必然性，所以，就必须要通过革命推翻它。这时候，君主制不是现实的，革命是现实的。也就是说黑格尔所提的这个命题，由于其自身的辩证法就会转化成如下命题或思想："凡在人类历史领域中是现实的，随着时间的推移，都会成为不合理性的，就是说，注定是不合理性的，一开始就包含着不合理性；凡在人们头脑中是合乎理性的，都注定要成为现实的，不管它同现存的、表面的现实多么矛盾。"②所以，现存的都会灭亡。恩格斯继而提出了黑格尔哲学的真实意义和革命性质就在于，"它彻底否定了关于人的思维和行动的一切结果具有最终性质的看法。"③也就是说真理不是绝对的，一切关于绝对真理和绝对的人类状态的说法被黑格尔的辩证哲学推翻了。但是，黑格尔本人并没有很明确地意识到自身的革命性，这是因为其思想是一个唯心主义体系，即绝对观念回到绝对观念的体系。这就使得他的体系成为"绝对真理"，与他自身的辩证法相矛盾。此外，黑格尔的绝对观念从

---

① 《马克思恩格斯选集》第2卷，人民出版社2012年版，第94页。
② 《马克思恩格斯选集》第4卷，人民出版社2012年版，第222页。
③ 《马克思恩格斯选集》第4卷，人民出版社2012年版，第222页。

来就存在，是全部现存世界的真正的活的灵魂。绝对观念通过使自己外化，转化为自然界，并采取自然必然性的形式，然后在人身上重新达到自我意识，最后又回到绝对观念自身。绝对观念在自然界和历史中的发展，体现的只是概念运动，而不是真正现实的运动。马克思主义哲学在黑格尔辩证法的基础上，将头脑中的概念看成是现实事物的反映，而不是把现实事物当成是绝对观念的反映。在此基础上，恩格斯指出了辩证法就是"关于外部世界和人类思维的运动的一般规律的科学"①，所以，辩证法反映的是外部世界的规律和人类思维运动的规律，这两个规律虽然表现形式不同，但人的思维可以主动地应用规律，避免一些偶然性；外部世界的规律（自然和社会）往往是通过偶然的形式表现出来。但是本质上是一样的，因为人类思维运动的规律就是外部世界规律的反映。所以黑格尔那里的概念的辩证法在这里就被倒转过来了，黑格尔哲学的革命性就被恢复了，也摆脱了唯心主义的束缚。

　　马克思主义哲学批判地继承了费尔巴哈唯物主义的"基本内核"，创立了彻底的唯物主义。马克思和恩格斯对费尔巴哈的批判继承也贯穿整个马克思主义发展的过程。在《1844年经济学哲学手稿》中，马克思虽然很多地方还在使用费尔巴哈的词汇，但是他已经逐渐超越费尔巴哈。费尔巴哈对资本主义的批判仅仅停留于人本主义的分析，而马克思已经开始分析社会经济现象，指出了共产主义就是要扬弃资本主义私有制。在《关于费尔巴哈的提纲》中，马克思指出："费尔巴哈想要研究跟思想客体确实不同的感性客体，但是他没有把人的活动本身理解为对象性的 [gegenständliche] 活动。"② 费尔巴哈将现实理解为直观，并不能将现实看成是实践的、人的感性的活动。可见，马克思在《提纲》中就已经清楚地意识到费尔巴哈的主要局限性了。在《德意志意识形态》中，马克思和恩格斯进一步阐述了《提纲》中的观点，指出费尔巴哈对感性世界的理解仅仅局限于直观和感觉，他所理解的人是抽象的人，不是现实的历史的人。费尔巴哈没有意识到感性的外在世界是发展变化的，是人类世世代代活动的产物。马克思和恩格斯指出："当费尔巴哈是一个唯物主义者的时候，历史在他的视野之外；当他去探讨历史的时候，他不是一个唯物主义者。在他

① 《马克思恩格斯选集》第4卷，人民出版社2012年版，第249—250页。
② 《马克思恩格斯选集》第1卷，人民出版社2012年版，第133页。

那里，唯物主义和历史是彼此完全脱离的。"①这表明，马克思和恩格斯已经超越费尔巴哈了。

马克思主义哲学的使命就在于向上提升唯物主义。在《费尔巴哈论》中，恩格斯进一步总结了马克思和自己四十多年的成果，总结了关于马克思主义哲学对费尔巴哈的借鉴和批判。恩格斯赞扬了费尔巴哈对唯物主义所做的贡献。他指出，"费尔巴哈的《基督教的本质》出版了。它直截了当地使唯物主义重新登上王座"②。在这本书出版的时候，马克思和恩格斯都很兴奋，一度认为他们已经成为费尔巴哈派了。费尔巴哈自身也是从黑格尔主义者走向唯物主义的，他意识到了人们所处的物质的世界，是唯一的现实的世界；人们的意识和思维，始终是物质的、肉体的器官即人脑的产物。费尔巴哈在哲学的基本问题第一个方面上的回答使他站在了唯物主义的队列之中，可是他却仅仅停留于此。费尔巴哈的局限性也很突出，他虽然持有唯物主义的观点，却不能克服传统哲学对唯物主义这个名称的偏见，他将18世纪唯物主义的表现形式与唯物主义自身混为一谈，并且还与一种庸俗的形式混为一谈，这就误解了唯物主义本身。此外，他在社会领域内并没有真正前进，因为他并没有充分认识到自然科学的发展和社会生活的变化，他并没有看到世界发展的过程，根本不懂得实践，所以在社会领域内他还是一个唯心主义者。这也就使得他的《基督教的本质》存在两个主要的局限，即"它以美文学的词句代替了科学的认识，主张靠'爱'来实现人类的解放，而不主张用经济上改革生产的办法来实现无产阶级的解放"③，所以，费尔巴哈就只能沉浸在泛爱的空谈中了。恩格斯指出，费尔巴哈的唯物主义仅仅限于自然领域，而没有贯彻到社会领域中去，是一个半截子的唯物主义者。费尔巴哈没有真正理解黑格尔的辩证法，所以他就直接抛弃了黑格尔的辩证法。费尔巴哈的理论与黑格尔百科全书式的丰富内容相比，"除了矫揉造作的爱的宗教和贫乏无力的道德以外，拿不出什么积极的东西"④，所以费尔巴哈并没有真正克服18世纪旧唯物主义的局限性。恩格斯肯定了费尔巴哈哲学的"基本内核"，坚持了彻底的唯物主义，在自己所研究的一切知识领域中都坚持和发展了唯物主义。马克思主义哲学抛弃了与现实不

① 《马克思恩格斯选集》第1卷，人民出版社2012年版，第158页。
② 《马克思恩格斯选集》第4卷，人民出版社2012年版，第228页。
③ 《马克思恩格斯选集》第4卷，人民出版社2012年版，第229页。
④ 《马克思恩格斯选集》第4卷，人民出版社2012年版，第248页。

相符合的唯心主义怪想，按照现实世界（包括自然和社会）的本来面貌来认识世界。不仅如此，马克思主义哲学还科学地分析和说明了社会历史发展的规律，解释了历史的发展，向上提升了唯物主义，创立了历史唯物主义。如果将社会历史发展简单地等同于自然发展的进程，就会使人们陷入自发论和目的论的圈套。马克思主义哲学第一次对唯物主义世界观采取了严肃的态度，在实践的基础上发现了社会发展的客观规律，从而在实践的基础上实现了自然观和历史观的统一。

马克思和恩格斯从《形态》开始就想清算他们的思想与青年黑格尔派之间的关系，就想清算与德国古典哲学的关系。在《形态》之后的著作中，他们的思想逐渐成熟并运用于实际的工人运动中。四十多年后，恩格斯完成了他们的心愿，全面阐述了马克思主义哲学与德国古典哲学的关系，在马克思主义发展史上具有重要意义。

四、批判唯心主义宗教观和道德观

恩格斯对唯心主义宗教观和道德观的批判，是以对费尔巴哈的宗教观和道德观批判的形式呈现的。恩格斯指出："我们一接触到费尔巴哈的宗教哲学和伦理学，他的真正的唯心主义就显露出来了。"[1]他认为，费尔巴哈并不希望废除宗教，而是希望将哲学融化在宗教中，使宗教完善化。费尔巴哈认为追求幸福的欲望是道德的基础，他的道德观是为资产阶级服务的。在此基础上，恩格斯也表明了唯物史观对宗教和道德的看法。

（一）批判唯心主义宗教观

批判费尔巴哈将宗教看成是人与人之间的感情关系的错误。对此，在《关于费尔巴哈的提纲》中，马克思就提出："费尔巴哈把宗教的本质归结于人的本质。但是，人的本质不是单个人所固有的抽象物，在其现实性上，它是一切社会关系的总和。"[2]费尔巴哈虽然指出了宗教的世俗基础，但是并没有看到他所

---

① 《马克思恩格斯选集》第 4 卷，人民出版社 2012 年版，第 239—240 页。
② 《马克思恩格斯选集》第 1 卷，人民出版社 2012 年版，第 139 页。

分析的抽象的个人是在一定社会中的人，具有一定的社会形式。在《费尔巴哈论》中，恩格斯指出费尔巴哈并不希望废除宗教，而是希望使宗教完善化，所以他想创立自己的宗教。在费尔巴哈创立的新宗教中，"宗教是人与人之间的感情的关系、心灵的关系，过去这种关系是在现实的虚幻映象中（借助于一个神或许多神，即人类特性的虚幻映象）寻找自己的真理，现在却直接地而不是间接地在我和你之间的爱中寻找自己的真理了。"① 但是，人与人之间的，特别是两性之间的感情是自从人类存在就有的，宗教并不是自人类存在以来就存在的，而是一定社会历史发展的产物。恩格斯举例说明宗教与人与人之间的感情关系是有区别的。例如，法国大革命后，在1793—1794年雅各宾专政时期，基督教在很大程度上受到了摧毁，很多教堂和修道院都被封闭了，基督教僧侣的特权和俸金也被取消了，农村和城市的教会势力都几乎被消灭了。这个时期，也没有人要提出建立新宗教。到了拿破仑执政时期，费了很大的力气才把教会恢复起来，显然，这里并没有费尔巴哈意义上的宗教是人之感情的必要的问题。恩格斯指出，费尔巴哈的唯心主义就在于，他认为人们彼此间相互倾慕的关系只有在宗教的名义之下才能够获得完整的意义。人与人之间的感情关系，只有在宗教的名义下才是完满的。但是，人与人之间的关系是在一定社会经济情况下产生的，与经济关系密切相连。宗教是一定阶级社会发展阶段的产物，将人与人的感情关系等同于宗教，就会抹杀宗教的阶级性和歪曲人与人之间的感情关系，更忽略了人与人之间关系的社会性。恩格斯还从宗教的词源学上来批判费尔巴哈的结论。他指出，宗教一词本来是联系的意思，因此，似乎将两个人的任何联系都可以看成是宗教，但是，这种词源学的解释是唯心主义的把戏而已。我们考察一个词的意义，应该将其放在历史的发展过程中来审视，不能将其仅仅从词源上来加以分析。这也表现了马克思主义在语言学上的唯物主义态度。费尔巴哈企图将唯物主义的自然观作为建立新的宗教的基础，也就是他理解的宗教，试图用宗教来解释社会领域的现象，其实，这是唯心主义的表现，因为不存在神的宗教是不存在的。

批判费尔巴哈将人类的历史看成宗教的变迁史的错误。对此，马克思和恩格斯在《德意志意识形态》中就对旧的历史观把宗教看成历史的动力的观点进行了批判，对把宗教看成历史的根源的观点进行了批判。他们指出，旧的历史

---

① 《马克思恩格斯选集》第4卷，人民出版社2012年版，第240页。

观"把宗教的人假设为全部历史起点的原人，它在自己的想象中用宗教的幻想生产代替生活资料和生活本身的现实生产。"①其实，人类的历史是离不开物质生活资料的生产的变迁的，不能简单地将宗教的发展史看成是人类发展的历史。恩格斯在《费尔巴哈论》中认为，将人类的历史看成宗教的变迁史不符合社会历史事实。目前，只有佛教、基督教和伊斯兰教这三个世界宗教在人类历史的重大转折点上发挥很大的作用，其他的古老的宗教和民族宗教并没有伴随着人类历史的重大转变而延续下来。例如，原始部落的宗教，只有在本部族里面才能发挥作用，离开了部族，就不能发挥作用。此外，虽然三大世界宗教对人类社会变迁发挥过一定的作用，但是这种作用并不是决定性作用，而仅仅是发挥影响作用而已。例如，基督教在 13—17 世纪是资产阶级解放斗争的旗帜，但是，这种作用并不像费尔巴哈所想的那样，"用人的心灵和人的宗教需要来解释，而要用以往的整个中世纪的历史来解释，中世纪的历史只知道一种形式的意识形态，即宗教和神学。"②在欧洲的封建社会，宗教神学占统治地位，资产阶级革命肯定具有宗教色彩；但是，到了之后的法国资产阶级革命的时候，随着社会的发展，意识形态就发生了变化，资产阶级就开始使用"自由、平等、博爱"这些口号了，抛弃了宗教的手段。恩格斯列举了这样一个历史事例：法国大革命时期的领袖罗伯斯庇尔在摧毁基督教之后，想建立一个无神论的新宗教，最后以失败告终。可见，历史的事实证明宗教不能决定历史，而是社会历史的发展决定宗教的变迁。

（二）批判唯心主义道德观

费尔巴哈的道德观的基础不符合实际，其基本准则是为资产阶级服务的。马克思和恩格斯在《德意志意识形态》中就提出，费尔巴哈在考虑社会历史的问题的时候，是一个唯心主义者。费尔巴哈将爱和友情作为道德的基础。马克思和恩格斯指出，费尔巴哈的爱和友情是抽象的，是与现实生活脱离的。在《费尔巴哈论》中，恩格斯第一次比较详细地表达了对费尔巴哈道德观的看法。费尔巴哈认为，追求幸福的愿望是人生来俱有的，是每个人都享有的权利，所以，它应该是一切道德的基础。追求幸福的欲望又受到一定限制，受到双重的

---

① 《马克思恩格斯选集》第 1 卷，人民出版社 2012 年版，第 174 页。
② 《马克思恩格斯选集》第 4 卷，人民出版社 2012 年版，第 242 页。

矫正："第一，受到我们的行为的自然后果的矫正：酒醉之后，必定头痛；放荡成习，必生疾病。第二，受到我们的行为的社会后果的矫正：要是我们不尊重他人同样的追求幸福的欲望，那么他们就会反抗，妨碍我们自己追求幸福的欲望。"① 因此，人们追求幸福的同时也得尊重别人追求幸福，那么为了大家共同的幸福，就得遵循"对己以合理的自我节制，对人以爱（又是爱！）"的道德基本准则，其他一切准则都是从中引申出来的。恩格斯指出，费尔巴哈的道德基础是无法实现的，因为人的欲望的满足是需要借助外部世界的手段的，例如食物、异性、书籍、娱乐、辩论、活动、消费和加工的对象。如果没有这些外部手段，人的欲望就不可能得到满足，但是，并不是每个人都可以获得这些外部手段的，所以，对于没有这些条件的人，他们的欲望就变得没有任何意义。另外，费尔巴哈所说的追求幸福的平等权利的要求也是不可能的，在阶级社会中，被压迫阶级追求幸福的权利的欲望成为了统治阶级欲望的牺牲品。恩格斯不仅列举了古代封建社会的事例，还指出了资产阶级所谓的平等权利仅仅是口头上的平等，并不是真正意义上的平等。费尔巴哈提出的道德的基本原则是为资产阶级服务的。因为根据费尔巴哈的道德论，只要人们的投机始终都是得当的，证券交易所就是最高的道德殿堂。就是说如果一个人在交易所经常赚钱也并没有妨碍一个经常赔钱的人追求幸福的欲望，因为如果他赔钱就说明他的行为是不道德，他并没有作出正确的盘算，赔钱就是对他的惩罚。这个时候费尔巴哈的爱就不是互相爱了，而是将自己的幸福欲望建立在了别人的痛苦之上。所以，恩格斯指出，"费尔巴哈的道德是完全适合于现代资本主义社会的，不管他自己多么不愿意或想不到是这样。"② 费尔巴哈还企图用他的万能的爱来掩盖无产阶级与资产阶级的对立。在他那里，爱就是可以创造一切的神。恩格斯指出，费尔巴哈哲学中的最后一点的革命性消失了，只留下不分等级、不分性别的相爱，这种做法就是为资产阶级服务的，使得无产阶级沉浸在与资产阶级的和解中而缺乏斗争性。最后，恩格斯指出："简单扼要地说，费尔巴哈的道德论是和它的一切前驱者一样的。它是为一切时代、一切民族、一切情况而设计出来的；正因为如此，它在任何时候和任何地方都是不适用的，而在现实世

---

① 《马克思恩格斯选集》第 4 卷，人民出版社 2012 年版，第 244 页。
② 《马克思恩格斯选集》第 4 卷，人民出版社 2012 年版，第 246 页。

界面前，是和康德的绝对命令一样软弱无力的。"①这也就揭露出了费尔巴哈的道德观的抽象性和非现实性。

恩格斯在《费尔巴哈论》中剖析了费尔巴哈宗教观和道德观的弊端，并作出了深刻的批判。费尔巴哈对抽象的人的崇拜，忽视阶级之间的差别是其新宗教观和道德观的唯心主义的关键性根源。在阶级社会中，人们之间根本就不存在纯粹的感情，可是费尔巴哈却将人与人之间纯粹的感情关系当成新宗教。费尔巴哈在研究具体问题时，总是能立足于感性的自然，但是涉及人与人之间的关系时就会变得完全抽象，将纯粹抽象的人当成其新宗教观的哲学基础，这样，肯定会陷入唯心主义陷阱。费尔巴哈的道德观以爱为核心，忽视了道德的历史性和阶级性，恩格斯用康德的"绝对命令"原则来类比费尔巴哈的爱的原则，认为二者最后都会失去效用。他指出了"每一个阶级，甚至每一个行业，都各有各的道德"②，所以，费尔巴哈提的爱最后只会沦为一些人对另外一些人的尽可能地剥削之中。通过这些批判，恩格斯不仅仅划分了唯物主义宗教观、道德观和唯心主义宗教观、道德观的界限，而且表明了马克思主义在宗教和道德上的基本立场。

五、马克思主义哲学的科学性和阶级性的统一

马克思主义哲学是在借鉴自然科学的最新发展成果，立足现实社会发展的基础，扬弃前人研究成果的结果的基础上而形成的发展的。它科学地揭示了自然、人类社会、思维发展的客观规律，是为无产阶级服务的科学，真正实现了科学性和阶级性的统一。

（一）马克思主义哲学产生的科学基础和阶级基础

在《费尔巴哈论》中，恩格斯科学地揭示了马克思主义哲学产生的科学基础和阶级基础。

马克思主义哲学产生的科学基础。随着自然科学领域每一划时代发现，唯

---

① 《马克思恩格斯选集》第4卷，人民出版社2012年版，第246—247页。
② 《马克思恩格斯选集》第4卷，人民出版社2012年版，第247页。

物主义也要改变自己的形式。马克思主义哲学同样是在总结自然科学成果的基础上产生和发展的。恩格斯在《反杜林论》和《自然辩证法》对之已有科学的说明。恩格斯指出，19 世纪自然科学的三大发现使自然的主要过程得到说明，将自然发展的原因归结为自然，这样就使唯物主义自然观建立在更加牢固的基础上。尤其是，达尔文生物进化论可以用来当作历史上的阶级斗争的自然科学例证。进而在《费尔巴哈论》中，恩格斯直接指出自然科学中的三大发现，使得人们对自然过程的相互联系的认识有了很大的进步。细胞的发现揭示了生物有机体发展的一般规律，一切高等有机体都是按照共同的规律发育和成长的。能量转化的发现表明了一种形式的能量消失就会有另一种形式的能量出现，自然界的运动可以归结为一种形式向另一种形式转化的过程。达尔文进化论表明人们周围的有机自然物，包括人在内，都是少数原始单细胞胚胎的长期发育过程的产物。不仅仅是这三大发现还有自然科学的其他的巨大进步，都对人们科学阐述自然界规律具有很大的作用。恩格斯指出，"我们现在不仅能够说明自然界中各个领域内的过程之间的联系，而且总的说来也能说明各个领域之间的联系了"①。自然哲学只能做出一些空想和幻想，但是现在"当人们对自然研究的结果只要辩证地即从它们自身的联系进行考察，就可以制成一个在我们这个时代是令人满意的'自然体系'的时候，当这种联系的辩证性质，甚至违背自然科学家的意志，使他们受过形而上学训练的头脑不得不承认的时候，自然哲学就最终被排除了"②。这样，不仅产生了辩证唯物主义自然观，而且奠定了马克思主义哲学的自然科学基础。在此基础上，马克思和恩格斯借助自然科学的最新成果，在历史领域也像在自然领域一样，发现了现实的联系及其客观规律，破除了臆造的人为的联系，发现了在人类社会中起作用的一般运动规律的类自然性，即人类社会的发展也是一个自然历史过程。当然，这里强调的是社会规律和自然规律的"类似性"。

马克思主义哲学产生的阶级基础。马克思主义哲学是无产阶级阶级意识和科学意识的集中体现和理论成果，无产阶级及其阶级斗争是马克思主义哲学产生和发展的阶级基础。在《共产主义者和卡尔·海因岑》中，恩格斯指出："共产主义作为理论，是无产阶级立场在这种斗争中的理论表现，是无产阶级解放

① 《马克思恩格斯选集》第 4 卷，人民出版社 2012 年版，第 252 页。
② 《马克思恩格斯选集》第 4 卷，人民出版社 2012 年版，第 252—253 页。

的条件的理论概括。"①《共产党宣言》中，马克思和恩格斯指出，"资产阶级不仅锻造了置自身于死地的武器；它还产生了将要运用这种武器的人——现代的工人，即无产者"②。无产阶级反对资产阶级的斗争也是与它自身的存在同时开始的，一开始是单个的工人，之后是某一工厂的工人等。他们或者摧毁机器，或者烧毁工厂，攻击资产阶级的生产关系。在《社会主义从空想到科学的发展》中，恩格斯指出法国里昂工人起义、英国宪章运动、德国西里西亚纺织工人起义等无产阶级反对资产阶级的斗争是历史上引起决定性转变的历史事实。无产阶级和资产阶级之间的斗争使得资产阶级的经济学学说、社会主义、旧的唯心主义历史观等都逐渐失去其解释力，新的事实迫使人们对以往的历史作一番新的研究。在《费尔巴哈论》中，恩格斯进一步指出阶级斗争是历史发展的动力，而之前的历史哲学并没有分析出历史发展的动力。无产阶级队伍的壮大，无产阶级运动的兴起，迫切要求能够指导无产阶级实践的革命理论登台。马克思主义哲学在对无产阶级运动经验进行科学总结的基础上，揭示了人类社会发展的规律，是指导无产阶级的实践及运动的科学指南。恩格斯科学地回答了资产阶级和无产阶级如何产生的问题。他认为，资产阶级和无产阶级是因为经济关系发生变化而产生的，进而指出尽管阶级斗争具有政治的形式，但是归根到底还是围绕经济解放进行的。在人类文明史上，只有马克思主义哲学科学总结了阶级产生的原因，揭示了阶级斗争的真正实质，这就使得历史上的很多事情变得有规律可循。

总之，马克思主义哲学的产生是在借鉴人类文明发展的成果的基础和总结工人运动经验的基础上形成发展的，具有科学性和阶级性。

（二）马克思主义哲学对社会发展规律的揭示及其意义

唯物史观是马克思在哲学上的最伟大的贡献。在《费尔巴哈论》中，恩格斯进一步科学地揭示了社会发展的客观规律，丰富和发展了唯物史观。

社会发展规律的客观性。马克思主义哲学揭示了社会发展有其自身的、内在的客观规律。在《德意志意识形态》中，马克思和恩格斯揭示物质生产、精神生产、物质交往和精神交往是相互制约的，历史不是像唯心主义者认为的那

---

① 《马克思恩格斯选集》第 1 卷，人民出版社 2012 年版，第 291 页。
② 《马克思恩格斯选集》第 1 卷，人民出版社 2012 年版，第 406 页。

样是想象的主体的想象活动。在《费尔巴哈论》中，恩格斯直接指出，应该像在自然领域一样去发现社会的发展规律，"在这里也完全像在自然领域里一样，应该通过发现现实的联系来清除这种臆造的人为的联系；这一任务，归根到底，就是要发现那些作为支配规律在人类社会的历史上起作用的一般运动规律"①。马克思主义哲学之前的历史哲学、法哲学以及自然哲学等都是用臆造的联系代替现实的联系，将社会看成是个别人思想观念或绝对精神的实现，否认社会发展的规律。马克思主义哲学则从社会实践出发，揭示了社会发展的客观规律。恩格斯指出，"历史进程是受内在的一般规律支配的"②。历史事件虽然表面上看起来还是偶然性在起作用，但是这种偶然性是受到内部隐蔽的规律支配的，而这个规律就是社会发展的规律。唯物史观揭示了生产方式矛盾运动的规律、上层建筑与经济基础的矛盾运动规律以及阶级斗争是社会发展的动力，进而揭示出这些规律在社会发展中发挥着决定性的作用。

社会规律和自然规律的联系和区别。社会规律和自然规律都是客观的。马克思在《资本论》第一卷第一版序言中就说道："我的观点是把经济的社会形态的发展理解为一种自然史的过程。"③也就是说，经济的社会形态发展同自然的发展相似，都具有客观性。恩格斯在《费尔巴哈论》中重点阐明了社会规律同自然规律的区别。他指出，在自然界中彼此发生作用的是盲目的、没有意识的动力，自然界的一般规律就体现在这些动力的相互作用中。"在所发生的任何事情中，无论在外表上看得出的无数表面的偶然性中，或者在可以证实这些偶然性内部的规律性的最终结果中，都没有任何事情是作为预期的自觉的目的发生的。"④也就是说，自然界的规律是无意识的，是自发的。但是社会历史领域不同，社会历史的主体是人，人的实践活动是有意识、有目的的。人们总是按照自己的自觉预期的目的来创造历史，历史就是人们不同方向活动的愿望及与外部世界共同作用形成的各种各样作用的合力。所以，社会规律和自然规律的根本区别在于，社会领域内的行动具有一定的目的性和方向性，但是自然界是盲目的、无意识的。当然，这是由实践造成的。但无论是怎样的预期，最后的结果都是事物自身的运动规律发挥作用的结果，都具有客观性。

---

① 《马克思恩格斯选集》第 4 卷，人民出版社 2012 年版，第 253 页。
② 《马克思恩格斯选集》第 4 卷，人民出版社 2012 年版，第 254 页。
③ 《马克思恩格斯文集》第 5 卷，人民出版社 2009 年版，第 10 页。
④ 《马克思恩格斯选集》第 4 卷，人民出版社 2012 年版，第 253 页。

　　社会发展规律的辩证特点。社会发展规律是客观性与选择性的统一。马克思和恩格斯早年的时候，主要任务是与青年黑格尔派、与唯心主义作斗争，所以，他们主要强调社会发展规律的客观性，因此，主要致力于揭示社会发展的客观规律。到了晚年，为了反驳那些资产阶级学者对历史唯物主义的歪曲理解，马克思在研究俄国发展道路时，提出了不通过"卡夫丁峡谷"的设想，表明不同的社会情况可以在尊重社会发展客观规律的同时，具有自己的选择。进而，恩格斯在《费尔巴哈论》中指出，人们总是通过每一个人追求自己的、自觉的预期的目的来创造自己的历史，历史就是不同方向活动的愿望和外部世界的各种各样的作用力的结果。那么，单个人的意志或者说人们的意志活动是受什么影响呢？人们的预期目的的动力是什么呢？恩格斯指出，并不是旧唯物主义所说的精神动力，也不是黑格尔所代表的历史哲学所做的从哲学的意识形态把这种动力输入历史。恩格斯认为，历史人物的动机背后并且构成历史真正的最后的动力，是"使广大群众、使整个整个的民族，并且在每一民族中间又是使整个整个阶级行动起来的动机；而且也不是短暂的爆发和转瞬即逝的火光，而是持久的、引起重大历史变迁的行动。"①所以，探讨那些所谓的伟大人物的头脑中思想的成因，可以引导我们去探索在整个历史时期或个别时期和个别国家历史中起支配作用的规律。不管人们头脑中有什么样预期的目的或者意志，主要也是由不同的社会情况决定的。这也就使得客观性和选择性表面上相矛盾的特点在社会发展规律上得到了统一。

　　马克思主义哲学实现了唯物主义自然观、唯物主义历史观、唯物主义辩证法的统一。旧唯物主义虽然在自然观上承认物质的第一性，却在历史领域中陷入了唯心主义，也就是历史唯心主义。以黑格尔为代表的唯心主义，虽然具有辩证法的思想，却将头脑中臆造的联系当作现实的联系，把历史看成是观念的逐渐实现，而且认为是哲学家喜欢的那些观念的逐渐实现。马克思主义哲学就是在与旧哲学的不断斗争中产生的，是关于自然、社会和思维一般规律的科学。恩格斯在《反杜林论》中就指出，辩证法是关于自然界、人类社会和思维的运动和发展的普遍规律的科学。他还指出，黑格尔凭借绝对精神实现了自然观、历史观和辩证法的统一。马克思主义哲学不仅在总结自然科学取得成就的基础上形成了唯物主义自然观，而且认为社会发展史同自然发展史一样具有客

---

① 《马克思恩格斯选集》第4卷，人民出版社2012年版，第255—256页。

观的运动的规律。恩格斯在《费尔巴哈论》中，层层递进探索历史发展的动力，得出经济关系对社会发展的决定性作用，并且肯定国家与法对经济关系的反作用。恩格斯指出："现在无论在哪一个领域，都不再是从头脑中想出联系，而是从事实中发现联系了。这样，对于已经从自然界和历史中被驱逐出去的哲学来说，要是还留下什么的话，那就只留下一个纯粹思想的领域：关于思维过程本身的规律的学说，即逻辑和辩证法。"①马克思主义哲学的贡献就在于，在科学实践观的基础上，将唯物主义与辩证法相结合，从而实现了唯物主义自然观、唯物主义历史观和唯物主义辩证法的统一。

（三）马克思主义哲学实现了科学性和阶级性的统一

马克思主义哲学是科学性和阶级性的有机统一。在《费尔巴哈论》中，恩格斯进一步科学地阐明了这一点。

在恩格斯看来，马克思主义哲学的科学性和阶级性是统一的。马克思主义的科学性表明，它不是主观的任意的学说，而是建立在实践基础上，揭示了自然、社会和思维领域一般运动规律的科学。马克思主义的阶级性，主要是表明马克思主义是代表无产阶级利益的学说。马克思主义的科学性体现其阶级性。没有科学性，阶级性就无从谈起；阶级性也要求科学性为基础。恩格斯在《费尔巴哈论》中鲜明地指出，"科学越是毫无顾忌和大公无私，它就越符合工人的利益和愿望。"②也就是说，那些为资产阶级掩饰的科学和意识形态是工人阶级斗争的对象。马克思主义哲学一开始就主要是面向工人阶级的，并且在工人阶级那里得到了肯定。马克思主义哲学作为指导无产阶级运动的思想武器必须具有科学性。无产阶级本身就是大工业的产物，是先进生产力的代表，必须以科学的先进的理论指导其运动。之前的旧哲学都不能解释现实社会，充其量只诉诸"批判的武器"，根本不懂得"武器的批判"。马克思和恩格斯密切关注工人运动的实际情况，并且时刻关注自然科学和社会科学的发展情况，在总结其规律的基础上不断发展自身的理论，实现了科学性和阶级性的统一。马克思主义哲学最重要的特征是实践性。实践的特性保证了其科学性。实践的主体是无产阶级，无产阶级运动的历史为马克思主义哲学的形成和发展提供了实践基

---

① 《马克思恩格斯选集》第4卷，人民出版社2012年版，第264页。
② 《马克思恩格斯选集》第4卷，人民出版社2012年版，第265页。

础。马克思和恩格斯亲自参与无产阶级的运动，了解工人阶级的真实状况，分析革命运动的趋向，并提出自己的科学建议。作为代表工人阶级利益的学说，马克思主义哲学揭示了自然、社会和思维领域的一般运动规律，真正实现了科学性和阶级性的统一。

总之，无论是从马克思主义哲学的形成和发展过程，还是从马克思主义哲学自身的内容来看，马克思主义哲学都完美地实现了科学性和阶级性的统一。

六、在劳动发展史中找到理解全部社会史锁钥的新派别

恩格斯在概括和总结马克思主义哲学产生和发展规律时提出，马克思主义是在劳动发展史中找到了理解全部社会史的锁钥的哲学新派别。这表明马克思主义始终站在实践的角度理解社会历史，不仅将唯心主义从其最后的避难所中驱逐出去了，创立了唯物史观；而且在实践的基础上实现了唯物主义和辩证法、自然观和历史观以及辩证法、逻辑学和认识论的统一，使马克思主义哲学成为一个科学的整体。社会历史观的基本观点是社会存在决定社会意识。除了人口、地理环境等自然物质条件之外，社会存在最主要的形式是生产方式。生产方式的成果是劳动者创造出来的，也就是说历史是劳动者创造的，劳动者是历史的主体。所以说，想要了解社会生活就得了解物质生活，想要了解物质生活就得深入了解劳动生活，想要了解社会发展历史，就得深入了解劳动发展史。这是马克思主义哲学的独特视角和伟大贡献。

科学实践观是马克思主义哲学变革的关键和实质。在确立科学实践观的基础上，马克思恩格斯实现了哲学的伟大变革，创立了马克思主义哲学。在《1844年经济学哲学手稿》中，马克思指出，全部人的活动迄今为止都是劳动，也就是工业，就是同自身相异化的活动。马克思的异化思想力图说明，从奴隶社会到资本主义社会，人们的劳动都不是自由自觉的活动。马克思指出，"对社会主义的人来说，整个所谓世界历史不外是人通过人的劳动而诞生的过程，是自然界对人来说的生成过程"[1]。也就是说，劳动是社会历史发展的动因。马克思还提出了"共产主义作为私有财产的扬弃就是要求归还真正人的生命即人

① 《马克思恩格斯文集》第1卷，人民出版社2009年版，第196页。

的财产，就是实践的人道主义的生成一样"①。这里，"实践的人道主义"是相对于费尔巴哈的理论的人道主义而言的，马克思这里已经意识到实践的重要性。在《关于费尔巴哈的提纲》中，马克思指出："从前的一切唯物主义（包括费尔巴哈的唯物主义）的主要缺点是：对对象、现实、感性，只是从客体的或者直观的形式去理解，而不是把它们当做感性的人的活动，当做实践去理解，不是从主体方面去理解。"② 马克思还强调："凡是把理论引向神秘主义的神秘东西，都能在人的实践中以及对这种实践的理解中得到合理的解决。"③ 实践对理解社会具有重要意义。在此基础上，在《德意志意识形态》中，马克思恩格斯进一步明确地指出，"实际上，而且对实践的唯物主义者即共产主义者来说，全部问题都在于使现存世界革命化"④。这里，"实践的唯物主义"是对"实践的人道主义"的科学扬弃，突出了马克思主义哲学和共产主义事业的统一。实践的唯物主义者就是共产主义者，实践的唯物主义就是科学共产主义。这时马克思已经形成了唯物史观，认识到了实践对改变现存世界的重要性。在这个意义上，实践不仅是马克思主义认识论首要的和基本的观点，而且是唯物史观的首要的和基本的观点。当然，马克思恩格斯始终强调，外部世界的优先性始终存在。因此，在《自然辩证法》中，恩格斯指出："劳动是整个人类生活的第一个基本条件，而且达到这样的程度，以致我们在某种意义上不得不说：劳动创造了人本身。"⑤ 劳动使人类社会区别于猿群。正是劳动使得人类成为人，手和语言都是劳动的产物。进而，在《费尔巴哈论》中，恩格斯直接鲜明地指出："在劳动发展史中找到了理解全部社会史的锁钥的新派别，一开始就主要是面向工人阶级的，并且从工人阶级那里得到了同情，这种同情是它在官方科学那里既没有寻找也没有期望过的。"⑥ 这就直接而明确地概括了马克思主义哲学的重大贡献及其阶级实质。马克思主义哲学一开始就是面向工人阶级的，承认劳动的作用，就是承认劳动者的历史主体作用，就是承认工人阶级的主体作用。马克思主义哲学就是指导工人阶级解放的科学学说，就是实现共产

---

① 《马克思恩格斯文集》第 1 卷，人民出版社 2009 年版，第 216 页。
② 《马克思恩格斯选集》第 1 卷，人民出版社 2012 年版，第 133 页。
③ 《马克思恩格斯选集》第 1 卷，人民出版社 2012 年版，第 135—136 页。
④ 《马克思恩格斯选集》第 1 卷，人民出版社 2012 年版，第 155 页。
⑤ 《马克思恩格斯全集》第 26 卷，人民出版社 2014 年版，第 759 页。
⑥ 《马克思恩格斯选集》第 4 卷，人民出版社 2012 年版，第 265 页。

主义的科学的哲学。

　　劳动发展历史过程反映了社会形态的变化。劳动加上自然是一切财富的源泉。劳动是塑造形式的活火，是社会存在的基础，是社会发展的动力。劳动发展史即社会发展史。从其社会形式来看，人类经历了三种形式的奴役劳动，最终将达到自由联合劳动的状态。奴役劳动和自由劳动都对应着相应的社会形态。恩格斯在《家庭、私有制和国家的起源》中指出："奴隶制是古希腊罗马时代世界所固有的第一个剥削形式；继之而来的是中世纪的农奴制和近代的雇佣劳动制。"①所以人类历史上第一种奴役劳动的形式就是奴隶制劳动，也就是奴隶社会时期的奴隶为奴隶主服务的劳动。那时候，奴隶直接属于奴隶主，自身没有任何权利，可以自由地被买卖。奴隶本身就是一种生产资料，奴隶在奴隶主的支配下进行劳动。这种情况下，生产资料对奴隶的控制就表现为人与人之间的控制和从属关系。奴隶通过劳动创造出来的财富远远超过他自身得到的生活资料，在压制下的劳动难免会影响劳动者的积极性，最后也会激发奴隶和奴隶主之间的矛盾，进而被新的生产方式所取代。随着生产力的提高，封建制生产方式出现了。这个时候，地主阶级占有基本的生产资料也就是土地，劳动者只有少数或者没有土地。农民需要向地主缴纳地租或者给地主服役来代替地租。这个时候农奴拥有一定的土地和生产工具，但是由于地租过重，他们只能将自己限定在土地上，而且他们的剩余劳动几乎都成为了地租，只保留了自己的勉强度日的生活资料，所以，封建的生产方式也会限制农奴的积极性。随着大机器生产力的发展，出现了资本主义雇佣劳动。马克思和恩格斯对资本主义的雇佣劳动进行了详细的说明。资本主义的雇佣劳动是商品生产的最高阶段，资产阶级拥有生产资料，而工人阶级除了自身的劳动力一无所有，所以，只能出卖劳动力获得生活资料。马克思在《1844年经济学哲学手稿》中提出了异化劳动的概念，指出异化劳动使得人与自己的劳动产品相异化，使人与人的劳动活动相异化，使人与人的类本质相异化，使人与人之间异化，也就是说异化的劳动活动会影响人类的活动及人的生活状态，进而也会影响整个社会生活的状态。马克思在《资本论》中对资本主义下的劳动过程进行了详细的阐述，丰富发展了劳动价值论并形成了剩余价值理论。马克思和恩格斯主要对资本主义社会的雇佣劳动进行了批判，并提出了自由联合劳动的理想。自由联合劳动

---

① 《马克思恩格斯选集》第4卷，人民出版社2012年版，第192页。

必然代替资本主义的雇佣劳动，但是这需要经过漫长的历史发展过程，就像之前的农奴制和奴隶制被代替一样。自由联合劳动是自由劳动和联合劳动的统一。自由联合劳动真正消除了奴役劳动，进而能够使每一个社会成员完全自由地发挥出他自身的全部力量。自由联合劳动对应的社会形态是共产主义社会。

劳动是社会生活的必要条件，劳动的发展历程影响着社会的发展历程，也映射着社会的发展历程。劳动创造了人，创造了社会，劳动的主体与客体矛盾的展开促使了社会运动的发生。劳动对历史唯物主义而言，是联系各个范畴的枢纽范畴，所以通过它，各种社会现象都可以得到合理的解释。只有了解劳动过程，才能了解社会。只有了解劳动本质，才能了解社会本质。只有了解劳动发展的规律，才能了解社会发展的规律。

总之，在《费尔巴哈论》中，恩格斯全面概括了马克思主义的哲学观，表明了马克思主义的哲学立场，进而捍卫和发展了马克思主义哲学。

第二节　拓展历史唯物主义辩证法向度

恩格斯晚年的"历史唯物主义通信"，反映了恩格斯在马克思去世之后对历史唯物主义的捍卫和发展。在"历史唯物主义通信"中，恩格斯严厉批判了资产阶级学者歪曲和篡改马克思主义的行为，坚持了马克思主义的科学性和革命性。"历史唯物主义通信"不仅丰富深化了唯物史观，还对如何学习和掌握历史唯物主义提出了很多建议，是马克思主义发展史上的重要篇章。

一、纠正对唯物史观的"经济唯物主义"的庸俗理解

19 世纪 90 年代，德国工人运动有了很大的发展，马克思主义在工人运动中已经起主导作用，历史唯物主义在工人运动中的影响也逐渐增强。为了反

对和攻击马克思主义，资产阶级就肆意歪曲和伪造历史唯物主义的原理，这方面的典型代表就是以巴尔特为代表的庸俗社会学和"青年派"组织。恩格斯认为，巴尔特的观点是荒唐可笑的，巴尔特根本没有理解马克思的思想，没有理解唯物史观。"青年派"的问题则是一场"大学生的噪动"。鉴于巴尔特和"青年派"在这一时期已经对马克思主义理论及其实践造成了一定不良影响，恩格斯决定以书信的形式对他们进行深刻而系统的批判，进而捍卫和发展历史唯物主义。

庸俗社会学的观点及其局限性。庸俗社会学坚持社会生活就是经济生活，社会过程是经济因素自动作用的结果，否认意识形态和上层建筑对社会生活的作用。这完全曲解了马克思的历史唯物主义，回到了之前的机械唯物主义。巴尔特是德国庸俗社会学家的代表，他不仅用唯心史观来解读和反对历史唯物主义，而且最重要的手段就是把历史唯物主义歪曲成"经济唯物主义"，进而鼓吹"经济唯物主义"，鼓吹机械论、宿命论和自发论，在理论上则表现出标签化、公式化的教条主义倾向。他在《作为社会学的历史哲学》一书中就提出，可以直接把马克思和恩格斯的观点理解为经济观点。马克思的唯物史观根本不讲意识形态在社会发展中的作用，经济的发展是自动的，而人只是经济的奴隶。他认为，马克思似乎没有在什么地方证明过，政治和经济存在着相互作用的关系，当然也不能证明经济先于政治。经济和政治之间是相互决定的，不能说一个是基础。这就是巴尔特的唯心主义所在。巴尔特旨在否定社会发展中最终起决定作用的是物质生产和经济基础的历史唯物主义基本原理。

"青年派"组织的观点及其局限性。19世纪90年代的德国还出现了没落的年轻的资产者加入德国民主党的热潮。他们成立了"青年派"组织，纷纷宣称自己是马克思主义者。他们虽然读过一些马克思的书，却没有真正掌握马克思历史唯物主义思想，也没有斗争经验，不了解无产阶级斗争的现实状况，骨子里还留有资产阶级知识分子的东西。恩斯特是"青年派"的代表人物，自称是马克思主义的"拥护者"，实际上却根本不懂马克思主义。他把唯物史观理解成公式和套语，试图用经济因素的自动作用来说明复杂多变的社会现象。比较典型的事例就是他对易卜生作品的评价，他毫不考虑该作品产生的环境，简单地将其归因为该时代经济发展的结果。用公式化的分析来说明艺术创造这种特殊又复杂的社会活动，不解释作家和阶级的相互关系，仅仅作出简单化的判断行为，这一切表明他根本不了解唯物史观。

不管是巴尔特还是"青年派"都曲解历史唯物主义。实际上，经济因素并不是历史发展的唯一决定因素，社会历史是经济基础和上层建筑等一切要素交互作用的结果。恩格斯在晚年的书信中不止一次提到，希望从经济上揭示任何社会现象的行为，"很难不闹出笑话来"。① 正是在纠正庸俗社会学和"青年派"组织对历史唯物主义的错误理解中，恩格斯写下了著名的"历史唯物主义通信"，主要是恩格斯 1890 年 8 月 5 日和 10 月 27 日致康拉德·施米特、1890 年 9 月 21—22 日致约瑟夫·布洛赫、1893 年 7 月 14 日致弗兰茨·梅林、1894 年 1 月 25 日致瓦尔特·博尔吉乌斯的书信。这些书信具体阐述了历史唯物主义的基本原理，尤其是着重强调了上层建筑对经济基础的反作用。在坚持历史唯物论的前提下，突出强调了历史辩证法，进而丰富和发展了历史唯物主义。

二、社会物质生活条件在历史发展中的作用

社会物质生活条件包含人们已有的和他们通过自己的活动创造出来的各种客观物质条件，已有的部分就是既有的人口和地理环境，通过自己的活动创造出来的条件就是物质资料的生产和再生产所提供的经济基础。原来既存者可称之为自然物质条件，后者创造者可称之为经济物质条件。无论人们进行何种活动都得立足于一定的物质生活条件，这是人们现实生活的客观基础。社会物质生活条件在历史发展中起着基础性和前提性的作用。

自然物质条件是社会物质资料生产的必要条件。马克思和恩格斯在《德意志意识形态》中就肯定了物质生活条件包括已有的生活条件，那就是自然物质条件。马克思和恩格斯指出："任何历史记载都应当从这些自然基础以及它们在历史进程中由于人们的活动而发生的变更出发。"② 他们列举了地质条件、山岳水文条件、气候条件等。在之后的著作中，马克思和恩格斯也都提到了自然物质条件对社会物质资料的作用。在《资本论》中，马克思就指出："劳动

---

① 《马克思恩格斯选集》第 4 卷，人民出版社 2012 年版，第 605 页。
② 《马克思恩格斯文集》第 1 卷，人民出版社 2009 年版，第 519 页。

是财富之父，土地是财富之母。"①这样，就充分肯定了土地在创造财富时的作用。恩格斯在1894年1月25日致符·博尔吉乌斯的信中提到"在经济关系中还包括这些关系赖以发展的地理基础"②。与之前相比，这里明确地提到了经济关系中包含了地理基础。恩格斯所说的经济关系就是社会物质生活条件，地理基础就是自然物质条件，例如气候、土壤、地形、水源以及生物物种的丰富程度等等。劳动的对象和劳动工具都来源于自然界，用自然界的材料制造而成。没有自然界，社会物质资料的生产就没法进行。甚至作为劳动主体的人最初也来源于自然。不仅如此，自然条件还对人的身体健康造成一定的影响，进而对劳动力具有影响。自然条件的差异对社会发展有着一定的影响，不同地区的自然条件的差异就会造成不同地区发展模式和发展程度的差异。例如，土壤肥力的差异会影响农作物的生产状况。所以，想要进行物质资料的生产，就不能忽视自然物质条件。当然，我们不能由此走向地理环境决定论。

生产方式是社会历史发展的决定性基础。在《哲学的贫困》中，马克思就指出："随着新生产力的获得，人们改变自己的生产方式，随着生产方式即谋生的方式的改变，人们也就会改变自己的一切社会关系。"③也就是说，生产方式对社会关系起着决定性的作用。在"历史唯物主义通信"中，恩格斯进一步指出，作为社会历史的决定性基础的经济关系，是指一定社会的人们生产生活资料的方式，以及在有分工的条件下彼此交换产品的方式。马克思、恩格斯从广义上讲生产的时候，包括分配、交换和消费等环节，所以，这里涉及的交换方式可以包含在生产方式中，这就直接表明生产方式是社会历史发展的决定性基础。恩格斯最后一句提到生产和运输的全部技术，指的就是生产力。作为生产方式的一部分，生产力是社会历史发展中最终起决定性作用的因素。"这种技术，照我们的观点看来，也决定着产品的交换方式以及分配方式，从而在氏族社会解体后也决定着阶级的划分，决定着统治关系和奴役关系，决定着国家、政治、法等等。"④技术设备属于生产工具的范畴，生产工具是衡量生产力变化的客观依据和尺度。生产力的提高，首先从生产工具的变化、革新开始。生产工具的变化反映了生产力发展的不同阶段，还决定着生产关系的变化。马

① 《马克思恩格斯文集》第5卷，人民出版社2009年版，第56—57页。
② 《马克思恩格斯选集》第4卷，人民出版社2012年版，第648页。
③ 《马克思恩格斯选集》第1卷，人民出版社2012年版，第222页。
④ 《马克思恩格斯选集》第4卷，人民出版社2012年版，第648页。

克思在《哲学的贫困》中将手推磨和蒸汽磨看成是区分封建主的社会和工业资本家的社会的重要标尺。恩格斯在这里用技术代表生产力，就是因为技术的发展可以反映生产力的发展程度和水平。以技术为代表的生产力决定交换方式和分配方式，也就是生产力决定生产关系。阶级的产生是生产力发展到一定阶段的产物；国家的变化，政治和法律的结构，最终是要回到生产力中去寻找其根源。所以，生产力是生产方式中最根本的因素，是历史发展中最终起决定作用的因素，生产关系是生产方式中直接决定社会发展的因素。

在社会物质生活条件中还存在之前发展阶段遗留下的物质生产资料或者对物质生产与再生产的存在影响的外部环境。在历史发展的进程中，后一阶段总会遇到前一阶段留下的大量的生产力、资金和环境，这就给后一代提供了物质生活资料，使他们可以获得物质生活条件并进一步发展物质生活。马克思恩格斯曾经在《德意志意识形态》中说过，"每一代都利用以前各代遗留下来的材料、资金和生产力"①。当然，这也会使后一代受制于这些条件。恩格斯在致博尔吉乌斯的信中，进一步指出在经济关系中事实上包括由过去沿袭下来的先前各经济发展阶段的残余，当然还包括围绕着这一社会形式的外部环境。这些外部环境包括与他国的交往关系，与其他民族的经济关系，国际的大环境，等等。这些因素都会对一个国家某一阶段的经济发展产生影响，对社会历史的发展产生影响。

恩格斯指出社会历史发展的决定性因素是社会物质生活条件，在社会物质生活条件中最终起决定性作用的是生产力。但是，这并不意味着经济状况可以自动推动历史发展，而是人在社会关系中，通过实践创造着这个世界。当然在现实关系中，"经济关系不管受到其他关系——政治的和意识形态的——多大影响，归根到底还是具有决定意义的，它构成一条贯穿始终的、唯一有助于理解的红线。"②总之，社会物质生活条件包含着很多内容，生产方式是对社会发展起决定性作用的力量，生产力的发展会促进社会的变革。社会物质生活条件的不断改善有利于推动社会历史的不断发展。显然，历史唯物主义所讲的"物"是一个复数。

① 《马克思恩格斯选集》第1卷，人民出版社2012年版，第168页。
② 《马克思恩格斯选集》第4卷，人民出版社2012年版，第649页。

三、人们创造历史的能动性和受动性

马克思和恩格斯在创立唯物史观时就肯定了人们在历史发展过程中的能动性。历史决不是没有人参与的经济状况自动发展的结果，而是人们自己通过实践活动创造的。现实的人是能动性和受动性的统一体。现实的人可以利用现有的自然条件生产自己的生活资料，表现出其生活能动性的一面。另外，现实的人受到其所属历史阶段物质条件的限制，具有受动性。所以，人们创造历史既具有主观的能动性，也受制于一定的社会条件。

人在社会发展中的能动性。人是自然界发展的产物，但是，人与动物不同，人的存在是能动的存在，人有意识和思想，会根据自己的目的和需要改变自然，使自然成为人化自然。在《1844 年经济学哲学手稿》中，马克思指出："有意识的生命活动把人同动物的生命活动直接区别开来。"[1] 人和动物的生产是不同的，动物的生产是在直接的肉体需要支配下的片面的生产，人不在肉体需要的影响下也可以生产，人的生产是全面的。动物只生产自身，而且生产的产品只属于它自己的肉体，而人会再生产整个自然界，并且自由地面对自己的产品；动物只懂得按照其所属的那个种的尺度来构造自身，但是人按照美的规律，按照外在尺度和内在尺度来构造。人和动物生产的区别在于人能动地参与社会生活，人在实践活动中会形成对世界的看法，相应地，人在实践活动中产生的想法会反过来影响其实践活动。所以，人创造历史具有主观能动性，人能够根据自己认识的必然性规律来改造自己所处的客观世界，而不是听任客观世界摆布。当然，人发挥主观能动性，不能违背客观规律。当人们违背客观规律时，就会遭到自然的"报复"和"惩罚"，就会对历史发展产生抑制作用。在《费尔巴哈论》中，恩格斯进一步总结了人是创造历史的主体。在晚年的通信中，恩格斯在反对"青年派"的观点时提出，"我们自己创造着我们的历史"[2]。人是历史创造的主体。如果没有人们积极地参与生产实践活动，历史就无法前进。所以，历史是人们在一定的现实的条件的基础上创造的。但是值得注意的是，人们的意向通常是相互交错的，正因为如此，社会才会表现出偶然性。但

---

[1] 《马克思恩格斯文集》第 1 卷，人民出版社 2009 年版，第 162 页。
[2] 《马克思恩格斯选集》第 4 卷，人民出版社 2012 年版，第 604 页。

是，社会归根究底还是受经济必然性的影响的，经济活动的主体还是人。所以，反观历史发展进程的时候，不能忽视人的主体的作用，不能忽视人的实践活动，如果忽视了人的创造性活动，就只能像"青年派"那样陷入历史宿命论的泥潭中。

人在社会发展中的受动性。这个受动性主要体现在人们主观能动性的发挥需要借助于一定的物质生活条件。马克思和恩格斯在《德意志意识形态》中就已经提出，他们所说的人是现实的人，不是抽象的人。作为现实的人，就需要"受自己的生产力和与之相适应的交往的一定发展——直到交往的最遥远的形态——所制约"①。恩格斯在给布洛赫的信中指出："我们自己创造着我们的历史，但是第一，我们是在十分确定的前提和条件下创造的。其中经济的前提和条件归根到底是决定性的。但是政治等等的前提和条件，甚至那些萦回于人们头脑中的传统，也起着一定的作用，虽然不是决定性的作用。"②这就表明，人们主观能动性的发挥需要借助一定的社会物质生活条件，离开了社会物质生活条件，主观能动性只是在思维领域中的任意幻想，并不能对历史发展起任何作用。人们的创造性活动也是受客观的社会物质生活条件启发的，不是自己主观臆想的。那些故意突出个人在创造历史过程中的突出作用的学说，是荒谬的。那些所谓的英雄也是当时社会环境选择的产物。若超出客观的现实条件，他们难以发挥作用。人们的实践活动归根到底受当时的物质生活条件限制，但是，并不代表其他的因素不发挥作用，比如，政治活动、文化活动、社会运动等也会影响到历史的发展。恩格斯以勃兰登堡发展的历史为例说明，认为勃兰登堡之所以成为体现了南北部之间的经济差异、语言差异以及宗教差异的强国，不仅仅是经济上的原因，政治、军事等方面的因素也发挥了重要的作用。

在总体上，现实的人是对象性的存在物。人在与其他对象的互动关系中成为能动和受动的统一体。人在劳动实践活动中创造了属于自己的历史，并在继承历史遗留的成果的基础上不断发展着自己的历史。历史唯物主义存在着其主体向度，就是对人创造历史的肯定，就是对人在创造历史过程中主观能动性与受动性统一的辩证阐述。

---

① 《马克思恩格斯文集》第 1 卷，人民出版社 2009 年版，第 524—525 页。
② 《马克思恩格斯选集》第 4 卷，人民出版社 2012 年版，第 604—605 页。

四、社会发展的规律、动力和合力

　　恩格斯深刻地揭示了社会发展的辩证法，指明了历史发展的客观规律性和历史活动中主观因素即人的意志的辩证关系，体现了历史发展是主观因素和客观因素的统一，肯定了社会发展规律是人们活动的规律。生产力和生产关系的矛盾运动、经济基础和上层建筑的矛盾运动是社会发展的根本动力，阶级斗争是社会发展的基本动力。不可忽视的是，个人在历史发展中也发挥着一定的作用。为了说明历史发展规律与个人意志的辩证关系，恩格斯进一步提出了历史"合力"的思想。

　　社会发展的规律性，表现为必然性和偶然性的统一。马克思在《资本论》中提出，人类社会的发展是一个自然历史过程，有其必然性。历史科学的任务就在于揭示社会发展规律。在此基础上，恩格斯晚年给博尔吉乌斯的信中指出，人们创造着自己的历史，但是到现在为止的历史，出现了一个矛盾的现象，它不是按照人们的共同意志和共同计划创造的，甚至也不是在某个特定的有明确界限的社会内来创造这个历史。而是由许多人在不同的目的、不同的计划的相互矛盾冲突中创造的，其中每个人的意向和目的是相互交错的。但是，"在所有这样的社会里，都是那种以偶然性为其补充和表现形式的必然性占统治地位。在这里通过各种偶然性来为自己开辟道路的必然性，归根到底仍然是经济的必然性"①。这就深刻地揭示了人类社会历史的发展是客观规律在起作用，不过它是由体现必然性的各种偶然性事件开辟道路的。恩格斯以伟大人物的出现阐明必然性和偶然性的关系。他指出，恰巧某个伟大人物在一定时间出现于某一国家，这当然纯粹是一种偶然现象。但是，如果我们把这个人去掉，那时就会需要有另外一个人来代替他，并且这个代替者是会出现的，不论好一些或差一些，但是最终总是会出现的。恰巧拿破仑这个科西嘉人做了被本身的战争弄得精疲力竭的法兰西共和国所需要的军事独裁者，这是个偶然现象。但是，假如没有拿破仑这个人，他的角色就会由另一个人来扮演。这一点可以由下面的事实来证明：每当需要有这样一个人的时候，他就会出现，如凯撒、奥古斯都、克伦威尔，等等。如果说马克思

---

① 《马克思恩格斯选集》第 4 卷，人民出版社 2012 年版，第 649 页。

发现了唯物史观，那么梯叶里、米涅、基佐以及 1850 年以前英国所有的历史编纂学家则表明，人们已经在这方面作过努力，而摩尔根对于同一观点的发现表明，发现这一观点的时机已经成熟了，这一观点必定被发现。这表明，一种适应时代需要的学说和思潮的出现，也绝非偶然，而有其必然性。就唯物史观的形成而论，它也是时代需要成熟的产物。因此，某种社会活动或者一系列的社会发展过程，越是超出人们自觉的控制，越是超出他们支配的范围，就越是显得受纯粹的偶然性的摆布，它所固有的内在规律就越是以自然的必然性在偶然性中为自己开辟道路。那些认为社会发展仅仅是偶然性的观点是远离经济领域研究的结果，这也就说明想要真正理解社会发展的规律性，必须真正立足于社会物质生活条件。

　　社会发展的根本动力是生产力和生产关系的矛盾运动、经济基础和上层建筑的矛盾运动，同时不可忽视阶级斗争和人在社会发展中的作用。1846 年 12 月 28 日，在马克思给安年科夫的信中就指出："人们在发展其生产力时，即在生活时，也发展着一定的相互关系；这些关系的形式必然随着这些生产力的改变和发展而改变。"[①] 这样，就肯定了生产力的作用，并阐述了生产力和生产关系的矛盾运动。在《资本论》中，马克思进一步指出生产力与生产关系出现矛盾，就会促使两者进行调整。如果向积极方向调整，就会进一步促使社会的发展。恩格斯在《社会主义从空想到科学的发展》中指出，资产阶级的生产方式与封建制度的特权等是不相适应的，所以资产阶级摧毁了封建制度，并在此基础上建立了资产阶级的社会制度。但是，随着大工业的发展，新的生产力超过了这种生产力的资产阶级利用形式，生产力和生产方式的冲突就会引发矛盾，必须通过无产阶级革命解决这个矛盾。无产阶级将取得公共权力，并且将资产阶级掌握的社会化的生产资料转变为公共财产。最后人成为社会结合的主人，成为自身的主人——自由的人。在此基础上，恩格斯晚年在给施米特的信中进一步指出："总的说来，经济运动会为自己开辟道路，但是它也必定要经受它自己所确立的并且具有相对独立性的政治运动的反作用，即国家权力的以及和它同时产生的反对派的运动的反作用。"[②] 这里的经济运动主要指的就是经济活动，政治运动主要指的是国家权力、政

① 《马克思恩格斯选集》第 4 卷，人民出版社 2012 年版，第 413 页。
② 《马克思恩格斯选集》第 4 卷，人民出版社 2012 年版，第 609—610 页。

治权力、法等，也就是说经济基础与上层建筑存在作用与反作用的关系。若经济基础和上层建筑沿着同一方向发挥作用，那么社会就会发展得很快；若两者是按照相反方向运动的话，经过一定的时期，社会就会发生矛盾，矛盾运动要么引起社会的崩溃，要么指引社会向更好的方向发展。除生产力和生产关系的矛盾运动、经济基础和上层建筑矛盾运动之外，不可忽视阶级斗争的作用。马克思和恩格斯在《共产党宣言》中就指出，资本主义时代的阶级斗争使得阶级对立简单化了，整个社会日益分化成两个不同的阶级：无产阶级和资产阶级。马克思和恩格斯在总结1848年欧洲革命的结果时，也进一步强调了阶级斗争是社会发展的基本动力，认为不能忽视阶级革命对社会发展的作用。在《费尔巴哈论》中，恩格斯提出自1815年签订欧洲和约以来，英国的政治斗争的中心就是土地贵族和资产阶级之间的斗争；从1830年起，工人阶级就成为了争夺统治而斗争的第三个战士；"这三大阶级的斗争和它们的利益冲突是现代历史的动力，至少是这两个最先进国家的现代历史的动力"①。恩格斯在给布洛赫的通信中指出，阶级斗争的各种政治形式及其成果——由胜利了的阶级在获胜以后确立的宪法等，对社会发展具有一定的作用。阶级斗争离不开人的力量。马克思和恩格斯在《德意志意识形态》中就肯定了人对创造社会生活的重要性，马克思和恩格斯注重经济基础和经济状况是为了纠正历史唯心主义的观点，但是他们并不否认人们在历史中的作用。恩格斯在《费尔巴哈论》中，就提到了人的意志和能动性对社会历史发展的作用，在晚年的通信中则进一步强调了这一点。恩格斯认为，历史的发展离不开人们的实践活动，人们的实践活动是受到自己的意志影响的，历史的一般规律就是在人们不同的意志和力量的交互作用中实现的。

历史合力推动历史的发展。历史合力论主要是恩格斯晚年提出的。在《费尔巴哈论》中，恩格斯在叙述历史规律时就提出了合力的概念，认为历史是合力作用的结果。在给布洛赫的信中，他详细地阐述了历史合力的思想。人们创造历史的活动，犹如无数的力的平行四边形融合为一个总的合力。力的平行四边形是一个力学的法则，是用来解决作用于一点上的两个力的合成（即合力）问题的。根据这个法则，两个作用于一点上的合力，其大小和方向，是以这两个力为邻边所构成的平行四边形的对角线为标志。对角线的长度表示合力的大

---

① 《马克思恩格斯选集》第4卷，人民出版社2012年版，第256页。

小，对角线的方向就是合力的方向。历史的发展与此相类似。无数单个人的意志和力量，就好像无数个力的平行四边形的邻边，无数单个人的意志和力量交互作用的结果，就好像无数个力的平行四边形的合力，无数个合力的交错，最后形成总的合力，即历史的结局。在这里应该注意的是，合力并不是各种力量的简单相加，而是各种力量在相互冲突、相互牵制、相互抵消中所产生的结果，是各种力量在交互作用中融合成为总的平均数。历史最终的结果，往往同每个人所期望的都不相同。在历史发展中，人们各个不同的目的和愿望，在大多数场合都彼此冲突、互相矛盾，其相互作用的结果，人们所期望的东西，都很少如愿以偿，有的能够实现，有的不能实现，有的似乎实现了，但实际的结果和所预期的并不一样。"因为任何一个人的愿望都会受到任何另一个人的妨碍，而最后出现的结果就是谁都没有希望过的事物。"① 这个事实一方面说明，任何个人的意志在历史发展中都起着一定的作用，每个人对合力都有贡献，但是，任何个人的意志都不能决定历史的命运。另一方面说明，历史的发展是不以人们的意志为转移的，它有自己的固有的客观规律性。人们各种意志和力量的相互作用，表面上似乎是偶然性在起作用，但是，这种偶然性始终是受内部的隐藏着的必然性支配的。历史发展的总的合力及其趋势，归根到底是受经济运动的必然性支配的。

社会发展的规律是主体与客体的统一，最终客观条件起主要作用的思想，是恩格斯对马克思主义唯物史观的深入探索的重大贡献。社会发展的动力是人们的实践活动，是人们能动的活动。社会发展的合力促成了社会发展，而合力的形成是不同因素相互作用的结果。社会历史的发展不是直线的，也不是赤裸裸的必然性，而是通过很多偶然性表现出来的。我们越是离开经济领域来探索，就越是能发现其中的偶然性，这就越能发现历史发展中的曲折。"如果您画出曲线的中轴线，您就会发现，所考察的时期越长，所考察的范围越广，这个轴线就越是接近经济发展的轴线，就越是同后者平行而进。"② 这就体现了偶然性与必然性的统一。历史"合力"的思想不是机械的，恰恰相反它体现了历史辩证法。

①　《马克思恩格斯选集》第 4 卷，人民出版社 2012 年版，第 605 页。
②　《马克思恩格斯选集》第 4 卷，人民出版社 2012 年版，第 650 页。

五、生产诸力和生产关系的辩证关系

在唯物史观中，生产力不是一个单数的概念，而是一个复数的概念，因此，此处可以简单地称之为生产诸力。生产诸力是物质生产活动的产物，意味着将生产力的要素当作一个系统来研究，而不是分开考虑。同时，又将不同类型的生产力作为一个整体来对待。生产关系是人们进行物质生产活动形成社会关系，是不以人的意志为转移的。生产诸力决定生产关系，生产关系的变化一定要适应生产力的状况。

生产力是人们利用自然、改造自然、从自然界获取物质生活资料的现实力量。劳动将可能的生产力转变成现实的生产力。马克思恩格斯在《德意志意识形态》中指出，思想、观念和意识的生产最初是与人们的物质生产交织在一起的。"人们的想象、思维、精神交往在这里还是人们物质行动的直接产物。表现在某一民族的政治、法律、道德、宗教、形而上学等的语言中的精神生产也是这样。"[1]可见，生产力也不仅包括物质生产力，还包括精神生产力，是物质生产力与精神生产力的统一。在《资本论》中，马克思完整地呈现了生产力的内涵。马克思提出了直接的生产力，并且将其结构划分为直接劳动的生产力，劳动的社会生产力和高级劳动的生产力。直接劳动的生产力体现在劳动者和生产资料上，同时也体现在两者的结合上；劳动的社会生产力，就是劳动者共同劳动造成的集体力；高级劳动的生产力，主要是生产管理人员和工程技术人员和操作工构成总体工人，他们的活动体现了直接的生产力。如果按照生产力的起源，生产力还可以划分为自然生产力和社会生产力。马克思曾说过"由于占有资本，——尤其是机器体系形式上的资本——，资本家才能攫取这些无偿的生产力：未开发的自然资源和自然力，以及随着人口的增长和社会的历史发展而发展起来的劳动的全部社会力"[2]。广义上讲，自然生产力包含自然力及自然资源、自然条件等。社会生产力，主要是指工人劳动的生产力。在《起源》中，恩格斯还提出了"人自身生产"的概念。在晚年的通信中，恩格斯并没有指出生产力具体包含哪些内容，而是主要指出了生产力在社会历史发展中的决定性

---

[1] 《马克思恩格斯文集》第 1 卷，人民出版社 2009 年版，第 524 页。
[2] 《马克思恩格斯全集》第 47 卷，人民出版社 1979 年版，第 553 页。

作用，并指出了科学技术在生产力中的作用。生产诸力就是从生产力系统的角度来考察生产活动。在社会发展中，必须实现物质生产力与精神生产力相结合，将自然力与劳动经验、文化知识和科学技术结合起来，在劳动过程中形成现实的生产力。

生产关系是在物质生产活动中形成的社会关系。马克思在给安年科夫的信中提到："在人们的生产力发展的一定状况下，就会有一定的交换［commerce］和消费形式。"① 这里所说的"交换和消费的形式"就是后来所使用的生产关系的含义，生产关系总是与生产力相伴产生的，生产关系总是要适应生产力的状况。马克思在批判蒲鲁东时就指出，蒲鲁东忽视了人们在发展生产力的时候，也发展着一定的相互关系，从而揭示了生产关系产生和发展的必然性。生产关系是客观的，是不能自由选择的，虽说生产力决定生产关系，但是人们在发展生产力的时候是不能预知生产过程中形成的各种社会关系的。即使人们预知能力提升，也很难把握人们之间关系体现的客观规律，而只能把握基本的主要的方面。生产关系的客观性带来了生产关系的历史性。生产关系总是随着生产力的发展而不断调整自身，不断变化着，每一种生产关系都是一定的社会条件下的产物，都具有那个历史阶段的特性。生产关系发生的质变，不是简单的继承和改善旧生产关系的结果，而是否定旧生产关系基础上发展起来的，生产关系的历史性与客观性密切联系，不可忽视其在一定阶段具有的稳定性。

生产诸力与生产关系处于相互作用中，生产诸力决定生产关系，生产关系对生产诸力具有反作用。马克思在给安年柯夫的信中就指出："可见，人们借以进行生产、消费和交换的经济形式是暂时的和历史性的形式。随着新的生产力的获得，人们便改变自己的生产方式，而随着生产方式的改变，他们便改变所有不过是这一特定生产方式的必然关系的经济关系。"② 这里的生产力指的是一般的生产力，是社会生产力。恩格斯在给博尔吉乌斯的信中则全面地论述了生产诸力与生产关系的辩证关系。一方面，生产诸力决定生产关系。首先，生产诸力的性质和水平决定生产关系的性质和形式。生产力的状况决定着生产关系的状况，生产关系的建立不能脱离于生产诸力相互作用的结果。在社会物质生活条件中，以技术为代表的生产力是最终起决定作用的力量，生产诸力的相

① 《马克思恩格斯选集》第 4 卷，人民出版社 2012 年版，第 408 页。

② 《马克思恩格斯选集》第 4 卷，人民出版社 2012 年版，第 410 页。

互作用最终决定了生产关系的走向，最终决定了社会历史的发展。其次，随着生产诸力的发展就要求生产关系随之发生变革。随着新的生产诸力的发展，人们就会改变自己的生产方式，随着生产方式的改变，就会改变所有的与这个生产方式相应的经济关系。如果人们不及时改变与生产力不相适应的生产关系，就会出现生产力和生产关系发生冲突的状况，进而可能会发生变革运动。当然对生产关系的调整或变革是先部分维持然后再进行根本性变革的。当生产关系完全不能适应生产诸力发展的要求时，就要求进行根本性变革，建立新的适合生产诸力发展所要求的生产关系。另一方面，生产关系对生产力有反作用。当生产关系适合于生产诸力发展要求时，就会推动生产诸力的发展；当生产关系不适合生产诸力的发展要求时，就会阻碍生产诸力的发展。旧的生产关系因为不能很好地调动生产诸力中的物质要素和精神要素，或者说不能很好地调动客观要素和主观的人的能动性，就会阻碍生产力的发展。相反，如果生产关系能够很好地调动个人生产力和社会生产力，可以为人和物的结合提供合适的方式，就可以充分调动生产力的诸要素，使其充分发挥作用，从而促使生产力的发展。总之，不能过分夸大生产关系的作用，也不能忽略生产关系对生产力的反作用。

显然，生产诸力与生产关系是辩证统一的。生产诸力与生产关系的矛盾运动规律是客观存在的规律，其规律的实现和表现形式是具体的。生产关系的变革并不仅仅取决于生产力水平的高低，还取决于生产诸力与生产关系矛盾的程度。马克思揭示的生产诸力与生产关系的辩证关系和恩格斯之后与"青年派"的通信中多次提到的经济基础诸要素的相互作用，有利于帮助人们科学地理解社会历史现象和社会历史运动。

六、上层建筑和意识形态的能动作用

马克思和恩格斯在创立唯物史观的初期，着重强调了社会物质生活的重要性，因为当时的主要任务是清除社会领域内的唯心主义。马克思和恩格斯在与唯心史观的论战时，常常是针对对方的主要原则，提出自己的观点，所以，这就给了一些人可乘之机，认为马克思和恩格斯忽略社会发展中的主观因素的作用。巴尔特和"青年派"就是这方面的典型。于是，恩格斯在晚年的通信中，根据新的环境，总结了历史唯物主义的基本原理，在全面阐述了经济基础和上层建筑之间的辩证关系的基础上，着重论述了上层建筑诸因素的能动作用，进一步丰富和发展了唯物史观。上层建筑作为整体，包括各种政治的、法的、哲学的、宗教的和艺术的理论等要素。按照恩格斯的观点，一切社会意识形态之间，尤其是政治、法权及制度之间，都有相互作用，并对经济社会的发展产生深刻的反作用。

上层建筑对经济发展具有一定的反作用，主要体现在国家权力及和它同时产生的反对派的运动的反作用上。恩格斯认为，国家权力对经济发展的反作用有三点：第一，国家权力与经济发展的方向相同。在这种情况下，经济发展就会比较迅速，国家权力促进经济的发展；第二，国家权力与经济发展的方向相反。在这种情况下，经济发展缓慢，经过一段的时期必定会崩溃，国家权力就阻碍了经济的发展；第三，国家权力凭借自身改变经济发展的方向，也就是干预经济发展的必然规律，这就会给经济发展带来巨大的伤害，引起人力和物力的巨大浪费。此外，恩格斯还指出，殖民行为虽然会出现毁灭战败者经济资源的情况，但是，从长远角度看，战败者在经济上、政治上和道义上赢得的东西有时比胜利者还多。法也与此相似。恩格斯指出，法"这个领域虽然一般地依赖于生产和贸易，但是它仍然具有对这两个领域起反作用的特殊能力"①。具体说来，"'法的发展'的进程大部分只在于首先设法消除那些由于将经济关系直接翻译成法律原则而产生的矛盾，建立和谐的法的体系，然后是经济进一步发展的影响和强制力又一再突破这个体系，并使它陷入新的矛盾（这里我暂时只谈民法）"②。针对巴尔特提出的马克思和恩格斯否认政治运动对经济运动的反作用的观点，恩格斯指出："他只需看看马克思的《雾月十八日》，那里谈到的几乎都是政治斗争和政治事件所起的特殊作用，当然是在它们一般依赖于经济条件的范围内。"③恩格斯还提出了"或者看看《资本论》，例如关于工作日的那一篇，那里表明立法起着多么重大的作用，而立法就是一种政治行动。也可以看看关于资产阶级的历史的那一篇（第二十四章）。"④恩格斯用反问的形式表明政治权力对经济的重要性，"再说，如果政治权力在经济上是无能为力的，

① 《马克思恩格斯选集》第4卷，人民出版社2012年版，第610页。
② 《马克思恩格斯选集》第4卷，人民出版社2012年版，第611页。
③ 《马克思恩格斯选集》第4卷，人民出版社2012年版，第613页。
④ 《马克思恩格斯选集》第4卷，人民出版社2012年版，第613页。

那么我们何必要为无产阶级的政治专政而斗争呢?"① 经济状况的基础性作用是不容置疑的,但是对历史进程起作用的还有上层建筑的各种因素,比如阶级斗争的政治形式。恩格斯肯定了政治因素在社会历史发展中对经济状况的作用,并举例肯定了马克思对政治因素能动作用的论述。

意识形态的能动作用不仅表现在意识形态对经济基础的反作用上,还表现在意识形态有其自身的相对独立的历史。意识形态对经济基础的反作用体现在意识形态可以对经济发展起促进作用,反之也会对经济发展起阻碍作用。恩格斯在给梅林的信中指出,意识形态家们"常常几乎是故意地忘记,一种历史因素一旦被其他的、归根到底是经济的原因造成了,它也就起作用,就能够对它的环境,甚至对产生它的原因发生反作用。"② 例如,宗教作为中世纪的意识形态,成为愚弄人民和剥削人民的一种精神工具,进而对社会的经济发展产生一定的影响。恩格斯在给梅林的信中着重强调了意识形态自身的独立性。他指出:"历史方面的意识形态家(历史在这里应当是政治、法律、哲学、神学,总之,一切属于社会而不是单纯属于自然界的领域的简单概括)在每一科学领域中都有一定的材料,这些材料是从以前的各代人的思维中独立形成的,并且在这些世代相继的人们的头脑中经过了自己的独立的发展道路。"③ 这就表明意识形态具有历史连续性,意识形态也继承了之前各代人的思维,并且根据新的实践经验加工促成新的发展。意识形态的独立性不仅仅体现在其在思维领域的独立发展上,还表现在其与经济发展的不平衡性上。虽然经济发展决定上层建筑和意识形态,但是,意识形态具有自身的独立性,其自身的发展可能会超出经济发展水平。例如,"经济上落后的国家在哲学上仍然能够演奏第一小提琴"④,经济落后的国家在意识形态上也可能居于领先地位。相反,意识形态也会落后于经济发展的水平。经济发展了,并不代表意识形态领域就会跟着进步。在资本主义社会仍然会有封建社会意识形态的残留。所以,不可忽视意识形态自身的独立性。

总之,上层建筑诸因素在社会发展的过程中具有巨大的能动作用,政治和意识形态也不例外。它们对社会发展的作用有积极的一面,有消极的一面。不

---

① 《马克思恩格斯选集》第 4 卷,人民出版社 2012 年版,第 613 页。
② 《马克思恩格斯选集》第 4 卷,人民出版社 2012 年版,第 644 页。
③ 《马克思恩格斯选集》第 4 卷,人民出版社 2012 年版,第 642—643 页。
④ 《马克思恩格斯选集》第 4 卷,人民出版社 2012 年版,第 612 页。

管是哪一面，都不可以忽视，也不可以忽视它们自身的独立性发展。恩格斯晚年在给施密特、布洛赫、梅林和博尔吉乌斯的通信中着重强调了上层建筑的能动作用，这有助于深化和完善历史唯物主义的观点，是对误读者和反对者的一个有力的回应。在这个意义上，历史唯物论和唯物辩证法是统一的，唯物史观也有其辩证法向度。

纵观历史唯物主义的发展历程，马克思和恩格斯在不同的历史时期强调的内容有所不同。这源于社会是复杂的有机体，马克思主义是与时俱进的理论，必定会随着时代的发展和斗争的需要不断深化和丰富历史唯物主义理论。恩格斯晚年主要是在《费尔巴哈论》中对马克思主义哲学原理进行了系统的阐述，并在"历史唯物主义通信"中重点强调了社会历史发展的辩证法以及如何研究和对待历史唯物主义的问题，进而展现了其对历史唯物主义的贡献。

第三节　论正确认识和对待马克思主义

在马克思主义发展的过程中始终存在着如何回答什么是马克思主义、如何对待马克思主义的问题，即马克思主义观的问题。马克思去世后，恩格斯在捍卫和发展马克思主义的过程中，第一次系统地阐述了马克思主义观，为我们正确认识和对待马克思主义指明了方向。

一、论马克思的伟大发现和理论贡献

马克思一生作出了很多的理论贡献，对当时和后世都产生了巨大而深远的影响，恩格斯在马克思去世后对马克思的比较突出的理论贡献进行了总结，将唯物史观和剩余价值论视为马克思的两大伟大发现。

第一个伟大发现是马克思发现了人类历史发展的规律，确立了唯物史观，阐明了历史唯物主义的基本原理。在马克思之前的许多思想家，虽然也对社会历史进行过探索，但是在社会历史领域都纷纷走向了唯心主义。他们认为一切历史变动的最终原因，都应该在人们的思想领域中去寻求，并且认为政治变动是一切历史变动中最重要的要素。但是他们并没有进一步探索思想活动背后的物质动因，并没有探索政治变动背后的社会环境。恩格斯指出，只有法国历史编纂学家和部分英国历史编纂学家的新学派中，才产生了一种想法，认为至少从中世纪起，新兴资产阶级为争取社会的和政治的统治而同封建贵族所作的斗争是欧洲历史的动力。相比之下，"正是马克思最先发现了重大的历史运动规律。根据这个规律，一切历史上的斗争，无论是在政治、宗教、哲学的领域中进行的，还是在其他意识形态领域中进行的，实际上只是或多或少明显地表现了各社会阶级的斗争，而这些阶级的存在以及它们之间的冲突，又为它们的经济状况的发展程度、它们的生产的性质和方式以及由生产所决定的交换的性质和方式所制约。这个规律对于历史，同能量转化定律对于自然科学具有同样的意义。"[1] 马克思指出了原始社会解体以来的全部历史都是阶级斗争的历史，政治斗争就是旧的阶级要保持统治而新的阶级要争得统治。阶级的产生和存在源于当时存在的基本物质条件，也就是各个时代社会借以生产和交换的必要条件。在中世纪的封建统治到资产阶级社会的统治的发展变化过程中，资产阶级逐渐获得社会权力和社会财富，并在法国大革命后夺取了政权。通过观察社会历史的发展，如果了解了特定阶段的社会物质生活状况，那么这个阶段的现象就可以理解了。也就是说，如果了解社会的物质生活状况，就可以理解和了解社会上纷繁复杂的现象了。恩格斯指出："历史破天荒第一次被置于它的真正基础上，一个很明显的而以前完全被人忽略的事实，即人们首先必须吃、喝、住、穿，就是说首先必须劳动，然后才能争取统治，从事政治、宗教和哲学等等，——这一很明显的事实在历史上的应有之义此时终于获得了承认。"[2] 这是马克思的伟大功绩。历史唯物主义的创立，是人类思想领域的一场伟大革命，彻底清除了一直统治社会领域的唯心主义，确立了社会历史领域的唯物主义，实现了自然观上的唯物主义与历史观上的唯物主义的统一。不仅如此，唯物史观对社会主义的观点有很重要的意义。历史唯物主义证明了人类社会是在阶级斗争中发展的，阶级是社会物质生活条件的产物，与一定的社会历史阶段相联

① 《马克思恩格斯选集》第1卷，人民出版社2012年版，第667页。
② 《马克思恩格斯选集》第3卷，人民出版社2012年版，第723页。

系。原始社会以来的一切社会的历史，都存在阶级对立和阶级斗争，绝大多数的人不仅仅为自己创造了生活资料，还得为那些掌握特权和生产资料的统治者生产生活资料。随着资本主义工业化的发展，生产力获得极大的发展，生产的组织形式不适应生产力的发展，就会促使社会化组织形式出现，统治阶级的统治会阻碍生产力的发展，历史的领导权将会被无产阶级夺取。无产阶级为了获得自身的解放，就会联合起来，一起建立一种社会制度，消灭阶级剥削，使社会的成员都能参与社会物质生活资料的生产、分配和管理。这就从社会历史发展的规律揭示了社会主义产生的必然性和可能性。

第二个重要发现是马克思揭示了现代资本主义生产方式的规律，发现了剩余价值规律。马克思科学回答了在现存的资本主义生产方式下，资本家对工人的剥削是何以可能的及如何产生的问题。马克思扬弃了资产阶级经济学家的劳动价值论，创造性地提出了劳动二重性的学说，并在此基础上揭示了资本主义剥削的秘密。在资产阶级社会中，资本家占有生产资料和生活资料，无产者除了自己的劳动力以外一无所有，所以，只能靠出卖自己的劳动力为生。资本家从市场上购买到工人这个特殊的商品，付给工人的是工人出卖一天劳动力的所必要的生活资料的价值，是按照社会劳动量来计算的工资。而工人在一天的劳动时间内创造的价值是超出这个必要的社会劳动量的，那么剩余的部分就被资本家无偿占有，最终在整个资本家阶级中分配，构成了资本积累的基础。这样，马克思就揭露了资本主义社会的本质：为了极少数人的利益，牺牲大多数人的利益。马克思不是从道德的角度揭露资本主义的剥削本质，而是分析了资本主义社会的生产，从而揭露了其剥削的秘密。剩余价值理论是马克思主义政治经济学的突出贡献，揭示了以往的政治经济学都没法解决的问题，揭示了无产阶级和资产阶级对抗的经济根源，从而和唯物史观一起，论证了社会主义到来的必然性。恩格斯指出："由于剩余价值的发现，这里就豁然开朗了，而先前无论资产阶级经济学家或者社会主义批评家所做的一切研究都只是在黑暗中摸索。"[1] 恩格斯所说的"这里"，指的就是资本主义社会剥削的秘密。

恩格斯在评价马克思时指出："一生中能有这样两个发现，该是很够了。即使只能作出一个这样的发现，也已经是幸福的了。"[2] 马克思的这两个伟大发

---

① 《马克思恩格斯选集》第 3 卷，人民出版社 2012 年版，第 1002—1003 页。

② 《马克思恩格斯选集》第 3 卷，人民出版社 2012 年版，第 1003 页。

现，对往后马克思主义的发展都产生了深远影响，对人类社会也产生了很大影响。但是恩格斯强调，马克思在他所涉及的每个领域都不是浅尝辄止，这是他作为科学家的突出品性。马克思还科学阐明了科学是一种在历史上起革命作用的力量。恩格斯指出："在马克思看来，科学是一种在历史上起推动作用的、革命的力量。任何一门理论科学中的每一新发现——它的实际应用也许还根本无法预见——都使马克思感到衷心喜悦，而当他看到那种对工业、对一般历史发展立即产生革命性影响的发现的时候，他的喜悦就非同寻常了。"①这表明马克思充分肯定了科学对人类社会发展所发挥的作用。在马克思和恩格斯生活的年代，科学上有许多重大的突破，在自然科学领域内的三大发现；社会科学领域内亚当·斯密、大卫·李嘉图对劳动价值论作出的贡献，等等，都给了马克思和恩格斯很大的启发。自然科学的发现和社会科学领域的发展是唯物史观形成的条件之一。工业革命给资本主义的生产带来了深刻的变化。大工业蓬勃发展后，阶级关系逐渐简单，由于经济关系发生变化，或者说是生产方式发生变化，资本家和工人这两大阶级的矛盾突出，阶级斗争成为近代历史发展的动力，唯物史观已经明确说明了这一现象。在马克思和恩格斯其他著作中，尤其是在《资本论》中，着重从科学技术对资本主义生产方式本身及其发展的影响方面做出了具体的阐述。马克思认为，社会的发展归根结底取决于生产力，"生产力的这种发展，最终总是归结为发挥作用的劳动的社会性质，归结为社会内部的分工，归结为脑力劳动特别是自然科学的发展。"②所以科学在社会发展中发挥了很重要的作用，是一种革命性的力量。这就表明，马克思见证了科学给资本主义注入的活力。科学推动了资本主义生产力的快速发展和资本主义生产关系的建立。同时，马克思又预见了科学技术的进一步发展还会促进资本的集中和劳动的社会化，进而引发新的社会革命。在马克思看来，只有在未来的共和国中，科学才会获得充分的发展。同时，科学的充分发展将促进人的自由而全面的发展。

同时不可忽视的是马克思首先是一个革命家，所以他将科学和其掌握的渊博的历史知识看成一种革命的力量。因此，我们不能脱离无产阶级解放事业来诠释和研究马克思主义，马克思主义理论研究事业是共产主义事业的内在组成

① 《马克思恩格斯选集》第3卷，人民出版社2012年版，第1003页。
② 《马克思恩格斯文集》第7卷，人民出版社2009年版，第96页。

部分。恩格斯对马克思两个发现的总结，对马克思的评价，有利于我们更好地把握马克思主义思想的精髓。

二、论马克思主义的科学内涵

马克思主义这一用语在马克思在世时就开始使用。针对那些歪曲马克思主义，自称自己是马克思主义者的人，马克思曾多次说过他不是马克思主义者。因此，如何准确理解马克思主义的科学内涵，也是马克思主义发展史上的重大课题。恩格斯晚年，对之多有科学阐发。

从其研究对象来看，马克思主义是关于自然、社会、思维普遍运动规律的科学。在科学总结自然科学成果的基础上，恩格斯在《反杜林论》和《自然辩证法》等一系列科学文献中都阐明，从纵向的发展来看，整个世界的发展经历了自然运动、社会运动、思维运动三大发展阶段；从横向的构成来看，整个世界是由自然领域、社会领域、思维领域三大领域构成的复杂系统。因此，任何一种正确的理论都必须从整体上反映和把握世界的整体性面貌，科学揭示自然、社会、思维运动发展的普遍规律。黑格尔在唯心主义的基础上做到了这一点。他将自然、社会和思维看作是绝对精神外化的三个阶段，将辩证法看作是覆盖自然、社会、思维三大领域的普遍科学。但是，由于不懂得实践，费尔巴哈割裂了自然和社会的关系，肢解了自然主义和人道主义的关系。这样，如何在科学唯物论和科学实践观的基础上从总体上把握自然运动、社会运动、思维运动的普遍规律，就成为摆在马克思主义面前的重大任务。对此，马克思在《1844年经济学哲学手稿》中提出了自然科学和人的科学的统一问题。进而，在《德意志意识形态》中，马克思和恩格斯将历史科学看作是唯一的科学，认为历史是由自然史和人类史二者构成的不可分割的整体。在此基础上，在批判黑格尔辩证法的唯心主义性质的基础上，恩格斯在《反杜林论》中鲜明地指出，"辩证法不过是关于自然界、人类社会和思维的运动和发展的普遍规律的科学"①。辩证法在自然界和人类社会中都发挥着重要的作用。当然，辩证法也是一种科学的思维形态。其实，不仅仅辩证法如此，整个马克思主义哲学和马

① 《马克思恩格斯选集》第3卷，人民出版社2012年版，第520页。

克思主义理论都是这样。按照唯物主义反映论这一逻辑思路，在1886年给弗洛伦斯·凯利-威士涅威茨基的信中，恩格斯指出，马克思主义是对包含着一连串互相衔接的阶段的发展过程的阐明。所谓一连串互相衔接的阶段的发展过程，就是指从自然运动到社会运动再到思维运动的整个世界的发展过程。这就表明，从研究对象来看，马克思主义是关于自然、社会、思维普遍运动规律的科学。这样，通过科学揭示自然运动、社会运动、思维运动的普遍规律，马克思主义就把伟大认识工具交给了人类尤其是工人阶级。因此，我们应该从整体上来看待和把握马克思主义。但是，我们不能由此认为将马克思主义看作是关于自然、社会、思维运动普遍规律的看法会将马克思主义引向实证科学。其实，这正是马克思主义科学性的保证。相信在人之外存在着一个客观的世界，这是一切科学的基础和前提。马克思主义不是对经验直观的把握，而是在揭示自然、社会和思维规律的同时，展现出了具有自身的革命性和批判性。

从其创立者来看，马克思主义是马克思和恩格斯共同创立的科学理论体系。马克思和恩格斯是珠联璧合的整体。在《费尔巴哈论》中，恩格斯对马克思主义的命名问题给予了详细的回答。他认为，虽然他和马克思共同工作，也参与了马克思主义的创立和阐发过程，但是绝大部分基本思想都是由马克思提出的。他觉得"我所提供的，马克思没有我也能够做到，至多有几个专门的领域除外。至于马克思所做到的，我却做不到。马克思比我们大家都站得高些，看得远些，观察得多些和快些。马克思是天才，我们至多是能手。没有马克思，我们的理论远不会是现在这个样子。所以，这个理论用他的名字命名是理所当然的。"① 马克思对马克思主义的创立起了主导作用，所以，用马克思的名字命名科学共产主义理论体系是恰当的。但是，我们千万不可忽视恩格斯在马克思主义形成和发展中的重要作用和重大贡献。恩格斯的《国民政治经济学大纲》对马克思研究政治经济学起了很大的启发和引导作用；恩格斯的《英国工人阶级状况》对英国社会的描述为马克思之后的研究不仅提供材料上的支持也有思想上的契合，而且与《1844年经济学哲学手稿》具有互补性；恩格斯的《反杜林论》对马克思主义三个组成部分进行了全面系统的阐述，为马克思主义体系化作出了重大贡献；恩格斯的《自然辩证法》较为系统地勾勒出了自然辩证法的轮廓，是马克思主义整体性的不可忽视的重要著

① 《马克思恩格斯选集》第4卷，人民出版社2012年版，第248页。

作，是与马克思的《资本论》相衔接的著作。恩格斯的军事辩证法也是他的独特贡献。他集中研究了战争、军队和各种军事问题，运用历史唯物主义的方法分析军事问题。例如，恩格斯为《美国新百科全书》撰写的军事条目蕴含着丰富而深刻的哲学思想。恩格斯的《费尔巴哈论》对马克思主义哲学与德国古典哲学关系、哲学基本问题和唯物史观进行了系统的阐述，回顾和回应了《德意志意识形态》的基本思想；恩格斯在晚年历史唯物主义通信中对历史唯物主义的捍卫和发展都为马克思主义的形成和发展作出了不可磨灭的贡献，与《〈政治经济学批判〉序言》具有高度的互补性。此外，马克思和恩格斯共同合作完成了《神圣家族》、《德意志意识形态》、《共产党宣言》等一系列科学文献。所以，尽管恩格斯谦逊地将自己称为"第二提琴手"，但是马克思主义肯定是马克思和恩格斯共同创立的科学理论体系，企图造成两者之间的对立的想法是荒谬的。恩格斯是"第二个"马克思。没有恩格斯，同样不会有马克思主义。马克思主义创立之后就在全世界范围内传播，有很多追随者，也不乏歪曲理解者，只有那些真正坚持马克思和恩格斯的立场观点的人才是真正的马克思主义者，而那些打着马克思主义的旗号，制造马克思和恩格斯对立的论者，则不能称其为马克思主义者。

从其政治使命来看，马克思主义是关于无产阶级解放的科学。马克思和恩格斯一直关心无产阶级的生活状况，致力于无产阶级的阶级解放。马克思在《1844 年经济学哲学手稿》中揭示出了工人阶级异化的生活状态，并提出工人只有在共产主义社会中才能真正克服异化的生活状态。恩格斯在《英国工人阶级状况》一书中，对工人阶级生活的情况进行了充分的阐述，揭露了资产阶级与工人阶级的矛盾。在《德意志意识形态》中，马克思和恩格斯明确指出，马克思主义者就是实践的唯物主义者，实践的唯物主义者就是共产主义者。共产主义者的使命就在于使现存世界革命化，实际地反对并改变现存的事物。也就是说，马克思主义要求工人改变他们现实的处境，在摧毁资本主义旧世界的基础上建立共产主义新世界。而为无产阶级解放服务就是马克思主义的阶级使命。在《资本论》中，马克思对工人阶级生活状况的描述更加深入，并且也在揭示资本主义生产规律的基础上，得出共产主义必然到来的科学结论。马克思逝世后，恩格斯指出，马克思"毕生的真正使命，就是以这种或那种方式参加推翻资本主义社会及其所建立的国家设施的事业，参加现代无产阶级的解放事业，正是他第一次使现代无产阶级意识到自身的地位和需要，意识到自身解放的条件"①。因此，我们不能简单抽象地认为马克思主义就是人的解放学。从社会发展的实际情况来看，由于人类社会一直是在社会基本矛盾中运行的，因此，只有消灭最后一个受压迫和受剥削的阶级——无产阶级，即实现无产阶级的解放，才能实现人类的解放。没有阶级解放，人类解放只能是空想和空话。在《费尔巴哈论》中，恩格斯进一步提出，在劳动发展史中找到社会发展史锁钥的新派别——马克思主义，一开始就主要是面向无产阶级的，并且得到了无产阶级的大力支持。也就是说，无论从产生和发展来看，还是从其使命和实质来看，马克思主义都是为无产阶级解放服务的。马克思主义希望指导无产阶级取得革命的胜利，进而建立无产阶级专政，并通过无产阶级专政实现向共产主义的过渡。马克思主义不仅仅是解释世界的学说，而且是改造世界的学说。所以，对于马克思主义者而言，一定要立足于实践和生活，站在无产阶级的立场上，投身于工人阶级改变现存的世界革命中，为建立无产阶级专政并走向共产主义社会而努力。否则，永远只是口头上的马克思主义。马克思主义的科学性与革命性是密不可分的，所以在肯定马克思主义是自然、社会和思维普遍运动规律的科学的同时，不能忘记其始终代表无产阶级的利益，始终致力于无产阶级解放。

总之，只有把握马克思主义的科学内涵，才能真正理解马克思主义，才能真正说自己是马克思主义者。想要正确地把握马克思主义的科学内涵，必须从整体上掌握马克思主义的研究对象，认识到马克思主义是马克思和恩格斯共同创立的科学思想，并真正理解马克思主义是关于无产阶级解放的科学。

三、始终注意马克思主义的总的联系

马克思主义是对一系列问题的完整阐述，研究马克思主义必须从整体上把握马克思主义，不可将马克思主义碎片化。在1865年7月31日给恩格斯的信中，马克思说道，不论自己的著作有何缺点，它们却有一个长处，即它们是一个科学的艺术的整体。所以，我们不能片面地理解马克思的思想。同样，在1894年1月25日给瓦尔特·博尔吉乌斯的信中，恩格斯说道："请您不要过分

① 《马克思恩格斯选集》第3卷，人民出版社2012年版，第1003页。

推敲上面所说的每一句话，而要把握总的联系；可惜我没有时间能像给报刊写文章那样字斟句酌地向您阐述这一切。"①这就表明，不能将马克思主义阐述的问题割裂开来，否则就不能正确理解马克思主义。

马克思主义研究对象的整体性。马克思主义的研究对象是自然、社会和思维的运动规律。自然、社会、思维共同构成了世界系统。或者说，世界系统是由自然、社会、思维构成的。马克思主义研究对象的整体性就体现在，不论马克思和恩格斯着重讨论其中的哪一个问题，都会涉及和观照到其他领域，而不是孤立地看待自然问题、社会问题或是思维问题。在《1844年经济学哲学手稿》中，马克思在讨论异化劳动的问题时，并不仅仅局限于讨论工人的异化，还涉及了人与自然的关系。在讨论哲学的问题时，讨论了自然科学与哲学的关系。马克思认为："历史本身是自然史的一个现实部分，即自然界生成为人这一过程的一个现实部分。自然科学往后将包括关于人的科学，正像关于人的科学包括自然科学一样：这将是一门科学。"②也就是说马克思早期研究的对象就不是单一的，而是包含自然、社会和思维活动在内的整体，只是根据具体任务的不同会有一定的偏重。在《反杜林论》中，恩格斯指出，"在自然界里，正是那些在历史上支配着似乎是偶然事变的辩证运动规律，也在无数错综复杂的变化中发生作用；这些规律也同样地贯串于人类思维的发展史中，它们逐渐被思维着的人所意识到"③。这就表明，自然、社会和思维的运动规律一直处于马克思和恩格斯的理论视野中。即使是恩格斯的《自然辩证法》，也不仅仅关注自然界中的规律，还期望超出自然的范围，科学把握社会的发展规律。在《自然辩证法》中，恩格斯不仅考察了思维运动的一般规律，而且创造性地提出了"辩证逻辑"术语。同样，在《资本论》这部经济学巨著中，马克思运用唯物史观和辩证思维方法去考察资本主义生产方式矛盾运动，科学揭示出了资本主义必然灭亡、社会主义必然胜利的历史趋势和历史规律。在《资本论》及其手稿中，马克思专门考察机器、自然力和科学在生产中的应用问题。从总体上来看，马克思和恩格斯的一生，讨论过很多的问题，各有偏重，但是，我们不能简单地认为自然观（自然辩证

---

① 《马克思恩格斯选集》第4卷，人民出版社2012年版，第651页。
② 《马克思恩格斯文集》第1卷，人民出版社2009年版，第194页。
③ 《马克思恩格斯选集》第3卷，人民出版社2012年版，第386页。

法）是恩格斯的专项，社会观（历史唯物论）是马克思的专长。虽然马克思和恩格斯研究领域各有侧重，但是，两人无论是前期还是后期，都一直在系统地考察自然、社会和思维运动的一般规律。

马克思主义创立过程的整体性。可以说，马克思主义是不断生成和发展的理论整体。马克思和恩格斯合著的《德意志意识形态》标志着唯物史观的形成。在这之前，两人从不同的角度入手探索人类社会发展的规律。从《德意志意识形态》到《〈政治经济学批判〉序言》，他们逐渐完善了对历史唯物主义的表述。但是，19世纪90年代末，一批庸俗社会学家认为，马克思和恩格斯的唯物史观只认识到了经济的决定作用，并没有认识到上层建筑的反作用。为了捍卫历史唯物主义，恩格斯在历史唯物主义通信中，系统地批驳了那些歪曲马克思主义的观点，阐述了经济基础和上层建筑的辩证关系，并提出了历史发展的"合力论"。所以，从其著作的发展来看，马克思主义具有内在一致性，并且是不断发展的理论整体。不仅如此，从时间和空间角度来看，马克思和恩格斯一开始主要是探索近代西方社会发展的规律，根据工业革命以来的成果来分析资本主义社会的发展。后来，马克思开始关注资本主义以前的各种社会形态，了解其土地制度等一系列问题。到了晚年，马克思就把大量的时间花在了对史前社会的研究上，留下了《人类学笔记》和《历史学笔记》。这样，马克思的一生研究了直到他生活时代的全部人类史。从空间角度来看，马克思和恩格斯之前一直关注西方社会，所以他的《资本论》主要以英国为原型，但是到了70年代之后，他开始深入研究东方国家，尤其是俄国的社会发展问题，并提出了俄国有可能不通过"卡夫丁峡谷"的设想。马克思明确反对西方中心论，觉得世界是统一的整体，并提出了世界历史理论。所以，从理论内容形成、理论跨度的时空维度来说，马克思主义的创立过程是一个科学的整体。

马克思主义组成学科的整体性。马克思主义哲学、马克思主义政治经济学和科学社会主义这三个组成部分是有机的整体。《1844年经济学哲学手稿》从研究国民经济学着手，揭示了资产阶级经济学的局限性，在分析私有财产时引入共产主义，指出共产主义是对私有财产的扬弃，提出实践的人道主义的概念，最后揭示出了黑格尔哲学的唯心主义实质。在这本书中，哲学、经济学和社会主义理论这三个部分看似独立，但实际上这三者具有内在的联系。黑格尔和资产阶级经济学家都是在抽象的意义上肯定了劳动的积极作用，却忽视了劳动的消极作用。资产阶级经济学家忽视了劳动的消极作用，进而并没有将劳动价值论贯彻到底。私有财产的存在必定又会带来异化劳动，那么克服异化劳动就成为需要关注的问题，所以共产主义社会相应就被提了出来。显然，《1844年经济学哲学手稿》已经初具哲学、政治经济学、社会主义理论三者相统一的整体性特征。《共产党宣言》是马克思主义诞生的标志。马克思在《共产党宣言》中运用唯物史观分析了资本主义和资产阶级的历史、资产阶级和无产阶级革命，对历史上出现的各种社会主义和共产主义学说进行了批判。马克思和恩格斯在分析和批判的时候，就呈现了其哲学、政治经济学的思想和对社会主义的看法。在《资本论》中，马克思运用唯物史观来分析资本主义的生产方式，并在此基础上发现了剩余价值规律，在深入研究的基础上提出了重建个人所有制的问题，论证了共产主义到来的必然性。在《资本论》中，辩证法、逻辑学和认识论是统一的，哲学、政治经济学和社会主义理论是统一的。《反杜林论》系统论证了马克思主义的三个组成部分及内在联系。由于杜林从哲学、经济学和社会主义理论三个方面对马克思主义进行了全面的攻击，所以，恩格斯在回应杜林的各种谬论的同时，完整地论述了马克思主义三个组成部分的基本原理。《反杜林论》看似三个部分独立，实质上内在地具有一致性。恩格斯指出，"希望读者不要忽略我所提出的各种见解之间的内在联系"①。同时，他指出，与杜林的论战变成了"对马克思和我所主张的辩证方法和共产主义世界观的比较连贯的阐述，而这一阐述包括了相当多的领域"②。所以，从马克思和恩格斯的代表性著作中，都可以发现马克思主义三个组成部分是有机的整体。

　　无论是马克思还是恩格斯，都强调了马克思主义的整体性。无论从研究的对象、创作的过程还是理论内容上来看，马克思主义都是一个科学而艺术的整体。因此，我们研究马克思主义时一定要把握马克思主义总的联系，从整体上把握马克思主义，片面歪曲理解的马克思主义都不是真正的马克思主义。

———————

① 《马克思恩格斯选集》第3卷，人民出版社2012年版，第380页。
② 《马克思恩格斯选集》第3卷，人民出版社2012年版，第383页。

四、马克思主义是发展的理论

与时俱进是马克思主义最显著的理论品质。马克思主义是在批判前人理论基础上产生的，是在不断与各种错误思潮的斗争中产生的，并且产生之后一直不断发展。马克思主义自身的理论特性决定了它必须不断发展自身。在 1887年 1 月 27 日致弗洛伦斯·凯利-威士涅威茨基的信中，恩格斯说道："我们的理论是发展着的理论，而不是必须背得烂熟并机械地加以重复的教条。"① 马克思主义的发展历程也展现了其自身不断发展的特性。

马克思主义理论的过程。这主要体现在以下四个方面：第一，客观事物矛盾的暴露是一个过程。恩格斯在《费尔巴哈论》中指出，"世界不是既成事物的集合体，而是过程的集合体，其中各个似乎稳定的事物同它们在我们头脑中的思想映像即概念一样都处在生成和灭亡的不断变化中，在这种变化中，尽管有种种表面的偶然性，尽管有种种暂时的倒退，前进的发展终究会实现"②。按照唯物主义的立场，马克思主义必须直面现实，坚持从实际出发。客观现实世界是不断发展的，而不是一成不变的。这就决定了马克思主义也会随着客观世界的变化发展而不断丰富发展自己的理论。恩格斯 1886 年 1 月 27 日给爱德华·皮斯的信中指出，"我所在的党并没有任何一劳永逸的现成方案。我们对未来非资本主义社会区别于现代社会的特征的看法，是从历史事实和发展过程中得出的确切结论；不结合这些事实和过程去加以阐明，就没有任何理论价值和实际价值"③。马克思主义是科学的理论，它的理论都是依据客观现实的变化，并在实践中不断丰富发展的。第二，人们对客观事物的认识是一个过程。从认识的主体来看，人们对客观事物的认识受制于自身的认识水平，而自身的认识水平是一个不断发展的过程；从认识的客体来看，客观事物自身也在不断地发展变化。同样，马克思和恩格斯对世界的认识也有一个发展的过程。比如，一开始他们并没有关注到东方社会，后来马克思研究俄国公社之后，就希望在《资本论》的写作中将新的材料补充进去。第三，真理是一个过程。真

① 《马克思恩格斯选集》第 4 卷，人民出版社 2012 年版，第 588 页。
② 《马克思恩格斯选集》第 4 卷，人民出版社 2012 年版，第 250 页。
③ 《马克思恩格斯选集》第 4 卷，人民出版社 2012 年版，第 582 页。

理是人们对客观事物及其规律的正确反应。任何真理都是一个过程，是主观与客观的具体的历史的统一。恩格斯在《费尔巴哈论》中评价黑格尔哲学时就指出，黑格尔哲学的革命性意义就在于其指出哲学所认识的真理不是一堆现成的教条，而是在认识过程本身中。在辩证哲学面前不存在任何最终的东西和绝对的东西。马克思主义作为揭示自然、社会和思维运动规律的科学，吸收借鉴了辩证法的合理内核，必定一直处于发展的过程中。第四，实践检验真理是一个过程。真理是客观的、具体的，这就需要在实践中不断检验真理、完善真理和发展真理。马克思主义的科学性决定了它不可能从一诞生就可以解决所有的问题，所以发展是其自身理论的诉求。随着实践的发展，马克思主义之前做出的某些结论会被新的结论代替。马克思和恩格斯为其著作写的序言中就体现出了这一点。因此，马克思主义无论是从其研究的对象，还是从其自身来看都是不断发展的。

马克思主义之所以是与时俱进的，主要体现在其一切以时间、地点和条件的转移为转移的唯物辩证法立场。随着时间的变化，马克思和恩格斯就会反思之前的言论，进而得出与时俱进的结论。马克思和恩格斯在《共产党宣言》1872 年德文版序言中就指出，《共产党宣言》第二章末尾提出的革命措施到了1872 年是没有意义的。如果是 1872 年重新写的话，会有不同的写法。因为"最近 25 年来大工业有了巨大发展而工人阶级的政党组织也跟着发展起来，由于首先有了二月革命的实际经验而后来尤其是有了无产阶级第一次掌握政权达两月之久的巴黎公社的实际经验，所以这个纲领现在有些地方已经过时了"①。因为《宣言》是一个历史性的文件，所以马克思和恩格斯并没有对《宣言》本身进行修改，而是通过序言的方式告诉读者他们最新的想法。恩格斯 1891 年写的《雇佣劳动与资本》单行本的序言中也提到了，马克思早期的思想可能有些地方是不成熟的，但是作者思想历程的发展应该得到反映，所以应该不加修改的情况下重印。但因为是为了向工人宣传，所以他进行了一些必要的修改和补充。恩格斯在晚年的时候，对他们之前过多关注物质条件做出了解释，并详细阐述了经济基础和上层建筑的关系，提出了历史合力论。这也表现了在不同的时期他们有不同的关注点。同时，马克思和恩格斯会因地制宜地提出解决问题的方案。恩格斯在 1882 年 9 月 12 日给考茨基的信中指出，"欧洲移民占据的

---

① 《马克思恩格斯选集》第 1 卷，人民出版社 2012 年版，第 377 页。

土地——加拿大、好望角和澳大利亚，都会独立的；相反地，那些只是被征服的、由土著人居住的土地——印度、阿尔及利亚以及荷兰、葡萄牙、西班牙的属地，无产阶级不得不暂时接过来，并且尽快地引导它们走向独立"[①]。至于这些如何发生需要进一步的考察和考量，但是对待不同的地方需要采取不同的措施。此外，马克思主义原理的运用，要以当时的历史条件为转移。《共产党宣言》1873 年序言中就提到，马克思主义基本原理的实际运用，要以当时的历史条件为转移。恩格斯1884年2月4日给考茨基的信中谈到德维尔时指出："他的主要错误在于：他把马克思认为只在一定条件下起作用的一些原理解释成绝对的原理。"[②]也就是说，无论是什么原理，都是在一定条件下发生作用的，不能忽视这个前提，把其当成绝对的真理。马克思主义的理论发展，马克思和恩格斯的论述都体现了马克思主义是与时俱进的理论。

总之，马克思主义是不断发展的理论，要用发展的眼光来看马克思主义。只有这样，才能真正掌握马克思主义理论，使马克思主义充满生机和活力。

五、马克思主义不是教条而是方法

马克思主义从诞生以来就充满活力，而不是僵硬的教条。马克思主义是科学的世界观和方法论的统一，是指导无产阶级运动的科学武器。马克思主义经典作家从未把马克思主义当成万能公式来解决所有的问题，而是将其看成认识世界的工具；马克思主义不仅指导人们如何认识世界，还指导人们如何改变世界，所以马克思主义还为无产阶级革命提供了科学方法论指导。

马克思主义不是教条和公式，而是研究的科学方法。在 1895 年 3 月 11 日给桑巴特的信中，恩格斯指出了马克思主义的科学品质。在恩格斯看来，"马克思的整个世界观不是教义，而是方法。它提供的不是现成的教条，而是进一步研究的出发点和供这种研究使用的方法"[③]。这就表明马克思主义最重要的不是它所提出的结论而是引出这些结论的方法论原则。当然，这并不意味着原则

---

① 《马克思恩格斯选集》第 4 卷，人民出版社 2012 年版，第 548 页。

② 《马克思恩格斯选集》第 4 卷，人民出版社 2012 年版，第 562 页。

③ 《马克思恩格斯选集》第 4 卷，人民出版社 2012 年版，第 664 页。

和结论不重要。恩格斯在 1890 年 6 月 5 日给恩斯特的信中提到，"至于您用唯物主义方法处理问题的尝试，我首先必须说明：如果不把唯物主义方法当做研究历史的指南，而把它当做现成的公式，按照它来剪裁各种历史事实，那它就会转变为自己的对立物"①。这就表明恩格斯反对那些将唯物史观当作教条的人，认为这样来理解历史，就会歪曲历史事实。同时，恩格斯突出了唯物主义尤其是历史唯物主义的科学方法论意义。不仅如此。恩格斯在 1890 年 8 月 5 日给施米特的信中指出，德国的许多青年著作家把"唯物主义"这个词仅仅当作一个套语在使用，把唯物主义当作一个标签在贴，认为问题的解决只需要贴上唯物主义这个标签就可以了。但是，唯物史观不是一个套语或者标签，而是进行研究工作的指南。那些仅仅把历史唯物主义当成套语用自己贫乏的历史知识构成体系的青年学者，是不可能真正理解马克思主义的。恩格斯强调，要重新研究全部历史，要下工夫钻研经济学、经济学说史、商业史、工业史、农业史和社会形态发展史等，要了解特定的历史事实，重视历史唯物主义的实际运用，这样，才可以真正掌握社会发展的规律。

马克思主义不仅是指导认识的方法论，更是指导实践的科学方法论。马克思主义从产生伊始就立足于现实实践，也希望能够指导实践活动。马克思主义是无产阶级革命活动的指南。在 1885 年 4 月 23 日给查苏利奇的信中，恩格斯就对俄国青年中有人接受马克思的经济理论和历史理论表示赞同。他还提出，如果马克思在世的话，马克思本人也会感到自豪的。马克思主义是在分析西方发达的资本主义社会中产生的，马克思只有在晚年对俄国才进行了深入的分析和研究。对于俄国的青年学者而言，接受马克思主义对俄国的革命运动具有很重要的意义。在恩格斯看来，"马克思的历史理论是任何坚定不移和始终一贯的革命策略的基本条件；为了找到这种策略，需要的只是把这一理论应用于本国的经济条件和政治条件"②。这就表明马克思主义理论对俄国的革命具有方法论的指导意义。这些论述不仅仅是对俄国的革命运动有效，西方国家的无产阶级革命也应该以马克思主义理论为方法论指导。只有这样，才能最终获得无产阶级革命的胜利。

马克思主义坚决反对学理主义和教条主义。恩格斯指出："德国人一点不

① 《马克思恩格斯选集》第 4 卷，人民出版社 2012 年版，第 595 页。
② 《马克思恩格斯选集》第 4 卷，人民出版社 2012 年版，第 574 页。

懂得把他们的理论变成推动美国群众的杠杆；他们大部分连自己也不懂得这种理论，而用学理主义和教条主义的态度去对待它，认为只要把它背得烂熟，就足以满足一切需要。"① 马克思主义是推动无产阶级解放的学说，不能将之进行单纯的学理化和教条化。单纯地将马克思主义学理化，是忽视马克思主义阶级性的表现。马克思主义是指导无产阶级解放的学说，不仅仅是要解释世界，还要改变世界。阶级斗争是马克思主义的一个重要观点。无产阶级只有通过斗争改变自身受压迫的状况，才能获得自身的解放。用学理主义的态度来对待马克思主义，只会弱化马克思主义的意义和作用。此外，教条主义是马克思主义的大敌，教条主义将理论当作教条，一切从理论出发，从定义出发，不从实践出发，不从群众出发。教条主义反对具体情况具体分析，不主张进行实践活动，主张将书本上的公式直接运用到实际生活中去，否认实践是认识的来源和检验真理的标准。马克思主义是发展的理论，用教条主义的态度看待马克思主义就是忽视其实践性的表现。马克思主义从一诞生就是实践活动的产物，马克思和恩格斯一直关注现实社会的变化，反思自己的理论。人们一旦陷入学理主义和教条主义之中，就不能真正认识客观世界，就不能真正理解和把握马克思主义。

总之，马克思主义不是现成的万能公式，而是研究问题的指导原则。恩格斯直接指出，将马克思主义教条化的错误做法极其危险，并且详细阐述了唯物史观的分析方法，这为我们科学把握马克思主义指明了方向，也有助于避免将马克思主义固定化和教条化的错误倾向。

六、根据原著研究马克思主义

脱离马克思主义的经典著作来研究马克思主义不可能真正理解马克思主义，根据二手材料来研究马克思主义得到的只能是别人眼中的马克思主义，而不是真正的原本的马克思主义。恩格斯在《资本论》第三卷中序言中指出，"一个人如果想研究科学问题，首先要学会按照作者写作的原样去阅读自己要加

---

① 《马克思恩格斯选集》第4卷，人民出版社2012年版，第583页。

以利用的著作，并且首先不要读出原著中没有的东西"①。所以，想要真正读懂马克思主义，就要回到马克思和恩格斯的原著中去，了解其写作背景、内在逻辑、原本含义、理论贡献和实践价值，而不能根据自己的目的篡改原著的本意。

坚持从第一手资料出发是学习马克思主义的基本要求。恩格斯在给布洛赫的信中指出，"我请您根据原著来研究这个理论，而不要根据第二手的材料来进行研究——这的确要容易得多"②。恩格斯之所以强调不要根据二手材料，是因为当时自称研究马克思主义的人很多，自称自己是马克思主义者的大有人在，但是很少有人真正认真阅读马克思主义的原著，所以他们并不能真正把握马克思主义理论的本质，只是根据自己的主观意愿肆意歪曲马克思主义，这就会给普通的工人群众和年轻的知识分子带来理解上的误区。恩格斯列举了马克思的《路易·波拿巴的雾月十八日》这部著作，认为这部著作是运用唯物史观十分出色的例子，并指出自己的著作《欧根·杜林先生在科学中实行的变革》和《路德维希·费尔巴哈和德国古典哲学的终结》是目前对历史唯物主义所作的最为详尽的阐述。恩格斯在给博尔吉乌斯的信中又再次强调了根据原著研究马克思主义的重要性。恩格斯指出，"我认为马克思在《雾月十八日》一书中所作出的光辉范例，能对您的问题给予颇为圆满的回答，正是因为那是一个实际的例子"③。他又再次提到了自己的《反杜林论》和《费尔巴哈论》，认为学习这些著作对真正理解历史唯物主义有很大的帮助。只有真正读懂这些著作，才能为人们心中的困惑找到答案。对于那些认为"只要掌握了主要原理——而且还并不总是掌握得正确，那就算已经充分地理解了新理论并且立刻就能够应用它了"④的最新的"马克思主义者"，恩格斯提出了自己的批判，认为他们制造过惊人的混乱。

只有认真阅读马克思主义原著，才能准确、全面而深入地把握马克思主义理论的真谛。其一，马克思主义的原著是马克思主义理论的载体，马克思主义著作中的思想是马克思主义理论最直接和最鲜明的表达，所以，通过原著来了解马克思主义理论是最直接的方式。其二，马克思主义文本是一个科学系

① 《马克思恩格斯文集》第7卷，人民出版社2009年版，第26页。
② 《马克思恩格斯选集》第4卷，人民出版社2012年版，第606页。
③ 《马克思恩格斯选集》第4卷，人民出版社2012年版，第651页。
④ 《马克思恩格斯选集》第4卷，人民出版社2012年版，第606页。

统。只有坚持阅读和研究原著，才能发现马克思主义当中一以贯之的东西，才能掌握马克思主义的立场、观点和方法，才能科学把握马克思主义基本原理。其三，通过阅读马克思主义的原著，可以避免二手材料带来的误区。恩格斯在 1884 年 8 月 13 日给格奥尔格·亨利希·福尔马尔德信中指出，想要真正了解经济情况，就必须从经典著作开始，不要被第二手的资料引入了迷途。他指出："其实自学越深入下去，就越能找到最好的门径，知道下一步该怎么学了，不过要有个前提，就是从真正古典的书籍学起，而不是从那些最要不得的德国经济学简述读物或这些读物的作者的讲稿学起。"① 所以，阅读马克思主义原著是理解马克思主义最可靠的方式。不读马克思和恩格斯的著作，只是阅读别人笔下的马克思主义，就会误入歧途。其四，马克思主义的著作中囊括了关于自然界、人类社会、思维发展规律的科学解答，有关于自身理论的完整阐述，因此，通过对原著的研读和钻研可以从整体上把握马克思主义。所以，研究马克思主义原著是理解马克思主义最有效的方式。

必须坚决反对篡改和曲解原著的错误做法。在马克思主义的传播过程中，还存在一些人，根据自己的需要，曲解马克思和恩格斯的意思，并且在引用的时候断章取义，马克思和恩格斯严肃批判了这种行为。马克思在 1882 年 8 月 3 日给恩格斯的信中写道，"洛里亚在私人场合对我的令人作呕的阿谀奉承，和在公开场合的'优越'腔调，以及为了便于反驳而对我的观点所作的某种歪曲——所有这些都一点也没有使我感到高兴。"② 所以，在那些反驳马克思观点的人笔下的所谓的马克思的思想，都需要进一步考察，需要根据马克思自己的著作来判断。恩格斯 1883 年 4 月底给洛里亚的信中批判了其污蔑马克思并篡改引文的行为并指出："我看到，现在您是怎样引用马克思的话，您是怎样无耻地要他在说'剩余价值'的地方说'利润'——而他曾经不止一次地警告过，不要把这两者误认为是同一个东西（此外，穆尔先生和我又在伦敦这里向您口头解释过这一点），——那我就知道，我应当相信的是谁，是谁有意篡改引文。"③ 对待篡改和歪曲理解马克思的思想的行为，马克思和恩格斯是一直持否定态度的。恩格斯在 1891 年给康拉德·施米特的信中写道："巴尔特对马克

① 《马克思恩格斯全集》第 36 卷，人民出版社 1975 年版，第 200 页。
② 《马克思恩格斯全集》第 35 卷，人民出版社 1971 年版，第 76 页。
③ 《马克思恩格斯全集》第 25 卷，人民出版社 2001 年版，第 612 页。

思的批评，真是荒唐可笑。他首先制造一种唯物主义的历史理论，说什么这应当是马克思的理论，继而发现，在马克思的著作中根本不是这么回事。但他并未由此得出结论说，是他，巴尔特，把某些不正确的东西强加给了马克思，相反，却说马克思自相矛盾，不会运用自己的理论！"① 所以，巴尔特批评的其实应该是他自己篡改过的马克思的理论，而不是真正的马克思的理论。研究马克思主义，必须坚决反对和抵制篡改和歪曲马克思主义的原著的行为。

根据原著来研究马克思主义，既是对待马克思主义的科学态度问题，也是研究马克思主义的科学方法问题。恩格斯提出的这一科学的马克思主义诠释学原则，不仅对当时有效，而且对之后所有马克思主义者、马克思主义研究工作者和马克思主义教育工作者也有效。

综上，恩格斯晚年尤其是在《费尔巴哈论》和"历史唯物主义通信"中，不仅总结了马克思主义哲学产生和发展的规律，而且丰富和发展了马克思主义哲学尤其是历史唯物主义。这是恩格斯在马克思逝世后的突出贡献，构成了马克思主义发展史上的重要篇章。

---

① 《马克思恩格斯选集》第 4 卷，人民出版社 2012 年版，第 619 页。

第九章 科学分析资本主义发展新趋势和探索无产阶级斗争策略

19世纪70年代以来，在第二次工业革命的推动下，资本主义社会的生产力和生产关系都发生了巨大变化，这给整个资本主义世界和工人运动造成了极大影响。一方面，资本主义从自由竞争向垄断转变的发展趋势日渐明显，随着垄断的产生和发展，资本主义世界内部的竞争和矛盾加剧，世界大战的氛围笼罩整个欧洲大陆。另一方面，资本主义社会生产力的快速发展为工人运动的发展赢得了短暂和平的有利环境，但工人运动内部的各种机会主义也随之滋长和抬头。马克思恩格斯在指导工人运动的过程中，敏锐地观察和分析了资本主义发展的新趋势，并根据革命形势和条件的发展变化积极探索无产阶级斗争的新策略，对工人运动的健康发展发挥了重要的指导作用。

在马克思去世后，恩格斯独自承担起了批判资本主义、发展马克思主义和指导世界工人运动发展的重任。他不仅根据资本主义社会变化了的新的实际，对垄断和由垄断必然带来的资本主义世界体系的变化、世界战争的危险及后果等问题作了科学分析，而且根据变化了的革命形势与实践，在无产阶级革命和无产阶级专政学说、无产阶级革命同盟军思想、无产阶级维护世界和平反对战争的策略等方面进一步丰富和发展了马克思主义。与此同时，在积极领导和开展无产阶级政党同工人运动中的各种机会主义错误思想作斗争的过程中，恩格斯客观分析了工人运动中机会主义产生的原因、实质及其危害，科学阐明了同机会主义斗争的策略和意义，坚定地捍卫和发展了马克思主义理论。这些思想和理论，既为世界工人运动的健康发展提供了科学的理论指导和行动指南，也极大地推动和促进了工人运动和社会主义运动在世界范围的快速发展。

第一节　马克思恩格斯科学分析垄断资本主义的先兆

19世纪中晚期，自由资本主义开始向垄断资本主义过渡与转变。马克思恩格斯敏锐地预见到了资本主义这一发展趋势，并就资本主义社会的垄断现象及其所带来的变化进行了专门研究，提出了一系列关于垄断的观点。马克思去世后，恩格斯进一步科学分析了垄断的征兆，丰富和发展了马克思主义垄断理论。

一、自由竞争资本主义向垄断资本主义的过渡

资本主义从自由竞争向垄断的过渡，是资本主义社会生产力快速发展、社会生产关系深刻变革的客观要求和必然结果。

第二次工业革命所引发的资本主义生产关系的深刻变化推动资本主义从自由竞争向垄断过渡。一切社会发展和变革的最终决定力量都源自于生产力和生产关系的矛盾运动。而生产力和生产关系的发展变化又决定着社会形态的发展和变革，以及时代的发展和变化，资本主义从自由向垄断的过渡也是如此。每一次科技革命，都会对资本主义社会的生产力和生产关系带来巨大影响，并推动资本主义不断向前迈进。以蒸汽机的广泛运用为主要标志的第一次产业革命，在推动资本主义社会生产力快速发展的同时，也让资本主义社会的生产关系日益简单化地分为两个直接对立的阶级：资产阶级和无产阶级。在19世纪的最后30年里，以电力的广泛运用为主要特征的第二次工业革命在主要资本主义国家先后完成，更是推动了社会生产力的迅猛发展。此时，生产的小规模化和资本的分散化已远远不能适应日益加剧的竞争需要和满足资本追求最大化利润的需求。这必然地要求在资本主义生产关系方面进行一次深刻的变革和调整，以适应高速发展的社会生产力的需要。于是，"猛烈增长着的生产力对它的资本属性的这种反作用力，要求承认生产力的社会本性的这种日益增长的压

力，迫使资本家阶级本身在资本关系内部可能的限度内，越来越把生产力当做社会生产力看待。……国内同一工业部门的大生产者联合为一个'托拉斯'，即一个以调节生产为目的的联盟……但是，这种托拉斯一遇到不景气的时候大部分就陷于瓦解，正因为如此，它们就趋向于更加集中的社会化：整个工业部门变为一个唯一的庞大的股份公司，国内的竞争让位于这一个公司在国内的垄断"①。这是资本主义从自由竞争转变为垄断的开始。资本主义从自由竞争向垄断的过渡，引发了资本主义社会经济政治诸方面的深刻变化。

在经济上，科技的巨大进步、工业生产的迅速发展和竞争的加剧，使企业的规模不断扩大，资本主义的信用制度和股份公司普遍建立和广泛发展，这又反过来加剧了生产和资本在更大规模上的集中，从而使它们在竞争中处于更加有利的位置。与此同时，不断爆发的经济危机和日益激烈的竞争，导致大批中小资本和企业破产倒闭并被大资本和企业所吞并，又加速了生产和资本向少数大资本手中的集中。而生产和资本的集中发展到一定程度，不可避免地产生了垄断。随着垄断的产生和发展，垄断组织也先后在各主要资本主义国家乃至国际纷纷建立和广泛发展。在工业生产较发达和集中程度较高的主要资本主义国家，如在美国，建立了以联合生产为基础的托拉斯垄断组织；在德国，建立了以联合销售为基础的卡特尔、辛迪加垄断组织；在英国，碱业生产部门建立起了构成整个化学工业基础的"联合制碱托拉斯"垄断组织；甚至，英国和德国还在铁的生产方面成立了"国际卡特尔"的垄断组织。显然，垄断已经成为了主要资本主义国家全部经济生活的基础。但是，无论是何种垄断组织形式，其实质都只不过是极少数的个别大资本家之间的联合，它们都是以限制生产规模、控制原材料、制定垄断价格和瓜分市场为主要手段，从而达到其攫取高额垄断利润和实现对整个社会经济生活的统治的目的。

经济上的变化必然带来政治上的变化。一方面，随着垄断的发展和垄断组织的广泛建立，资本家对工人的剥削也更加严重，工人阶级同资产阶级之间的矛盾和斗争日益尖锐。资本家阶级为了维护其既得利益而在对工人阶级的统治方式上进行了调整，由以往的公开镇压转变为公开暴力镇压与表面妥协让步结合并用的方式。用表面上的某些微小的改革来麻痹工人斗志，使他们放弃革命立场和脱离革命道路；用推行反革命政策的方式来支持反动势力，以刺激和挑

① 《马克思恩格斯选集》第3卷，人民出版社2012年版，第808—809页。

衅工人阶级的冲动，进而对工人运动采取暴力镇压。另一方面，垄断为资产阶级收买工人阶级的上层分子、腐化工人运动和分化工人阶级队伍提供了经济后援。垄断资产阶级利用垄断剥削带来的大量超额利润中的很小一部分，以高工资收买工人阶级的上层分子和诱惑工人阶级中革命立场不坚定的少部分人，使他们蜕化变质为工人贵族和资产阶级的代理人。这成为了工人运动中机会主义和修正主义滋生和蔓延的社会基础。与此同时，随着垄断的不断发展和垄断统治的加强，大批小生产者加速破产，一批批的农民和手工业者加入到工人队伍中来，他们也随之把一些非无产阶级思想带入到了工人运动中，助长了工人运动中的机会主义的滋长和抬头。在这样的情况下，资产阶级收买工人运动的一些"领袖"和"理论家"，使其充当资产阶级代理人，以腐蚀、分裂工人运动。这成为了各主要资本主义国家的惯用伎俩；而主张放弃革命、实行阶级合作，通过和平方式使资本主义长入社会主义的机会主义要求，也开始在工人运动中泛滥起来。这些都对工人运动的健康发展造成了严重的干扰和破坏。

但是，资本主义在经济和政治方面的这些变化，不仅没有因此而消除资本主义社会固有的矛盾，相反，还在更大范围和更深层次上加剧和激化了这些矛盾。这在于，垄断的产生不过是社会生产力的快速发展"迫使资本家阶级本身在资本关系内部可能的限度内"[①]对生产关系作出的调整。它并没有突破资本主义的界限。所以，随之而来的只能是：在各资本主义国家内部，随着经济上的垄断，无产阶级的生产生活状况更加恶化，工人运动不断发展壮大，无产阶级同资产阶级之间的矛盾和斗争日益尖锐化；在各资本主义国家之间，因争夺市场和追求垄断利润而引发的矛盾不断激化，将不可避免地要引发战争；在各资本主义国家同殖民地、半殖民地和附属国之间，因垄断而加剧的剥削，必然会随着这些国家人民的逐渐觉醒而引发民族解放运动的快速发展。所有这些矛盾的日渐明朗化和尖锐化，都必将对世界范围工人运动的发展有所促进。

显然，从自由竞争资本主义向垄断资本主义的过渡，是资本主义生产方式发展的必然结果。这虽然给资本主义社会的经济政治生活带来了变化，但并没有消除它自身固有的矛盾，反而使各种国内外矛盾叠加并使阶级斗争进一步加剧。

---

① 《马克思恩格斯选集》第3卷，人民出版社2012年版，第808页。

二、马克思恩格斯关注和研究垄断现象

在密切关注垄断发展的情况下，马克思恩格斯对之进行了科学的研究分析，初步形成了马克思主义垄断理论的基本观点。

马克思恩格斯对信用在资本主义生产中的作用的关注和研究。19 世纪 60 年代，虽然资本主义仍处于自由竞争的发展阶段，资本主义信用制度在整个生产中的作用还很不明显。但是，马克思已经注意到信用的出现对资本主义经济发展所带来的重大影响。马克思在《资本论》第一卷第二十四章中指出，公共信用制度即国债制度的产生，使公共信用成了资本的信条，使交易所投机和现代的银行统治兴盛起来，国际信用制度也随之出现。而信用制度的建立，大大加速了资本的集中，使集中补充了积累的作用，让工业资本家扩大自己的生产和经营规模成为可能，并为股份公司的广泛建立创造了条件。不论是通过强制吞并的方式，还是通过建立股份公司的方法，它到处都成为资本主义从自由竞争走向垄断的"起点"。在这个起点上，随着股份公司的广泛建立和发展，少数资本家对多数资本家的剥夺、规模不断扩大的劳动协作形式、资本巨头不断减少等垄断的征兆和表现会越发明显和突出，资本主义必然从自由竞争向垄断过渡和转变。在此，马克思已经初步阐明了信用制度对股份公司的建立和垄断的产生的重要作用，科学预见了资本主义从自由竞争向垄断转变的必然趋势。而《资本论》第三卷第二十七章则是对信用制度在股份公司的形成和垄断产生过程中的重要影响和作用的进一步诠释。

在第三卷第二十七章《信用在资本主义生产中的作用》一章中，马克思详细地分析和论述了信用如何加速资本的集中和促成股份公司的建立与垄断的产生、发展。马克思指出，"信用为单个资本家或被当做资本家的人，提供在一定界限内绝对支配他人的资本，他人的财产，从而他人的劳动的权利"[①]。这样一来，资本家个人无须拥有太多的资本，无论是实际拥有的还是名义上所拥有的资本，单靠信用就可以支配社会资本和社会劳动。于是，少数资本家就凭借信用所赋予的支配权开始了投机和冒险活动。而这种投机和冒险，无论成功还是失败，结果都会导致资本的集中，进而导致最大规模的剥夺，且这种剥夺以

---

① 《马克思恩格斯文集》第 7 卷，人民出版社 2009 年版，第 497 页。

对立的形态表现出来。它表现为：一方面是广大的直接生产者和越来越多的中小资本家被剥夺；另一方面是社会财产以股票的形式通过投机交易而日益集中到了少数大资本家的手中，规模巨大的股份公司开始出现，并由此逐步形成和确立了它们在整个社会生产中的垄断地位。在此过程中，信用制度发挥了重要的作用。它不仅是资本主义的私人企业转化为股份公司的主要基础，而且还是这些企业按或大或小的国家规模逐渐扩大合作的手段。这样，马克思就得出了资本主义信用制度同股份公司和垄断的作用关系的结论，提出了信用制度是垄断产生的主要基础和手段的观点。与此同时，马克思还就信用制度的二重性作了探讨，"一方面，把资本主义生产的动力——用剥削他人劳动的办法来发财致富——发展成为最纯粹最巨大的赌博欺诈制度，并且使剥削社会财富的少数人的人数越来越减少；另一方面，造成转到一种新生产方式的过渡形式"①。由此可见，资本主义信用制度的普遍建立，不仅对股份公司的建立和垄断的产生有重要作用，而且还包含着产生一种新的社会生产方式的革命因素。这与马克思在第一卷末关于信用在资本主义从自由竞争向垄断转变中的作用的分析以及由此得出的"剥夺者就要被剥夺"的结论完全一致。

马克思恩格斯对股份公司的关注和研究。股份公司是在资本主义信用制度普遍建立后，资本主义生产中出现的一种新的经营形式，是资本主义从自由竞争向垄断过渡的初级形态。虽然在马克思创作《资本论》的时代，股份公司的生产经营形式还很少采用，发展也还很不充分，但他已经充分注意到了股份公司的出现对资本主义社会的经济发展带来的重大影响。在1878年11月15日和1879年4月10日分别致丹尼尔逊的两封信件中，马克思都明确地表露出了对该问题的高度关切，并指出股份公司形式的发展是值得注意的现象，必须要注意目前事件的进展，直到它们完全成熟。在前一封信中，马克思指出："人民要想摆脱大公司的垄断权力以及（对于群众的直接福利的）有害影响，将是徒然的，这些大公司从内战一开始就以日益加快的速度控制工业、商业、地产、铁路和金融业。"②在后一封信中，马克思进一步明确提出：铁路这种同现代生产资料相适应的交通联络工具，不仅给巨大的股份公司提供了基础，而且同时也为形成类似股份银行这样的股份公司开创了一个新的起点。因为，它不

① 《马克思恩格斯文集》第7卷，人民出版社2009年版，第500页。
② 《马克思恩格斯文集》第10卷，人民出版社2009年版，第427页。

仅赋予了资本的积聚以一种前所未有的推动力，而且也极大地加速和扩展了借贷资本在世界范围的活动，"从而使整个世界陷入金融欺诈和相互借贷——资本主义形式的'国际'博爱——的罗网之中"①。由此可以看出，类似铁路、银行等这样的股份公司的经营形式，此时已经有了快速的发展，垄断已经初步显露出了征兆或初具形态。同时，它作为一种新的生产经营形式，与那种主要生产仍以传统方式进行的旧的经营形式有着很大的差别。这意味着，股份公司不仅在规模上有了惊人的扩大，而且在生产的社会化程度、生产资料和劳动的集中程度方面，比以往旧的生产经营形式有了更大的发展。那么，按此发展趋势，当股份公司的发展足以囊括某一生产部门的大部分生产的时候，垄断也就形成了。但即使如此，马克思并没有因此而乐观地得出资本主义已经完成了从自由竞争向垄断转变的结论，而是理性客观地分析了股份公司在这个转变过程中的过渡性地位和作用。马克思在《资本论》第三卷第二十七章关于《信用在资本主义生产中的作用》的分析中认为，股份公司的生产经营形式只是在资本主义生产方式本身范围内的扬弃。因为，在股份制度内，社会的生产资料在旧形式下表现为个人财产的那些特点还仍旧存在，同时存在的当然还有它表现为社会性的新内容的这个对立面。所以，旧形式向股份形式的转变，并没有消除资本主义固有的社会化与私有化之间的对立，只不过是在股份制度内发展了这种对立。由此，马克思认为，股份公司不过是在资本主义生产方式本身范围内的一种自行扬弃的矛盾和通向一种新的生产形式的单纯过渡点。而它作为这样的矛盾的现象的表现就是：在一定部门中造成了垄断，并引起了国家的干涉；同时又再生产出了一种新的寄生方式和一种没有私有财产控制的私人生产。这是股份公司的生产经营形式对整个资本主义生产带来的重大变化和影响。这样，马克思就根据对股份公司产生发展过程的研究，在通过对资本主义生产中经营形式的演变的分析基础上，敏锐地预见到了资本主义从自由竞争向垄断过渡的必然发展趋势。但是，在他提出这个问题之后，股份公司的发展速度、规模和程度以及它在资本主义生产的作用和影响，都远远超出了他的预想。为此，恩格斯在整理出版《资本论》第三卷的过程中，对马克思关于股份公司的问题作了重要补充。

恩格斯在《资本论》第三卷第二十七章中，根据变化了的实际，对马克思

---

① 《马克思恩格斯选集》第4卷，人民出版社2012年版，第532页。

关于股份公司问题的论述以大段插语的形式作了专门的补充。恩格斯明确强调指出，自从马克思论述了股份公司以后，已经有了新的产业经营形式出现和发展起来了，这些形式代表着股份公司的"二次方和三次方"①，即垄断组织的产生和发展在规模上远远超过了股份公司。正是随着垄断的发展，使生产以越来越快的速度增长，相比之下，市场的扩大却变慢了。大工业几个月生产的量，市场几年都未必能销售完，再加上各国都实行的保护关税政策，导致了经常性的严重生产过剩。于是，历来备受推崇的竞争自由被国内国际广泛建立的各种垄断组织所取代。它具体表现为："在每个国家里，一定部门的大工业家联合成一个卡特尔，以便调节生产。一个委员会确定每个企业的产量，并最后分配接到的订货单。在个别场合，甚至有时会成立国际卡特尔，例如英国和德国在铁的生产方面成立的卡特尔。但是生产社会化的这个形式还嫌不足。各个公司的利益的对立，过于频繁地破坏了它，并恢复竞争。因此，在有些部门，只要生产发展的程度允许的话，就把该工业部门的全部生产，集中成为一个大股份公司，实行统一领导。在美国，这个办法已经多次实行；在欧洲，到现在为止，最大的一个实例是联合制碱托拉斯。在英国，在这个构成整个化学工业的基础的部门，竞争已经为垄断所代替"②。这样，恩格斯就从"股份公司——卡特尔（国际卡特尔）——托拉斯"这一垄断的产生和发展、垄断的组织形式及其演进层面，对资本主义从自由竞争向垄断转变的具体过程作了更加具体的说明和论证。在此，恩格斯不仅明确指出了托拉斯和卡特尔这两种垄断组织形式的关系，即托拉斯的生产社会化和垄断程度要比卡特尔更高，前者是在后者基础上的进一步发展，而且还由此得出了资本主义的自由竞争已经被垄断所代替的结论。

马克思恩格斯科学分析了竞争与垄断的关系问题。恩格斯早在《国民经济学批判大纲》中就已经指出了竞争和垄断的辩证关系。他认为，竞争建立在利益的基础上，只要资本坚持以追求利润最大化为目标，那么，资本主义私有制范围内的一切都终究会归结为竞争，而竞争的对立面就是垄断。简言之，因为利益而竞争，为了利益竞争又转为垄断。但是，垄断仍然阻挡不住竞争的洪流，相反，它本身不仅会引起竞争，而且还会加剧竞争。正是因为"垄断引起

---

① 《马克思恩格斯文集》第 7 卷，人民出版社 2009 年版，第 496 页。
② 《马克思恩格斯文集》第 7 卷，人民出版社 2009 年版，第 496—497 页。

自由竞争，自由竞争又引起垄断"①，所以，不仅资本主义从自由竞争向垄断转变是必然的，而且无论是竞争还是垄断者都一定会失败。但要彻底消除这两种现象，必须消灭二者产生的基础。对此，马克思明确指出，正是因为竞争，促使资本和生产走向集中，而资本和生产的集中达到了一定程度上的极限，就必然走向垄断，但垄断反过来只会加剧竞争。也正因为如此，马克思在《资本论》第一卷末才得出了如下的结论：竞争和垄断的矛盾运动，必然导致资本主义从自由竞争向垄断过渡和转变。而随着资本主义向垄断的转化，一方面，生产资料越来越集中在极少数的大资本家手中，而生产的社会化程度则得到极大的提高；另一方面，广大工农群众遭受贫困、剥削、压迫和奴役的程度不断加深，促使他们的反抗不断增强。这样，垄断的产生和发展，就使资本主义生产关系同它的生产力之间的矛盾不可避免地加剧了，资本主义生产关系已不能适应和满足它生产力发展的客观需要，这为资本主义生产资料私有财产制度敲响了"丧钟"，它将不可避免地走向灭亡，而被一种新的社会制度所取代。"剥夺者就要被剥夺了。"②这既是在资本主义范围内竞争和垄断关系发展的必然结果，也是资本主义发展的必然趋势和结果。显然，马克思恩格斯对垄断问题的关注，并没有仅仅停留在问题本身，而是从资本主义发展趋势的高度进行了观察和思考，并由此得出了资本主义必然从自由竞争向垄断过渡和资本主义私有制必然灭亡的结论的科学预判。

总之，马克思恩格斯敏锐地观察到了资本主义生产中信用制度、股份公司、竞争与垄断的关系等方面的发展变化情况，在科学分析了这一变化将给资本主义社会发展带来的巨大影响的基础上，科学预见了资本主义必将从自由竞争向垄断过渡的发展趋势。

三、恩格斯在1883年后科学分析垄断征兆

19世纪80年代至90年代，在马克思逝世后的十多年时间里，垄断正在成为资本主义经济的基本特征，垄断组织有了广泛的发展，自由竞争资本主义

① 《马克思恩格斯选集》第1卷，人民出版社2012年版，第45—46页。
② 《马克思恩格斯文集》第5卷，人民出版社2009年版，第874页。

向垄断资本主义过渡的征兆愈发明显和公开。恩格斯在科学分析垄断的产生发展及垄断的组织形式、交易所在资本主义生产中的地位和作用等问题的基础上，进一步补充、丰富和发展了马克思主义的垄断理论。

恩格斯关于自由贸易与保护关税制度问题的分析，初步揭示了垄断产生的必然性。在《保护关税制度和自由贸易》一文中，恩格斯详细论述了在自由贸易中为何要采取保护关税制度，以及必然由此产生垄断的问题。1847年底，在布鲁塞尔举行了一次讨论自由贸易问题的会议，这是英国工厂主争取自由贸易运动的一次会议。正是这次会议，实现了英国的工业品自由进入大陆市场的目的。但是，也由此开启了英国走向世界工业垄断的步伐。从1848年到1866年，英国工业和贸易空前发展，贸易达到了神话般的规模，在世界市场的工业垄断地位更加巩固。为了打破英国在世界市场的垄断，避免沦为英国这个世界工厂的简单附庸，法国、瑞士、德国、美国等主要资本主义国家都纷纷建立关税保护制度，并在一切可能的地方和行业都建立起了调节生产和贸易的垄断组织。恩格斯以德国炼铁业为例对此问题作了详细说明。德国炼铁业集中在为数不多的几家大公司，且大部分在股份公司手中，它们合并在一起能够生产的铁，约为全国所能吸收的平均消费量的四倍。这些公司为了避免不必要的互相竞争，联合成立了一个"托拉斯"垄断组织，专门负责在它们内部分配同外国人签订的所有合同，并根据具体情况确定最终由哪一家公司来实际投标和承包。它们甚至还同英国的几个炼铁业老板达成协议。于是，一大批股份公司和垄断组织开始广泛建立起来，并且，这种状况还有进一步发展和加强的趋势。由于这种为了保护工厂主的利益而普遍推行的荒唐的保护关税制度，实际上不过是在向工业资本家们行贿，所以，它必将会诱使他们更加贪婪地去"支持一种更惊人的给予土地所有者的垄断权"[1]。由此产生的必然后果就是，使垄断更加严重。可见，垄断是自由竞争的必然结果，而竞争的加剧又促使了垄断向更高阶段和组织形式的发展。在这里，恩格斯不仅详细阐述了竞争与垄断的关系，而且初步揭示出了垄断的产生和资本主义从自由竞争向垄断过渡的必然性。

恩格斯论述了垄断的产生、发展以及垄断的组织形式，对马克思的垄断观点作了重要的补充和发展。恩格斯在《社会主义从空想到科学的发展》的《1891

---

[1] 《马克思恩格斯文集》第4卷，人民出版社2009年版，第345页。

年德文第四版序言》中强调指出，自该著作发表以来，在此期间，资本主义社会的生产形式已经发生了很大变化，需要对"已经变得很重要的新的生产形式'托拉斯'"①这个问题予以关注和研究，并在该著作第三章接近末尾处对此作了重要补充和具体阐述。由此，恩格斯不仅阐明了垄断的产生是资本主义社会生产力发展的必然结果这个根本原因，垄断组织的出现是为了实现调节生产、控制市场和价格等目的，具体阐释了托拉斯这种垄断组织形式的产生发展过程；而且还首次明确提出了资本主义从自由竞争向垄断过渡的观点。恩格斯在此处所表达的思想，与他在《资本论》第三卷第二十七章中对股份公司所作的补充的思想相一致，是对马克思主义垄断理论的重大补充和发展。

恩格斯对交易所在整个资本主义生产中的地位和作用的研究，极大地丰富和发展了马克思主义的垄断理论。19世纪60年代至70年代，交易所在资本主义体系中还是一个次要的因素，股份银行数量还比较少，股份形式在直接生产事业中的采用也不多见。但是，自1865年以来，尤其到《资本论》第三卷出版的时候，这种情况就已经发生了很大的变化，交易所在整个资本主义生产中的作用已经大大增强了。在1883年2月8日致爱德华·伯恩斯坦的信中，恩格斯把它比作"像蒸汽机那样的革命的因素"。而在1890年6月5日致保尔·恩斯特的信中，恩格斯又把它称之为"资本积聚的最强有力的杠杆"。可见，交易所在整个资本主义社会生产中的地位和作用之特殊。为此，恩格斯对交易所问题作了专门的研究，并在此基础上在《资本论》第三卷的增补中加上了《交易所》一文，就交易所的性质及作用作了着重补充论述。他指出：从第三卷第五篇，特别是第［二十七］章可以看出，交易所在整个资本主义生产中占有多么重要的地位。但是，自从1865年写作《资本论》第三卷以来，情况已同以往大不相同了，这种变化使交易所的作用大大增强了，且还在不断增强。这种变化，在其进一步的发展中，内在地包含着一种要把全部工农业生产、全部交往、交通工具和交换职能等都集中到交易所的发展趋势，并且，总有一天，连土地也都会被控制到交易所的手中。这样，"交易所就成为资本主义生产本身的最突出的代表"②。而正是因为有了交易所这个革命的因素、最强有力的杠杆和最突出的代表，资本主义社会生产中的各个行业和部门，包括工

---

① 《马克思恩格斯选集》第3卷，人民出版社2012年版，第748页。
② 《马克思恩格斯文集》第7卷，人民出版社2009年版，第1028页。

业、商业、零售业、银行业和其他信用机构，甚至在农业方面都逐渐转变成了
股份公司，或正在为向股份公司转变作准备。与此同时，在国际上，一切国外
投资也都已经采取了股份形式，甚至就连开拓殖民地、瓜分世界市场也都纯粹
变成了交易所的附属物。显然，交易所已经深入到了资本主义生产和国民经济
的各个方面，并占据了统治地位。之所以如此，主要就是因为垄断组织的产生
和发展，银行资本同工商业垄断组织的联姻。因而可以说，恩格斯在此关于交
易所问题的分析研究，实质上就已经关注和研究了关于金融垄断资本的产生及
其走向金融寡头的发展问题。这是马克思在世时没有预见到也不可能预见到的
事情。而恩格斯对此问题的分析研究，则是对这方面内容的极大丰富和发展。

　　在此基础上，恩格斯进一步分析了垄断的实质及其发展趋势。恩格斯指
出，垄断不过是资本主义快速发展的生产力"迫使资本家阶级本身在资本关系
内部可能的限度内，越来越把生产力当作社会生产力看待"和"不得不采取像
我们在各种股份公司中所遇见的那种社会化形式"的结果。① 但无论是向股份
公司和托拉斯的转变，还是向国家财产的转变，资本主义生产都没有从根本上
改变和消除生产力的资本属性。反而，由股份公司或托拉斯经营的生产，使它
已经不再是单纯的私人生产，而是由许多人联合负责的生产。在这样的生产
中，不仅没有了私人生产的性质，而且也没有了生产的无计划性。这就意味
着，随着资本主义从自由竞争转变为垄断，它不仅让资产阶级在驾驭现代生产
力方面已显得多余，而且使资本主义的无计划生产向社会主义的计划生产转变
成为了可能。这样，快速发展的生产力就同它赖以发展起来的社会制度不相容
了，而后者却反过来成了社会生产力发展的桎梏。资本关系已经被推到了必然
要发生变革的顶点。但是，这种制度本身又没有任何的自救之策，因为它总是
要继续发展资本主义制度，总是要继续加速资本主义财富的生产、积累和集
中，这同时也就加速生产了革命的工人阶级，壮大了社会变革的革命力量。于
是，整个社会走进了死胡同，这样，唯一可能的出路，就是实行社会革命，以
彻底重新塑造构成这个社会的基础的经济结构。如此，才能把社会生产力从这
个过时和落后的社会制度的桎梏下解放出来，把真正生产者和广大人民群众从
雇佣奴役的悲惨状态下解放出来。可喜的是，竞争向垄断的转变本身就"包

① 《马克思恩格斯选集》第3卷，人民出版社2012年版，第665页。

含着解决冲突的形式上的手段，解决冲突的线索"①，并为变革做好了准备和指明了道路。那就是：由无产阶级取得国家政权，把生产资料变为国家财产，进而在快速增加社会生产力总量的基础上，最终完成消灭阶级和国家的伟大历史使命。此外，由于交易所的发展把一切国外投资都股份化和使开拓殖民地、瓜分世界市场都变成了纯粹的交易所的附属物，这样，就使在主要资本主义国家之间乃至世界范围内爆发战争将不可避免。这也必将会对无产阶级实现社会变革起到一定的积极作用。当然，要实现这个目标必将会是一个长期的过程。这样，恩格斯就在对垄断的实质及其基本特征分析的基础上，指出了它最终必将随着私有制的消灭而消除的未来走向。这是对马克思的那个"自行扬弃"观点的具体阐释和进一步发展。

当然，由于恩格斯晚年所处时代仍是资本主义从自由竞争向垄断过渡的时期，资本主义生产关系的垄断特征虽已十分明显，但还尚未完全体现和暴露出来。因而，他只能就某些征兆和趋势作出科学分析和初步揭示，还不可能提出关于帝国主义形成和发展的完备理论。但恩格斯关于垄断资本主义这些征兆的分析，以及对马克思主义垄断理论的补充和发展，已经为解答这个问题奠定了科学的理论基础和思想指导。正是在这一基础上，列宁后来才最终完成了创立帝国主义论的伟大历史使命。

总之，马克思恩格斯关于19世纪末20世纪初资本主义发展趋势的科学分析和敏锐预判，对此后的国际工人运动而言，无论是在科学认识资本主义的发展变化方面，还是在准确判断革命形势和科学制定革命的斗争策略方面，都具有十分重大的指导价值和意义。

第二节 捍卫和发展无产阶级革命和
无产阶级专政学说

无产阶级革命和无产阶级专政的学说是马克思主义理论的重要构成内容，

---

① 《马克思恩格斯选集》第3卷，人民出版社2012年版，第810—811页。

在整个马克思主义理论体系中具有极其重要的地位。随着革命形势的发展变化，在工人政党内部出现了以"现代社会长入社会主义"等为代表的否定无产阶级革命和无产阶级专政的错误思潮。这对无产阶级内部的团结和整个社会主义运动的发展都造成了极为有害的影响。在与之进行针锋相对的斗争过程中，马克思恩格斯进一步捍卫和阐明了无产阶级革命的理论和策略，丰富和发展了马克思主义的国家学说。

一、批判"现代社会长入社会主义"的谬论

"现代社会长入社会主义"是指社会民主党内产生的一种否定阶级斗争和放弃无产阶级革命立场，主张使党通过和平方式建立共和国和建立共产主义社会的错误观点。它代表了工人阶级内部庸俗民主主义、改良主义等机会主义的立场。针对这一错误思潮，恩格斯对"现代社会长入社会主义"谬论进行了系统全面的揭露和批判。

"现代社会长入社会主义"是德国社会民主党内机会主义立场和观点的遗留和延续。巴黎公社革命的失败表明，欧洲大陆经济发展的状况还远没有成熟到足以铲除资本主义生产方式的程度，虽然阶级斗争的形势越来越明朗化，但发动革命的环境却日渐复杂和严酷了，再"要以一次简单的突然袭击来实现社会改造，是多么不可能的事情"[1]。于是，社会民主党内的部分人的革命立场开始动摇和转变，认为在当时形势下继续坚持社会革命的方式已不合时宜。这为"现代社会长入社会主义"这种机会主义错误观点的产生和蔓延提供了温床。1875年5月22日至27日，以李卜克内西和倍倍尔为领导的德国社会民主工党同以拉萨尔派领导的全德工人联合会在哥达召开合并大会。针对两党的合并，马克思恩格斯强调，必须要在原则上健康的基础上，要在理论问题和政治问题上都不向已经在工人群众中失去影响的拉萨尔派让步的条件下进行合并。但是，为了实现两党合并之目的，李卜克内西却在这次大会上对拉萨尔派坚持的机会主义主张做出了妥协和让步，并通过了一个具有浓厚的拉萨尔主义色彩的《哥达纲领》草案。这就等于在原则上承认了拉萨尔主义，为党内机会主义

---

[1] 《马克思恩格斯选集》第4卷，人民出版社2012年版，第385页。

的蔓延埋下了隐患。而 1878 年俾斯麦政府颁布的反社会党人非常法案,将社会民主党非法化,并取缔和禁止了党的一切组织、活动和刊物,社会党人遭到镇压。尽管该"非常法"最终在群众性工人运动的压力下于 1890 年 10 月被废除,但它已足以在社会民主党内引起惊慌和一定程度的动摇,更进一步助长了党内机会主义的抬头。由于马克思恩格斯对《哥达纲领》草案的深刻批判,以及在"非常法"生效期间对社会民主党和它所领导的工人运动的积极帮助,使党的领导人逐渐认识到了《哥达纲领》草案的错误和拉萨尔派的危害,德国社会民主党于 1890 年 10 月 12 日至 18 日在哈雷召开了反社会党人非常法废除后的第一次代表大会。这次大会决定起草一个新的纲领草案,提交下次党代表大会讨论。此新纲领在 1891 年 10 月召开的德国社会民主党爱尔福特代表大会上被通过,即《1891 年社会民主党纲领草案》(简称为《爱尔福特纲领》)。1891 年 6 月 18 日,德国社会民主党人理查德·费舍以党的执行委员会的名义将纲领草案寄给了恩格斯,恩格斯对草案进行了详细的分析和批判,创作了《1891 年社会民主党纲领草案批判》(简称为《爱尔福特纲领批判》)这一光辉的马克思主义文献。恩格斯指出,虽然新纲领从总体来讲是立足于现代科学的基础之上,且较《哥达纲领》有了明显的进步,也基本肃清了地道拉萨尔派的浓厚残渣,但在其中,尤其在政治要求部分,仍包含了机会主义的幻想,即在像德国那样的反动专制制度的国家里,"现在有人因为害怕恢复反社会党人法,……就忽然认为,德国目前的法律状况就足以使党通过和平方式实现自己的一切要求。他们力图使自己和党相信,'现代的社会正在长入社会主义'"①。当然,他们就更不会去考虑,是否需要对这种社会制度下的社会作彻底改造或变革,或者把社会从这个旧制度下彻底解放出来等问题。这种极力宣扬放弃暴力革命和绝对守法,力促党通过和平方式实现"现代社会长入社会主义"的主张,是党内机会主义错误观点的遗留和变种。

揭露"现代社会长入社会主义"的机会主义立场和实质。针对《爱尔福特纲领》中政治要求部分的错误观点,恩格斯对"现代社会长入社会主义"的机会主义立场和实质进行了激烈的批判。如恩格斯所说,正是政治要求的这部分内容,促使我"有理由痛击《前进报》那种和和平平的机会主义,痛击关于旧

---

① 《马克思恩格斯选集》第 4 卷,人民出版社 2012 年版,第 293 页。

的污秽的东西活泼、温顺、愉快而自由地'长入''社会主义'的论调"①。恩格斯指出，这种"现代社会长入社会主义"的论调是："为了眼前暂时的利益而忘记根本大计，只图一时的成就而不顾后果，为了运动的现在而牺牲运动的未来，这种做法可能也是出于'真诚的'动机。但这是机会主义，始终是机会主义，而且'真诚的'机会主义也许比其他一切机会主义更危险。"② 它无异于一边宣称自己要揭去那个旧的专制制度的遮羞布，而另一边又亲手去遮盖住那赤裸裸的肮脏东西。更何况，就德国本身的形势和条件来看，政府拥有着无上的权力，国会及其他一切代议机关毫无任何的实权可言，这导致他们在国内甚至连一个公开要求共和国的党纲都提不出来。而在这样的情况下，还妄谈什么要用舒舒服服的和平的方法来建立共和国，不仅要建立共和国，甚至还要以此来建立共产主义社会，这是多么大的幻想。在此，恩格斯一语中的地指出了"现代社会长入社会主义"的机会主义实质。但是，随着资本主义生产方式的发展，允许结社自由、出版自由和推行普遍的选举权制度等资本主义民主制度的广泛建立，工人阶级的斗争环境和条件都发生了明显变化，利用和平方式开展合法斗争在部分国家已取得了明显效果，甚至在个别国家中已经引起了大资本家们对工人阶级合法化斗争的恐慌，他们担心工人阶级的合法化斗争胜过工人阶级的非合法化斗争。这更使社会民主党内鼓吹社会革命过时论和主张利用合法方式"和平长入社会主义"的错误观念越发具有蛊惑性和煽动性。

批判"现代社会长入社会主义"对关于争取和利用合法斗争思想的歪曲。的确，恩格斯在理论上并没有否定无产阶级有可能通过和平的方式取得政权。但他认为，这只有"在人民代议机关把一切权力集中在自己手里、只要取得大多数人民的支持就能够按照宪法随意办事的国家里，旧社会有可能和平长入新社会"③。而且，恩格斯在1895年为《法兰西阶级斗争》一书所作的《导言》中也确实明确说过，1848年的斗争方法在今天来看在一切方面都已经过时了。普选权这种合法的和平斗争方式，在德国工人那里，"已经被他们……由向来是欺骗的工具变为解放的工具。……无产阶级的一种崭新的斗争方式就开始发挥作用，并且迅速获得进一步的发展"④。但这是在无产阶级斗争的条件和形势

① 《马克思恩格斯文集》第10卷，人民出版社2009年版，第613页。
② 《马克思恩格斯选集》第4卷，人民出版社2012年版，第294页。
③ 《马克思恩格斯选集》第4卷，人民出版社2012年版，第293页。
④ 《马克思恩格斯选集》第4卷，人民出版社2012年版，第389—390页。

相比 1848 年时已经发生了根本变化的情况下提出的。而《前进报》于 1895 年
3 月 30 日，在未经恩格斯同意的情况下就从他的《导言》中断章取义地摘引
了几处，以《目前革命应怎样进行》为题发表了一篇社论，因而给人们造成了
一种仿佛恩格斯主张"无论如何要守法"的错误印象。机会主义者们正是抓住
了《前进报》社论这根救命稻草，歪曲恩格斯关于争取和利用合法化斗争的意
思，把"不惜以任何代价来换取合法性的和平崇拜者"的莫须有罪名强加在恩
格斯头上，大谈特谈什么恩格斯已经承认革命的方式已经过时，现代社会可以
通过合法手段而"和平长入社会主义"。就这个严重错误，恩格斯在 1895 年 3
月 8 日致理查·费舍的信中不客气地给予了批判，"我不能容忍你们立誓忠于
绝对守法，任何情况下都守法，甚至在那些已被其制定者违犯的法律面前也要
守法，简言之，即忠于右脸挨了耳光再把左脸送过去的政策。……如果你们宣
扬绝对放弃暴力行为，是决捞不到一点好处的。没有人会相信这一点，也没有
一个国家的任何一个政党会走得这么远，竟然放弃拿起武器对抗不法行为这一
权利"①。同时，为了消除《前进报》给他造成的"可耻形象"，恩格斯专门向《前
进报》编辑李卜克内西去信表达了不满，并在 1895 年 4 月 1 日致卡尔·考茨
基的信中明确提出："今天我惊讶地发现，《前进报》事先不通知我就发表了我
的《导言》的摘录，在这篇经过修饰整理的摘录中，我成了一个温顺平和、无
论如何都要守法的人。我特别希望《导言》现在能全文发表在《新时代》上，
以消除这个可耻印象。我将非常明确地把我关于此事的意见告诉李卜克内西，
也告诉那些（不管是谁）事先对我只字未提而给他这种机会来歪曲我的观点
的人。"②可以看出，所谓的恩格斯主张无论如何要守法，分明是有人歪曲了他
的观点。考茨基后来对这个问题发表了自己的意见和看法，在他看来，与这种
"可耻印象"恰恰相反，恩格斯"在有关革命事业的一切问题上都仍然是绝对
坚定不移的。"③可见，"现代社会长入社会主义"谬论，不过是机会主义者歪
曲恩格斯关于争取合法化斗争观点的怪胎和夸大革命过时论的结果。

　　揭示"现代社会长入社会主义"对工人阶级及其政党乃至整个社会主义运
动的危害。"现代社会长入社会主义"看似对社会主义运动发展有利，实则危

① 《马克思恩格斯选集》第 4 卷，人民出版社 2012 年版，第 659 页。
② 《马克思恩格斯文集》第 10 卷，人民出版社 2009 年版，第 699 页。
③ ［奥］卡尔·考茨基：《考茨基文选》，人民出版社 2008 年版，第 232 页。

害深重。恩格斯在批判德国社会民主党内的"现代社会长入社会主义"错误主张的过程中，明确揭露和批判了这种谬论对工人阶级政党及其所领导的整个社会主义运动的危害。恩格斯一针见血地指出："这样的政策长此以往只能把党引入迷途。人们把一般的抽象的政治问题提到首要地位，从而把那些在重大事件一旦发生，政治危机一旦来临就会自行提到日程上来的紧迫的具体问题掩盖起来。其结果就是使党在决定性的时刻突然不知所措，使党在具有决定意义的问题上由于从未进行过讨论而认识模糊和意见不一。"① 这即是说，在"现代社会长入社会主义"的错误观念的蒙蔽和蛊惑下，工人阶级政党在关键时刻将会模糊革命立场和丧失斗争方向，这将会让工人阶级在同敌人的斗争中付出不必要的代价和作出大量无谓的牺牲，它无异于是让工人阶级及其政党在革命斗争中主动缴械投降。因而，"现代社会长入社会主义"相比其他一切机会主义都更加危险。

总之，"现代社会长入社会主义"的机会主义立场和本质已经充分暴露，工人阶级及其政党在革命过程中必须要对此予以高度警惕，并同这种谬论进行坚决彻底的斗争，以更有效地坚持和捍卫马克思主义的科学性。

二、无产阶级革命理论和策略的捍卫和阐明

无产阶级革命的理论和策略是马克思主义在诞生之初就已经明确的一个重要内容。但随着革命形势和斗争条件的变化，革命立场动摇甚至主张放弃革命，作无原则的妥协让步和不惜代价的合法化斗争等的错误思想日渐抬头。为此，马克思恩格斯在同"现代社会长入社会主义"等各种错误思想斗争的过程中，进一步捍卫和阐明了无产阶级革命的理论和策略。

恩格斯重申了"无产阶级政党必须有一个明确的积极的纲领"的重要性。马克思恩格斯多次强调指出，无产阶级政党必须要有一个明确而积极的纲领，这对党及其所领导的工人运动的伟大事业都具有十分重要的作用和意义。党的纲领是一个政党关于党的性质、立场、宗旨、组织原则、斗争策略、奋斗目标等的总的规定，是一个政党区别于其他政党和政治团体的根本标志，外界就根

---

① 《马克思恩格斯选集》第4卷，人民出版社2012年版，第293—294页。

据其纲领来判断这个党。所以，制定和拥有一个明确而积极的纲领，哪怕是一个原则性的纲领，它都是"在全世界面前树立起可供人们用来衡量党的运动水平的里程碑"①。而《共产党宣言》（简称为《宣言》）就是无产阶级政党的这个总纲领和里程碑，就是它奋斗的旗帜、前进的方向和行动的指南。它公开向全世界宣布，"最终目标是工人阶级夺取政权，使整个社会直接占有一切生产资料——土地、铁路、矿山、机器等等，让它们供全体成员共同使用，并为了全体成员的利益而共同使用"②。但在工人运动的实践中，一些国家的无产阶级政党在党纲问题上却要么是不顾本国实际而照搬《宣言》，要么是纲领不够鲜明和明确，要么是为了获得更多的选票和支持而抛弃纲领，甚至还有些党连一个共同的纲领都没有。针对这种状况，恩格斯在 1887 年再次明确重申了《宣言》对无产阶级政党宗旨策略的规定和对党的纲领的要求。他指出，无论是已经组建起来的政党还是一个新的政党，都"必须有一个明确的积极的纲领，这个纲领在细节上可以因环境的改变和党本身的发展而改动，但是在每一个时期都必须为全党所赞同"③。在此，恩格斯不仅突出强调了无产阶级政党必须要有一个明确的纲领的重要性和必要性，而且还特别阐明了各国无产阶级政党在制定党纲时应当遵循的基本策略和原则，即以《宣言》为指导和依据，结合各国的具体实际来制定和做出适度的调整与改变，但不管这个纲领最初的形式如何，哪怕其中存在不足，它归根到底都必须是真正的工人阶级的纲领，都必须完全符合那个经过长期理论认识发展和斗争实践检验才成为战斗的无产阶级广大群众所公认的纲领。这就要求，无产阶级政党不仅要有一个明确的积极的纲领，更要以纲领为旗帜、方向和指南积极开展革命实践和斗争。这是各国无产阶级政党科学坚持无产阶级的革命理论和策略积极开展斗争的基本前提和根本依据。

恩格斯再次强调了"无产阶级组建独立政党和在斗争中保持党的独立性"的策略。无产阶级必须要组建自己的独立政党并在斗争中保持党的独立性，这是马克思恩格斯一直以来都始终坚持和反复强调的根本立场。在 1889 年 12 月 18 日致格尔松·特里尔的信中，恩格斯指出，无产阶级政党在斗争过程中必须保持独立性，尤其是在革命的紧要关头和决战的关键时刻，无产阶级要强大

---

① 《马克思恩格斯选集》第 3 卷，人民出版社 2012 年版，第 355 页。
② 《马克思恩格斯选集》第 4 卷，人民出版社 2012 年版，第 272 页。
③ 《马克思恩格斯选集》第 4 卷，人民出版社 2012 年版，第 271 页。

到足以取得斗争的最后胜利,"就必须(马克思和我从 1847 年以来就坚持这种立场)组成一个不同于其他所有政党并与它们对立的特殊政党,一个自觉的阶级政党"①。这就是说,无产阶级政党要致力于实现党的纲领所制定的伟大目标,不仅要首先组建自己的独立的政党,而且还必须要"作为独立的政党"参加到实现整个运动的伟大目标的过程中。这既是党领导工人阶级赢得斗争胜利的根本原则和保证,也是党在斗争过程中同其他党派开展合作斗争的根本前提和立场,同时也是几十年来阶级斗争实践所证明了的成功经验。但保持党的独立性绝不是说,无产阶级政党无条件地反对和拒绝同其他政党一起采取任何的共同行动,哪怕是暂时的共同行动,来达到特定的目的。同样也不是说,它不能暂时地支持其他政党去实施对无产阶级实现其奋斗目标直接有利的或进步的措施。这不是真正的革命无产者的态度和做法,也不符合无产阶级政党和整个运动的利益要求。相反,真正的革命者和革命政党的态度和做法应当是,在保持党的独特立场和独立组织的根本前提下,为了党的伟大事业而在许可的范围内同它们进行一切可能的合作和联合斗争。正如恩格斯在 1887 年 1 月 27 日致弗洛伦斯·凯利-威士涅威茨基的信中所言,"我们的全部实践已经证明,可以在工人阶级普遍性的运动的各个阶段上同它进行合作,而无须放弃或隐瞒我们自己的独特立场甚至组织"②。但是,以德国社会民主党为代表的个别国家的无产阶级政党,却为了所谓的联合而抛弃了党的独立性。对此,恩格斯在 1892 年 9 月 4 日致卡尔·考茨基的信中再次明确强调:"对一切现代国家来说,无论在任何时候,我们的策略有一点是确定不移的:引导工人建立一个同一切资产阶级政党对立的、自己的、独立的政党。"③ 可见,无产阶级在形成为阶级后,必须首先组建自己的政党组织,并在斗争过程中保持党的独立性和以独立的政党参加战斗,这是无产阶级政党在革命过程中应当遵循的根本立场、原则和策略。

恩格斯指出了无产阶级政党"应根据经常变化的条件、因时因地地制定斗争策略"的策略。无产阶级革命的理论和策略来自于革命的实践,并且还要依据革命形势的发展变化因时制宜、因地制宜地运用和调整。马克思恩格斯正是

---

① 《马克思恩格斯选集》第 4 卷,人民出版社 2012 年版,第 592 页。
② 《马克思恩格斯选集》第 4 卷,人民出版社 2012 年版,第 588 页。
③ 《马克思恩格斯文集》第 10 卷,人民出版社 2009 年版,第 632 页。

根据这个基本指导思想，阐明了无产阶级革命斗争的基本理论和策略。但这些理论和策略都不是僵死的教条，也不是必须要背得滚瓜烂熟并机械地加以重复的经验条文。它是发展的理论，是在实践中不断根据变化了的实际而灵活调整运用的策略。然而，遗憾的是，在革命实践中，在具体运用和对待革命的策略问题上，有些人却偏偏把它当作机械的教条来死搬硬套，甚至"为了图省事，为了不费脑筋，想永久地采用一种只适宜于某一个时期的策略"①。针对这种错误做法，恩格斯在 1892 年 8 月 30 日致维克多·阿德勒的信中强调指出，"我们的策略不是凭空臆造的，而是根据经常变化的条件制定的；在目前我们所处的环境下，我们往往不得不采用敌人强加于我们的策略"②。这就是说，在某些特殊情况下，即使是资产阶级在用来组织其统治的国家机构中所采取的某些策略，也是工人阶级可以拿来对资产阶级及其国家机构本身作斗争的策略。随后，恩格斯又针对和结合意大利的革命形势和实际情况对此问题作了更进一步的详细说明。他指出："至于我所强调的一般的策略，长期以来，我已经确信它的有效性；它从未丧失过这种有效性。但是说到怎样把它运用到意大利目前的状况，那就是另一回事；必须因地制宜地作出决定，而且必须由处于事变中的人来作出决定。"③正是基于此，恩格斯才明确提出，社会主义工人党应根据变化了的条件重新审查和制定符合新的革命形势需要的新的斗争策略。即使如此，在个别国家的某个时期所采取的策略，也仅仅是针对这个国家当时的情况而做出的，而且还有重要的附加条件。举例来说，拿适用于德国当时的革命策略来解决法国、比利时、意大利、奥地利等国家的问题，就不能全部照搬和机械采用了，就是对德国本身而言，把今天制定的策略用来去处理明天的事情，它也可能就过时和不适用了。可见，革命的策略必须根据革命形势和实践的发展变化而不断进行调整并加以灵活运用，才能真正取得实效。这样，恩格斯就明确了无产阶级政党对待革命的理论和策略问题上的基本态度和方法。

恩格斯阐明了无产阶级政党争取和利用合法化斗争的原则和策略。随着革命形势的发展和变化，一方面，在德国工人那里，由于他们富有成效地利用了普选权而取得了迅猛发展和持续胜利，选举权已经被他们由向来是欺骗的工具

---

① 《马克思恩格斯文集》第 10 卷，人民出版社 2009 年版，第 630 页。
② 《马克思恩格斯文集》第 10 卷，人民出版社 2009 年版，第 630 页。
③ 《马克思恩格斯选集》第 4 卷，人民出版社 2012 年版，第 326 页。

变为解放的工具，这就为世界各国的同志们树立了一个争取和合理利用合法化斗争手段的榜样，同时也给他们提供了一件新的、最锐利的武器——普选权，并向他们表明了应当如何使用普选权。这既是各国工人阶级政党都不应该忽视的新的武器，也是他们必须要认清的变化了的革命形势。另一方面，资本家对工人阶级在合法化斗争中所取得的胜利的担忧日益加剧，想方设法要利用和破坏合法化斗争的胜利成果。在此形势下，为了更好地适应革命形势的发展和斗争条件的变化之实践需要，避免工人阶级在条件和时机都尚不成熟的情况下发动不惜代价的革命和作无谓的牺牲，避免一切可能被敌人利用来毁灭党和破坏工人运动的情况发生，恩格斯在 1890 年 9 月 7 日至 9 月中《给〈社会民主党人报〉读者的告别信》中提出，党目前应当把合法斗争的方式提到首位，但是，"这必须以对方也在法律范围内活动为前提"[①]。正如恩格斯在 1890 年 3 月 9 日致威廉·李卜克内西的信中所指出的那样，"我同意你的意见：在当前，我们应当尽可能以和平的和合法的方式进行活动，避免可以引起冲突的任何借口。但是，毫无疑问，你那样愤慨地反对任何形式的和任何情况下的暴力，我认为是不恰当的"[②]。更何况，对无产阶级及其政党而言，我们的敌人还没有被彻底打倒，他们更没有公开宣布绝对放弃使用暴力，在此之前，如果我们宣扬绝对放弃使用暴力行为，那是绝捞不到任何一点好处的。在恩格斯看来，目前形势下，守法虽暂时在一定程度上对运动发展有利和适用，但这绝不是那种不计后果和不惜任何代价的守法，哪怕只是口头上的也绝不可以。也就是说，争取和利用合法化手段开展斗争，只是当下形势下革命实践的一种手段，绝非一劳永逸的选择，更不是那种放弃任何条件的暴力和所谓的"不惜任何代价的合法性"。这在于，任何一个有产者阶级统治的国家，都绝不可能允许它的敌人同他分享和共掌政权，也绝不会允许它的敌人在它的身边肆无忌惮地发展壮大到足以威胁和夺取他手中政权的程度。所以，针对德国社会民主党通过合法斗争和利用普选权所取得的胜利，"毫无疑问，他们会先开枪"[③]。于是，反革命的暴力将会迫使无产阶级必须采用暴力的而非和平的方法来应对。到那时，对于放弃了暴力行为的工人政党来说，只会有一种结果：合法性害死我们。可见，

---

① 《马克思恩格斯选集》第 4 卷，人民出版社 2012 年版，第 285 页。

② 《马克思恩格斯文集》第 10 卷，人民出版社 2009 年版，第 582 页。

③ 《马克思恩格斯文集》第 4 卷，人民出版社 2009 年版，第 430 页。

恩格斯关于争取和利用合法化斗争的观点，是根据革命形势的变化而对无产阶级斗争方式调整作出的科学判断。那种一味主张放弃暴力行动和立誓忠于绝对守法的谬论，纯粹是不符合革命实践的错误论调。

恩格斯捍卫了无产阶级"坚持革命权"开展斗争的原则和策略。恩格斯在强调要正确争取和利用合法权利开展革命斗争的同时，明确重申和强调了无产阶级及其政党在整个运动中都要始终坚持革命权这个根本问题。他指出："须知革命权是唯一的真正'历史权利'——是所有现代国家无一例外都以它为基础建立起来的唯一权利"①。所以，无产阶级及其政党绝不能放弃自己的革命权，即绝不能放弃暴力革命。这虽是形势所迫，但更是整个运动的需要。一方面，反革命势力的一方并没有放弃暴力镇压革命的权利，随着工人运动的不断发展壮大，他们必然就会对日益高涨的社会主义高潮感到厌倦，于是，他们必将会诉诸非法行动或暴力行为对运动进行镇压。所以，以革命的暴力反抗反革命的暴力是工人运动发展的必然。另一方面，无产阶级如果不通过暴力革命，就不可能夺取政权和建立起自己的政治统治，而这是我们通往新社会的唯一大门和根本路径。所以，摆在我们面前的只有阶级斗争这一条路。只有充分重视和利用阶级斗争，特别是资产阶级和无产阶级之间的阶级斗争，才能实现对现代社会的彻底变革，这是根本手段，绝不能放弃。相反，害怕革命和抹杀阶级斗争的做法，恰是其他一切机会主义者的"基本原则"和"特殊策略"。当然，坚持革命权和主张暴力革命，也并不意味着我们因此就可以随时随地发动过早的、无准备的起义和斗争。恰恰相反，对于无产阶级政党而言，我们必须要时刻警惕反动势力的挑衅，避免那种使无产阶级在徒劳无益的起义或斗争中被灭绝的可能或危险。否则，就会让"我们临到紧急关头也许就会没有突击队，决定性的战斗就会推迟、拖延并且会造成更大的牺牲"②。因此，我们当前的主要任务是：努力发展壮大工人运动的力量，共同组成一个最广大的、坚不可摧的人群，构成一支国际无产阶级大军的决定性的"突击队"，并不断促使这种力量日益增长和壮大，直至它超出现行统治制度的控制力范围，不致让它在前哨战中被消灭掉，而是要把它好好地保留到决战的关键时刻以真正发挥革命性的作用。恩格斯此意就是要告诫各国无产阶级及其政党：坚持革命权是工人运动

---

① 《马克思恩格斯选集》第 4 卷，人民出版社 2012 年版，第 395 页。
② 《马克思恩格斯选集》第 4 卷，人民出版社 2012 年版，第 396 页。

和社会主义运动的根本，即使是在合法斗争的有利环境下，也必须随时准备用革命的手段来对付反革命的暴力。

无产阶级政党必须坚持追求近期目标和追求长远目标的统一。马克思恩格斯早在《宣言》中就已经指出："共产党人为工人阶级的最近的目的和利益而斗争，但是他们在当前的运动中同时代表运动的未来。"① 而共产党人的最近的目的就是"使无产阶级形成为阶级，推翻资产阶级的统治，由无产阶级夺取政权"②。只有在首先实现无产阶级夺取政权、建立无产阶级专政的这个最近目的的前提和保障下，无产阶级才能充分利用手中的政权，并把它作为改造社会的手段，最终实现全人类的解放和无产阶级的彻底解放、建立自由人的联合体这个长远目标。为此，工人阶级政党就必须牢牢坚持"永不忽视伟大目标的策略"，并"总是积极参加无产阶级和资产阶级斗争经历的每个发展阶段，而且，一时一刻也不忘记，这些阶段只不过是达到首要的伟大目标的阶梯"③。而要真正达到和实现这个伟大目标，工人阶级政党就必须坚持不断革命和进行长期坚持不懈的努力斗争，并利用一切有利条件来发展壮大自己和避免无谓的牺牲，在此过程中的每一个进步的或者革命的运动，我们都只是把它视为是沿着自己道路上前进的一步，而不是把它看作最终的目的。同时，工人阶级政党还必须明白：一方面，我们党在参加革命运动的过程中始终是作为独立的政党来参加的，这是达到和实现这个目标的根本保障；另一方面，农民是工人阶级的强大的和不可缺少的革命同盟军，在凡是要把社会组织完全彻底地加以改造的地方，我们都必须把农民争取过来和让他们自觉地参加进去。当然，要让他们自己自觉地参加，就需要通过长期坚持不懈的耐心的宣传工作和议会活动，以让他们明白为什么要参加斗争和为了什么而斗争，否则，就不可能取得持久的胜利。所以，党不能被当下的胜利冲昏了头脑，就简单幼稚地认为在眼下暂时的和平环境中，工人阶级通过选举足以促使资本家阶级主动投降和作出最后的让步，由此不需要激烈的流血冲突而和平长入社会主义。在 1895 年 3 月 8 日致理查·费舍的信中，针对费舍等人给恩格斯提出的修改《导言》的意见，要求把"现在社会民主党是靠……来从事颠覆的"中的"现在"一词去掉，恩格斯

---

① 《马克思恩格斯选集》第 1 卷，人民出版社 2012 年版，第 434 页。
② 《马克思恩格斯选集》第 1 卷，人民出版社 2012 年版，第 413 页。
③ 《马克思恩格斯选集》第 4 卷，人民出版社 2012 年版，第 324 页。

直言不讳地指出："你们想去掉'现在'一词，也就是把暂时的策略变成永久的策略，把具有相对意义的策略变成具有绝对意义的策略。我不会这样做，也不能这样做，以免使自己永世蒙受耻辱。"① 在这里，恩格斯实际上就非常明确地指出了这种机会主义的问题和实质所在。固然，当前的和平环境对工人阶级及其政党有利，殊不知，"和平会保证德国社会民主党在大约十年的时间里取得胜利。战争则会使社会民主党要么在两三年内取得胜利，要么就遭受彻底的失败，至少在15年到20年期间不能恢复"②。可见，这样的幻想比其他一切机会主义都更加危险。所以，对于工人阶级政党而言，绝不能被这种暂时的有利局面所蒙蔽，更不能被眼前的胜利冲昏头脑。党在当前的主要任务就是要耐心地开展宣传工作和议会活动，这样，恩格斯就再次重申了《宣言》制定的策略，即马克思主义关于无产阶级及共产党人要完成和实现自己的历史使命，就必须要把追求近期目标与追求长远目标相统一的革命原则。

无产阶级及其政党在斗争过程中必须保持坚定的革命信念和信心，必须加强无产阶级国际合作。马克思恩格斯在《宣言》中就指出，无产阶级及其政党在斗争过程必须要保持坚定的革命信念和信心，加强无产阶级的国际联合，这是无产阶级实现解放的首要条件之一。但随着革命形势的发展和斗争条件的变化，在各种"左"、右倾错误思潮尤其是"和平长入社会主义"论调的影响下，工人阶级及其政党中间出现了革命信念动摇、革命意志丧失，甚至否定革命、放弃革命和单打独斗的蛮干等现象，这对工人阶级内部的团结和整个运动的发展造成了极为不利的影响和破坏。在此情况下，恩格斯特别强调指出，工人阶级政党只有坚持永远不忽视伟大目标的策略，才能防止自己产生失望情绪。一旦产生了失望情绪，必将会对人民群众的革命情绪造成沉重打击，这种情绪很快就会转变为对革命的心灰意冷，甚至走向相反的方向上去。而"通过定期确认的选票数目的意外迅速的增长，既加强工人的胜利信心，同样又增加对手的恐惧，因而成为我们最好的宣传手段；只是给我们提供了关于我们自身力量和各个敌对党派力量的精确情报，从而给了我们一把衡量我们的行动是否适度的独一无二的尺子，使我们既可避免不适时的畏缩，又可避免不适时的蛮勇"，"我们在这种合法性下却长得身强力壮，容光焕发，简直是一副长生不老的样

① 《马克思恩格斯选集》第4卷，人民出版社2012年版，第660页。
② 《马克思恩格斯文集》第4卷，人民出版社2009年版，第435—436页。

子。只要我们不糊涂到任凭这些党派把我们骗入巷战，那么它们最后只有一条出路：自己去破坏这个致命的合法性"①。但是，由于无产阶级的解放只能是国际的事业，因此，"无论是法国人、德国人，还是英国人，都不能单独赢得消灭资本主义的光荣"②。所以，无产阶级政党必须要充分利用当前争取合法权利斗争的有利形势，打破过去那种按照地区和民族来划分的工农群众，共同构成为一个最广大的、坚不可摧的人群，构成国际无产阶级大军的决定性的突击队和社会主义者的国际大军，并不停地促使这种力量增长到超出现行统治制度的控制能力，要把它好好地保存到决战的那一天。这样，恩格斯就在分析利用普选权和开展合法化斗争对增强工人阶级的革命信心的重要性的同时，进一步明确强调了无产阶级国际联合斗争的重要性。显然，这些都是工人阶级政党坚持长期耐心斗争与取得最后胜利的基本保证和必备条件。

总之，对于马克思主义理论重要构成内容之一的无产阶级革命的理论和策略问题，既要坚持和发展，还必须要与时俱进。恩格斯在捍卫和阐明无产阶级革命的理论和策略方面，为国际共产主义运动的发展作出了不可磨灭的贡献。

三、马克思主义国家学说的丰富和发展

马克思主义国家学说是马克思主义理论的重要构成内容。马克思恩格斯在长期指导和参与无产阶级革命运动的实践过程中，根据革命形势和实践的发展变化，尤其是在总结欧洲革命和巴黎公社革命经验教训的基础上，进一步丰富和发展了马克思主义国家学说。

马克思主义国家学说的提出和初步形成。在马克思主义的创立和形成过程中，马克思恩格斯对国家问题本身和无产阶级革命胜利之后的未来国家形式等问题进行了系统探讨，提出了马克思主义的国家学说。马克思最早就国家问题的分析，是在1843年的《黑格尔法哲学批判》中。他系统地批判了黑格尔在国家与市民社会关系问题上的唯心主义观点，进而提出了"家庭和市民社会是国家的现实的构成部分"，"政治国家没有家庭的自然基础和市民社

---

① 《马克思恩格斯选集》第4卷，人民出版社2012年版，第389、396—397页。
② 《马克思恩格斯文集》第10卷，人民出版社2009年版，第655页。

会的人为基础就不可能存在。它们对国家来说是必要条件","国家是从作为家庭的成员和市民社会的成员而存在的这种群体中产生的"①。即，马克思提出了"不是国家决定市民社会，而是市民社会决定国家"的观点。在《共产党宣言》中，马克思恩格斯又明确提出了无产阶级革命与国家的关系问题，"工人革命的第一步就是使无产阶级上升为统治阶级，争得民主"，"无产阶级将利用自己的政治统治，一步一步地夺取资产阶级的全部资本，把一切生产工具集中在国家即组织成为统治阶级的无产阶级手里，并且尽可能快地增加生产力的总量。"② 同时，他们还就国家的消亡作了明确阐述。随后，在《1848年至1850年的法兰西阶级斗争》中，马克思首次提出了"无产阶级专政"的概念。而在《路易·波拿巴的雾月十八日》和《法兰西内战》中，马克思恩格斯则通过对国家问题和无产阶级革命后的国家政权的探讨，详细阐明了马克思主义的国家学说：工人阶级不能简单地掌握现成的国家机器，并运用它来达到自己的目的，无产阶级革命必须要打碎旧的国家政权而以新的真正民主的国家政权来代替。而无产阶级专政的国家，是按照民主集中制原则组织起来的、实行议行合一的崭新民主国家，等等。正是这些关于国家问题的科学论述，初步形成了马克思主义国家学说。马克思去世后，恩格斯又从多个方面丰富和发展了马克思主义国家学说。

揭示了国家产生、发展和消亡的规律。在整理马克思手稿的过程中，恩格斯发现了马克思在1880年至1881年间对摩尔根《古代社会》所作的详细摘要、批语和补充材料，确信《古代社会》证实了马克思和他关于历史唯物主义研究的结论。进而，在《起源》中，恩格斯通过对三种不同的国家产生形式即雅典式、罗马式和日耳曼式的分析研究，得出了如下结论，"国家决不是从外部强加于社会的一种力量……国家是社会在一定发展阶段上的产物"③。同时，在把国家同氏族相比较的基础上，恩格斯不仅指出了二者的区别——按血缘还是地域为组织基础、是否拥有公共权力等，而且还特别指明和强调了国家的阶级实质。他指出："由于国家是从控制阶级对立的需要中产生的，由于它同时又是在这些阶级的冲突中产生的，所以，它照例是最强大的、在经济上占统治地位

---

① 《马克思恩格斯全集》第3卷，人民出版社2002年版，第11—12页。
② 《马克思恩格斯选集》第1卷，人民出版社2012年版，第421页。
③ 《马克思恩格斯选集》第4卷，人民出版社2012年版，第186页。

的阶级的国家，这个阶级借助于国家而在政治上也成为占统治地位的阶级，因而获得了镇压和剥削被压迫阶级的新手段。"① 这句话本身包含了两层意思：其一，国家是阶级统治和阶级专政的工具，具有鲜明的阶级性；其二，国家不是从来就有的，而是一个历史的和经济的范畴。这意味着，历史上曾经有过不需要国家，甚至根本不知道国家和国家权力为何物的社会。所以，既然是在经济发展到一定历史阶段使社会分裂为阶级而产生了国家和使国家成为必要，那么，它也必将会随着历史的发展和其产生的条件、基础的消失而消亡。而对于国家的消亡，恩格斯在《反杜林论》中指出："当国家终于真正成为整个社会的代表时，它就使自己成为多余的了。当不再有需要加以镇压的社会阶级的时候，……就不再有什么需要镇压了，也就不再需要国家这种特殊的镇压力量了。国家真正作为整个社会的代表所采取的第一个行动，即以社会的名义占有生产资料，同时也是它作为国家所采取的最后一个独立行动。那时，国家政权对社会关系的干预在各个领域中将先后成为多余的事情而自行停止下来。那时，对人的统治将由对物的管理和对生产过程的领导所代替。国家不是'被废除'的，它是自行消亡的。"② 可见，国家不是被消灭或被废除的，而是因为它自身产生的基础和条件消失了，使它本身的存在没有了需求和必要而自行消亡的。那么，哪个或哪种国家形式将会是国家自行消亡前的最后一种形式？又由谁来实现或完成国家自行消亡的历史任务呢？恩格斯在此也明确指出，无产阶级专政的国家将是国家的最后一个历史形式，但至少到目前为止，无产阶级专政的国家仍将处在阶级对立中的运动着的社会，因而它还需要国家。但是，随着无产阶级获得国家政权，并且首先把生产资料变为国家财产，那么，它就不仅消灭了无产阶级自身，而且消灭了一切阶级差别和对立，因而也消灭了作为政治国家的国家。在这里，恩格斯既对国家是如何自行消亡的以及消亡的过程作了说明，也对国家的双重职能——政治职能和社会职能作了诠释。这样，恩格斯不仅就国家产生、发展和消亡的规律作了系统分析，而且还对国家产生的历史必然性、物质条件、阶级特征以及国家的作用和职能等作出了明确的论述，在丰富和发展了马克思主义国家学说的同时，使马克思主义国家学说具有了更深厚牢固的唯物史观意蕴和根基。

---

① 《马克思恩格斯选集》第 4 卷，人民出版社 2012 年版，第 188 页。
② 《马克思恩格斯选集》第 3 卷，人民出版社 2012 年版，第 668 页。

分析了无产阶级专政国家的组织和结构形式。无产阶级革命胜利后要建立的崭新国家将采取何种组织和结构形式，是君主制还是共和制？是单一制还是联邦制？这是马克思恩格斯一直以来都比较重视和反复不断地强调的问题。在他们看来，"民主共和国是唯一的这样的政治形式，在这种政治形式下，工人阶级和资本家阶级之间的斗争能够先具有普遍的性质，然后以无产阶级的决定性胜利告终"①。这一思想，同他在《起源》中所表达的关于无产阶级专政的国家政权形式的思想相一致，即对于无产阶级专政的国家政权来说，民主共和制将是它可以用来组织其国家政权的最好和最有效的形式，甚至是无产阶级专政的特殊形式。而且，也只有在民主共和国这种形式下，无产阶级及其政党才能取得统治。然而，在国家作为阶级专政的工具和机器这一本质问题上，民主共和国和君主国是一样的，而且一点也不亚于君主国。所以，为了体现无产阶级专政的民主国家的进步性和优越性，恩格斯特别强调指出，在无产阶级专政的国家中，为了防止国家和国家机关由社会的公仆变为社会的主人，必须将一切职位交于普选产生的代表担任，且选举者必须可以随时撤换被选举者，同时，所有公务人员同工人享受同样的工资和待遇。至于无产阶级专政的民主共和国将采取什么样的结构形式，恩格斯同样给出了明确的答案，"无产阶级只能采取单一而不可分的共和国的形式"②，而且，无产阶级专政的国家要实现把全部生产资料转交到整个社会的手中这个任务，"在目前的君主联邦制政府的统治下，这是不可能的"③。在这里，恩格斯事实上已就无产阶级专政的国家形式从组织形式和结构形式两个方面作出了明确要求和规定：一是无产阶级专政的国家只能采用民主共和制的组织形式，而不是君主制；二是无产阶级专政的国家只能采取单一制的国家结构形式，而不是联邦制。前者，除了它是被法国大革命已经证明了的优点之外，还在于，对无产阶级及其政党来说，"共和国是无产阶级将来进行统治的现成的政治形式"④。而后者，则是恩格斯在客观分析和比较了联邦制与单一制之后得出的结论："联邦制国家和单一制国家有两点区别，这就是：每个加盟的邦，每个州都有它自己的民事立法、刑事立法和法院组织；其次，与国民议院并存的还有联邦议院，在联邦议院中，每一个州不分

---

① 《马克思恩格斯文集》第4卷，人民出版社2009年版，第443页。
② 《马克思恩格斯选集》第4卷，人民出版社2012年版，第295页。
③ 《马克思恩格斯文集》第4卷，人民出版社2009年版，第562页。
④ 《马克思恩格斯选集》第4卷，人民出版社2012年版，第652页。

大小，都以州为单位参加表决。前一点我们已经顺利克服，而且不会幼稚到又去采用它；第二点在我们这里就是联邦会议，我们完全可以不需要它，而且，一般说来，我们的'联邦制国家'已经是向单一制国家的过渡。我们的任务不是要使 1866 年和 1870 年从上面进行的革命又倒退回去，而是要用从下面进行的运动给予它以必要的补充和改进。因此，需要统一的共和国。"①再者说，也只有在统一的、单一制的民主共和国中，才能真正地把一切政治权力都集中到人民代议机关的手中，才能让省、县和市镇通过依据普选制选出的官员实行完全的自治而避免受到国家的侵犯，也才能避免联邦制下联邦、州、专区、市镇彼此之间因各自都拥有很大的独立性而造成的分裂状况，等等。可见，无产阶级专政的国家政权只能采取单一的、民主集中制的共和国形式，这是经过长期革命实践检验和反复论证而得出的科学结论。

　　批判在国家问题上的永恒民主观和错误宗教观。有鉴于当时在德国流行的"对国家的迷信"的错误观念，恩格斯从国家问题的实质上对此问题给予了批判。他在简明总结历次资产阶级革命经验和教训的基础上得出：国家不过是一个阶级镇压另一个阶级的暴力机器，但这恰是那些受资产阶级思想影响的教授以及小资产阶级民主派们都避而不谈的问题。相反，他们还把国家这个统治工具和暴力机器视为"观念的实现"或"尘世的上帝王国"——"也就是永恒的真理和正义所借以实现或应当借以实现的场所。由此就产生了对国家以及一切同国家有关的事物的盲目崇拜"②。这种对国家的盲从和迷信，已经深入到了资产阶级甚至很多普通工人的一般意识之中。因而，对于以共产主义为经济纲领和以消除整个国家即消除民主为最终政治目的的无产阶级政党而言，从革命一开始就必须要认识到：一方面，一旦取得统治权，就不能再继续运用旧的国家机器来管理，而是应当彻底铲除全部旧的国家机器和炸毁旧的国家政权，并以新的真正民主的国家政权取而代之；另一方面，国家只是阶级专政的工具和机器，无产阶级在取得政权后必须立即和尽量消除国家的最坏方面，直到最终消除整个国家。而消除了整个国家也就消除了民主。因为，民主作为一种国家形态，它同任何国家一样，也是一种有组织的系统的暴力，所以，国家的消亡也就是民主的消亡。此外，恩格斯还批判了德国社

---

① 《马克思恩格斯选集》第 4 卷，人民出版社 2012 年版，第 295 页。
② 《马克思恩格斯选集》第 3 卷，人民出版社 2012 年版，第 55 页。

会民主党内机会主义者们在对待宗教问题上的错误观点。他们把实行宗教对国家而言纯属私事的原则，歪曲和篡改为了宣布宗教对党来说是私人的事情。这实际上就把革命的无产阶级政党降低到了最庸俗的"自由思想派"那班市侩的水平。因为在他们那里，可以容许不信仰宗教，但却拒绝执行对麻痹人民的宗教鸦片进行党的斗争的任务。换言之，把信仰从宗教和神秘殿堂中解放出来，废除宗教鸦片也是无产阶级及其政党的革命任务和历史使命。而他们却把它给抹杀掉了，这是极其错误的做法。在这里，恩格斯就是要告诫各国工人阶级及其政党：国家作为暴力机构和统治机器的实质不会因统治阶级的更换而改变，无产阶级及其政党的最终目的就是要打破对国家即民主的迷信和盲目崇拜，消除那种所谓的永恒国家或永恒民主的谬论，彻底铲除同国家相关的一切落后观念，包括宗教。这一社会主义关于一般国家问题的原理，即使在实现了真正民主的无产阶级专政的共和制国家政权的时候也不能忘记。这样，恩格斯就从社会主义关于一般国家问题的原理上，进一步详细阐释了无产阶级专政的国家要消灭国家、消灭民主、废除宗教等的思想，使马克思主义的国家学说得到了更加系统而充实地丰富和发展。

总之，恩格斯从历史唯物主义的视角出发，在系统地研究了国家的起源、发展、消亡的规律，无产阶级专政的国家的必要性和组织结构形式，以及社会主义关于一般国家问题的原理等问题的基础上，丰富和发展了马克思主义的国家学说。

第三节　《法德农民问题》等文献的无产阶级革命同盟军思想

1871 年巴黎公社革命失败后，马克思恩格斯在新的历史条件下对无产阶级革命同盟军问题进行了深入的研究。马克思逝世后，在进一步深入研究农民问题的基础上，恩格斯创作了《法德农民问题》等科学文献，不仅批判了农民问题上的机会主义观点，还科学制定了农业社会主义改造纲领，同时科学阐述了培养工人阶级知识分子的战略任务，进一步丰富和发展了马克思主义关于革命发展动力的学说。

一、批判农民问题上的机会主义观点

在研究农民问题的过程中，恩格斯全面批判了德法社会民主党人在农民问题上的机会主义观点。

巴黎公社革命失败的一个重要的经验教训就是无产阶级没有和广大农民建立革命同盟，使得无产阶级革命变成了孤鸿哀鸣的独唱，因此，同农民建立无产阶级革命同盟军的问题显得尤为迫切。一方面，无产阶级的历史使命要求他们必须要同农民结合而建立革命同盟，这是无产阶级革命成功的重要条件。随着社会主义运动的快速发展和西方社会主义工人政党的成长壮大，无产阶级面临着在各国工人政党领导下与资产阶级作斗争并夺取国家政权的重要任务。而单靠无产阶级的孤军奋战要取得革命的最后胜利，已经被巴黎公社革命证明是不大可能的。因此，只有牢靠而强有力的革命同盟军与之并肩作战，革命取得胜利才有坚实保证。而此时，"社会主义者也日益认识到，除非预先把人口中的主体——在这里就是农民——争取过来，否则就不可能取得持久的胜利"①。即无产阶级必须要同农民，这个由资本主义生产方式所决定的，在根本利益上同他们具有天然一致性的阶级结成革命同盟。而二者在根本利益上的一致性，也恰是无产阶级同农民建立革命同盟军的根本依据和基础。其实，关于建立革命同盟军的问题，马克思在总结巴黎公社革命的经验教训时就早已明确地指了出来：工人阶级没有农民的支持就不可能取得胜利，工人阶级与非无产阶级群众首先是劳动农民的联盟，是无产阶级取得胜利和建设没有剥削的新的社会制度的重要条件。另一方面，加入无产阶级政党领导的革命运动和斗争，同他们建立革命同盟，也是农民阶级自身生存和发展状况的客观现实需要。进入19世纪80年代和90年代后，随着资本主义的快速发展，大资本逐渐进入农村，使得农业资本更加集中、农业资本主义得到了快速发展，加剧了对农民的剥削和奴役，导致农民的生存形势日益严峻，大量的小农破产而被抛入到了无产阶级的队伍中来。这反过来促使农民反抗大资本家的斗争也开始呈现出日益激烈

---

① 《马克思恩格斯选集》第4卷，人民出版社2012年版，第394页。

化的趋势。但同样，要单靠农民阶级同强大的资本家阶级对抗，来实现农民自身的解放也是不可能的。这时，农民也逐渐体会和意识到，他们自己与城市无产阶级的利益是一致的，只有将工人阶级作为他们利益的天然代表者，才能把他们从资本主义的奴役下解放出来，并使他们的前途得到根本保障。于是，农民就把负有推翻资产阶级制度使命的城市无产阶级看做自己的天然同盟军和领导者，这样，无产阶级革命才能形成一种合唱。而无产阶级政党要组织、领导和指挥这种"合唱"，达到和实现夺取政权的目标，就"应当首先从城市走向农村，应当成为农村中的一股力量"①。即无产阶级政党必须要从城市走向农村，而要从城市走向农村，就必须在农民问题上持科学的态度和观点。

然而，由于机会主义思潮在工人阶级政党内部的滋生和蔓延，使德法两国工人党在农民问题上持有明显的机会主义观点。1892 年，法国工人党在马赛代表大会上通过了一个在农民问题上带有明显机会主义色彩的土地纲领。1894 年 10 月，在南特举行的法国工人党第十二次代表大会上，又通过了党的土地纲领的绪论部分，并就这一纲领进行了补充，使其机会主义的色彩更加浓厚。这种机会主义主要体现在以下两个方面：一是忘记了小农在资本主义条件下必然灭亡的规律，将保护小农的小块土地作为工人党的革命任务，而不要求将小农的私有制改造成社会主义公有制；二是要求工人党人联合农村生产的一切成分，包括小农、中农、大农、大土地所有者，以对抗封建土地所有制。1894 年 10 月 21 日至 27 日，德国社会民主党在法兰克福召开代表大会，重点讨论了土地问题。巴伐利亚社会民主党领袖福尔马尔在大会上作了关于土地问题的补充报告，并称南特大会的决议"得到了弗里德里希·恩格斯的直接赞同"②，要求在拟定的土地纲领中列入反映农村富裕阶层和农村资产阶级利益的条目。显然，福尔马尔实质上是要将社会民主党变成小资产阶级政党。虽然福尔马尔的机会主义观点在代表大会上遭到了多数代表的反对，但是并没有得到应有的回应。恩格斯在 1894 年 11 月 12 日《给"前进报"编辑部的信》一文中指出："在代表大会以后的第二封信中，我只是提出了一个初步看法，即在社会党人范围内，我们的法国朋友在想要不仅永远保存小农私有者，而且永远保存剥削别人劳动的小佃农方面将是孤立的。因此，如果我就这个问题发表了意见的话，那

---

① 《马克思恩格斯选集》第 4 卷，人民出版社 2012 年版，第 356 页。
② 《马克思恩格斯全集》第 22 卷，人民出版社 1965 年版，第 561 页。

末我所说的就恰好是同福尔马尔所听说的相反的东西。"①显然，恩格斯反对南特纲领关于保护小农私有制的观点，并且与福尔马尔的观点相反。在此基础上，恩格斯全面驳斥了德法工人党在农民问题上的机会主义观点。

恩格斯驳斥了法国工人党"企图保护小农的所有权"的错误论调。法国工人党在土地纲领中指出，"社会主义的同样迫切的职责就在于维护自食其力的农民占有自己的小块土地，而反对国库、高利贷者以及来自新生的大地主方面的侵犯"②。由此可以明显看出，法国工人党希望维护农民的小土地所有制。事实上，虽然小农占有一定的生产资料，但是，要保全他们那样的小土地所有制是绝对不可能的。因为，资本主义的大生产必将会把他们那种无力的过时的小生产碾碎，犹如火车把独轮手推车压碎一样是毫无疑义的。这即是说，随着大工业的发展，小农的地位将既不牢固也不自由，它不仅要遭到大土地占有者和高利贷者的剥削，而且其生活也将会比无产阶级更没有保障。而此时，"你们企图保护小农的所有权，这不是保护他们的自由，而仅仅是保护他们被奴役的特殊形式而已；这种形式的奴役延长着他们的求生不成求死不得的状况"③。所以，工人政党想要保护小农的小块土地所有权，仅仅只会让个体生产者依旧被剥削和被奴役，这不仅对于党而且对于农民本身的解放来说，无疑都是最糟糕不过的帮倒忙。恩格斯将之形容为：简直就是把农民解放的道路封闭起来并把党降低到招摇过市的反犹太主义的水平。法国工人党试图保护小农私有制的观点，虽然在实践中对争取农民站到无产阶级方面起了一定的作用，但是，维护农民小土地所有制同无产阶级革命要建立的社会主义公有制是明显相违背的，具有明显的机会主义色彩。

恩格斯批判了法国工人党试图"联合农村生产的一切成分"的错误观点。在建立无产阶级革命同盟军的过程中，恩格斯强调，不仅要加强工人阶级和农民阶级的联合，还必须在一定条件下积极吸收农民参加工人阶级政党，以扩大党的群众基础。然而，法国工人党却在土地纲领中指出，"联合农村生产的一切成分和在各种法律基础上经营国内土地的一切种类的活动一齐去与共同的敌人——封建土地所有制作斗争"④。也即，法国工人党要联合所有农民共同与封

---

① 《马克思恩格斯全集》第 22 卷，人民出版社 1965 年版，第 561—562 页。
② 《马克思恩格斯选集》第 4 卷，人民出版社 2012 年版，第 361 页。
③ 《马克思恩格斯选集》第 4 卷，人民出版社 2012 年版，第 363 页。
④ 《马克思恩格斯选集》第 4 卷，人民出版社 2012 年版，第 365 页。

建土地所有制作斗争。对此，恩格斯强调指出："我坚决否认任何国家的社会主义工人政党有任务除了吸收农村无产者和小农以外，还将中农和大农，或者甚至将大地产租佃者、资本主义畜牧主以及其他按资本主义方式经营国内土地的人，也都吸收到自己的队伍中来。"①其中内涵再明显不过，除了小农外，其他农民阶层与无产阶级政党的利益不一致，所以，无产阶级政党在吸收成员时必须要坚持应有的基本原则。即便在和共同的敌人封建土地所有制作斗争时，无产阶级政党可以和农民阶级中的不同阶层在一定时期为了达到或实现某种共同的目标而一起奋斗，党也可以有来自其他任何社会阶级的个人参加，但是我们绝对不能出现任何代表资本家、中等资产阶级或中农利益的集团。恩格斯严肃地指出，我们不需要期望我们永久保存其小块土地所有制的农民来做党员，就像我们不需要那些想永久保存其师傅地位的小手工业师傅来做党员一样。这也就告诉了各国的工人阶级政党，在吸收和发展党员的过程中，还必须要坚持原则的坚定性。

恩格斯揭示了工农联合中农民"根深蒂固的私有观念"的危害。马克思恩格斯历来强调，将生产资料的集中和大规模的有组织的劳动看作是无产阶级追求的目标和无产阶级运动的物质基础。然而，随着资本主义的发展，小农经济已经度过了自身的发展阶段，"现在，它已经进入了自己的没落时期。从它里面已经成长起来了一支巨大的、与城市雇佣工人利益完全一致的 prolétariat foncier（农村无产阶级）。"②这就是说，小农经济的解体导致了农村无产阶级的产生，而他们的利益与城市雇佣工人阶级的利益是完全一致的。但是，在绝大多数国家中，农业生产者同城市生产者、农民同工业无产阶级之间还存在着深刻的矛盾，其根源就在于，从小农经济中产生出来的农民生来具有的小私有观念。而这种观念将会阻碍他们同工人阶级的革命联合。正如恩格斯所指出的那样："作为未来的无产者，他们本来应当乐意倾听社会主义的宣传。但是他们那根深蒂固的私有观念，暂时还阻碍他们这样做。为了保持他们那一小块岌岌可危的土地而进行的斗争越加艰苦，他们便越加顽固地拼命抓住这一小块土地不放，他们便越加倾向于把那些谈论将土地所有权转交整个社会掌握的社会

---

① 《马克思恩格斯选集》第 4 卷，人民出版社 2012 年版，第 365 页。
② 《马克思恩格斯选集》第 3 卷，人民出版社 2012 年版，第 147 页。

民主党人看做如同高利贷者和律师一样危险的敌人。"①其用意无非是要告诫各国无产阶级政党,在小农身上存有着根深蒂固的小私有观念,这种观念具有十分严重的危害性,即在某种特殊情形或某个特定时段,这个原本应该和社会民主党站在一起的阶级,反倒会因小私有观念的作祟而将社会民主党人看作是他们的危险的敌人。因此,在小农经济广泛存在的条件下,无产阶级及其政党需充分考虑到无产阶级和农民之间确实存在矛盾这一事实,对小农进行科学的改造。这也为无产阶级政党提出了一个重要问题,即如何战胜和改造广大小农身上的小私有观念,以及在坚持无产阶级原则的前提下,给走向灭亡的小农以力所能及的帮助。

总之,只有全面彻底地批判和肃清各国共产党在农民问题上的机会主义观点,各国共产党才能在无产阶级实践过程中树立科学的农民观点,真正建立起无产阶级的革命同盟军。

二、科学制定农业社会主义改造纲领

在长期研究农民问题的基础上,恩格斯深化和发展了马克思主义关于农民问题的理论,强调必须从欧洲各国的实际出发,制定科学的农业社会主义改造纲领,将资本主义土地私有制变成社会主义公有制。

制定科学的农业社会主义改造纲领是马克思恩格斯长期关注和研究农民问题的重要目标,也是无产阶级政党争取广大农民参加革命、建立工农革命同盟的经济条件。在 1880 年,马克思就曾指出,生产资料属于生产者所有只存在个体形式和集体形式这两种形式,而集体占有的形式"只有通过组成为独立政党的生产者阶级或无产阶级的革命活动才能实现"②。这即是说,实现生产资料公有制必须要坚持在无产阶级政党的领导下,通过无产阶级的革命运动方才能够实现。在此基础上,恩格斯进一步系统地提出了农业社会主义改造的构想,并论述了农业社会主义改造的途径。在 1886 年 1 月 20 日至 23 日致奥古斯特·倍倍尔的信中,恩格斯强调,工人阶级在掌握政权后,必须立即将大地

---

① 《马克思恩格斯选集》第 4 卷,人民出版社 2012 年版,第 359 页。
② 《马克思恩格斯选集》第 3 卷,人民出版社 2012 年版,第 818 页。

产收缴国家所有，使国家成为土地的所有者，并将它转交给国家领导下独立经营的合作社，即实行生产资料公有制，进而从根基上和从内部彻底炸毁普鲁士的专制制度。"至于在向完全的共产主义经济过渡时，我们必须大规模地采用合作生产作为中间环节，这一点马克思和我从来没有怀疑过。但事情必须这样来处理，使社会（即首先是国家）保持对生产资料的所有权，这样合作社的特殊利益就不可能压过全社会的整个利益。"① 无疑，恩格斯在此时已基本提出和明确了通过合作社的方式对农业进行社会主义改造与将农民引向社会主义经济的思想。此后，恩格斯进一步指出，以个人占有为条件的个体经济属于陈旧落后的小农生产方式，它必将会随着资本主义经济的发展而走向消亡，也必然会使农民走向灭亡。如果农民要继续坚持发展他们的小农经济，这最终必然会导致他们丧失自己的房屋和家园。因此，"这里主要的是使农民理解，我们要挽救和保全他们的房产和田产，只有把它们变成合作社的占有和合作社的生产才能做到。"② 这是真正为了他们自己的利益和实现他们自己利益的唯一途径和出路。换言之，只有通过合作社的农业社会主义改造形式，实行生产资料公有制，才能使农民真正获得解放。这样，恩格斯就从整体上科学阐述了无产阶级政党改造农民的总体方针。

在制定农业社会主义改造纲领和改造农民的过程中，针对农民中的各个不同阶层，不能采取一刀切的政策，必须要坚持具体问题具体分析。在对待小农问题上，恩格斯首先对小农作了科学界定："我们这里所说的小农，是指小块土地的所有者或租佃者——尤其是所有者，这块土地既不大于他以自己全家的力量通常所能耕种的限度，也不小于足以让他养家糊口的限度。因此，这个小农，像小手工业者一样，是一种工人，他和现代无产者不同的地方就是他还占有自己的劳动资料；所以，这是过去的生产方式的一种残余。"③ 显然，小农与工人有着很多相近之处。这也使小农利益和党的利益存在某些方面的一致性。自食其力的小农不仅可以补充无产阶级的队伍，也是无产阶级革命争取的对象。当我们争取的农民越多，社会主义改造的实现进程就越迅速和容易。而如果要等到小农都被资本主义大工业发展所抛弃，

① 《马克思恩格斯选集》第4卷，人民出版社2012年版，第581页。
② 《马克思恩格斯选集》第4卷，人民出版社2012年版，第371页。
③ 《马克思恩格斯选集》第4卷，人民出版社2012年版，第358页。

并成为资本主义大生产的牺牲品之后，再对他们进行社会主义的改造就非常困难了。在这个意义上，恩格斯从整体上为改造小农制定了基本方针："我们在这个意义上为了农民的利益而必须牺牲的一些社会资金，从资本主义经济的观点看来好像只是白花钱，然而这却是一项极好的投资，因为这种物质牺牲可能使花在整个社会改造上的费用节省十分之九。因此，在这个意义上说来，我们可以很慷慨地对待农民。"① 即使如此，要实现对小农的完全和彻底改造，还要有一定的针对性政策。一方面，不能像德法工人政党宣称的那样试图保存小农。在《给"前进报"编辑部的信》中，恩格斯指出，"对于正确采取的旨在使小农在其必然灭亡的过程中少受折磨的措施，在原则上是丝毫不能反对的；但是如果再走远一些，如果希望永远保存小农，那末，在我看来，就是力求达到经济上不可能实现的东西，就是牺牲原则，成为反动了"②。可见，社会民主党人要将保存小农作为目标是牺牲原则的反动做法，依此而制定的纲领也当然只能是反动的纲领。另一方面，共产党人掌握政权后，既不会通过人为的干预加速小农的灭亡，也不会像对待大土地占有者那样通过暴力手段剥夺小农。"我们对于小农的任务，首先是把他们的私人生产和私人占有变为合作社的生产和占有，不是采用暴力，而是通过示范和为此提供社会帮助。当然，到那时候，我们将有足够的手段，向小农许诺，他们将得到现在就必须让他们明了的好处。"③ 这说明，无产阶级在改造小农的过程中，不能简单粗暴地通过暴力来人为地消灭小农，而是应当通过示范和社会帮助的形式，将小农生产转变为合作社的占有和生产，并让广大农民得到实实在在的利益和好处。

在对待中农和大农的问题上，恩格斯则提出要作具体的辩证的分析。在中农居住在小土地农民中间的地方，中农的利益和小土地农民的利益在本质上是一致的，且一些中农已经逐渐变成了小农，此时，工人阶级政党理应要维护中农的利益。而在中农和大农占优势，农业生产又需要长工和短工的地方，必然会存在着一定的剥削，这时，工人阶级政党则必须要坚决地维护长工和短工的利益，而不能向中农和大农做出维护农民土地所有制的承诺。然而，无论是中

---

① 《马克思恩格斯选集》第 4 卷，人民出版社 2012 年版，第 372 页。
② 《马克思恩格斯全集》第 22 卷，人民出版社 1965 年版，第 561 页。
③ 《马克思恩格斯选集》第 4 卷，人民出版社 2012 年版，第 370 页。

农还是大农，在资本主义经济的发展和海外粮食的廉价竞争的情形下，都不可避免地会走向灭亡，而这也正逐渐成为现实。所以，对于中农和大农，"我们也只能建议把各个农户联合为合作社，以便在这种合作社内越来越多地消除对雇佣劳动的剥削，并把这些合作社逐渐变成一个全国大生产合作社的拥有同等权利和义务的组成部分。"① 可见，合作社生产是改造中农和大农的必然条件。同时，我们希望中农和大农能够看到自身走向灭亡的必然性，进而能够站到无产阶级及其政党一边。这样，我们将尽力帮助他们过渡到新的生产方式。反之，我们将同受他们剥削的雇佣工人打交道，而让他们听天由命。即便如此，我们对中农和小农也不能直接实行暴力剥夺的政策，而是依然寄希望于经济的发展使得他们变得明智。对于大土地占有者而言，由于他们占有大量的土地，已经成为了农业资本家，是无产阶级的直接革命对象。所以，对无产阶级政党来说，在对待大土地占有者时的态度和方式，就会同对待小农、中农、大农的态度和方式截然不同，来不得半点的怜悯和同情，而是要对他们实行直接的剥夺。在这个问题上，恩格斯明确指出："我们的党一旦掌握了国家政权，就应该干脆地剥夺大土地占有者，就像剥夺工厂主一样。这一剥夺是否要用赎买来实行，这大半不取决于我们，而取决于我们取得政权时的情况，尤其是也取决于大土地占有者先生们自己的态度。"② 可见，直接地剥夺大土地占有者的土地是无产阶级政党在掌握政权后的基本任务。而如果能用赎买的方法解决大土地占有者的问题，那是最好不过的办法，但这一切又都取决于大土地占有者对我们的态度。当然，剥夺大土地占有者的土地只是第一步，下一步就是要将剥夺来的土地交还给社会，进而在社会的监督下，交给农业合作社的农业工人来使用。

总之，只有科学制定农业的社会主义改造纲领，才能为无产阶级政党夺取政权以及夺取政权后推行农业政策打下坚实的基础，才能更好地团结广大农民、建立无产阶级革命同盟军，进而更好地建设社会主义社会。

---

① 《马克思恩格斯选集》第4卷，人民出版社2012年版，第374页。
② 《马克思恩格斯选集》第4卷，人民出版社2012年版，第375页。

三、科学阐述培养工人阶级知识分子的战略任务

马克思恩格斯历来十分重视知识分子在无产阶级解放斗争中的地位和作用。在他们看来，重视知识分子、团结和改造资产阶级知识分子为我所用、培养和造就一大批工人阶级自己的知识分子，是无产阶级及其政党顺利夺取和掌握国家政权、进行社会主义建设的基本条件。为此，恩格斯科学阐述了把知识分子当作工人阶级的同盟者和培养工人阶级知识分子的战略任务等问题。

把知识分子当作无产阶级的同盟者是马克思主义的一个基本态度。知识分子所从事的社会工作以脑力劳动为特征，他们大多数投身于教育、科学、文化和艺术等方面的工作，这些劳动本身具有社会劳动的性质。但随着资本主义生产方式的确立，"资产阶级抹去了一切向来受人尊崇和令人敬畏的职业的神圣光环。它把医生、律师、教士、诗人和学者变成了它出钱招雇的雇佣劳动者。"① 这就使得从事这些劳动的人即知识分子，在一定意义上具有了同无产阶级一样的社会地位和生活境遇，或者在利益方面的某些一致性。在无产阶级形成为阶级进而组织成为政党这件事上，知识分子尤其是能够从理论高度认识到无产阶级运动未来的理论家们也发挥了重要作用。尽管这些知识分子最初可能更多地都具有资产阶级的立场或偏见。但这两方面，恰是无产阶级在革命运动中必须要重视知识分子的地位和作用的关键。马克思在总结巴黎公社革命的经验教训时就已明确指出，"只有工人阶级能够把他们从僧侣统治下解放出来，把科学从阶级统治的工具变为人民的力量，把科学家本人从阶级偏见的兜售者、追逐名利的国家寄生虫、资本的同盟者，变成自由的思想家！只有在劳动共和国里面，科学才能起它的真正的作用。"② 在这里，马克思只是强调说明了，工人阶级必须要注意把知识分子当作自己的同盟者来对待，并且也只有把知识分子视为工人阶级的同盟者，才能取得革命的胜利和在革命胜利后更好地建设新的社会主义社会。在此基础上，恩格斯进一步全面阐述了团结和改造资产阶级知识分子、努力培养和造就工人阶级知识分子的重要性以及原则方法等内容。

---

① 《马克思恩格斯选集》第 1 卷，人民出版社 2012 年版，第 403 页。
② 《马克思恩格斯选集》第 3 卷，人民出版社 2012 年版，第 149—150 页。

恩格斯强调了团结和改造资产阶级知识分子的重要性。在1891年10月致奥古斯特·倍倍尔的信中，恩格斯指出，为了占有和使用生产资料，我们需要大量的有技术素养的人才。但在我们力量还较为薄弱的时候，我们没有这样的人才，所以，还无法摆脱有教养的资产阶级知识分子。然而，现在情况已经不同了。"目前，我们已经相当强大，足以容纳和消化任何数量的有教养的渣滓，我预计，今后8—10年内，我们会把足够数量的年轻的技术专家、医生、律师和教师吸收到我们这方面来，以便在党内同志的帮助下把工厂和大地产掌管起来，为民族造福。因此，那时由我们取得政权将是十分自然的，而且会进行得比较顺利。"[1]显然，在无产阶级政权建立之前，我们必须团结和吸收大量的资产阶级的知识分子，并在我们党的领导和帮助下掌管工厂和大地产，进而帮助我们夺取和掌握政权。但由于资产阶级知识分子大多出身于资产阶级家庭，接受的是资产阶级意识形态的教育，因而，在他们身上都多少带有明显的资产阶级偏见和资产阶级意识。一旦他们加入到无产阶级队伍中来，必将会对无产阶级队伍造成很大的冲击，所以，在团结资产阶级知识分子的过程中，必须对他们进行科学的改造，使之成为工人阶级可以依靠的力量。但在实践中，"如果我们因为战争而提前执掌政权，技术专家就会成为从根本上反对我们的人，只要有可能，他们就会欺骗和出卖我们；我们将不得不对他们采取威慑手段，尽管如此，他们还是要欺骗我们。"[2]所以，当资产阶级技术专家反对无产阶级政权时，我们就必须对他们采取威慑手段，并在此前提下对之进行强有力的改造。概言之，对待资产阶级知识分子，不仅要采取团结的手段，使之加入到无产阶级阵营中来，而且还要对他们进行科学的改造，使他们认识到自身的资产阶级意识和偏见的局限性，摆脱资产阶级的世界观，树立科学的世界观，进而从思想和行动上都同无产阶级保持一致。总之，无产阶级政党在对待和处理同资产阶级知识分子的关系问题上，必须要采取团结和改造相统一的方针，并使之最终成为无产阶级夺取政权和建设社会主义的重要力量。

恩格斯提出了培养工人阶级知识分子的历史使命，并论述了工人阶级知识分子的历史作用。在1893年12月19日致国际社会主义者大学生代表大会的信中，恩格斯指出："希望你们的努力将获得成功，能使大学生们意识到，从

---

[1] 《马克思恩格斯文集》第10卷，人民出版社2009年版，第621页。
[2] 《马克思恩格斯文集》第10卷，人民出版社2009年版，第621页。

他们的行列中应该产生出脑力劳动无产阶级，它的使命是在即将来临的革命中同自己从事体力劳动的工人兄弟在一个队伍里肩并肩地发挥重要作用。"① 在这里，脑力劳动无产阶级主要就是指同工农群众相结合，为工农群众服务的无产阶级知识分子。据此可知，无产阶级既包括体力劳动无产阶级，也包括脑力劳动无产阶级。这不仅反映了随着大工业的发展，无产阶级掌握科学技术的重要性，还反映了工人阶级自身也是不断发展变化的，即从早期的大多作为体力劳动者的产业工人发展到越来越多的脑力劳动无产阶级。由于脑力劳动无产阶级中包括很大一部分知识分子，因此，知识分子也是无产阶级的一部分。恩格斯希望大学生中间能产生大量的脑力劳动无产阶级。这实际上表明了，恩格斯希望大学生同工农群众相结合，在实践中成为脑力无产阶级，并使他们在革命中发挥的作用与体力无产者在革命中发挥的作用结合和统一起来。同时，在此信中，恩格斯还指明了无产阶级革命同以往的资产阶级革命相比在对人才的培养和要求方面的明显不同。他指出，以往的资产阶级革命向大学要求的仅仅是培养符合其政治统治意志需求的、具备政治家潜力和有政治发展前途的律师；而对于工人阶级的解放来说，虽然我们也需要这样的人才，但除此之外，我们还需要医生、工程师、化学家、农艺师及其他的专门人才。因为，工人阶级不仅仅只是要掌管国家这个政治机器，而且还要掌管全部的社会生产。这就不仅需要具有扎实和丰富知识的多样化人才，而且还要努力争取让他们加入到工人阶级解放的伟大事业中来，同工人阶级一道完成这个光荣的历史使命。恩格斯坚信，随着马克思主义在工人、教师、医生、律师及其他人群当中的广泛传播和深入发展，"他们当中有许多人已经准备同我们在一起。再过五年或者十年，这样的人才在我们这里将会超过我们所能使用的数量。"② 由此可以看出，工人阶级的解放不仅需要具有坚定政治立场的律师，而且还需要能为解放事业服务的医生、工程师、化学家等具有丰富知识的各式各样的专门人才。正是在他们的积极参与和共同努力的基础上，共产主义运动的实现才不会停留在豪言壮语的虚构意义之中。当然，也只有在共产主义社会，才能真正根据各人的兴趣和爱好，培养出各式各样的人才。这同工人阶级的解放最终为了人的全面发展之追求是相对应和相一致的。正如马克思恩格斯在早些年前所指出的那样，"在

① 《马克思恩格斯选集》第4卷，人民出版社2012年版，第301页。
② 《马克思恩格斯文集》第4卷，人民出版社2009年版，第563页。

共产主义社会里，任何人都没有特殊的活动范围，而是都可以在任何部门内发展，社会调节着整个生产，因而使我有可能随自己的兴趣今天干这事，明天干那事，上午打猎，下午捕鱼，傍晚从事畜牧，晚饭后从事批判，这样就不会使我老是一个猎人、渔夫、牧人或批判者。"① 显然，在共产主义社会，人的全面发展和社会的全面进步实现了高度的统一。共产主义社会为实现人的自由而全面发展创造了重要条件，而人的全面自由而充分的发展又为共产主义社会奠定了坚实的人才基础。可见，只有培养和造就大量的工人阶级知识分子，才能有效推动共产主义理想的实现。

总之，恩格斯关于工人阶级知识分子的阶级地位和历史作用的全面分析论述，丰富和发展了马克思主义关于革命发展的依靠力量与革命动力的学说。

第四节　科学制定无产阶级维护和平、反对世界战争的策略

19 世纪末，资本主义生产方式的快速发展和世界体系的急剧变动，使帝国主义国家之间爆发战争的危险日益加剧，这对国际工人运动和社会主义运动的发展而言，既是机遇也是挑战。在指导国际工人运动发展的过程中，恩格斯客观分析了变化了的世界形势和革命形势，科学制定了无产阶级维护和平和反对世界战争的策略，对指导国际工人运动和社会主义运动的科学发展发挥了重要作用。

一、资本主义世界体系的变动和世界战争的危险

19 世纪的后 30 年，资本主义世界体系发生了巨大变动，英国在世界市场

---

① 《马克思恩格斯文集》第 1 卷，人民出版社 2009 年版，第 537 页。

的工业垄断地位遭受到了新兴后起国家的挑战，两大军事阵营基本形成，爆发世界大战的危险与日俱增。

资本主义世界体系的巨大变动。资本主义的世界体系之所以会发生变动，主因在于英国在世界市场中的工业垄断地位遭受到了来自新兴资本主义国家的挑战而逐步衰落，列强争霸的局面初步显露和形成。伴随着第一次工业革命的完成，英国在保护关税制度的帮助下形成和确立了它在世界市场中的工业垄断地位。但是，新兴发展起来的资本主义国家，为了避免沦为英国这个"世界工厂"的简单附属，纷纷效仿和建立了关税保护制度，对英国的垄断地位发起了挑战。关税保护制度在各主要资本主义国家的广泛确立，使英国在世界市场中的工业垄断地位受到了削弱并不可避免地走向了衰落，以英国为中心的世界体系也随之瓦解。但与此同时，它也使各主要资本主义国家内部生产和资本的集中与垄断加速，使股份公司等垄断组织得到广泛建立和快速发展。这极大地促进了资本主义从自由竞争向垄断的过渡和转变。随着股份公司生产经营形式的普遍采用和垄断的发展，一切国外投资也都采取了股份公司的形式，开拓殖民地和瓜分世界市场纯粹变成了交易所的附属物。随之而来的是，以德国、美国等为代表的新兴后起资本主义国家快速崛起，要求重新划分世界市场和瓜分世界领土的呼声日益高涨，这势必导致资本主义的世界体系从以往的英国中心体系向列强争霸的局面转变。这种转变，一方面加剧和激化了各主要资本主义国家之间为争夺殖民地、瓜分世界市场的矛盾和斗争，另一方面也加剧了各主要资本主义国家同殖民地、半殖民地民族和人民之间的矛盾和斗争。这两方面都使得爆发世界范围的大规模的战争将不可避免。

欧洲局势的发展使得爆发战争的危险日益加剧。19世纪的后30年，虽然资本主义世界总体处于暂时的和平发展状态，但随着后起资本主义国家的迅猛发展，欧美列强之间的利益矛盾和斗争日渐尖锐与激烈。同时，沙皇俄国对外扩张的野心不改。这些都让欧洲的局势变得错综复杂，爆发大规模世界战争的危险不断上升，"欧洲正好像沿着斜坡一样越来越快地滑向规模空前和激烈程度空前的世界战争的深渊。"① 面对这种紧张局势，恩格斯在1887年年底指出，现在除了爆发世界大战外已经不可能有任何其他的战争了。如果战争真的不可避免地发生了，那必将会是一场绝对无法预料谁胜谁负的空前规模和

---

① 《马克思恩格斯文集》第4卷，人民出版社2009年版，第394页。

空前剧烈的世界战争。在 1889 年年底 1890 年年初，恩格斯再次就此局势作了更加详细的分析。他认为，以下三个方面的事实决定着当前欧洲局势的发展："(1) 德国吞并阿尔萨斯—洛林；(2) 沙皇俄国力图占领君士坦丁堡；(3) 无产阶级和资产阶级之间的斗争在所有国家中更加炽烈地燃烧起来，社会主义运动的普遍高涨是这个斗争的标志。"① 前两个事实使欧洲分裂为以英、法、俄为首的协约国和以德、意、奥为主的同盟国两大军事集团。这两大阵营之间展开了疯狂的军备扩张和竞赛，都在准备通过一场世界上前所未有的大规模决战来一较高下。而这场可怕的战争之所以至今还没有爆发，具体来看，主要有两种情况对它起着阻碍和延滞作用："第一，武器技术空前迅速地发展，每一种新发明的武器甚至还没有来得及在一支军队中使用，就被另外的新发明所超过；第二，绝对没有可能预料胜负，完全不知道究竟谁将在这场大战中最后成为胜利者。"② 但是，这两个方面并不能真正阻止战争爆发和彻底消除战争爆发的全部危险。这在于，沙皇俄国对外侵略扩张的政策和称霸世界的野心没有消除。只要它一日不除，战争爆发的危险就会始终存在。所以，真正能够阻止战争爆发趋势的只有一种情况，那就是彻底改变俄国的制度。"只有当俄国局势发生变化，使得俄国人民能够永远结束自己沙皇的传统的侵略政策，抛弃世界霸权的幻想，而关心自己在国内的受到极严重威胁的切身利益时，这种世界战争的全部危险才会消失。"③ 而要实现这个改变，就需要工人运动在俄国和整个欧洲的普遍高涨，因为只有他们才是真正渴望和平和阻止战争爆发的根本力量。恩格斯坚信，这种改变必然会发生，并由衷地希望这种改变能在没有它就无法避免的那种事情出现之前发生。在此，恩格斯不仅客观分析了欧洲的局势和科学预判了战争的危险，而且充分表达出了对避免世界战争的渴望和追求人类和平的渴求。

　　显然，无论是资本主义从自由竞争向垄断（帝国主义）的过渡和转变所带来的世界体系的巨大变动，还是战争威胁暗流涌动的欧洲局势，都大大加剧了爆发世界大战的危险，一场剧烈程度空前且损失惨重的大规模世界战争将不可避免。

---

① 《马克思恩格斯文集》第 4 卷，人民出版社 2009 年版，第 390 页。
② 《马克思恩格斯文集》第 4 卷，人民出版社 2009 年版，第 390 页。
③ 《马克思恩格斯文集》第 4 卷，人民出版社 2009 年版，第 390 页。

二、科学预测帝国主义战争的后果

在资本主义世界体系发生变动，爆发大规模的世界大战的危险不断加剧的情况下，恩格斯科学地预测了这种帝国主义战争的后果，为无产阶级政党科学制定反对战争和维护和平的策略提供了科学的指导和帮助。

对整个欧洲乃至人类社会造成严重的危害和破坏。恩格斯认为，战争阴云笼罩，大战即将爆发，这场新的大战将会给人类社会，特别是给欧洲大陆带来灾难性的后果。在 1885 年 11 月 17 日致奥古斯特·倍倍尔的信中，恩格斯对这种灾难性后果作了初步预计。他认为，欧洲战争的威胁已经越来越严重了，一旦大战爆发，就必将会是一场耗费空前、闻所未闻的流血和浩劫，归根到底，它将使各参战国家乃至整个欧洲大伤元气。对于这种"大伤元气"的惨烈的战争场景和凄惨的战后景象，恩格斯在 1887 年 12 月 15 日写的《波克罕〈纪念 1806—1807 年德意志极端爱国主义者〉一书序言》中再次作了更加详细的说明。他指出，从现在的情况来看，除了爆发大规模的世界大战以外不可能有任何其他的战争了，这将会是一场规模和剧烈程度都前所未有的世界战争，"那时会有 800 万到 1000 万的士兵彼此残杀，同时把整个欧洲都吃得干干净净，比任何时候的蝗虫群还要吃得厉害。三十年战争所造成的大破坏会集中在三四年里重演并殃及整个大陆；到处是饥荒、瘟疫，军队和人民群众因极端困苦而普遍野蛮化；我们在商业、工业和信用方面的人为的运营机构会陷于无法收拾的混乱状态，其结局是普遍的破产；旧的国家及其传统的治国才略一齐被摧毁"①。可见，这场战争不仅将会造成严重的人员消耗和伤亡，对整个社会造成严重伤害，而且会对整个欧洲大陆的经济、政治等方面带来严重的破坏。而在 1888 年 1 月 7 日致弗·阿·左尔格的信中，恩格斯对此问题作了更为严重的估计。他认为，如果战争真的发生了，那么，它将会是一场类似三十年战争浩劫那样耗费巨大、耗时很长，且损失惨重的大规模战争，必将会使欧洲出现二百年未发生过的大衰竭。可见，战争一旦爆发，对整个人类社会特别是欧洲大陆，不仅在人、财、物的消耗和损失方面将是无法估量的，而且在破坏程度上也将是不可预测的。它必将会是欧洲史和人类史上的一场巨大劫难。

① 《马克思恩格斯文集》第 4 卷，人民出版社 2009 年版，第 331 页。

对世界工人运动和社会主义运动造成极大破坏。恩格斯在分析世界战争将会给欧洲大陆带来的严重灾难时，也明确指出了它对工人运动发展的破坏和危害。他认为，大规模的世界战争对世界工人运动和社会主义运动所带来的影响将极具破坏性。随着战争的爆发，各国的反动政府都会借口战争而加强对工人运动的破坏、压制和镇压。这不仅可能会让各国工人运动在相对和平的环境下所取得的胜利成果付之一炬，而且可能会使工人运动发生巨大的历史性倒退。在 1885 年 11 月 17 日致奥古斯特·倍倍尔的信中，恩格斯就已明确表达了这种担忧。他说："我们的运动进展得如此之好，情况到处如此有利于运动，最后，我们如此需要再有几年平静的发展，以便有可能巩固起来，以致我们决不能希望发生大的政治灾难。它会使我们的运动退居次要地位好多年，然后我们大概又得像 1850 年以后那样耽误很久，一切又要从头开始。"① 但有一点是可以肯定无疑的，那就是，战争将会迫使我们的运动在整个欧洲范围内发生倒退，甚至在许多国家中被彻底摧毁。同时，战争还会在这些国家和地区煽动起严重的沙文主义和民族仇恨，这也将会对工人运动造成极为不利的影响。它们会严重破坏工人阶级的团结，导致国际无产阶级革命队伍的分化甚至分裂。后来，在 1889 年 3 月 25 日致保尔·拉法格的信中，恩格斯进一步揭示了这种破坏性影响。他指出："这场战争将使我们的运动遭到暴力的普遍的镇压，使所有国家的沙文主义加剧起来，归根到底使衰竭现象比 1815 年之后的反动时期还要厉害十倍，而反动时期是建立在伤尽元气的所有各国人民极度贫乏的基础上的。与所有这一切对比，这场残酷的战争导致革命的希望却极小，——这使我感到可怕。对我们德国的运动来说尤其可怕，这个运动会被暴力破坏、镇压、扼杀，而和平却能使我们取得几乎是肯定的胜利。"② 可见，大规模世界战争的爆发，对世界范围内的无产阶级解放运动的破坏和阻碍将是巨大且毋庸置疑的。

总之，规模空前和程度剧烈的世界大战，无论是对资本主义体系自身，还是对世界范围的工人运动和社会主义运动，所带来的都必将是具有极大破坏性和灾难性的后果。

---

① 《马克思恩格斯全集》第 36 卷，人民出版社 1974 年版，第 381 页。
② 《马克思恩格斯全集》第 37 卷，人民出版社 1971 年版，第 162—163 页。

三、科学论述无产阶级反对战争、维护和平的策略

马克思恩格斯历来都坚持反对战争、维护世界和平，认为世界工人运动和社会主义运动是反对战争和维护和平的坚定革命力量。马克思晚年多次强调指出，"全世界工人阶级的联合终究会根绝一切战争"①，并建立起一个以和平为国际原则的新社会，这是工人运动的基本目标。针对资本主义世界体系的变动和爆发世界战争的危险，在客观分析了战争的危害性后果的基础上，恩格斯科学论述了无产阶级反对世界战争、维护和平的策略和要求，为国际工人运动的健康发展提供了科学指导。

各国工人阶级要坚决反对军国主义，积极采取行动制止世界大战的爆发。面对军国主义的反动政策和战争阴谋，面对将不可避免要爆发的帝国主义战争的威胁，在 1887 年 2 月 13 日《给巴黎国际联谊节组织委员会的信》中，恩格斯首先揭露了军国主义的反动本质。他指出，我们现在正面临着极其严重的战争威胁，导致这种形势的真实原因是什么呢？"是军国主义，是在大陆各大国施行了普鲁士式的军事制度。这个制度被说成是武装全民以保卫本国领土和本国权利。这是撒谎。"②在这个谎言的掩饰下，各国都开始了无休止的军备扩张。而这种无休止的军备竞赛制度已经把各国人民都压得喘不过气来了，它必将把人民推向战争的深渊。恩格斯因此把这种军备制度称作是"时刻准备对外进行征服，对内残酷镇压人民运动"③的制度。它实质上是军国主义的反动政策和战争阴谋。所以，要避免战争，就必须废除这种制度，并以真正的国民军取而代之，"他们将用武装本国全体公民这一事实来证明他们对和平的热爱，因为这支由人民自己组成的军队是根本不能用来对外进行征服的，正像在保卫祖国领土时是根本不可战胜的一样。"④为了支持德国社会民主党反对帝国国会通过具有军国主义色彩的军事法草案的斗争，恩格斯在 1893 年 2 月撰写的《欧洲能否裁军？》一文中进一步强调指出，"常备军制度在整个欧洲已经发展到极端，只要常备军不及时改组为以普通武装人民为基础的民兵，那末，不是这种

---

① 《马克思恩格斯选集》第 3 卷，人民出版社 2012 年版，第 61 页。
② 《马克思恩格斯全集》第 21 卷，人民出版社 1965 年版，第 393 页。
③ 《马克思恩格斯全集》第 21 卷，人民出版社 1965 年版，第 394 页。
④ 《马克思恩格斯全集》第 21 卷，人民出版社 1965 年版，第 394—395 页。

制度使各国人民担负不起军费重担而在经济上破产，就是它必然导致一场毁灭性的大战"①。所以，为了制止战争和维护和平，恩格斯号召各国工人阶级要勇敢地站出来，团结一致和积极采取协调一致的行动，共同彻底地揭露军国主义的反动本质和战争阴谋，坚决反对军备竞赛和扩军备战，可以在还不能很快废除常备军的情况下首先为争取裁军而斗争，以有效遏制战争因素的增长和消除战争危机。而德国作为欧洲工人运动的中心，有力量和有责任来带头实现这个任务。

各国工人阶级要坚决为维护世界和平而斗争和努力。在 1886 年 10 月 25 日至 26 日致保尔·拉法格的信中，恩格斯曾分析指出，现在的和平形势的发展总的来说对工人运动是十分有利的，我们可以希望仅仅维持这种和平的现状。而一旦爆发全面战争，就会把我们抛进一个无法预料、无法估计的事件的领域。如果这样的话，那么，革命在俄国和法国都将会被推迟，德国的党的发展也将会被迫停止，甚至还可能会让君主制在法国复辟。因此，"我主张'不惜一切代价争取和平'"②。这就是说，战争必将会让追求和平的革命的社会主义运动遭到破坏甚至倒退，而和平的国际环境则有利于这种运动健康快速地发展。所以，不管怎样，恩格斯都希望和平的局面能长期维持下去。在 1888 年 1 月 4 日致若安·纳杰日杰的信中，恩格斯再次表达了坚决反对战争、渴求和平的意愿。他指出，"我们希望，战争不要爆发，对于这类战争，决不能同情交战的任何一方，相反，只能希望它们统统垮台"③。1891 年 10 月，在分析德国的社会主义问题时，通过对战争与和平对德国工人运动的影响的分析，恩格斯更加具体明确地指出：和平会保证德国社会民主党在大约十年的时间里取得胜利，但是，战争却有二重性，或者会使社会民主党在两三年内取得胜利，或者遭受彻底的失败，至少在 15 年到 20 年期间难以恢复元气。因此，对于任何一个真正革命的社会主义者来说，无论他属于哪个民族，都不会希望战争爆发而让现在的德国取胜，或是让法兰西资产阶级共和国取胜，更不会希望沙皇俄国获胜，因为，沙皇的胜利就等于整个欧洲被奴役。所以，毫无疑问，各国的社会主义者都渴望和拥护和平，并"将为和平而斗争"④。可见，坚决反对战

---

① 《马克思恩格斯全集》第 22 卷，人民出版社 1965 年版，第 435 页。
② 《马克思恩格斯全集》第 36 卷，人民出版社 1974 年版，第 553 页。
③ 《马克思恩格斯文集》第 10 卷，人民出版社 2009 年版，第 568 页。
④ 《马克思恩格斯全集》第 22 卷，人民出版社 1965 年版，第 634 页。

争，并为了维护和实现世界和平而斗争，是各国社会主义者应有的基本立场和追求。

各国工人阶级应充分利用战争危机来争取社会主义的胜利。对各国工人运动而言，虽然帝国主义国家之间爆发的大规模冲突和战争具有极大的破坏性，但也有可能成为革命的催化剂。这种战争有可能会导致国内经济政治方面的危机发生，引发人民的强烈不满和抗议，从而对工人阶级的斗争造成有利局势。所以，面对战争危险，工人阶级应做好反对战争、维护和平与争取社会主义的胜利的两手准备。这是符合科学的辩证法的观点。恩格斯曾多次阐明了这样的观点。1887 年 12 月，恩格斯指出，军备的相互竞赛制度发展到极端，就终将会产生它的不可避免结果——爆发一场空前规模和空前剧烈的世界战争，谁会成为这场战争的胜利者，以及这一局面将如何解决，那是绝对无法预料的，但是，"只有一个结果是绝对没有疑问的，那就是普遍的衰竭和为工人阶级的最后胜利创造条件"①。在 1891 年 9 月 29 日至 10 月 1 日致奥·倍倍尔的信中，恩格斯根据德国当时所面临的外敌入侵战争危险所作的分析指出，德国作为欧洲革命的中心，德国社会民主党是欧洲最强大、最有战斗力的社会主义政党，我们要保持已经取得的胜利果实和赢得未来发展的有利局面，就应当极力避免在这场由东西方反动势力强加给我们头上的战争失利。具体情况将会如何我们不得而知，但有一点是确定无疑的，"如果我们被打败，沙文主义和复仇战争的思想将在欧洲大肆蔓延很多年。假如我们战胜，我们的党就会取得政权。德国的胜利因而将是革命的胜利，所以，战争一旦发生，我们不仅应当期望胜利，而且要采取一切手段去争取胜利"②。显然，在当时的战争形势下，对于任何一国的工人阶级来说，反对战争和争取社会主义的胜利，是紧密联系在一起的，而战争本身就包含着对革命的破坏和促进两种可能。此后，恩格斯又多次重申了这个思想。他指出："如果战争毕竟还是发生了，那时毋庸置疑的只有一点：这场有 1500 万到 2000 万武装人员互相残杀，并且会使欧洲遭到空前浩劫的战争，必定要或者是导致社会主义的迅速胜利，或者是如此强烈地震撼旧的秩序，并留下如此大片的废墟，以至于旧的资本主义社会的存在比以前更加不可能，而社会革命尽管被

① 《马克思恩格斯文集》第 4 卷，人民出版社 2009 年版，第 331 页。
② 《马克思恩格斯全集》第 38 卷，人民出版社 1972 年版，第 159 页。

推迟 10 年或 15 年，以后必然会获得更迅速和更彻底的胜利。"① 可见，战争的影响具有明显的两面性，因而，无产阶级也必须做好两手准备。正如马克思早些年前所表述的那样："每一个国家的国际工人协会支部都应当号召工人阶级行动起来。如果工人们忘记自己的职责，如果他们采取消极态度，那么现在这场可怕的战争就只不过是将来的更可怕的国际战争的序幕，并且会在每一国家内使刀剑、土地和资本的主人又一次获得对工人的胜利。"② 简言之，面对不可避免要爆发世界战争的形势，各国工人阶级应当做好两手准备：一方面要努力为反对和制止战争、维护和平而斗争；另一方面要为利用战争危机、壮大革命力量和争取社会主义的胜利而做好准备。

总之，面对世界战争的危险，各国工人阶级应当积极行动起来，为反对和制止战争、维护和平而斗争，并为最终根绝一切战争和建立一个以和平为国际原则的新社会而奋斗。

第五节 恩格斯晚年揭露和批判机会主义

第一国际解散后，随着资本主义经济政治的快速发展和马克思主义在世界工人阶级中的广泛传播，国际工人运动迅速发展壮大，工人阶级的国际联合再次成为了一种必然趋势，这样，第二国际顺势而创立。但工人运动中的各种机会主义也随之滋长和抬头。作为马克思去世后国际工人运动领袖的恩格斯，在科学分析各种机会主义滋长的社会历史原因的基础上，进一步阐明了同机会主义斗争的策略和意义，为第二国际以及各国工人阶级政党科学制定斗争策略提供了科学指导。

---

① 《马克思恩格斯文集》第 4 卷，人民出版社 2009 年版，第 436 页。
② 《马克思恩格斯选集》第 3 卷，人民出版社 2012 年版，第 72 页。

一、第二国际的创立

19 世纪后 30 年，国际工人运动并没有因第一国际的解散而消沉，相反，随着资本主义经济政治的快速发展，马克思主义在世界各国工人阶级中的广泛传播和影响不断扩大，工人阶级及其政党的力量迅速发展壮大和日益增强，工人阶级的国际联合再次成为了一种必然趋势，成立一个国际性的工人运动组织也就成为了运动发展的必然要求。

第一国际的经历为第二国际的创立提供了经验教训和奠定了良好基础。第一国际的建立和终结，都是那个时期欧洲工人运动发展的必然结果。在 1874 年 9 月 12 日至 17 日致弗里德里希·阿道夫·左尔格的信中，恩格斯指出，第一国际"是属于第二帝国时期的东西，当时笼罩着整个欧洲的压迫，要求刚刚复苏的工人运动实现统一和抛开一切内部争论。在那个时候，无产阶级共同的世界性的利益能够提到首要地位了"[①]。也就是说，第一国际的成立，是在欧洲各国工人阶级还尚未摆脱资产阶级的影响而完全独立，各国工人阶级中间还存在意见分歧，但又面临着共同的敌人的威胁而必须联合战斗的情况下实现的一种"幼稚的联合"。随着巴黎公社的失败，"国际"的内外部形势都对它产生了不利影响。一方面，欧洲各国反动政府加紧了对公社成员和国际的残酷迫害，各种反动报刊也极尽造谣污蔑和诽谤马克思恩格斯与"国际"之能事。另一方面，第一国际内部不同派别之间的分歧和斗争不断暴露，它不可避免地瓦解开始了。1872 年在海牙召开的第一国际代表大会，实际上已使它停止了活动。1876 年 7 月 15 日，第一国际正式宣布解散。虽然它作为旧的工人阶级国际组织形式已经过时了，但它在其有限的存在时间里，毕竟"支配了欧洲历史的一个方面，即蕴藏着未来的一个方面"[②]。这就是，它有效地组织和领导了各国工人运动的发展，极大地启发了工人阶级的觉悟，增强了各国工人阶级的团结联合意识，使各国工人阶级及其政党充分认识到了团结合作和联合斗争的必要性和重要性。所以，在第一国际解散后，工人阶级的力量不但没有衰退，反而日益增强了；工人阶级运动和社会主义运动不但没有因此而停滞，反而却越发高

[①] 《马克思恩格斯选集》第 4 卷，人民出版社 2012 年版，第 515 页。
[②] 《马克思恩格斯选集》第 4 卷，人民出版社 2012 年版，第 515 页。

涨了。正如恩格斯在《纪念巴黎公社十五周年》一文中总结的那样，"革命的工人社会主义比任何时候都富有生命力，它现在已经是一支使所有掌权者——无论是法国激进派、俾斯麦、美国的交易所巨头，或者是全俄罗斯的沙皇——胆战心惊的力量。但是，岂止如此而已……无产者的国际团结，各国革命工人的友谊，已经比公社以前巩固千倍，广泛千倍。国际不再需要原来意义上的组织了；由于欧洲和美洲工人的自发而真诚的合作，国际依然活着并且日益壮大。"[1]尽管如此，各国工人阶级及其政党还是必须要清楚地认识到，第一国际成立时内部不同派别观点分歧的存在，又正是导致它最后瓦解的一个重要因素。所以，各国工人阶级政党要保证工人阶级在国内国际的团结和联合斗争，还必须要同工人阶级及其政党内部的各种不符合共产主义原则，甚至是反马克思主义的势力和派别展开坚决彻底的斗争。这样，第一国际就为以后工人运动和社会主义运动的发展，奠定了工人国际组织的基础，并使工人做好了向资本进行革命进攻的准备，而"形势的不可避免的发展和复杂化将会自然而然地促使国际在更完善的形式下复活"[2]。显然，第一国际对国际工人运动和社会主义运动的意义是巨大的。它不仅为日后国际工人运动的发展壮大与再次联合奠定了良好的阶级、组织和思想基础，而且也为此提供了宝贵的经验和值得吸取的教训。

第二国际的创立是19世纪后30年革命形势发展和工人阶级联合要求增强的必然产物。在第一国际解散后，国际工人运动不仅没有因为它的瓦解而消沉，反而取得了巨大的进步，工人阶级的国际联合要求不断增强。一方面，19世纪后30年，随着资本主义经济政治的快速发展，资本主义出现了向垄断资本主义（帝国主义）过渡的趋势。在国内，工人阶级受剥削受压迫的状况不但没有缓解反而更加强化了，因此，他们通过建立工会、合作组织等形式集中和组织起来，为了自己劳动条件和生活条件的改善而同资本家阶级进行斗争。在国际上，资本主义列强争霸和列强之间瓜分世界市场的斗争加剧，反对军国主义、反对掠夺战争的斗争任务也摆在了工人阶级面前。这导致了资本家阶级同工人阶级之间的矛盾和斗争日益尖锐激烈。这要求不仅工人阶级在国内要实现团结，而且在国际范围内也要实现联合。另一方面，马克思主义在世界各国工

---

[1] 《马克思恩格斯选集》第4卷，人民出版社2012年版，第266—267页。
[2] 《马克思恩格斯文集》第10卷，人民出版社2009年版，第396—397页。

人阶级中的广泛传播和影响不断扩大，工人阶级已日益成为一支不可忽视的社会力量。随着工业无产阶级和农业工人在人数上的迅速增加，工人阶级及其政党在理论觉悟、组织纪律性和革命性方面也迅速成长和成熟了起来，国际工人运动中涌现出了一大批马克思主义理论宣传家和革命家。在他们的努力下，各国社会主义者之间的国际联系和合作日益紧密，国际范围内工人阶级实现再次联合的呼声和要求越来越高。这都促使各国工人政党越来越清楚地认识到无产阶级国际联合的必要性和重要性，"忽视在各国工人间应当存在的兄弟团结，忽视那应该鼓励他们在解放斗争中坚定地并肩作战的兄弟团结，就会使他们受到惩罚——使他们分散的努力遭到共同的失败。"[①] 在此情况下，成立一个新的国际性工人组织也就成为了运动发展的必然要求。1881 年 10 月，由比利时社会主义者发起的在瑞士库尔举行的国际社会主义者代表大会，把建立一个新的社会主义国际组织的问题列入了会议议程并进行了讨论，会议认为，建立各国社会主义政党的新的国际组织的条件还未成熟，时机还没有到来。但在库尔大会后，德国社会民主党人约·菲·贝克尔在 1882 年 2 月 1 日专门写信给恩格斯，再次建议成立一个第一国际类型的新的国际工人组织。恩格斯在回信中具体分析了当时的国际形势，指出了实行这个建议的时机还未到，但是，它很快就会到来。恩格斯认为，在条件和时机都还不成熟的情况下建立国际工人组织，不仅不能发挥它应有的作用；相反，还会损害它将来的效果。所以，"我们坚决主张，这样一种优越的斗争手段，决不应当在还比较平静的时期，即革命的前夜就使用它，损害它，从而削弱它的作用。"[②] 在这里，恩格斯实际上已就新国际成立的时机、条件和效果等问题作了明确的说明。由此可见，尽管成立新国际的时机还不到，成立的条件也尚未成熟，但此时的形势至少已经说明，工人运动的发展壮大和联合要求的日益高涨，已使成立一个新的工人国际组织成为了必然。

第二国际顺应革命形势发展变化的需要应运而生。就国际工人阶级要求建立一个新的国际工人组织的问题上，恩格斯早在 1874 年 9 月 12 日至 17 日致左尔格的信中就已作了明确说明："要创立一个像旧国际那样的新国际，即世界各国无产阶级政党的联盟，需要有对工人运动的普遍镇压，即像 1849—

---

① 《马克思恩格斯选集》第 3 卷，人民出版社 2012 年版，第 10 页。
② 《马克思恩格斯文集》第 10 卷，人民出版社 2009 年版，第 478 页。

1864 年那样的情形。"① 而这样的情形，同时也是在马克思的著作产生了多年的影响以后才会出现和形成的。恩格斯坚信，"到那时，采取伟大的行动和建立一个正式的真正的国际的时机就到来了。不过到那时，它再也不会是一个宣传的团体，而只能是一个行动的团体了。"② 而且，此时的国际，还将会是一个纯粹的、直截了当树立起共产主义运动原则的共产国际组织。由此可以看出，新国际的成立需要具备几个方面的基本条件和要求：一是工人运动在资本家反动政府的镇压下得到普遍的发展壮大，并都已组建起了自己独立的工人阶级政党，成立新的国际组织的革命时机已经成熟；二是马克思主义经过多年的传播已被各国工农群众所广泛接受和成为他们斗争的指导思想；三是新国际必须是一个纯粹的、不夹杂任何乱七八糟东西的、有明确而坚定的共产主义目标和行动原则的国际组织。显然，恩格斯在此就已对新的国际组织的建立提出了明确要求和指明了方向。随着欧美各国社会主义政党的纷纷建立，并推动和领导工人运动摆脱资产阶级的影响而走上独立发展的道路，建立新国际开始进入筹备工作阶段。经过恩格斯和拉法格、李卜克内西等人所进行的大量工作，在 1889 年 7 月 14 日纪念巴黎起义攻克巴士底狱 100 周年纪念日的那一天，国际社会主义者代表大会终于在巴黎开幕了。此次大会，共有来自 22 个国家的393 位代表参加了会议。大会听取了各国社会主义政党的代表关于各自国家工人运动发展状况的报告，制定了国际劳工保护法的原则，通过了在法律上规定 8 小时工作日的要求等；大会着重指出了无产阶级政治组织的必要性和争取实现工人的政治要求的必要性，主张废除常备军代之以普遍的人民武装；大会规定每年的五月一日为国际无产阶级的节日，即"五一"国际劳动节。7 月 20日晚，代表大会在"社会革命万岁！""社会民主国际万岁！"的口号声中胜利闭幕。这次大会，宣告了第二国际的正式建立。大会通过的一系列符合马克思主义要求的决议，为此后国际工人运动的发展制定了基本正确的行动纲领。列宁后来这样评价说："重新恢复起来的国际工人运动组织，即定期举行的国际代表大会，几乎没有经过什么斗争就立即在一切重大问题方面都站到马克思主义立场上来了。"③ 一般认为，这次会议是第二国际成立的标志。从此，在第

---

① 《马克思恩格斯选集》第 4 卷，人民出版社 2012 年版，第 516 页。
② 《马克思恩格斯文集》第 10 卷，人民出版社 2009 年版，第 478 页。
③ 《列宁选集》第 2 卷，人民出版社 2012 年版，第 2 页。

二国际的组织和领导下，国际工人运动和社会主义运动进入了一个新的发展阶段。

总之，第二国际的成立是国际工人运动发展的必然要求和产物。它让国际工人运动重新有了一个统一的领导和组织，更加坚定地站在马克思主义的立场上同资本家阶级以及其他同马克思主义和社会主义相敌对的势力进行斗争，也把世界范围的工人运动和社会主义运动推向了一个更高阶段。

二、科学分析机会主义滋长和抬头的社会历史原因

随着国际工人运动和社会主义运动在第二国际领导下的进一步发展，各种机会主义错误思想在工人运动中也日益滋长和抬头。在同工人运动中逐渐抬头的各种机会主义的斗争过程中，恩格斯揭露和批判了机会主义的实质和危害，科学分析了工人运动中的机会主义滋长和抬头的社会历史原因。

国际工人运动中机会主义滋长和抬头的表现。第二国际的成立，大大推动了工人运动和社会主义运动的不断向前发展。在它的组织和领导下，1890年和1891年英德法意等11个国家的广大工农群众举行了"五一"示威游行，唤醒了广大无产阶级的阶级意识，吸引了工人新阶层参加政治斗争，加强了工人阶级的国际合作。在此基础上，各国的社会主义政党和组织也都有了明显的增强、壮大和进一步发展。德国社会民主党经过努力斗争迫使统治集团废除了"非常法"，赢得了合法地位，并于1891年爱尔福特代表大会通过了基本上是马克思主义的纲领。意大利无产阶级在1892年组建了全意大利的社会主义政党。英国工人阶级在1893年建立了英国独立工党。保加利亚、罗马尼亚、波兰等国也先后成立了工人阶级政党，并根据马克思主义的理论制定了各自的党的纲领。但与此同时，工人运动中的各种机会主义势力也开始滋长和抬头。在法国，巴枯宁主义重新活跃起来，"有些人虽然抛弃了巴枯宁的理论，却继续运用巴枯宁的斗争手段，同时还想为了自己的特殊目的而牺牲运动的阶级性"①。在德国，党内庸俗习气日益增长，福尔马尔等人"为了争取小资产者而以机会主义的态度赞成政府预算，为了争取中农和大农而在农村进行机会主

---

① 《马克思恩格斯选集》第4卷，人民出版社2012年版，第551页。

义的宣传"[1]，李卜克内西等人"由于接受了拉萨尔经济学方面的全部基本用语和要求，爱森纳赫派事实上已成了拉萨尔派"，甚至出现了"靠损害马克思来维持和重新宣扬拉萨尔的虚假声誉"[2] 的现象。在英国，由形形色色的资产阶级"社会主义者"拼凑起来的费边社也已经完全定型和形成。在欧美其他国家，也出现了类似的状况。如此等等，不一而足。事实上，这些日益滋长和抬头的机会主义倾向，在前面的第二国际代表会议召开过程中已经有所显露。如法国可能派，在新国际成立时机和条件尚未成熟的情况下，私自号召召开新国际大会，并确立了具体召开日期；而在第二国际成立大会召开期间，可能派又同时举行了另一个所谓的国际大会，迫使正式的国际成立大会不得不首先召开一个临时会议来处理同可能派大会的联合问题等。到19世纪末，这些日益滋长和抬头的机会主义倾向更加完整地形成了一个反马克思主义的派别——伯恩斯坦修正主义，使批判和揭露伯恩斯坦修正主义的错误，成为了第二国际时期国际社会主义运动中的一项重要工作。但无论是哪种派别的机会主义，它们始终都有一个共同点，那就是，为了暂时利益而忘记根本大计，只图一时的成就而不顾长远后果，为了运动的现在而牺牲运动的未来。这样的错误政策和做法，无论是对无产阶级政党还是它所领导的工人运动和社会主义运动来说，都无疑是十分危险和有害的，长此以往，它必然只能把党引入迷途。正因为如此，恩格斯坚定地站在马克思主义的立场上，同各种机会主义错误进行坚决彻底的斗争，科学分析了它们滋长和抬头的社会历史原因，并阐明了同各种机会主义斗争的策略和意义。

工人阶级队伍构成的复杂成分是工人运动中机会主义滋长和抬头的源头。从无产阶级队伍的构成上来看，除了工业无产阶级和农业雇佣工人这两个大的群体之外，还包括城市小资产阶级、手工业者和自由职业者，甚至是统治阶级中的一部分等这些被资本主义生产方式抛弃到无产阶级队伍中来的不同阶级和阶层的人。他们这些人，满脑子里都是资产阶级的和小资产阶级的狭隘观念和阶级偏见。随着这些人加入到无产阶级运动中来，就难免会把他们身上那些不良倾向、错误思想和观念带入到无产阶级的队伍中来。正是这些不良思想倾向和错误观念，成为了日后工人运动内部滋生各种机会主义的源头。它在运动

① 《马克思恩格斯选集》第4卷，人民出版社2012年版，第657页。
② 《马克思恩格斯文集》第10卷，人民出版社2009年版，第611页。

发展到一定阶段的时候必然会暴露出来。对于这个问题，在 1882 年 10 月 20 日致爱德华·伯恩斯坦的信中，恩格斯事实上就已经明确地指出来了。他说："起初，在工人党创立的时候，必须容许所有接受纲领的人参加到党里来；如果他们在接受纲领的时候暗地里还有保留，这在以后是一定会表现出来的。"① 工人运动中的机会主义正是如此。以小资产阶级社会主义为例，"在民主派小资产者到处都受压迫的时候，他们一般都向无产阶级宣传团结与和解，表示愿意与无产阶级携手合作"②。其实，就其实质来看，"民主派小资产者根本不愿为革命无产者的利益而变革整个社会，他们要求改变社会状况，是想使现存社会尽可能让他们感到日子好过而舒服。"③ 也就是说，当他们的生活状况好转和受压迫状况得到改善后，他们就会把先前的团结和解、携手合作抛到九霄云外，立即表现出他们的本来面目。所以，他们宣传的所谓团结、和解与合作，都只不过是用来掩盖他们自己特殊利益的社会民主主义谎言和空话。但是，随着工人运动的发展和党的日益壮大，小资产阶级分子在党内的增多是不可避免的，因而，小资产阶级的思想在党内的出现也就不是什么新鲜事。在 1890 年 8 月 27 日致保尔·拉法格的信中，恩格斯还以德国党内的大学生骚动为例对此作了说明。他指出："近两三年来，许多大学生、著作家和其他没落的年轻资产者纷纷涌入党内。他们习惯性地把资产阶级大学当做社会主义的圣西尔军校，以为从那里出来就有权带着军官证甚至将军证加入党的行列。所有这些先生们都在搞马克思主义。关于这种马克思主义，马克思曾经说过：'我只知道我自己不是马克思主义者。'……'我播下的是龙种，而收获的却是跳蚤。'"④ 事实上，恩格斯在这里就已经提出了工人运动中机会主义的滋长和抬头同无产阶级队伍的构成成分有关的看法。后来，在 1895 年 1 月 3 日致保尔·施土姆普弗的信中，恩格斯进一步就这个问题作了更详细的解释。他认为，随着党的不断发展壮大，大学生、店员和小资产者，甚至真正的小农等越来越多的人加入到了党的队伍中来，党的队伍构成日益复杂，"在这种情况下可能有人越出我们党的原则所许可的界限，那时就会引起某些分歧"⑤。可见，工人阶级构成

① 《马克思恩格斯选集》第 4 卷，人民出版社 2012 年版，第 549 页。
② 《马克思恩格斯选集》第 1 卷，人民出版社 2012 年版，第 558 页。
③ 《马克思恩格斯选集》第 1 卷，人民出版社 2012 年版，第 556 页。
④ 《马克思恩格斯选集》第 4 卷，人民出版社 2012 年版，第 603 页。
⑤ 《马克思恩格斯文集》第 10 卷，人民出版社 2009 年版，第 683 页。

成分的复杂性,同工人运动中机会主义的滋长和抬头有密切关系。好在,工人政党作为唯一真正革命的和先进的党,它的总肌体是健康的,它现在已经清楚地认识到了这些机会主义病毒的实质和危害,不仅可以消化这些不良思想和错误观念,而且还会在同这些错误思想作斗争的经历中得到学习和检验,并进一步走向成熟和发展壮大。

第二国际成立前后工人运动中的机会主义的滋长和抬头有以往历史尤其是第一国际的遗留因素。在1873年6月20日致奥古斯特·倍倍尔的信中,恩格斯指出,"无产阶级的运动必然要经过各种发展阶段;在每一个阶段上都有一部分人停留下来,不再前进。仅仅这一点就说明了,为什么'无产阶级的团结一致'实际上到处都是在各种不同的党派中实现的,这些党派彼此进行着生死的斗争"①。这就是说,在工人运动的发展过程中,无产阶级正是在同各种各样的机会主义的斗争中才一步一步发展壮大起来,并愈加紧密地团结在一起开展一致的革命行动。而每一种机会主义派别的产生都有其独特的历史背景和条件。就如同"无政府主义者在各个国家的突然出现不过是公社失败以后资产阶级的极端反动的结果"②一样。这一时期工人运动中的机会主义的滋长和抬头也是第一国际瓦解的结果。在1874年9月12日至17日致左尔格的信中,恩格斯在分析第一国际终结的原因时指明了这点,"在1864年,运动本身的理论性质在整个欧洲,即在群众中间,实际上还是很模糊的,德国共产主义还没有作为工人政党而存在,蒲鲁东主义很弱,还不能夸耀它的那一套特别幻想,巴枯宁的那一套新的荒谬货色甚至在他自己的头脑里都还不存在,连英国工联的领袖们也认为可以按照章程的导言中所规定的纲领加入运动。"③这就使第一国际沦为了逐步融解和吸收除无政府主义者外的各个比较小的宗派的一种工具。但正是这些人都钻到国际里来,注定第一国际这个气泡一定要破灭。随着工人运动的深入发展并在实践中取得伟大成就,国际中的各个派别都想争取和利用这个成就来宣传自己,于是,分歧和争吵随之而来,这样,不可避免的瓦解就开始了。这说明,无论是第一国际的成立还是其终结,各种机会主义在其中都扮演了重要角色。而在第一国际解体后,机会主义又以不同的身份继续存在和

---

① 《马克思恩格斯选集》第4卷,人民出版社2012年版,第514页。
② 《马克思恩格斯选集》第4卷,人民出版社2012年版,第588页。
③ 《马克思恩格斯选集》第4卷,人民出版社2012年版,第515页。

延续了下来，表现为第二国际成立前后各种各样的机会主义。比如：巴枯宁主义在法国的重新抬头，拉萨尔派在德国的影响，费边社在英国的完全定型，比利时的蒲鲁东主义者投进巴枯宁主义冒险家的怀抱，等等。可见，第二国际成立前后工人运动中的机会主义的滋长和抬头，一定程度上就是第一国际时期机会主义的延续和泛滥。

　　和平的斗争环境和党内部分领导人的温和立场是机会主义滋长和抬头的有利土壤。一方面，第二国际成立前后的国际环境为工人运动中的机会主义的滋长和抬头提供了有利环境。19 世纪末 20 世纪初，资本主义正处于从自由资本主义向垄断资本主义过渡的时期，这个时期总的环境是暂时相对和平的。这让第二国际领导的国际工人运动有了较明显的发展和进步，马克思主义也越来越被广大的工农群众所接受，社会主义运动日益具有了群众性运动的特征。但随之而来的是，由于资本家阶级对工人运动中的某部分人采用收买的方式进行拉拢和腐化，各种社会庸俗习气、荒唐的幻想，尤其那种已经深入工人肺腑的资产阶级式的"体面"等不良思想和错误倾向也日渐在各国工人阶级中蔓延开来，这是机会主义在工人运动中滋长和抬头的社会基础。同时，许多大学生、著作家和其他没落的年轻资产者纷纷涌入党内。他们强调的所谓的马克思主义，不过是借以社会主义的名义来宣扬他们狭隘的阶级偏见罢了。它们就是在国际工人运动和社会主义运动中所播下的马克思主义"龙种"，而收获的那种机会主义的"跳蚤"。另一方面，党的部分领导人对待党内各种派别分歧的温和的甚至妥协的立场，助长了机会主义的泛滥。以德国为例，恩格斯指出，"由于接受了拉萨尔经济学方面的全部基本用语和要求，爱森纳赫派事实上已成了拉萨尔派，至少从他们的纲领来看是如此……我再也不容许靠损害马克思来维持和重新宣扬拉萨尔的虚假声誉。同拉萨尔有过个人交往并崇拜他的人已经寥寥无几，而所有其他的人对拉萨尔的崇拜纯系人为的，是由于我们违心地对此采取沉默和容忍的态度造成的"①。李卜克内西甚至为在两党合并上的无原则让步进行辩解，以及后来的爱尔福特纲领中的"现代社会长入社会主义"谬论等，都毫无疑问地表明：党内部分人尤其是党的个别领导人在对待机会主义的问题上没有打出鲜明的旗帜，而是采取了不明确、不果断的立场和表现得过于温和。这种对敌对者采取顺从和让步的办法的结果会怎样呢？那只会让我们什么也得

---

① 《马克思恩格斯文集》第 10 卷，人民出版社 2009 年版，第 611 页。

不到。反而，可能使党丧失自己在历史上的领导地位，同时也给机会主义的滋长和抬头打开了方便之门。用列宁后来的话说就是，"这个运动当时是向横的方面发展，因此，革命的水平不免暂时降低，机会主义不免暂时加强"①。可见，和平的有利社会环境本就已为工人运动中的机会主义的滋长和抬头提供了温床，而党内部分领导人在对待非马克思主义甚至反马克思主义势力上的温和忍让，更为这些莠草发育提供了不良土壤。

总之，工人运动中机会主义的滋长和抬头，既有历史遗留因素的影响，也有工人阶级队伍自身构成方面的原因；既有主观因素的作用，也有客观环境的诱惑，是多种因素综合作用的结果。

三、科学论述与机会主义斗争的策略和意义

在系统分析其滋长和抬头的社会历史原因的基础上，恩格斯科学论述了与机会主义斗争的策略和意义，为后来的工人政党积极开展同机会主义的斗争提供了科学的理论指导。

"通过争论消除确实存在的分歧而致力于党的团结"的斗争策略。党内存在不同意见是正常的，关键是能否通过党内斗争实现党的团结。恩格斯多次指出，"一个大国的任何工人政党，只有在内部斗争中才能发展起来，这是符合一般辩证发展规律的。在这种斗争中连吵架本身也起了重要的作用"②。因此，党内不能用粗暴简单的方法处理派别问题。在无产阶级政党和工人运动内部允许不同意见的分歧存在并开展批评争论是有其必要性的，它在一定程度上是无产阶级及其政党生存和发展的需要。更何况，工人运动本身在某种意义上讲就是在对现存资本主义社会的批判基础上才产生、发展和壮大起来的。由此来看，"每一个党的生存和发展通常伴随着党内较为温和的派别和较为极端的派别的发展和相互斗争，谁如果不由分说地开除较为极端的派别，那只会促进这个派别的发展。工人运动的基础是最尖锐地批评现存社会，批评是工人运动的生命要素，工人运动本身怎么能逃避批评，禁止争论呢？难道我们要求别

---

① 《列宁选集》第3卷，人民出版社2012年版，第790页。
② 《马克思恩格斯选集》第4卷，人民出版社2012年版，第551页。

人给自己以言论自由，仅仅是为了在我们自己队伍中又消灭言论自由吗?"①但是，这种存在只限于在不破坏党的团结，不突破党的原则底线的前提下，方才是允许和可能的。因而，为了无产阶级及其政党的生存和发展，还是要在一定范围内允许它们存在的。当然，在条件允许时，必须尽可能坚持团结合作。但是，对工人阶级政党而言，毕竟还有高于团结一致的东西。假如我们违心地对机会主义一味地采取沉默和容忍的态度，"假如我们对各'亲戚'党只限于纯粹消极的批评，那么我们就要犯极大的错误"②。所以，工人阶级政党在同工人运动中的这些机会主义"亲戚党"合作时，必须要保持理性和冷静。党必须要清楚地意识到：在实现整个运动的伟大目标的过程中，我们是作为独立的政党参加，"我们的全部实践已经证明，可以在工人阶级普遍性的运动的各个阶段上同它进行合作，而无须放弃或隐瞒我们自己的独特立场甚至组织"③。所以，建立党内真正和谐的关键在于：应当通过争论消除确实存在的分歧，应当做到各方都能接受，只要党还没有分裂，就应当致力于党的团结。而不在于否认和隐瞒党内一切真正有争论的问题。而对于那些持傲慢态度、不学无术但又自命不凡的人，就没有必要进行认真的争论，而是要以牙还牙，用他们自己的方式和自己讲过的话嘲弄、讽刺和挖苦他们。当然，真正的工人政党也不应当幻想这种合作能够长期维持下去，一旦有人越出我们党的原则所许可的界限的时候，分裂就是不可避免的。到那时，党就应当同机会主义作坚决斗争。正是如此，几十年来，工人政党才得以不断地发展壮大，它所领导的社会主义运动才能取得一个又一个的胜利。如同恩格斯在1893年8月12日《在苏黎世社会主义国际工人代表大会上的闭幕词》中讲的那样："自从马克思和我加入运动，在'德法年鉴'上发表头几篇社会主义的文章以来，已经整整五十年过去了。从那时起，社会主义从一些小的宗派发展成了一个使整个官方世界发抖的强大政党……每一个国家的无产阶级得到机会以独立自主的形式组织起来。我们也应该按照这一方向在共同的基础上继续我们的工作。为了不致蜕化成为宗派，我们应当容许讨论，但是共同的原则应当始终不渝地遵守。自由联合和历次代表大会上所支持的自愿联系——这就足以保证我们取得胜利，这种胜利已是世

---

① 《马克思恩格斯选集》第4卷，人民出版社2012年版，第595页。
② 《马克思恩格斯选集》第4卷，人民出版社2012年版，第325页。
③ 《马克思恩格斯选集》第4卷，人民出版社2012年版，第588页。

界上任何力量都不能从我们手中夺去的了。"① 可见，通过争论来消除分歧以致力于党的团结，是无产阶级政党同工人运动中的机会主义作斗争的一项基本策略，但争论必须要讲原则。这样的策略，对于维护党的团结、促进工人力量的壮大和推动社会主义运动的发展都具有重要的作用和意义。

"必须以党的无产阶级性质不发生问题为前提"进行灵活斗争的策略。在党内生活中，无产阶级政党的根本原则是高于团结一致的东西。因此，在实现党内团结的过程中，"所有这一切又必须以党的无产阶级性质不致因此发生问题为前提。对我来说这是绝对的界限。"② 而福尔马尔、李卜克内西等人却为了争取机会主义者们的支持和所谓的团结而抛弃了党的纲领和原则，拿原则做交易。这不仅十分荒唐和可笑，而且还极其有害。因为它直接关系着工人政党"是应当把斗争作为无产阶级对资产阶级的阶级斗争来进行呢，还是应当像机会主义者（翻译成社会主义者的语言就是：可能派）那样，只要能获得更多的选票和更多的'支持者'，就可以把运动的阶级性和纲领都丢开不管？马隆和布鲁斯赞成后一种做法，从而牺牲了运动的无产阶级的阶级性"③ 这个根本的原则性问题。而这个问题是"任何一个无产阶级政党内都根本不容讨论的问题。在党内讨论这些问题，就意味着对整个无产阶级社会主义提出怀疑"④。所以，工人政党在同工人运动中的机会主义作斗争和从事革命行动的过程中都必须始终坚持这个根本原则。一旦放弃了这个根本原则，也就是突破了党的绝对的界限，那么，工人政党也就失去了它的生存和发展之道，也就是同机会主义沆瀣一气。但是，马克思主义理论是发展着的理论，而不是机械和死板的教条。因而，真正的坚持原则，就是在以它为行动指南的前提下而灵活运用革命的策略，甚至在某些情况下还"需要有勇气为了更重要的事情而牺牲一时的成功"⑤。对此，恩格斯在 1889 年 12 月 18 日致格尔松·特里尔的信中特别作了说明。他指出，您原则上拒绝同其他政党采取任何共同行动，甚至是暂时的共同行动。而我即使不绝对拒绝在采取共同行动比较有利或害处最小的情况下采取这种手段，我仍不失为一个革命者。可是，这并不是说，这一政党不能

① 《马克思恩格斯全集》第 22 卷，人民出版社 1965 年版，第 479—480 页。
② 《马克思恩格斯选集》第 4 卷，人民出版社 2012 年版，第 593 页。
③ 《马克思恩格斯选集》第 4 卷，人民出版社 2012 年版，第 554 页。
④ 《马克思恩格斯文集》第 10 卷，人民出版社 2009 年版，第 444 页。
⑤ 《马克思恩格斯选集》第 4 卷，人民出版社 2012 年版，第 512 页。

暂时利用其他政党来达到自己的目的。同样也不是说，它不能暂时支持其他政党去实施或是直接有利于无产阶级的、或是朝着经济发展或政治自由方向前进一步的措施。我决不会无条件地反对同他们一起采取任何暂时的共同行动，来达到特定的目的。对于我这个革命者来说，一切达到目的的手段都是可以使用的，不论是最强硬的，还是看起来最温和的。① 这样，恩格斯就在突出强调工人政党同机会主义作斗争的根本原则问题的同时，明确了在坚持根本原则的前提下开展灵活斗争的策略，从而为各国工人政党积极开展同机会主义的斗争和从事革命活动提供了科学指导。

重申"永远不忽视伟大目标"的斗争策略。任何一个大国的无产阶级及其政党都只有在内部斗争中才能发展起来。因为，在这样的斗争中，无产阶级及其政党和其他一切阶级与政党一样，都将会从没有人能使它完全避免的错误的后果中最快地取得教训，并可以"从亲身经验中学习，从本身所犯错误的后果中学习"②。吃一堑，长一智，从而使它不断取得进步和成长成熟起来。但是，工人政党在任何时候都必须要始终保持其独特立场和独立组织，始终坚持"永远不忽视伟大目标的策略"，即"在无产阶级和资产阶级的斗争所经历的各个发展阶段上，社会党人始终代表整个运动的利益……社会党人为工人阶级的最近的目的和利益而斗争，但是他们在当前的运动中同时代表运动的未来。"③ 这既是《宣言》早已阐明了的策略，也是马克思恩格斯自 1848 年以来指导工人阶级政党开展斗争和从事革命活动并不断为它带来极大成就的策略。所以，工人阶级政党在同各种机会主义作斗争的过程中必须要保持立场坚定和头脑清醒。工人阶级政党应该始终铭记：我们是作为独立的政党参加斗争的，不论是他们的阴谋还是声明，都不应该打动我们。在胜利的情况下，我们对斗争成果不应抱任何幻想，因为这样的成果远远不能使我们满足。它对我们来说，仅仅只是我们已经达到的阶段之一，仅仅只是我们作进一步占领的一个新的作战基地。为此，"社会党人总是积极参加无产阶级和资产阶级斗争经历的每个发展阶段，而且，一时一刻也不忘记，这些阶段只不过是达到首要的伟大目标的阶梯。……他们只是把所有这些政治的或经济的利益看做分期偿付的债款。因此

---

① 参见《马克思恩格斯选集》第 4 卷，人民出版社 2012 年版，第 592—593 页。
② 《马克思恩格斯文集》第 10 卷，人民出版社 2009 年版，第 576 页。
③ 《马克思恩格斯选集》第 4 卷，人民出版社 2012 年版，第 324 页。

他们把每一个进步的或者革命的运动看做是沿着自己道路上前进的一步；他们的特殊任务是推动其他革命政党前进，如果其中的某一个政党获得胜利，他们就要去捍卫无产阶级的利益。"①而对于那种缺乏远大目光、仅仅把前进中的一个普通阶段看作是最终目的的政党，工人政党必须要时刻保持清醒认识，坚决同他们作斗争。只有这样，才能防止革命的工人政党在同机会主义的斗争中犯更大的错误，防止社会党人被同机会主义者们一时的联合所取得的胜利和成就冲昏头脑，也才能防止因此而导致的社会党人对革命产生失望情绪。这在于，一旦当幻想消失而失望袭来的时候，人民群众的这种革命情绪很快就会转变为心灰意冷，甚至走向相反的方面去。可见，恩格斯在此重申的工人政党在同工人运动中的机会主义作斗争中应当坚持"永远不忽视伟大目标的策略"，对于革命的工人政党及其所从事的伟大事业来说，重要性都是显而易见的。

总之，恩格斯关于同机会主义作斗争的策略和意义的科学分析，不仅对工人政党在维护党的团结的同时积极开展同工人运动中的机会主义作斗争提供了有效指导，对各国工人阶级及其政党最快地成长和走向成熟提供了极大帮助，而且为各国工人政党所领导的革命行动以及无产阶级的国际联合行动提供了科学指南，极大地推动和促进了世界范围工人运动和社会主义运动的发展。

综上所述，19世纪70年代以来，马克思恩格斯在指导工人运动的过程中，根据资本主义生产方式的发展变化，准确判断了资本主义将实现从自由竞争向垄断转变的发展趋势，并对垄断问题和由此必然带来的战争问题作了科学的分析。同时，根据革命形势和条件的发展变化，积极探索无产阶级的斗争策略。在马克思去世后，恩格斯独自承担起了指导世界工人运动和社会主义运动发展的重任，并在同各种机会主义的错误思想斗争中，坚定地捍卫、丰富和发展了马克思主义理论。这为世界范围工人运动和社会主义运动的健康发展提供了科学的理论指导和行动指南，极大地推动和促进了世界工人运动和社会主义运动的发展。

---

① 《马克思恩格斯选集》第4卷，人民出版社2012年版，第324页。

参 考 文 献

（一）马克思主义著作

《马克思古代社会史笔记》，人民出版社 1996 年版。

《马克思恩格斯论中国》，人民出版社 2015 年版。

《马克思恩格斯与俄国政治活动家通信集》，人民出版社 1987 年版。

马克思：《机器、自然力和科学的应用》，人民出版社 1978 版。

马克思：《数学手稿》，人民出版社 1975 年版。

恩格斯：《国民经济学批判大纲》，《马克思恩格斯文集》第 1 卷，人民出版社 2009 年版。

马克思：《1844 年经济学哲学手稿》，《马克思恩格斯文集》第 1 卷，人民出版社 2009 年版。

马克思：《关于费尔巴哈提纲》，《马克思恩格斯选集》第 1 卷，人民出版社 2012 年版。

马克思恩格斯：《德意志意识形态》，《马克思恩格斯选集》第 1 卷，人民出版社 2012 年版。

马克思：《哲学的贫困》，《马克思恩格斯选集》第 1 卷，人民出版社 2012 年版。

马克思恩格斯：《共产党宣言》，《马克思恩格斯文集》第 2 卷，人民出版社 2009 年版。

马克思：《〈政治经济学批判〉序言》，《马克思恩格斯选集》第 2 卷，人民出版社 2012 年版。

马克思：《法兰西内战》，《马克思恩格斯文集》第 3 卷，人民出版社 2009 年版。

恩格斯：《〈法兰西内战〉1891 年版导言》，《马克思恩格斯文集》第 3 卷，人民出版社 2009 年版。

马克思:《哥达纲领批判》,《马克思恩格斯选集》第 3 卷,人民出版社 2012 年版。

马克思恩格斯:《给奥·倍倍尔、威·李卜克内西、威·白拉克等人的通告信》,《马克思恩格斯文集》第 3 卷,人民出版社 2009 年版。

恩格斯:《论俄国的社会问题》,《马克思恩格斯选集》第 3 卷,人民出版社 2012 年版。

恩格斯:《社会主义从空想到科学的发展》,《马克思恩格斯文集》第 3 卷,人民出版社 2009 年版。

恩格斯:《〈论俄国的社会问题〉跋》,《马克思恩格斯选集》第 4 卷,人民出版社 2012 年版。

马克思:《给〈祖国纪事〉杂志编辑部的信》,《马克思恩格斯选集》第 3 卷,人民出版社 2012 年版。

马克思:《给维·伊·查苏利奇的复信》及其四个草稿,《马克思恩格斯全集》第 25 卷,人民出版社 2001 年版。

马克思:《关于俄国一八六一年改革和改革后发展的札记》,《马克思恩格斯全集》第 19 卷,人民出版社 1963 年版。

马克思恩格斯:《〈共产党宣言〉1882 年俄文版序言》,《马克思恩格斯选集》第 1 卷,人民出版社 2012 年版。

恩格斯:《论德意志人的古代历史》,《马克思恩格斯全集》第 25 卷,人民出版社 2001 年版。

恩格斯:《马尔克》,《马克思恩格斯全集》第 25 卷,人民出版社 2001 年版。

恩格斯:《论原始基督教的历史》,《马克思恩格斯选集》第 4 卷,人民出版社 2012 年版。

恩格斯:《法德农民问题》,《马克思恩格斯选集》第 4 卷,人民出版社 2012 年版。

恩格斯:《法兰克时代》,《马克思恩格斯全集》第 25 卷,人民出版社 2001 年版。

恩格斯:《卡尔·马克思》,《马克思恩格斯选集》第 3 卷,人民出版社 2012 年版。

恩格斯:《在马克思墓前的讲话》,《马克思恩格斯选集》第 3 卷,人民出版社 2012 年版。

恩格斯:《家庭、私有制和国家的起源》,《马克思恩格斯选集》第 4 卷,人民出版社 2012 年版。

恩格斯:《自然辩证法》,《马克思恩格斯全集》第 26 卷,人民出版社 2014 年版。

恩格斯:《路德维希·费尔巴哈和德国古典哲学的终结》,《马克思恩格斯选集》第 4 卷,人民出版社 2012 年版。

马克思:《马克思致帕维尔·瓦西里耶维奇·安年科夫》(1846 年 12 月 28 日),《马克思恩格斯选集》第 4 卷,人民出版社 2012 年版。

恩格斯:《恩格斯致保尔·恩斯特》(1890 年 6 月 5 日),《马克思恩格斯选集》第 4 卷,人民出版社 2012 年版。

恩格斯:《恩格斯致康·施米特》(1890 年 8 月 5 日),《马克思恩格斯选集》第 4 卷,人民出版社 2012 年版。

恩格斯:《恩格斯致康·施米特》(1890 年 10 月 27 日),《马克思恩格斯选集》第 4 卷,人民出版社 2012 年版。

恩格斯:《恩格斯致约·布洛赫》(1890 年 9 月 21—22 日),《马克思恩格斯选集》第 4 卷,人民出版社 2012 年版。

恩格斯:《恩格斯致弗·梅林》(1893 年 7 月 14 日),《马克思恩格斯选集》第 4 卷,人民出版社 2012 年版。

恩格斯:《恩格斯致瓦尔特·博尔吉乌斯》(1894 年 1 月 25 日),《马克思恩格斯选集》第 4 卷,人民出版社 2012 年版。

马克思:《卡尔·马克思历史学笔记》,中国人民大学出版社 2005 年版。

马克思:《资本论》第 1—3 卷,《马克思恩格斯文集》第 5—7 卷,人民出版社 2009 年版。

马克思:《资本主义生产以前的各种形式》,《马克思恩格斯文集》第 8 卷,人民出版社 2009 年版。

恩格斯:《卡·马克思〈1848 年至 1850 年的法兰西阶级斗争〉一书导言》,《马克思恩格斯选集》第 4 卷,人民出版社 2012 年版。

恩格斯:《给〈社会民主党人报〉读者的告别信》,《马克思恩格斯选集》第 4 卷,人民出版社 2012 年版。

恩格斯:《德国的社会主义》,《马克思恩格斯文集》第 4 卷,人民出版社 2009 年版。

恩格斯:《未来的意大利革命和社会党》,《马克思恩格斯选集》第 4 卷,人民出版社 2012 年版。

恩格斯:《1891 年社会民主党纲领草案批判》,《马克思恩格斯选集》第 4 卷,人民出版社 2012 年版。

恩格斯:《保护关税制度和自由贸易》,《马克思恩格斯文集》第 4 卷,人民出版社 2009 年版。

恩格斯:《俄国沙皇政府的对外政策》,《马克思恩格斯文集》第 4 卷,人民出版社 2009 年版。

恩格斯:《反杜林论》,《马克思恩格斯文集》第 4 卷,人民出版社 2009 年版。

恩格斯:《致国际社会主义者大学生代表大会》,《马克思恩格斯选集》第 4 卷,人民出版社 2012 年版。

恩格斯:《美国工人运动》,《马克思恩格斯文集》第 4 卷,人民出版社 2009 年版。

恩格斯：《1893 年 5 月 11 日对法国〈费加罗报〉记者的谈话》，《马克思恩格斯文集》第 4 卷，人民出版社 2009 年版。

（二）其他著作

安启念：《东方国家的社会跳跃与文化滞后——俄罗斯文化与列宁主义问题》，中国人民大学出版社 1994 年版。

安启念：《通往自由之路——马克思哲学思想研究》，中国人民大学出版社 2016 年版。

陈先达：《走向历史的深处——马克思历史观研究》，中国人民大学出版社 2010 年版。

冯景源：《人类境遇与历史时空——马克思〈人类学笔记〉、〈历史学笔记〉研究》，中国人民大学出版社 2004 年版。

黄楠森、庄福龄、林利主编：《马克思主义哲学史》第 3 卷，北京出版社 1991 年版。

黄顺基、周济主编：《自然辩证法发展史》，中国人民大学出版社 1988 年版。

景天魁：《打开社会奥秘的钥匙——历史唯物主义逻辑结构初探》，山西人民出版社 1981 年版。

刘佩弦主编：《科学社会主义史纲》，中国人民大学出版社 1984 年版。

且大有：《马克思的辩证逻辑思想研究》，内蒙古教育出版社 1988 年版。

孙伯鍨：《马克思主义哲学史》第 2 卷，山西人民出版社 1986 年版。

徐琳：《恩格斯哲学思想研究》，北京出版社 1985 年版。

姚顺良：《马克思主义哲学史——从创立到第二国际》，北京师范大学出版社 2010 年版。

张新：《读懂恩格斯》，四川人民出版社 2001 年版。

张新：《恩格斯传》，当代世界出版社 1998 年版。

赵家祥、丰子义：《马克思东方社会理论的历史考察和当代意义》，高等教育出版 2002 年版。

赵家祥：《马克思主义的社会形态理论简论》，北京大学出版社 1985 年版。

中国人民大学马列主义发展史研究所编：《马克思恩格斯思想史》，上海人民出版社 1982 年版。

中共中央编译局编：《回忆恩格斯》，人民出版社 2005 年版。

中共中央编译局编：《回忆马克思》，人民出版社 2005 年版。

周勇胜：《马克思恩格斯八封历史唯物主义书简解说》，福建人民出版社 1982 年版。

庄福龄主编：《马克思主义史》第 1 卷，人民出版社 1996 年版。

［波兰］莱泽克·科拉科夫斯基：《马克思主义的主要流派》（三卷本），黑龙江大

学出版社 2016 年版。

[德] 弗・梅林:《德国社会民主党史》Ⅳ，生活・读书・新知三联书店 1966 年版。

[德] 尤尔根・哈贝马斯:《重建历史唯物主义》，社会科学文献出版社 2013 年版。

[俄] 马・柯瓦列夫斯基:《公社土地占有制，其解体的原因、进程和结果》，中国社会科学出版社 1993 年版。

[法] 吕贝尔:《吕贝尔马克思学文集》（上），北京师范大学出版社 2009 年版。

[美] 卡尔・魏特夫:《东方专制主义——对于极权力量的比较研究》，中国社会科学出版社 1989 年版。

[美] 路易斯・亨利・摩尔根:《古代社会》，中央编译出版社 2007 年版。

[南斯拉夫] 普雷德腊格・弗兰尼茨基:《马克思主义史》第 1—3 卷，黑龙江大学出版社 2015 年版。

[日] 坂田昌一:《物理学方法论论文集》，商务印书馆 1966 年版。

[苏]彼・费多谢耶夫等:《卡尔・马克思》，生活・读书・新知三联书店 1980 年版。

[意] 翁贝托・梅洛蒂:《马克思与第三世界》，商务印书馆 1981 年版。

[英] 约翰・德斯蒙德・贝尔纳:《科学的社会功能》，商务印书馆 1992 年版。

[英] 约翰・德斯蒙德・贝尔纳:《科学萌芽期：历史上的科学》，科学出版社 2015 年版。

[英] 埃里克・霍布斯鲍姆:《如何改变世界——马克思和马克思主义的传奇》，中央编译出版社 2014 年版

[英] 大卫・麦克莱伦:《马克思以后的马克思主义》，中国人民大学出版社 2008 年版。

[英] 大卫・麦克莱伦:《马克思思想导论》，中国人民大学出版社 2008 年版。

[英] 莫里斯・布洛克:《马克思主义与人类学》，华夏出版社 1988 年版。

[英] 特雷尔・卡弗:《马克思与恩格斯：学术思想关系》，中国人民大学出版社 2008 年版。

Dialectics for the New Century, edited by Bertell Ollman and Tony Smith, Palgrave Macmillan 2008.

George Lichtheim, *Marxism：An Historical and Critical Study*, Prager Publishers 1965.

James D. White, *Karl Marx and the Intellectual Origins of Dialectical Materialism*, Macmillan Press LTD,1996.

Richard Levins and Richard Lewontin,*The Dialectical Biologist*, Harvard University Press 1985.

The Ethnological Notebooks of Karl Marx, transcribed and edited, withan introductionby Lawrence Krader, Van Gorcum& Comp.B.V.-Assen, The Netheri Ands,1974.

大 事 记

1871 年

3 月 18 日　巴黎公社革命爆发。

1872 年

3 月 27 日　《资本论》第一卷俄文版出版。

1873 年

约 2 月　　恩格斯撰写批判德国庸俗唯物主义的代表人物路·毕希纳的著作的提纲。恩格斯对毕希纳的批判性研究超出了计划的范围，他由此直接转入《自然辩证法》的写作。

5 月 30 日　恩格斯写信给马克思，叙述了他拟写《自然辩证法》一书的构思和自然辩证法的要点。

1874 年

9 月中—至少 10 月　恩格斯撰写《自然辩证法》中的 50 多个札记和片段。

1874 年—1875 年初　恩格斯继续写作《自然辩证法》。在这段时间里他写了五十多篇札记和片段。

1875 年

1 月	美国宾夕法尼亚无烟煤矿工人举行罢工。
2 月—3 月初	马克思阅读俄国民粹主义者彼·特卡乔夫的小册子《致弗里德里希·恩格斯先生的公开信》，并附上自己的意见把它转交给恩格斯，建议给予回答。恩格斯写了《流亡者文献》这一组文章的第四篇和第五篇作为答复。第五篇文章以《论俄国的社会问题》为题于1875 年在莱比锡出版了单行本，其中附有恩格斯为单行本写的一篇导言。
3 月 18 日—28日	恩格斯写信给社会民主工党领导人奥·倍倍尔，以他个人和马克思的名义，尖锐地批判了社会民主工党（爱森纳赫派）同全德工人联合会（拉萨尔派）为准备合并而起草的妥协性的纲领草案。
4 月 28 日	马克思撰写《资本论》第一卷法文版跋，指出这个版本具有独立的科学价值。
5 月 5 日	马克思写给信威·白拉克，并寄去了给爱森纳赫派整个领导层的对德国工人党纲领的几点意见（后来被称为《哥达纲领批判》）。
5 月 22 日—27日	哥达会议召开。
1875 年夏天	马克思和俄国民族学家柯瓦列夫斯基第一次见面。
11 月—12 月	马克思研究了农业化学，并作了详细的摘要。
1875 年 3 月—1876 年 6 月	恩格斯继续写作《自然辩证法》。在这段时间中他完成了两篇完整的科学论文（《导言》和《劳动在从猿到人转变过程中的作用》），并写了三十多个札记和片段。

1876 年

5 月—6 月	恩格斯为他答应给《人民国家报》撰写的著作《奴役的三种基本形式》撰写导言。后来恩格斯把这篇导言收入《自然辩证法》，并加上标题《劳动在从猿到人的转变中的作用》。
5 月 28 日	恩格斯写信告诉马克思，他已确定了他的批判杜林的著作的总计划和性质。

| 5月底—8月底 | 恩格斯中断了《自然辩证法》一书的写作，开始为批判杜林的观点收集材料。 |
| 7月15日 | 第一国际正式宣布解散。 |

1877 年

| 10月—11月 | 马克思写信给《祖国纪事》杂志编辑部，答复俄国政论家和文学评论家尼·康·米海洛夫斯基的《卡尔·马克思在尤·茹柯夫斯基先生的法庭上》一文。 |
| 1877年10月—1878年1月 | 恩格斯撰写《自然辩证法》，写了五十多个札记和片断。 |

1878 年

1878年—1882年	马克思专心系统地钻研代数学，写了微分学简史。
年初	恩格斯写作《神灵世界中的自然科学》一文，后来他把该文编入《自然辩证法》。
5月底—6月	马克思继续加紧研究农业化学和地质学，阅读了朱克斯、约翰斯顿、科佩等人的著作，并作了摘录。
8月或9月初	恩格斯写完《反杜林论》以后，打算着手系统地整理《自然辩证法》的材料，为此他拟订了这一著作的总计划草案。
1878年中—1882年8月之间	恩格斯研究德国史，收集资料并撰写《论德意志人的古代历史》和《法兰克时代》两部著作。
10月	为了对抗影响日益扩大的马克思主义和工人运动，德国俾斯麦政府通过《反社会党人非常法》。

1879 年

| 7月14日 | 国际社会主义者代表大会在法国巴黎隆重开幕。这被视为第二国际成立的标志。 |
| 不早于9月 | 恩格斯写《自然辩证法》中的《辩证法》一章。 |

1879 年下半年—1880 年 11 月	马克思写关于已出版的阿·瓦格纳的《政治经济学教科书。第一卷。国民经济的一般性的或理论性的学说》一书的批评意见。
9 月 17—18 日	马克思和恩格斯共同起草给奥·倍倍尔、威·李卜克内西、威·白拉克等人的通告信，批评在反社会党人法实施以后德国社会主义工人党内出现的以卡·赫希柏格、爱·伯恩施坦和卡·施拉姆为代表的机会主义倾向。
1879 年秋—1880 年夏	马克思阅读柯瓦列夫斯基的著作《公社土地占有制，其解体的原因、进程和结果》，并作了详细笔记。

1880 年

1 月—3 月上半月	恩格斯应保·拉法格的请求，把《反杜林论》一书中的三章（《引论》的第一章以及第三编的第一章和第二章）改写成一篇独立的通俗的著作，即《社会主义从空想到科学的发展》。
2 月中—7 月底	恩格斯撰写《自然辩证法》。他拟定了一个涉及《自然辩证法》局部内容的计划草案，随后撰写了《运动的基本形式》、《运动的量度。——功》、《潮汐摩擦。康德和汤姆生—泰特》三篇论文以及一系列札记和片断。
5 月 10 日前后	马克思、恩格斯同保·拉法格和茹·盖得一起制定法国工人党纲领。纲领分为理论部分和实践部分。纲领的理论性的导言是马克思口授的。
约 1880 年夏—1881 年夏	马克思研究了路·亨·摩尔根《古代社会》、詹·莫尼《爪哇，或怎样管理殖民地》、约·菲尔《印度和锡兰的雅利安人农村》、鲁·索姆《法兰克法和罗马法》、亨·梅恩《古代法制史讲演录》等著作，并且作了评注性的摘录。1882 年，马克思研究和摘录了约·拉伯克的著作《文明的起源和人的原始状态》。

1881 年

| 8 月 17 日—18 日 | 恩格斯研究马克思的数学手稿，并在给他的信中，对他发现的微分法给予高度评价。 |
| 12 月 2 日 | 马克思的夫人燕妮·马克思逝世。恩格斯在燕妮·马克思的墓前发表了演说。 |

1881 年—1882 年	恩格斯写作《自然辩证法》中的两章（《热》和《电》）以及许多札记和片断。
约 1881 年底—1882 年底	马克思研究世界通史，作了《编年摘录》，摘录了公元前 1 世纪初至公元 17 世纪中叶世界各国，特别是欧洲各国的政治历史事件。
1881 年底—1882 年	马克思撰写《关于俄国一八六一年改革和改革后的发展的札记》，这是系统地整理和概括他所研究的关于俄国的资料和文献的开始。

1882 年

约 1882 年初—8 月 11 日	恩格斯撰写《自然辩证法》中的《热》、《电》两篇论文以及一系列札记和片断。
12 月上半月	恩格斯写完《马尔克》一文，并在付排前寄给马克思校阅。

1883 年

3 月 14 日	马克思去世。
3 月 17 日	马克思的葬礼在伦敦海格特公墓举行。马克思的生前好友恩格斯、列斯纳、罗赫纳、拉法格、龙格、化学家肖莱马、生物学家雷伊·朗凯斯特参加了马克思的葬礼。恩格斯发表了《在马克思墓前的讲话》的著名演说，科学评价了马克思一生的伟大功绩。
11 月	恩格斯的著作《马尔克》以《德国农民。他过去怎样？他现在怎样？他将来会怎样？》为题在苏黎世印成单行本出版。

1884 年

3 月底—5 月 26 日	恩格斯撰写《家庭、私有制和国家的起源》一书。在写作过程中，恩格斯利用了马克思对摩尔根《古代社会》一书所作的摘要，还引用了大量其他材料。
10 月初	恩格斯的著作《家庭、私有制和国家的起源》在苏黎世出版。

1885 年

2 月 23 日	恩格斯完成《资本论》第二卷的最后一部分手稿的整理工作，并把它寄给出版社。

9 月 23 日   恩格斯写完《反杜林论》德文第二版的序言，他在序言中强调必须在自然科学中运用辩证法，并指出自然科学的最新成就证明必须这样做。

1886 年

年初   恩格斯应德国社会民主党理论刊物《新时代》杂志编辑部的请求，针对施达克的小册子，写了《路德维希·费尔巴哈和德国古典哲学的终结》一书。该书发表在 1886 年《新时代》杂志第 4 年卷第 4、5 期上。

5 月 1 日   35 万美国工人举行争取 8 小时工作日的全国总罢工。芝加哥有 4.5 万名工人涌上街头。

1887 年

1 月初   《资本论》第一卷英译本出版。

1888 年

2 月 21 日   恩格斯为《路德维希·费尔巴哈和德国古典哲学的终结》一书的单行本撰写序言。该书于 5 月上半月在斯图加特出版。

1889 年

7 月 14 日   在纪念巴黎起义攻克巴士底狱 100 周年纪念日，国际社会主义者代表大会在巴黎开幕。这被视为第二国际成立的标志。

1890 年

1890 年 5 月底—1891 年 7 月下半月   恩格斯为出版《家庭、私有制和国家的起源》德文第四版做准备工作。第四版于 1891 年 10 月底—11 月初出版，扉页上标明的时间为 1892 年。

8 月 5 日   恩格斯写信给康·施米特，主要针对莫里茨·维尔特观点的批判即对德国青年著作家对唯物主义误解的批判。

9 月 21 日	恩格斯写信给约·布洛赫,针对青年过分关注经济的因素进行了回应,阐述了历史唯物主义的相关原理。
10 月 27 日	恩格斯写信给康·施米特,回答了关于历史唯物主义本身的问题,指出了上层建筑对经济基础的重要的反作用。
10 月 12—18 日	德国社会民主党在哈雷召开代表大会,大会决定起草一个新的纲领草案(即《爱尔福特纲领草案》),提交下次党代表大会讨论。
10 月	爱尔福特代表大会召开。
1890 年 12 月—1891 年 1 月 6 日	恩格斯整理发表马克思于 1875 年写的《哥达纲领批判》的手稿,并撰写序言。这一著作连同恩格斯的序言一起第一次公开发表在 1890—1891 年《新时代》杂志第 9 年卷第 1 册第 18 期。

1891 年

2 月初—5 月初	恩格斯鉴于德国社会民主党的某些领导人,特别是该党国会党团的大多数成员不赞成在《新时代》上发表马克思的著作《哥达纲领批判》,同许多社会主义运动活动家通信,说明发表这一著作的必要性。
3 月 14 日	恩格斯完成《法兰西内战》德文第三版的导言。
6 月 16 日	恩格斯完成《家庭、私有制和国家的起源》第四版序言。序言以《关于原始家庭的历史(巴霍芬、麦克伦南、摩尔根)》为题发表在 1890—1891 年《新时代》杂志第 9 年卷第 2 册第 41 期,并刊印在 1891 年出版的《家庭、私有制和国家的起源》一书中。
6 月 18 日	理查德·费舍以德国社会民主执行委员会的名义将《爱尔福特纲领草案》寄给了恩格斯。针对此纲领草案,恩格斯于 6 月 19—27 日创作了《1891 年社会民主党纲领草案批判》这一重要的马克思主义文献。
10 月 14—21 日	德国社会民主党在爱尔福特召开代表大会,大会通过了党的新纲领《德国社会民主党纲领》,简称《爱尔福特纲领》。

1892 年

| 1 月 11 日 | 恩格斯为《英国工人阶级状况》的英文版撰写序言。 |

| 9月24—28日 | 法国工人党在马赛召开第十次代表大会，并通过了第一个土地纲领。 |

| 1892年11月9日和25日之间 | 恩格斯撰写《马克思，亨利希·卡尔》一文。 |

1893年

| 7月14日 | 恩格斯写信给梅林，对《莱辛传奇》一书其附录《论历史唯物主义》一文给予很高的评价，并通过德国和法国历史上的实例阐明了历史唯物主义的一系列原理，痛斥了资产阶级哲学家保·巴尔特之流的反动谬论。 |

| 7月15日 | 恩格斯为《资本论》第二卷德文第二版撰写序言。第二版于1893年出版。 |

| 12月22—25日 | 国际社会主义者大学生代表大会在日内瓦举行，恩格斯于19日为大会发去了《致国际社会主义者大学生代表大会》的贺信。 |

1894年

| 1月3日 | 恩格斯为《〈人民国家报〉国际问题论文集（1871—1875）》撰写序言，并专门为这本论文集中《论俄国的社会问题》一文写了跋。论文集于1894年在柏林出版。 |

| 1月25日 | 恩格斯写信给布勒斯劳（弗洛茨拉夫）的德国大学生瓦·博尔吉乌斯，答复他提出的问题，信中阐明了历史唯物主义的若干原理。 |

| 6月19日—7月16日之间 | 恩格斯撰写《论原始基督教的历史》，发表在1894—1895年《新时代》杂志第13年卷第1册第1、2期。 |

| 9月 | 法国工人党在南特举行第十二次代表大会，会议通过了党的土地纲领的绪论部分，并就土地纲领作了补充。 |

| 10月4日 | 恩格斯完成《资本论》第三卷序言。 |

| 10月21日—27日 | 德国社会民主党在法兰克福召开代表大会，重点讨论了土地问题。 |

| 11月15—22日之间 | 恩格斯撰写《法德农民问题》，发表在1894—1895年《新时代》杂志第13年卷第1册第10期。 |

1895 年

1895 年上半年	恩格斯就出版马克思和他自己的著作的全集和文集同路·库格曼、理·费舍、弗·梅林等人通信。
2 月 14 日—3 月 6 日之间	恩格斯为马克思的著作《1848 年至 1850 年的法兰西阶级斗争》单行本撰写导言。
4 月 1 日和 3 日	恩格斯先后写信给卡·考茨基和保·拉法格，对《前进报》发表的《目前革命应怎样进行》一文粗暴歪曲恩格斯为马克思《1848 年至 1850 年的法兰西阶级斗争》所写导言表示愤慨，强调全文发表导言的必要性。
5 月	恩格斯撰写《资本论》第三册增补，共两篇文章：《价值规律和利润率》和《交易所》。
8 月 5 日	恩格斯在伦敦逝世。9 月 27 日，恩格斯的骨灰罐投葬在伊斯特本海滨的岩崖附近的海中。
9 月 7 日或 19 日以后	为了悼念恩格斯，列宁撰写《弗里德里希·恩格斯》一文。

索　引

Z

人名索引

A

B

后　记

　　1996年笔者从中国人民大学哲学系博士毕业以后，荣幸地分配到中国人民大学马克思列宁主义发展史研究所从事马克思主义发展史科研和教学工作。当初分配给笔者的任务就是研究马克思恩格斯的晚年思想。在科研和教学的过程中，笔者也零零散散地出版和发表了一些研究马克思恩格斯晚年思想的成果。鉴于上述情况，十卷本《马克思主义发展史》编委会、中国人民大学马克思主义学院指定笔者来承担本卷的主编工作。

　　根据编委会划定的研究范围，由笔者细化了全书的提纲，提出了全卷章节目的安排。其中，袁雷初步提出了史前社会理论、东方社会理论、世界历史研究三章的提纲草案，范雅捷初步提出了自然辩证法部分的提纲草案。最后，由笔者整合、修改、完善了全卷三级目录的提纲，提交十卷本《马克思主义发展史》编委会。此后，经过多次讨论和修改，编委会最终同意和确定了现有的全卷框架。

　　本卷写作的具体分工情况如下：卷首语和第一章：张云飞。第二章：袁雷（第一节，第四节），张云飞（第二节，第三节）。第三章：范雅捷（第二、三、四、五、六节），张云飞（第一节）。第四、五、六章：袁雷。第七章：赖婵丹。第八章：何娟。第九章：吉志强（第一、二、四、五节），袁雷、吉志强（第三节）。

　　在制定提纲前，范雅捷编制了一个长达10余万字的《马克思恩格斯年表（1871—1895）》。此年表成为编制本卷大事记的基础。袁雷编制了全书索引，何娟将之译为英文。在课题组日常运营中，赖婵丹承担了许多具体工作。全卷初稿完成后，由袁雷提出修改和完善意见，本卷成员分别进行修改。二稿完成后，由笔者提出修改和完善意见，本卷成员分别进行修改和完善。第三稿完成以后，由笔者统一统稿，并重写了部分内容。曲一歌、王凡参与了部分章节的文字校对工作。

在笔者学习和研究马克思主义发展史的过程中，曾经得到了多位先生的教诲，受益匪浅。衷心感谢庄福龄先生三十多年来的亲切指导和无私帮助！诚恳感谢杨瑞森教授多年来的热情和无私的帮助！十分感谢十卷本《马克思主义发展史》编委会、中国人民大学马克思主义学院对笔者的信任和支持！最后，对人民出版社马列一部郇中建编审、毕于慧编审、杜文丽副编审的付出和支持，表示诚挚的感谢！

书中肯定有诸多错误和不足，请大家提出批评意见为盼！

张云飞

2018 年 3 月 28 日于中国人民大学

编　后　语

马克思主义是不断发展的开放的理论，始终站在时代前沿，引领时代发展。总结自马克思主义诞生以来的发展史，是全部马克思主义理论研究者的一件大事，更是一件难事。中国人民大学作为我国马克思主义教学与研究高地，始终重视这项工作。从 1996 年《马克思主义史》（四卷本）出版，历经了 27 年的光阴，在新时代的呼唤下，这部《马克思主义发展史》（十卷本）终于呈现在各位读者面前。这是一部由中国人民大学组织编写、以推进马克思主义中国化时代化为主旨的巨著，具有科研启动时间早、参研人数多、设计体量大、理论难度高、持续时间长等显著特点。这部书得到了中央有关部门和领导同志的高度重视，先后入选国家出版基金项目和国家出版"十三五"规划项目，受到来自中共中央党校、中国社会科学院、北京大学、中央民族大学等高校和研究机构同人的鼎力相助，更有中国人民大学党委和人民出版社的全力支持。在一路关注和支持下，人大人践行着人民大学的优良传统和红色基因，以高度的理论使命感为指引，以扎实的马克思主义理论功底为支柱，敢于担当、求真务实、团结协作，以"一马当先"精神完成了这部鸿篇巨著。

以责任担当精神书写理论创新的辉煌篇章。时代是思想之母，实践是理论之源，理论之树常青是源于其始终随着实践的变化而发展。人大人想要承担起"十卷本"的编写重任，也一定能够承担起这项历史重任。自学校诞生之日起，一代代人大人紧扣时代脉搏，根据时代变化和实践发展，不断深化认识，不断总结经验，不断推动理论创新和实践创新的良性互动，用思想之力量发社会之先声。我们在 2014 年作出编写这部书的决定绝不是一个偶然，而是历史的必然。党的十八大召开，标志着中国特色社会主义进入新时代。一年多之后，编写这套丛书作为重大科研课题正式获批立项。这一年多的时间虽然短暂，但新时代的精神已经鲜明彰显。此后，一些新理念新思想新战略不断涌现，其中所蕴含着的一些重大而崭新的理论问题已深刻展现出来，我国的社会生活也在发生着深刻变化。特别是党的十九大明确提出习近平新时代中国特色社会主义思想，实现了马克思主义中国化新的飞跃，更加充分证明开展《马克思主义发展史》（十卷本）的编写工作是一项非常正确的决定。这是中国人民大学及其马克思主义理论学者对时代精神强力召唤的真诚回应，是所肩负的崇高历史责任的自觉担当。

以求真务实精神描绘人大学派的精神底色。习近平总书记曾寄语哲学社会科学工作者，要"自觉以回答中国之问、世界之问、人民之问、时代之问为学术己任"。人大人始终以"立学为民、治学报国"为学术追求，以实事求是、求真务实的精神直面"世界怎么了"、"人类向何处去"的时代之题，创作出了一大批经世济民、历久弥新的学术成果。《马克思主义发展史》（十卷本）便是这样一部回应时代需要和现实国情的学术巨著。一方面，习近平新时代中国特色社会主义思想是马克思主义中国化时代化的原创性成果，是马克思主义发展史上又一里程碑式的重大发展。为了推进理论的体系化、学理化，本书在编写过程中坚持"两个结合"，坚守好马克思主义魂脉和中华优秀传统文化根脉，新设专章，从学科角度重点研究阐释我们党提出的新理念新论断中的原理性理论成果，把握相互的内在联系，不断深化对党的理论创新的规律性认识。另一方面，将马克思主义发展史与党的百年历史、党的二十大接轨，充分彰显马克思主义在当代中国的理论进展和思想伟力，系统阐释马克思主义中国化理论在哲学、政治经济学和科学社会主义等相关学科的最新成果，呈现马克思主义理论在中华大地上的勃勃生机。

以团结协作精神汇聚著书立言的磅礴力量。时光荏苒，一瞬九载春秋，这个过程虽然"道阻且长"，但人大人"行则将至"。我们常说，讲团结就是讲政治，服从集体、凝心聚力；讲协作就是讲效率，术业专攻、高效落实。自课题立项之日起，时任中国人民大学党委书记、本书编委会主任靳诺教授就高度关注并全力支持本书的编写工作；年逾八旬的庄福龄教授首倡编写十卷本《马克思主义发展史》，亲自主持本书的筹划和编写大纲的制定，病榻上仍心系本书编写直至逝世；杨瑞森教授临危受命"挑起大梁"，特别是在第十卷的编撰中，亲自召集一批知名专家发挥专长、打磨书稿；更有一大批中青年马克思主

义理论学者参与到本书的编写工作之中。中国人民大学党委作为团结协作的
"领头羊",统筹各方面工作,不忘著书立说的初心使命;各位总主编、各卷主
编及作者服从安排、相互协作,尽心竭力、数易其稿,才使如此鸿篇巨著得以
优质、高效地产出。正是一代代人大人讲团结、重协作,汇聚成了人才荟萃、
名家云集的中国人民大学马克思主义理论教学与研究高地,凝结成了《马克思
主义发展史》(十卷本)这部心血之作。特别需要提到的是,人民出版社高度
重视、全力支持本书出版工作,毕于慧编审全程参与本书的编写、出版等工
作,为这套十卷本的高效优质出版提供了重要保证。

本书的编写工作即将告一段落,我们力求将马克思主义发展至今的历程、
观点、人物、事件等完整地呈现于此书。这部书立足中国特色社会主义新时
代,整合近年来最新的马克思恩格斯著作手稿、马克思主义理论最新研究观
点,以整体性的视野详述马克思主义 170 余年来形成、发展和在新的实践中不
断深化的历史过程。这既是几代人大人的心血之作,也期待能够成为马克思主
义发展史研究的扛鼎之作。新征程上,人大人将以坚持党的领导为根本统领,
以传承红色基因为文化血脉,以扎根中国大地为发展根基,以加快建设中国特
色、世界一流的社会主义大学为目标使命,继续发扬"一马当先"精神,充分
发挥中国人民大学马克思主义理论研究底蕴深厚的优势,始终担当起人大马理
学派应有的历史使命,踔厉奋发,笃行不怠,为不断推动当代中国马克思主义
和二十一世纪马克思主义发展作出应有的贡献!

本书编委会

2023 年 10 月

项目统筹：毕于慧

责任编辑：杜文丽

封面设计：石笑梦

版式设计：周方亚

责任校对：梁　悦

图书在版编目（CIP）数据

马克思主义发展史.第三卷，马克思主义在论战和研究中日益深化：1875—1895 /
　张云飞 主编 . — 北京：人民出版社，2018.5（2025.7 重印）

ISBN 978 - 7 - 01 - 019283 - 3

I. ①马…　 II. ①张…　 III. ①马克思主义 - 历史 -1875-1895　 IV. ① A81

中国版本图书馆 CIP 数据核字（2018）第 079248 号

马克思主义发展史（第三卷）

MAKESI ZHUYI FAZHANSHI (DISANJUAN)

——马克思主义在论战和研究中日益深化（1875—1895）

张云飞　主编　　袁　雷　　副主编

人民出版社 出版发行

（100706　北京市东城区隆福寺街 99 号）

北京中科印刷有限公司印刷　新华书店经销

2018 年 5 月第 1 版　2025 年 7 月北京第 5 次印刷

开本：710 毫米 ×1000 毫米 1/16　印张：43.5

字数：718 千字

ISBN 978 - 7 - 01 - 019283 - 3　定价：196.00 元

邮购地址 100706　北京市东城区隆福寺街 99 号

人民东方图书销售中心　电话（010）65250042　65289539